大学入学 共通テスト

歴史総合、世界史探究の点数が面白いほどとれる本

河合塾講師
平尾雅規

＊この本は，小社より 2020 年に刊行された『大学入学共通テスト　世界史Bの点数が面白いほどとれる本』に，最新の学習指導要領と出題傾向に準じた加筆・修正を施し，令和７年度以降の大学入学共通テストに対応させた改訂版です。

＊この本には「赤色チェックシート」がついています。

はじめに

このたび，2025年入試から旧来の世界史Ｂに代わって「歴史総合，世界史探究」が導入されるにあたり，拙著『大学入学共通テスト　世界史Ｂの点数が面白いほどとれる本』をリニューアルして「歴史総合，世界史探究」版を刊行する運びとなりました。おかげさまで多くの受験生からご好評をいただいた，旧版『世界史Ｂの点数が面白いほどとれる本』の特長をキープしつつ，「歴史総合，世界史探究」に対応させて，内容・構成を改訂いたしました。

まず**「講義・解説をする参考書」と，「必要な情報を整理し，まとめる参考書」を両立させる**というコンセプトは，「旧版」からぶれることなく受け継いでいます。「左側ページがまとめパートで，右側ページが解説パート。まとめと講義・解説を見開きで１：１の分量にする」という構成をベースにしており，**左側ページのまとめパートでは，大学入学共通テストで必要とされるレベルの用語を，地域史・文化史にいたるまで網羅しています。**情報を整理・確認したり，赤シートをかぶせて覚えたい時は左側ページを，詳しい解説を読んで理解を進める時は右側ページを，と併用できるようなハイブリッドな参考書に仕上げました。ただ解説パートに関して，口語体を用いる以上，言い回し・表現によっては，複数の解釈が可能だったり誤解を招いてしまうリスクは避けられません(大先輩である神余秀樹先生の「歯切れよく端的な断定は，学問的には極めて危険。しかし一方で，予備校という空間ではこういったシンプルな言語作業が求められる」という言葉はまさに金言です)。本書の解説パートもシンプルな＆かみ砕いた説明を心掛けていますが，「歴史は実はそんなに単純なものではない」という側面があることも，「旧版」に引き続き，一言添えておきたいと思います。

続いて「世界史Ｂ」からモデルチェンジした「世界史探究」について。教科書を見ると，各単元の冒頭に探究する課題が「問い」として載っていますよね。文部科学省が発表した指導要領によると，資料（文字史料・図版・写真・統計など）を活用しながら，他の生徒さんとの意見交換も交えつつ「問い」を追究していくことが学習の基本となっていて，大学入学共通テストも，このコンセプトのもとで作題されています。**様々な「問い」を追究するのに必要な基本事項を，本書を用いて理解を伴った上で定着させ，世界史を体系的に習得していきましょう。**

扱う用語の量に関してですが，高等学校における「世界史探究」の標準単位数は３単位であり，４単位であった「世界史Ｂ」から減少しました。大学入学共通テストで求められる用語数も幾分減少しており，教科書や市販の用語集を参照して，重要語に相当する赤字の用語を見直しました（一方で「世界史探究」で新たに注目されるようになった用語については新規に追加しました）。また，近年の研究や学説を反映して，教科書の説明が「世界史Ｂ」から変更になった部分についても改訂を加えています。

そして，新たに登場した科目「歴史総合」についてです（皆さんは高校１年生で履修したと思います）。おもに19世紀以降の日本と世界の「近代化」「大衆化」「グローバル化」をテーマとしていますね。本書では，「世界史探究」では扱わない**日本国内の状況をマスターしてもらうため，新たに「歴史総合　日本史編」を作成しました**。本書の姉妹書たる『改訂版　大学入学共通テスト　歴史総合、日本史探究の点数が面白いほどとれる本』の著者である河合塾日本史科の山中裕典先生にご協力いただき，「世界史探究」だけではカバーしきれない日本の内容に関しても，本書のコンセプトにのっとってまとめ＆解説を施しました。世界史と同じ熱量を注いでいますから，「日本国内の範囲だけ弱点になってしまった…」ということにはならないはずです。

本書の刊行にあたって様々な方々のご助力をいただきました。本書をはじめとして，今まで複数の参考書の編集担当として刊行までサポートしてくださった関由香さん，的確なアドバイスと精密な校正で「日本史編」作成を支えてくださった河合塾日本史科の山中裕典先生，かつてKADOKAWAさんの担当者の方に引き合わせていただき，私の参考書執筆のきっかけを作ってくださった神余秀樹先生，この場を借りて御礼を申し上げます。最後に，今まで共に授業を創り上げてきた多くの受講生の皆さんにも感謝の気持ちを伝えたいと思います。

2024年９月　　平尾雅規

もくじ

第4章 近世のヨーロッパ（～市民革命）

第5章 近代の世界（19世紀～第一次世界大戦）

第6章 二つの世界大戦

第7章　戦後の世界

第8章　文化史

第2部 歴史総合 日本史編

本文デザイン：長谷川有香（ムシカゴグラフィクス）
地図作成：佐藤百合子、清水眞由美

＊本書のもとづいているデータは、2024年９月現在の情報が最新です。
＊本書の内容は、同シリーズ『改訂版 大学入学共通テスト 歴史総合、日本史探究の点数が面白いほどとれる本』から一部引用しています。

この本の特長と使い方

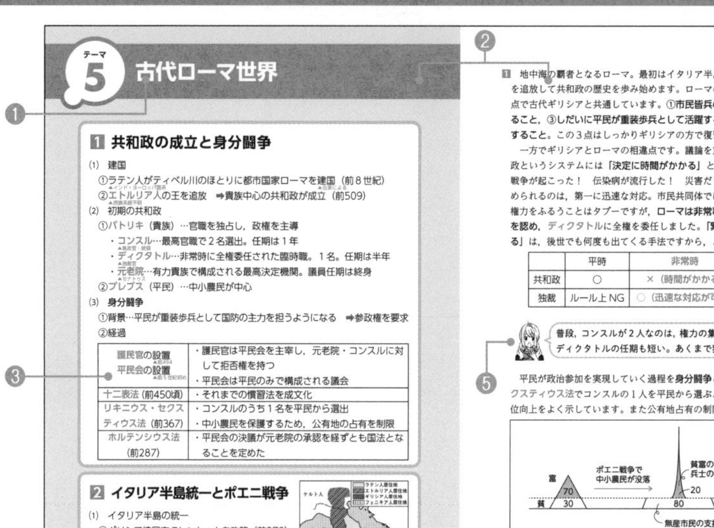

テーマ 5 古代ローマ世界

1 共和政の成立と身分闘争

(1) 建国

①ラテン人がティベル川のほとりに都市国家ローマを建国（前8世紀）

②エトルリア人の王を追放 ➡貴族中心の共和政が成立（前509）

(2) 初期の共和政

①パトリキ（貴族）…官職を独占し，政権を主導

・コンスル…最高官職で2名選出。任期は1年

・ディクタトル…非常時に全権委任された臨時職。1名。任期は半年

・元老院…有力貴族で構成される最高決定機関。議員任期は終身

②プレブス（平民）…中小農民が中心

(3) 身分闘争

①背景…平民が重装歩兵として国防の主力を担うようになる ➡参政権を要求

②経過

護民官の設置 平民会の設置	・護民官は平民会を主宰し，元老院・コンスルに対して拒否権を持つ ・平民会は平民のみで構成される議会
十二表法（前450頃）	・それまでの慣習法を成文化
リキニウス・セクスティウス法（前367）	・コンスルの1名を平民から選出 ・中小農民を保護するため，公有地の占有を制限
ホルテンシウス法（前287）	・平民会の決議が元老院の承認を経ずとも国法となることを定めた

2 イタリア半島統一とポエニ戦争

(1) イタリア半島の統一

①ギリシア植民市タレントゥムを攻略（前272）

②分割統治…征服した都市を植民市・自治市・同盟市に分け，条件・待遇の異なる条約を個別に結び，彼らの団結・反抗を未然に防いだ

③軍用道路の整備…アッピア街道など

34

1 地中海の覇者となるローマ。最初はイタリア半島の一都市で，エトルリア人を追放して共和政の歴史を歩み始めます。ローマの歴史は，いくつかの重要な点で古代ギリシアと共通しています。①市民皆兵の原則，②当初は貴族政であること，③しだいに平民が重装歩兵として活躍するようになり，参政権を要求すること。この3点はしっかりギリシアの方で復習しておいてくださいね。

一方でギリシアとローマの相違点です。議論を重ねて政治的決定を下す共和政というシステムには「決定に時間がかかる」という大きな弱点があります。戦争が起こった！ 伝染病が流行した！ 災害だ！ 一刻を争う非常事態に求められるのは，第一に迅速な対応。市民共同体では，市民の上に立って独裁的権力をふるうことはタブーですが，ローマは非常事態に限っては例外的に独裁を認め，ディクタトルに全権を委任しました。「緊急事態を独裁政治で乗り切る」は，後世でも何度も出てくる手法ですから，よく覚えておいてください。

	平時	非常時
共和政	○	×（時間がかかる）
独裁	ルール上NG	○（迅速な対応が可能）

ディクタトルを設置

普段，コンスルが2人なのは，権力の集中を防ぐためなんですね。ディクタトルの任期も短い。あくまで独裁は例外的措置なんだ。

平民が政治参加を実現していく過程を身分闘争といいます。リキニウス・セクスティウス法でコンスルの1人を平民から選ぶようになったのは，彼らの地位向上をよく示しています。また公有地占有の制限もポイント。

これは人口のピラミッドで，点線が，「装備を買える経済力があるかどうか」の境界です。市民皆兵を維持するためには，点線より上の人間をいかに多く維持するかが重要。でも，右図のように一握りの大金持ちと大多数の貧民に二極化すると，兵士になれる人口は減少し市民皆兵は破綻！ そこで，土地所有面

テーマ5 古代ローマ世界 35

第1章 古代地中海世界

世界史の中の日本 

1 倭の奴国～大和政権

(1) 倭（日本）の記録…1世紀の『漢書』，5世紀の『後漢書』に記録

(2) 倭の奴国が後漢に朝貢（1世紀）➡金印（漢委奴国王印）を拝受

(3) 邪馬台国（女王卑弥呼）が魏に朝貢（3世紀，『魏志』倭人伝に記録）
➡「親魏倭王」の称号を得る

(4) 大和政権による統一が進む（4世紀）

(5) 倭の五王が東晋・南朝に朝貢（5世紀）
※朝鮮の高句麗・百済・新羅に対し優位に立つため，三国よりも上位の官爵・称号を得ようとした

2 飛鳥時代～奈良時代（6世紀末～8世紀）

(1) 中国や朝鮮半島から文化を導入➡仏教の伝来

(2) 遣隋使…聖徳太子が小野妹子らを派遣。日本はその後遣唐使も派遣

(3) 中央集権的な律令国家体制の確立

①乙巳の変（645）➡大化改新を通じ，中央集権的な律令国家体制を整備

②白鳳文化（7世紀後半が中心）

③班田収授法…唐の均田制にならった制度。6歳以上の男女に口分田を支給

④「天皇」号の成立…律令の整備に伴って君主が神格化された
※8世紀初頭の遣唐使派遣の際，「倭国」から「日本国」への国号変更が中国によって承認された。日本は遣隋使・遣唐使を通じて中国と朝貢貿易を行ったが，中国からの冊封はうけなかった

(4) 平城京への遷都（710）…奈良時代の始まり

①天平文化…唐やササン朝の影響をうけた文物が流入（正倉院に所蔵）
※飛鳥・奈良時代の日本にまで伝えられた文物としては，法隆寺の獅子狩文錦，東大寺正倉院の漆胡瓶などが知られる

②阿倍仲麻呂（698～770）…遣唐使として渡唐。玄宗に仕えて鎮南都護に就き，唐で没した

134

■この本の対象読者

この本は，共通テスト「歴史総合，世界史探究」の対策書です。基礎から丁寧に説明しているので，**学校の授業で全範囲が終わっていない人でも読むことができます**。また，発展的な内容も盛り込まれているので，「**歴史総合，世界史研究」の高得点を狙う人にとっても有用**です。

さらに，共通テスト受験生のみならず，**高1・高2生が学校の予習・復習・定期テスト対策に使用することも可能**です。すなわち，すべての「世界史探究」学習者に適した本に仕上がっています。

■「世界史探究編」の構成要素　＊左ページの説明と対応しています。

❶ 項目：共通テスト「歴史総合，世界史探究」の全範囲を，85＋8のテーマに分けています。

❷ 本文：見開きの左ページは表や地図を用いた「**まとめ**」，右ページは文章での「**講義**」となっています（左ページは板書，右ページは先生のトーク，とお考えください）。

「まとめ」の小項目の番号**123**……と「講義」の本文に付された番号は内容が対応していることを意味していますので，「**まとめ」から「講義」，「講義」から「まとめ」への移動がスムーズにできます。**

❸ 「まとめ」：共通テスト攻略に必要な知識・用語がコンパクトにまとめられています。世界史の理解に必須の地図もふんだんに盛り込まれているので，ビジュアルでの理解もバッチリです。

❹ 「講義」：**平尾先生が実際に授業をしているような語り口で展開される講義**は，わかりやすさバツグン。理解しにくい国際関係や人間関係も丁寧に解説しています。赤字・**太字**は重要用語を表しています。**赤字の歴史用語を習得すれば，共通テストに必要な知識は全て網羅できますので，まずは赤字用語を優先的に固めていきましょう**。一方で，黒字の歴史用語にも目を通しておくと，因果関係を理解したり全体像を把握する手助けとなり，また私大・国公立大対策として役に立つでしょう。

❺ 生徒キャラによる合いの手：**学習者が疑問に思うポイントを代弁**し，平尾先生に質問してくれます。

❻ 「世界史の中の日本」：入試世界史では，日本史に絡めた出題が頻出です。本書では，日本史のまとめページも掲載しています。世界と日本の「同時代史」もつかんでおきましょう。

※「歴史総合　日本史編」の取り組み方は次ページ参照。

■「歴史総合　日本史編」の取り組み方

「歴史総合　日本史編」に取りかかる前に，まずは先に「世界史探究編」を読み進めておくことをおすすめします。「歴史総合」の世界史に関わる内容は「世界史探究」にほぼ包摂されているので，まずは世界史サイドを固めてしまおう，ということです（おおむね「世界史探究編」のテーマ㊲以降が，歴史総合に関わってくる範囲です）。そして**「日本史編」の解説パートは，なるべく世界史の内容と結びつけられるような視点から解説している**ので，「世界史の知識・理解を日本史に応用する」ことが可能となり，効率アップが望めます。

なお，「歴史総合」では扱わない前近代の日本史（つまり「世界史探究」だけで扱う日本の内容）に関しては，旧版と同様に，「世界史の中の日本」というまとめページで内容を整理しています。

※上記のように，本書は「世界史探究」を学習したうえで「歴史総合」を習得するという手法を前提にしています。したがって，本書は「歴史総合」単体だけを学ぶのには適しているとはいえず，あくまで「歴史総合，世界史探究」のための参考書であることを，ご承知おきください。

「歴史総合　日本史編」と「世界史探究編」のつながり

「歴史総合　日本史編」の単元	関連する「世界史探究編」の単元
歴史総合のための日本史① 幕末の日本	⇦ テーマ㊴，㊷，㊾
歴史総合のための日本史② 明治時代	⇦ 重要テーマ4，重要テーマ5 テーマ㊵，㊶，㊾，㊿，51
日清戦争・日露戦争・韓国併合・第一次世界大戦の状況については，「世界史探究編」テーマ㊾，㊿，53	
歴史総合のための日本史③ 大正時代とその前後	⇦ テーマ54，55，58，59
歴史総合のための日本史④ 昭和時代（大正末期含む，太平洋戦争まで）	⇦ テーマ58，59，60
日中戦争・第二次世界大戦の状況については，「世界史探究編」テーマ58，61，62	
歴史総合のための日本史⑤ 戦後史①　～独立の回復まで～	⇦ テーマ62，63
歴史総合のための日本史⑥ 戦後史②　～現代まで～	⇦ 重要テーマ7 テーマ65，66，69，71，72

第1部

世界史探究編

先史時代・文明の形成

1 化石人類から現生人類へ

	猿人 700万年前	①特徴…**直立二足歩行**と，原始的な打製石器の使用 ②**サヘラントロプス**（700～600万年前） ▲中央アフリカのチャドで出土 ③**アウストラロピテクス**（420～200万年前） ・「南方の猿」の意で南アフリカで発見
更新世	原人 240万年前	①ホモ＝ハビリス（240～180万年前）…タンザニアで発見 ▲かつては猿人とする解釈も存在 ②**ホモ＝エレクトゥス**（180～20万年前）…東アフリカ ・**ジャワ原人**（ピテカントロプス＝エレクトゥス）…ジャワ島のトリニールで発見 ・**北京原人**（シナントロプス＝ペキネンシス）…北京郊外の周口店で発見。**火**を使用
更新世	旧人 60万年前	①**ネアンデルタール人**…ドイツで発見 ▲約20万年前に登場。ネアンデルタール人は絶滅したと考えられる 死者を**埋葬**するなど，精神文化の萌芽がみられる
完新世	新人 20万年前	①**クロマニョン人**…南フランスで発見 ▲４万2000年前に出現 ・**ラスコー**（仏），**アルタミラ**（スペイン）の**洞穴絵画** ②**周口店上洞人**…中国で発見

2 石器の分類

⑴ 礫石器…ほとんど加工を施していない，自然の石を使用

⑵ **旧石器時代**…石を打ちかいた**打製石器**を使用（約250万～１万3000年前）

①石核石器…石を打ちかいた石塊を利用。握斧（ハンドアックス）が代表例

②剥片石器…石核石器からはぎ取った剥片から製作。肉を切ったり削いだり，毛皮をはがすのに使用。細石器はこの一種

※細石器…小型の剥片石器を矢・刃として利用
▲旧石器時代から新石器時代の過渡期である中石器時代に出現

※骨角器…動物の骨・角などで製作。旧石器時代後期に出現

⑶ **新石器時代**…**磨製石器**（砥石で表面を磨いた石器。石斧・石臼・石包丁が代表例）を使用（約9000年前～）

1 ヒトとサルとを区別する最大の特徴は，**直立二足歩行**。これがヒトの脳を劇
▲人類 ▲類人猿
的に発達させました。

どうして二本足で立って歩くと，脳が発達するんですか？

直立で立てば，頭蓋骨は背骨の上に位置することになるので，大容量の脳を支えられます。四つん這(ば)いだと，首の筋肉だけで脳の重みを支える必要がありますからね。さらに二本足で立つことによって，両手を自由に使えるようになるから，道具の使用が可能になる。このことも，脳の発達を促しました。**北京原人**の「**火**」という道具の使用，**ネアンデルタール人**の**埋葬**という精神文化，**クロマニョン人**が残した**洞穴絵画**……，知能の発達がよく分かります。

2
3 今まで，ヒトは食糧を狩猟・採集によって調達していました（これを**獲得経済**という）が，必要な食糧を自分の手で育てる農耕・牧畜が，約9000年前（前
約１万年前という説もある▲
7000年頃）に西アジアで始まりました。**生産経済**の始まりです。畑の世話を
▲西アジアを単一の起源とする説と，各地で独自に発生したとする説がある
するためにヒトは定住するようになり，土器の使用も始まる。石器時代との関
▲土器は重くて持ち運びにくく，移動生活には向かない
係を整理しておくと，おおまかには「**旧石器時代－打製石器－狩猟・採集**」，「**新石器時代－磨製石器－農耕・牧畜**」といってよいでしょう。

ただ，初期の農法は必要な水を雨水に頼るしかなく，肥料も与えない心もと
▲乾地農法 ▲略奪農法
ないものでした。それが，河川や湖から水路を整備して耕作地に水を引き込む**灌漑(かんがい)農法**で状況は激変。飛躍的に農業生産力が上昇していきます。これら農業
▲メソポタミアで初めて行われたとされる
の発達をうけて余剰生産物が発生し，**農業に従事しなくてもよい人間（非生産層）が生まれて，農業以外の様々な活動に携(たずさ)われるようになりました**。王・軍人・神官・商人といった階級・職業が分化していきます。彼らが暮らす空間が「**都市**」で，ここが文明の中心です。

生産活動をしない都市には，農村から作物を運びこまないと飢えてしまう。そこで「都市の指導者が農村を支配し，作物を取り立てる」関係が生まれていきました。ここから**「都市国家」の「王」が「税」を取り立てる**，というイメージを思い起こせればOKです。支配者が，後述する「神」への供物という名目で収穫物を捧(ささ)げさせた，という説も存在しますね。

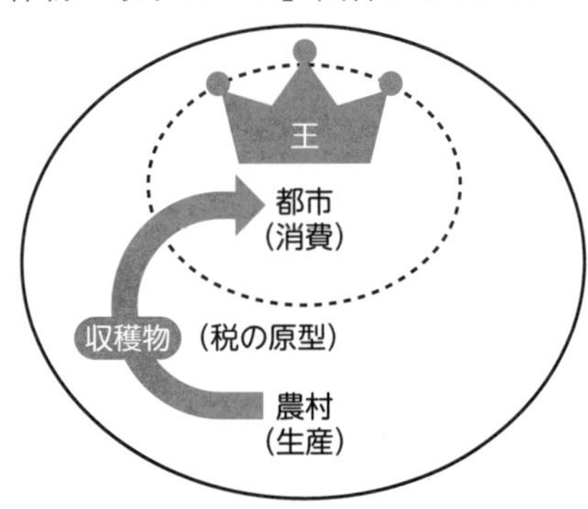

3 農耕に立脚した文明・国家の形成

(1) **獲得経済**（狩猟・採集）

⬇　　旧石器時代　打製石器

⬇　　約9000年前〜　新石器時代　磨製石器
　　土器の登場

(2) **生産経済**（農耕・牧畜）

①初期の農法…乾地農法（雨水に頼る）・略奪農法（地力を使い果たす）

⬇

②**灌漑**（かんがい）**農法** ← オリエントなどでは治水工事には共同作業と統率する指導者が必要で，権力者が生まれる背景となる

⬇生産力上昇により非生産層が誕生

(3) **都市**の形成…階級や職業の分化　Ex. 王・神官・軍人・商人など

(4) 文明を形作る代表的な要素

①**宗教**の誕生…王は権力の正統性の根拠を神（宗教）に求めた

②**文字**の発明…祭祀（さいし）・統治などに必要な情報を記録しておくため

4 交易に立脚した文明・国家の形成

交易の要所で，地域間の商品価格差を利用して蓄えた利益を基盤に成立

1－①

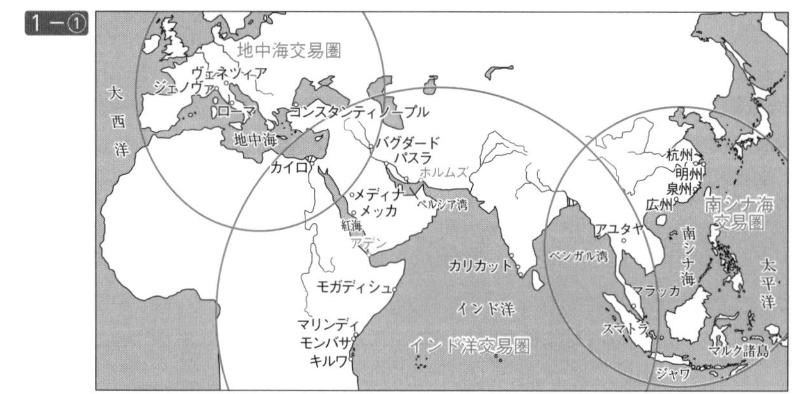

(1) **港市国家**…東南アジアや，紅海・ペルシア湾岸の港市が典型

(2) 遊牧民とオアシス民の共生関係

遊牧民	オアシス民
軍事力は強大	交易の要所を押さえ経済力に富む
穀物を生産せず，また蓄えを持てないために生活は不安定	オアシスは砂漠に点在し人口も少ないため，自力での統一国家形成は困難

「なぜ太陽は昇るのか」「なぜ雷が落ちるのか」…。昔のヒトにとって世の中ナゾだらけでした。**宗教**という精神文化は「**人間の力では説明できない現象を,『神』を用いて説明した**ことから形成されていった」, と考えられています。そして神は, 王の権力を正統化する根拠としても利用されました。王のバックには神がついているという理屈です。「王様はなぜ偉いの？」という疑問に対し,「私は神の子である。頭が高いわ！」と一喝。農村から税を取り立てるなど造作もないことです。

古代の王の多くは神を後ろ盾に, 神意に従って政治を行いました（**神権政治**)。すると統治していくうち,「○○年前の神託（▲神のお告げ）」「△△年分の占いの結果」「◆◆村から収めさせた作物の量」などなど, 膨大な情報を整理する必要が生じました。でも人間の記憶力には限界がある。そこで**文字**が発明され, 時を超えて情報を残せるようになりました。**ここから,「歴史時代」（▲文字が存在しない時代が「先史時代」）が始まります。**

4 ただし, 狩猟・漁労・遊牧など, 農業と異なる生業を営む人も多く存在しました。ここでは, 交易を基盤として生活した人々を紹介しましょう。

「安く買って, 高く売る」は商売の基本。ある地域の特産品を購入して, それが他の地域で仕入れ値よりも高値で売れれば, 利益を得られます。この商売ができる, オイシイ場所に住んでいる人は, 交易（▲中継貿易）の利益を生活物資の購入に充てて生活しました。こういった農業に依存しない都市国家を, 港町の場合は**港市国家**といいます。左ページの地図 1－① は12世紀のものですが, **インド洋交易圏（おもにイスラーム商人が活動▲）が地中海交易圏（▲おもにイタリア商人が活動）と重なりあう紅海周辺, 南シナ海交易圏（▲おもに中国商人が活動）と重なりあう東南アジアは, 異文化の物産が行きかう, 港市国家が発展した典型的地域です。**

内陸アジアの,「シルクロード」とも呼ばれる「オアシスの道」（▲広義では,「草原の道」「海の道」を含めた東西交易ルート全般を指す）上に位置するオアシス都市群も有名ですね。その潜在的な経済力は相当なものなんですが, オアシス（▲中国とイラン（西アジア）とインドの結び目）が砂漠に点在するという地理的条件がネックになりました。各地を行きかってビジネスするには, 統一国家の保護下で安全に交易するのがベスト。しかしオアシス同士は遠く離れ, 人口も少ないため, **オアシス民の力だけでこの地域を統一することは難しかった**のです。ここに登場するのがモンゴル高原の遊牧民！　馬を駆る彼らの軍事力は折り紙つきで, **オアシス地帯を支配下に置きました。**

まあ, 頼りになりますね。でも, なぜ助けてくれるんでしょう？

遊牧民は農業を行わないため, どうしても生活は不安定になりがち。そこで, **オアシス民が遊牧民を経済的にサポート**してあげたんです。**両者が互いに助け合う「共生」関係が築かれました。**具体的な民族は, **テーマ15**などで紹介しますね。

テーマ 2

古代オリエント世界

1 エジプト

(1) **「エジプトはナイルの賜物」**（たまもの） by ギリシアの歴史家**ヘロドトス**

(2) ノモス（小国家）の分立 ➡**ファラオ**を頂点とする統一王国が成立

(3) 統一王国の時代

古王国 ▲前27～前22世紀 都は**メンフィス**	**クフ王**がギザにピラミッド（高さ約150m）を造営 ▲カイロの対岸
中王国 ▲前21～前18世紀 都は**テーベ**	王国末期，馬と戦車を用いる諸民族**ヒクソス**が侵入
新王国 ▲前16～前11世紀	・前16世紀にヒクソスを撃退 ・**アメンヘテプ４世**…**アメン＝ラー**神官団による政治干渉を嫌い，**アテン**信仰を強制。**アクエンアテン**と改名。**テーベ**から**テル＝エル＝アマルナ**に遷都。写実的な**アマルナ美術** （▲前14世紀／▲テーベの守護神／▲アトン／▲イワナートン） イクナートン死後はアモン信仰が復活し，都もテーベへ戻った▲ ・ラメス２世…**ヒッタイト**と現存する最古の国際条約を締結 ▲ラメセス２世，前13世紀

(4) 古代エジプトの神

①**ラー**… ハヤブサで表される太陽神。ファラオはラーの子とされる
②**アメン（アモン）**… テーベの守護神。新王国時代にラーと結合
③**オシリス**… 冥界の神。**「死者の書」**（死者の生前の善行を記した書）をもとに，死後の魂に対して審判を下す

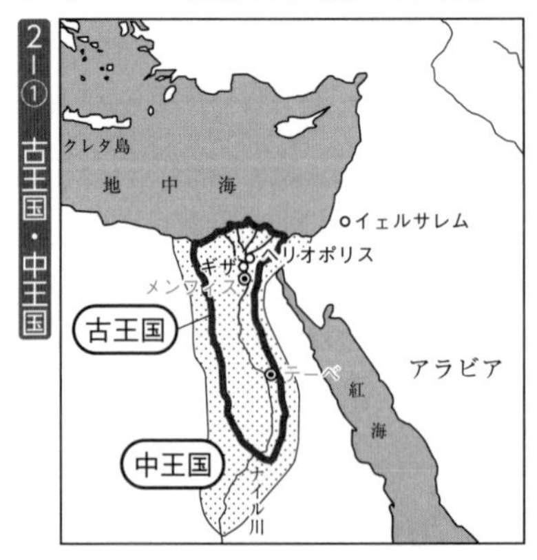

1 ナイル川は毎年７月頃に増水・氾濫（はんらん）し，**上流から流れ込む肥沃な土がエジプトに農業の恵みをもたらしました。テーマ1**で説明したように，農業生産力の上昇は都市の形成を促してノモスと呼ばれる小国家が生まれます。氾濫の周期性をつかむために，**暦学（太陽暦）・天文学**が発達。約365日が一つのサイクル（＝１年）になっていることが徐々に分かってきました（▲恒星シリウスの動きに注目した）。増水が収まれば，耕作地を復元します。この過程で発達したのが**測地術**。そして**ナイル川という大河を相手に治水・灌漑事業を行うためには，組織化された多くの人員と，それを統率・監督するリーダーが必要とされました。**これが，大河沿いのオリエント世界で強大な権力者が生まれた一因です（▲→テーマ１）。

ファラオは神（ラー）の子，ということは神を後ろ盾にしてますね！（▲→テーマ１）

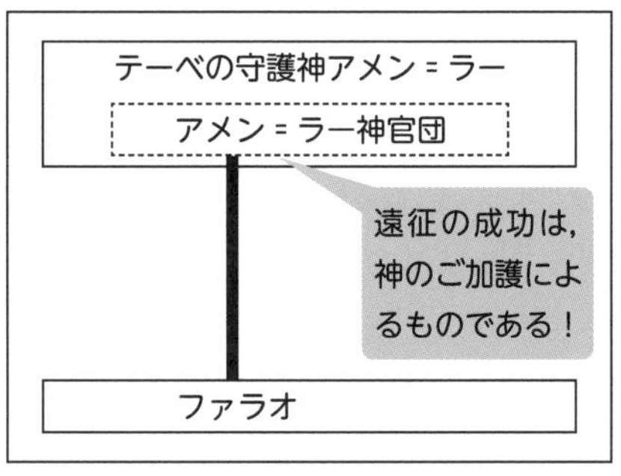

気づきましたか。**クフ王**のピラミッドは王（ファラオ）の権威を象徴する好例です。**アメンヘテプ４世**（▼アメンホテプ４世）の改革の原因も，神と王（ファラオ）の関係性。きっかけは神殿に仕える**アメン＝ラー**神官団による，度重なる政治への干渉でした。アメンヘテプ４世は**テーベ**から**テル＝エル＝アマルナ**に都を移して政治に口出しする神官団（ファラオに対して，土地を寄進させた▲）と手を切り，信仰する神も**アテン**に切りかえました。この際，数百年間都であったテーベから離れたことで，従来の伝統から脱した**写実的なアマルナ美術**が栄えました。伝統的なエジプト絵画でヨコを向いている神々と（▲「死者の書」が典型例），「ネフェルティティ像」（▲アメンヘテプ４世の妃）を比べると，「リアルさ」がよく分かると思います。

2 続いてティグリス＆ユーフラテス両河の流域，メソポタミア（▲「川の間の地方」という意味）。**シュメール人**が都市国家群を築き，**アッカド人**は都市国家群を束ね統一。続く**アムル人**は**バビロン第一王朝（古バビロニア王国）**を建て，オリエントを統一しました。バビロンは両河の間隔が一番狭いあたりにある，と覚えましょう。**ハンムラビ法典**が重要なのは**「罪人への刑罰は私人・個人によってではなく，神から力を委ねられた王によって下される」**という考え方が，現代の法理念の起源であること。「家族を殺されても，勝手に犯人に復讐（ふくしゅう）をしちゃダメ！」私的な復讐はつい過剰なものになってしまうから，公権力が適正に罰を与えます（公権力▲）。その際，犯した罪と同等の罰が公権力によって下される。これが**同害復讐**の原則です。また，**刑に身分差がある**こともポイントですね。

前2000年頃，諸民族が西アジアへ進出してきました。この時代を席巻した

2 メソポタミアとその周辺

⑴ **シュメール人**（前3000年頃，民族系統不明）

①**ウル・ウルク**などの都市国家を建設

②都市国家に階段状の聖塔である**ジッグラト**を建設

③ギルガメシュ叙事詩…ウルク王ギルガメシュの冒険が題材
▲この作品の洪水伝説は，『旧約聖書』のノアの箱船物語の原型とされる

⑵ **アッカド人**（前24世紀～，セム語系）

①サルゴン１世がシュメール諸市群を統一

⑶ **アムル人**（セム語系）

①**バビロン第一王朝（古バビロニア王国）**を建てる（前20世紀）

②**ハンムラビ王**が**メソポタミア全土を統一**（前18世紀）

・**ハンムラビ法典**…**同害復讐**の原則に立つが，**刑に身分差**がある

⑷ 諸民族の活動（前2000年頃～）

①**ヒッタイト**…小アジアに成立。インド＝ヨーロッパ語系
▲アナトリア。現在のトルコ共和国領

・**鉄**製の武器と戦車を駆使して古バビロニア王国を滅ぼす

・東地中海一帯に来襲した**「海の民」**の攻撃によって滅亡

②**ミタンニ**…メソポタミア北部を支配

③**カッシート**…バビロニア（メソポタミア南部）を支配

⑸ 地中海東岸の諸民族（セム語系）

①**アラム人**

・**ダマスクス**を中心に**内陸貿易**で繁栄

・アラム文字は内陸アジア諸民族の文字の原型となる。また，アラム語は国際商業語として用いられた

②**フェニキア人**

・**シドン・ティルス**を中心に**地中海貿易**で繁栄。**レバノン杉**などを取引

・フェニキア文字は西伝し，ギリシア文字・**アルファベット**の起源

③**ヘブライ人**

・**出エジプト**（エクソダス）…**モーセ**の指導でエジプトから逃れる
▲前13世紀後半

・イスラエル王国…**ダヴィデ**王と**ソロモン**王時代に都**イェルサレム**は繁栄
▲前1000年頃

➡ソロモン王の死後，王国は分裂

北：**イスラエル王国**の名を継承	南：**ユダ王国**
前722　アッシリアによって滅亡	前586　**新バビロニア**によって滅亡 ➡バビロンへ連行。「**バビロン捕囚**」 前538　新バビロニア滅亡 ➡ヘブライ人はイェルサレムへ帰還

のが，小アジアに成立した**ヒッタイト**。**鉄製武器**（すでに小アジアに存在していた製鉄技術を発展させた）を手に，馬と戦車を駆って古バビロニア王国を滅ぼし，シリアにも進出してエジプト新王国と全面衝突！　激しい対立の中で前13世紀，ヒッタイトはエジプト（ラメス〈ラメセス〉２世）と，現在確認できる世界最古の国際条約（カデシュの和約）を結び講和しました。

このヒッタイトにも落日の時が。前13世紀後半頃から**「海の民」**と呼ばれる謎に包まれた民族集団が東地中海一帯を荒らしまわり，ヒッタイトを崩壊させて新王国時代のエジプトにも大打撃を与えました（ギリシアのミケーネ文明を破壊したという説もあり）。両雄が撤退したシリア（≒地中海東岸）には政治的空白が生まれ，**アラム人・フェニキア人**が拠点を築いて活発に活動を始めます。彼らが交易に従事した背景を考えてみましょう。次のページの地図**2－③**で，ギリシア・メソポタミア・エジプトという３地域をよ～く見ると，地中海東岸とはどういう位置関係になってますか？

あっ，地中海東岸が３地域の「結び目」になってますよ。

鋭い！　**地図を見ながら学習する大切さ**を知ってくださいね。この地の利を利用して，アラム人は**ダマスクス**を拠点に内陸へ，フェニキア人は**シドン・ティルス**を拠点に地中海へ。各地を飛びまわった彼らが用いた言語や文字は，当時の共通語・共通文字として広まり，後世にも大きな影響を与えました。まっさきに思いつくのが，**フェニキア文字がアルファベットの起源**になったことです。アラム系の文字の系譜は**テーマ15**で整理しています。

続いて**ヘブライ人**です。主に『旧約聖書』の記述を根拠とするヘブライ人の歴史に関して，**これら全てが実際にあった史実なのか，異論も存在する**ことを先に断っておきますね。エジプトへ移住していたヘブライ人の一部が，エジプト新王国による圧政に耐えかねて**モーセ**に率いられて脱出！　神の力によって目の前の海が真っ二つに分かれて，辛くも追手から逃れることができました（**出エジプト**（エクソダス））。この時，神から授かった戒律が十戒です。

①あなたはわたしのほかに，なにものをも神としてはならない。
②あなたは自分のために刻んだ像を造ってはならない。
③あなた，あなたの神，主の名をみだりに唱えてはならない。
④安息日を覚えて，これを聖とせよ。
⑤あなたの父と母を敬え。　⑥あなたは殺してはならない。
⑦あなたは姦淫（かんいん）してはならない。　⑧あなたは盗んではならない。
⑨あなたは隣人について，偽証してはならない。
⑩あなたは隣人の家をむさぼってはならない。

(6) **ユダヤ教**（バビロン捕囚期の頃に成立）

①ユダヤ人は，唯一神（ゆいいつしん）**ヤハウェ**から選ばれた民（**選民思想**）
▲バビロン捕囚後，ヘブライ人に代わってユダヤ人という呼称が定着

②終末に**救世主（メシア）**によって救済される

③聖典はヘブライ語で書かれた**『旧約聖書』**

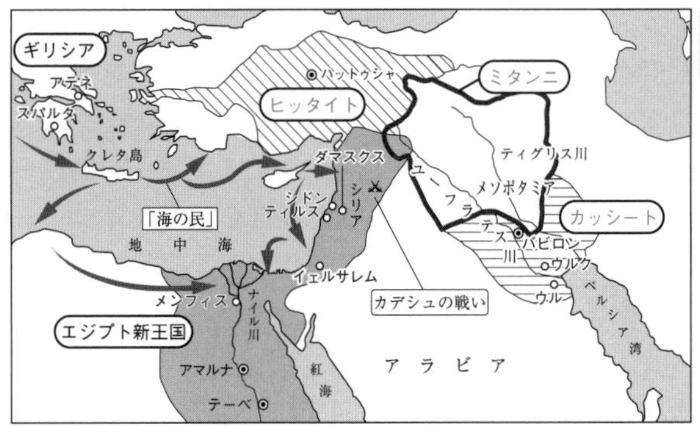

2－③　メソポタミアの諸国家

3 オリエント統一国家

(1) **アッシリア王国**（セム語系）

①初めてオリエントを統一（前７世紀前半）

②**アッシュルバニパル**…全盛期。都の**ニネヴェ**に最古の図書館を建設

③中央集権化…全国を州に分け，総督を派遣。駅伝制を整備
▲官僚の一つ

④被支配民族への圧政　➡諸民族の反乱をうけて滅亡（前７世紀末）
▲強制移住など

(2)　４王国分立期

①**新バビロニア**…**ネブカドネザル２世**が**バビロン捕囚**を行った
▲カルデア

②**リディア（リュディア）**…小アジアに成立。世界初の**金属貨幣**を製造

③エジプト，④**メディア**…**イラン**系国家

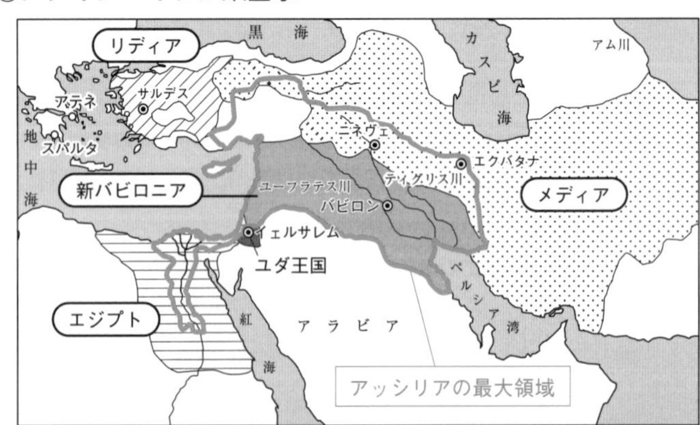

2－④
アッシリア王国
と４王国分立期

似たような教えを，キリスト教やイスラームで見たことがある人もいるでしょう。そう，**ユダヤ教はキリスト教やイスラームの源流ともいうべき存在**なんです。十戒を意識しておくと，両宗教（▲→テーマ18）にスムーズに入っていけます。

パレスチナで緩やかな部族（▲12部族）連合体を組織していたヘブライ人に危機が。あの「海の民」が襲来したのです。ヘブライ人は統一王国を形成して対抗し，**ダヴィデ王**がペリシテ人（▲「海の民」の一派。これが「パレスチナ」の語源）を退治しました（ミケランジェロの「ダヴィデ」像は，この戦いが題材▲）。**イェルサレム**が都とされ，その子**ソロモン王**は壮大な神殿を造営します。しかしソロモン王が重税を課したことで国は疲弊し，彼の死後に**イスラエル王国**（▲北部。アッシリアによって滅亡）と**ユダ王国**（▲南部）に分裂，互いに抗争して弱体化してしまいます。前586年にユダ王国が**新バビロニア**に滅ぼされると，ヘブライ人はバビロンに連行され，アケメネス朝が新バビロニアを滅ぼすまでの約50年間，故郷から引き離されてしまいました（**バビロン捕囚**。この頃からヘブライ人に代わって「ユダヤ人」（▲ヘブライ人の12部族のうち，ユダ族が主流になったことから）という呼称が用いられるように）。

かつてのエジプトでの苦難や，バビロン捕囚からの解放という体験は，ユダヤ人の心に強烈なインパクトを残しました。ここから「我々は**唯一神に選ばれた特別な民**だ」（▲選民思想）「常に十戒をはじめとする**戒律**を守らねば」「**救世主**（メシア）が我々を導いて救ってくださる！」というユダヤ教の教義が整えられていきました。

3 メソポタミア北部を支配していた**ミタンニ**から，**アッシリア**は自立しました。ヒッタイトが滅亡したことで，機密事項だった製鉄技術がオリエント中に拡散。アッシリアも鉄製武器を手に騎馬隊も組織して，前７世紀前半に**史上初めてオリエント世界**（▲エジプトとメソポタミアを合わせた地域）**を統一**しました。

こんなに広い領土を統治する秘訣を教えてください。

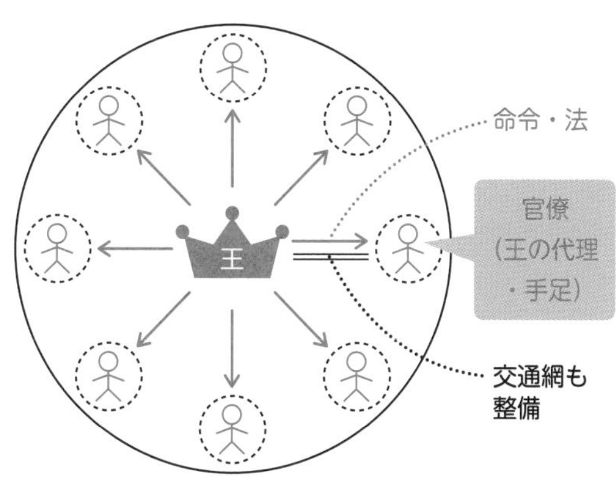

カリスマ性を備えた王でも，声の届く範囲はたかが知れたもの。そこで領土をいくつかに分割し，担当の**官僚**（いわば「王の代理」「王の手足」▲）が任地で王の命令（法）を忠実に伝え&実行します。こうして王は広い領域を思い通りに統治できるようになりました（これを**中央集権**といいます）。官僚と中央集権という言葉は相性がよく，この２語が出てきたら「政府（王）の力が強いんだな」と反射的に考えてくださいね。加えて，中央集権に関わるもう一つの決まり文句

⑶　**アケメネス（アカイメネス）朝ペルシア**（前550〜前330）　都：**スサ**

①初代**キュロス２世**…メディアから自立し新バビロニア・リディアを征服

②第２代カンビュセス２世…エジプトを征服し，オリエント世界を再統一

③第３代**ダレイオス１世**

・祭祀を行う新都**ペルセポリス**を建設

・**ペルシア戦争**を開始…ギリシアの諸ポリスを攻撃
▲前500〜前449

アッシリア王国とアケメネス朝の中央集権

	アッシリア王国	アケメネス朝ペルシア
官僚制	全国を州に分け，総督を任命	全国を州に分け知事（**サトラップ**）を任命 **「王の目・王の耳」**が監察
道路網	**駅伝制**を整備	「**王の道**」（スサ〜サルデス）
支配	強制移住や重税	対照的　**服属した異民族に寛容**

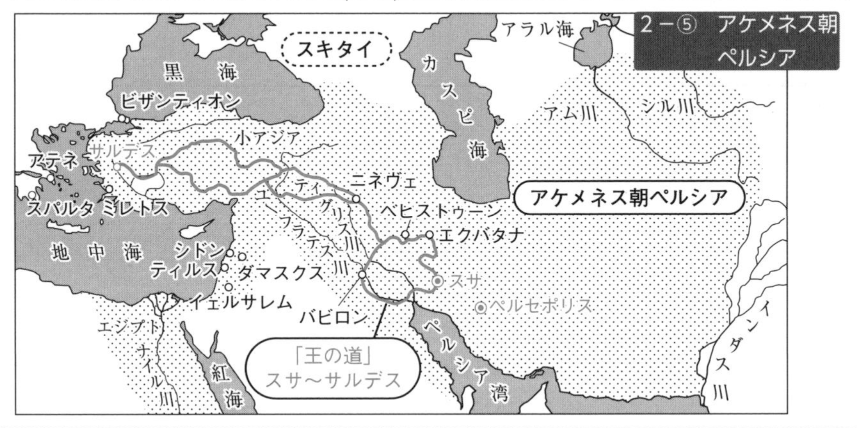

4　エジプトとメソポタミアの比較・オリエント文化

エジプト	メソポタミア
周囲を砂漠に囲まれた**閉鎖的地形** 外部からの民族侵入は少ない	**開放的地形** 外部からの民族侵入が多い
パピルスに書いた象形文字 **神聖文字**・神官文字・民用文字（▲ヒエログリフ　▲ヒエラティック　▲デモティック）	粘土板に刻む**楔形文字**（くさびがた）
シャンポリオンが**ロゼッタ＝ストーン**から解読	ローリンソンが解読（▲ベヒストゥーン碑文）
太陽暦	**太陰暦**，**１週７日制**，占星術
	六十進法

が**道路網の整備**です。交通手段が未発達で，TVやインターネットはもとより，電信などの情報伝達手段が皆無な時代には，**道路網が最重要のインフラ**でした。「中央集権国家は道路網を整備する」のではなく**「道路網を整備するからこそ，中央集権的支配が可能になる」**，と発想を逆転させるのがミソです。これらのノウハウは，今までオリエントの歴史で蓄積されてきたものであり，アッシリアで一つの完成を見ます。
▲駅伝制など

しかしアッシリアにも落ち度がありました。「恐怖」で支配下の人々を畏怖させ，統治したことです。意に沿わない民族は容赦なく遠く離れた地へ**強制移住**。これには，**根拠地から引き離して反抗する力を削ぎ，また治水工事などに必要な労働力を補充する**目的がありました。この圧政や重税に対し，ついに人々の不満が爆発！　前7世紀末，アッシリアはオリエント統一から半世紀あまりで滅亡しました。

アッシリア滅亡後は4王国分立期。**新バビロニア**は**バビロン捕囚**で出てきましたね。**リディア**は世界初，**金属貨幣**を使用。**メディア**はイラン系の国家で，**「イラン=ペルシア」**ということを覚えておいてください（詳しくは**テーマ57**で）。
▲単に「貨幣」だと誤り。すでに石貨や貝貨が存在するため

メディアから自立した**キュロス2世**，この人が**アケメネス朝ペルシア**を建てました。「ペルシア」ですからイラン人国家ですね。**オリエント世界を再び統一**したアケメネス朝は，**ダレイオス1世**の時代に全盛期を迎えました。アケメネス朝の方針は**「アッシリアの良いところは継承し，悪いところは反面教師として改める」**です。中央集権体制はアッシリアを継承しました。州を統治する官僚が**サトラップ**（知事）。**「王の目・王の耳」**という監視役もいます。**「王の道」**は，全長約2500km！
行政上の都スサと小アジアのサルデスを結ぶ▲

一方で，**アケメネス朝はアッシリアとは対照的に領内の諸民族に寛容な政策をとり**，一定の軍役・税を負担する限り，被支配民の宗教や慣習は尊重されました。商売人**アラム人・フェニキア人の交易を保護**した点にも注目です。
▲ユダヤ教も
▲金貨・銀貨を発行したことも交易の発達を促した

ふう…疲れた。メソポタミアの方が覚える民族や国が多いですね。

4　これにはちゃんと理由があります。**エジプトは周りを砂漠に囲まれた閉鎖地形**なので，「外敵」がなかなか入って来られない。一方の**メソポタミアは開放的な地形**なので，土地の豊かさに魅(ひ)かれて多くの民族が進出・興亡するわけです。文化も両者を対比するのがオススメ。**楔形文字**は紙（**パピルス**）ではなく粘土板に刻むことは，よく問われます。**「粘土板に刻むから楔形になる**んだ」と発想しましょう。**太陽暦**，**1週7日制**，**六十進法**など現代に受け継がれる文物がゴロゴロありますね。
▼だからこそ，例外的にやって来たヒクソスが目立つ
国土の9割以上が砂漠▲
▲英語のpaperの語源
▲時間や角度を表すのに用いる

テーマ 3

古代ギリシア史①
エーゲ文明とポリスの成立

1 エーゲ文明

クレタ文明　前2000～前1400年頃	ミケーネ文明　前1600～前1200年頃
民族系統は不明	ギリシア人
平和的で明るい文化 海洋動物の壁画・陶器	戦闘的で力強い文化 戦士や狩猟の壁画・陶器，城壁
遺跡…**クノッソス**の宮殿を**エヴァンズ**が発掘 ▲ミノタウロスの伝説で知られる　▲イギリス人	遺跡…**ミケーネ・ティリンス**を**シュリーマン**が発掘 ドイツ人▲
線文字A…未解読	**線文字**…**ヴェントリス**が解読 ▲線文字B　▲イギリス人

いくつかの層があり，ミケーネ文明と同時代の層も存在▼
★**トロイア（トロヤ）**遺跡…**シュリーマン**が発掘した小アジアの遺跡

▲ホメロスの『イーリアス』を手がかりに発掘
★前1200年頃からの「暗黒時代」を経て，ギリシア人は方言の違いからアテネを建てた**イオニア人**，スパルタを征服した**ドーリア（ドーリス）人**などへ分化
▲文字記録のない時代。ファニキア文字が伝わり文字が復活

2 ポリスの成立・植民活動

(1)　前8世紀～　防衛上の必要から，貴族に導かれ**アクロポリス**のふもとに**集住**（シノイキスモス）
▲城山
(2)　**アゴラ**…公共施設が開かれたり，議会が開かれた広場
(3)　ギリシア人の同胞意識
①自らを**ヘレネス**と呼ぶ一方，異民族を**バルバロイ**と呼び蔑視（べっし）
▲英雄ヘレンの子孫，という意味
②**オリンピア**の祭典，アポロン神による**デルフォイ**の神託
▲近代オリンピックの起源
(4)　ギリシア人による植民活動
①ギリシア国土は穀物生産に不向きなため，海外から穀物を輸入
▲ギリシアでは，おもにオリーブを生産
②マッサリア，ネアポリス，**ビザンティオン**など
▲現マルセイユ　▲現ナポリ　▲現イスタンブル，ビザンティウム

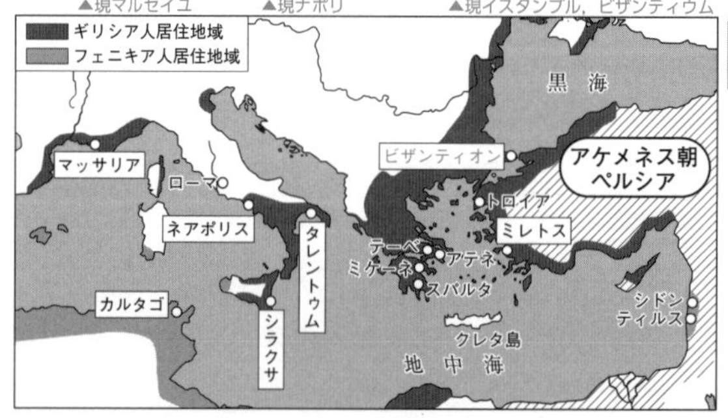

3－①　エーゲ文明・ギリシア植民市

1 ギリシアと小アジアの間に位置するエーゲ海で栄えた古代文明を総称して「**エーゲ文明**」と呼びます。「平和的な**クレタ文明（ミノア文明）**」↔「戦闘的な**ミケーネ文明**」という対比で印象づけましょう。クレタ文明の**クノッソス**の宮殿は，ミノタウロスの伝説にまつわる宮殿ではないか？といわれています。
▲ミノス王の妃が雄牛との間にもうけた，牛面人身の怪物

前12世紀にミケーネ文明は滅亡しますが，詳細はいまだ謎。ここからは，
ドーリア人や，「海の民」に破壊された説がある▲
文字記録が残っておらず何があったのかサッパリの「暗黒時代」。ドーリア（ドーリス）人や「海の民」がかなり暴れたらしい。約400年後，エーゲ文明時代とは異なる文字が伝わりました。

えっと………。ひょっとして，フェニキア文字ですか？

正解！　フェニキア人が持ち込んだフェニキア文字からギリシア文字が生まれ，文字記録が復活。この頃，ギリシア人は方言の違いから**イオニア人**（▲→テーマ2）や**ドーリア人**などに再編されていきました。また**鉄器**使用も始まっています。
▲エーゲ文明は青銅器文明だった

2 落ち着きを取り戻した感のあるギリシアでは，紀元前８世紀に都市国家**ポリス**が誕生。人々が身を守るために城山(アクロポリス)の周りに集住(シノイキスモス)し，広場(アゴラ)で様々な活動をしました。「俺たちの**先祖はヘレン。言語，伝統を共有**しているんだ！」と，ギリシア人(ヘレネス)は強固な同胞意識を持っていました。
▲この同胞意識が共同体の精神的基盤をなした

「輝く太陽と碧(あお)い海」というイメージのギリシア。気候は高温少雨。**海岸近くにまで山が迫る地形で広大な平野に乏しい**。穀物栽培には不向きな反面，**オリーブを代表とする果樹栽培には適しています**。人口が増加するにつれて，土
オリーブは地中海原産とされ，ギリシアの特産品となる▲
地が手狭になり，食糧も不足する。ギリシア人は各地へ植民活動に乗り出し，オリーブと穀物を交換する交易が盛んになりました。すると今度は，貨幣がギリシアに流通し始めます。中小農民（▼≒平民）の中に，貨幣を蓄えて富裕になる者が現れ，
▲小アジアのリディア（→テーマ２）から流入
自費で武具を購入して**重装歩兵**になりました。
▲従来は，中小農民は武具を購入できなかった

当時の戦争って，どんな感じだったんでしょうか。

3 起伏に富んだ地形ですから，騎馬軍団による会戦は不向きです。馬から降り
移動の際には馬に乗ることもあった▲
て戦うので，何代も続く名門貴族だって，今日が初陣の平民だって大差ありません。「１対１は怖いけど，まち(ポリス)の仲間と突撃すれば，武勲を挙げられるぞ！」とばかりに重装歩兵は**密集隊形**(ファランクス)で戦闘しました。次ページにあるように，ポリスには**「兵士としてポリスのために戦う者が，みな等しく市民（ポリスの正式な構成員）たりうる」**という原則がありました。そして，**平等な市民が共同でポリスを運営**していきます。当然，「戦う平民」は政治参加を求めます。
▲従来は，平民の政治参加は認められていなかった

▼富を蓄積できるという特徴を持つ
(5) 貨幣経済の普及
①貨幣を蓄積した富裕な平民が，武具を購入して重装歩兵として従軍
②のちに貧富の差が拡大し，没落市民を生み出しポリス崩壊の一因にもなる

3 アテネ民主政の発展

(1) ポリスにおける市民皆兵（かいへい）
①従来は，国防を担う貴族がポリス政治を独占
（国防を担う兵士が，ポリスの正式な構成員たる市民となる＝「市民皆兵」）
②交易の発展に伴い，貨幣を蓄積した富裕な平民が**重装歩兵**として従軍
③貴族の騎兵中心の戦術から，平民の重装歩兵による**ファランクス（密集隊形）**戦術へ
④平民も貴族と同等の資格で戦場で戦い，同等の責任を負う
➡平民も政治参加を要求
(2) アテネの民主化

ドラコンの成文法（前621頃）	・慣習法を明文化し，貴族による法の独占を打破 ▲制定した法を，平民に情報公開するイメージ
ソロンの改革（前594）	・**財産政治**…市民を財産に応じて４等級に分け，参政権と兵役義務を規定 ▼債務を返済できず奴隷身分に転落した者 ・**債務奴隷**を禁止，負債の帳消し
ペイシストラトスの僭主（せんしゅ）政（前561）	・**僭主**（せんしゅ）…無産市民の不満を利用して，彼らの支持を得て非合法に政権を獲得した独裁者 ・土地・財産を無産市民に分配して支持を獲得
クレイステネスの改革（前508）	・部族制の再編…血縁に基づく４部族から**区域**（デーモス）に基づく10部族に再編。民主政の基盤となる ・**オストラキスモス（陶片追放）**…僭主の出現を防ぐため，独裁のおそれがある危険人物を投票 6000票以上の最多得票者は，アテネから10年間追放▼

4 スパルタ

(1) 身分構成…
- スパルティアタイ（完全市民）…**ドーリア（ドーリス）人**
- **ペリオイコイ**（半自由民）…農業・商工業に従事
- **ヘイロータイ**（隷属農民）…征服された先住民が起源

(2) **リュクルゴス**の制…ヘイロータイに対抗するため，男性市民に軍事教育
(3) 市民の平等を守り貧富差拡大を防ぐため，商業活動・貨幣の使用は禁止
スパルタはギリシアでは例外的に穀物自給が可能で，交易は不要だったことが背景▲

ここからは**イオニア人**の**アテネ**のお話。初期の貴族政の時代，少数の貴族は「法やルールってこういうモノだよな」という認識，暗黙の了解をアタマの中で共有して政治や裁判を行ってました。
▲こういった性質の法を慣習法という
でも新参者の平民はそういった「お約束」を知らないわけで，彼らにはっきりと政治・裁判のルールを文章化して示す必要がでてきたんですね。これが**ドラコン**の成文法です。平民の要求をうけて，**ソロン**はアテネの市民を財産に応じて４等級に分類。**武器を買える経済力がある市民には参政権を付与**します。一方で，武器を買えない無産市民には参政権を制限しました。
民会での選挙権だけ認められ，官職には就けなかった▲
「身分に関わらず，兵士になれる人間をポリスの正式な構成員とする」原則を厳格に適用したわけです。

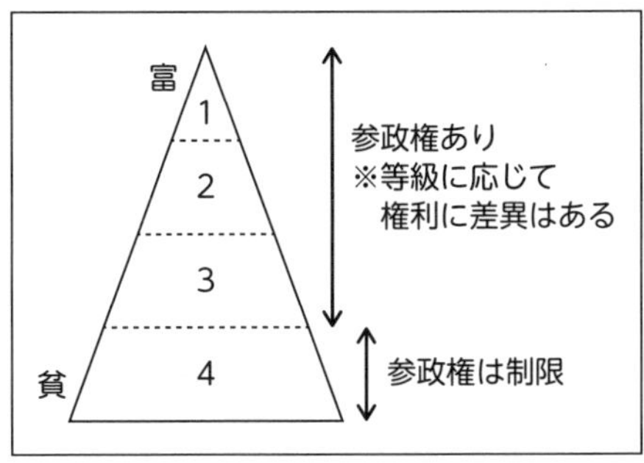

参政権を制限された無産市民は，現状に不満を抱きます。彼らの不満につけ込んだのが**僭主**でした。
▲負債の帳消しをうけ，富裕者は金を貸し渋ったため
平民は苦しんだ
「君たち，土地がほしいだろう？　私が独裁的な権力を握ることができれば，貴族の土地を取り上げて君たちに分けてあげることができる。そのためには，君たち庶民の**『数の力』**が必要なんだ。『数の力』でポリス政治のルールを無視して独裁を実現してしまおう！」。**「自分たち貧民が土地を手に入れるためには，独裁者を支える必要がある」**という巧妙なロジックで，前561年に**ペイシストラトス**が僭主として権力者の座に就きました。
ただし，ペイシストラトスは善政を敷いたことで知られる▲

しかし市民共同体のアテネにおいて，独裁者の出現はタブーです。僭主が出現した事態をうけ，**クレイステネス**が**オストラキスモス（陶片追放）**を導入。独裁者になりそうなヤバイ人物の名を陶片に書いて投票し，最多得票者をアテネから10年間追放しました。
ただし，投票総数が6000票以上の場合▼
▲オストラコン
また，**血縁を基盤とする従来の４部族が貴族の「派閥」になっていた**状況を改め，地縁（区域(デーモス)）ごとの10部族に再編します。
≒家柄▲
▲民主政治を意味する「デモクラシー」の語源

4　スパルタは，**ドーリア人**が先住民を征服して成立したポリス。征服された先住民が**ヘイロータイ**という隷属農民として使役されていました。
▲ペロポネソス半島に位置
▲ドーリア人の十数倍いたといわれる
彼らの反乱は大きな脅威でしたが，対策は実に単純明快。「ヘイロータイが10倍いるのなら，市民１人で10人相手するまでよ！」　男たちは幼少時代から厳しい訓練に耐えて，強靱(きょうじん)な戦士に成長しました（**リュクルゴス**の制）。
「スパルタ教育」の由来▲

スパルタでは，**市民の平等を守るために商業活動や貨幣の使用が禁止されました。**
貨幣は蓄積が可能であり，貧富の拡大を助長する▲
貧富の差が拡大して，一握りの金持ちと大部分の貧民に二極化してしまうと，戦える人間は激減し，ヘイロータイを抑えきれないですからね。
▲自給自足が可能，つまり交易や貨幣が不要だったためスパルタでは貧富差は拡大せず

古代ギリシア史② ポリスの盛衰, ヘレニズム世界, イラン世界

1 ペルシア戦争（前500～前449）

(1) 原因…**イオニア**地方のギリシア植民市**ミレトス**が，アケメネス朝に反乱
➡アテネがイオニア植民市を援助したため，アケメネス朝（▲アカイメネス朝）がギリシアへ侵攻

(2) 経過
①**マラトンの戦い**（前490）…アテネ軍がアケメネス朝に勝利
②テルモピレーの戦い（前480）…スパルタ軍（▲スパルタ王レオニダス）がアケメネス朝と戦い全滅
③**サラミスの海戦**（前480）…アテネ艦隊（司令官**テミストクレス**）がアケメネス朝の艦隊に勝利
④**プラタイアの戦い**（前479）…アテネ・スパルタ連合軍が勝利（▼ペルシア戦争が事実上終結）

(3) **デロス同盟**…アテネを盟主として，ペルシアの再攻に備えて結成

2 アテネ民主政の完成

(1) 背景…サラミスの海戦で，無産市民が軍船（**三段櫂船**（かいせん））の漕（こ）ぎ手として活躍し，彼らの政治的発言力が向上

(2) **ペリクレス**…アテネ民主政全盛期の指導者

(3) アテネ民主政の特徴（現代の民主政との相違点）
①**直接民主政**…18歳以上の男性市民全員が参加する民会が最高議決機関
②参政権…**女性・在留外人・奴隷**には参政権は与えられなかった
③**奴隷制**が基盤…市民は，生産活動の多くを奴隷に依存。奴隷労働によって生み出される余暇のうえに，ギリシアの民主政・文化が開花
④将軍（ストラテゴス）以外の官職は，**抽選**によって選出

3 アテネ民主政の動揺・衰退

(1) **ペロポネソス戦争**（前431～前404）
①原因…**デロス同盟**の盟主アテネが強大化し，他のポリスを事実上支配
➡ペロポネソス同盟の盟主スパルタが脅威を感じアテネと対立 ➡開戦
②戦争中，アテネの指導者ペリクレスが病死
➡アテネはアケメネス朝の支援をうけたスパルタに敗北

1 前525年にオリエントを統一したアケメネス（アカイメネス）朝は，小アジアの西岸にまで支配の手を伸ばしてきました。アケメネス朝は**支配下の民族には寛大**なんですが，プライドの高いギリシア人はこの大帝国にもこびへつらいません。当地に植民していたギリシア人は，ミレトスを中心にアケメネス朝の支配に抵抗。これをアテネが支援したことで，戦争へと発展しました。**テーマ3**で挙げた密集隊形（ファランクス）を組んだ重装歩兵は，**マラトン**でペルシア軍に勝利！　この報をアテネまで走って伝えた伝令にまつわる故事が，マラソン競技の由来とされています。しかし10年後，ペルシアの陸と海，両面からの攻勢にギリシア側はあやうく総崩れに！

▲イオニア植民市

▲テルモピレーの戦いで，スパルタ軍は全滅

アテネの指導者**テミストクレス**は，海戦に備えて軍船（三段櫂船・右図）を大量に建造しました。櫂（オール）がついていて，１隻につき200人弱の漕ぎ手が必要です。この時，テミストクレスはアテネの無産市民を船の漕ぎ手に抜擢（ばってき）しました。彼らは兵士になれませんから，戦争中でも手が空いていたんです。**船の漕ぎ手になるには，特に装備を買う必要もなく，健康な体さえあればいい。**無産市民は「ついに俺たちの時代が来た！」と，がぜん気合を入れてオールを漕ぎました。でも，三段櫂船を動かす最も大切なポイントは気合ではありません。みんなが興奮して力任せに漕いだらどうなると思いますか？

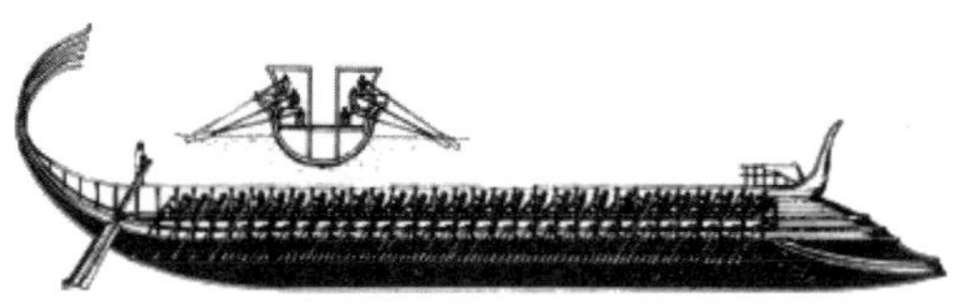

▲実際の三段櫂船には，帆もついている

オールがお互いにぶつかっちゃいます。船は動かないですね！

最も大切なのは，合図に合わせて一糸乱れぬ動きでオールを漕ぐ「チームワーク」です。**闘志を内に秘めて，合図通りに仲間と呼吸を合わせる。**士気に欠ける奴隷には不可能な，市民にしかできない動きであり，これが**サラミスの海戦**でのアテネの勝利につながりました。そして，兵士ではないけれど，漕ぎ手として命をかけて戦った無産市民の活躍が認められて，彼らにも参政権が与えられることになりました。ここに**アテネの民主政**は完成します。

2 前５世紀半ば，**ペリクレス**が指導した時代がアテネ民主政の黄金期です。参政権を持つ人間が，政府の意志決定に直接参加できるシステムを**直接民主政**といいます（現代の民主政は，代議員を選挙で選出する間接民主政が主流）。ここで，「ポリスという都市国家が政治単位であったことが，直接民主政を可能にした」点に注意しましょう。アケメネス朝みたいな広大な領土では，市民が一ヶ所に集まるなんて不可能ですよね。**広大な領域国家＝中央集権的な専制政**

▲15年連続で将軍職をつとめた

最盛期の人口は25万人に達した▲

「直接参加」というより，「全員参加」と考えると分かりやすい▲

狭いポリスだから，みんなが一ヶ所に集まって話し合いができる▲

⑵ **テーベ（テーバイ）**の台頭…前４世紀前半，スパルタを破って一時覇権を握る
▲指導者エパメイノンダス　▲371年のレウクトラの戦い
⑶ 市民共同体理念の崩壊

長期にわたるポリス間の抗争に伴う農地の荒廃，従軍による負担，戦死
➡重装歩兵を担う中小農民は没落。貧富差が拡大，人口も減少
➡外国出身の者や離農者を，**傭兵**として採用
➡「市民がポリスを自衛する」原則が崩れ，ポリス社会は変容

4 アレクサンドロスの遠征とヘレニズム時代

⑴ マケドニアの台頭…**フィリッポス２世**のもとで強大化
①**カイロネイアの戦い**（前338）…アテネ・テーベ連合軍を撃破
②**コリントス（ヘラス）同盟**を結成（前337）…ギリシア都市の同盟
スパルタ以外の諸ポリスが参加▲
③フィリッポス２世の暗殺　➡子のアレクサンドロスが即位
⑵ **アレクサンドロス大王**の東方遠征（前334～前324）
①**イッソスの戦い**（前333）に勝利
▲シリア北部
②アルベラの戦い（前331）に勝利
▲メソポタミア北部
➡**ダレイオス３世**が臣下に暗殺され，アケメネス朝滅亡（前330）
③アレクサンドロスの死（前323）➡**ディアドコイ**（後継者）をめぐる抗争
⑶ ヘレニズム諸国の成立
①**アンティゴノス朝マケドニア**（～前168）…ギリシア地方を支配
②**セレウコス朝シリア**（～前64）…都アンティオキア
③**プトレマイオス朝エジプト**（～前30）…都**アレクサンドリア**

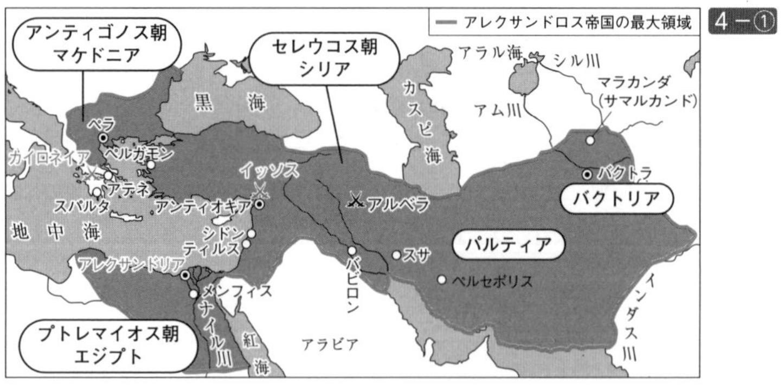

⑷ ヘレニズム世界とは…オリエント的要素とギリシア的要素の融合
①アケメネス朝の領土をそのまま引き継ぎ，**オリエント的専制体制を採用**
跪拝礼（きはいれい），ペルシアの官僚制度，ペルシア人の官僚・軍人への登用▲
②各地に**アレクサンドリア**市を建設…ギリシア人を移住させ，東西人種融合
③**コイネー**の普及に見られるように，**言語・文化はギリシアの影響下**
▲共通ギリシア語

治，小規模な都市国家＝民主政治，というイメージを持てればしめたもの。

また女性参政権がない理由は簡単で，彼女らは兵士にならないからです。

民主政治の国家に奴隷がいるのはおかしくないですか？

一見，民主政と奴隷制は矛盾するように思えます。しかし実際は「奴隷が生産活動や家内労働を担ってくれたから，市民に余暇が生まれて政治活動に専念できるようになった」という側面もあるんですね。奴隷がいるから民主政が発展する，という奇妙なロジックです。これらを踏まえると，「アテネの**人間は平等**」というのは大間違いで，「アテネの**市民は平等**」と表現する必要があります。

3 ペルシア戦争勝利の立役者となったアテネ。戦後も勢いはとどまるところを知らず，アケメネス朝再攻に備えて結成されたはずの**デロス同盟**（「アテネ帝国」。アテネはパルテノン神殿の建設に同盟の資金を流用▲）は，他のポリスを支配する道具と化します。ペロポネソス同盟のスパルタが，このアテネの膨張に脅威を抱き，**ペロポネソス戦争**が勃発しました。戦争中，**アテネで伝染病が流行してペリクレスが病死**。リーダーを失ったアテネは迷走して敗北，スパルタがギリシアの覇権を握りました。

前４世紀前半のギリシアは，リベンジを狙う**アケメネス朝がポリス間の対立を巧みにあおった**こともあり，対立・抗争を繰り返し疲弊していきます。ペロポネソス戦争に勝利したスパルタは，貨幣経済の導入などにより市民間の平等が崩れてしまい，リュクルゴス制が動揺して，往時の屈強さを失っていきました。前４世紀半ばにはスパルタを破った**テーベ**が一時覇権を握りますが，アテネも勢力を盛り返すなど，有力ポリスが浮き沈みを繰り返したのです。こういった抗争のなか，**重装歩兵の供給源であった中小農民は没落していきました**。戦禍でオリーブ畑を荒らされた者，装備を買い替える余裕のない者，こういった人々はもはや自ら装備を買いそろえて兵士になることはできません。貨幣経済の浸透も，貧富差の拡大に拍車をかけましたね（戦死者もいましたから人口減少もみられました）。このように生じた兵力不足を補うために，新たに採用されたのがカネで雇われる**傭兵**（▲市民のなかには重装備ではない，経済負担が軽い軽装兵も登場）です。カネで雇われた外国出身者が兵士となることも珍しくなくなり，「自腹で装備を買った市民が無給で戦う」という原則は崩れ，前４世紀後半にはポリス社会は大きく様変わりしたんですね。

4 ポリス同士がつぶしあい，それを虎視眈々（こしたんたん）とアケメネス朝が狙う———。この危機的な状況を，ちょっと離れた地から見ていたのがマケドニア（ギリシア人の国だが，ポリスではなく王国を形成▲）。アテネなどからは「バルバロイ」扱いされていたのですが，軍事力強化に成功した国王**フィリッポス２世**が，**カイロネイアの戦い**でアテネ・テーベ連合軍を破ると，

古代地中海世界の概観

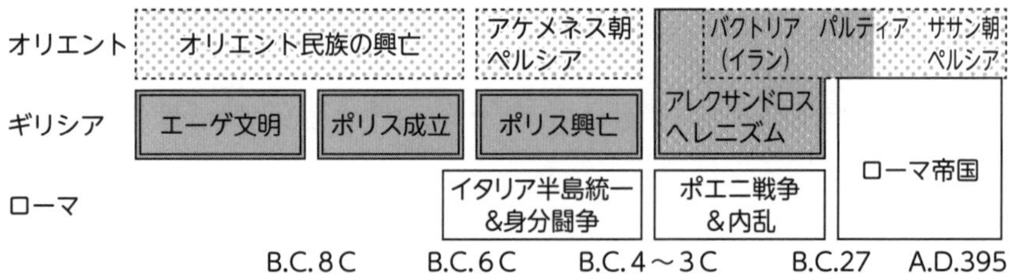

	B.C.8C		B.C.6C	B.C.4〜3C	B.C.27	A.D.395
オリエント	オリエント民族の興亡		アケメネス朝ペルシア	バクトリア（イラン）	パルティア	ササン朝ペルシア
ギリシア	エーゲ文明	ポリス成立	ポリス興亡	アレクサンドロスヘレニズム		
ローマ			イタリア半島統一&身分闘争	ポエニ戦争&内乱	ローマ帝国	

5 イラン世界

(1) **バクトリア**（前255頃〜前145頃）…**ギリシア**系国家

①中央アジアでヘレニズム文化を保存し，**ガンダーラ美術**に影響

(2) **パルティア**（前248頃〜224）

①イラン系遊牧民でセレウコス朝から自立

②中国では「**安息**」と呼ばれる。当初はヘレニズム文化の影響下

▲建国者アルサケスの名前に由来

(3) **ササン朝ペルシア**（224〜651）…イラン系

①建国者**アルダシール１世**…パルティアを滅ぼして建国

②第２代**シャープール１世**（３世紀半ば）

・ローマ皇帝**ウァレリアヌス**を捕縛

・インドの**クシャーナ朝**に打撃を与える

③**ホスロー１世**（６世紀）

・トルコ系遊牧民**突厥**（とっけつ）と同盟して**エフタル**を滅ぼす

▲中央アジアの遊牧勢力

・ビザンツ皇帝**ユスティニアヌス１世（大帝）**と抗争

④文化…**ペルシア文化が復興**（**ゾロアスター教**が国教）

ササン朝美術は中国，日本へも伝来

▼「拝火教」とも呼ばれる

⑤**ゾロアスター教**

・世界を善の光明神**アフラ＝マズダ**と，悪の暗黒神**アンラ＝マンユ（アーリマン）**との闘争と説く

・最後には光明神の勝利によって人間に幸福がもたらされる，とする

・その**終末思想は，ユダヤ教・キリスト教にも影響を与えた**とされる

・アケメネス朝ペルシアで流行

⑥**マニ教**…ゾロアスター教・仏教・キリスト教が融合　➡のちに弾圧

東方では中央アジア・中国に伝播▲

ギリシア人を団結させるべく**コリントス（ヘラス）同盟**を結成。彼は一気にアケメネス朝への遠征を計画しますが，部下によって暗殺されてしまいました。父の遺志を継ぎ二十歳で即位した**アレクサンドロス大王**は，前334年に東方遠征を開始。騎兵と歩兵が連携する斬新な戦術で，**イッソスの戦い**，アルベラの戦いとアケメネス朝を粉砕し，最後の国王**ダレイオス３世**が暗殺されたことで，200年以上存続していたアケメネス朝は滅亡するに至ります。

アレクサンドロスの急死後（▼バビロンで病死。伝染病が原因といわれる），彼の部下たちが後継者（ディアドコイ）の地位をめぐって争い，**マケドニア・シリア・エジプト**の３国が鼎立（ていりつ）しました。アレクサンドロスの遠征から，この３国が滅亡するまでの時代を**ヘレニズム時代**（▲前334年～前30年）といいます。左ページの古代地中海世界の概観を見てください。ピンクがオリエント，グレーがギリシアを表しています。**ギリシア（グレー）のアレクサンドロスがオリエント（ピンク）のアケメネス朝を征服することで，２つの要素が混ざりました。**この部分がヘレニズム時代です。ピンク（オリエント）の要素は**領土と政治**です。アレクサンドロスはアケメネス朝の領域をほぼ引き継ぎました。では政治はどの方式を採用するべきか。アテネが直接民主政を採用できた前提を覚えていますか？

小規模なポリスだから，市民全員がアゴラに集まることができた！

正解！　インダス川流域まで至る広い国家では民主政は不可能ですよね。アレクサンドロスはオリエントの手法を継承したわけです。一方，グレー（ギリシア）の要素は**言語と文化**です。ギリシア語の**コイネー**が広域にわたる共通語になりました。文化の例は彫刻が分かりやすいでしょう。図説等を見ると，**ヘレニズム彫刻がギリシア彫刻を継承している**ことがよく分かりますよ。

5　イランのポイントも古代地中海世界の概観で。アレクサンドロスの遠征で，ギリシア的要素がアジアに流れ込みます。ギリシア系の**バクトリア**（アレクサンドロスの遠征の際，中央アジアに定住したギリシア人の子孫が建てた▲）は，当然ヘレニズム色が濃い。イラン系の**パルティア**も当初はヘレニズムの影響下にありました（ギリシア文字を刻んだ貨幣の発行，ギリシア語の使用など）が，徐々に**ペルシア人の民族意識に目覚めてきます。**そしてササン朝の時代には，「俺たちはペルシア人だ，ギリシア文化なんぞにかぶれるな！」という流れに。アケメネス朝で流行した**ゾロアスター教**が**国教**として復活したのは好例です。また，ササン朝美術がシルクロードを通じて日本に伝来したことは，小・中学校で習いましたよね（獅子狩文錦，漆胡瓶など　→世界史の中の日本①▲）。ササン朝の君主は，第２代**シャープール１世**（→テーマ５▲）はローマ帝国とクシャーナ朝（▲→テーマ16）で，全盛期のホスロー１世は**ユスティニアヌス１世**（▲→テーマ24）との戦い，それに付随するイスラームの成立（▲→テーマ18），内陸アジアの**突厥**（▲→テーマ15），と様々な単元で登場します。

古代ローマ世界

1 共和政の成立と身分闘争

(1) 建国

①ラテン人がティベル川のほとりに都市国家ローマを建国（前８世紀）

②エトルリア人（▲インド＝ヨーロッパ語系／▲民族系統不明）の王を追放　➡貴族中心の共和政が成立（▲伝承による）（前509）

(2) 初期の共和政

①**パトリキ**（貴族）…官職を独占し，政権を主導

・**コンスル**（▲執政官・統領）…最高官職で２名選出。任期は１年

・**ディクタトル**（▲独裁官）…非常時に全権委任された臨時職。１名。任期は半年

・**元老院**（▲セナトゥス）…有力貴族で構成される最高決定機関。議員任期は終身

②**プレブス**（平民）…中小農民が中心

(3) **身分闘争**

①背景…平民が重装歩兵として国防の主力を担うようになる　➡参政権を要求

②経過

護民官の設置（▲前494） **平民会**の設置（▲前５世紀初め）	・護民官は平民会を主宰し，元老院・コンスルに対して拒否権を持つ ・平民会は平民のみで構成される議会
十二表法（前450頃）	・それまでの慣習法を成文化
リキニウス・セクスティウス法（前367）	・コンスルのうち１名を平民から選出 ・中小農民を保護するため，公有地の占有を制限
ホルテンシウス法（前287）	・平民会の決議が元老院の承認を経ずとも国法となることを定めた

2 イタリア半島統一とポエニ戦争

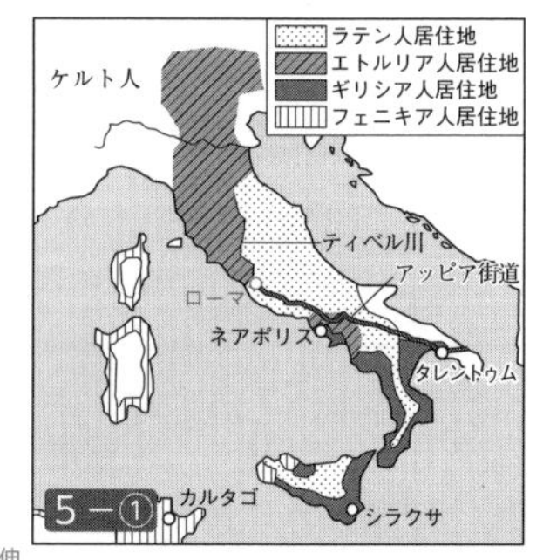

(1) イタリア半島の統一

①ギリシア植民市タレントゥムを攻略（前272）

②**分割統治**…征服した都市を植民市・自治市・同盟市に分け，条件・待遇の異なる条約を個別に結び，彼らの団結・反抗を未然に防いだ

③軍用道路の整備…**アッピア街道**など（▲ローマ～カプア間。のちにブルンディシウムまで延伸）

1 地中海の覇者となるローマ。最初はイタリア半島の一都市で，**エトルリア人**を追放して共和政の歴史を歩み始めます。ローマの歴史は，いくつかの重要な点で古代ギリシアと共通しています。**①市民皆兵の原則，②当初は貴族政であること，③しだいに平民が重装歩兵として活躍するようになり，参政権を要求すること**。この３点はしっかりギリシアの方で復習しておいてくださいね。

一方でギリシアとローマの相違点です。議論を重ねて政治的決定を下す共和政というシステムには**「決定に時間がかかる」**という大きな弱点があります。（▲政治的決定を複数の人間で行う）戦争が起こった！　伝染病が流行した！　災害だ！　一刻を争う非常事態に求められるのは，第一に迅速な対応。市民共同体では，市民の上に立って独裁的権力をふるうことはタブーですが，**ローマは非常事態に限っては例外的に独裁を認め**，**ディクタトル**に全権を委任しました。**「緊急事態を独裁政治で乗り切る」**は，後世でも何度も出てくる手法ですから，よく覚えておいてください。

	平時	非常時
共和政	○	×（時間がかかる）
独裁	ルール上 NG	○（迅速な対応が可能） ← ディクタトルを設置

普段，コンスルが２人なのは，権力の集中を防ぐためなんですね。ディクタトルの任期も短い。あくまで独裁は例外的措置なんだ。

平民が政治参加を実現していく過程を**身分闘争**といいます。**リキニウス・セクスティウス法**でコンスルの１人を平民から選ぶようになったのは，彼らの地位向上をよく示しています。また公有地占有の制限もポイント。

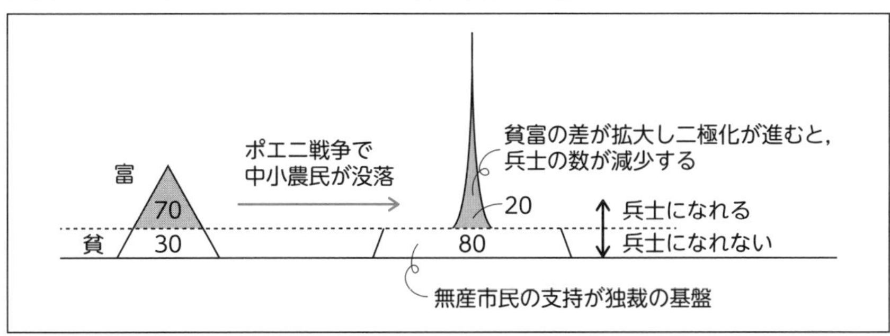

これは人口のピラミッドで，点線が，「装備を買える経済力があるかどうか」の境界です。市民皆兵を維持するためには，点線より上の人間をいかに多く維持するかが重要。（▲点線よりも上の人数が多い＝兵士の数が多い，ということ）でも，右図のように一握りの大金持ちと大多数の貧民に二極化すると，兵士になれる人口は減少し市民皆兵は破綻！（▲ギリシアも同様であった　→テーマ３）　そこで，**土地所有面**

(2) **ポエニ戦争**（前264～前146）

★原因…西地中海の覇権をめぐる**カルタゴ**との対立

▲フェニキア人都市ティルスの植民市。現チュニジアに建設

①第１回…ローマが勝利し，**シチリア島**がローマ初の属州となった

▲前264～前241　▲ローマとカルタゴが争った，穀物の一大産地　▲イタリア半島外のローマの領土

②第２回（前218～前201）

カンネーの戦い（前216）でローマ軍は大敗▼

・**ハンニバル**が，象部隊を率いてアルプスを越え，イタリアに侵入

▼ローマはヒスパニア（イベリア半島）を属州とした

・ザマの戦い（前202）…大スキピオがハンニバルを破る

③第３回…小スキピオがカルタゴを滅ぼし，ローマは西地中海を制覇

▲前149～前146▲大スキピオの孫

3 内乱の１世紀

▲グラックス兄弟の改革から元首政（プリンキパトゥス）成立まで

(1) ローマ社会の変質

①ポエニ戦争の影響…従軍負担，農地の荒廃，属州からの安価な穀物の流入

➡重装歩兵の担い手であった中小農民は没落

➡没落農民は無産市民となって都市に流入。「パンと見せ物」を要求

②**ラティフンディア**…奴隷制に立脚する大農場経営。オリーヴなどを栽培

▲ラティフンディウム

③**騎士階級**…属州の徴税請負や公共事業などで台頭

▲エクイテス

(2) **グラックス兄弟**の改革（前133～前121）

▲兄弟ともに護民官

①大土地所有を制限して自作農と重装歩兵の再建を図る

➡閥族派（元老院）の反発をうけ失敗

(3) 有力政治家の台頭

平民派（平民会が基盤） **マリウス**…**傭兵**制を初めて導入	VS	閥族派（元老院が基盤） **スラ**

①反乱と征服活動

・**同盟市戦争**（前91～前88）…同盟市がローマ市民権を要求

イタリア半島の自由民にローマ市民権が拡大▲

・剣闘士〔剣奴〕**スパルタクスの反乱**（前73～前71）

▲クラッスス・ポンペイウスが平定

・**セレウコス朝シリア**を征服…ポンペイウスによる

(4) **第１回三頭政治**（前60～前53）…三者が私的に提携し，元老院に対抗

クラッスス	・騎士階級。パルティア遠征で戦死
ポンペイウス	・閥族派出身。のちにカエサルと対立し敗れる
カエサル	・平民派，**ガリア**遠征を機に台頭 ▲前58～前51 ➡ポンペイウスとの抗争に勝利。独裁権を握る ・元老院を無視し独裁。インペラトルを称する ▲ユリウス暦の導入，退役兵の属州への植民などを行う ・共和主義者の**ブルートゥス**らによって暗殺

積に上限を設けて，大土地所有者から土地を取り上げて貧民に分配することで，重装歩兵を担う中小農民を保護しようとしたわけです。

そして**ホルテンシウス法**によって**貴族と平民の法的平等が実現**しますが，ローマではアテネのような民主政は実現せず，**貴族や富裕な平民が政治を主導する体制が続きました**。これもギリシアとローマの相違点です。

従来は，平民会の決定は元老院の承認を得ないと国法として認められなかった▲
ex. ローマの官職は選挙で選ばれ，かつ無給。著名＆富裕でなければ務められず▲

2 さらにギリシアとは対照的に，ローマは国家の領域を拡大させていきました。支配下に置いたイタリア半島の諸都市には**分割統治**を敷きます。そして，地中海貿易のスペシャリストたる**フェニキア人**の**カルタゴ**との100年以上にわたる**ポエニ戦争**に勝利し，地中海西部を支配下に収めました。

▲アテネは，都市国家ポリスの形態を維持し続けた
▲→テーマ2
▲ポエニとはフェニキア人（Phoenicians）を略した，ローマ人による蔑称

象を連れて冬のアルプスを越えた**ハンニバル**。ザマでハンニバルを迎え撃った大スキピオ。この２人が戦った第２回は激アツです！

3 何度打ち破ってもゾンビのように復活してくるカルタゴにローマは恐怖を感じ，ついにカルタゴを滅ぼした際には街を徹底的に破壊しました。勝者となったローマにも，深い傷が残ります。ポエニ戦争で疲弊した中小農民は没落し，無産市民となって都市に流れ込みます。p.35のピラミッド構造が左➡右に変質。ポリス末期のギリシアと同じ症状ですが，領域国家となったローマの場合は富裕層もケタ違いで，セレブは奴隷を用いる**ラティフンディア（ラティフンディウム）**を行い，徴税請負や公共事業などのビジネスで成功した**騎士階級**（エクイテス）も台頭してきます。極端な格差社会の到来です。

▲街中に塩をまいたといわれる
▲「遊民」とも呼ぶ
征服戦争で獲得した捕虜が，おもな奴隷の供給源▲

リキニウス・セクスティウス法で，大土地所有は防げるのでは？

鋭い。本来そうあるべきなんですが，富豪たちは完全無視です。**グラックス兄弟**は大土地所有を制限しようと奮闘しましたが，元老院の抵抗で挫折。

当時から考えると，200年前に制定された「古い」法だった▲
▲小スキピオの孫

重装歩兵が解体すると，ギリシアと同様にローマも傭兵を導入して，兵力を確保しました。征服戦争や鎮圧で手柄を建てた政治家は，町にあふれる遊民たちを支持基盤として独裁を行おうとしました。右の図ですね。政治家にとって彼らは大切な「票田」でした。没落したとはいえ高級官職の選挙権を持っているので，政治家は人気取りに

▲ローマでは有力政治家が自ら雇い「私兵」となった

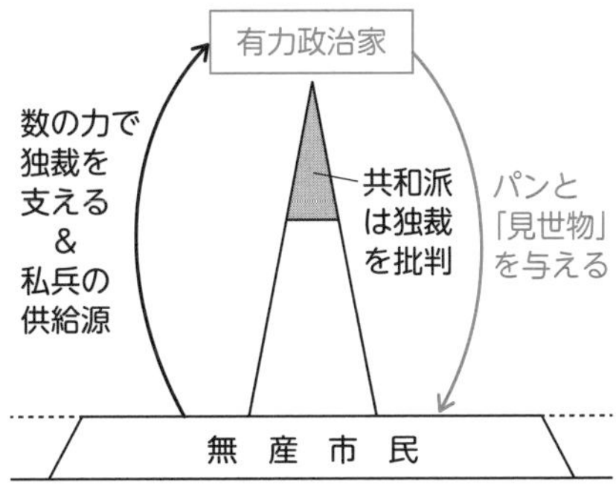

(5) **第2回三頭政治**（前43）

レピドゥス	・まもなく失脚
アントニウス	・エジプトの**クレオパトラ**と結び，オクタウィアヌスと対立
オクタウィアヌス	・カエサルの遺言によって養子となる ・アントニウスと対立 ➡**アクティウムの海戦**（前31）で勝利 ➡プトレマイオス朝エジプトを征服し，地中海統一

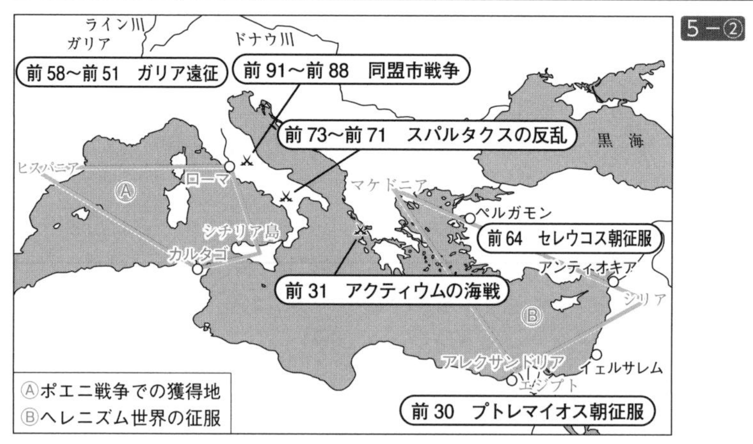

5−②

4 「ローマの平和（パクス＝ロマーナ）」（前27〜後180）

(1) **アウグストゥス**（位前27〜後14）

①元老院がオクタウィアヌスに**アウグストゥス**の尊称を贈る

▲「尊厳者」の意

②オクタウィアヌスは**プリンケプス**（「市民のなかの第一人者」）を自称

③**元首政（プリンキパトゥス）**

・元老院は存続し，形式上は共和政の伝統は維持（実態は皇帝独裁）

(2) **五賢帝**時代（96〜180）…皇帝が優秀な人物を養子として相続させた

①**ネルウァ帝**

②**トラヤヌス帝**…初の属州出身の皇帝。ローマ帝国の最大領土を現出

▲ヒスパニア　ダキア（現ルーマニア），メソポタミアを征服▲

③**ハドリアヌス帝**…ブリタニア（現イギリス）に長城を築いた

④**アントニヌス＝ピウス帝**…貧民救済に尽力し，内政を整備

⑤**マルクス＝アウレリウス＝アントニヌス帝**

・ストア派哲学者。「哲人皇帝」と呼ばれ**『自省録』**を著す

・中国の後漢（ごかん）に使者を送ったとされ（166），**「大秦王安敦（たいしんおうあんとん）」**と記された

▲『後漢書』に記録がある

奔走（ほんそう）。パンを配る，征服戦争で得た戦利品をばら撒（ま）く，エンタメ（剣闘士の戦いや戦車競走）を企画……。**遊民は政治家を熱烈に支持し，独裁を支えました。**「パンと見世物」という用語はこれを指しています。「数の力」でルールを無視し，本来はタブーである独裁を実現させたのです。

▲剣闘をさせられた奴隷。奴隷反乱の指導者スパルタクスも剣奴

元老院（共和派）にとっては，自分たちの頭越しに独裁をされるわけで不愉快なこと極まりない。政治家を追い落とそうと躍起になります。これに対抗して政治家が結んだ私的な同盟が**三頭政治**。しかし協力関係は長くは続かず，**クラッスス**がパルティア遠征で戦死すると，**ガリア**へ遠征していた**カエサル**と**ポンペイウス**の関係が険悪に。ローマへ戻ったカエサルがポンペイウスを撃破！熱狂的な民衆を前に，カエサルはインペラトルを称して終身ディクタトルに就任。比類なき地位へ足場を固めていったのですが……，共和政を守らんとする**ブルートゥス**らによって暗殺されました。

▲クラッススは大富豪，ポンペイウスは戦の達人，カエサルは人気者
▲現在のフランス・ベルギーのエリアに相当
▲「さいは投げられた」という言葉はこの時に発せられた
▲勝利した将軍を称える称号。「エンペラー」の語源

第２回三頭政治では，**オクタウィアヌス**と，カエサルの右腕だった**アントニウス**が対立。ここで，プトレマイオス朝エジプトの女王**クレオパトラ**がアントニウスに接近します。地中海世界でローマの征服を免れている主要な国はエジプトのみ。クレオパトラは，ローマの有力者に取り入って何とかエジプトを守ろうとしたのです。これに対し，オクタウィアヌスは「クレオパトラはローマを乗っ取って女王になろうとしている！」と猛批判。**アクティウムの海戦**でのオクタウィアヌスの勝利は，何を意味するか分かりますか？

▲かつてはカエサルとも結婚していた

国内では，オクタウィアヌスが権力闘争に勝ち抜いた！
国外では，ローマがエジプトを征服して地中海を統一した！

その通り。内外両面で，大きな節目になったわけです。

4 前27年，オクタウィアヌスは元老院から**アウグストゥス**の称号を贈られました。「あんたには降参したよ。もう反対しないから好きなように政治しな」というニュアンスですね。ここから帝政が始まりますが，奥ゆかしいオクタウィアヌス改めアウグストゥスは，**プリンケプス**を名乗って形式上は共和政を尊重しました（ただし，実態は完全なる皇帝独裁体制です）。

▲英語の August（8月）の語源

後１世紀末からの約１世紀の間，**五賢帝**時代がローマ帝国の全盛期で，**トラヤヌス帝**の時代に**帝国領は最大となりました。**ただ，肥大化した領域の維持に苦心するようにもなり，続く**ハドリアヌス帝**はブリタニアに長城を築くなど，守備的な姿勢も見られるように。ギリシア語で**『自省録』**を著した，インテリの**マルクス＝アウレリウス＝アントニヌス帝**ですが，彼は養子をとらずに実子に後を継がせました。奇しくもこれが「**ローマの平和**（パクス＝ロマーナ）」の終焉（しゅうえん）と重なります。

5 「3世紀の危機」と専制君主政（ドミナトゥス）

(1) 「3世紀の危機」

①**軍人皇帝**時代（235～284）…26人の皇帝が廃立された混乱期

・背景①…属州の経済発展によって，イタリアの経済的優位が動揺

➡自立した地方の軍隊が独自の皇帝を擁立

・背景②…ササン朝ペルシアや，諸部族を統合したゲルマン人の侵入

➡これに対処するため，帝国は地方の軍を増強
▲軍事費を捻出するために都市に重税が課せられ，経済は衰退

②**コロナトゥス**…**コロヌス**（小作人）を労働力とする農業経営

・背景…奴隷の流入停止，奴隷労働の非効率をうけラティフンディア衰退

(2) **専制君主政**（**ドミナトゥス**，284～）

①**ディオクレティアヌス帝**（位284～305）

・オリエント的専制を導入…ペルシア風の宮廷儀礼，皇帝崇拝

・**四帝分治制**…２人の正帝と２人の副帝による統治
▲四分統治，テトラルキア

・キリスト教徒への大迫害（303）

②**コンスタンティヌス帝**（位306～337）
▲324年に単独皇帝となる

・**キリスト教を公認**，キリスト教政策（➡ p.42参照）

・**ビザンティウム**遷都（330）➡のち**コンスタンティノープル**と呼ばれる

・コロヌスの移動禁止（332）…職業・身分の固定化を図る

・ソリドゥス金貨（ノミスマ）の鋳造…地中海交易の安定を図る

③**テオドシウス帝**（位379～395）

・**キリスト教の国教化**（392）

・死後，ローマ帝国は東西に分裂（395）

5 ローマ人は地中海を「われらが海」と呼びました。地中海のどの港からどの港へ航海してもそこは同じ国，ローマ帝国。平和の中で繁栄した交易の結果，イタリア半島と肩を並べるほどの豊かな属州が出現し，皮肉なことにローマの求心力は低下。さらに3世紀になると，**ゲルマン人**や新興の**ササン朝**（→テーマ4）など外敵の侵入も激化しました。ハドリアヌス帝以降のローマ帝国にとって，戦争は防衛戦争だけ。戦利品を獲得できる征服戦争とは違い，防衛戦争は軍事費を垂れ流すだけの「金食い虫」です。**軍事費をまかなうための重税は都市経済を衰退**させました。外敵に対抗するために地方軍は肥大化し，司令官は兵士に給料を払って何とか彼らをつなぎ止めようとする。首尾よく人心を掌握できた司令官の中に，皇帝にかつぎ上げられる者も現れて，互いに激しく争いました。これが**軍人皇帝**時代です。

この時期に大土地経営の手法も変化しました。征服戦争を行わなくなったことで，奴隷の流入がストップし奴隷価格が高騰。また，奴隷労働の非効率性が指摘されるようになりました（例えば，奴隷を監視する人間を雇うのにコストがかかってしまう）。奴隷を用いる**ラティフンディア**に代わり，小作人（**コロヌス**）を用いる**コロナトゥス**（近年，これを否定する学説も存在する）が普及していきます。

血で血を洗う戦乱の世に，「皇帝は市民の第一人者ですよ～」などと悠長なことを言っても誰も見向きもしない。ならばオリエント風に「神の代理人である！」と畏怖（いふ）させるしかない。軍人皇帝時代を収拾した**ディオクレティアヌス帝**は，自らを「ユピテル（ローマ神話の主神。英語読みでジュピター。ギリシア神話のゼウスに相当）の代理人・化身」と位置づけ，官僚制を整備するとともに，皇帝崇拝を強要して帝国再建に乗り出しました。**専制君主政**（ドミナトゥス）の始まりです。彼は帝国領を4つに分け，彼と同僚3人で分担して統治と治安回復に努めました（**四帝分治制**（テトラルキア）（ディオクレティアヌス帝の治世のみ行われた））。**コンスタンティヌス帝**はディオクレティアヌス帝の方針を継承しますが，それは従来の価値観を覆すものばかり！　伝説上の建国から1000年続く古都ローマを離れ，**ビザンティウム**へ遷都します。

ローマ皇帝がローマを離れるなんて…。どうしてでしょうか？

色々な説があって，①共和派の伝統が強いローマはドミナトゥスに不向き，②多神教が主流のローマではキリスト教政策が困難，③地中海貿易が衰退した後も，東西交易の要衝ビザンティウムの経済は好調だった，などですね。当時，重税や軍人皇帝時代の混乱によって地中海貿易は衰退していましたが，貨幣の悪鋳も原因の一つでした。そこでコンスタンティヌスは金純度が高いソリドゥス金貨（ノミスマ）を発行して，地中海交易の安定も図りました。そして彼が断行した最大の改革，それは**キリスト教を認めること**でした。ちょっと時代をさかのぼってみましょう。

6 キリスト教の成立と発展

(1) イエス＝キリスト（前４頃〜後30頃）

①**パリサイ派**（律法を重視する，反ローマ派のユダヤ教徒）を批判

②ユダヤ教の**選民思想**・戒律主義に反発。民族や国家を越えた愛を主張
「神への絶対愛」，「隣人愛」▲

③ローマ帝国のユダヤ総督**ピラト**によって十字架刑に処される
▲ピラトゥス　▲死の３日後にイエスは「復活」したとされる

(2) 布教と迫害

①使徒による布教

・**ペテロ（ペトロ）**…12使徒の筆頭

・**パウロ**…敬虔（けいけん）なユダヤ教徒から回心。「異邦人の使徒」
▲ローマ市民権を持っており，ユダヤ人地域以外の伝道に貢献

②迫害

・迫害された理由…一神教のキリスト教徒は，**多神教の祭儀や皇帝への礼拝を拒否し，反社会集団・無神論者とみなされた**

・**ネロ帝**…ローマ大火の際に迫害（後64）。ペテロ・パウロが殉教（？）

・**ディオクレティアヌス帝**（303）…皇帝崇拝拒否を口実に大迫害を強行

③浸透と拡大

・キリスト教の平等思想は帝国の下層民に受容　➡のちに上層民にも拡大

・信者は**カタコンベ**に集まり信仰を守った
▲カタコーム，地下墓地

・**『新約聖書』**…コイネーで記述。福音書，使徒行伝，書簡，黙示録
▲マタイ・マルコ・ルカ・ヨハネ

(3) ローマ帝国による公認と国教化

①**コンスタンティヌス帝**

・**ミラノ勅令**（313）…キリスト教の公認

・**ニケーア公会議**（325）…**アタナシウス派**を正統，**アリウス派**を異端
▲のちに三位一体説へ発展　▲イエスの人性のみを認める

②「背教者」**ユリアヌス帝**…キリスト教を排斥し，古来の多神教復興を図る
▲４世紀後半

③**テオドシウス帝**…**キリスト教を国教化**（392）。異教・異端を禁止

(4) 教義・教会の整備

①教父**アウグスティヌス**…マニ教から回心。**『神の国（神国論）』**『告白録』
▲キリスト教教義の確立につとめた著作家・思想家

②教義に関わる主要な公会議

・**エフェソス公会議**（431）…**ネストリウス派**を異端。ネストリウス派はのちに中国へ伝わり「景教」と呼ばれた
▲イエスの神性と人性を分離。マリアを「神の母」ではなく「イエスの母」と規定

・カルケドン公会議（451）…**単性論**を異端とする
▲イエスの神性のみを認める

③**五本山**…キリスト教世界で有力となった５つの教会の総称
▲総大司教座が置かれた

・**ローマ**，**コンスタンティノープル**，イェルサレム，アレクサンドリア，アンティオキア

6 時はアウグストゥスの治世，イエスはパレスチナに生まれました。ユダヤ教徒の**パリサイ派**（▲律法学者たち）はローマ帝国の支配をよしとせず，「モーセの十戒に代表される戒律をとにかく守るんだ！　されば救世主（メシア）が降臨せん！」と主張します。イエスはこれに反発し，形式的に戒律だけを守ることの無意味さを説き，ハート（「神への絶対愛」，「隣人愛」▲）の大切さを訴えました。「愛を持てばユダヤ人ではなくとも救われる」という思想は**選民思想**の否定でもあり，イエスは「反逆者」として告発され，十字架にかけられたのです。その後，死んだはずのイエスが復活したという噂が広まって，彼を救世主（メシア）（▲「キリスト」はメシアのギリシア語訳）とする信仰が生まれました。**ペテロ（ペトロ）**や**パウロ**らの伝道によって，ローマ帝国に教えが広まっていきます。とくに**パウロはローマ市民権を持っていた**ことから帝国内を自由に移動することができ，様々な地域への伝道に貢献して「異邦人の使徒」と称されました。さらに彼が備えていたヘレニズム的教養によって，初期キリスト教の教義は洗練されたんです。

しかし，キリスト教はローマ帝国で弾圧の憂き目にあいます。**一神教であるキリスト教徒が，多神教が浸透したローマ社会に適応できなかった**からでした。ローマの神々の礼拝やお祭りに参加しないので，コミュニティに溶け込めない。また，ローマ皇帝は死後に神格化される慣例があり，これを厚く敬う多神教のローマ人に対し，キリスト教は断固拒否。当然，「ユピテルの代理人・化身」を称した**ディオクレティアヌス帝**への崇拝も拒みます。皇帝としては威厳を示すためにも，逆らう者どもを見せしめにする必要があった。これがディオクレティアヌス帝がキリスト教徒を厳しく迫害した理由です（ネロとディオクレティアヌス以外は，公権力による迫害は少なかったとされる▲）。このような弾圧をうけながらも「全ての人が平等に救われる」思想は貧困層のハートをつかんで信者を増大させ，**地下墓地**（カタコンベ）で信仰は受け継がれていきました。

４世紀初頭，**コンスタンティヌス帝**は増加を続けるキリスト教徒を見て，**キリスト教徒を体制側に取り込んで，統治の軸に据えようと考えました。** **ミラノ勅令**でキリスト教を公認し，**ニケーア公会議**を開いて教義を一本化（この時期の一連の公会議では，「イエスは神か，人間か」という神学上の問題が議論されました）。ここで正統とされた**アタナシウス派**が，**「父なる神，子なるキリスト，および聖霊は３つでありながらしかも同一」**とする**三位一体説**に発展します。さらに「皇帝位は，（キリスト教の）神の恩寵（おんちょう）により与えられたものである」という神寵帝理念を採用し（▲エウセビオスが提唱。中世における「ローマ皇帝は神の代理人」という理念は，ここにさかのぼる），キリスト教徒が帝国に従う体制を整えていきました。しかしこの後，375年にゲルマン人の大移動が始まって，帝国は大混乱に陥ります。**テオドシウス帝**は392年に**キリスト教を国教化**，つまり帝国民全員にキリスト教を強制しました。「帝国民全員が神の代理人たる皇帝に従えば，帝国を立て直せるだろう」ということですが，すぐには効果は表れず，テオドシウス帝の死後，**395年にローマ帝国はついに東西分裂**するに至りました。

テーマ6

中国史① 黄河文明～春秋戦国時代

1 中国の地勢

華北（黄河流域）	江南（長江の下流域）
乾燥地帯。黄土を利用した粟・麦などの畑作が中心	温暖で雨量が多く，水稲耕作に適する

2 黄河文明

前期　彩陶文化（仰韶文化）▲河南省の遺跡	後期　黒陶文化（竜山文化）▲山東省の遺跡
前５千年紀に成立	前３千年紀に成立
彩陶（彩色，文様がある土器），灰陶（厚手の粗製土器）の使用，豚や犬の飼育	黒陶（ろくろを使用した，薄手で光沢のある漆黒色の土器）

※長江流域の遺跡…河姆渡遺跡（浙江省）など

3 夏と殷

(1) **夏**…舜が禹に位を禅譲して成立したとされる伝説の王朝
▲三皇五帝という伝説の帝王が存在したとされる

(2) **殷**（**商**，前16～11世紀）

①**殷墟**…河南省安陽市で発見された，殷後期の都の遺跡
多数の人畜が殉葬された王墓が発見された▲

②殷王は，**邑**の連合体の盟主として，他の邑を支配下に置いて君臨
▲城郭都市

③**神権政治**…王が主宰する占卜により政策を決定。結果を**甲骨文字**に刻む
▲漢字のもととなった文字

④高度な**青銅器**文化…複雑な文様が特徴。青銅器は祭祀に用いられた

4 周（前11世紀～前256）

▲前770年を境に前半を西周，後半を東周と呼ぶ

(1) **渭水**盆地から興り，殷を滅ぼす。都を**鎬京**に置いた
▲黄河の支流

(2) **封建制**

①王は一族・功臣に封土を与え，世襲の諸侯とする
▲領地

②諸侯は王に対し，貢納・軍事の義務を負う

1 中国の地勢に関しては，**黄河**流域と**長江**（▲揚子江）流域の区別が最重要です。前者が流れる**華北地方は乾燥して畑作が農業の中心**であるのに対し，**後者下流域の江南地方**（時代や文脈によって指す地域は異なる▲）**は雨が多く稲作に向いています**。その境界に位置する淮河（わいが）まで押さえておけば，ひとまずは大丈夫。

2 黄河文明は，発掘された土器の特徴によって**彩陶**（▲焼く温度が低いため，もろい）文化と**黒陶**（▼高温で強度が高く，表面を磨いた）文化に分類できます。長江流域で発掘された河姆渡遺跡では稲作を行っていたことも分かっています。両文明とも文字がないため，都市の名前までは分かりませんが。

農業が発展して，中国でも都市が農村を支配する展開に？

3 はい，中国もそのパターンでOKです。中国で都市国家に相当するのが**邑**です。やがて邑を統合する国家が登場し，伝説では**夏**が中国最初の王朝を築いたとされますが，いまだ存在は未確認。確認できるのは**殷**（商）からです。殷の王は邑の連合体の盟主として，神をまつる祭祀を主宰し神意を占いました。その結果を亀の甲羅や獣骨に刻んだものが**甲骨文字**ですね。殷は都周辺の限られた地域だけを直接統治し，「大規模な邑を拠点とした有力氏族の連合体」というのが国家の実態でした（邑制国家）。邑と邑の間には手つかずの原野が広がり，殷の支配に服さない勢力も多数存在していたんです。

4 その殷の暴君であった紂王（ちゅうおう）を倒した武王が**周**を建てました。周も邑制国家ですが，周王は新しい方法で他の邑を統合しました。それが**封建制**です。

封建制の前提として，周代を特徴づける「**宗族**（そうぞく）」を説明しましょう。宗族とは同姓の父系親族（氏族）集団です（同姓の親戚一同のまとまり，とでもいえましょうか）。血縁重視の**団結・絆**（きずな）**は，王から農民にいたるまで周の社会基盤となりました**。宗族には「祖先崇拝を行う」「同姓の者は結婚不可」などのルールがあり，これを**宗法**（そうほう）と呼びます。

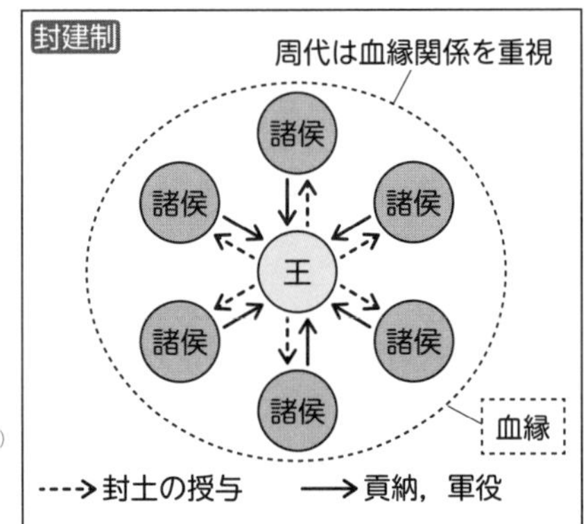

周王は，一族や功臣に対して邑を与えて統治を委ねました。この一族・功臣を**諸侯**，邑を**封土**（ほうど）（▲諸侯の領地）と呼びます。諸侯は封土を与えられる代わりに，周王に対して貢納と軍役の義務を負いました。諸侯にも**卿**・**大夫**・**士**といった世襲の家臣がいて，諸侯は彼らにも領地（▲采邑（さいゆう））を与えました。このような土地を媒介として形成された主従関係が**封建制**です。
▲血縁関係を基盤とする点が，個人間の契約であるヨーロッパとの封建制との相違点

③王や諸侯は，世襲の家臣団である**卿**・**大夫**・**士**も従える

(3)　宗族内で守るべき規範である**宗法**に基づき，社会秩序を維持
▲同姓の父系親族集団

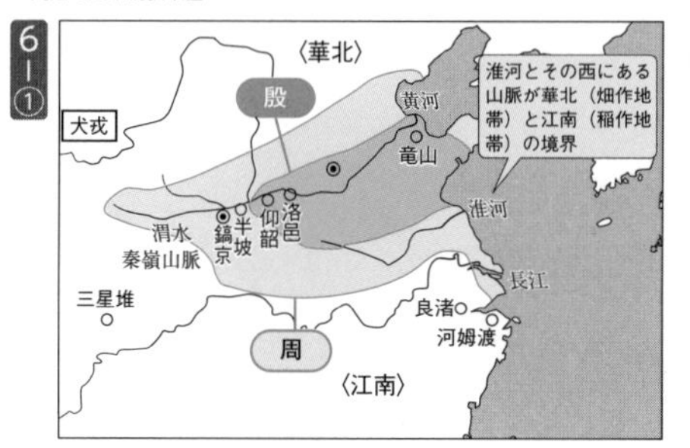

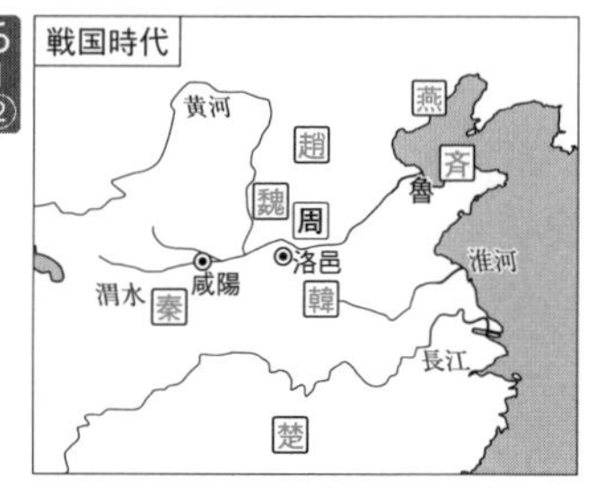

5 春秋・戦国時代

(1)　**春秋時代**（前770～前403）

発端	・西周の末期に異民族の犬戎が西方から侵入 ・周王は都を**洛邑**に移す（前770）。以後の周を**東周**と呼ぶ
諸侯の状況	・**尊王攘夷**…周王室を助け異民族を討つという，諸侯のスローガン ・斉の桓公，晋の文公などの覇者は，名目上は周王を尊重 ▲有力諸侯

(2)　**戦国時代**（前403～前221）

発端	・諸侯の晋が韓・魏・趙に分裂　➡戦国時代の開始 ▲臣下が主君にそむく「下剋上」が初めて起こった
諸侯の状況	・諸侯は周王の権威を無視し，王を自称 ・戦国の七雄…**秦**・**楚**・**斉**・**燕**・**趙**・**魏**・**韓**

6 春秋・戦国時代の社会

農業・商工業の発達	各国の富国強兵策
①農業生産力の上昇 ・**鉄製農具**…春秋時代末期から使用 ・**牛耕農法**の普及 ▲鉄製の犂を牛にひかせる耕作法	④**未開地の開墾**や，水利の悪い地への**大規模な灌漑事業を進める**
②農業生産が増加，余剰生産が発生。 商工業の発達…**青銅貨幣**が普及 Ex. **刀銭**・**布銭**・**円銭**・蟻鼻銭	⑤各国は諸産業を振興
③**氏族単位から家族単位の耕作へ変化** ・氏族共同体が崩れ，**封建制は動揺**	⑥各国は，農民を直接掌握・支配 ⑦血縁に基づいた人材登用ではなく，**実力主義に基づき人材登用** ▼諸子百家が登場する背景　→テーマ82

5 血縁関係というのは，世代交代するうちに薄れていきます。兄弟の子同士は従兄弟(いとこ)，その子同士は「はとこ」，というように。絆が弱まったことで，諸侯が一族の長，すなわち周王を敬う気持ちも薄れていく。そんな折，前770年に異民族犬戎の攻撃をうけ，周王は**鎬京**(こうけい)から逃れ，東の**洛邑**に都を移します。周は洛邑周辺のみを支配する勢力に転落し，有力諸侯の方が周王より強大な力を持つ！という状況に。しかし，周王は殷代から続く**「王は天命をうけた存在である」**(▲＝天子)という権威を維持していました。露骨に周王を軽んじることもできず，有力諸侯は「周王をお守りし，蛮族である犬戎を討て！（**尊王攘夷**）」と叫んで同盟を組み，その盟主が覇者(▼代表的な覇者を春秋の五覇と呼ぶ)となりました。これが**春秋時代**。

前403年に次の転機が訪れます。諸侯晋の臣下（卿）が国を乗っ取って領地を三分，さらに周王に**韓**・**魏**・**趙**という諸侯の地位を認めさせてしまいました。「主君に逆らってはならない」という封建制の掟(おきて)がついに破綻(はたん)し，下剋上(げこくじょう)の世が到来します。周王の最後の切り札だった権威も地に落ち，これからは地位や家柄に関係なく，実力のある者が勝ち残って天下を争う**戦国時代**に突入しました（『戦国策』(▼→テーマ82)という書物名にちなみます）。抗争の中で，勢力図は７つの国（戦国の七雄。**秦**・**楚**・**斉**・**燕**・**趙**・**魏**・**韓**）に再編されていきました。

6 春秋の末期から戦国時代にかけ，**鉄製農具**と**牛耕農法**が普及して農業生産力が上昇しました（近年の研究では，鉄器による森林伐採(▲木材や燃料も供給された)によって農地が拡大した点も注目されています）。これが**抗争を勝ち抜こうとする諸王(▲諸侯たちが王を名のった)の富国強兵策と結びつきます。**王たちは開墾・灌漑事業を手がけ，また余剰生産の取り引きで商業が活性化すると，商業を保護・振興しました。この流れの中で，青銅貨幣が流通するようになりました。他方，農業生産力の上昇に伴い，**氏族全体で行っていた農作業が家族単位で可能になった**こともポイント。鉄製農具があれば，氏族全員で力を合わせなくても家族だけで畑仕事が可能になります。

あ，一族の絆が弱くなっちゃいますね。

そうなんですよ。この中国社会の風潮は王家にまで伝染してしまって，**宗族の団結を前提としていた封建制を崩壊させる一因になってしまった**んですね。

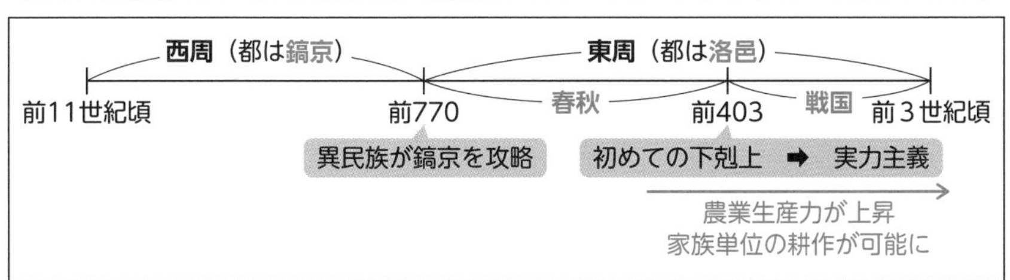

テーマ7 中国史② 秦・漢

1 秦の中国統一　都：咸陽

(1) **法家**の**商鞅**による改革で強大化
▲孝公に仕えた

(2) 秦王**政**による統一（前221）➡**始皇帝**を称する

①法家の**李斯**が丞相

②**郡県制**…国土を郡・県という単位に分け，中央から官僚を派遣して統治

③**焚書・坑儒**…書物を焼却し，儒学者を生き埋めにした思想・言論統制
▼医学・占い・農業書以外

④度量衡・貨幣（**半両銭**）・車軌・文字などを統一
▲篆書（てんしょ）という書体が確立された

⑤始皇帝の対外政策

- **万里の長城**を修築，拡張
- **匈奴**に遠征軍を送り，討伐。オルドス地方を征服
▲黄河の屈曲部
- 現在の広東省に**南海郡**を設置
▲百越を征服
- 民間の武器を没収。また咸陽に富豪を強制移住させた

(3) 秦の滅亡

①始皇帝の死（前210）。陵墓周辺に埋められた**兵馬俑**は有名

②**陳勝・呉広の乱**（前209～前208）
▲中国史上最初の農民反乱とされる

- 背景…統一政策と対外戦争・土木工事の負担に対する不満の蓄積
- **「王侯将相いずくんぞ，種あらんや」**…実力主義を示す陳勝の言葉
- 反乱は鎮圧されたが，各地で諸勢力が挙兵し，前206年に秦は滅亡

③項羽と劉邦の対立

項羽	劉邦
項羽…楚の貴族出身の武将	**劉邦**…沛の農民出身の武将 ▼垓下（がいか）の戦い（前202） 項羽との抗争に勝利。漢を建国

2 前漢（前202～後８）　都：長安

(1) 高祖（劉邦，位前202～前195）

①**郡国制**…長安周辺の直轄地に郡県制，地方に封建制を敷いた併用策

②対外政策…**匈奴**の**冒頓単于**に敗北

(2) **呉楚七国の乱**（前154）

①景帝（第６代）の諸侯王に対する抑圧策に対して諸侯王が反発

②景帝が鎮圧し，以後は**事実上の郡県制**へ移行

1 封建制が動揺していた春秋時代，儒家の祖である**孔子**は**仁**（人を愛すること。細分化すると孝（こう）・悌（てい）などがある）を重視して周の封建制を評価しました（徳治主義）。
父母への愛▲ ▲兄弟・郷里への愛
しかし戦国時代に入ると，徳治主義とは異質な**法治主義**を採用した**秦**が戦国の七雄の中で強大化し，最終的に中国を統一します。前4世紀に**法家**の**商鞅**が改革を行い，李斯（りし）は始皇帝の中国統一を支えました。法家思想が熟成されていく過程を，儒家との対比で説明してみます。
諸子百家の詳細についてはテーマ82▲
商鞅とほぼ同時期，儒家の**孟子**（もうし）は**性善説**を用いて戦国の戦乱を収めようとしました。「**人間の本性は善である。**それを伸ばしてやれば，人々が互いに助け合い，一族の絆は保たれる。後天的な要因によって一族の長を敬う心が薄れ，封建制も崩れたのだ」。
▼親の教育不足など ▲王道政治
これに対し**荀子**（じゅんし）は，同じ儒家でありながら孟子の思想に異を唱えます。「性善説など所詮（しょせん）は理想論。**人間の本性は悪であり，だからこそ礼による教化が必要**なんだ」と性悪説を主張しました。
▲仁を反映した態度や行為。人が従うべき社会の規範
荀子の門下生の**韓非**（かんぴ）や**李斯**は「**規範を破ったものを罰するべし**」と発展させて法家思想は完成します。儒家から枝分かれした理論が法家に影響を与えた，というのは興味深いです。

一族の長を愛しましょう（仁）。それを行動で表現しなさい（礼）。行動しない奴は罰を与えるぞ！（法） というステップですね。

法を地方に浸透させるために**郡県制**が施行されました。封建制では地方の統治を諸侯に任せっきりなので，王が発した法は辺境まで届きません。対して郡県制では，**王が任命した官僚を地方へ派遣**し，法は末端にまで浸透するようになりました。
▲王の代理・分身・手足
オリエントで説明した官僚と「中央集権化」のイメージを思い出してくださいね。
▲→テーマ2

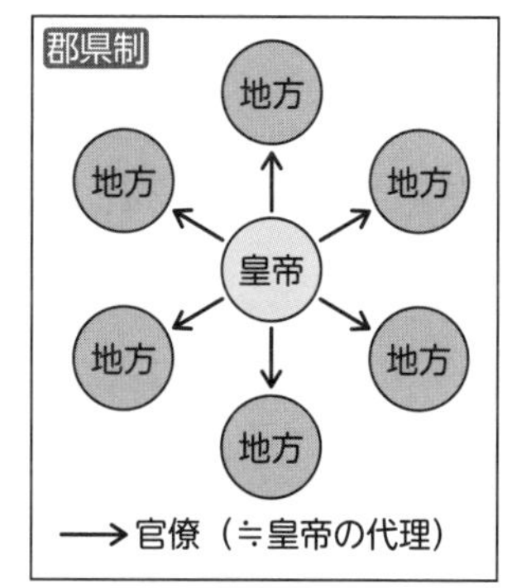

秦王政は史上初めて中国を統一し「**始皇帝**」を名乗りました。
「光り輝く神」の意▲
法治主義と郡県制を全国へ拡大させ，文字・度量衡・貨幣・車軌などあらゆるモノを統一して秦の規格に従わせました。
▲様々な単位 ▲車輪の幅
思想面の統一が**焚書・坑儒**です。下の表を見ると，儒家と秦はまさに水と油，対極の関係にあることが分かります。始皇帝は秦を脅かすリスクのある書物を全て焼かせ，儒学者を生き埋めにしたのです。
▼後世の儒学者が，弾圧を誇張したとする説もある

儒家	法家（秦が採用）
性善説－徳治主義－地方分権	性悪説－法治主義－中央集権

厳しい刑罰，大規模な土木工事，従来の伝統を無視しあらゆる規格を秦に合わせる強引な手法…。有能だったが豪腕な始皇帝が死ぬと不満が爆発！ **陳**
▲阿房宮，長城の建設など
土木工事の召集に間に合わなかった農民が起こした▲

⑶ **武帝**（第７代，位前141～前87）

①内政

・**儒学**の重視…**董仲舒**の献策によって五経博士を設置

・**郷挙里選**の採用…郡の太守などの地方長官が優秀な人材を中央に推薦
▲豪族が中央政界へ進出

②対外政策

北&西	・**匈奴**に遠征…衛青・霍去病を派遣し攻撃 ・**張騫**を大月氏に派遣…匈奴挟撃のための，同盟締結の使者 ➡同盟締結には失敗したが，**西域の情報を前漢にもたらした** ➡武帝はシルクロード貿易を押さえるため，**敦煌郡**などを設置 ▲河西４郡 ・李広利による大宛（フェルガナ）への遠征…汗血馬の獲得が目的
南	**南越**を討伐…南海郡など９郡を設置
東	**衛氏朝鮮**を征服…**楽浪郡**など朝鮮４郡を設置

③財政再建策　⬅軍事費の増大をうけ，深刻な財政難が進行

均輸（法）	各地でその地方の特産物を貢納させ，不足地に転売することで物価の安定を図るとともに，政府が売却益も得る
平準（法）	政府が物価の低落時に物資を長安に貯蔵し，物価の高騰時にそれを売却して物価の安定を図り，政府が売却益も得る

④**塩・鉄・酒**の専売…生活必需品の専売によって国庫収入の増加をはかった

⑤貨幣を改鋳し，**五銖銭**を発行

⑷ 前漢の衰退

①重税や労役によって小農民が没落

➡彼らを支配下に収めて大土地経営を行う豪族が台頭

②政治機構の腐敗…宮廷・政府内での宦官・外戚の専横

勝・呉広の乱を皮切りに各地で反乱が起こり，**項羽**と**劉邦**という両雄が登場。秦は統一からわずか15年で滅び，激闘の末，劉邦が勝利して漢（前漢）を建
▲農民出身で皇帝になった人物
てました。序盤は，20代で中国をほぼ統一するほど才能に恵まれた項羽が劉邦を圧倒しますが，臣下の心をつかむことを怠り，しだいに劣勢に…。「背水の陣」「四面楚歌」「国士無双」など，現在も用いられている慣用句は，司馬遷の『史記』に記された二人の戦いに由来しますね。

2 劉邦は部下をかわいがり，彼の下には多くの人材が集まりました。彼は郡県
▲部下を評価しなかったごう慢な項羽は，やがて部下に見放された
制に依存する秦のシステムを改め，（部下にほうびを与える意味も込めて）国土の東半では一族・功臣に封土を授与する**封建制**を，都の長安を中心とする西半では**郡県制**を採用。このハイブリッドな体制が**郡国制**です。

また厳しい法治主義を改め，殺人・盗み・傷害のみを罰した▲
しかし周の封建制と同様，漢においても世代交代が進むと皇帝と諸侯の血縁が希薄となり，諸侯に自立の機運が…。全国を直接支配したい思惑もあり，6代景帝は諸侯の取りつぶしを断行します。これに対する諸侯の抵抗（**呉楚七国の乱**）が鎮圧されると，漢も**事実上の郡県制**へ移行しました。

7代**武帝**が，儒学者**董仲舒**の献策を容れて**儒学を重視**し，前漢末にかけて定着していったことは，中国王朝の大きな節目になりました。

漢は郡県制を採用してますよ。儒学は郡県制と仲が悪いのでは？
▲儒家

そう，そこがポイント。秦代には政府から弾圧された儒学を，郡県制と仲直りさせて**王朝を支える両輪の一角に据えようとした**わけです。「目上の人を敬いましょう」という理念は，支配者には好都合ですから。「郡県制によって皇帝支配を地方まで浸透させ，儒学に基づき人民は皇帝を敬う」仕組みは前漢末
▲官僚も
頃までには定着して，原則として**中国の全王朝が受け継いでいきます**（英語で中国を意味するChinaが「秦（CHIN）」に由来すること，我々が中国の文字や民族を**「漢字」「漢民族」**と呼ぶことを考えれば，「郡県制の秦・儒学の漢」が中国史で別格であることに気づくはず！）。

「武帝」とは，**戦争で国土を拡大**したことを称えて死後に贈られた名前です。
▲諡号（しごう）
ここから領土拡大のイメージを持ちましょう。東は朝鮮，南はベトナムへと進
▼建国者劉邦は匈奴に大敗した
出。北は宿敵**匈奴**と戦いました。「馬を駆る匈奴を追撃しても逃げられるだけ。ここは挟撃だ。」 武帝は**張騫**（ちょうけん）を中央アジアの大月氏に派遣して同盟を組み，匈奴を挟撃しようとしました。しかしにべもなく断られ，張騫は朗報を届けられず…。ただ彼の旅は無意味だったわけではありません。**今まで謎に包まれていた西域の事情が判明**し，いわゆる「オアシスの道」を通じた交易も本格化した
▲→テーマ15
のです。こういった流れから，**敦煌郡**などが設置されました。

宦官	皇帝の後宮に仕えた，去勢された男性。皇帝の側近として権力を握り政治を私物化する者もいた
外戚	皇后や妃の親族。幼い皇帝の後見役となることで，実権を掌握

3 新（8～23）

(1) **王莽**…前漢の外戚で儒学者でもあった。皇帝を毒殺して即位，新を建国
①周の封建制を理想とした復古主義政策を実行 ➡社会の混乱を招く
(2) **赤眉の乱**（18～27）…王莽の悪政に不満を持った農民が山東地方で挙兵

4 後漢（25～220） 首都：**洛陽**

(1) **劉秀**（**光武帝**，位25～57）が王莽を破り，漢を復興
(2) **倭の奴国**の朝貢（57）…光武帝は「**漢委奴国王印**」を授けた

> **※冊封**
> 中国の皇帝が近隣国の首長に爵位や官位を与えて領域の統治を認め，主従関係を確立。首長は皇帝の徳を慕って貢物を送る朝貢を行い，皇帝はこれに対して返礼（回賜）を与えた

(3) **班超**…１世紀末，西域を平定し，西域都護に任命される
①甘英…班超により，大秦国（ローマ帝国）に派遣された
安息（パルティア）を通ってローマ帝国領のシリアに至ったが，引き返した▲
(4) **大秦王安敦**の使者を称する者が**日南郡**に来航（166）
▲ローマ皇帝マルクス＝アウレリウス＝アントニヌス
(5) 後漢の衰退
▲後漢は豪族の連合体という性格が強く，皇帝権はあまり強大ではなかった
①**党錮の禁**（166・169）…宦官が反宦官派の官僚を投獄
②**黄巾の乱**（184）…**太平道**の教祖**張角**が率いた華北での農民反乱
➡混乱の中で曹操などの群雄が割拠し，後漢は事実上滅亡

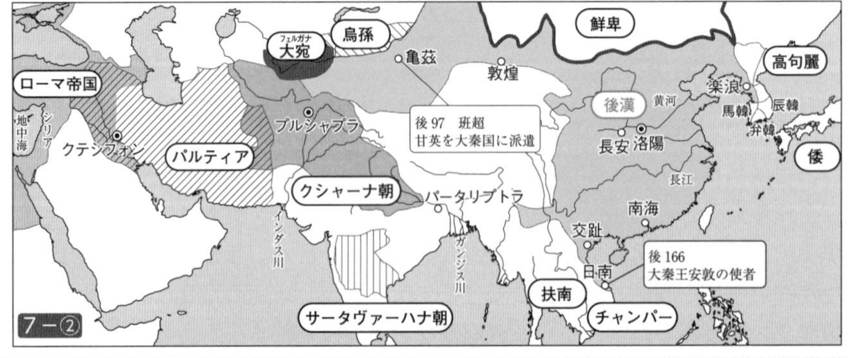

積極的な対外政策は漢の財政を圧迫し，**均輸・平準**法や**塩・鉄・酒**の専売といった手も効果は薄く，重税が課されました。豪族（▲地方の有力者）は没落した農民を小作人として大土地所有者となり，**郷挙里選**を通じて中央政界へ進出。宮廷内部では皇帝の周りで宦官や外戚が権力争い…。

3 最終的に漢（前漢）は外戚の**王莽**によって一旦滅亡，**新**が成立。しかし儒学者であった王莽が周の封建制の復活をもくろんだため，社会が混乱して**赤眉（せきび）の乱**が起こり，新はすぐに滅亡します。

4 後25年，漢の帝室の血を引く**劉秀**（▲光武帝）が漢を復興させました。彼のもとに，日本の一地域（**倭の奴国**）を支配していた王の使者が訪れます。光武帝は使者に「**漢委奴国王**」と刻まれた金印を授けました（▲『後漢書』に記録がある →世界史の中の日本①）。このように，中国の皇帝が近隣諸国の首長に官位・官爵を与えて統治を認める行為を**冊封**といいます。簡単に言えば，**中国の皇帝と近隣諸国の首長に封建制を拡大して適用している**ということです。東アジア世界を理解するのに必須の概念ですよ。

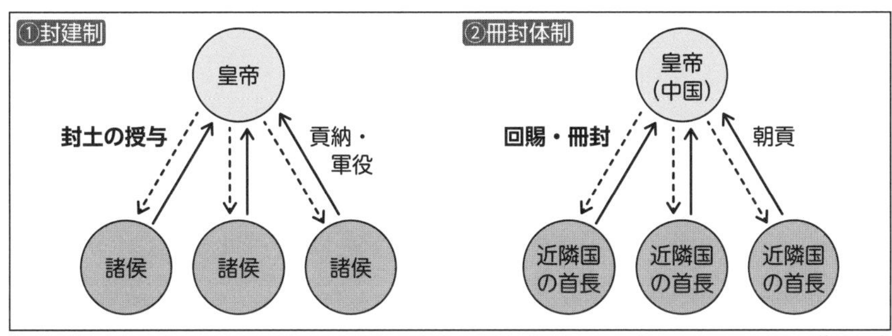

光武帝後の後漢は，ローマ帝国との接点（**班超**の部下である甘英と，**大秦王（だいしんおう）安敦（あんとん）**の使者）に注目しましょう。

後漢って，ローマ帝国の時代にすっぽり収まってるんですね！
▲25～220　▲前27～後395

そう。「ヨコのつながり」「同時代史的な視点」にも強くなっていきましょう。

最後に，**党錮の禁**でも登場する宦官について一言。皇帝にとって，周りの男は全て敵。「こいつは俺を殺して帝位を奪おうとしているのでは…？」と疑い始めたらキリがない。しかし，去勢して**子孫を残せない宦官は絶対に皇帝にはなれない**（▲王家・王朝をつくることができない）から，安心して皇帝のそばに置けます。宦官はこれにつけこみ，皇帝との関係を深めていく…。一方，宦官になることは「家柄や才覚に劣る男性が権力の中枢に入り込む手段」でもありました。野心家が一念発起して宮廷に上がって来るわけですから，政治にも首を突っ込みますよね。これが宦官による政治介入が起こる，大まかなしくみです。

テーマ8

中国史③　魏晋南北朝

1 三国時代（220～280）

(1) 魏（220～265）　首都：洛陽

①曹操…華北を制圧し，後漢の皇帝を擁立して実権を握った

・赤壁の戦い（208）…長江中流で劉備・孫権連合軍に敗北

・屯田制…官有地に農民を移住させ，土地を割り当て耕作させた

②曹丕（文帝）…曹操の子。後漢の皇帝から禅譲をうけた**魏の初代皇帝**
▲位220～226

③九品中正（九品官人法）

・中正官を各地に派遣し，優秀な人材を9等級に分けて中央に推薦

・豪族の子弟が上級官職を独占し**門閥貴族**化

➡**「上品に寒門なく下品に勢族なし」**

④邪馬台国の朝貢（239）…卑弥呼の使者が「親魏倭王」の称号を授かる
『魏志』倭人伝に記録がある　→世界史の中の日本①▲

⑤蜀を滅ぼすが，家臣の司馬炎に帝位を奪われ，滅亡（265）

(2) 蜀（蜀漢，221～263）　首都：成都

①劉備…農民出身。魏による後漢の滅亡に対抗して四川で建国
▲位221～223

(3) 呉（222～280）　首都：建業
▲現在の南京

①孫権…江南地方で，魏・蜀の建国に対抗して呉を建国
▲位222～252

2 晋（西晋）　首都：洛陽

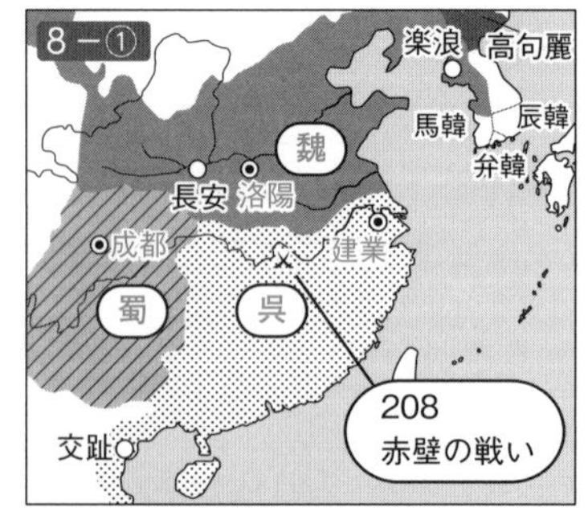

(1) 建国（265）

①司馬炎…魏の家臣。禅譲をうけ即位
▲武帝，位265～290

➡呉を滅ぼし，中国を統一（280）

②占田・課田法…身分に応じて土地所有の上限を定めた（？）
▲その内容には諸説あり

(2) 滅亡

①八王の乱（290～306）

・一族諸王が政権奪取を狙い，挙兵

・諸王が異民族の武力を利用したため，乱後に異民族の活動が活発化
すでに華北に定着していた勢力がおり，新たに中国へ侵入した勢力もいた▲

②永嘉の乱（311～316）…匈奴が洛陽を占領し西晋を滅ぼす

英単語を覚える時，「この単語は確か単語集のページの左下にあったぞ…」という感じで「場所・位置」で覚えた経験はないですか？

あ，あります！　その場限りで，あまり身につかないような…汗

人間の脳は，映像を覚える方が文字を覚えるよりも得意なようです。英単語なら語源から覚えるとか，例文で覚えるなど，有機的な手段の方がいいかもしれません。しかし，**歴史科目では出来事の経過を図を用いて覚えるのは非常に有効**です。歴史科目では，一般に時間は左から右に流れており，図の中で左ならば昔，右ならば新しい，というように**図の中の位置に意味がある**からです。

王朝の順序が複雑で手強い(てごわ)魏晋南北朝は，この「図で覚える」手法がオススメです。復習する時に，白紙に下の図を書き，図を思い出せるようにする。左＝昔，右＝新，上＝華北，下＝江南，というように意味を持たせて「呉が左下にあって…」「真ん中の上に北魏が…」と映像を思い出せればシメたもの。他の範囲でも応用がきくテクニックなので，どんどん活用してみてください。

1 後漢末に起こった**黄巾の乱**（▲太平道の教祖である張角が起こした）。鎮圧するために立ち上がった群雄たちが織り成す群像劇がご存じ**『三国志演義』**（▲→テーマ85）です。『三国志演義』にはフィクションが含まれていますが，この時代の大枠をとらえるには十分役に立つでしょう（高校世界史では『三国志演義』に絡む内容は微々たるもので，ファンの人には申し訳ない感じです)。**邪馬台国**が魏の冊封をうけたことは，日本がらみで確認しておきましょう。

2
3 魏に仕えた**司馬炎**が，皇帝の禅譲をうけて**晋（西晋）**を建国。呉を滅ぼして中国を統一しました。しかし司馬炎の死後にお家騒動が起こり，一族の王８人が挙兵する**八王の乱**が勃発します。この時**諸王が近隣諸民族の武力を頼った**ことで，諸民族が力を伸ばす結果に（彼らを総称して**五胡**（▲匈奴・鮮卑・羯は北方系，羌と氐はチベット系）と呼びます)。そのうちの**匈奴**が起こした永嘉の乱によって**洛陽**が攻略され，西晋は統一から30年余りで滅亡しました。華北は諸民族が乱立する**五胡十六国**時代に突入する一方，江南では西晋の皇族**司馬睿**(しばえい)が**東晋**を建て，中国は分裂時代を迎えます。

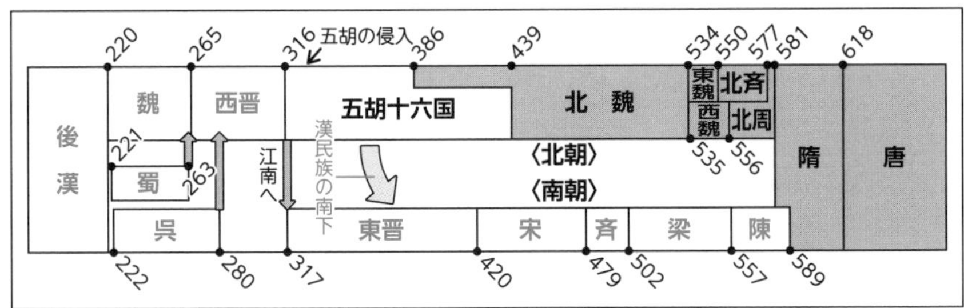

3 五胡十六国時代と東晋

(1) 華北…**五胡十六国**時代。**五胡**（**匈奴**・**鮮卑**・**羯**・**氐**・**羌**）が抗争

(2) 江南…**東晋**（317～420） 首都：**建康**（建業から改称。現在の南京）

①**司馬睿**…晋の皇族。西晋滅亡後，江南地方で東晋を建てた

4 南北朝時代 (439～589)

(1) **北魏**（386～534）

①鮮卑の**拓跋氏**が建国

②**太武帝**（位423～452）…華北を統一（439）

③**孝文帝**（位471～499）

- **漢化政策**…鮮卑独自の服飾・姓名・言語を漢人風に改めた
- **平城**から**洛陽**へ遷都
- **均田制**…豪族による大土地所有の制限と，税収の確保のため，農民に対して一定の土地を均等に給付し，代わりに税を納めさせた
  豪族への懐柔策として，**妻・奴婢・耕牛にも給田を行った**
- 三長制…税収確保と治安維持のための村落組織
  ▲5家を隣，5隣を里，5里を党に編成

(2) 北朝の変遷

北魏→**東魏**（534～550） →**北斉**（550～577）→隋

北魏→**西魏**（535～556） →**北周**（556～581）→隋

★**府兵制**…西魏に始まり隋・唐で整備された，均田農民を徴兵する制度

(3) 南朝 首都：**建康**

①**宋**（420～479）→**斉**（479～502）→**梁**（502～557）→**陳**（557～589）

②漢民族の住民が，異民族支配を逃れて華北から江南へ移住

➡**江南地方で水田開拓などの開発が進み**経済も発展

③豪族が**門閥貴族**化し，要職を独占。皇帝が弱く，王朝も頻繁に交代

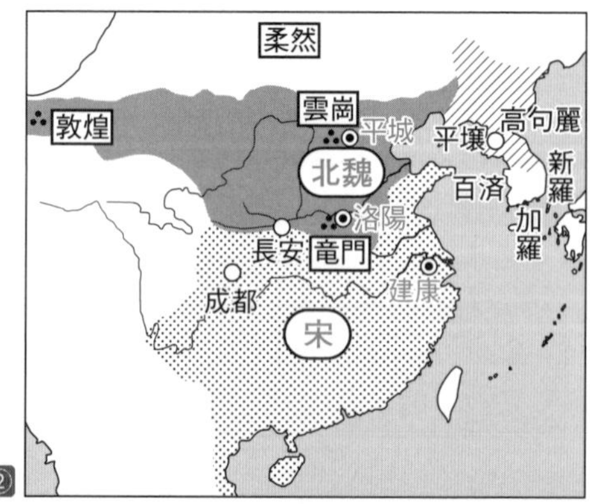

五胡は北方系の匈奴・鮮卑・羯と，チベット系の氐・羌に大別できますね。

4 5世紀前半，**鮮卑**の**拓跋氏**が建てた**北魏**が五胡十六国の混乱を収拾して華北を統一しました（第3代**太武帝**の治世）。5世紀後半に登場した**孝文帝**は，中国支配をテコ入れするために，骨太な改革を行いました。まずは**漢化政策**。北魏の人口構成は，支配層の鮮卑に対して漢民族の住民が圧倒的多数を占めていました。そこで遊牧民の伝統を捨て，中国風の言語・風習を取り入れて漢民族に同化することで，円滑な中国支配をもくろんだのです。この一環として，北方の**平城**から中国文明の中枢である**洛陽**に遷都しています。しかし，遊牧民の気風を維持しようとした勢力の間で軋轢（あつれき）が生じ，これが一因となって北魏は**東魏**と**西魏**に分裂しました。

▲例えば，馬に乗るのに便利なズボンの着用をやめた

この後，東魏は**北斉**に，西魏は**北周**に取って代わられ，北周から隋が登場しますが，北魏～隋（そして唐）に至る王朝の支配層は全て北方系（拓跋部）出身の有力者でした。①**支配層が北方系の有力者**，②**均田制や府兵制という北朝に由来する制度を継承する**，という共通点を持つこの一連の王朝群を「拓跋国家（胡漢融合帝国）」と呼びます。これは少しハイレベルな話です。

p.55の図におけるグレーの部分▲

呉以降の江南地方では，現在の**南京**を都として6つの王朝が成立しました（これを六朝（りくちょう）といいます）。呉の時代は**建業**，東晋以降は**建康**と呼ばれます。

中国を統一していたのが「西晋」，南に逃げて「東晋」というのはどういうことですか？

都の位置に注目してみてください。中国を統一していた時代の都は**洛陽**。華北を五胡に占拠され，司馬睿が再興した際の都は**建康**。洛陽から建康へ矢印を引いてみると，「都の位置は西から東へ移動している」感覚が分かると思います。都の位置から「西」と「東」という分け方をしているのですね。

宋・**斉**・**梁**・**陳**の四王朝が「南朝」です。**貴族が大きな力を持ったため，王朝は概して短命**でしたね。政治的に安定しない一方，経済は大きく飛躍します。八王の乱以降，異民族支配を逃れて**華北から多くの漢民族系住民が江南へ移住**。江南の人口は増加し，**開発が進んで稲作が発展**しました。今までは手つかずだった地域が開発されて，ついに江南地方がその経済的な潜在能力を発揮し始めたわけです。「江南で生産されたコメを華北に輸送して売りさばく」というアイディアも生まれますが，王朝が分裂していた当時は南北をつなぐことは叶わず，この構想の実現は隋による統一を待たねばなりませんでした。

本講では，土地制度と官吏任用法の説明は割愛しました。それぞれ唐・宋にまたがる重厚な内容であり，**【重要テーマ1】**の方でじっくり扱っています！

中国史④　隋・唐

1 隋（ずい）(581〜618)　首都：大興城
▲長安の近郊

(1) **楊堅**（ようけん）(文帝，位581〜604)
▲北周の外戚
①南朝の陳を滅ぼして中国統一(589)
②**科挙**（かきょ）の実施…試験による官吏登用
③**均田制**・**租調庸制**（そちょうようせい）・**府兵制**の採用
長安・洛陽の周辺で兵士を徴発し都や辺境を守らせた▲
④外交で**突厥**（とっけつ）を東西に分裂させる
(2) **煬帝**（ようだい）(位604〜618)
①**大運河**…華北と江南を結ぶ大動脈
▲文帝時代から開削
②３度の**高句麗**（こうくり）遠征に失敗
➡各地で反乱　➡滅亡 (618)

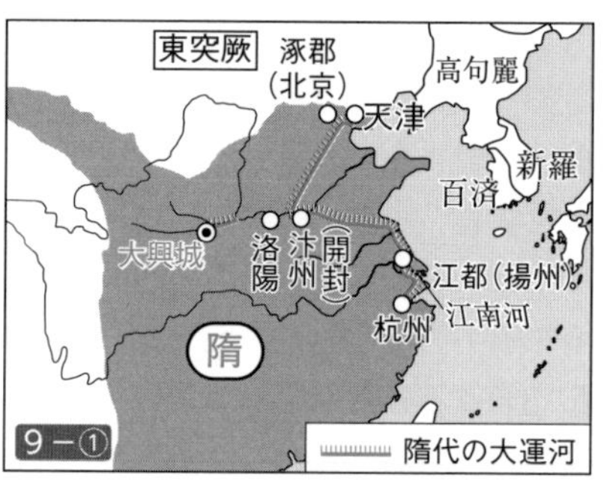

2 唐の成立 (618〜907) の成立　首都：長安

(1) **李淵**（りえん）(**高祖**，位618〜626) …隋末に子の李世民と挙兵し唐を建国
(2) **李世民**（**太宗**，位626〜649) …治世は「貞観（じょうがん）の治」と称えられる
①中央官制…**三省六部**（さんしょうりくぶ）

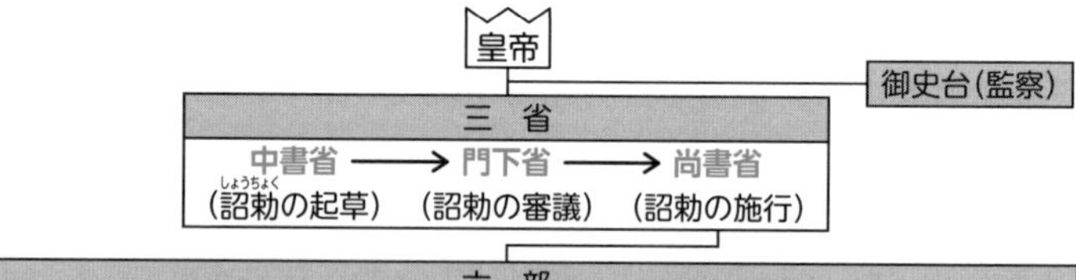

②**州県制**…郡県制に代わる地方行政制度
▲全国を10道に分け，道の下に州・県を置いた
③法体系…**律**（刑法）・**令**（行政法）・**格**（律令の補充や改正）・**式**（施行細則）
④**均田制**…成人男性（丁男（ていなん））に口分田（くぶんでん）80畝と永業田20畝を支給
▲均田制が広域にわたって実施されていたかには，諸説あり
▲世襲が認められた。高級官僚には官人永業田が支給された
・隋と唐の均田制では，妻・奴婢・耕牛への給田は廃止された
⑤**租調庸制**

租	調	庸	雑徭（ざつよう）
粟２石	絹布（けんぷ）２丈と綿（まわた）３両 ▲または麻布２丈５尺と麻３斤	年20日の労役 ▲布による代納も可	年40日の労役 ▲地方長官の命令による

1 北周の外戚**楊堅（文帝）**は隋を建て，589年に南朝の**陳**を征服。長年の混乱に終止符を打ちました。**テーマ8**でお話したように，隋は北朝の伝統を受け継ぐ王朝であり，中小農民を基盤に**均田制**・**租調庸制**・**府兵制**を施行しました。南北が統一されたことで，南朝時代の開発によって生産量が増えた江南のコメを北に運ぶプロジェクトが実現に移されます。**大運河**（▲南北間の軍事行動を円滑にする目的もあった）の開削ですね。文帝・**煬帝**の親子2代にわたって100万人以上の農民を動員し，北は天津から南は杭州までをつなぐ全長約2,500kmの運河が開通（▼黄河と大興城（長安）を結ぶ運河も開通）！ しかし，日本でいうならば札幌から鹿児島までの道のりに匹敵する大運河の開削・整備によって農民はボロボロ（開通した大運河で煬帝が豪勢なクルージングを満喫したことも農民の神経を逆なでしたとか）。そして極めつけは隋に臣従するのを拒否した**高句麗**（黄河と天津を結ぶ永済渠は高句麗遠征のために開削された側面もあった▲）への遠征。3年連続で失敗に終わった遠征の負担ものしかかり，ついに農民の不満が爆発。各地で手がつけようのない騒ぎになり，煬帝は部下に暗殺されて隋はわずか2代で滅亡しました。

隋の煬帝は，大運河開削と絡めて「暴君」として批判されることが多いです。しかしそれは，隋を継いだ唐が自らの正当性を強調するために隋を貶（おとし）めた側面もあります。中国の歴史で，きっといつか大運河は作られていたでしょう。「偉大な事業なんだが，誰もやりたがらない仕事，貧乏くじ」，それを引き受けてくれたわけです。また，煬帝は倭（日本）（▲聖徳太子時代 →世界史の中の日本①）との国書のやりとりでも知られていますね。彼は隋の冊封をうけることを拒んだ日本にたいそう腹を立てました。煬帝は結局は国書を受け取りますが，これは**高句麗討伐をする上で，日本と協力した方が得策と考えたから**だろう，という推測もあります。

「ひどい王朝」というより「貧乏クジをひいちゃった王朝」か…。

2 唐の建国者**李淵**は，煬帝の従兄弟（いとこ）にあたります。彼は息子に尻を叩かれて建国したのですが，中国を統一して体制を整備したのはその息子**李世民**（▲即位前に兄弟を殺害している）。中央官制では**三省六部**を編制し，役割を細分化したプロフェッショナル集団を作りました。三省のうち「貴族の牙城」といわれたのが**門下省**（もんかしょう）です。**中書省**（ちゅうしょしょう）が起草した詔勅（▲≒法案）を審議し，気に入らなければ容赦なくダメ出し。門下省がGOサインを出した詔勅は**尚書省**（しょうしょしょう）に送られ，六部で施行されました。地方行政制度では郡県制が**州県制**（▲郡・県という地方行政単位が道・州・県になった）と名を変えますが，官僚を地方へ送るという中身は以前と同じ。唐も「拓跋（たくばつ）国家」（▲→テーマ8）ですので，**均田制**・**租調庸制**・**府兵制**の3点セット（→【重要テーマ1】▲）を継承しています。そして隋・唐では公務員試験に相当する**科挙**も始まりますが，これも骨太な内容ですから**【重要テーマ2】**でまとめましょう。

⑥**府兵制**…農民に兵役を課す制度で，３年に１度徴兵
▲衛士（都の守備），防人（辺境の守備）
⑦**科挙**（かきょ）…科目は進士，秀才，明経が中心
▲詩文　▲時事論文　▼経学
⑧太宗の対外政策…東突厥と吐谷渾（とよくこん）を服属させた

3　３代高宗の時代（位649～683）

(1)　対外政策…唐の領域は最大
①**西突厥**（にしとっけつ）を破る
②**新羅**（しらぎ）と連合して**百済**（くだら）・**高句麗**を滅ぼす

(2)　唐と諸民族の関係
①唐の領内…辺境では**羈縻政策**（きび）を敷き，諸民族の長を長官として実質的な自治を容認。唐は**都護府**を設置し，監督
②唐の領域外…冊封体制（➡**テーマ7**）

4　則天武后（武則天）と韋后（いこう）
▲後世の歴史家は，男性中心の立場から，この時期の混乱を「武韋の禍」と呼んだ

則天武后 ▲624／628～705 **（武則天）**	①高宗の死後に子の中宗・睿宗（えいそう）を擁立・廃位 ▼門閥貴族との対立をうけて科挙官僚を重用 ②中国史上唯一の女帝として即位。国号を周に改めた（690）
韋后 ▲中宗の后	①復位した中宗を毒殺し，幼少の皇帝を擁立し実権を掌握 ▼のちの玄宗 ②李隆基がクーデタによって韋氏一派を殺害（710）

5　９代玄宗（李隆基，位712～756）
▲父の睿宗から帝位を譲られ即位

(1)　「開元の治」…治世の前半，唐の再建に尽力し，２度目の繁栄を築く
(2)　農民の疲弊…納税・兵役の負担に耐えかね，戸籍登録地から逃亡
▲商業発達に伴う貨幣経済の浸透で，貧富差も拡大
➡均田制・府兵制は行き詰まった
(3)　**募兵制**…均田農民の没落をうけ，府兵制に代わって実施された傭兵制
(4)　**節度使**…募兵軍団の司令官。辺境諸民族が自立して羈縻政策が動揺したことをうけて設置された
▲710年の河西節度使が最初で，玄宗の治世下で10節度使に増加
(5)　**安史の乱**（755～763）

楊貴妃（ようきひ）＝玄宗

楊国忠（楊貴妃の一族） 宰相として実権を掌握	VS	**安禄山**（あんろくざん）（ソグド系武将） 玄宗の信任をうけ３節度使を兼任

①背景…玄宗が晩年に楊貴妃を溺愛（できあい）し，外戚となった楊一族を重用
②経過…安禄山は権力闘争に敗れると挙兵

3 3代目の**高宗**の治世に**唐の領域は最大**となりました。そのイメージです。

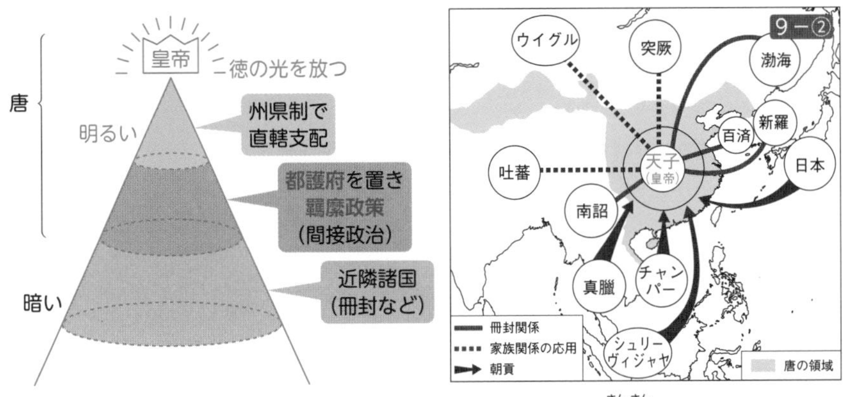

上図では中国の皇帝（天子）は世界の中心に君臨し，燦燦と「徳の光」を放ちます。実際の光と同様，皇帝から近い場所は明るく，遠くなるほど暗くなっていきます。この明るさが「皇帝の支配が届くかどうか」の基準です。一番明るいところが「中国」。州県制を敷き，皇帝が直轄支配します。少し遠い，やや暗い場所になると，唐の領内ではありますが皇帝の支配は届きづらい。そこで，**諸民族の首長に事実上の自治を認めました**。これを**羈縻政策**といいます。

牛や馬をつないでおくヒモのこと▲

私，犬を飼ってるんですけど，犬のリードみたいなものですか？

その通りです（笑）。散歩の時，犬はリードの長さの範囲ならば自由に動ける。でも肝心な時はしっかり飼い主がコントロールする。諸民族に自治を認めている状況を，牛馬（犬）をヒモにつないだ状況に見たてているのですね。ヒモを持ってコントロールするのが**都護府**の長官である都護です。そしてさらに遠くなると，もはや皇帝の光は届かず，そこは近隣諸国，すなわち夷狄の地。**近隣諸国の首長が皇帝の徳を慕い，中国の豊かな品々を求めて朝貢してきます**。これに対して冊封を行い，唐を頂点とする「東アジア文化圏」ができあがりました。あらゆる国が唐を模範にコピーしていた時代です。

諸民族を監督した役所が都護府▲
近隣国は冊封された国，家族関係を結んだ国，朝貢貿易のみ行った国に三分される▼
唐の影響下で漢字・律令・都城・儒教・中国仏教などを共有▲

4 領土が最大になったものの，高宗自身は優柔不断で病弱。切れ者の后だった**則天武后**が実権を握っていました。高宗の死後に2人の息子が皇帝になりますが，いずれも彼女が廃位し，**中国史上唯一の女帝**として即位しました。儒教的な男性中心の視点からは「女性が政治を牛耳るとはけしけらん！」というネガティブな評価をされるのですが，則天武后の政治には評価すべき点も多くありました。則天武后の死後，中宗が復位しますが，今度はその后である韋后が中宗を毒殺！　再び女性が権力を握り幅をきかせると，これを憂いた睿宗の子**李**

▲中宗と睿宗
門閥貴族を排除して，科挙官僚を重用したことなど▲

➡長安を占領し，大燕（だいえん）皇帝を称する。安禄山の死後は**史思明**（ししめい）が指導

➡唐は，**ウイグル**（回紇（かいこつ）。トルコ系騎馬遊牧民）の援助で反乱を鎮圧

③影響…節度使が内地にも設置され，**地方の行政権・財政権を握り勢力拡大**
強大な権力を握った節度使を「藩鎮」とも呼ぶ▲

6 唐の衰退と滅亡

(1) 財政再建策

①**両税法**の採用（780）

・背景…安史の乱で均田制・租調庸の崩壊は決定的になった

・現住地で所有する土地・資産に応じて課税

＝土地私有の公認。荘園が発展し，没落農民は佃戸（でんこ）（小作人）となる

・夏秋の年２回徴収，銭納が原則
▲二期作，二毛作の普及が背景

・徳宗の治世中に，宰相の楊炎の献策により実施

②**塩**の専売制の強化　➡民衆の不満が増大し，塩の密売商人が横行

(2) **黄巣の乱**（875～884）

①塩の密売商人王仙芝（おうせんし）が山東で挙兵。同業の黄巣が呼応して大反乱に発展
節度使によって鎮圧されるが，唐の支配は有名無実化▲

(3) 唐の滅亡（907）…節度使の**朱全忠**（しゅぜんちゅう）が唐を滅ぼし，後梁を建国

7 唐代の社会・経済

(1) 農業技術の進歩…江南での田植えによる水田耕作，商品作物の栽培
▲桑・茶・綿など

(2) 商業…政府が**商業を統制**し，都市の城壁内部の市で取引
▲都市内は夜間外出禁止

➡唐の末期には，政府による統制はしだいに緩和されていった

(3) 貿易の繁栄

①海上貿易…イスラーム商人が来航。広州に市舶司を設置。揚州も発展
▼大運河と長江の結節点
▲大食　▲海外貿易を管理する機関

②内陸貿易…イラン系の**ソグド商人**が「オアシスの道」の貿易に従事

9－③

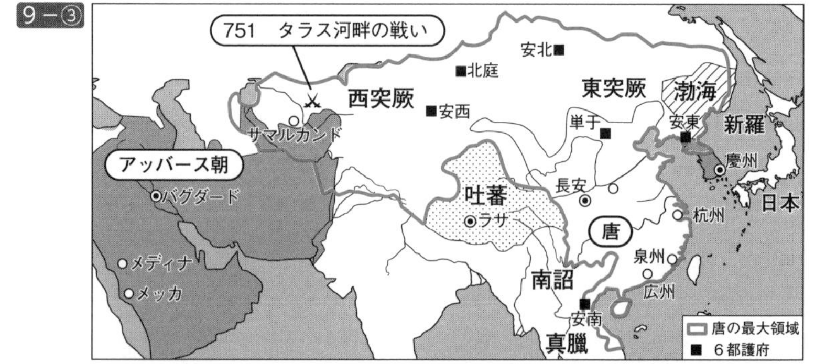

隆基が韋后一派をクーデタで打倒しました。この李隆基がのちの**玄宗**です。

5 唐が成立してから約100年，玄宗の治世には体制に綻(ほころ)びが見え始めました。特に**納税・兵役の負担は農民を苦しめ，逃亡する者が続出。農民からなる兵を中核とする府兵制は機能しなくなりました**。兵力不足は辺境諸民族が自立する一因となり，羈縻政策も限界を迎えます（牛馬がヒモにつながれて大人しくしているのも，怖い主人がいてこそ。主人がナメられてしまえば，たちまち暴れ馬に豹変(ひょうへん)）。そこで，辺境に設置した軍司令官（**節度使**）が睨(にら)みをきかせることにしました。さらに有給の**募兵制**を採用し，兵力不足の解消を図ります。

▼節度使が地方の徴税権を持っており，兵士を募集した
▲府兵制では，兵士は無給であったため，農民の負担が大きかった

暴れ馬を鎖で縛りつけるような，ハード路線にしたんですね。

大きな権限を与えられた節度使が暴走してしまったのが**安史の乱**です。20代で即位した玄宗も即位して30年，政治に対する情熱を失って**楊貴妃**を寵愛(ちょうあい)。権勢を拡大させた楊一族と，玄宗お気に入りの節度使**安禄山**が激しく対立しました。権力闘争に敗れた安禄山が挙兵し，８年にわたる内乱が始まりました。手こずった政府は近隣の**ウイグル**（回紇）に支援を求め，ようやく鎮圧にこぎつけます。統制力を失った唐政府は，内地にも節度使を設置するという「劇薬」を処方しました。中国の中枢部も，軍が睨みをきかせて押さえつけるということです。**節度使は行政・財政の権限も握って巨大な勢力になりました**。

▲宰相となった楊国忠
玄宗は逃避行の途上，反抗した兵士をなだめるために，楊貴妃の殺害を命じた▼
▲藩鎮

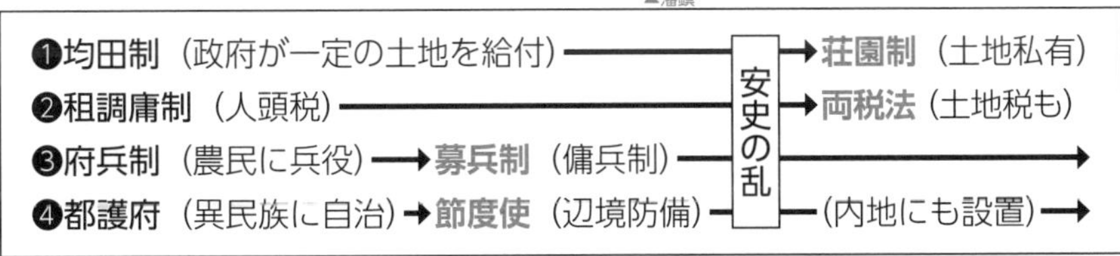

6 安史の乱の前後で，唐の体制は上記の表のように激変しました。土地の私有（荘園制）を認めて**両税法**が施行されます。財政再建策として，**塩**の専売も強化され財政の柱となりました。法外な値段で販売される政府の塩に対し，**ヤミ塩の密売が横行**。政府の取り締まりに反発した密売商人の反抗が**黄巣の乱**です。乱はなんとか節度使が鎮圧するのですが，この時期の唐政府には独立政権と化してしまった節度使の跋扈(ばっこ)を押さえる力は残っておらず，節度使**朱全忠**によって，約300年にわたる唐の歴史は幕を閉じました。

▲→【重要テーマ1】

7 唐が繁栄した７～８世紀は，西アジアでウマイヤ朝・アッバース朝というイスラーム王朝が成立した時期。これら**広域国家が並び立ったことで戦乱のない状況が続き，文化交流や交易が盛んになった**ことも押さえておきましょう。唐代に商業活動が規制されていた点については，宋代の経済で説明しますね。

▲→テーマ83

重要テーマ

1 中国の土地制度

今回は，**テーマ8**＆**テーマ9**とあわせて読み進めてください。

春秋・戦国時代に起こった封建制➡郡県制，氏族制➡家族単位の農業，という変化は，**皇帝が官僚を用いて農民を直接統治できるようになった**ことを意味しました（封建制では地方統治を諸侯に委ねますし，氏族制社会では，農民は諸侯・王・皇帝よりもまずは一族の長を敬う。皇帝の統治がブロックされてしまいます）。皇帝は，「どの農民も皇帝に逆らうことはできぬ。勝手に大地主になることは許さないし，納税を拒否することも許さん！」というコンセプトで「管理」しようとしました。これは，**「農民の土地の広さや税額は均一」**というルールに通じます。この「農民に均等に課税する」性質の税が**人頭税**です。

▲この理念を「一君万民」とも呼ぶ

人頭税の税収　＝　均等額　×　納税者数

これが税収の計算式。納税者が多ければ税収は増え，納税者が減れば税収も減る（納税者が減るというのは，①農民が死んだり逃げたりで人口が減る，②農民が没落して納税する余力がなくなる，の２パターンが考えられます）。従って政府は，**納税できる中小農民をいかに多く維持するか**，に心を砕きました。

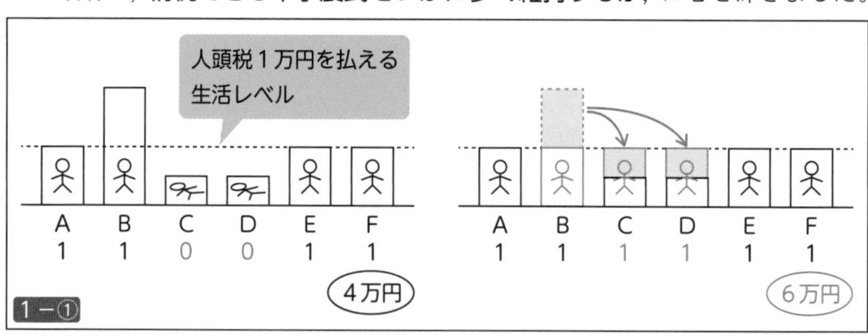

例を挙げて説明します。1－①の左ではA～Fさん，計６人の農民がいて，CさんとDさんは没落してBさんのもとで小作人をやっている。ここで１人あたり１万円の人頭税を徴収した場合，税収は１万円×４人＝４万円です。

ここで政府は「CとDがまともな生活ができたなら，税収が増えるじゃないか」と考え，Bさんの土地を取り上げ，CD両名に分配（1－①の右）。CさんとDさんが自立して納税できるので，税収は１万円×６人＝６万円にアップ！　これが，漢以降の中国王朝が**大土地所有を制限＆中小農民を保護する政策**を熱心に進めた理由です。①前漢の限田策，②魏の**屯田制**，③西晋の占田・課田法，④北魏～唐の**均田制**は全てこのコンセプトを反映しているんですね。

政府が農民に均等に土地を給付する代わりに税を負担させる均田制はその完

▲その前提として，土地を国有化し，大土地所有者の土地を没収　▲土地の「レンタル料」のイメージ

成形です（唐のパートで租調庸の内訳を詳細に紹介しましたが，**これは「租調庸の中身を覚えて！」という意味ではなく「全員が均等額の税を納めていることを分かって！」ということ**）。これに**府兵制**がくっつき，唐代には「均田制で均等に土地を給付。その代償に税を納め兵役も果たす」体制が成立しました。
ただ，近年は「均田農民を兵士として徴発」という画一的視点は否定されつつある▲

しかし，農民は納税と兵役の負担に耐えかね，没落・逃亡する者が続出。**安史の乱**を機に唐の統制力はガタガタになって，均田制は崩壊へ。大土地所有者の土地を取り上げることもできず，末端の農民にまで目を配ることもできない。1－①の左，4万円しか徴税できない状況が固定化されてしまいました。
▲商業発達に伴う貨幣経済の浸透も，貧富差が拡大した一因
今までなら王朝滅亡の足音が聞こえてくる頃ですが，唐は「貧富差のある凸凹（でこぼこ）な状態で，6万円徴税する方法はないだろうか？」と発想を転換させました。

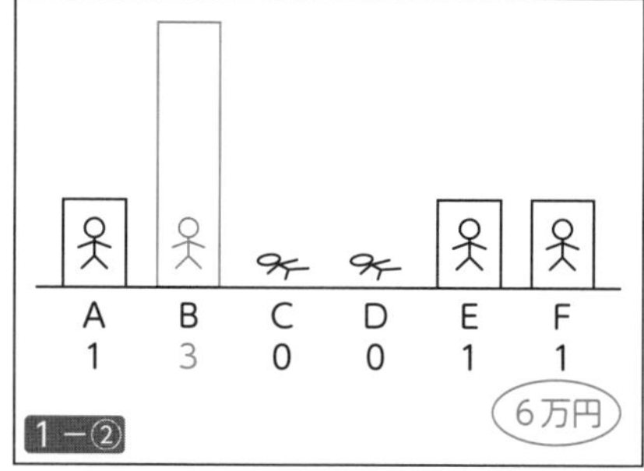

右図で**「一律均等に管理」**するコンセプトにこだわらず，4人から合計6万円徴税するなら，誰からいくら徴収するのが最も直感的で分かりやすいでしょうか？　おそらく「AさんEさんFさんから1万円，Bさんから3万円」ですよね。「土地の管理はもうヤメだ。土地を自由に所有していいから，金持ちは税をたくさん払って！」　これが**土地税**で，例えば「土地1haにつき1万円の税を課す」とルール化しました。地主が所有する土地を**荘園**，小作人を**佃戸（でんこ）**と呼ぶことも要チェック。租調庸制と両税法を整理しておきます。
AEF＝0.5万，B＝4.5万などパターンは無限▲

租調庸	両税法
戸籍登録地において課税 ▲均田制で定められた土地	現住地において課税（**＝土地私有を認める**）
丁男・中男の数に対して課税 ▲すなわち人頭税	**土地・資産の多寡（たか）に応じて課税（土地税）** ▲ただし，税制上は人頭税も残っているので注意
――――――	夏・秋の２期に分けて徴税
物納・徭役（ようえき） ▲政府から課された労働	貨幣経済の発達をうけ，原則として**銭納**

両税法の施行は，単なる税制の変化でなく，**王朝運営の基盤が中小農民から地主に変化した一大転換**なんだ，ということが理解できれば完璧です（6万円という税収が同じでも，その内訳は全く違いますよね。1－①では6人の中小農民が1万円ずつ納税しているのに対し，1－②では6万円中3万円を地主のBさんが負担しています）。そして政府にとってみれば，もはや中小農民を保護する必要性は薄れました。こういったわけで，**両税法以降は政府による土地管理政策はパッタリと行われなくなる**のです。
▲管理から放任に移った，という言い方もできる

テーマ 10

中国史⑤　宋

1 五代十国 (907〜979)

▲十国は江南地方・四川地方に分立した小国群

(1) 五代　都：開封（汴州(べんしゅう)）※後唐のみ都は洛陽

▲武断政治（軍人が行う政治）が行われた

①**後梁**（**朱全忠**が唐を滅ぼし建国）➡②後唐

➡③**後晋**（キタイに**燕雲十六州**を割譲）➡④後漢(こうかん)　➡⑤**後周**(こうしゅう)

世宗が国内政治を安定。中国統一の準備をしたが，死去▲

2 宋（北宋）(960〜1127)　首都：**開封**(かいほう)（汴州）

(1) 建国と文治政治への転換…君主独裁体制を確立

①太祖**趙匡胤**(ちょうきょういん)（太祖，位960〜976）…後周の節度使。部下に推され宋を創始

②**文治政治**(ぶんち)への転換

・節度使を解体…文官を武官より上位に置き，州県制を復活

▲皇帝直属の禁軍（中央軍）に精鋭を集中させた

・**殿試**(でんし)（皇帝が臨席する科挙の最終試験）を導入

▲州試（地方の一次）⇒省試（中央の二次）⇒殿試

・**唐末五代の戦乱で門閥貴族は没落，科挙の整備によって皇帝独裁が確立**

(2) 王安石の新法

①財政難
- ・官僚機構の肥大化…文治主義の影響による
- ・異民族の圧迫…キタイ（**澶淵の盟**(せんえん)）・西夏に歳幣(さいへい)を贈る

▼絹・銀　▲1044年の慶暦の和約

②**王安石**(おうあんせき)…神宗(しんそう)に宰相として登用され，新法を実施（1070頃〜）

青苗法	農民に対する低利融資策
市易法	中小商人に対する低利融資策
募役法	差役を免除する代償に免役銭を徴収し，差役希望者に銭を支給 ▲納税物の管理・運搬のことで大きな負担であった
均輸法	➡テーマ7
保馬法	農業生産の発展と軍馬不足を打開しようとした，軍馬の飼育奨励
保甲法	軍事費削減と治安維持を目的とした，兵農一致の策 ▲かつて存在した府兵制を継承した制度

(3) 旧法党の形成と党争

①新法党（王安石）VS **旧法党**（**司馬光**）➡王安石が辞任➡司馬光が新法廃止

▲青苗法・市易法に反発した大商人・大地主が支援

(4) 北宋の滅亡

①宋が金と同盟して遼を挟撃し滅ぼす➡約束の謝礼を宋が払わず，金が侵攻

②**靖康の変**(せいこう)（1126〜27）…開封が陥落

・**金**は，前皇帝の**徽宗**(きそう)・皇帝の欽宗(きんそう)父子を含む要人を北方に連行

▲院体画の画家としても有名

1 907年，節度使の**朱全忠**が唐を滅ぼし**後梁**を建国しました。しかしこの後梁，統一国家とは程遠く，各地で朱全忠と同類の**藩鎮**(はんちん)が入り乱れ，頻繁に王朝交代（五代）。南部でも小政権（十国）が乱立…。中国史上でも指折りのバイオレンスな時代ですが，特筆すべき「役割」も果たしました。**今まで権勢を誇った門閥貴族が唐末五代の戦乱でことごとく没落し**，家柄だけで立身出世できる時代は過去のものとなったんです。

▲行政権と財政権も握った節度使

いわば社会が「リセット」されて，公平な世の中になったんだ…。

2 後周の武将**趙匡胤**が北宋を建て，２代目の太宗の時代までに天下は平定されます。①貴族階級が消滅し，②軍人による武断政治を断ち切った，この２点から，**「皇帝に忠誠を誓う優秀な人材だけを採用する」流れが生まれて科挙制度が整備され，皇帝独裁が確立されていきました**（詳しくは**【重要テーマ２】**で）。唐末五代の戦乱をたくましく生き抜いた新興地主層（**形勢戸**(けんせいこ)）が科挙合格を目指し，**士大夫**(したいふ)と呼ばれる知識人階層を形成（宋以降の中国社会の中核をなします）。門閥貴族・節度使・士大夫の盛衰を下の図で整理しておきましょう。

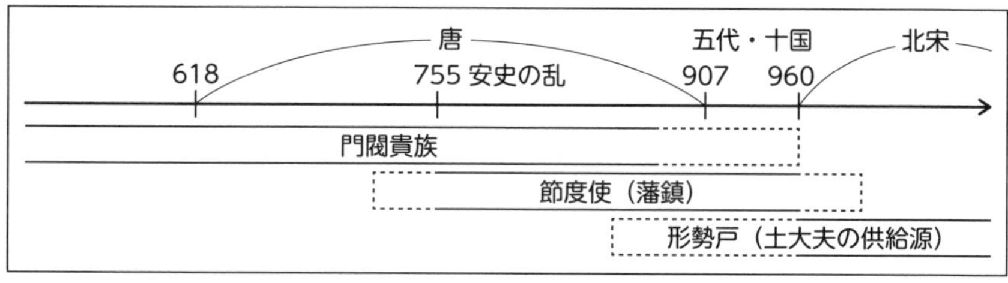

科挙に合格した知識人が皇帝の手足となる，この政治を武断政治に対して**文治政治**といいます。政府は優秀な人材を確保してつなぎ留めておこうと，官僚にかなりの好待遇を用意したため，人件費がかさみました。さらには武断政治の反動で地方の軍を骨抜きにしたため，近隣諸民族にサッパリ勝てなくなってしまいます（キタイや西夏に毎年多額の贈り物をして買収・懐柔）。**人件費・歳幣・軍事費で財政難に陥る**と，６代**神宗**に抜擢された宰相**王安石**が，新法と呼ばれる改革を断行しました。**均輸法**や**保甲法**は，すでに中国で行われていた政策の焼き直しです。目玉であったのが，**農民や商人への低利融資**である**青苗法**と**市易法**。当時，大地主や大商人が副業で手掛けていた高利貸しが民衆を苦しめていました。これに対抗して政府が**低利融資を行い，民衆を救済するとともに利子収入を財源にあてようとした**わけです。副業をつぶされた地主たちは猛反発。考えてみると，科挙官僚の多くは地主出身ですから，彼らが政府内部で抵抗の声を上げたわけですね。これが**旧法党**です。抗争の末，王安石が政府

▲歳幣　▼府兵制 →テーマ８　▲前漢の武帝時代 →テーマ７
リーダーの司馬光は『資治通鑑』を著したことでも知られる →テーマ84▲

3 南宋（1127～1276 or 79） 首都：臨安（杭州）

(1) 建国者…高宗（位1127～62）。靖康の変に際し江南に逃れ宋を復興
▲欽宗の弟

(2) 金への服従…建国後，華北奪回をめぐる対立が発生

①岳飛…金との戦いで殊勲をあげた主戦派の中心人物

②秦檜（しんかい）…岳飛を処刑し，金に降伏して和議を結んだ（1142）

・**南宋を臣下・金を主君とする主従関係**を結び，南宋が歳貢を毎年贈る

・淮河（わいが）から秦嶺山脈（大散関（だいさんかん））までの線が国境
▲黄河と長江の中間の川

4 宋代の社会・経済

(1) 新たな支配階級

①形勢戸…両税法の施行で大土地所有が認められて以降，台頭した新興地主。没落した小農民を佃戸（小作人）として支配
▲なお，大土地所有そのものを「佃戸制」と呼ぶ

②士大夫（読書人）…科挙合格を目指す知識人階層
▲科挙官僚を指すこともある

③官戸…科挙合格者を出した家。免税など種々の特権が与えられた

(2) 農業生産力の向上

①長江下流地域において，囲田（いでん）と呼ばれる干拓地が増加

②**日照りに強く，また早稲種**である占城稲（せんじょうとう）が江南地方で普及

➡「蘇湖（そこ）（江浙）熟すれば天下足る」…**長江下流域**が穀倉地帯となった

(3) 商工業の発達

①都市の発展…宋代には**商業規制が緩和**され，都市での夜間外出も許可

➡ 草市（そうし）…都市外の小規模な定期市
　 鎮（ちん）…交通の要所や寺社の門前に成立した新興都市
▼草市から発達したものも多い

・「清明上河図（せいめいじょうがず）」…開封の賑わいを描いた絵巻物。北宋末の張択端（ちょうたくたん）の作

唐代までの都市	宋代の都市
・**軍事・政治都市**…城壁で囲む Ex. 長安・洛陽	・**経済都市** Ex. 開封と臨安は**大運河の要所** ▲→テーマ9
・商業活動を規制，夜間外出は禁止 ▲長安での商業活動は東市・西市に限定されていた	・規制緩和，夜間外出を許可

②青磁・白磁…**喫茶の普及**に伴って，景徳鎮などで陶磁器が生産された
宋政府は茶や塩を専売した▲　▲江西省

③同業組合の発達…行（こう）（商人の組合）・作（さく）（手工業者の組合）

④通貨の発達…交子（こうし）（世界初の紙幣）・会子（かいし），銅銭（宋銭，**日宋貿易**で輸出）
南宋の紙幣▲

(4) 海上貿易

①泉州・明州（めいしゅう）・広州（寧波（ニンポー））・臨安（りんあん）などに市舶司（しはくし）が設置された
▲広州を凌いで繁栄　▲遣唐使・勘合貿易に代表される，日本との交流・貿易の拠点港

②中国商人はジャンク船を用い東南アジアへ進出
▲蛇腹の帆を持つ，船体を隔壁で区切った船舶

を去ってしまったため，合理的な新法は結局廃止され，北宋は国勢を回復する機を逸してしまいました。

3 1126年，新興の**金**が開封を占領し，翌年に皇帝を含む数千人の要人が金に
▲ツングース系女真の国 →テーマ15
連行されて北宋は滅びました（**靖康の変**）。最後の皇帝欽宗の弟（**高宗**）が江南に逃れ，南宋を建て金に対抗しました。10年以上にわたって金と戦ったものの，ついに**秦檜**の主導で南宋は降伏…。一応は北宋の顔を立ててくれていた遼・西夏に対し，容赦のない**金は南宋に臣下の礼をとらせました**。「世界の頂
▲北宋と遼は兄と弟，北宋と西夏は主君と臣下　▲この「臣下の礼をとる」という条件はのちに改められた
点に君臨する中華」という価値観がひっくり返ってしまった，中国人にとっては屈辱の時代です。**岳飛**を死に追いやって主戦派の勢いを削ぎ，「売国的」な講和をまとめた秦檜は，後世までさんざんな評価をうけることに…。

秦檜自身は，無用の戦争を避けて犠牲を少しでも減らそうとしたんですよね。ちょっと気の毒な感じもします。

10－①

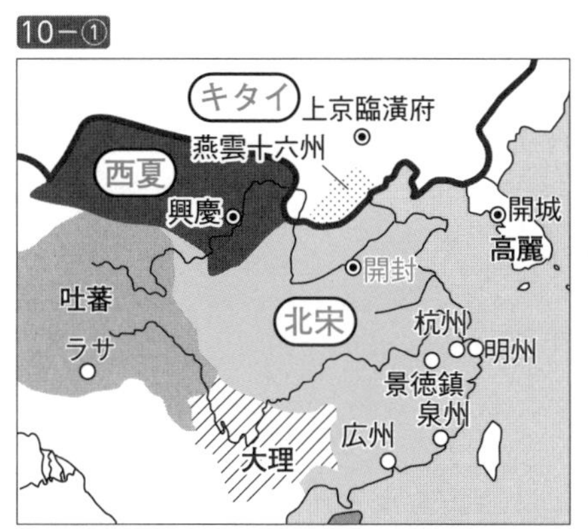

10－②

4 宋代は，中国史の中でも農業・商工業が特に目覚ましく成長した時期です。江南地方では**干拓による新田開発**が行われ，東南アジアから伝わった新種の**占城稲**が普及し，**長江下流域が穀倉地帯**となりました。余剰生産物が取引されて商業はにぎわいます。そして，隋代に開かれた大運河によって盛んになった物流も商業を活性化させて，唐代を経て宋代に花開きました。唐まで＝**政治・軍事**，宋＝**経済**という「都市の性格」を左ページの図で確認しましょう。唐代までは「行政をする場所」「要塞として戦う場所」に都が置かれていたのに対し，
▲「国」や「國」という漢字は，政治・軍事都市の性質をよく表している
宋代には「大運河の要所」が都になったのです。図説などで，城壁に囲まれた長安の図と，開封の賑わいを描いた**「清明上河図」**を見比べてみると，その性格の違いがよく分かりますよ。こういった文脈から，**草市・鎮・行・作・交子**といった経済ワードを固めていくと，忘れにくくなるはずです。

重要テーマ2 中国の官吏任用・皇帝独裁・唐宋変革

前漢を通じて体制を支える学問となった儒学が，郡県制とともに王朝の両輪になると，官吏を選ぶ方法にも儒教的な価値観が反映されるようになりました。これが**郷挙里選**（きょうきょりせん）で，「孝行で表彰をうけた」「私財を投げうって人を助けた」といった徳のある人材を地方長官が朝廷に推薦しました。この制度は豪族（地方の有力者）が中央政界に進出する足がかりとなりました。

３世紀に入って，魏が施行した**九品中正**（きゅうひんちゅうせい）は，本来は地方の優秀な人材を発掘する目的で始まったもので，人材を才能に応じて９等級に評価したことからこう呼ばれるようになりました（▲この評価によって，最終的にたどりつける役職も決定）。しかし，晋以降はスカウトに相当する中正官が各地の豪族に抱きこまれて癒着（ゆちゃく）がひどくなり，能力に関係なく有力な豪族を「上品」に推挙するようになってしまいます。その結果，特定の家柄の者が高級官僚の座を独占し，親から子へと代々官職を世襲する**門閥貴族**が形成されていきました。**「上品に寒門なく，下品に勢族なし」**はこれを風刺した言葉ですね。彼らは皇帝への忠誠心に欠けても，いや**皇帝に対抗心があったとしても**家柄さえ良ければ任官できたため，皇帝権強化にとって大きな障害となりました。

この弊害を打破するために唐で採用されたのが（最初に導入したのは隋で，当初は「選挙」と呼ばれていた▼），学科試験である**科挙**（かきょ）（公務員試験に相当します）（▲厳密には「公務員になる資格を得る試験」で，唐代には別途面接もあった）。しかし実際は，蔭位（おんい）の制（▲父のお「蔭（かげ）」で地「位」を得る，という意味）（高級官僚の子弟は科挙を受けずに自動的に父の官位を継承できる）という抜け道があり，**唐代も門閥貴族は勢力を維持し続けました**（難関大志望者は，**則天武后**が門閥貴族に対抗するために，科挙官僚を積極的に登用したことをチェック！）。学科試験が導入されても完全な実力主義にはなっていない点に注意しましょう。

テーマ10でお話ししたように，宋代に大きな転機が訪れます。あの**唐末五代の戦乱に巻き込まれた門閥貴族がことごとく没落**し，家柄だけで大きな顔ができる時代は終わりました。これをうけて，宋代には科挙の結果のみを判断基準として官僚を採用するように。しかし，学科試験では官僚の卵たちの心の内までは測れない（ひょっとしたら腹黒い奴がいるかも…）。武断政治のトラウマが残る宋としては，なんとしても皇帝に従順な官僚がほしい。ここで皇帝自らが臨席する最終試験の**殿試**（でんし）が意味を持ってきます。皇帝が臨席することで「皇帝が師匠，受験生（官僚）が弟子」（実際には皇帝の臨席は形式的なものであった▲）という**師弟関係が出来上がり，両者の主従関係は絶対化されます。**殿試の結果に基づいて合格者に順位をつけることで「陛下に評価して頂いた！」と官僚はいたく感激するという構図です。

このようにして，皇帝に忠誠を誓う優秀な人材が皇帝の手足となるシステム，すなわち**皇帝独裁体制**が確立されました。原則として男性であれば科挙を受験できましたが，合格できるのはほんの一握り。十年単位で浪人することも珍しくなく，その間悠々（ゆうゆう）と暮らしていける財力がなければ合格などおぼつきません（もちろん書籍を購入したり，教師を雇う財力も必要）。当時そういった力を持っていたのが，唐末五代の戦乱を逞（たくま）しく生き抜いた新興地主層（**形勢戸**（けいせいこ））でした。地主の子弟は科挙合格を目指し必死に勉強しますから（▲他に大商人の子弟も科挙受験層であった），社会に知識人階層（**士大夫**（したいふ））が形成されていきます（▲科挙官僚のことを士大夫と呼ぶこともある）。そして，晴れて科挙合格者（▲「進士」という）を輩出した家を官戸（かんこ）といいました。**2－①**で３者の関係性を確認しておいてください。

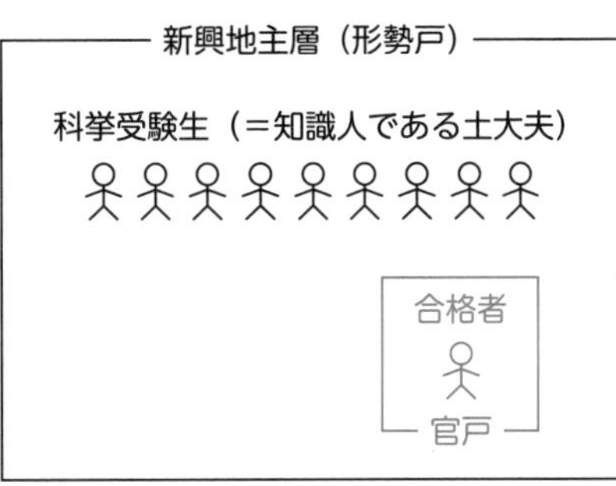

2－①

両税法を施行する前の中国王朝は，大土地所有を認めない方針（▲→【重要テーマ1】）をとっていましたね。これには，政府に抵抗できるほどの大地主の出現を防ぐ意図もあったわけですが，**両税法**（▲大土地所有の承認）と，宋代の科挙整備を経て，政府と大地主の関係は大きく変化します。科挙官僚には破格の給与と免税など様々な特権が与えられました。誰だって税金は払いたくないもので，地主も何とか税から逃れたいと考える。ここで彼らは「政府に抵抗して納税を拒否するよりも，科挙に合格して高給と免税特権をゲットした方が得策だ！」と考えたのです。政府としては，地主が反抗することを気にする必要がなくなります。地主は官僚（＝公務員）を目指しているわけで，政府から給料をいただく公務員や公務員志望者が，「政府をつぶせ！」と考えるはずがありませんからね。このように，政府は（高給・特権・栄誉をエサにして）**地主層を体制側に取り込むことに成功しました。**

2－②

2－②で総整理です！　まず，秦漢の郡県制＆儒学（▲→テーマ7）はもう大丈夫でしょうか。続いて，今までの王朝運営の基盤は中小農民でしたが，両税法を境に地主層に変化し（▲→【重要テーマ1】），彼らが多くの土地税を納めるシステムに。そして本講の内容で，宋代には地主層が科挙官僚として皇帝独裁を支えるようになりました。この**唐後半から宋にかけての政治・社会全般の変化は中国史最大の転換とされ「唐宋変革」と呼ばれます**（▲政治・経済・社会のあらゆる面で地主が主役になったといえる）。抜かりなくマスターしておいてください。

中国史⑥ 大モンゴル国（モンゴル帝国）

1 大モンゴル国（モンゴル帝国）の成立と発展

▼可汗（→テーマ15）に由来する，君主の称号

(1) **チンギス＝カン（ハン）**（太祖〈幼名テムジン〉，位1206〜27）

①ナイマン（トルコ系遊牧民）を征服してモンゴル高原の諸部族を統一

②**クリルタイ**で選出され全モンゴルの大ハーンの位に就いた（1206）

▲部族長会議

③**千戸制**（せんこせい）…モンゴルを95の千戸に分け，その下に百・十戸を置いた部族制

④遠征の開始…**オアシスの道を征服。モンゴルの統一による交易路の安定を期待したイスラーム商人やウイグル商人が資金援助**

ホラズム＝シャー朝を破る
西夏（せいか）を征服…チンギス＝カンが遠征し，チンギス＝カンが死去した直後に滅亡

(2) 第2代**オコデイ（オゴタイ）**…チンギス＝カンの第3子。

▲カンにまさる，「皇帝」を意味する「カアン（ハーン，大ハン）」を名乗った

①内政…オルホン川河畔の**カラコルム**に首都を建設

②遠征

金（きん）を征服（1234）
バトゥ（チンギス＝カンの長子ジョチの子）が，ロシアのキエフ公国を征服 ➡**ワールシュタットの戦い**（1241）でポーランド・ドイツ連合軍に勝利 ▲リーグニッツの戦いとも ➡バトゥはロシアで**キプチャク＝ハン国**を建国

(3) グユク（定宗，位1246〜48）

(4) **モンケ**（憲宗，位1251〜59）…チンギス＝カンの末子トゥルイの子

チベット・雲南方面…弟クビライが，**吐蕃**（とばん）（▲チベット）を服属させ，**大理**（だいり）（▲銀の産地）を征服
西アジア方面…弟**フレグ（フラグ）**が**アッバース朝**を滅ぼす（1258） ➡フレグは現地で**イル＝ハン国**を建国
高麗を服属させる（1259）

(5) モンゴル帝国の分裂〜諸ハン国

▲ハンたちは互いに抗争することもあったが，大ハーンの権威を認め，ゆるやかな連携を維持

チャガタイ＝ハン国	別名チャガタイ＝ウルス　建国者…チャガタイ ・しだいにイスラーム化が進行。のちに東西分裂（1330頃）
イル＝ハン国	別名フレグ＝ウルス　建国者…**フレグ** ・**ガザン＝ハン**が全盛期，13世紀末にイスラームを国教化 ・**ラシード＝アッディーン**…『**集史**』を編纂（へんさん） ▲ガザン＝ハンを補佐したイラン人宰相

1 今回の主役は普段は，脇役に追いやられがちな遊牧民。まとめてみます。

農耕民	遊牧民
定住	家畜に草を与えるため，定住しない（できない）
生活は比較的安定	生活は不安定になりがち ▲例えば，定住していないため，食糧の備蓄をすることができない
土地が財産	家畜が財産 ▲土地は「消耗品」のイメージ
州県制	部族制（チンギス＝カンは**千戸制**を整備）

農耕民と遊牧民では，土地に対する考え方が大きく異なりますね。遊牧民にとっては，家畜が草を食べ尽くしてしまえばその土地は用無しとなり，さっさと移動する。特定の土地を所有するという概念がなく，草原をめぐる抗争が絶えません。馬を操る個々人の武勇は特筆すべきものがありますが，団結力に欠ける。裏を返せば優れた指導者が出現すれば驚異的に強くなるわけで，**チンギス＝カン**一族はとりわけ傑出したリーダーだったわけです（**クリルタイ**を開くのは，その時その時で最も優秀な人をトップに据えるため，ともいえますね）。

誰がどこを征服したのか，混乱しちゃいます…。

地道に反復して記憶していく作業は絶対に必要です。ただ，各ハンの征服のおおまかなビジョンを知っておくと，記憶のサポートになるでしょう。

①チンギス＝カン時代は**「オアシスの道」**を征服
②オゴデイ時代は父が進めていた**「草原の道」**の征服を完成させる
③モンケは大陸の征服を進める ▲特に南宋攻略に熱意を注いだ
④クビライは**「海の道」**にまで進出を図る

チンギス＝カンは，**テーマ15**で扱う**「遊牧民とオアシス民の共生」**の考え方に基づき「オアシスの道」を掌握し，オアシス地帯で活動していたイスラーム商人やウイグル商人から経済面など各種支援をうけました。これが**ホラズム＝シャー朝**と**西夏**（▲仏教徒が多かった）の征服です。

チンギス＝カンが西夏滅亡の直前に死去すると，後継者を決めるクリルタイが開かれました。長男ジョチは既に亡くなっており（▲ジョチはチンギス＝カンの子ではないともいわれる），次男チャガタイはキレやすい。そこで冷静沈着な三男**オゴデイ（オゴタイ）**（▲「カン」にまさる「皇帝」という意味の「カアン（ハーン）」を名乗った）が選出されました。オゴデイは都**カラコルム**を起点に**駅伝制（ジャムチ）**を整備して「草原の道」のアクセスを向上させました。東方では自ら**金**を滅ぼし，西方ではジョチの子**バトゥ**が東欧にまで進出して，「草原の道」がモンゴル帝国の支配下に収まります。

４代**モンケ**はアジア大陸全土を平らげようと様々な地に軍を送りました。イスラームの盟主**アッバース朝**も，弟**フレグ（フラグ）**によって滅亡。**大理**や**高**

キプチャク＝ハン国	別名ジョチ＝ウルス　建国者…**バトゥ**
	・支配下からモスクワ大公国の**イヴァン3世**が自立し（1480），ロシアから追放され崩壊 ▲→テーマ24

※ウルス…「くに」の意。人間集団とそれによって形成される領域を指す

2 元（1271〜1368）

⑴ **クビライ**（**フビライ**，世祖，位1260〜94）…トゥルイの子。モンケの弟

①自己の支持者だけのクリルタイを開き強引に大ハーンに即位

②**大都**（現在の北京）に遷都（1264）

③**カイドゥ（ハイドゥ）の乱**（1300〜1301）…オゴデイの孫ハイドゥ（カイドゥ）が反抗

④**元**朝を創始（1271）…中国の農業生産力・経済力に注目

⑵ 遠征

遠征
南宋を征服（1276 or 79）…臨安が陥落　➡最後の皇帝が入水 ▲初めて中国全土が異民族の支配下に入った
ビルマ（**パガン朝**）を攻撃　➡パガン朝は内紛で滅亡（1299）
日本遠征（元寇），ベトナム（**陳朝**大越国）遠征，**ジャワ**遠征は失敗 ▲鎌倉時代。文永の役（1274）・弘安の役（1281）

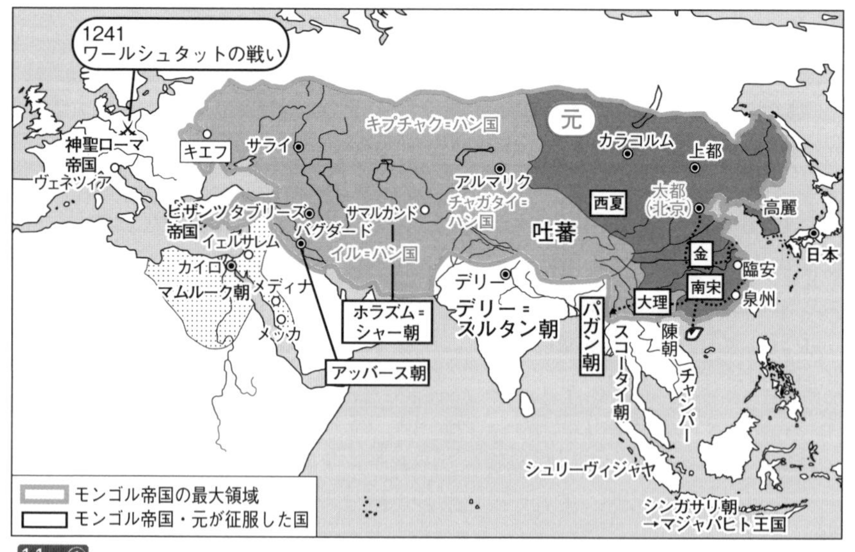

11−①

麗を服属させたのは，アジア最後の大国南宋を征服する足掛かりといえるでしょう。しかし自らが南宋攻略の指揮をとる中，モンケは病死しました。

2 クビライは兄の死を知ると，自分の支持者だけを集めてクリルタイを開き，強引に大ハーンに即位。この「抜け駆け」に異母弟アリクブケとオゴデイ家の秘蔵っ子**カイドゥ（ハイドゥ）**が次々と蜂起しました。
▲トゥルイ家による大ハーン位独占を警戒した

年功序列じゃなく会議でリーダーを決めるのは，実力主義の観点からすると合理的ですけど，こういうリスクもあるんですね。

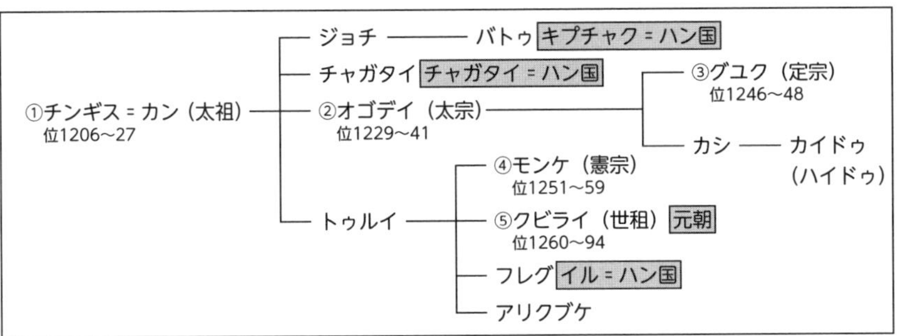

ハイドゥの蜂起には**キプチャク＝ハン国**や**チャガタイ＝ハン国**も与(くみ)し，クビライを悩ませました。分家である諸ハン国については，バトゥとフレグがそれぞれの遠征の際に建てたキプチャク＝ハン国と**イル＝ハン国**は存在感があって定着させやすいと思います。一方，中央アジアのチャガタイ＝ハン国は，チンギス＝カンの次男チャガタイの流れをくむ国で，いくらか影が薄いかも…。ただ，分裂した西チャガタイ＝ハン国から，「鉄の男」**ティムール**が登場しますよ。
▲→テーマ20

クビライはついに**南宋**を滅亡に追い込み，中国全土が異民族の支配下に入ることに（南宋滅亡に前後する1274年と1281年に**日本**遠征も行われましたが，いずれも失敗に終わっていますね）。クビライは**中国の農耕社会を尊重した合理的な支配**を行いました。宋以来の中国の行政制度を踏襲し，モンゴル人を高官にあてたものの，有能な人材であれば民族に関係なく要職に抜擢(ばってき)。モンゴル人を最上位とする分類がありましたが，固定的な身分制度や差別があったわけではありません（ちなみに，**色目人**の中核はスポンサーでもあるイスラーム商人やウイグル商人。商人スキルを活かし財務官僚を務めました）。また元は，農村の佃戸制も温存した上で徴税を行いました。p.73の農耕民と遊牧民の違いを見直して，元が農耕民の流儀を尊重していることを確認してくださいね。
▲→世界史の中の日本②
科挙に重きを置かなかったため，不満を持つ士大夫もいた▲

南宋を攻略し，**杭州・泉州**といった海港都市を手中に収めたクビライは，ついに「海の道」の攻略に乗り出しました。**「交易ルートをモンゴルの統治下に**
▲マルコ＝ポーロが「ザイトン」と呼んだことで知られる

(3) 元における諸民族の分類

▼全人口の約1.5%
①**モンゴル人**…支配階級として政治・軍事を担当
▲ただし，民族・宗教・言語を問わず，多様な人材が実力主義で要職に登用されていた
②**色目人**(しきもく)…主に西域の諸外国人。モンゴル人に重用され主に財政を担当
▲全人口の約1.5%
③**漢人**…もと金の支配下にあった人々。女真人や高麗人なども含まれる
▲全人口の約14%
④**南人**…もと南宋の支配下にあった人々
▲全人口の約83%
・科挙の一時廃止…士大夫層は冷遇されたが，科挙は14世紀に復活

(4) 統治体制…宋の行政制度を踏襲

(5) 社会…**宋代以来の佃戸制を継承し，中国在来の社会・諸宗教には寛大**

(6) 「タタールの平和」…**モンゴル帝国が広大な領域を統一し，交流が活性化**

①交通の整備…カラコルムを起点に**駅伝制（站赤**(たんせき)**，ジャムチ）**を整備

②西方からの旅行者・宣教師
▲キリスト教宣教師は全員フランチェスコ修道会の宣教師

プラノ＝カルピニ ▲往復とも草原の道	・教皇インノケンティウス４世の命で来朝
ルブルック ▲往復とも草原の道	・仏王**ルイ９世**の命で来朝し，モンケに謁見 ▲第６回，第７回十字軍を主導した王 ・イスラーム挟撃のためモンゴルとの同盟を目論む(もくろむ)
マルコ＝ポーロ ▲往路はオアシスの道，復路は海の道	・ヴェネツィア出身で，クビライに仕えた ・ジェノヴァの獄中で**『世界の記述』**を口述 ▲『東方見聞録』
モンテ＝コルヴィノ ▲往路は海路。大都で死去	・初代の大都大司教として，カトリックを布教
イブン＝バットゥータ ▲往復とも海の道	・モロッコ出身の大旅行家でイスラーム教徒 ・14世紀半ばに来訪。**『大旅行記（三大陸周遊記）』**

※ヨーロッパで大流行した**ペスト（黒死病）**も，アジアから広まった

(7) 経済

①**銀**経済がユーラシア大陸に広く普及

②**塩**の専売による収入が，元の税制の柱

(8) 水運の発達・保護

①クビライは南宋の交易路を破壊せずに維持し，**運河を修築・新築**

②山東半島をまわる**海運**も発達

③繁栄した海港都市…**泉州（ザイトン）**，杭州（キンザイ）
▲マルコ＝ポーロがこのように呼んだ

(9) 元の撤退

①衰退の原因

・飢饉(ききん)や災害が続き，また疫病も流行して，社会不安が増大
▲14世紀の北半球は世界的に天候不順
・**チベット仏教**の保護…クビライがチベットから僧**パクパ（パスパ）**を招き，王室が保護したが，財源を浪費 ➡**交鈔**(こうしょう)の濫発で経済混乱
▲紙幣
・塩の専売強化への反発

②**紅巾の乱**(こうきん)（1351～66）…**白蓮教徒**(びゃくれんきょうと)による反乱。元は中国から撤退

置き交易を保護・振興し，商人から支援をうける」というビジネスモデルを「海の道」にもあてはめようとしたわけです。しかし，広大な海や密林・水田は遊牧民に不慣れな「アウェイ」の戦いを強いることになり，ベトナム遠征やジャワ遠征は失敗に……。このように東南アジアは元の統治下に入ることはな
▲大理を経由して陸路で侵攻したビルマ征服は成功
かったものの，中国人商人やイスラーム商人が活発に交易活動を行いました。

一方，クビライは中国内部では水運を抜かりなく整備。隋代に開削された大運河は，見方を変えれば「海の道」の延長と考えることができます。それまでの運河の北端は天津でした。あと少しで**大都（北京）**に届く…。クビライは**運
▲→テーマ10
河を新築して大都まで延伸させました**。ここに大都は「草原の道」「オアシスの道」「海の道」が全て集結する，巨大ターミナルとなったのです。
▲運河をサポートする目的で，山東半島方面の海運も整備

遊牧生活にばかり目が行っちゃうけど，商業も重要なんですね！

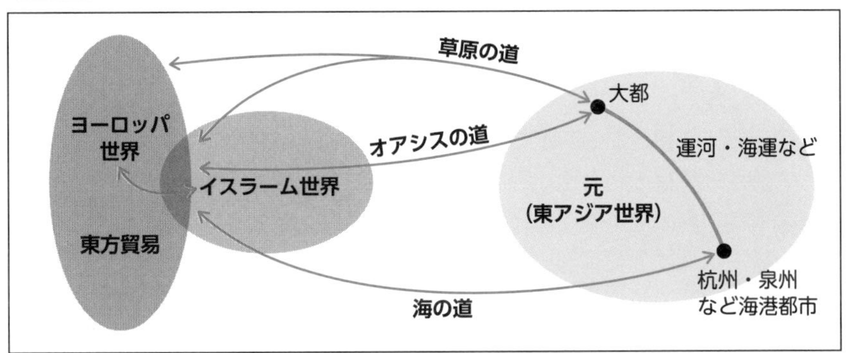

上図のようなネットワークが成立したことで，**人・モノ・カネ・情報がユーラシアの東西を行きかう空前の状況が生まれました**。西方から伝わって中国文化に影響を与えたり，はたまた中国から西方に伝わったり…，具体的な文物は文化史で扱っています。西方から来た使節や旅行者も頻出です。当時ヨーロッ
▲→テーマ84
パ世界は十字軍遠征を行っており，ローマ教皇はイスラーム勢力に対抗する観点からモンゴルに関心を抱いていました。

14世紀に入ると気候が寒冷化して，飢饉や凶作が頻発しました。ここに疫病が追い打ちをかける（モンゴル＝ネットワークで拡大したペストと推測され
ペストはもともとは雲南地方の風土病であったとされる▲
ます）。また，クビライが連れてきたチベット僧**パクパ（パスパ）**の影響で，宮廷で**チベット仏教**が流行！　寺院建立や儀式に大金をつぎ込んで，財政が厳しくなります。塩の専売や過酷な徴税は民衆を苦しめ，財源を確保するために濫発された**交鈔**はインフレを引き起こす。ネガティブ要因が重なりあって**紅巾
世代交代のつど，クリルタイの結果をめぐり紛争が生じたことも一因▲　弥勒仏を救世主とする白蓮教徒▲
の乱**が勃発，元は中国を放棄してモンゴルに撤退するに至りました。

テーマ
12 中国史⑦　明

1 朱元璋（太祖，洪武帝，位1368～98）

(1) 明の建国　首都：**南京**（**金陵**）
▲1368～1644

①貧農から身を起こし，紅巾の乱で台頭して，明を建国

②明は，長江流域（江南地方）で成立し中国を統一した史上唯一の王朝

(2) 皇帝親政体制の確立

①中央官制…**中書省**（丞相）を廃止し，**六部**を皇帝直属とした

②**一世一元の制**…皇帝一代につき元号も一つとする制度
▲従来は皇帝の治世中にも元号を変えていた

・「皇帝は空間だけではなく時間をも支配する」という理念を強化

③**明律・明令**…唐代の律令に，宋・元の諸法令を加味

④**朱子学**の官学化…主従関係の徹底と民族意識の高揚を図った

(3) 農村支配

①**里甲制**…１里＝110戸とする村落行政制度

・民戸…農民の約８割。税を課せられた一般の農家
▲農民を軍戸と民戸に分けて兵役と租税を分担させた

②**衛所制**…唐の府兵制を範として成立した兵制

・軍戸…農民の約２割。免税の代わりに兵役を課された

③**六諭**…儒教の精神を６カ条にまとめ，里老人が村落をまわり民衆に教えた

> 「父母に孝順なれ，長上を尊敬せよ，郷里に和睦せよ，子孫を教訓せよ，各自の仕事に安んぜよ，悪事をなすなかれ」

④台帳の作成…**魚鱗図冊**（土地台帳），**賦役黄冊**（戸籍・租税台帳）

(4) 対外政策…北元を滅ぼした
▲北方に退いてからの元の残存勢力

2 永楽帝（朱棣，成祖，位1402～24）の時代

(1) **靖難の役**（1399～1402）

第２代**建文帝**（位1398～1402）	燕王**朱棣**
・洪武帝の孫で，16歳で即位 ・皇帝権強化を狙い，一族諸王を抑圧	・洪武帝の第４子 ・洪武帝から北京周辺を分封された

①燕王朱棣が建文帝に対して挙兵　➡靖難の役に発展

②朱棣が勝利し，**永楽帝**として即位。のちに**北京**へ遷都

1 明を建てた**朱元璋**は，貧農から皇帝にまで登りつめた有能な男です。

そういえば，漢の劉邦も農民出身でしたね！ すごいなあ。

しかし人格的には難ありで，他人を信頼せずとても猜疑心（さいぎしん）が強かった。（図説の朱元璋の肖像は，たいてい２種類掲載されている▲）農民から成り上がったこともコンプレックスだったようで，気に入らない臣下や農民時代を知っている連中を次々に粛清（しゅくせい），誰も皇帝に逆らえぬシステムを創ろうとしました。皇帝に次ぐ権力を持っていた**中書省**の長官（丞相）を脅威と見て，**中書省**を廃止し，**六部**を皇帝の直属下に置きました（**テーマ9**で三省六部を確認しましょう）。次に**朱子学**（▲朱子学は儒学の一派）の官学化。朱子学については，**テーマ85**でも説明していますが，人間・国家の上下関係は以下のように説明されます。

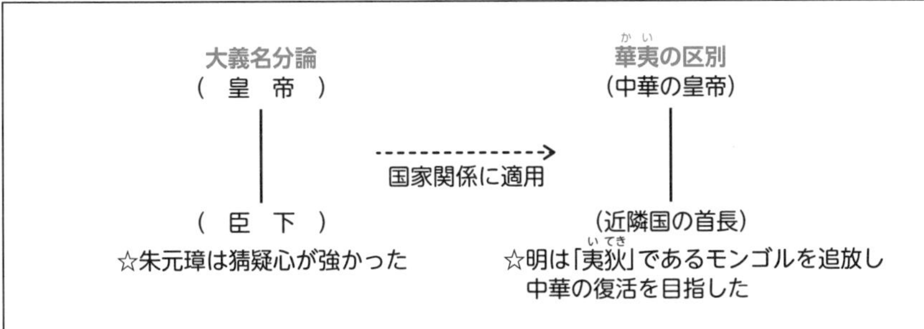

大義名分論は，他人を信用しない洪武帝にピッタリの思想。また**華夷の区別**も，**中華帝国の復興**をかかげる明にはうってつけです。**一世一元の制**（▲現在の日本でも採用されている）は，皇帝一代につき元号を一つだけ使用するルール。もともと元号は**「皇帝は空間だけではなく時間をも支配する」**（だから皇帝に従いなさい，ということ▲）というコンセプトから生まれたんですが，従来は天災など凶事が起こると，皇帝の在位中でも縁起をかついで元号を変えていました。即位から退位まで単一の元号を使い続けることになると，皇帝の治世と元号が完全一致して（朱元璋時代の元号が「洪武」だったことから「洪武帝」と呼ぶ▲），時間を支配するイメージが強化されますよね。

他方，洪武帝は農村支配には心を砕きます（農民出身であり，また商業を振興した元に対抗して農業を重視した事情もあるでしょう）。農民を**軍戸**と**民戸**に分けるというのは，**兵役と納税を分担させる**（▲唐の農民は兵役と納税の双方負担したため，多くが没落），という意味です。**六諭**は儒学の理念をかみ砕いて農民に教えたもので，「皇帝を敬う社会」の思想基盤といえます。**魚鱗図冊**と**賦役黄冊**の内容を入れ替えるのは，正誤判定問題の定番ですね。前者は，紙に描いた地主の所有地が，魚の鱗（うろこ）に見えたことが由来です。

2 洪武帝が死去した際，長男朱標（しゅひょう）がすでに亡くなっていたため，その息子（＝洪武帝の孫）が**建文帝**として即位しました。16歳で即位した皇帝の側近たちは，権力基盤を固めるためにも朱標の弟である叔父たち（洪武帝から軍団を与えられ，各地の王となっていた▲）を排除することを進

(2) 永楽帝の政策

①内政

・内閣大学士…永楽帝が創設した内閣において，皇帝職務を補佐した大臣

・大編纂事業…官僚からの支持を得るために命じたとされる
▲→テーマ85

②対外政策

モンゴル方面	親征して北元の残存勢力を撃破
南海諸国遠征 (1405〜33)	▼分遣隊はメッカ，アフリカ東岸（マリンディ）にまで到達 **鄭和**に命じ，大艦隊を編成して7度にわたり実行させた ▲永楽帝に重用されたイスラーム教徒の宦官 ➡明への朝貢国が増加し，朝貢貿易体制が確立
ベトナム遠征	**陳朝**の滅亡に乗じて，遠征軍を送り征服
日本	室町幕府（**足利義満**）と勘合貿易を行った

12−①

3 北虜南倭
▲明を苦しめた外圧を総称した言葉

南倭	**北虜**（モンゴル系部族）
14世紀後半…**前期倭寇**（日本人中心） ・東アジアの混乱をうけ，民間貿易に従事する商人の中に，武装集団が出現 ・洪武帝は，対外貿易を朝貢貿易に限定する**海禁政策**で，民間貿易を取り締まる 15世紀初頭…**朝貢貿易体制の確立** ・永楽帝が海域秩序を再編	オイラト（瓦剌），タタール（韃靼）が勢力拡大
永楽帝死後…対外消極策に転換 ・朝貢貿易の経費が財政を圧迫したため，朝貢を縮小。海禁は継続	朝貢の回数や規模の制限に不満を抱き中国侵入

言。建文帝が一族諸王を弾圧すると，洪武帝の四男朱棣（しゅてい）が反発して蜂起！ 自身の拠点北京から都の**南京**に攻め込んで，３代**永楽帝**（▲北京を拠点としていた）として即位しました（**靖難（せいなん）の役**）。しかし甥（おい）とはいえ，自分の主君に弓を引いてしまった…。

朱子学で，一番やってはいけないことじゃないですか！

宮廷にいる高級官僚は，全員が科挙を突破した儒学の超エリートたち…。皇帝の正統性をめぐって大騒ぎで，永楽帝としてはこの上なく居心地が悪い。そこで，**自分こそが中華の皇帝にふさわしい徳を備えている人物であることを証明しようと考えます**。とにかく積極的な対外政策で中華帝国の復興をアピールしました（永楽帝にはそれを実現できるだけの，軍事的才能がありました）。その目玉が**鄭和**（▲イスラーム教徒の宦官）の南海諸国遠征。全長120m もあるジャンク船艦隊の威容に圧倒された東南アジア・インド洋沿岸諸国は明にひれ伏し，**朝貢貿易体制が確立**しました。また，洪武帝が中書省を廃止したことで皇帝の業務がブラック企業なみに忙しくなったので，永楽帝は内閣大学士という補佐役（▲事実上の丞相の復活）を新設しています。

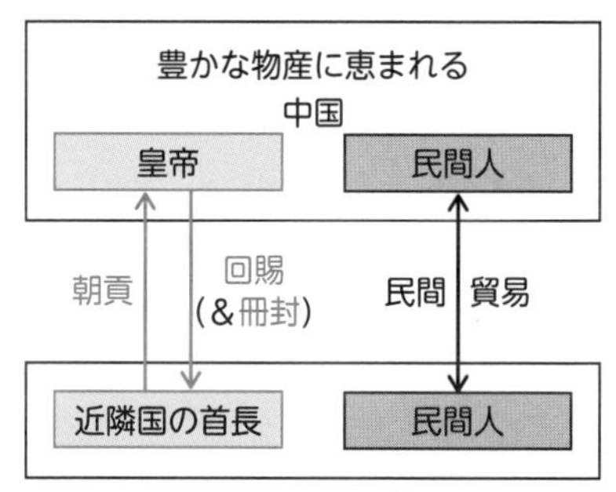

3 明のマスターに向けての最大のヤマ場はズバリ**海禁政策**。中国と諸外国が行う貿易には

> ①**皇帝と近隣国首長が行う朝貢貿易**（▲いわば「官」の貿易）
> ②**民間人が行う貿易**（▲いわば「民」の貿易）

の２種類があります。①は近隣国の首長の使節が中国皇帝の徳を慕（した）って貢物を持参し，これに対して皇帝はほうびを与える（▲回賜）（▲この際に冊封が行われることも多い）。②は政府の意向などおかまいなしに，民間人が好き勝手に行う。中国の皇帝は②を極度に嫌い，②を制限しました（これが**海禁**）。②が盛んになると，①の影が薄くなって，**「中華皇帝の徳を慕ってくる近隣国の首長に，皇帝が恩恵として中国の物産を授ける」という図式が崩れてしまう**からです。（▲「中国の物産がほしいならば，皇帝の下へ参上せよ」ということ）

建国者の洪武帝は中華復活を掲げて海禁を敷き，朝貢貿易を強調しました。しかし，この時代は中国だけでなく**日本や朝鮮も政権交代の時期**（▼1338年に室町幕府が成立し，南北朝時代へ →世界史の中の日本②）（▲1392年に高麗が滅亡し，朝鮮が成立）であり東アジアの秩序はグダグダ。その間隙（かんげき）を突いて，民間商人の中に武装して狼藉（ろうぜき）を働く者が現れました。これが**前期倭寇**（▲日本人が中心）です。

永楽帝の政策って，①を強調する手法にマッチしてますね。

16世紀…**後期倭寇**（**王直**など中国人中心） ・中国で諸産業が発達 ▲海外で需要の高い製品を生産 ・ポルトガル商人，石見銀山で採掘された銀を持つ日本人も中国と交易を望む 1567　明が**海禁緩和**…**「大交易時代」**	・土木の変（1449）…**オイラト**の**エセン**が正統帝を捕らえる ・**タタール**（**韃靼**）の**アルタン＝ハーン**が北京を包囲（1550） ▲韃靼 ※明は万里の長城を修築 ▲現在のこっている長城

4 明の衰退と滅亡

(1)　神宗万暦帝（位1572～1620）…10歳で即位

①宰相**張居正**による改革

・タタールのアルタン＝ハーンと和解し，軍事費の削減に成功

・全国的な戸口調査・検地を実施して大地主の隠田を摘発

②党争…張居正による中央集権的な改革に，地方出身の官僚は反発

➡張居正の死後も，**東林派**と**非東林派**が党争を展開

③**豊臣秀吉**の朝鮮侵攻（1592～93，1597～98）

▲「文禄・慶長の役」，「壬辰・丁酉倭乱」→世界史の中の日本③

・明は属国である朝鮮を支援して出兵。日本軍は撤退

(2)　明の滅亡（1644）

①財政の破綻…朝鮮への出兵などで，明の財政は破綻

②重税と天災による農民の窮乏…政府は党争もあって有効な対策をうてず

③**李自成**の乱（1631～45）…農民の大反乱。崇禎帝は自殺して明は滅亡

5 明代の社会・経済

(1)　農村

①長江下流域…従来の穀倉地帯。**綿織物・絹織物など手工業が発達し，原料となる商品作物（綿花・桑）の生産が盛んになった　➡穀物が不足**

②長江中流域…明末に新たな**穀倉地帯**となる。**「湖広熟すれば天下足る」**

▲湖南省と湖北省を指す

③抗租…佃戸が起こした地代軽減闘争。明の中期から江南で激化

(2)　遠隔地商業の発達…明代以降，中国の国内市場がほぼ統一された

①**徽州（新安）商人**…専売塩を扱う政商として財をなす

▲安徽省出身

②**山西商人**…専売塩を扱う政商として財をなす。金融業でも活躍

▲山西省出身

③**会館・公所**…同郷・同業の商工業者が互助のために各地に設置

(3)　**一条鞭法**の普及…複雑な租税や徭役を銀に換算し，税を銀納で一本化

①海禁緩和（1567）をうけ，**メキシコ銀・日本銀**が流入したことが背景

商工業の発展・軍事費増大をうけ中国で銀需要が増加したことも一因▲

その通り。有能な永楽帝の時代には日本や朝鮮の秩序が安定したこともあって，朝貢貿易体制を確立，「中華皇帝」たることを内外に示せたわけです。**テーマ9 3，テーマ13 3**にある円錐のイメージですね。

▼この時も海禁政策は継続している

しかし，永楽帝が死去すると状況は一変。背景には永楽帝が朝貢国を惹(ひ)きつけるために，採算を度外視して回賜を与えていたことがあります。豊かで太っ腹な中国も，さすがに財政が圧迫されたため，政府は**朝貢貿易の縮小に転じました**。これに対して「貿易をケチってんじゃねえよ！」と中国にゴネてきたのが，モンゴル高原の**オイラト**と**タタール（韃靼）**なんですね（**北虜**(ほくりょ)）。

▲彼らの自我は「モンゴル」であった

16世紀に入ると中国内で諸産業が成熟し，綿織物・絹織物・陶磁器といった「売れ筋商品」がバンバン生産されました。一方，この時期にはヨーロッパからポルトガル人が来航。石見(いわみ)銀山で採掘された銀を手にした日本人とともに，中国商品を求めました。しかし明は海禁継続の一点張りなので，海禁を破って貿易に従事する者が続出。これが**後期倭寇**です。**1567年，ついに明は海禁を緩和する方針に転換し，東アジアに空前の「大交易時代」が到来しました。**

▲景徳鎮が産地

▲中国人が中心

4 ただ，北虜南倭への対応に軍事費がかさみ明は財政難に。万暦帝に仕えた**張居正**は，タタールの**アルタン＝ハーン**と和解して軍事費を削減，地主の土地隠しを摘発，**一条鞭法**を普及させる，など財政再建を矢継ぎ早に打ち出しますが，地方官僚が彼の剛腕に反発し，これが党争に発展してしまいました。

現状に合わない海禁を維持するのに膨大なコストがかかった▲

東林派…顧憲成(こけんせい)が指導者	**非東林派**
宦官と結びついた高官や皇帝側近を批判	宦官と結んだ官僚グループ ▲魏忠賢など

張居正が去った後，明の征服をもくろむ**豊臣秀吉**の軍が朝鮮へ侵攻してきました。明は朝鮮を支援して日本を撤退に追い込みますが，財政は火の車に。異常気象に伴う飢饉(ききん)が重税に追い打ちをかけ，明は崩壊に向かいます。

万暦帝は政治を宦官に任せて，自身は享楽にふけった▲

▲最後の崇禎帝は首を吊って自殺

5 明代の社会・経済に関しては，穀倉地帯が宋代から変化したことが頻出。

長江	宋	明末
下流	穀倉「**蘇湖熟すれば天下足る**」	**手工業が発展，原料の商品作物を生産** ▲綿織物・絹織物　▲綿花・桑
中流	----------	穀倉「**湖広熟すれば天下足る**」

外国人は長江下流域で生産された物産を求め，対価として中国に流入した銀が，新税制**一条鞭法**が普及する背景になりました。このように海禁をめぐる動きが，洪武帝から16世紀までを貫く重要テーマであることを確認してくださいね。また明代は，中国全土を行き交う**徽州商人**や**山西商人**(さんせい)の活動から分かるように，遠隔地商業が発達した時期でもあります。

▲従来の煩雑になっていた税の支払い方法を，銀納で一本化・簡素化

第2章 前近代のアジア世界

テーマ 13

中国史⑧　清

1 後金の建国と清の発展

⑴　**ヌルハチ**（太祖，位1616～26）

①**女真**（ジュシェン，ジュルチン）の建州部の長で，姓は愛新覚羅（アイシンギョロ）

▼16世紀後半以降の「大交易時代」に伴い東アジア経済が活性化

②女真は毛皮や薬用人参の交易で勢力を拡大　→女真の諸部族を統一

▲中国東北部で半農半猟生活を営んでいた

③**後金**の建国（1616）…首都は瀋陽（しんよう）（盛京）

④**満洲文字**…ヌルハチが制定した，モンゴル文字を母体とする文字

⑵　**ホンタイジ**（太宗，位1626～43）

①**チャハル**を征服（1635）…元朝の後継部族であった

▲内モンゴル

➡国号を「**清**」と改称（1636）

②**朝鮮国**を服属させる

③軍事制度

・**八旗**…当初は満洲八旗だけであったが，ホンタイジの時代に蒙古（もうこ）八旗・漢軍八旗を増設。所属する軍人は旗人（きじん）と呼ばれ，旗地を支給された

・**緑営**…清の中国進出後に組織した，漢人からなる補助軍

▲各地の治安維持などにあたった

④**満洲**（マンジュ）…ホンタイジの時代から，「女真」に代わり用いられた民族名

⑶　清の北京入城

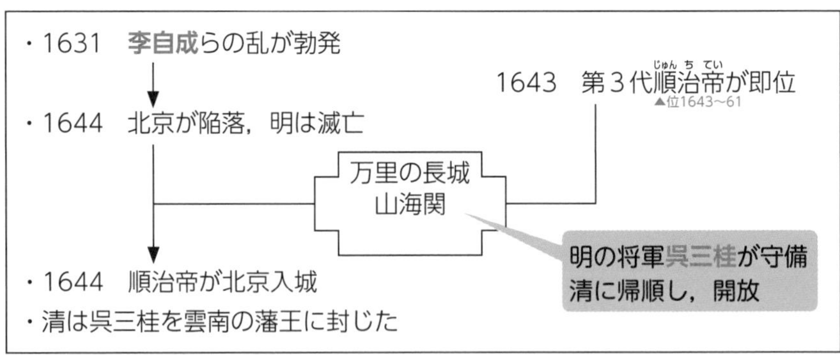

⑷　**鄭成功**（ていせいこう）（1624～62）の抵抗

①明の遺臣。父は私貿易で財をなした鄭芝竜（ていしりゅう）。母は平戸（ひらど）出身の日本人

②“反清復明”を唱え清と戦うが敗れ，台湾に移り**オランダ**人を駆逐（1661）

➡鄭成功は翌年に死亡するが，一族が抵抗を継続

③忠義な行動によって，南明（なんみん）の王から“朱”姓を賜り，“国姓爺（こくせんや）”と称された

▲明の皇帝の姓

1 **女真**が建てた**金**がモンゴル帝国に征服された後，女真の人々は故郷の中国東北部で半農半猟の生活を送っていました。16世紀後半，女真が再び力を伸ばした背景にも「大交易時代」がありました。中国に銀が流入して好況になると，**女真人が取引する毛皮と薬用人参が中国の富裕層の間でブームとなって飛ぶように売れた**のです。これを基盤に**ヌルハチ**は諸部族を統一して**後金**を建国し，清の礎（いしずえ）をつくりました。２代目**ホンタイジ**は，元のハーン位を継承していた内モンゴルの**チャハル**を攻略し，元の玉璽（ぎょくじ）（▲皇帝の印）を手にしました。

えっ，モンゴル帝国の後継者になっちゃったんですか!?

そう，ホンタイジはハーンを称し，国号も「**清**」に改めました。ただ清が「成立」した1636年，明はまだ存続した点に注意（**李自成**の乱で大パニックに陥ってはいましたが）。**明の滅亡と清の中国進出は並行して進みます。**

中国進出を狙う清の前に立ちはだかったのは万里の長城。その東端にある山海関にはヨーロッパ人が設計した大砲が並び，明の将軍**呉三桂**が守っていました。清が何度突撃しても返り討ちにされたのですが，そんなさ中，崇禎帝（すうていてい）が自殺して明が滅びます。主君を失った呉三桂は考えた。「北京には李自成，山海関の向こうには清，二つの敵を抱えてしまった。農民から成り上がった李自成に頭を下げるのも癪（しゃく）だし，明を滅ぼした李自成を討つ！」と，呉三桂は清に降って山海関を開放，清の３代順治帝を北京へ先導したのです。清は李自成を撃破し，呉三桂の功績に報いて雲南地方を与え藩王（他の漢人二人にも福建と広東を奉じた。これを「三藩」という▼）（▲封建制のイメージ）としました。一方，清に徹底抗戦したのが台湾に逃れた**鄭成功**。**母が日本人**で，日本との貿易上のつながりも強く，江戸幕府に協力要請もしています。

2 清に降（くだ）った呉三桂と，清に対抗した鄭氏，対照的な両者を平らげたのが４代**康熙帝**（こうきてい）（▲８歳で即位）です。雲南の呉三桂は半ば独立政権と化していきました（封建制では，（▲→テーマ６）皇帝は諸侯に干渉できないことを思い出して下さいね）。成人した康熙帝は今までの腫（は）れものを扱うような弱腰に喝（かつ）を入れ，三藩の取り潰（つぶ）しを決断。中国で指折りの名君とされる康熙帝の胆力を垣間見ることができますね。孫ほど年齢の離れた康熙帝の挑発に激怒した呉三桂が挙兵すると，連動して鄭氏台湾も清を攻撃！　反乱軍は一時は長江流域まで侵攻し，清は危機に陥りますが（▲宮廷では北京から満洲へ避難する案も出たほど），呉三桂が病死したことで下火になり，なんとか鎮圧することができました。

清は結局，呉三桂本人には勝てずじまいだったんだ…。すごい。

2 清の全盛期

※清は北京入城後，宮城である**紫禁城**を復興・増築

(1)**康熙帝**（聖祖，位1661～1722）

①**三藩の乱**（1673～81）…**呉三桂**らの反乱。呉三桂の死後，鎮圧

②鄭氏**台湾**の征服（1683）…**海禁**で打撃を与え征服　➡中国統一を達成

③**ネルチンスク条約**（1689）…ロシアの**ピョートル１世**と締結

▲中国が，外国と対等の立場で結んだ初めての条約でもある

・ロシアの南下を阻止，中国に有利な国境線を画定

▲外興安嶺とアルグン川

④モンゴル高原の**ジュンガル**に親征

▼ハルハ部

⑤外モンゴル・チベット・青海を服属させた

▲雍正帝の時代に支配を確立

(2)**雍正帝**（世宗，位1722～35）

①**キャフタ条約**（1727）…ロシアと，モンゴルにおける国境を画定

②**軍機処**…内閣の職権を吸収し，のちに軍事・行政の最高機関となる

もともとはジュンガル攻撃の際，軍事機密を守るために設置▲

(3)**乾隆帝**（高宗，位1735～95）

①**清朝の領土が最大**…**ジュンガル**を征服し，回部とあわせ**新疆**とした

3 清の統治

(1)　中国人統治…漢民族に対する懐柔策と威圧策を巧みに使い分けて統治

①懐柔策

・**満漢併用制**…要職の定員を偶数とし，満洲人と漢人を同数任命

▲満漢偶数官制

・中国文化の尊重…**科挙**の存続，**大編纂事業**の実施

②威圧策

・**辮髪令**…満洲人の風俗を強制

・**禁書令**・**文字の獄**…反政府的な書物の焼却・発禁。また，執筆者の弾圧

(2)　領土の区分

★清の皇帝は，満洲人の君主・モンゴルのハーン・中華皇帝を兼ねる

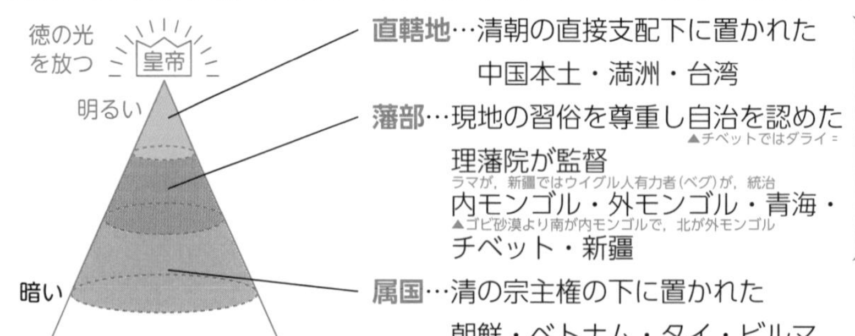

三藩の乱を鎮圧した翌々年，鄭氏台湾も清に降伏し，**抵抗勢力は一掃されて中国は平定されました**。康熙帝は鄭氏に打撃を与えるため，対岸にある福建や広東の住民を内陸部に強制移住させる遷界令を発していました。中国大陸と台湾の貿易を断って鄭氏を締め上げたのですね。台湾制圧後は遷界令を解除して民間貿易を認め，新たに設置された海関が貿易の処務を扱いました。
▲海禁の一種

中国平定もつかの間，内陸に目を向けると**ピョートル１世**時代のロシアが満洲へ進出して来ました。また遊牧民の**ジュンガル**（オイラト系の集団）との対立も激しくなります。ロシアとの戦いを優位に進めた康熙帝は，**ネルチンスク条約**で国境を画定させ，ジュンガルにも親征しました。**清とジュンガルはチベット仏教の保護者の地位をめぐり争っていた**のですが，康熙帝はチベットを統治下に収めることに成功しました。
▲→テーマ32
講和の背景には，ロシアとジュンガルが協力することへの警戒があった▲
→テーマ14▲

５代**雍正帝**はロシアとは**キャフタ条約**を結び，対ジュンガルの作戦司令部として**軍機処**を設置しました。６代**乾隆帝**はついにジュンガルを征服し，こうして親子３代にわたったジュンガルとの激闘に終止符がうたれました。この康熙・雍正・乾隆年間が清の全盛期です。

3 満洲人の人口は多く見積もっても100万人には届かなかったのに対し，中国の人口は18世紀末にはおよそ３億人に達したといわれています。異民族王朝であった清は，圧倒的多数を占めた漢民族をまずは「懐柔」しました。**要職の定数を偶数にして満洲人と漢人を同数任命**し，平等な待遇をアピール（その官僚も，ちゃんと中国伝統の**科挙**で選抜していますよ）。そして種々の**大編纂（へんさん）事業**を命じて，中国文化をリスペクトしていることもアピール。一方で「威圧」も行います。満洲人伝統の髪型**辮髪**を漢人男性に強制しました（拒否した者は殺されたとか…）。**禁書令・文字の獄**によって，反清的な思想や言論は厳しく取り締りをうけました。まさに「アメ」と「ムチ」ですね。
▲→テーマ85

典礼問題は，この思想統制と根底では繋（つな）がっているといえます。中国民衆には**孔子や祖先を崇拝する「典礼」**が浸透していました。明末に中国を訪れたイエズス会宣教師は，キリスト教に改宗した中国人が典礼を続けていても，これを黙認しました。清の政府も，典礼を否定すれば儒学的価値観を重んじる漢人の反発を買うと考え，「キリスト教を布教してもよいが，典礼も認めること」という条件をつけていました。しかしイエズス会以外の諸派が，「イエズス会は中国で典礼なる邪教を認めておりますぞ！」とローマ教皇に訴えたため，イエズス会は教皇から大目玉をくらう羽目に…（教皇と清の板挟みになってしまったわけです）。こうなれば清としても強硬に出ざるをえず，**雍正帝がイエズス会を含む全てのキリスト教布教を禁じる**ことになったのです。
▲「孔子」「祖先」から分かるように，儒教的価値観を多分に含む
▲まずは信徒を増やすことを優先させた
▲キリスト教の平等思想を危険視した側面もある
▲ドミニコ会など

漢民族ではない諸民族の居住域はどうだったんでしょうか。左ページの「円（えん）

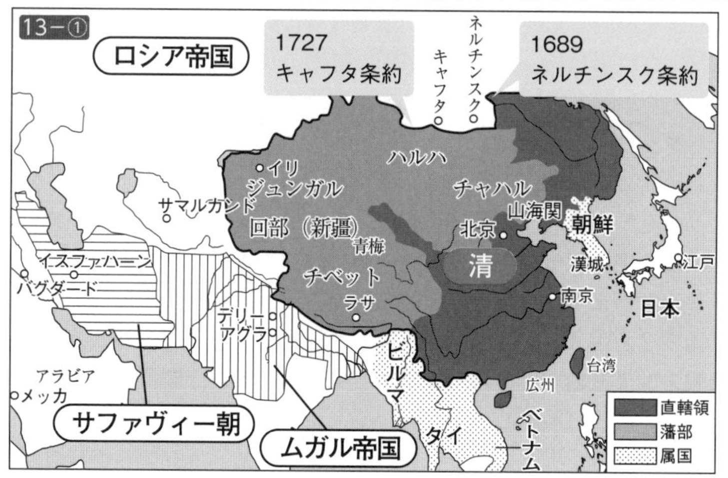

⑶ **典礼問題**

①**典礼**…伝統的な孔子・祖先崇拝

②経過…中国へ来航したイエズス会の宣教師は，中国人に対してキリスト教に改宗したのちも典礼の継続を容認

➡諸派はこれを批判し，ローマ教皇はイエズス会の方式を異端とする

➡**康熙帝**は，イエズス会以外の諸派による布教を禁止し，国外退去させた

③**雍正帝**が，イエズス会を含む全てのキリスト教の布教を禁止（1724）

4 清代の社会・経済

⑴ **地丁銀制**（ちていぎん）

①背景…大土地所有と中小農民の没落が進み，人頭税の徴収が困難に
▲財政の好転も一因

②**地銀（土地税）に丁銀（人頭税）を繰り込み，一括して納入させる**税法
雍正帝時代に普及▲

③影響…戸籍上の人口が爆発的に増加
▲家族を過少に申告することによる脱税がなくなったため

⑵ 農村社会

①**トウモロコシ**や**サツマイモ**など新大陸原産の作物が伝播し，普及
▲華北で普及　▲江南で普及

➡18世紀から19世紀にかけての人口増加を支えた

⑶ 海上貿易

①遷界令（1661～）…鄭氏に打撃を与えるため，海禁を強化

②海禁の緩和…清は台湾を征服すると海禁を緩和（1684）して民間貿易を認め，沿岸部に海関を設置
▲税関に相当

③**乾隆帝**がイギリスなどヨーロッパ船との貿易を**広州**1港に限定（1757）

➡特許商人の組合である**行商**（**公行**（コホン））に貿易独占権を与えた

錐」，どこかで見覚えがありませんか？　そう，唐の単元に載っているのと同じモノです（王朝が変われど「中華」の考え方は変わらないんですよ）。唐では，辺境の諸民族に自治を認める**羈縻政策**を敷いていました。清では**「藩部における自治」**がこれに相当します。唐の復習ができていればあとは簡単で，皇帝の徳の光が届かない暗い場所が近隣諸国（属国）になるわけです。

▲→テーマ9

そもそもなんですど…，満洲人って中華思想からすれば「野蛮な夷狄」なんだから，その人が皇帝になるのはヘンですよ。

その手のツッコミは当時も山ほどあったようです。このクレーム処理は雍正帝が行い，**「漢民族でなくても，有徳者であれば中華の皇帝たりうるのだ」**という理論で，満洲人が中華皇帝として君臨することを正当化しました。

▲『大義覚迷録』

4　清代にも重要な税制改革がありました。大土地所有の進行に伴う農民の没落がさらに進み，人頭税を支払える農民がかなり少なくなっていました。財政が安定していたこともあり，康熙帝は**人頭税を事実上廃止**して，土地税だけを徴収するようになりました。これが**地丁銀**です。この新税制の普及に伴い，**「戸籍上の」**人口が爆発的に増加しました。どういうことでしょうか。**【重要テーマ1】**で扱った人頭税の計算式を思い出してください。一家の人頭税額は家族の人数で決定されますよね。税金を払いたくない農民たちは，お役人に家族を過小に申告して「脱税」をしていたんです。でも人頭税が事実上廃止されたことで，家族を隠す必要性がなくなり，正直に申告するようになったんですね。また，**トウモロコシ**や**サツマイモ**栽培が普及したことは，**「実態の」**人口増加の方に寄与しましたよ。

中国の税制をまとめていると，一条鞭法と地丁銀制の区別が苦手な人をよく見かけます。一条鞭法は**「納税方法」**を変更したもの。対して地丁銀制は**「課税対象・課税方法」**を変更したものです（名前は地丁銀ですが，この時から銀納に変わったわけではないので注意！）。この２つが全く別モノであることが分かれば，中国の税制史は完了です。税制の変遷をまとめておきます。

▲【重要テーマ１】で両税法についても確認を
▲何で税を支払うのか
▲税額を決定する計算方法

	課税対象	納税方法
租調庸	**人頭税**	物納・徭役（▲政府から課された労働）
両税法	**土地税・人頭税**	**銭納が原則**（物納や徭役も残る）
一条鞭法	土地税・人頭税	**銀納に一本化**
地丁銀	**土地税（人頭税は事実上廃止）**	銀納

第2章　前近代のアジア世界

テーマ 14

アジア諸地域史①
前近代の朝鮮・琉球

1 衛氏朝鮮と漢

(1) **衛氏朝鮮**（前190頃〜前108）　首都：王険城
▲現在の平壌付近

①衛満…前漢に敗れて燕から亡命し，建国したとされる

(2) 中国の進出

①前漢の**武帝**が遠征軍を送り，衛氏朝鮮を征服（前108）

➡**楽浪郡**・玄菟郡・臨屯郡・真番郡の４郡を設置
▲現在の平壌付近

②遼東半島の公孫氏…帯方郡を設置（３世紀初）
▲楽浪郡の南方

2 三国分立期

(1) **高句麗**（ツングース系。紀元前後〜668）

①南下して**楽浪郡**を滅ぼす（313）

②**広開土王**（好太王，位391〜412）…高句麗の全盛期
王の功績を記念して建てられた「高句麗広開土王碑」は貴重な史料▲

(2) 三国時代

①**高句麗**　首都：**平壌**

②**百済**　首都：漢城➡熊津➡扶余

・馬韓が統一されて４世紀に成立
▲日本と交流を持ち，日本へ仏教が伝来（538頃）

③**新羅**　首都：**金城（慶州）**

・辰韓が統一されて４世紀に成立

④伽耶（加羅）

・弁韓の地に伽耶諸国が散在。６世紀までに新羅が征服
▲日本が支配？

14−①

(3) 中国の進出

①隋の**煬帝**による**高句麗**遠征（612，613，614）➡３度とも失敗

②唐の進出

・**高宗**が新羅と連合して朝鮮へ進出し，安東都護府を設置

・新羅・唐が**百済**を滅ぼす（660）…日本は百済を支援しつつ朝鮮に進出

➡**白村江の戦い**（663）で日本軍は敗北し，日本は朝鮮半島から撤退

・新羅・唐が**高句麗**を滅ぼす（668）

・その後，新羅は唐の残存勢力を排除して朝鮮半島の大部分を支配（676）

➡改めて唐の冊封をうけ，唐の文化を吸収

朝鮮史・東南アジア史・内陸アジア史といった中国と接する諸地域史は，中国と関わる内容が結構な比率を占めるので，**中国史に触れた後に中国と関連づけて復習するのが定石**です。これを意識して読み進めてください。

2 前漢の**武帝**が設置した**楽浪郡**を滅ぼしたのが，ツングース系の**高句麗**ですね(数百年，中国を苦しめたタフな相手)。４世紀からは高句麗・**百済**・**新羅**が鼎立する三国時代が到来します。当時，日本（倭）も朝鮮進出をうかがっていました。「倭の五王」が南朝の宋に朝貢し冊封をうけたのは，**三国よりも上位の官爵を得ることで朝鮮半島で優位に立とうという意図があった**ためです。
▲高句麗に対抗するため，韓族の統合が進んだ
▲→世界史の中の日本①

唐代に三国の均衡は崩れました。**高宗**は高句麗を挟み撃ちしようと考え，新羅と組みます。高句麗に先立って，唐・新羅連合軍によって百済が滅ぼされると，百済の生き残った人々は日本へ逃れて救援を要請。しかし，日本が送った軍隊は**白村江の戦い**で連合軍に大敗し，撤退に追い込まれました。唐・新羅連合はついに高句麗も滅ぼしますが，朝鮮半島の支配をめぐって両者の関係はギクシャクし，不穏な空気が…。結局は，唐が新羅による朝鮮統治を認め，旧高句麗領のみ唐の羈縻政策のもとに置かれることになりました。

▲→テーマ9

3 改めて唐の冊封をうけた新羅では，**仏国寺**などの仏教文化が花開きました。その一方，旧高句麗の地では**大祚栄**が高句麗の遺民と靺鞨人を統合して**渤海**を建てました。**テーマ9**で扱ったこの時期の「東アジア文化圏」では，近隣国が唐のあらゆるモノをコピーしまくってましたね。渤海の都上京竜泉府が，**長安を模倣したことはその好例として頻出**です。**テーマ9**の円錐にちなんでもう少し踏み込むと，渤海の建国は羈縻政策が動揺した一例といえますね。
▲成立時は震国と称したが，唐から渤海郡王に封じられ，「渤海」と名乗った
日本の平城京や平安京も同様▲

上京竜泉府（渤海の都）

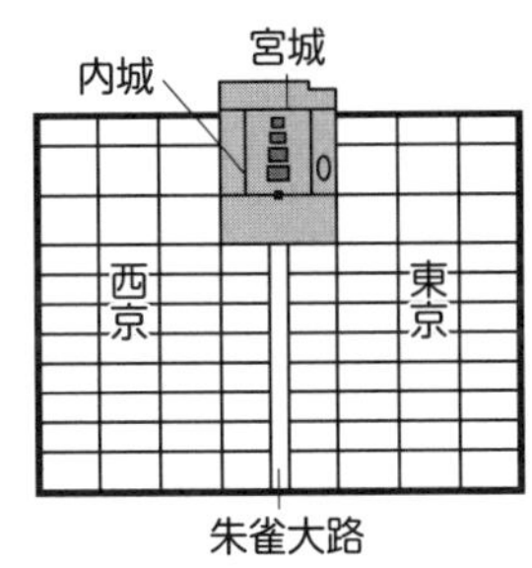

長安そっくりですね！

渤海（698～926） 都：**上京竜泉府**
①高句麗の遺民とツングース系の靺鞨人を統合し，**大祚栄**が建国
②唐から冊封をうけ，唐の文物を取り入れて仏教文化が繁栄
9世紀には「海東の盛国」と呼ばれた▲
③キタイ（契丹）により滅亡（926）

新羅の後の高麗・朝鮮について便利な豆知識を。**高麗・朝鮮と中国王朝(宋・元・明・清）の時期は偶然ながらほぼ一致します**。とても便利ですよ。
▲1636年までは後金

3 朝鮮半島の統一王朝

(1) 新羅(しらぎ)（676に統一～935） 都：**金城**（**慶州**）

①**骨品制**(こっぴんせい)…出身氏族により位階・官職・婚姻などを規定する特権的身分制

②仏教文化の発達…慶州郊外の**仏国寺**(ぶっこくじ)，石窟庵(せっくつあん)が有名

(2) **高麗**(こうらい)（918～1392） 都：**開城**(かいじょう)

①建国者…**王建**(おうけん)

②**両班**(ヤンバン)…官位を世襲する特権階級

③文化

・**高麗版大蔵経**(だいぞうきょう)，**高麗青磁**(こうらいせいじ)，世界最古の金属活字

▼宋の青磁の影響をうける

▲モンゴルに服属した際，その退散を願い製作された版木

(3) **朝鮮国**（李朝，1392～1910） 都：**漢城**

▲現在のソウル

①建国者…**李成桂**(りせいけい)。**倭寇討伐で名声を高めた**高麗の武将

②**豊臣秀吉**(とよとみひでよし)の**朝鮮侵攻**（1592～93，97～98）

・日本では文禄(ぶんろく)・慶長(けいちょう)の役，朝鮮では壬辰(じんしん)・丁酉(ていゆう)倭乱と呼ばれる

・**李舜臣**(りしゅんしん)が亀船(きせん)で日本軍と戦う。明（**万暦帝**）の援軍もあり国土防衛

▲亀甲船とも

③清（**ホンタイジ**）が朝鮮を属国とする（17世紀前半）

・**小中華思想**…朝鮮を明の後継者と考え，清を蔑視(べっし)

▲中華帝国

④**朝鮮通信使**…江戸幕府の将軍の代替わりごとに，朝鮮が日本に派遣した使節

⑤社会・文化

・**両班**…官位を世襲する特権階級

・**朱子学**の官学化

▲朝鮮では科挙も実施されたが，実際は両班が高級官職を独占

・**金属活字**による印刷の普及

▲素材は銅など

・**訓民正音**(くんみんせいおん)…世宗が制定した表音文字（15世紀中頃）

▲20世紀に入って，ハングルという呼称が生まれた

14－②

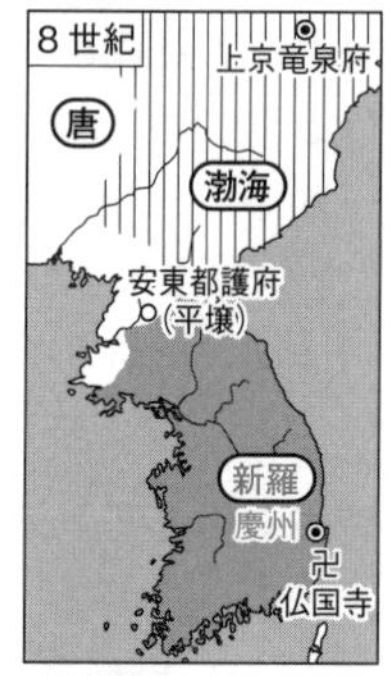

14－③

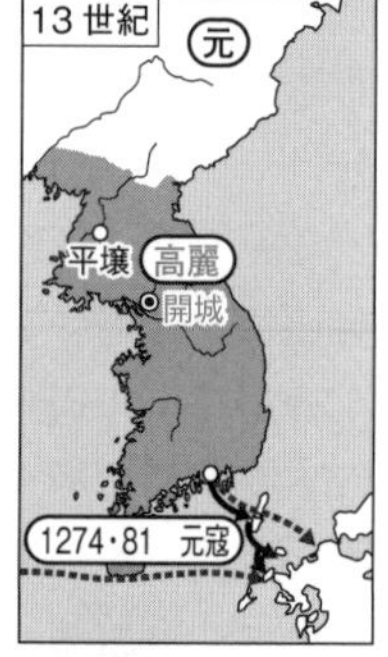

14－④

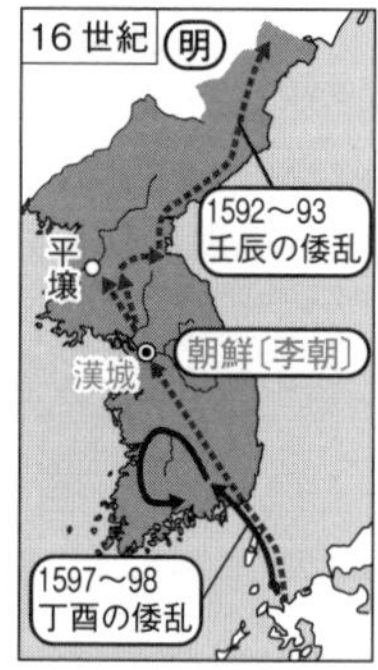

4 前近代の琉球(りゅうきゅう)

(1) 明への朝貢…琉球は明の冊封体制に組み込まれた

(2) **中山王**(ちゅうざんおう)の尚巴志(しょうはし)が琉球を統一（15世紀初頭）。首都は首里(しゅり)

➡明の冊封をうけ，中継貿易で繁栄

(3) 薩摩藩(さつま)（**島津氏**）に敗れ，**日本と中国の両勢力に服属**（17世紀前半～）

▲明・清

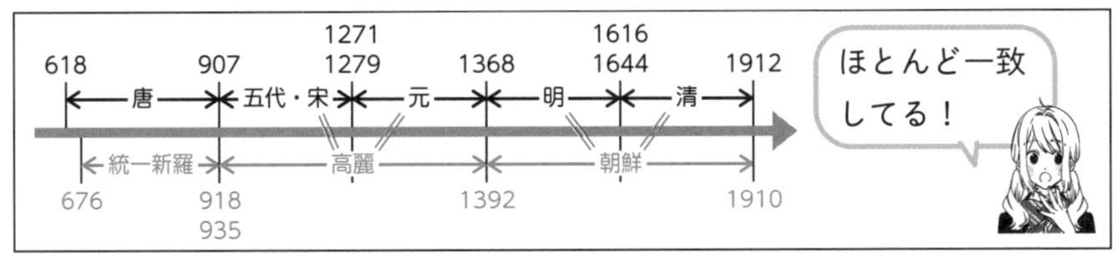

高麗と宋の関係としては，中国の影響で生産された**高麗青磁**があります。元（モンゴル）との関係では，**モンケ**の時代に高麗はモンゴルに服属しましたね。元が日本に侵攻する際の前線基地にもなりました。そのモンゴル軍の退散を願って彫られたのが**高麗版大蔵経**です。印刷技術に関しては，世界最古とされる金属活字も作られましたが，**高麗版大蔵経は「木の板にお経を彫った木版」であって，金属の活字を組み合わせて印刷されたものではありません。**

14世紀後半は東アジア諸国で政権が交代し，前期倭寇（▲→テーマ12）が暴れまわっていた時代です。ここで**倭寇の討伐で名を上げた**高麗の武将**李成桂**は高麗を倒して新王朝を建て，**明から「朝鮮」という国号を授けられました。**朝鮮は**朱子学**・科挙など明の制度を積極的に導入しましたが，４代世宗は中国起源の漢字とは異なる独自の表音文字**訓民正音**を制定。これは漢字を解さない庶民でも読み書きができるようにという意図で作られたものです（日本のかな文字（▲ひらがな・カタカナも表音文字）のようなもの）。しかし，高級官僚を独占した特権身分である**両班**（▲高麗時代にも存在）は（漢字を使いこなせるので）訓民正音を評価せず，すぐには普及することはありませんでした。

16世紀末からは激動の時代に。豊臣秀吉の朝鮮侵攻では，明の支援や**李舜臣**将軍による活躍で，日本軍を撤退に追い込みましたが国土は荒廃。17世紀，今度は清（**ホンタイジ**）が攻め込んできて，朝鮮を属国としました（明はまだ存続しており，清は朝鮮に朝貢させて，自らの力をアピールしたのです）。明の滅亡後に清が万里の長城を越えて中国統治に乗り出すと，朝鮮では，「夷狄（いてき）である清が中華皇帝になることなど認めない！　我が朝鮮こそが滅んだ明（中華）の後継者である！」という自負（**小中華思想**）が定着しました。

4　最後に琉球です。この地は東シナ海と南シナ海の接点に位置する要所であり，15世紀初頭に**中山王**尚巴志が統一王国を形成し，明の冊封をうけました。海禁政策の下では，中国の商品は朝貢貿易（▲密貿易を除く）を通じてでしか入手できません。**琉球は，朝貢貿易で得た中国商品を各地に「転売」する中継貿易で栄えました。**しかし1567年に海禁が緩和されると，朝貢に関わらない民間人も中国商品を購入できるようになったため，琉球には痛手となりました。さらに17世紀初頭，琉球は日本の薩摩藩に敗れて服属しましたが，明への朝貢も継続したため，**日中に両属**する状況になります。これは19世紀後半の日清関係における大きな懸案となりました。

テーマ 15

アジア諸地域史②
内陸アジア（中央ユーラシア）

1 スキタイ（前7～前3世紀頃）

⑴ カフカス・黒海北方を支配した，イラン系騎馬遊牧民族

⑵ 武器や馬具などに施した，**動物などを形どった装飾品**で知られる（▲史上初めての騎馬遊牧民族といわれている）

⑶ **アケメネス朝ペルシア**（▲→テーマ2）のダレイオス1世と戦う（前6世紀末）

2 匈奴（きょうど）

⑴ 草原の道を通じてスキタイ文化を学び，前3世紀末に強大化

⑵ 秦代…蒙恬（もうてん）が匈奴を討伐（▲騎馬弓射戦法など）。また，始皇帝は**万里の長城**を修築・拡張

⑶ **冒頓単于**（ぼくとつぜんう）（▲単于とは匈奴などで用いられた君主の称号）…匈奴の全盛期の君主で，前漢の**高祖**を撃破（前200）

⑷ 前漢の**武帝**…攻撃を加え，匈奴挟撃のため**張騫**（ちょうけん）を**大月氏**（だいげっし）に派遣

⑸ 匈奴の東西分裂（前1世紀半ば）…西匈奴は前36年に前漢によって滅亡

⑹ 東匈奴の南北分裂（後1世紀半ば）

・南匈奴…中国に進出して**五胡**（▲→テーマ8）の一つとみなされた

・北匈奴…ヨーロッパに進入した，**フン人**（▲→テーマ22）の一部となったとする説がある

3 6世紀までの主な内陸アジア諸民族

⑴ **大月氏**…タリム盆地東部➡イリ（▲匈奴に敗れる）➡アム川上流と移った月氏が大月氏を称す（▼烏孫に圧迫される）

⑵ **烏孫**（うそん）…月氏を追放しイリ地方に定着。**張騫**の来訪を機に前漢と同盟

⑶ **鮮卑**（せんぴ）…五胡の一つとして華北に進出。**拓跋氏**（たくばつ）が**北魏**（▲→テーマ8）を建国

※“可汗（カガン）”…鮮卑が最初に用いたとされる，遊牧国家の君主の称号（柔然・突厥・ウイグルなどが用いた▲）

⑷ **柔然**（じゅうぜん）（モンゴル系　5～6世紀）（▲突厥の攻撃で滅亡）

4 突厥（とっけつ）（トルコ系　552～8世紀半ば）

⑴ 繁栄

①**ソグド人**の**東西貿易を保護して共生関係を築き**，大帝国を形成

②**ササン朝ペルシア**の**ホスロー1世**と同盟し，**エフタル**（▲イラン系遊牧民）を滅ぼした

⑵ 東西分裂（583）…隋の外交政策と内紛によって東西に分裂

内陸アジア（中央ユーラシア）の諸民族も，中国王朝と結びつけると効率的です（ただ，最初の騎馬遊牧民とされる**スキタイ**は，アケメネス朝ペルシアとの接点に注目）。**匈奴**は秦・漢の最大のライバルでした。**始皇帝**は**万里の長城**を修築し，前漢の**劉邦**は屈辱的な大敗を喫し，**武帝**は大月氏にまで協力を求めました。両王朝は長城以南の秩序は何とか保てたものの，匈奴を壊滅させることはできず…。「土地」にしがみつかず自由に移動し，時に集まり時に分裂する「人間集団」。騎馬遊牧民は，まさに掴みどころのない手強い存在です。

魏晋南北朝期，匈奴や**鮮卑**は中国に進出して華北を支配しました。▲→テーマ8この時代のモンゴル高原で，**柔然**が勢力を伸ばしていたことは見落としがちですよ。

遊牧民の生活スタイルについては，モンゴル帝国の単元で紹介しました。▲→テーマ11ここで，導入の**テーマ1**を思い出してください。生活が不安定な遊牧民は，異なる生業の人々と結びついていましたね。

惜しいような惜しくないような（笑）。**テーマ1**の説明を図にしてみます。

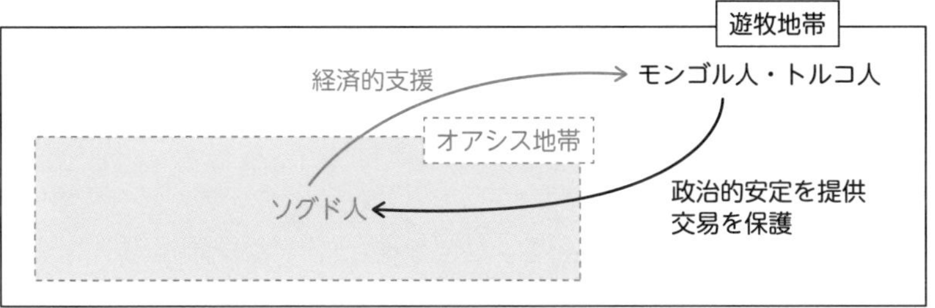

> **遊牧民が交易の要衝であるオアシス地帯を支配下に置く**
> **➡ 治安などが安定し，交易が安定・活性化**
> **➡ オアシス地帯の商人は遊牧民を経済的に支援**

という構造でした。両者の**共生**関係のうち，頻出なのが**①突厥とソグド商人，②ウイグルとソグド商人，③モンゴル帝国とウイグル商人**，の3ペアです。

左セクションの突厥とウイグルの項目に，**ソグド人**との共生が載っています。とくにウイグルが，ソグド人から**マニ教**や文字を摂取している点に注目してください。一方，中国との関係も見逃せません。

突厥やウイグルは**トルコ系**の遊牧民で，突厥は隋・唐と，ウイグルは唐を接点を持ちました。（▲「突厥」という文字は，「テュルク」という音に漢字をあてたもの）**突厥**は隋の巧みな外交的策略によって分裂させられます。隋を継いだ唐は，太宗と高宗が東突厥と西突厥を攻撃。唐に服属していた**東突厥**

①**東突厥**…唐の建国を支援 ➡太宗時代の唐に服属 ➡680年頃に自立を回復
➡８世紀半ばウイグルによって衰退・滅亡
②西突厥…唐の高宗の攻撃で弱体化 ➡他のトルコ系勢力の台頭をうけ滅亡
⑶ 文化…**突厥文字**（アラム文字もしくはソグド文字に由来）
▲北方遊牧民では最古の文字とされる

5 ウイグル（回紇（かいこつ），トルコ系，744～840）

⑴ 建国と繁栄
①東突厥を滅ぼして建国。**安史の乱**の際，唐を援助して勢力増大
▲755～763→テーマ９
②**ソグド人**の**東西貿易を保護して共生関係を築く**。「絹馬（けんば）交易」で栄えた
③ソグド人の影響で**マニ教**を信仰。ソグド文字から**ウイグル文字**を製作
⑵ 内紛によって衰退し，トルコ系**キルギス人**の攻撃で滅亡（840）
➡トルコ人の一部は中央アジアのオアシス地帯に移動，定着し，オアシス地帯は「トルキスタン」と呼ばれるようになる
▲「トルコ人の地」の意味
➡カラハン朝（イスラーム教徒）やウイグル商人（仏教徒）が割拠

6 キタイ（契丹（きったん），遼（りょう））（916～1125）

⑴ 興亡
①建国者**耶律阿保機**（やりつあぼき）（太祖 位916～926）
・渤海を滅ぼす（926）
②**燕雲十六州**の獲得（936）…後晋の建国を援助した見返りに獲得
▲万里の長城以南の地 ▲五代の３番目の王朝
③947年に国号を中国風の「遼」に改めた
④**澶淵の盟**（せんえんのめい）（1004）…宋の真宗が遼の聖宗に絹と銀を毎年贈ることを約束
⑤金・北宋の挟撃によって滅亡（1125）
➡西進した**耶律大石**（たいせき）が**西遼**を建国。ナイマンにより滅亡
▲カラキタイ，1132～1211
⑵ **二重統治体制**…遊牧民には部族制，農耕民には州県制を採用
▲北面官を設置 ▲南面官を設置
⑶ 文化…**契丹文字**，仏教の隆盛
▲漢字をもとにした大字とウイグル文字をもとにした小字からなる

7 西夏（せいか）（大夏，1038～1227 チベット系タングート族）

⑴ 建国者**李元昊**（りげんこう）（位1038～48）
①慶暦の和約（1044）…北宋から絹・銀・茶を獲得
⑵ 滅亡…**チンギス＝カン**の遠征軍によって滅亡（1227）
⑶ 文化…**西夏文字**
▲漢字の構造にならった文字

は7世紀後半に自立を回復しますが，ウイグルによって滅びました。成立間もない**ウイグル**は，**唐を支援して安史の乱をともに鎮圧**しましたね。

9世紀のウイグルの滅亡は，内陸アジアの大変動を引き起こします。**ウイグル人の一部が中央アジアのオアシス地帯に移り，そこで定住生活を始めてしまったんです**。（実はウイグルには，崩壊前から草原に都城を造営するなど，定住のきざしがあった）今までオアシス地帯にいたソグド人の血脈は，トルコ人に圧倒されて最終的に消滅してしまったと考えられています。これが**「中央アジアのトルコ化」**です。ここで，モンゴル帝国が保護した「ウイグル商人」が，この時にオアシスに定着したトルコ人であることに気づけばパーフェクト。

「支配・保護する側」から「支配・保護される側」にモデルチェンジしちゃった，ってことですか。

また9世紀は，イスラーム勢力が西から中央アジアに進出していた時期でもあり，**トルコ人はイスラームを受容**し，**カラハン朝**（→テーマ19）を建てました。同じトルコ系ですが，カラハン朝はイスラーム教徒，ウイグル商人は主に仏教徒でした。

地勢が複雑なオアシスの道は，皆さん受験的に「捨ててしまう」地域です（だからこそ，この難所を越えた**張騫**（ちょうけん）は偉大！）。ここは実技科目だと思って，手を動かして何度もルートを描くこと。**テーマ8**で扱った「映像で覚える」感覚でインプットできればOKです。

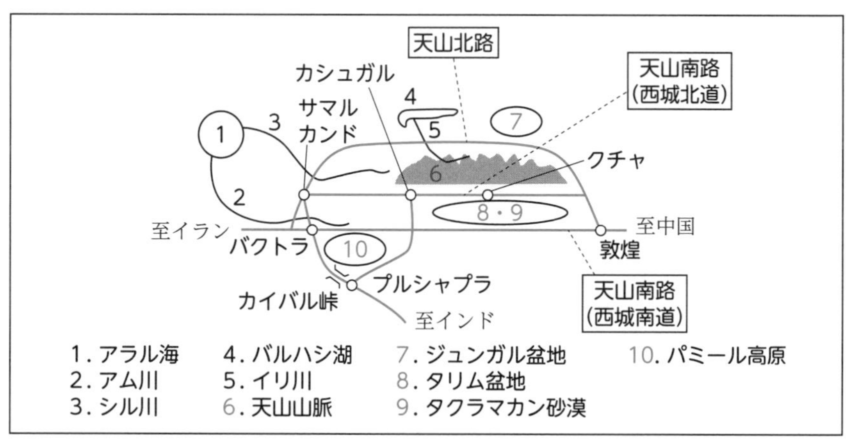

続く**キタイ・西夏・金**ですが，宋との関係は**テーマ10**で復習しましょう。

特筆すべきは**二重統治体制**と，後述する文字でしょうか。遊牧民と農耕民の生活スタイルは全く異なっていたため，中国の農耕地帯を支配したキタイや金は，**生活の相違を考慮して統治を使い分けました**。（テーマ11の表で確認）（遼は燕雲十六州，金は淮河以北）元代，モンゴルで**千戸制**を敷いたのに対し，中国には**州県制**を施行したのも同じ感覚です（かつて**北魏が**

8 金（1115～1234　ツングース系女真（ジュシェン））　首都：上京会寧府（じょうけいかいねいふ）➡燕京

▲アルタイ系の民族。多くは半猟半農の生活を送った　現在の北京▲

(1)　興亡

①建国者**完顔阿骨打**（ワンヤンアグダ）（太祖，位1115～23）

②北宋と同盟し，遼を滅ぼす（1125）

➡謝礼を払わなかった北宋に侵攻，**靖康の変**（せいこう）（1126～27）で北宋を滅ぼす

③**オゴデイ**のモンゴル軍により滅亡（1234）

(2)　金の支配体制…**二重統治体制**

①女真人…部族制。軍事・行政組織である**猛安**（もうあん）・**謀克**（ぼうこく）が適用された

▲300戸＝1謀克。10謀克＝1猛安。1謀克から100人徴兵

②農耕民（華北）…州県制による統治

(3)　文化…**女真文字**，**全真教**（王重陽が儒教・仏教・道教を調和）

▲契丹文字と漢字が母体

9 チベット地方

(1)　**吐蕃**（7～9世紀）　首都：**ラサ**

▲「仏の地」の意

①建国者**ソンツェン＝ガンポ**…唐の太宗とは和親策

▲唐から降嫁した文成公主が，ガンポの息子と結婚

②**安史の乱**（755～763）の際，唐の長安を占領。9世紀前半に唐と和解

唐蕃会盟碑を建立▲

③文化…**チベット仏教**（ラマ教），**チベット文字**

▲仏教と民間信仰のボン教が融合　▲インド文字が起源

※吐蕃は9世紀に王家が分裂して衰えたが，中国側は元末まで「吐蕃」という呼称をチベット地方に対し用い続けた

(2)　**クビライ**の侵攻（13世紀）…クビライはチベット仏教僧**パクパ**を重用

(3)　チベット仏教とその波及

①**ツォンカパ**が旧来のチベット仏教を改革し，改革派（**黄帽派**（こうぼうは））を創始

▲ゲルク派

②タタール（韃靼）の**アルタン＝ハーン**（16世紀半ば）

▲16世紀半ばに北京を包囲→テーマ12

・チベット仏教に帰依し，黄帽派の教主に**ダライ＝ラマ**の称号を贈った

▲「大海の師」の意

➡これを契機にモンゴルや満洲へチベット仏教が拡大。

③ダライ＝ラマ…地位は**活仏**により継承。**ポタラ宮殿**が居城

▲死後も別の肉体をかりて代々生まれ変わり，人々を救うという思想

④清は，**ジュンガル**とチベット仏教の保護者をめぐり抗争

➡**康熙帝**はチベットを征服（18世紀前半）し，チベット仏教を手厚く保護

10 雲南地方

▼8世紀前半に雲南の支配権を確立

(1)　**南詔**（なんしょう）（？～10世紀初頭）…唐の冊封をうけ，その文化を導入

▲チベット＝ビルマ系

(2)　**大理**（937～1254）…**クビライ**のモンゴル軍により滅亡（1254）

遊牧民の伝統を捨てて漢化（▲→テーマ8）したことは，二重統治と対比をなします）。

標高の平均が4000m をこえるチベット高原では，7世紀に**吐蕃**が成立しました。吐蕃は**安史の乱に乗じて唐の長安を占領しており，唐を支援したウイグルとは対照的な動きをしています**。吐蕃が世界史上に果たした役割として，**チベット仏教**は欠かせません。インドから伝わった大乗仏教とチベットの民間信仰が融合して成立しました。即位する前の**クビライ**がチベットを征服した際，僧**パクパ**を宗教顧問として招きました。元では**パクパ文字**が作成され，また**チベット仏教**（▲→テーマ11）**への過度な帰依・寄進は元の財政を圧迫しました**ね。

このチベット仏教がアジア諸地域に定着する決定打となったのは，16世紀にタタールの**アルタン＝ハーン**がチベット仏教に帰依したことです。彼は黄帽派の教主に「**ダライ＝ラマ**」の称号を贈り，教主は代々この名称で呼ばれるようになりました。チベット仏教は，モンゴルだけでなく満洲にも広まりました。

満洲ということは，清の人々にも浸透していったんでしょうか。

そうなんです。これが**「清がジュンガルとチベット仏教の保護者の地位を争った」**という，**テーマ13**の内容につながっていくんですよ。

最後に文字について。唐代，**東アジア諸国では，唐の影響下で漢字・律令・都城**（▲渤海の上京竜泉府が典型）**・儒教・中国仏教**（→テーマ14）**などを共有する文化圏が形成**（▲東アジア文化圏）されました。しかし唐が滅亡すると，諸民族は中国から自立して民族的自覚を高め，各地で独自の文字を作成するブームが起こりました。**「日本において894年に遣唐使が停止される**（菅原道真の建議）**と，日本独自の国風文化が発展し，かな文字が生まれた」**（→世界史の中の日本②▲）という皆さんが中学校で習ったこの現象は，実は東アジア全域で起こっていたんですね。

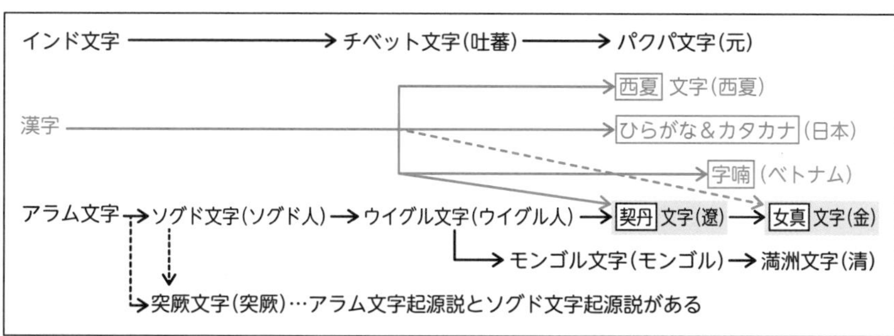

漢字に由来する文字と，西アジアから伝播したアラム文字に由来する文字の，**2系統に分けて整理するのがポイント**（契丹文字と女真文字は，その2種類の系統をくんでいるため，特に要注意です）。「アラム文字がアジアの文字の起源となった」という**テーマ2**の内容が，ここで意味を持ってくるわけです。

テーマ16

古代インド世界

1 インダス文明（前2600頃～前1800頃）

▲洪水，河川の流路変更，気候の変化などで衰退？

(1) 先住民の**ドラヴィダ人**による成立説が有力

(2) 遺跡

①**モエンジョ＝ダーロ（モヘンジョ＝ダーロ）**…シンド地方（▲インダス川下流）

②**ハラッパー**…**パンジャーブ地方**（▲インダス川中流）

(3) 文化の特色

①沐浴場・排水設備などを備えた計画的都市，青銅器文明

②インダス文字（未解読）を印章に使用

2 ヴェーダ時代

(1) **アーリヤ人**（インド＝ヨーロッパ語系）の侵入

前1500年頃～ ――→	前1000年頃
・カイバル峠から侵入。牧畜を営む ・**ヴェーダ**…自然神への賛歌・儀礼集 ・**『リグ＝ヴェーダ』**…最古のヴェーダ	・ガンジス川流域に進出 ・**鉄製農具**を用い稲作 ➡農耕定住生活へ

(2) **ヴァルナ**の成立…アーリヤ人が先住民と混血しつつ，身分制が成立

①**バラモン**…司祭層。神々への祭式を独占し政治的特権を握る

・バラモン教…バラモンがつかさどる，ヴェーダを根本経典とする宗教

②**クシャトリヤ**…武士・貴族

③**ヴァイシャ**…一般庶民階級。のちに商工業に従事

④**シュードラ**…隷属民。征服された先住民が主体。のち農耕・牧畜に従事

※ジャーティ(カースト)…同職の集団。のちにヴァルナと結びついていった

3 新宗教の成立

(1) 背景…**マガダ国**やコーサラ国などの都市国家の発展（▲農業生産の増加が背景）

➡国家間の抗争の中で，勢力を伸ばしたクシャトリヤ・ヴァイシャが従来のバラモン教に不満を抱く

(2) **ウパニシャッド**（**「奥義書（おうぎしょ）」**）…バラモン教から発展。内面の思索を重視

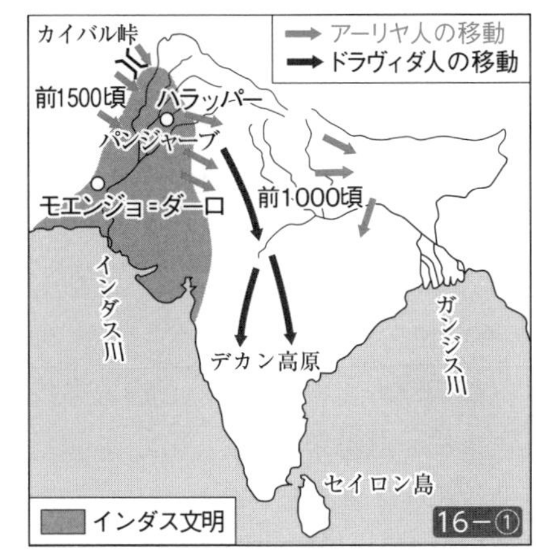

1 文字が解読されておらず，謎多き**インダス文明**。計画的に都市は整備されているのに，**強大な王権を誇示するような建築物は存在しない**。おそらくは先住民の**ドラヴィダ人**によって創り上げられたのだろうと推測されています。衰退した原因も解明されていません。

2 そのインダス文明が滅亡した後，前1500年頃に**アーリヤ人**（▲インド＝ヨーロッパ語系。いわば「白人」）がインドへ進出してきました。インドの北方に横たわる峻嶮（しゅんけん）な山脈群は人々の往来を妨げていますが，**カイバル峠**は北方からインドに進入するほぼ唯一のルート。インド史において実に多くの個人・勢力がここを往来しました。カイバル峠を通ってインドに入るとそこは**パンジャーブ地方**で，インドの北の玄関口とでもいえましょうか。アーリヤ人は二輪の戦車を駆ってパンジャーブ地方の先住民を征服しました。彼らは火や雷などを自然神として崇拝し，賛歌を**ヴェーダ**にまとめました。これを根本経典として成立したのが**バラモン教**です。その後，アーリヤ人は前1000年頃には**ガンジス川流域へ移って農耕生活を開始**。農業生産が鉄製農具を使うようになったことも手伝って増加し，神官や軍人といった非生産層が形成されました。さらに先住のドラヴィダ人と交わる中で，**ヴァルナ**という身分観念が成立。ヴァルナとは「色」という意味ですが，これは「肌の色」の違いが身分の違いだったことに由来しています（▲肌が白いアーリヤ人が，肌の色が濃いドラヴィダ人を支配）。

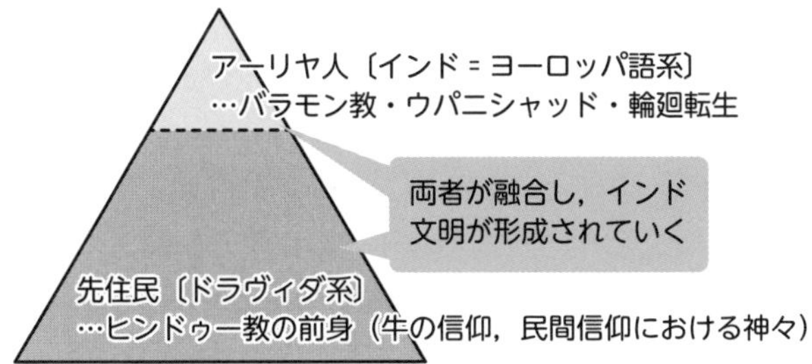

3 農業生産の増加はさらに国家を発展させました。分立する都市国家群は，次第に大都市を拠点とする王国へと統合。**マガダ国**やコーサラ国（▲小王国）がその筆頭ですね。政治・軍事を司るクシャトリヤは国家同士の抗争をリードして存在感を高める一方，余剰生産を取り引きすることで商業も活況を呈し，ヴァイシャも力を蓄えました。しかし……，当時の社会の頂点に君臨したのは司祭層の**バラモン**でした。

①梵（ブラフマン）と我（アートマン）の合一による解脱を目指す
②**輪廻転生**

・魂が永遠に生まれ変わり続ける，という世界観
▲現世の行為（カルマ）が来世に反映される
・解脱（輪廻の循環から逃れること）を究極の目標とする

(3) 仏教とジャイナ教
▲両宗教とも，ヴァルナを否定している

仏教 ▼ブッダ（仏陀） 前6～前5世紀 開祖**ガウタマ＝シッダールタ**	**ジャイナ教** ▼マハーヴィーラ 前549～前477 開祖**ヴァルダマーナ**
・**無常観**の立場から，八正道の実践による解脱を主張 ・ヴァルナを否定 ・クシャトリヤ・ヴァイシャが支持	・極端な**不殺生主義と苦行**を重視 ・ヴァルナを否定 ▼不殺生を徹底するため，戦争を行うクシャトリヤには受容されず ・ヴァイシャが支持

4 古代インドの統一王朝

(1) **マウリヤ朝**（前317頃～前180頃　都：**パータリプトラ**）

①建国者**チャンドラグプタ王**
▲アレクサンドロス大王の侵攻をうけ，統一の機運が高まる
②**アショーカ王**（前３世紀）…全盛期。仏教を国家の統治理念とする

・**スリランカ（セイロン島）**布教…王子を布教のために派遣
・第３回**仏典結集**…シャカの教えを確認し編集する作業
・**仏塔**の建立…サーンチーの仏塔が有名
・**ダルマ**（人々の守るべき普遍的な倫理）を**磨崖碑・石柱碑**に刻む

(2) **クシャーナ朝**（１～３世紀　都：プルシャプラ）

①中央アジアのイラン系クシャーン人が樹立。カイバル峠を通じインドへ
②**カニシカ王**（２世紀半ば）…全盛期
③**ガンダーラ美術**…仏教とヘレニズム美術が融合し，仏像を製作
④ササン朝ペルシアの**シャープール１世**の攻撃で衰退

(3) **サータヴァーハナ朝**（前１～後３世紀　南インド）

①ローマ帝国との**季節風貿易**で繁栄

(4) **グプタ朝**（320頃～550頃　都：**パータリプトラ**）

①チャンドラグプタ１世…建国者
②**チャンドラグプタ２世**（在376頃～414頃）…全盛期
③純インド的文化の繁栄

・**グプタ美術**…純インド的な仏教美術。**アジャンター**の石窟寺院
・**サンスクリット**文学

この人たち，何してるんですか？？

神への儀式です。非常に複雑で，バラモンしか執り行うことができません。「この儀式を正確に行わないと，神の怒りを鎮めることができない。私に逆らうなら儀式はキャンセルだ！」と言われたら，他の身分は従うしかない。**クシャトリヤ**や**ヴァイシャ**は**この儀式中心のバラモン教，およびバラモンを中心とする社会体制に反発し，新しい宗教を求めました**。こうして幾つもの新宗教・思想が誕生します。

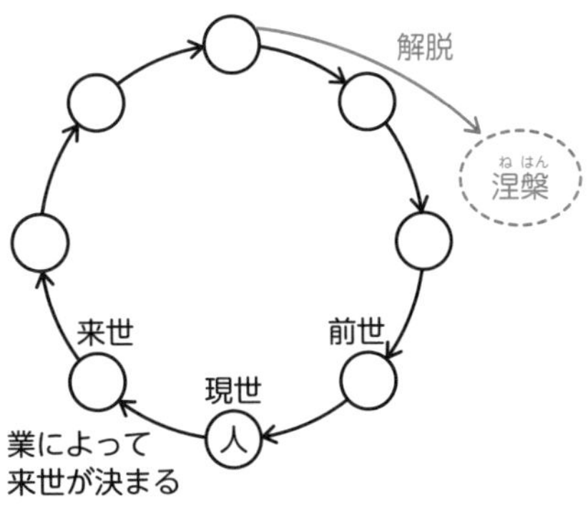

儀式中心だったバラモン教が内部改革して生まれたのが，内面の思索を重視する**ウパニシャッド**哲学です。彼らが唱えた**輪廻転生**は，インドの多くの宗教に影響を与えました。インドにカーストが根づいたのは，**「来世で何に生まれ変わるかは，現世の行い**（▲業（カルマ））**によって決まる」**と考えられていたから。「高貴な身分に生まれたのは前世の自分のおかげ」「下賤な身分に生まれたのは前世の自分の責任」ということですね。

仏教の開祖である**ブッダ（仏陀）**（▲ガウタマ＝シッダールタ）は，輪廻の中で永遠に「生老病死」を繰り返さねばならない事実に絶望し出家。悟りを開き，苦悩の原因を煩悩（▲心身を乱す欲）に求めました。「老」に関して言うならば，「老いが怖いのは，若さへの執着・欲があるからだ。無常観（▲一定・普遍のものはなく，全てのものは衰えゆく）の立場に立ち，老いていく現実を受け入れよ」。この境地に至るため，ブッダは八正道の実践を説いたのです。のちに，修行者本人だけが解脱できるとする従来の仏教（▲上座部仏教）に対し，**在家の信者も菩薩を信仰することで菩薩とともに解脱できる**，とする**大乗仏教**が生まれました。上座部仏教はスリランカ・東南アジアに，大乗仏教は中国・日本・朝鮮に伝播していきます。

ジャイナ教は，**不殺生主義と苦行**を特徴とします。人を殺める軍人（クシャトリヤ）などもってのほかで，畑仕事で虫と接する農民にも受けが悪い。**殺生とは縁遠い商人（ヴァイシャ）層に広まりました**。

4 前4世紀，ついに統一王朝が登場。ほぼ全インドを統一した**マウリヤ朝**が後世に残した影響は，それまでメジャーとはいえなかった**仏教をインド全体に猛プッシュし広めたこと**です。これを進めたのが**アショーカ王**。彼に限らず，**「この人・事項はなぜ重要なのか，なぜ入試によく出るのか？」という理由・意味を考えながら復習する**ことは，世界史をマスターするコツですよ。

［二大叙事詩の完成…『マハーバーラタ』『ラーマーヤナ』
［カーリダーサの『シャクンタラー』

④**ヒンドゥー教**の普及

・バラモン教とインドの民間信仰が融合し，成立。ヴァルナを肯定

・**シヴァ神**（▲暴風神，破壊・創造・舞踏などを司る）・**ヴィシュヌ神**（▼太陽神，世界維持を司る）・ブラフマー（▲世界を創造）が中心

⑤『**マヌ法典**』の完成…各ヴァルナの義務，生活規範をまとめたもの

⑥**エフタル**（中央アジアの遊牧民）の攻撃によって衰退（グプタ朝を攻撃した勢力はエフタルではないとする説もある▲）

(5) **ヴァルダナ朝**（7世紀前半　都：カナウジ）

・**ハルシャ王**…インド北部を統一。ハルシャ王の死後，王朝は瓦解

・唐僧**玄奘**（げんじょう）が，ハルシャ王の治世に**ナーランダー僧院**（▲グプタ朝時代に創建）を訪れる

★ヴァルダナ朝滅亡後のインドにおけるヒンドゥー勢力

・ラージプート王国が分立（▲クシャトリヤの子孫を自称）

・**チョーラ朝**…南インドのタミル人王朝（▼ドラヴィダ系）。インド洋交易で繁栄（▼スマトラ島へ遠征）

・**ヴィジャヤナガル王国**（▲14～17C　デカン高原以南を支配）…西アジアから馬を輸入しイスラーム勢力に対抗

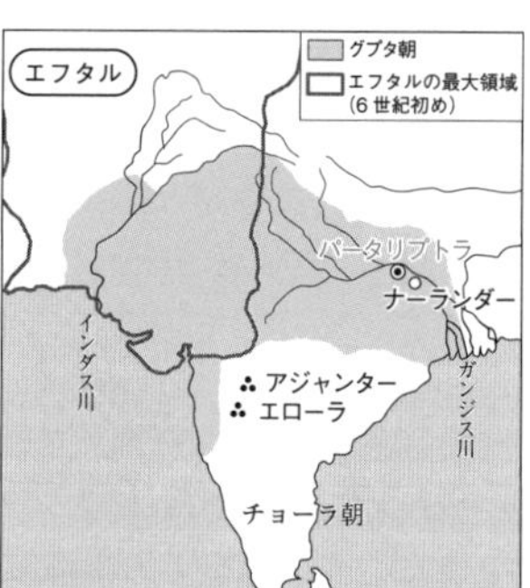

5 仏教の変革と，インドでの退潮

(1) 上座部仏教と大乗仏教

上座部仏教（小乗仏教）	大乗仏教
・出家者自身が修行により解脱 ・スリランカから東南アジアに伝播（ビルマ・タイ・カンボジアなど▲）	・**菩薩**（ぼさつ）（▲人々の救済のために修行する者）信仰によって，全ての人々を救済 ・竜樹（ナーガールジュナ）（▲1～2C　サータヴァーハナ朝時代）が理論を確立 ・中央アジアから中国・朝鮮・日本に伝播

(2) 仏教のインドでの退潮

①ヴァルダナ朝滅亡後の政治混乱で商業が衰退。**仏教を支えた大商人が没落**

②ヒンドゥー教の**バクティ運動**（▲シヴァ神やヴィシュヌ神に対する熱烈な信仰を特徴とする）から攻撃をうけた

③ヒンドゥー教が吸収…ブッダはヴィシュヌ神の化身とされたことが一因

なるほど。「こんな役割を果たしたんだ」と感じる点に注目すると，人物や出来事の重要性が分かりますね！

彼はカリンガという地方を征服した時に多くの血を流したことに心を痛め，仏教に帰依(きえ)したといわれています。**仏典結集**(ぶってんけつじゅう)，**仏塔**(ストゥーパ)の建設，**スリランカ（セイロン島）**布教などの業績を残しました。仏教徒は現在のスリランカ国民の多数派を占めており，マウリヤ朝時代の布教が現在にまで受け継がれています。
▲日本の寺院にある三重塔や五重塔の起源

クシャーナ朝で頻出なのは**ガンダーラ美術**。東方遠征で中央アジアにまで進出した**アレクサンドロス大王**の軍勢ですが，このうちギリシア人の一部はそのまま中央アジアに住みつき，子孫が**バクトリア**を建てました。ヘレニズム彫刻の技術はギリシア系住民の間で脈々と受け継がれます。そして，中央アジアで成立したクシャーナ朝がインドへ南下すると，**ヘレニズム彫刻と仏教が融合して，ギリシア風の仏像が製作されました。**
▲中心都市バクトラ
▲領域の中にバクトラが含まれている

グプタ朝で形作られたインド文化とヒンドゥー教的社会秩序は，のちのインド社会の規範になりました。そういう点では最も重要な王朝かもしれません。ヒンドゥー教は，バラモン教と伝統的な民間信仰の神々が融合して形成されていった宗教です。３本柱とされる**シヴァ神**と**ヴィシュヌ神**とブラフマーの起源はアーリヤ人が編んだヴェーダにまでさかのぼることができます。二大叙事詩である**『マハーバーラタ』『ラーマーヤナ』**には様々な神が登場しますが，『マハーバーラタ』に登場する英雄クリシュナはヴィシュヌ神の化身です。**インド文明は，アーリヤ人的要素と先住民的要素が融合して形成されましたが**，ヴィシュヌ神はその好例ですね。あと，ガンダーラ美術ではギリシア色が濃かった仏像も，**グプタ美術**では**純インド色を帯びてきます。**
▲ヒンドゥー教には特定の開祖は存在しない
▲ヴィシュヌ神が，先住民の英雄・神と融合している

5 北インドを一時的に統一した**ヴァルダナ朝**が崩壊したあたりから，仏教は劣勢に立たされ，インドではヒンドゥー教が主流になっていきました。ヴァルダナ朝滅亡後，分裂状態になると商業網が寸断されて，**仏教を支えていた大商人が没落してしまった**んですね。統一王朝群の解体と仏教衰退のタイミングは一致するわけです。また**ヒンドゥー教では「ブッダはヴィシュヌ神の化身である」とされて，仏教が吸収されていってしまった**ことも目を引きます。

弾圧・迫害したのでなく吸収，というのがすごい。恐るべし…！

最後に，政治的分裂期諸国家の中では，インド洋交易で繁栄し，スマトラ島へ遠征したことで知られる南インドの**チョーラ朝**は押さえておきましょう。

アジア諸地域史③ 東南アジア

1 東南アジアの地域区分

(1) 北ベトナム
(2) 中南ベトナム・カンボジア　**メコン川**流域
(3) 島嶼(とうしょ)部（スマトラ島・ジャワ島）
(4) タイ…**チャオプラヤ川**流域
(5) ビルマ…**エーヤワディー（イラワディ）川**流域

2 北部ベトナム

(1) ドンソン文化（前４世紀頃～）…銅鼓(どうこ)が出土
▲東南アジアの基層文化とされる
(2) **李朝**（1009～1225）　首都：昇竜（ハノイ）
　①宋から独立したベトナム初の長期政権。国号を大越(ダイベト)とした
(3) **陳朝**(ちんちょう)（1225～1400）　首都：ハノイ
　①**元**軍を撃退
　②**字喃**(チュノム)（漢字をもとにしたベトナム固有の文字）が使用された
▲現在のベトナムでは，アルファベットから生まれたクオック＝グーが用いられている
　③陳朝滅亡後，明の**永楽帝**がベトナムを征服。永楽帝の死後，黎朝が成立
(4) **黎朝**(レイ)（1428～1527，1532～1789）　首都：ハノイ
　①朱子学を振興し，科挙・律令制など**明の制度を導入**
　②南下して**チャンパー**を攻撃し，南北ベトナムをほぼ統一（15世紀）
▲現在のベトナム領がほぼ画定
　③北部（鄭(てい)氏）と南部（阮(げん)氏，広南(カンナム)王国）に分裂（17世紀）
　④西山(タイソン)の乱（1771～1802）で黎朝は滅亡
(5) 西山(タイソン)政権（1778～1802）…西山の阮氏三兄弟による支配

3 中南部ベトナム・カンボジア　～メコン川中・下流域

(1) **扶南**(ふなん)（プナム，プノム，１～７世紀）
　①マレー人またはクメール人が形成した港市国家群。「インド化」が進む
　②**オケオ**からはローマ帝国の金貨，中国の銅鏡，インドの仏像などが出土
(2) **チャンパー**（2～17世紀　２世紀からは林邑(りんゆう)，宋代以降は占城(せんじょう)と呼ばれた）
▲または環王

東南アジアは，**地域別（タテ）に見る**視点と**時代別（ヨコ）に見る**２つの視点があります。まずは左ページの５つの地域区分を確認しましょう。その際，**メコン川・チャオプラヤ川・エーヤワディー川**は地域を判断するカギになります（例えば「チャオプラヤ川の流域では～」という文があったら即座にタイをイメージ！）。もう１点，**地域ごとの文化・宗教分布も重要**です。北ベトナムは中国文化圏で，タイとビルマは上座部仏教がさかん。大変なのが島嶼（とうしょ）部。**大乗仏教➡ヒンドゥー教➡イスラーム**と流行する宗教が変化します。

タテとヨコ，どちらからやりましょうか。

時代順に並んでいるタテの方が比較的やりやすいです。宗教に留意しつつ，順番にチェックしていってください（左ページはタテで編成しています）。島嶼部は，**スマトラ島とジャワ島の国家はしっかり区別してくださいね。**

ヨコの視点で意識してもらいたいのが，**テーマ１**の地図で示した，**東南アジアがインドと中国の結節点という役割を担ってきた**点です。この切り口から攻めていきます。
インド洋交易圏▲　▲南シナ海交易圏

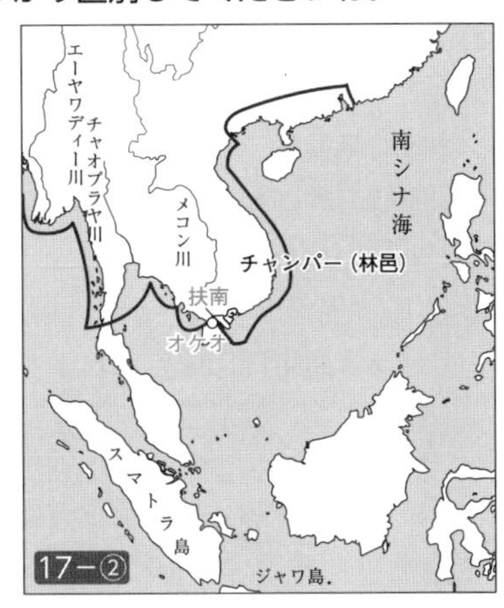

17ー②

かつて，マラッカ海峡は船の難所であったため，南シナ海とインド洋を往来する際，**人々はマレー半島を陸路横断**していました。このルートの拠点として栄えたのが**扶南（ふなん）**の港市**オケオ**ですね。交易を通じ**「インド化」**が進みました。インドからバラモンが渡来し，仏教・ヒンドゥー教・サンスクリット語，インド建築などが流入します。扶南の東北部にあるチャンパー，この呼称はインド風で，「林邑」は中国風。インドと中国，双方の影響をうけているのが分かりますね。一方，**中国文化圏に属していたのは中国と海陸双方で深くつながっている北ベトナムです。**多くの王朝が中国の冊封をうけ，のちの陳朝では漢字から派生した**字喃**を用い，黎朝では**朱子学・科挙・律令などが取り入れられました。**これには，中国的なシステムを作ることで中国の脅威に対抗しようとした，という見方があります。「自らも中国と並ぶ中華である」という，**小中華思想**といえるでしょう。小中華といえば朝鮮が有名ですが，ベトナムにも存在したんですね。
風が弱く船の速度が出ず，海賊などにおそわれる▲　▲港市国家については，テーマ１を参照　▲→テーマ14

７世紀は大きな節目ですよ。まず**①中国の唐，西アジアのイスラーム王朝という大帝国が東西に成立し，広域にわたる交易が発展。これに伴い，**マラッ

①チャム人によって成立。４世紀頃から「インド化」が進む
▲オーストロネシア語系民族
②唐代には唐に朝貢
③日照りに強く早稲である，**占城稲**（せんじょうとう）が宋代の中国へ伝播
▲→テーマ10
④15世紀に黎朝の侵攻をうけた。最終的な滅亡は17世紀とされる

(3) **カンボジア**（**真臘**（しんろう），６～15世紀）
①メコン川中・下流域を支配した**クメール人**の国家
②統一してアンコール朝時代を形成（９～15世紀）
・アンコール＝トム…９世紀に造営された首都。12～13世紀に拡大・整備
ジャヤヴァルマン7世▲
・**アンコール＝ワット**…12世紀にスールヤヴァルマン２世が建立した遺跡
当初はヒンドゥー寺院であったがのちに仏教寺院へ▲
③14世紀以降，タイのアユタヤ朝に圧迫されて衰退

4 島嶼部（とうしょぶ）（現インドネシア）

(1) **シュリーヴィジャヤ王国**（７～８世紀）　中心都市：**パレンバン**
①スマトラ島を中心に，海上貿易で繁栄で栄えた港市国家群
②唐に朝貢し，中国では“室利仏逝（しつりぶっせい）”と呼ばれた
③唐僧の**義浄**がインドへの往復に立ち寄り**『南海寄帰内法伝』**（なんかいききないほうでん）を著す
※**三仏斉**（さんぶっせい）…10C以降，シュリーヴィジャヤを継承した港市国家連合
▲マレー半島からスマトラ島一帯を指す「ジャーヴァカ」がアラビア語になまった「ザーバジュ」を漢字表記

(2) （古）マタラム朝（８世紀頃）
①ジャワ島中部に成立。ヒンドゥー教のプランバナン寺院群が有名
▼古マタラム朝が東部ジャワへ移った
※**ワヤン**…ジャワのクディリ朝などで発達した影絵芝居
『マハーバーラタ』，『ラーマーヤナ』をジャワ語に翻訳▲

(3) **シャイレンドラ朝**（８～９世紀）
①ジャワ島に成立し，香辛料貿易で栄えた
②**ボロブドゥール遺跡**…石造の**大乗仏教**遺跡

(4) **シンガサリ朝**（1222～92）
①ジャワ島に成立し，ヒンドゥー教が栄えた
②元が遠征軍を派遣するが，国内の混乱によって，元軍の到達時には滅亡

(5) **マジャパヒト王国**（1293～1520頃）
▲現在のインドネシアに相当する地域を支配
①**元**軍を撃退した後に成立した，東南アジア最後のヒンドゥー教国

(6) **マラッカ（ムラカ）王国**（14世紀末頃～1511）…マレー半島に成立
①明の**鄭和**（ていわ）の南海諸国遠征の際に**明の冊封**（さくほう）**をうける**　➡**アユタヤ朝**に対抗
②永楽帝の死後，明が対外消極策に転換（15世紀）
➡西方のイスラーム商人勢力との関係を強化し，アユタヤ朝に対抗
➡**国王がイスラームに改宗**
▲東南アジア初の本格的イスラーム教国とされている
③**ポルトガル**が征服（1511）

カ海峡に交易の中継地となる港市が次々に成立して，マラッカ海峡を通過する海上ルートが開拓されたのです。港市国家群は連合して**シュリーヴィジャヤ王国**を形成し，マラッカ海峡の交易を支配しました。**ボロブドゥール**で知られる
▲マレー半島を横断するルートは衰え，扶南も衰退
シャイレンドラ朝は，マラッカ海峡ルートの香辛料貿易に参入しました。
▲ジャワ島では，稲作を基盤に古マタラム王国も繁栄

また6～7世紀，**②インドから新しい稲作技術が伝わり，大陸の平原部の農業生産が増加しました**。現在のカンボジアに成立した**真臘**は，分裂期を経て9世紀初頭に再統一され，のちにアンコール地方に都を置きました
▲内陸の陸真臘とメコン川水系の水真臘
(**アンコール朝**)。壮麗な寺院**アンコール＝ワット**や，王都アンコール＝トムは有名ですね。また，タイとビルマにもドヴァーラヴァティーやピューが成立し，インドから**上座部仏教**を取り入れています。
▲雲南地方の南詔を経由して唐と交易を行った

次に大きなヨコの変動は13世紀です。

13世紀といえば…。分かった，モンゴル帝国です！

13世紀は「モンゴルの世紀」，正解です。しかし，元の遠征で成功したのは雲南(うんなん)経由で攻めたビルマくらい。**パガン朝**は元の侵攻をうけて内紛の中で滅びました。しかし，ベトナム（**陳朝**(ちんちょう)）遠征，ジャワ遠征は失敗に終わりました。ジャワ島の状況はちょっと複雑で，元軍が侵攻してくる直前に**シンガサリ朝**が滅亡し，王の娘婿(むすめむこ)率いる軍が元軍を首尾よく撃退しました。この娘婿が建てたのが**マジャパヒト王国**です。タイ人による初の統一王朝**スコータイ朝**は，元に服属しました。
▲→テーマ11

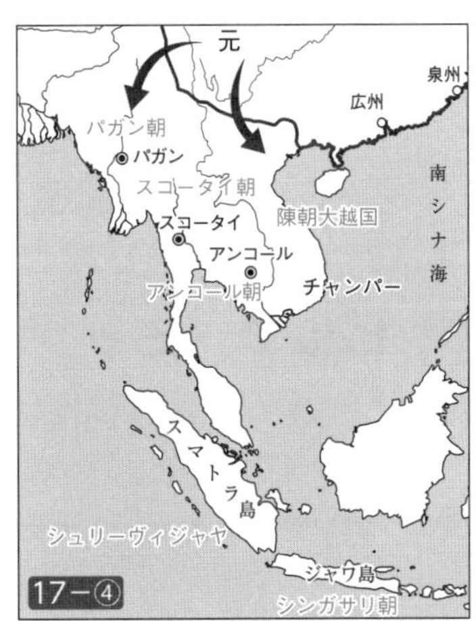

続いて15世紀，まず中国側からのアプローチです。**永楽帝**が派遣した**鄭和**の大艦隊に腰を抜かした東南アジア諸国は競って明に朝貢しました。この**鄭和艦隊の遠征の基地**となったのがマレー半島西岸の**マラッカ（ムラカ）王国**です。当時のマラッカはタイの**アユタヤ朝**の脅威におびえる日々を送っており，これ幸いと**明の冊封をうけて**巧みに港市国家として生き延びたんですね。
▲→テーマ12

(7) **アチェ王国**（15世紀末～1903）
①スマトラ島西北端のイスラーム王国
②マラッカ王国がポルトガルに征服されると，スマトラ島を西側から迂回(うかい)するイスラーム商人が集まり，バンテン王国とともに交易拠点となった
▲スンダ海峡に面する
(8) **マタラム王国**（16世紀末～1755）
①ジャワ島東部で繁栄した，イスラーム国家
※ジャワ・スマトラなどの島嶼部では，バリ島を除きヒンドゥー教は衰退

5 タイ　～チャオプラヤ（メナム）川流域

(1) ドヴァーラヴァティー（7～11世紀）
①モン人の国家で，上座部仏教を信仰
▲ビルマ・タイの先住民族
(2) **スコータイ朝**（13～15世紀）　首都：スコータイ
①タイ人が，アンコール朝から自立し，タイを統一
②元に対しては服属
③文化…**上座部仏教**(じょうざぶぶっきょう)を信仰。現在も使用されているタイ文字を作成
▲ラームカムヘーン王時代
(3) **アユタヤ朝**（1351～1767）　首都：アユタヤ
①15世紀にスコータイ朝とカンボジアのアンコール朝を征服
②貿易の繁栄…内陸部で生産された米を東南アジア各地に輸出する一方，英・仏・蘭などの外国とも交易。王朝が直接交易に関わる体制を確立
③**日本町**が形成され，山田長政(やまだながまさ)が活躍（17世紀前半）
④ビルマの**コンバウン朝**の侵攻で滅亡

6 ビルマ（ミャンマー）　～エーヤワディー川流域

(1) ピュー人（4？～11世紀頃　チベット＝ビルマ系）
①ビルマ人の進出以前に，エーヤワディー川流域に居住していた民族
(2) **パガン朝**（1044～1299）
①ビルマ人が建てた，ビルマ初の統一王朝。**上座部仏教**が定着
②**元（クビライの治世）**軍の侵入をうけ，内紛で滅亡
(3) **タウングー（トゥングー）朝**（1531～1752）
①ポルトガル人傭兵隊などを用い，一時はタイ・ラオスの大半をも支配
(4) **コンバウン（アラウンパヤー）朝**（1752～1885）
①タイの**アユタヤ朝**を征服し，一時タイを支配
②清の属国となった（18世紀半ば）

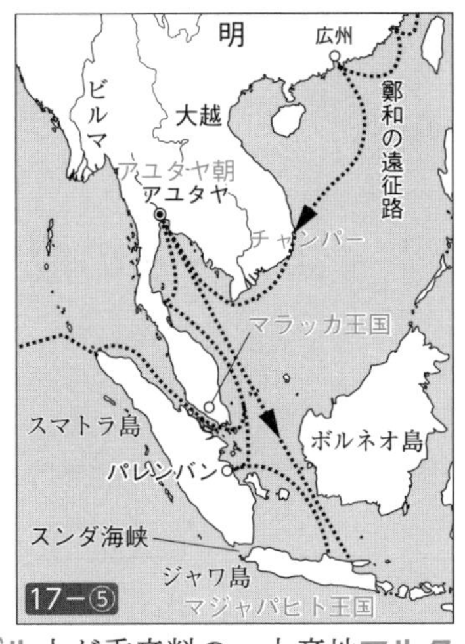

17−⑤

しかし，永楽帝の死後に明は朝貢を縮小したため，東南アジアへの明の影響力も低下。ここでアユタヤ朝に対抗すべく，**マラッカが結びついた勢力が，インド洋方面から香辛料を買い求めにやって来ていたイスラーム商人**でした。**王はイスラームに改宗**し，東南アジアがイスラーム化していくきっかけの一つとして位置づけられます。現在マラッカはマレーシア領ですが，マレーシア国民の約6割はイスラーム教徒で，マレーシアと同様にイスラームが根づいたインドネシアは，世界で最もイスラーム教徒が多い国家です。

スマトラ島，ジャワ島が属する▲

16世紀になると，ヨーロッパから**ポルトガル**人が香辛料の一大産地**マルク（モルッカ，香料）諸島**を目指してさかんにやって来ました。**ポルトガル人は既存のイスラーム＝ネットワークに割り込んできた**わけで，イスラーム勢力と軋轢（あつれき）を起こします。1511年のマラッカ征服はその典型で，ポルトガルがマラッカ海峡ルートを制圧すると，**イスラーム商人はマラッカ海峡を避けてスマトラ島を迂回しました**。

その「まわり道」に，また新しい拠点ができたんですね。

17−⑥

そう，スマトラ島西北端の**アチェ王国**と，ジャワ島西端のバンテン王国が交易拠点として栄えました（ジャワ島東部の**マタラム王国**も，イスラーム国家として栄えました)。ポルトガルに目を戻すと，16世紀にビルマで成立した**タウングー（トゥングー）朝**は鉄砲を用いるポルトガル人傭兵を雇って勢力を拡大しているんですよ。右図でポルトガルとイスラーム商人，それぞれのルートを確認してくださいね。

▲スマトラ島とジャワ島の間に位置するのはスンダ海峡

このように，**交易圏の接点である東南アジアでは，多くの国家の盛衰が交易ルートに依存している**ことが分かります。(農業生産に依存せず）中継貿易や内陸からの物産の輸出を国家形成の基盤として，港市を中心に栄えた国家が「港市国家」ですが，とりわけ東南アジアでは港市国家が多く出現しました。

テーマ 18 # イスラーム世界①

1 イスラームの成立

(1) アラブ人による中継貿易の発展

▲セム語系

①背景1

東ローマ帝国 ▲ビザンツ帝国 ユスティニアヌス1世
VS
ササン朝ペルシア ホスロー1世

アラビア半島のヒジャーズ地方が中継貿易で発展

▲紅海沿岸の内陸通商路。紅海経由の交易は，帆船の不便さや航行の安全面に不安があった

②影響1…**メッカ・メディナ**などが繁栄し，一部の大商人が巨利を得た

③影響2…一方で，一般の貧しい遊牧民との間の貧富の差が拡大

(2) ムハンマドによるイスラームの成立

①**ムハンマド**（570頃～632）…メッカの**クライシュ族**ハーシム家出身

▲隊商貿易を行う中で，キリスト教・ユダヤ教の影響をうける

・隊商貿易に従事するなか，ユダヤ教やキリスト教に触れる

・メッカの地で瞑想（めいそう）中にアッラーの啓示をうけ，イスラームを創始（610頃）

(3) イスラームの教義

①一神教…唯一神（**アッラー**）に絶対服従（イスラーム）する

②**イスラーム教徒（ムスリム）の平等**…聖職者や教会組織を設けず

③**偶像崇拝**を禁止…メッカの**カーバ神殿**の黒石を崇拝

④信仰の柱…六信（神，天使，啓典，預言者，来世，天命）

⑤各種の戒律の遵守…五行（信仰告白，礼拝，**断食**，**喜捨**，巡礼）

⑥聖典…**『コーラン（クルアーン）』**

⑦**「啓典の民」**…ユダヤ教徒とキリスト教徒は，ジズヤを支払えば信仰を容認

「コーランか，貢納か，剣か」という言葉が生まれた▼

(4) アラビア半島の統一

①**ヒジュラ**（聖遷（せいせん） 622）

・メッカで大商人たちの反発と迫害をうけ，メディナに移住

➡メディナでの布教に成功し，教団（**ウンマ**）の指導権を確立

・**イスラーム暦**…ヒジュラの行われた西暦622年を紀元元年とする太陰暦

1年は354日▲

②メッカを征服（630），アラビア半島統一（632）

➡ムハンマド死去（632）

1　６世紀半ば，東ローマ皇帝**ユスティニアヌス１世**（▲→テーマ24）は地中海世界をほぼ統一しました。その矛先は東方にも向けられ，**ササン朝ペルシア**（こちらも全盛期の**ホスロー１世**！）と激しく対立しました。そんな中，点在するオアシスを中心に隊商貿易に従事するアラブ人が力をつけてきて，ヒジャーズ地方にある**メッカ**（マッカ）も商業で栄えました。アラビア半島には遊牧民（▲ベドウィン）や商人などが暮らしていましたが，富を築いた大商人が出現すると貧富の差が拡大し，殺伐（さつばつ）とした世の中に…。メッカの**クライシュ族**ハーシム家に生まれた**ムハンマド**は隊商貿易に携わりつつ，大商人が富を独り占めして貧しい人に見向きもしない現状に疑問（▼自然条件が厳しいアラビア半島では，互いに財産を分配する習慣があった）を持ったようです。

610年頃，ムハンマドは瞑想しているさなか，神の啓示をうけました。彼が神から受け取った言葉を後世にまとめた書が**『コーラン（クルアーン）』**です。その神はユダヤ教徒やキリスト教徒が信仰する唯一神と同一（▲ムハンマドが貿易に携わるうち，ユダヤ・キリスト教の影響をうけたと考えられている）でした（イスラーム教徒からすると，ユダヤ教徒とキリスト教徒はいわば「兄弟」なんですね）。イスラームも厳格な**一神教であり，偶像崇拝も禁じます**（▲テーマ2でモーセの十戒をおさらいしよう）。また信徒の平等を徹底させて大商人による富の独占を批判し，財産を貧しい人に分配せよ（▲喜捨（ザカート）），とも。これに対し，**多神教の神々の像をカーバ神殿に祀（まつ）っていた大商人は猛反発**。まあ当然ですよね。煙たがられたムハンマドはわずかな信者を連れて北のメディナに移ります（**ヒジュラ**）。メディナでの布教に成功し，成立した宗教共同体（ウンマ）はメッカへ進軍，ムハンマドは故郷に帰還（ムハンマドは，カーバ神殿の神像を破壊▲）しました。ヒジュラが行われた西暦622年が**イスラーム暦**（１年を354日とする太陰暦（▲閏月（うるうづき）がなく，実際の季節とはズレが生じる））の元年とされています。

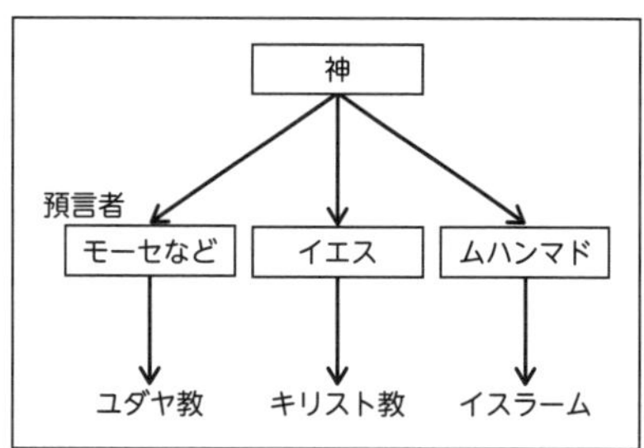

では，イスラームの教義について整理しておきましょう。既に紹介した**信徒の平等**に関連して，イスラーム世界には聖職者は存在しません。そして信徒の代表的な義務に六信と五行がありますが，五行は押さえておきたいです。信仰告白：「アッラーのほかに神はなし，ムハンマドはアッラーの使徒なり」（▲サウジアラビアの国旗にはこの文言が記されている）と唱えること。礼拝：一日に５回，メッカの方角に向かってお参りします。断食：断食月（ラマダン）（▲イスラーム暦で９番目の月）の間は，日中は一切の飲食を禁止。これには「断食によって心を清め，また貧しい人のひもじさを実感することで，彼らに財産を施すように」という狙いがあるようです。喜捨（ザカート）：貧者への施し，社会的な相互扶助です（アパート経営などで得た収益を公共の福祉のために寄付する**ワクフ**は間接的な喜捨といえます）。巡礼：メッカに巡礼に行くこと（▲経済的に余裕があるならば，という条件がある）。その他，信徒の生活はイスラーム法によって細かく規定されているのですが，これに関しては**テーマ76**で詳し

2 正統カリフ時代

(1) **カリフ**…「後継者・代理人」の意味。政治的指導権を持つ最高指導者

(2) **ジハード**…異教徒との戦い。イスラーム勢力は各地に**ミスル**を建設
▲聖戦　▲軍営都市

(3) **正統カリフ**…信徒の合意によって，ムハンマドの近親者の中から選ばれた

アブー＝バクル ▲位632～34	・ムハンマドの義父
ウマル ▲在634～44	・シリア・エジプトなどを征服し，ビザンツ帝国と抗争 ▲ジハード（異教徒に対するムスリムの戦い）を進めた ・**ニハーヴァンドの戦い**（642）…ササン朝に大勝 数年後にササン朝は滅亡▲
ウスマーン ▲位644～56	・『**コーラン**』が現在の形にまとめられた
アリー ▲位656～61	・ムハンマドの従兄弟。ムハンマドの娘ファーティマと結婚 ・シリア総督ムアーウィヤと争っている最中に暗殺された ハワーリジュ派によって▲

3 ウマイヤ朝 (661～750)　首都：**ダマスクス**

(1) 建国

①**ムアーウィヤ**（位661～680）…ウマイヤ家の人物
▲クライシュ族に属するアラブ人の有力な一門

・アリーの暗殺後，単独のカリフとなり，ウマイヤ朝を開いた

・**世襲カリフ制**の成立…建国以後，ウマイヤ家がカリフ位を世襲

②イスラームの分裂

シーア派	・第４代カリフの**アリー**とその子孫のみを正統な指導者と主張 シーア派の指導者をイマームという▲ ・現在のイスラーム教徒の１割を占める ▼十二イマーム派，イスマーイール派など ・アリーの子孫に関わる解釈によって，分派が存在
スンナ派 **(スンニー)**	・ウマイヤ朝カリフの権威を認めた派 ・現在のイスラーム教徒の９割を占める

(2) 領土の拡大…東はインダス川，西はイベリア半島にまで領土を拡大

(3) アラブ人第一主義による支配

①アラブ人が支配階級として要職を独占

②不平等な税制…イスラーム教徒の平等を無視
▲ただし，ウマイヤ朝末期にはアラブ人もハラージュを負担

		ジズヤ（人頭税）	**ハラージュ**（地租）
イスラーム教徒	アラブ人（ムスリム）	免除	免除
	非アラブ人の改宗者 ▲マワーリー	**払う**	**払う**
異教徒（ズィンミー）		払う	払う

く説明しています。

ムハンマドが商人だったこともあって商業活動が肯定され，都市ではスークが賑わいキャラヴァンサライも整備されましたね。

2 アラビア半島をほぼ征服した632年にムハンマドが死去。共同体の指導者である**カリフ**は，信徒の合議で決定されました（**正統カリフ時代**）。第2代**ウマル**は，西方ではシリアとエジプトを東ローマ帝国から奪って地中海方面へ進出。東方では**ニハーヴァンドの戦い**でササン朝ペルシアに圧勝して，ササン朝は事実上滅亡します。第3代カリフのウスマーンが暗殺されると，ウスマーンと同じウマイヤ家の**ムアーウィヤ**が，第4代カリフの**アリー**と激しく対立してカリフ位を争い，アリーが暗殺されると単独のカリフとなりました。

▲カリフはアラビア語のハリーファ（「後継者」の意）のヨーロッパなまり

部族内の対立をうけ，人々の関心を対外戦争に向けるため、征服活動を進めた▲

▲アリーはムアーウィヤとの和解を模索したが，これに反発した派が暗殺

3 さらに彼は，カリフ位継承のルールも変え，自分の子に継がせました。イスラーム世界の頂点カリフ位を世襲するということは，「カリフ位≒王位」とも解釈できるので，ウマイヤ家が世襲していた時期を**ウマイヤ朝**と呼びます。

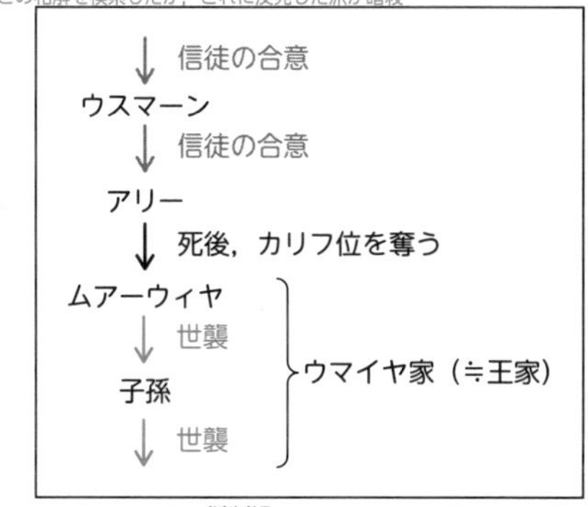

アリーの支持者たちはウマイヤ朝カリフを容認せず，「アリーとその子孫のみが指導者（イマーム）たるべし！」と主張し，**シーア派**を形成しました（支持者は，ムハンマドの従兄弟&娘婿（むすめむこ）であったアリーに血統的な神聖さを見出したといえます）。一方で，ウマイヤ朝カリフの権威を認めた党派が**スンナ派**です。こちらは「カリフの資質は，預言者ムハンマドの血統ではなく，信仰・行動によって決まるべきだ」と考えていたのですね。

▲シーア派は，アリー以外の3人の正統カリフも認めない

ウマイヤ朝は**東はインダス川流域，西はイベリア半島まで支配しました。**

▲西ゴート王国を征服

トゥール・ポワティエ間ではフランク王国に負けちゃうのか。

そう，ヨーロッパ側からの視点も意識しててGOODですよ。こんな風に版図が広がるうちに，被征服民の処遇が問題に。征服者であるアラブ人ムスリムは免税特権を持ち，被征服民には**ジズヤ**と**ハラージュ**が課せられました。被征服民の中にはイスラームに魅力を感じてイスラームに改宗する者も現れてきます。**「信徒の平等」の観点からすれば改宗者も免税になるはず**なのですが，ウマイヤ朝は財源を確保するために，「新参者」である改宗者からの徴税を続け

▲→テーマ22　支配階級として要職を独占▼　▲≒異民族　▲人頭税　▲地租　▲マワーリー

4 アッバース朝 (750～1258)

⑴ 建国者アブー＝アルアッバース
▲アッバース家（ムハンマドの叔父の子孫の一門）の人物

①シーア派やマワーリーの不満を利用して，ウマイヤ朝を打倒

②**タラス河畔の戦い**（751）…唐軍を破る。**製紙法が西伝した**とされる
▲玄宗時代

⑵ 第２代マンスール…新都**バグダード**を建設
▲マディーナ＝アッサラーム

⑶ 「イスラーム帝国」の成立

①税制の不平等の解消…イスラーム教徒間での平等が実現

		ジズヤ（人頭税）	ハラージュ（地租）
イスラーム教徒	アラブ人（ムスリム）	免除	**払う**
	非アラブ人の改宗者	**免除**	払う
異教徒（ズィンミー）		払う	払う

▼ワズィール ▼アミール
②中央政界…非アラブ人も，宰相職・将軍職などの要職に就いた
▲とくにイラン人は行政の要職に就くことが多かった

③軍隊…**マムルーク**（トルコ人を中心とする奴隷兵士）を軍事の中核に据えた

④各地は駅伝制（バリード）で結ばれ，交通路も整備された

⑤シーア派を弾圧し，スンナ派を擁護

⑷ 第５代**ハールーン＝アッラシード**（位786～809）

①官僚制を整備。学芸を保護・奨励し，アッバース朝の黄金時代を築いた

②フランク王国の**カール大帝**と使節を交換したといわれる
▲800年に戴冠

18−②

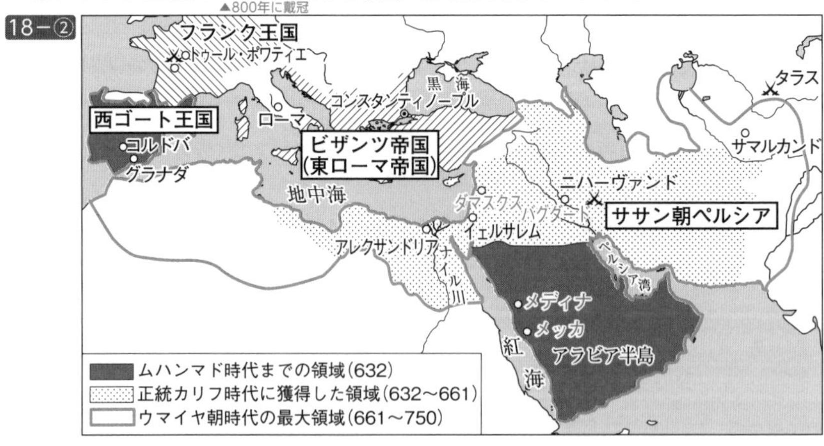

⑸ イスラーム商人に関わる用語

①**キャラヴァンサライ**…街道や都市に作られた隊商宿

②**市場**（**スーク**，**バザール**）…常設の市場
▲アラビア語 ▲ペルシア語

③**ワクフ**…富裕者が事業で得た収益を公共施設の維持費に充てる
▲土地の賃貸・店舗の経営など ▲モスクやマドラサなど

ました（p.114 **3** の下図参照）。当然，改宗者の不満は募ります。

4 ムハンマドの叔父の家系であるアッバース家は，ウマイヤ朝の支配に不満を持っていました。アブー＝アルアッバースは，

ウマイヤ朝に不満を持つ①**改宗者**，②**シーア派**

の支持を得て蜂起，ウマイヤ朝を滅ぼして**アッバース朝**を開きました。アッバース朝下で税制は改められましたね。異教徒は従来通りジズヤとハラージュを支払い，イスラーム教徒は民族を問わずジズヤは免除されハラージュのみを支払うというルールです（左図参照）。これによって，税制上のイスラーム教徒の平等が実現しました。①**改宗者**の不満は解消です！　ウマイヤ朝は「アラブ人か異民族か」という基準で差別をしたので別名**「アラブ帝国」**，アッバース朝は「イスラーム教徒か異教徒か」という基準で差別しイスラーム教徒の平等を実現したので**「イスラーム帝国」**とも呼ばれます。アラブ人でなくとも優秀な人材であれば要職に就けるようにもなりましたね。また，当初カリフには政治的・社会的指導権は認められていた一方で，預言者のような宗教的権威は認められていませんでした。これに対してアッバース朝は，カリフを神の代理と位置づけて神格化し，中央主権化を進めていきました。このようにアッバース朝はウマイヤ朝の体制を修正・強化したわけです。

なるほど。で，異教徒だけがジズヤを払うことになったんですね。

ここで発想を転換させます。「異教徒がジズヤを支払う」ではなく**「ジズヤを支払う人は異教徒でいられる」**と考えてみましょう。ジズヤが「イスラーム以外の宗教を信仰するための代金・料金」に相当することが分かるはず。イスラーム世界は，**「有料」という条件下ではありますが信仰の自由が保障**されており，寛容さも持ち合わせていた，ということをしっかり理解してください。広大な領域の王朝が長期に存続できた秘訣(ひけつ)の一つです。

▲このような税を信仰税という

▼中世のキリスト教世界ではキリスト教は国教とされ，他の選択肢はなかった

続いて，②**シーア派**をどう処遇したのでしょうか。アッバース家の人間はアリーの子孫ではないため，アッバース朝とシーア派の共存は不可能です。アッバース朝が成立すると，シーア派は徹底的に弾圧されました。「ウマイヤ朝憎し！」という私怨(しえん)をまんまと利用され，用済みになったらポイ捨て。気の毒です…。

８世紀末に即位した第５代**ハールーン＝アッラシード**の治世にアッバース朝は黄金期を迎え，第２代マンスールの時代に建設されていた都**バグダード**は繁栄を謳歌(おうか)しました。イスラーム教徒は地中海域にも進出して幅をきかせますが，このことがのちに西ヨーロッパで封建制が成立する一因になりますね。

▲→テーマ23

テーマ
19 イスラーム世界②

1 10世紀におけるアッバース朝カリフ権の衰退

(1) **3カリフ国**の成立…**後ウマイヤ朝**，**ファーティマ朝**，アッバース朝

▲西カリフ国　▲中カリフ国　▲東カリフ国

(2) アッバース朝カリフは，**ブワイフ朝**の君主に**政治的実権を奪われる**

▲宗教的権威は残された

(3) アッバース朝内部の動揺…**マムルーク**軍人の台頭，ザンジュの乱

▲9世紀半ばに起こった黒人奴隷の反乱

19−①

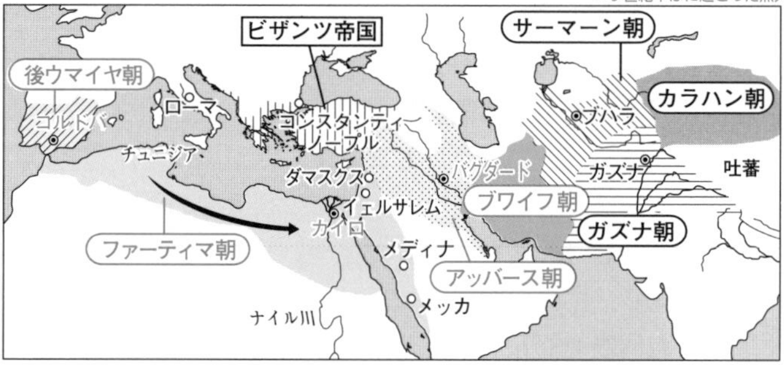

2 イラク（メソポタミア）・イラン

(1) **ブワイフ朝**（932～1062）…シーア派

①バグダードに入城し，カリフから**大アミール**の称号を授かる

➡アッバース朝カリフは**実権を奪われ，宗教的権威のみが残る**

(2) **セルジューク朝**（1038～1194，**トルコ系**）

①**トゥグリル＝ベク**（位1038～63）

・アラル海東岸で建国　➡バグダードに入城（1055）しブワイフ朝を追放

・カリフから**スルタン**の称号を与えられ，政治上の実権を握る

▲政治権力者の称号。のちにトルコ系国家の君主の称号となった

②ビザンツ帝国を攻撃して小アジアへ進出（1071）。十字軍の一因となる

▲セルジューク朝の一族がルーム＝セルジューク朝を建てた

③**ニザーム＝アルムルク**…11世紀後半全盛期のイラン人宰相

・ブワイフ朝で創始された**イクター制**を整備

アター制	イクター制
政府が，各地から徴税した租税を俸給として軍人に支給	・政府が，軍人の俸給に見合う金額を徴税できる土地を指定し，軍人にその土地の徴税権を付与 ・軍人は代償として軍役奉仕

アッバース朝カリフ権が衰退。徴税機構が機能しなくなった

1 縦横に王朝が絡み合うイスラーム世界は，東南アジアと同様に，**地域別（タテ）に見る**視点と**時代別（ヨコ）に見る**2つの視点があります。攻略法も東南アジア流と同じく，復習では，まず地域ごとにタテに固める（イスラーム世界を5つの地域に区分）。ヨコは以下の3テーマで，広い視野が必要です。

▲→テーマ17

①10世紀のカリフ権衰退，②トルコ人の移動，③13世紀のモンゴル帝国

まずは，アッバース朝カリフ権が音を立てて崩れ落ち，イスラーム世界の分裂が決定的になった10世紀。エジプトへ進出した**ファーティマ朝**の君主は，**自らアリーの子孫を名乗っており，アッバース朝と真っ向から対立**します。アリーの子孫，ということは**シーア派**ですね。そういえばアッバース朝が成立する時に彼らは利用された末にポイ捨てされたわけで，怒りは相当のモノだったようです。ファーティマ朝の新都**カイロ**は，バグダードに代わるイスラーム世界の中心として栄えました。イベリア半島でも動きが。アッバース朝に滅ぼされたウマイヤ朝の一族が，8世紀半ばに**後ウマイヤ朝**を建てました。ここの君主も**ファーティマ朝に対抗してカリフを称した**のです。**アッバース朝を含め3人のカリフが鼎立（ていりつ）する事態になりました**（ただ「後ウマイヤ朝のカリフ宣言は，ファーティマ朝との領土紛争の一側面に過ぎない」という近年の研究もあります）。一方でアッバース朝カリフにも一大転機が訪れます。イランで勢力を伸ばした**ブワイフ朝**がバグダードに入城し，アッバース朝カリフから「**大アミール**」の称号を授けられました。以降，**大アミールがカリフに代わって政治の実権を握り，アッバース朝カリフには宗教的権威だけが残されることに**（アッバース朝の宮廷内も，**マムルーク**がカリフの廃立を左右するほどの力を握る有様でした）。

ファーティマはアリーと結婚した女性で，ムハンマドの娘であった▲

アブド＝アッラフマーン3世▲

▲ブワイフ朝はアッバース朝カリフの権威を認めていた上で，実権を握った

マムルークって何でしたっけ？

はい，そこがヨコの2つ目のポイント，**トルコ人の移動**です。トルコ人が中央アジアで定住生活に入るまでは**テーマ15**で扱いました（右の地図の2まで）。中央アジアに定着したトルコ人の

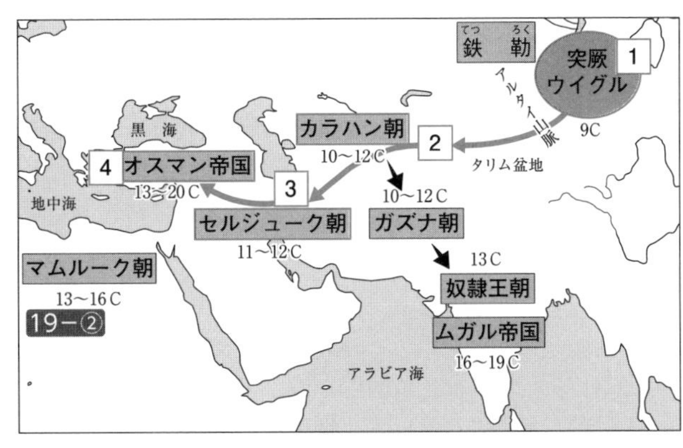

(3) **ホラズム＝シャー朝**（1077〜1231，トルコ系）

①セルジューク朝の総督が自立して中央アジアに建国し，イランへ進出

②滅亡…**チンギス＝カン**のモンゴル軍によって事実上滅亡（▲マムルーク出身）

(4) **イル＝ハン国**（フレグ＝ウルス，1258〜1353）➡**テーマ11**

3 イベリア半島・北アフリカ

▲マグリブ地方

(1) **後**（こう）**ウマイヤ朝**（756〜1031） 首都：**コルドバ**

①ウマイヤ朝の王族が，イベリア半島に逃れて建国

②アブド＝アッラフマーン３世（位912〜961）…**カリフ位を宣言**（▲ファーティマ朝に対抗）

(2) **ムラービト朝**（1056〜1147） 首都：**マラケシュ**（▲現在の「モロッコ」の語源）

①西サハラの**ベルベル人**の間に広まった神秘主義教団が建国

②サハラ砂漠を南下して西アフリカの**ガーナ王国**を攻撃

(3) **ムワッヒド朝**（1130〜1269） 首都：**マラケシュ**

①ムラービト朝を滅ぼしたベルベル人国家

(4) **ナスル朝**（1232〜1492） 首都：**グラナダ**

①スペインの攻撃によって，グラナダ陥落（1492） ➡**レコンキスタ完了**（▲国土回復運動）

4 エジプト

(1) **ファーティマ朝**（909〜1171） 首都：**カイロ**

①チュニジアで**シーア派**が建国 ➡のちにエジプトへ進出（▲シーア派の一派であるイスマーイール派）

②建国者はアリーの子孫を自称。アッバース朝に対抗し**カリフ位を宣言**

③新都**カイロ**を建設（969）…**バグダードに代わるイスラーム世界の中心**

(2) **アイユーブ朝**（1169〜1250） 首都：カイロ

①**サラーフ＝アッディーン**（**サラディン** 位1169〜93）

・クルド人。スンナ派としてファーティマ朝を滅ぼした

・イェルサレムを回復し，**第３回十字軍**でリチャード１世と戦った

(3) **マムルーク朝**（1250〜1517，トルコ系） 首都：カイロ

①アイユーブ朝の**マムルーク**がアイユーブ朝を倒し建国

②第６回十字軍（フランス王**ルイ９世**）を撃退

③第５代バイバルス
・イル＝ハン国のモンゴル軍を撃退
・**滅亡したアッバース朝カリフの一族を保護**（▲バイバルスが即位する直前／▲フレグにバグダードを攻略されて滅亡）

④**カーリミー商人**…政府の保護下で紅海貿易に従事したイスラーム商人集団（▲香辛料などをアデンで受け取り，アレクサンドリアでイタリア商人に売却）

⑤オスマン帝国の**セリム１世**によって滅亡（1517）

多くは，９世紀後半に興った**サーマーン朝**からイスラームを受容していきました。（▲サーマーン朝はトルコ系ではなくイラン系）そして10世紀半ばに，**中央アジア初のトルコ系イスラーム王朝カラハン朝**が成立しました。11世紀に成立した**セルジューク朝**は，イラン・イラクへと進出し，1055年にバグダードを占領して，ブワイフ朝を追放しました（地図19−②の3）。建国者**トゥグリル＝ベク**は，カリフから**スルタン**の称号を与えられ，実権を掌握（大アミールとスルタンは異なる称号ですが，政治的実権を持つ点では共通しています）。セルジューク朝はさらに西方へ遠征し，1071年に（マンジケルトの戦い▲）ビザンツ帝国を破って小アジアも制圧しました（地図19−②の4）。

で，ビザンツ皇帝が西欧に救援要請して，十字軍につながる，と。

これがトルコ人の「主力」の動きですが，トルコ人は他の地域にも拡散していました。騎馬遊牧民の伝統を持つトルコ人は優秀な戦士であり，（▲全てのトルコ人が定住へ移行したわけではなく，遊牧を続ける者もいた）中央アジアでイスラーム勢力と接触する過程で，**奴隷となったトルコ人は商人によって売却され，各地の軍事力の中核を担うようになる**んです。前置きが長くなりましたが，これが**マムルーク**（奴隷軍人）。奴隷とはいっても，実力があれば司令官などの幹部に出世することも可能で，王朝を乗っ取ることすらありました。エジプトのマムルーク朝とインドの奴隷王朝はその典型です。

「ヨコ」の最後のポイントは「モンゴルの世紀＝13世紀」です。モンゴルを扱った**テーマ11**を見直しておいてくださいね（そういえば，東南アジアでもモンゴル帝国はヨコのポイントでした。モンゴル恐るべし）。

2 以上の「ヨコ糸」を踏まえて「タテ糸」を見ていきましょう。イスラームの心臓部だったイラク・イランからです。ブワイフ朝・セルジューク朝の概略はよいとして，セルジューク朝全盛期の名宰相**ニザーム＝アルムルク**は**イクター制**を整備しました。アッバース朝が衰退するにつれて，徴税能力は低下，当然ながら軍人に給料は払えない。暴動を起こしかねない**軍人に，政府は指定地の徴税権を与えました**。「〇〇市から税を徴収すると，ちょうどお前の給料の額くらいになる。そこから税を取り立てて，おまえ自身の収入にしていいよ」ということです。政府自身が徴税する手間が省け，場所を指定して丸投げすればいい，ラク～な制度でした。軍人を放置すれば現地で自立するリスクもあったりして，完璧な制度とはいえないのですが，**非常に使い勝手がよかったので多くの王朝で採用された手法です**。セルジューク朝の後にイランを支配した**ホラズム＝シャー朝**もトルコ系で，中央アジアに起源があるため，教材によっては中央アジアの王朝としてカウントされることもあります。**チンギス＝カン**に攻略されるので，「ヨコ」の13世紀にも絡みますよ。

5 中央アジア

(1) **サーマーン朝**（875頃～999，イラン系） 首都：ブハラ

①アッバース朝から独立し，イラン東北部から中央アジア西部を領有

②中央アジアのトルコ人を購入し，バグダードなどに送り込む奴隷貿易で繁栄

(2) **カラハン朝**（10世紀半ば～12世紀半ば頃，トルコ系）

①**中央アジア初のトルコ系イスラーム王朝**
▲サーマーン朝からイスラームを受容し成立

19-③

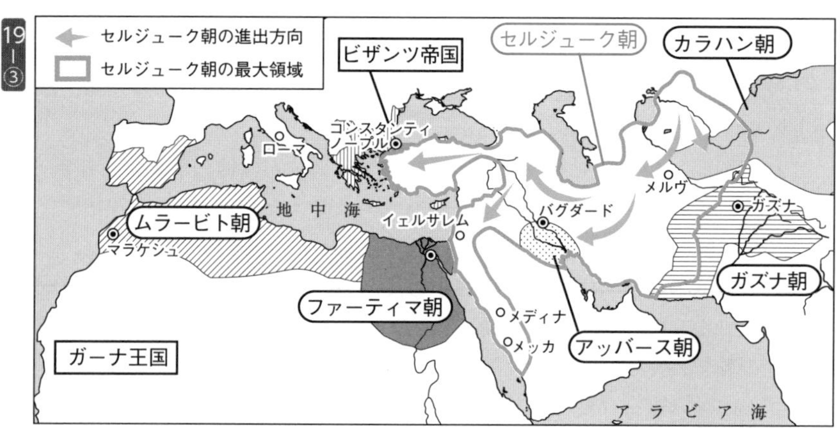

(3) **カラキタイ**（**西遼**（せいりょう），1132～1211）

①耶律大石（やりつたいせき）がキタイの残党を率いて西進。分裂したカラハン朝一派を滅ぼす

②トルコ系遊牧民ナイマンに王位を奪われた

(4) **チャガタイ＝ハン国**（**チャガタイ＝ウルス**，1227～14世紀後半） ➡**テーマ11**

6 アフガニスタン・インド

(1) **ガズナ朝**（962or977～1187，トルコ系）
▲軍はマムルーク中心で，官僚にはペルシア人が多かった

(2) **ゴール朝**（1148頃～1215，トルコ系 or イラン系）

} **インドのイスラーム化を推進**

(3) **デリー＝スルタン朝**（1206～1526）…**デリー**を都としたイスラーム王朝群
アフガン系のロディー朝以外は，全てトルコ系▲

①**奴隷王朝**（1206～90）…**アイバク**が建てた**インド初のイスラーム王朝**
▲ゴール朝のマムルーク

②**ハルジー朝**（1290～1320）…モンゴル軍の侵入を撃退，軍政・税制改革

③**トゥグルク朝**（1320～1414）

…イブン＝バットゥータが来訪。ティムールが攻撃

④**サイイド朝**（1414～51）

⑤**ロディー朝**（1451～1526）…アフガン系。バーブルに敗れて滅亡（1526）
▲→テーマ20

3 あとは西から順に行きましょう。カリフを称した後ウマイヤ朝の後は，北アフリカの先住民**ベルベル人**が建てた**ムラービト朝**と**ムワッヒド朝**。イベリア半島南部を支配しました（ムラービト朝が**ガーナ王国**を攻撃したことは頻出！）。しかし次第に激しくなる**国土回復運動**（レコンキスタ ▲→テーマ21）の前にイスラーム教徒は劣勢となり，**ナスル朝**（▲→テーマ27）の首都**グラナダ**の陥落をもって，イベリア半島から撤退しました。

4 エジプトでは，ファーティマ朝を倒した**アイユーブ朝**の**サラディン**（サラーフ＝アッディーン）が，十字軍遠征をうけキリスト教徒の手中にあった聖地**イェルサレム**を再度奪取。**第３回十字軍**で英王リチャード１世と戦い，聖地をガッチリ守り抜きました。1258年，モンケの弟**フレグ**（▲→テーマ25）が**バグダードを攻略してアッバース朝が滅亡**。この時，カリフの一族が逃げ込んだのが，アイユーブ朝を継いだ**マムルーク朝**です。マムルーク朝は**「カリフの保護者」という肩書を持つことで，他から一目置かれる格上の存在になりました**。この王朝はモンゴル軍や十字軍（▲フランス王ルイ９世と戦った）とも戦っており，同時代史的な視点が試されますね。

5 **6** 中央アジアは上述のサーマーン朝とカラハン朝を固めればＯＫです。一部のトルコ人は，アフガニスタンを経由してインドへ南下します。

中央アジアとインドをつなぐ要所は………，カイバル峠！

そう，そのカイバル峠のあたりがアフガニスタンです。インドといえばヒンドゥー教徒が圧倒的に多いのですが，**イスラーム王朝はヒンドゥー教的社会秩序を維持した上でインドを支配しました**（イスラーム王朝は寛大でしたよね）。イスラームへの改宗者も一定数存在し，改宗に際して**スーフィズム**（▲下層カーストのヒンドゥー教徒を中心に広まった ▲→テーマ76）が大きな役割を果たしました。「理屈はいいからひたすら祈れ！」という点で，スーフィズムとヒンドゥー教のバクティ信仰（▲神への絶対的帰依を行う →テーマ20）は共通しており，これが両宗教の「架け橋」になったんです。こういった経緯でインドで基盤を築いたイスラーム勢力は，**デリー**を都に５つの王朝を建てました（**デリー＝スルタン朝**）。

最後に，アッバース朝カリフ権の変遷を下の表でまとめておきました。正誤判定問題や論述問題で役に立つと思います。正統カリフ時代から10世紀までの状況をスラスラと暗唱できるようになれば完璧です。

	数	継承	政治的実権	宗教的権威
正統カリフ	1人	信徒の合意	あり	
ウマイヤ朝	1人	世襲	あり	
アッバース朝	1人	世襲	あり	神格化
10世紀	複数	世襲	なし ブワイフ朝	神格化

テーマ

20 イスラーム世界③

1 ティムール朝（トルコ系, 1370～1500 or 1507） 首都：サマルカンド

(1) 建国者**ティムール**（位1370～1405）
▼モンゴル系だが，トルコ人に同化したため，ティムールをトルコ系とみなす

①西チャガタイ=ハン国から台頭

②チンギス = カンの末裔(まつえい)と結婚

③領土拡大

・キプチャク=ハン国を攻撃

・イル = ハン国の故地イランへ

・**アンカラの戦い**（1402）
▲アンゴラ
…オスマン帝国に勝利

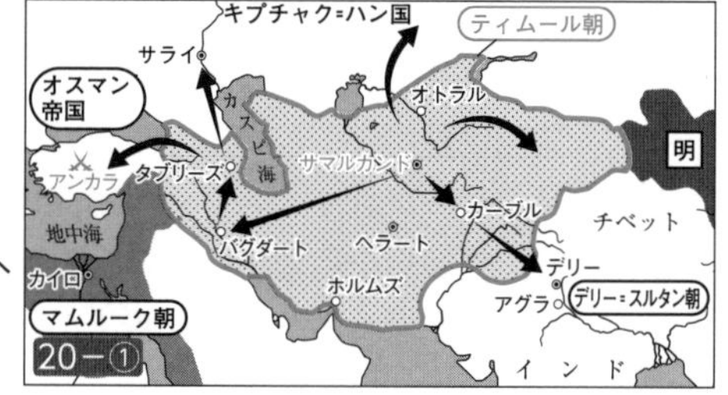

・明への遠征…遠征の途上，ティムールはオトラルで病死（1405）
▲元（モンゴル帝国）を打倒した明に復讐を企てた

(2) トルコ = イスラーム文化の繁栄… 3代シャー = ルフ，4代**ウルグ=ベク**
▲→テーマ76　▲遷都したヘラートは文化の中心となる

(3) 衰退…サマルカンドとヘラートに政権が分裂（15世紀後半）

➡トルコ系遊牧民の**遊牧ウズベク（ウズベク人）**の攻撃で滅亡(1500 or 1507)
▲指導者シャイバーニー

2 サファヴィー朝（1501～1736） 建国時の首都：タブリーズ

(1) **イスマーイール**（位1501～24）

①トルコ系遊牧騎馬軍団のキジルバシュを率いてサファヴィー朝を建国

・キジルバシュは，オスマン帝国のイェニチェリには敗退
▲セリム1世時代

②**シーア派**（穏健な**十二イマーム派**）を国教とした

※フセインがササン朝ペルシアの王女と結婚した伝説が強調され，**サファヴィー朝以降，イラン人にシーア派信仰が根づいていった**
▲第4代カリフであったアリーの次男

③イランの伝統的な王号である「シャー」を用いた

(2) **アッバース1世**（位1587～1629）
▼おもにコーカサス出身のグルジア人やアルメニア人

①**軍制改革**…奴隷軍人からなる，王直属の近衛軍団を整備

②オスマン帝国から失地を回復して，全盛期を築いた
▲アゼルバイジャン・イラクの一部

③ポルトガルから**ホルムズ島**を奪う（1622）

④**イスファハーン**に遷都…アルメニア商人などが活躍し，その繁栄ぶりは**「世界の半分」**といわれた
最盛期には人口は50万を数えた▲

(3) 滅亡…**アフガン人**の侵攻で衰退し，滅亡（1736）

1 14世紀以降のイスラーム世界では，各地に王朝が分立する状況が再編され，広域国家が登場しました。中央アジアでは，モンゴル帝国の分家である西チャガタイ＝ハン国から，**ティムール**が登場します。**チンギス＝カンの後継者であることを強烈に意識し，チンギス＝カン一族の女性と結婚**（ただし，チャガタイ＝ハン国のモンゴル人は現地のトルコ人に同化していたので，**ティムール本人はモンゴル系というよりはトルコ系**）。彼は周囲にそれを納得させるだけの実力を持っていました。ロシア方面でキプチャク＝ハン国を撃破し，イル＝ハン国崩壊後のイランを支配下に置きます。インドのデリーを攻略してトゥグルク朝を追い込み，極めつけは小アジアの**アンカラ**でオスマン帝国に勝利してバヤジット1世を捕縛。さらに東へ転じて中国の明へ向かいます。モンゴル帝国の本家である元を倒した明に復讐(ふくしゅう)するためなんですが，その途上でティムールは病死しました。ティムール後の君主はどちらかというと「草食系」で，文化方面に実績を残していますよ。

（当時のチャガタイ＝ハン国は，東西に分裂していた▲）（▲「鉄の男」という意味）

2 16世紀初頭，**遊牧ウズベク**の侵入でティムール朝が崩壊へ向かうのと前後して，ティムール朝の支配下にあったイランで**サファヴィー朝**が成立。建国者**イスマーイール**はトルコ系遊牧騎馬軍団「キジルバシュ」を率いていました。

（▲ウズベク人）

あれ，イランなのにイラン人（ペルシア人）ではないんですか？

複雑ですみません。トルコ系遊牧民を率いる王が，イラン系住民を支配しました。ただ次第にトルコ系の血は次第に薄くなっていき，サファヴィー朝は「イラン人の王朝」になっていきます。**イスマーイールは「イラン人を統治」することに細かく気を使いました**。もともと**シーア派**であった彼はイラン人にシーア派を宣伝するのですが，その際に**第4代カリフアリーの息子がササン朝ペルシアの王女と結婚した**という伝説を強調。これは「イマームにはイラン人（ペルシア人）の血が流れている」ということを意味し，イラン人には誇らしい。この戦略が見事にはまって，**現在に至るまでイラン人にシーア派が浸透することになります**。16世紀末に即位した**アッバース1世**は近衛軍団を整備するなど軍事改革を進めて全盛期を迎え，新都**イスファハーン**は**「世界の半分」**と呼ばれるほど繁栄しました。これをペルシア語で言うと「イスファハーン　ネスフェ　ジャハーン」と韻を踏んでいて，リズムが良いんですよ。だから決まり文句になったのです。

（一例としてイランの王号「シャー」を用いた▲）（▲シーア派の指導者）（▲キジルバシュの横暴に対抗する目的もあった）

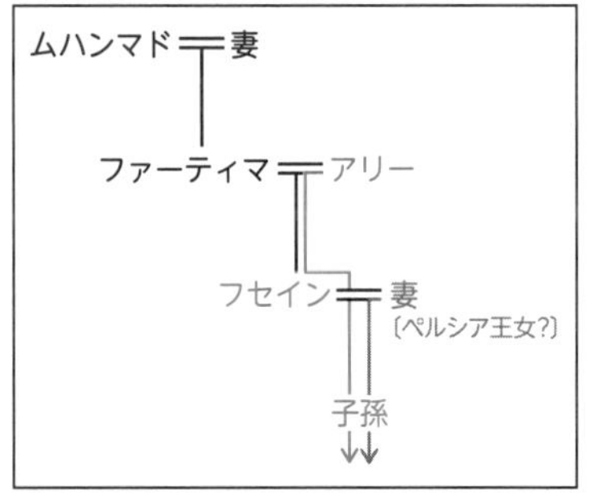

3 オスマン帝国（1300頃～1922）

⑴　ムラト1世（第3代，位1362～89）
①バルカン半島のアドリアノープル（エディルネ）に遷都
②コソヴォの戦い（1389）…セルビア王国に勝利

⑵　**バヤジット1世**（第4代，位1389～1402）
①ニコポリスの戦い（1396）…ハンガリー王ジギスムント率いる連合に勝利
②**アンカラの戦い**（1402）…ティムールに敗北，オスマン帝国は一時滅亡
（バヤジット1世は捕虜となり憤死）

⑶　**メフメト2世**（第7代，位1444～46，1451～81）
①**コンスタンティノープル**を攻略し，**ビザンツ帝国**を滅ぼす（1453）
➡コンスタンティノープルに遷都。のち**イスタンブル**と呼ばれるようになる
②クリミア半島のクリム＝ハン国を保護下に置く（1475）

⑷　**セリム1世**（第9代，位1512～20）
①イエニチェリがサファヴィー朝のキジルバシュを撃破
（チャルディラーンの戦い）
②エジプトの**マムルーク朝**を滅ぼした（1517）
・イスラームの聖地であるメッカとメディナの保護権を獲得
・スルタン＝カリフ制…アッバース朝カリフの末裔（まつえい）からカリフ位を奪った(?)

⑸　**スレイマン1世**（第10代，位1520～66）
①モハーチの戦い（1526）…ハンガリーを征服
②第1次**ウィーン包囲**（1529）…神聖ローマ帝国を圧迫したが失敗
（フランス王フランソワ1世と同盟）
③サファヴィー朝と抗争し，イラクの一部を奪った
④**プレヴェザの海戦**（1538）…スペイン中心の連合艦隊をギリシア近海で撃破
⑤**カピチュレーション**…フランス商人に領内での居住と通商の自由を認めた
（フランスに慣習的に与えていたものを，セリム2世が公認）
➡19世紀にはヨーロッパ諸国が不平等条約の口実として利用

⑹　スレイマン1世後（～18世紀前半）
①ヨーロッパ側の反撃
・**レパントの海戦**（1571）…ヨーロッパ連合艦隊に敗北
（敗戦後も，オスマン帝国は東地中海の制海権を維持）
・第2次**ウィーン包囲**(1683)，**カルロヴィッツ条約**(1699) ➡**テーマ46**
②征服活動の停滞で税収が不足　➡徴税請負制度が整備される

⑺　諸制度
①**デヴシルメ制**…キリスト教徒を改宗させ，「**スルタンの奴隷**」（カプクル）として登用
②**イェニチェリ**…スルタン直属の歩兵軍団。デヴシルメの一部門
③**ティマール制**…シパーヒー（騎士階級）に指定地の徴税権を与え，代償に軍役を課す
（イクター制を継承した制度）
④**ミッレト**…異教徒の宗教共同体で，自治を認められた
（この呼称は19世紀から用いられた）

3 小アジアでは**オスマン帝国**が勃興。ボスフォラス・ダーダネルス海峡の向こうには，落日のビザンツ帝国がありました。とはいえ，都コンスタンティノープルは難攻不落の要塞です。まずは外堀を埋めるべく，アドリアノープルへ遷都し，コソヴォの戦い・ニコポリスの戦いに勝利してバルカン半島に着々と足場を築きます。しかしこの時，ティムールが東方から進軍し，**アンカラ**で衝突！（テーマ19で示した②のトルコ人と④のトルコ人が全面衝突した，といえる）　味方の裏切りもあってオスマン軍は壊滅し，**バヤジット１世**は囚われの身のまま生涯を閉じます。

15世紀半ば，**メフメト２世**は帝国を再建して**コンスタンティノープル**攻略に本腰を入れました。ビザンツ帝国に仕えていた技師を引き抜いて城壁を破壊する巨石を放つ大砲を開発。また攻略のために彼は「艦隊の山越え」を命じました（右図参照）。油を塗った丸太を並べ，その「道」の上を軍艦を引いて移動させ，鎖によって守られていた湾の内部へ侵入。守備側の士気はくじかれ，**1453年，1000年あまり続いたビザンツ帝国は滅亡**し，メフメト２世はこの地に遷都しました。

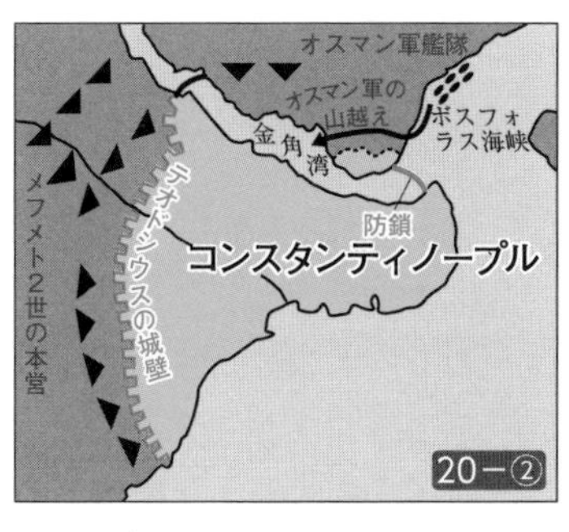

支配下に収めたバルカン半島は，当然ながら住民はほぼ全てがキリスト教徒でした。そこでオスマン帝国はキリスト教徒の若者を徴発してイスラームに改宗させ，「スルタンの奴隷」として政府に仕えさせました。特に見どころのある若者は帝国軍の花形，**火器で武装したイェニチェリ**に抜擢されました。

セリム１世は，オスマン帝国の「格」を高めました。エジプトの**マムルーク朝**を征服し，**聖地メッカ・メディナの保護権を掌握**。さらにマムルーク朝が匿っていたアッバース朝カリフの末裔からカリフ位を奪い，スルタンがカリフを兼ねるスルタン＝カリフ制を確立させます（ただしこれは，スルタンのカリスマ性を高めるために18世紀になってから「後づけ」した理念，というのが現在の定説。今時の表現を用いるなら「話を盛った」わけですね）。

ビザンツ帝国を滅ぼしたオスマン帝国は，さらに西の神聖ローマ帝国にも迫ります。**スレイマン１世**はモハーチでハンガリー軍を一蹴，ハプスブルク家の本丸ウィーンはあと一歩のところで攻略できませんでしたが，キリスト教世界を恐怖に陥れました。**プレヴェザの海戦**でヨーロッパ連合艦隊に勝利し，地中海の制海権も掌握しました。当時のヨーロッパ国際情勢に目を向けてみると，フランスは神聖ローマ帝国とスペインに挟み撃ちされていたため，フランソワ１世はスレイマン１世との同盟を選択。（▲神聖ローマ皇帝カール５世とスペイン国王カルロス１世は同一人物）オスマン帝国が同盟国フランスの商人

4 ムガル帝国 (1526〜1858)　首都：デリー（一時アグラに遷都)

(1) 建国者バーブル（位1526〜30)

①ティムールの子孫で，カーブルを拠点に北インドへ侵攻

②パーニーパットの戦い（1526）でロディー朝を破りムガル帝国を建国

▲モンゴルがなまって"ムガル"となった

(2) アクバル（位1556〜1605)

▲第3代

①イスラーム教徒・ヒンドゥー教徒の融和を推進

▲アクバル自身，ヒンドゥー教徒の女性と結婚

・ジズヤ（非イスラーム教徒への人頭税）を廃止

・ヒンドゥー教徒を官僚・軍人として登用

②デリーからアグラに遷都

▲のちにシャー＝ジャハーンは再びデリーに遷都した

③マンサブダール制…官僚・軍人の位階を定め，位階に応じて給与と保持すべき騎馬の数を規定

(3) シャー＝ジャハーン（位1628〜58）…タージ＝マハル廟（びょう）を造営

(4) アウラングゼーブ（位1658〜1707)

①帝国の最大領土を現出…デカン高原方面を征服し，ほぼ全インドを領有

②ジズヤ復活・ヒンドゥー教寺院の破壊などを行い，異教徒の反抗を招いた

③ムガル帝国に抵抗した諸勢力

・ラージプート…インド中西部を支配したヒンドゥー教徒

・マラーター王国…デカン高原西部に成立したヒンドゥー教国家

▲シヴァージーが建国

・シク教徒…パンジャーブ地方アムリットサールの黄金寺院が総本山

※カビール…イスラームのスーフィズムとヒンドゥー教のバクティ信仰に共通点を見出した宗教改革者

※ナーナク…カビールの影響をうけ，16世紀初頭にシク教を創始

▲偶像崇拝・カースト制を否定

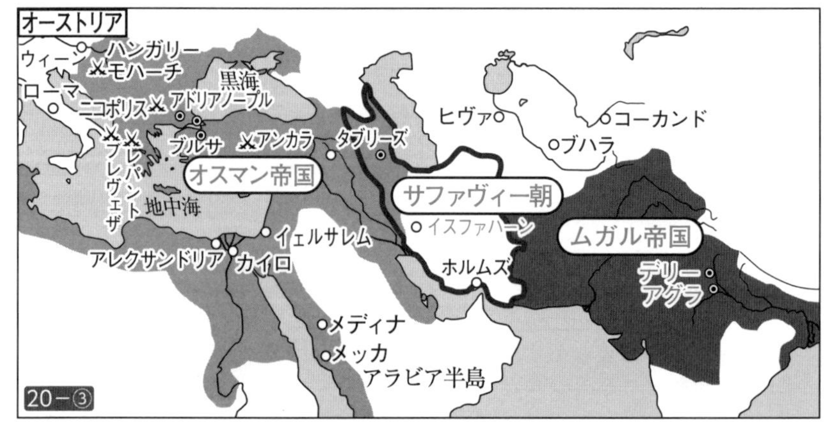

に与えた通商特権が**カピチュレーション**です。

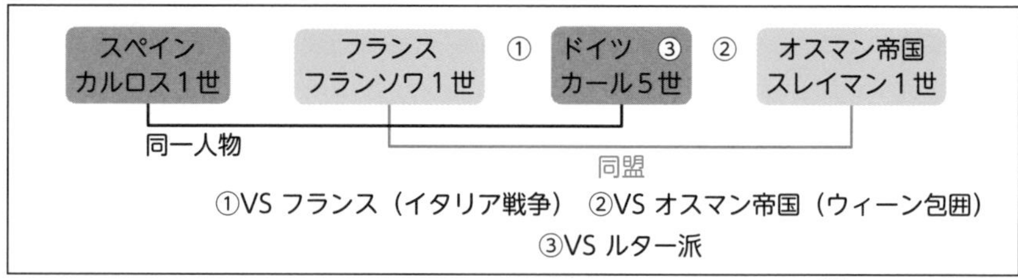

スレイマン１世の死後，レパントの海戦で敗れるなど覇権に翳(かげ)りは見え始めるものの，帝国はヨーロッパの一大強国であり続けました。退潮が明白になるのは19世紀になってからです（➡テーマ46）。

4 ティムール朝が滅亡すると，ティムールの血をひく**バーブル**がティムール朝復活を目論(もくろ)みますが失敗。彼はインドへ目を向け，**ムガル帝国**を建てました。

ムガル帝国とは「モンゴル帝国」のことですよね。

「モンゴル➡ティムール➡バーブル」と血脈を受けついでいるイメージですね。ただ彼は，モンゴル伝統の騎馬戦術ではなく，火器を駆使しました（ただし，「ムガル」の由来には諸説あり）。この時期のイスラーム国家の多くは，火器も重視するようになりますよ（オスマン帝国やサファヴィー朝）。

インドで生まれ育った第３代**アクバル**は，住民の圧倒的多数を占めるインドを統治するには彼らの協力が欠かせないと感じます。そこで異教徒に課していた**ジズヤを廃止**するという大ナタを振るいました。ここで**テーマ18**の表を確認してください。今まで，イスラーム以外の宗教を信仰するのは「有料サービス」であった（これでも十分寛容なんですけど）のがなんと「無料サービス」に！　**アクバル自身もヒンドゥー教徒と結婚し，ヒンドゥー教徒を官僚・軍人に登用するなど在来のインド社会との融和を進めました。**

５代**シャー＝ジャハーン**が建てた妃(きさき)の廟**タージ＝マハル**はインド＝イスラーム文化を代表する建築物です（→テーマ76）。彼を幽閉して即位した，息子の**アウラングゼーブ**は厳格なスンナ派でした。ジズヤ廃止というのは，従来のイスラーム界の原則に反することです。異教徒への「激甘」な方針に耐えられなかった彼は**ジズヤを復活。さらにヒンドゥー教徒を弾圧**したため（シーア派も弾圧），各地で反乱が起こりました。ヒンドゥー教徒だけでなく，**シク教徒**も帝国に抵抗しましたね。シク教はヒンドゥー教を基盤に，イスラームの特徴である信徒の平等や偶像崇拝禁止の要素を取り入れた新宗教です。アウラングゼーブの治世に**ムガル帝国の領域は最大となりますが，その彼の治世を境に帝国は衰退へ…**。ただ地方単位で考えると，各地の社会は安定し，経済も発展を見せたんですよ（→テーマ47）。

テーマ21 アフリカとアメリカの文明

1 前近代のアフリカ国家

(1) **クシュ王国**（前920頃～後350頃）

①ナイル川上流に建国し，前８世紀には一時エジプトを征服

②アッシリアの侵入をうけ首都を**メロエ**に移し，以後メロエ王国と呼ばれる
▲前670年頃

(2) **アクスム王国**（紀元前後頃～12世紀）

①エチオピアに建国し，**キリスト教**を受容

②紅海からインド洋にかけての交易を掌握し，ササン朝ペルシアと対立

(3) **ガーナ王国**（７世紀頃～13世紀半ば頃）

①西部の**ニジェール川**上流に建国し，**サハラ縦断交易**で繁栄

※サハラ縦断交易…サハラ砂漠の**岩塩**と**金**を交換する交易
▲ムスリム商人がサハラ砂漠を縦断してこの交易を仲介し，繁栄

②**ムラービト朝**の攻撃をうけて衰退。この時に西アフリカに**イスラームが浸透**

(4) **マリ王国**（1240～1473）

①アフリカ西部に建国され，**トンブクトゥ**が経済の中心として栄えた

②**マンサ＝ムーサ（カンカン＝ムーサ）**…メッカ巡礼の際に大量の金を奉納
これによって金の相場が大暴落したとされる▲

(5) **ソンガイ王国**（1464～1591）

①中心都市はトンブクトゥ。黒人最初の大学を創設

(6) **モノモタパ王国**（11～19世紀）

①アフリカ南部の**ザンベジ川**流域に繁栄。**大ジンバブエ遺跡**で有名
▲石造遺跡

(7) アフリカ東岸の諸都市

①**スワヒリ語**

・アフリカ東南岸でアラビア語と，アフリカのバントゥー諸語が融合
▲イスラーム商人がダウ船を用いてインド洋交易に従事したことが背景

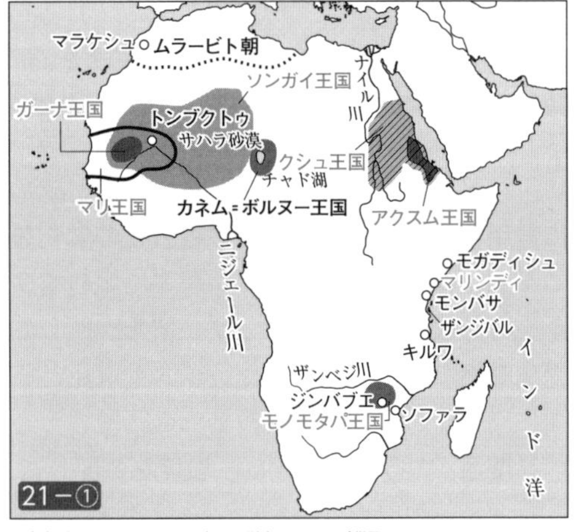

②代表的な港市…**マリンディ**，モガディシュ，モンバサ，ザンジバル，**キルワ**，モザンビーク，ソファラなど
▲他の港市よりも南に位置し，モノモタパ王国に近いのが特徴

(8) 奴隷貿易に従事した国…西海岸の**ベニン王国**やダホメ王国

1 **テーマ2**のオリエントをじっくり学習していると，ナイル川上流で成立した**クシュ王国**が顔を出してきます。前8世紀には**テーベ**を占領して王朝を建てているし，オリエントを統一した**アッシリア**の攻撃もうけました。エチオピアで成立した**アクスム王国**は，**キリスト教**を受容したことに注意。**紅海の制海権をめぐり大国ササン朝と対立する**ほど力を誇りましたが，イスラーム商人の台頭で衰えました。

そのイスラーム勢力とアフリカ大陸との接点としてまず押さえたいのが，西アフリカの**サハラ縦断交易**です。西アフリカの**ニジェール川**上流域は**金**の産地でした。商人たちは，そこを目指して北アフリカから世界最大のサハラ砂漠を命がけで縦走。内陸部で海に面していないニジェール川上流域では塩の需要が高かったため，サハラ砂漠で**岩塩**を削り出し，金の対価としました。

まさに，ハイリスク・ハイリターンの貿易ですね。

ムラービト朝が西アフリカの**ガーナ王国**を攻撃（入試でも頻出！）したのは，こういった経済的利害が絡んでいたからといえますね。ムラービト朝の侵攻以降，**西アフリカは急速にイスラーム化**していきます。この地域で繁栄した**マリ王国**の**マンサ＝ムーサ**がイスラームの聖地メッカへ巡礼したのは，その好例といえるでしょう。ソンガイ王国も，マリ王国とほぼ同じ地域ですね。

２つめの接点がアフリカ東岸の**スワヒリ語**文化圏。**ダウ船**を用いてインド洋で活動していたイスラーム商人がアフリカ東岸で交易を行ううち，アフリカ東岸のバントゥー諸語とアラビア語が融合してスワヒリ語が形成されました。日本でもなじみのある「サファリ」という言葉はスワヒリ語で「探検」という意味ですよ。このエリアでは多くの港市が繁栄しますが，断然重要なのは**マリンディ**ですね。東からは明の**鄭和**（ていわ）▲→テーマ12艦隊がやって来て，西からはポルトガルの**ヴァスコ＝ダ＝ガマ**→テーマ28▲が来航。イスラーム教徒の手引きで，ここからインドの**カリカット**に向かいました。渋い所ですと旅行家**イブン＝バットゥータ**▲→テーマ76は**キルワ**などに立ち寄ってます。一連の港市群から南に離れているのが**ソファラ**で，ここは内陸にある**モノモタパ王国**（ジンバブエ）との交易拠点として栄えました。**大ジンバブエ遺跡**は石造遺跡で有名ですよ。図説などで確認しておいてください。現在のジンバブエ共和国の名はこの遺跡に由来します。

西海岸の**ベニン王国**▲→テーマ68やダホメ王国は，もう少し時代が下がった17～18世紀頃に存在感を増してきます。ヨーロッパ人による奴隷貿易の片棒を担（かつ）ぎ，黒人を捕えてヨーロッパ人に売り渡しました。

2 南北アメリカ文明

★アメリカ原産の作物…**トウモロコシ**・**ジャガイモ**・**サツマイモ**・タバコ・トマト・カボチャ・唐辛子など

★牧畜…ラクダ科のリャマ・アルパカを飼育

★鉄器・車輪は存在しなかった

メソアメリカ（中央アメリカ）文明

(1) **オルメカ文明**（前1200年頃〜）

①メキシコ湾岸の低地に繁栄。中央アメリカ初の都市文明

②特徴…巨石人頭像，ジャガー崇拝，神殿ピラミッド，翡翠（ひすい）の重視

(2) **マヤ文明**（前1000年頃〜16世紀。前４世紀頃から都市が成立）

①**ユカタン半島**に成立

②特色…ピラミッド状神殿などの石造建築，マヤ文字，**二十進法**

(3) **テオティワカン文明**（前１〜後６世紀）

①メキシコ高原に繁栄。高さ65m の「太陽のピラミッド」が有名

(4) **アステカ王国**（14〜16世紀）

①**テノチティトラン**…テスココ湖上の島に建設された都

②特色…ピラミッド状の神殿，絵文字

③スペインの**コルテス**によって滅亡（1521）

アンデス文明

(5) **チャビン文化**（前1000年〜）

①チャビン＝デ＝ワンタルが中心（▲ペルー北部）。ヘビやジャガーを神格化

(6) **インカ帝国**（15世紀半ば〜16世紀）　首都：**クスコ**

①**ケチュア人**がコロンビア〜チリにいたる広大な領域を支配

②皇帝を太陽の化身とする神権政治。臣民にミタと呼ばれる労役を課す

③**マチュ＝ピチュ**（▲インカ）…標高2400m にある皇帝の離宮跡。高度な石造技術・灌漑（かんがい）技術がうかがい知れる

④**キープ（結縄（けつじょう））**…**インカ帝国には文字が存在せず**，縄の結び目で数や統計を記録した

⑤**駅伝制**（▲飛脚制）を伴った大道路網の整備

⑥スペイン人の**ピサロ**が征服（1533）

➡現ペルーの首都であるリマを建設

2 アメリカ大陸の先住民はモンゴロイド系で，アメリカ・アジア両大陸が陸続きだった時代にアジアから移動してきたと考えられています（前4000年頃まではトウモロコシ中心の農耕文明を形成したようです）。アメリカ文明にはユーラシア大陸・アフリカ大陸の文明とは異質な部分がいくつかあって，狙われやすいネタです。4つの「ないモノ」を整理しましょう。

▲「インディアン」「インディオ」とヨーロッパ人からは呼ばれた

①牛・馬，②鉄器，③車輪，④米・小麦

▲子どものおもちゃには見られる

①アメリカ大陸で運搬などに用いられたのはリャマやアルパカです。②アメリカ大陸には，金・青銅器はありましたが鉄器は存在しませんでした。③車輪が存在しなかったことは，ユニークなので頻出です。正誤判定問題で**「アメリカ大陸の文明では，馬車が活用された」**とあったら誤文ですよ。

確かに。アメリカ大陸には「馬」も「車輪」もないですね。

④主食となったのは**トウモロコシ**などですね。アメリカ大陸原産の作物も要チェックで，新奇作物が大航海時代にヨーロッパに流入し，ヨーロッパ人の生活を大きく変貌させます。アメリカ大陸原産の作物に関して注意したいのは，サトウキビとコーヒーで，西インド諸島や南米のプランテーションで大々的に栽培されましたが，これらは**ユーラシア原産**。ヨーロッパ人がアメリカ大陸に苗を移植して，栽培に成功したんです。こういった物産の伝播・やり取りは「コロンブス交換」の一側面ですね。

▲→テーマ28

文明に関しては，中米（メソアメリカ）と南米（アンデス）は地理的に区別できるようにしましょう。**オルメカ文明**は，巨石人頭像がインパクト抜群です。「**ユカタン半島**」は**マヤ文明**を引き出す決まり文句。**二十進法**という特徴的な記数法で知られています。**アステカ王国**はインカ帝国と並んで，大航海時代の単元で頻出です。アステカ王国には「白い神がやってくる」という言い伝えがあり，ここにやって来たコルテスはなんと神様と勘違いされてしまったとか。こんな偶然が重なってアステカ王国は瞬く（またたく）間に滅亡。湖上に建設された**テノチティトラン**の故地に，現在のメキシコの首都メキシコシティがありますよ。

▲この逸話はスペイン人の創作とする説もある

アンデス文明は，**チャビン文化**と**インカ帝国**を見ておけば標準的なレベルはクリアできるでしょう。インカ帝国には，目を引く文化が数多くあります。**文字が存在しない**代わりに**キープ（結縄）**を用いて数などを記録。石造技術は非常に高度で，石と石の隙間には剃刀（かみそり）の刃1枚も挟まりません。王の離宮跡であった**マチュ＝ピチュ**は非常に神秘的です。このインカ帝国はスペイン人の征服者（コンキスタドール）**ピサロ**によって征服されました。

▲→テーマ28

世界史の中の日本

1 倭の奴国～大和政権

(1) 倭（日本）の記録…1世紀の『漢書』(地理誌)，5世紀の『後漢書』(東夷伝)に記録

(2) **倭の奴国**が後漢(光武帝)に朝貢（1世紀）➡金印（**漢委奴国王**(かんのわのなのこくおう)印）を拝受

(3) 邪馬台国（女王**卑弥呼**(ひみこ)）が魏に朝貢（3世紀，『魏志』倭人伝に記録）

➡「**親魏倭王**」の称号を得る

(4) 大和(ヤマト)政権による統一が進む（4世紀）

(5) **倭の五王**(讃・珍・済・興・武)が東晋・南朝に朝貢（5世紀）

※朝鮮の高句麗・百済・新羅に対し優位に立つため，三国よりも上位の官爵・称号を得ようとした

2 飛鳥時代～奈良時代（6世紀末～8世紀）

(1) 中国や朝鮮半島から文化を導入➡仏教の伝来

(2) **遣隋使**…聖徳太子(厩戸王。実在を疑う説も存在)が小野妹子らを派遣。日本はその後**遣唐使**も派遣

(3) 中央集権的な律令国家体制の確立

①乙巳(いっし)の変(蘇我氏が失脚)（645）➡大化改新を通じ，中央集権的な律令国家体制を整備(中大兄皇子や中臣鎌足が中心)

②白鳳(はくほう)文化（7世紀後半が中心）

③班田収授法…唐の均田制にならった制度。6歳以上の男女に口分田を支給

④「天皇」号の成立(7世紀末に規定された説が有力)…律令の整備に伴って君主が神格化された

※8世紀初頭の遣唐使派遣の際，「倭国」から「日本国」への国号変更が中国によって承認された。日本は遣隋使・遣唐使を通じて中国と朝貢貿易を行ったが，**中国からの冊封はうけなかった**

(4) **平城京**への遷都（710）…奈良時代の始まり

①天平文化…唐やササン朝の影響をうけた文物が流入（正倉院に所蔵）

※飛鳥・奈良時代の日本にまで伝えられた文物としては，法隆寺の**獅子狩文錦**(ししかりもんきん)，東大寺正倉院の漆胡瓶(しっこへい)などが知られる

②**阿倍仲麻呂**(あべのなかまろ)（698～770）…遣唐使として渡唐。玄宗(→テーマ9)に仕えて鎮南都護(かつての安南都護)に就き，唐で没した

世界史の中の日本 

1 平安時代（8世紀末～12世紀後半）

(1) 平安京遷都（794）

(2) **遣唐使の停止**（894）…菅原道真の建議による

➡**国風文化**の発達（仮名文字や大和絵など）

※唐が滅亡すると，諸民族は中国から自立して民族的自覚を高め，各地で独自の文字が作成された

(3) 武家政権の時代 ▲→テーマ15

①平清盛が，最初の武家政権である平氏政権を建てた（12世紀後半）

②日宋貿易…宋船が博多を経由して大輪田泊へ出入り ▲神戸

・日本は宋から**銅銭（宋銭）**を輸入し，宋へ鉱物や工芸品を輸出 ▼金・水銀・硫黄 ▼刀剣・扇子

2 鎌倉時代（12世紀後半～14世紀前半）

(1) **鎌倉幕府**の成立（12世紀末）…源頼朝による

(2) 元軍の日本遠征（「元寇」）…文永・弘安の役（1274・81）➡撤退

※**博多**を拠点とする民間貿易や，仏僧の交流は引き続き盛ん

(3) 鎌倉幕府の滅亡（1333）➡後醍醐天皇による建武の新政

3 室町時代（14世紀前半～16世紀後半）

(1) **南北朝の争乱**（1336～92）

①北朝（足利尊氏が光明天皇を擁立） VS 南朝（吉野の後醍醐天皇）
▲1338年に征夷大将軍に就任

②**前期倭寇**の活動…五島列島が根拠地 ▲→テーマ12

(2) **足利義満**…第3代将軍

①南北朝を統一（1392）

②明（**永楽帝**）から「日本国王」として冊封される ▲→テーマ12

▲義満が冊封をうけたのは，将軍から退いた後

➡**勘合貿易**…明が発行する勘合を用いた朝貢貿易 ▲1549年まで計19回

※日本が中国の南北朝期以来，久々に中国の冊封をうけた

(3) 応仁の乱（15世紀後半）➡戦国大名が割拠する戦国時代へ

テーマ22

ゲルマン人の移動とフランク王国の発展

1 大移動前のゲルマン人社会

▲インド＝ヨーロッパ語系

(1) ローマ帝国との関係…ライン川・ドナウ川がおおよその国境
　➡一部は平和的にローマ帝国に移動。役人，コロヌス，傭兵（ようへい）となった

(2) **民会**…男子自由民全員が参加して部族全体の重要事項を決定

(3) ローマ帝国で異端とされた**アリウス派**キリスト教が浸透
▲フランク王国はゲルマン伝統の多神教を信仰

(4) 史料
　①『**ガリア戦記**』（前１世紀）…**カエサル**によるガリア遠征の記録
　②『**ゲルマニア**』（後１世紀）…**タキトゥス**がゲルマン人の風俗・習慣を記録
▲ゲルマン人のたくましい気風を評価し，退廃爛熟したローマ社会に警告を発した

2 ゲルマン人の大移動

(1) 背景ときっかけ
　①背景…寒冷化，人口増加に伴う土地不足とされる
　②きっかけ…**フン人**の西進

(2) ゲルマン大移動の開始
　①フン人が黒海北岸に進出
　②東ゴート人が西進
　　➡圧迫された西ゴート人が移動（375），ローマ領内へ

(3) ゲルマン人諸国家の成立

	最終的な定着地	代表的な王	その後の展開
東ゴート王国 ▲493～555	イタリア半島	**テオドリック大王**	**ユスティニアヌス１世**（▲東ローマ皇帝）によって滅亡
西ゴート王国 ▲418～711	イベリア半島	アラリック	**ウマイヤ朝**によって滅亡
ヴァンダル王国 ▲429～534	北アフリカ	ガイセリック	**ユスティニアヌス１世**（▲東ローマ皇帝）によって滅亡
ブルグンド王国 ▲443～534	ガリア東部		フランク王国によって滅亡

ローマ帝国による地中海世界の統一が崩れ，北方のヨーロッパ世界が，ゲルマン人・ノルマン人・スラヴ人らが建てた国家群に再編されるまでのおよそ1000年間を**中世ヨーロッパ**といいます（これらの国家の多くは皆さんに馴染（なじ）みある現代の国家へと発展していきます）。

一つに束ねられていた世界が，バラバラになっていくんですね。

1 ローマ帝国外に住んでいた**ゲルマン人**。ローマ人が黒に近い髪の色なのに対し，ゲルマン人は金色の髪。非常に高度な文化を築いたローマ人の多くはヨーロッパの森に住むゲルマン人を「蛮族」とさげすんでいたようです。とはいえ，**タキトゥス**のようにゲルマン人のたくましさを評価する人もいました。

このゲルマン人が375年に大移動を開始し，帝国に次々と侵入。古代地中海世界の崩壊を象徴する出来事です。皇帝**テオドシウス**は，帝国再建の望みをかけて**キリスト教を国教化**しました。帝国民にキリスト教を強制し，皇帝が**神の代理人**として君臨して人々を思い通りに動かす，という狙いです。でも電話やインターネットもない時代，すぐにキリスト教を浸透させることはできず，テオドシウスの死後，帝国は東西に分裂しました。一人での支配は厳しいが，領土が従来の半分になれば，二人の皇帝で細かく目が行き届くだろう，ということです。

▲さらにはキリスト教の教会組織を統治機構に組み込む

〈392年　キリスト教国教化〉

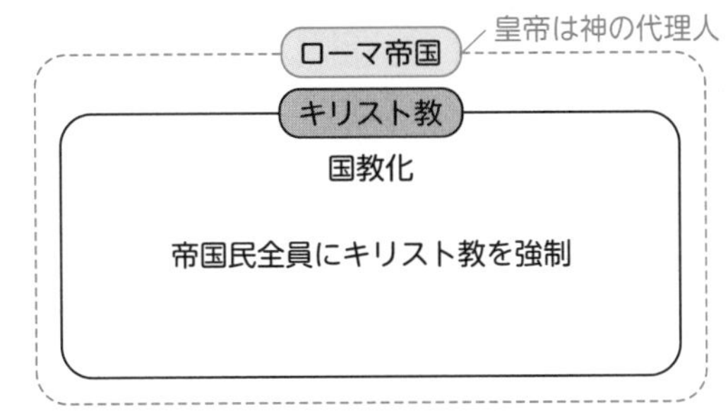

2 しかし，ゲルマン人の侵入はさらに加速。最終的には７つの国家が成立しました（ゲルマン人が定着したのは西ローマ帝国領ばかり）。ゲルマン人国家については，**①最終的な定着地，②代表的な王，③何に滅ぼされたか**の３点に注目して定着させるのがコツですよ。ジブラルタル海峡を渡ってアフリカにまで至ったヴァンダルは目を引くのに対し，ブルグンドはやや地味な印象です。

イタリアは大変です。476年，**オドアケル**が西ローマ帝国を滅ぼす。すると，東ゴートの王**テオドリック大王**がオドアケルを倒して王国を建てる。６世紀半ば，東ローマ皇帝**ユスティニアヌス１世**が**東ゴート王国**を征服して，イタリアなど西地中海を影響下に置く。６世紀後半には，ゲルマン人のランゴバルド王国も北イタリアに割り込んでくる。

▲ゲルマン人の傭兵隊長

▲ユスティニアヌス１世はヴァンダルも征服

フランク王国 ▲481〜987	ガリア北部	クローヴィスなど	3を参照
ランゴバルド王国 ▲568〜774	北イタリア		フランク王国のカール大帝によって滅亡
アングロ＝サクソン七王国(ヘプターキー) ▲449〜829	ブリタニア	エグバートが七王国を統一	統一王国は現在のイギリスの起源

(4) フン人

①アジア系騎馬遊牧民族で，パンノニアに定着。北匈奴(きたきょうど)の子孫？
▲現ハンガリー

②**アッティラ王**（位433〜453）

・全盛期を迎えるが，**カタラウヌムの戦い**（451）で西ローマ・ゲルマンの連合軍に敗退。アッティラの死後，帝国は瓦解(がかい)
▲この後ローマに侵入するが，ローマ教皇レオ1世の説得で撤退

3 フランク王国の発展

西ローマ帝国・西欧 ローマ教会	東ローマ帝国 ▲ビザンツ帝国 コンスタンティノープル教会
476 **オドアケル**が西ローマ帝国を滅ぼす ▲ゲルマン人傭兵隊長 493 イタリア半島に**東ゴート王国**が成立 496 **フランク王国**の**クローヴィス**（メロヴィング家）が**アタナシウス派**に改宗	※フランク王国が強大化した背景 ・アタナシウス派への改宗により，ローマ教会の支援をうけた ・移動距離が短く，根拠地を離れなかった
ローマ教会は東ローマ帝国の影響下に入る ← **ローマ教会は首位権を主張** ▲ローマが使徒ペテロの殉教地であることが根拠 8世紀　フランク王国は弱体化	6世紀半ば **ユスティニアヌス1世**が**東ゴート**，**ヴァンダル**両王国を滅ぼし，地中海世界をほぼ再統一
ローマ教会は反発 ← 732 **トゥール＝ポワティエ間の戦い**で，宮宰(マヨル＝ドムス)**カール＝マルテル**が**ウマイヤ朝**に勝利 751 カール＝マルテルの子**小ピピン**は**ローマ教会の承認のもと**王位を奪う（**カロリング朝**の成立） 756 ピピンがランゴバルド王国から奪った**ラヴェンナ地方**をローマ教皇に寄進 ▲ローマ教皇領の起源	726 **レオン3世**の**聖像禁止令**

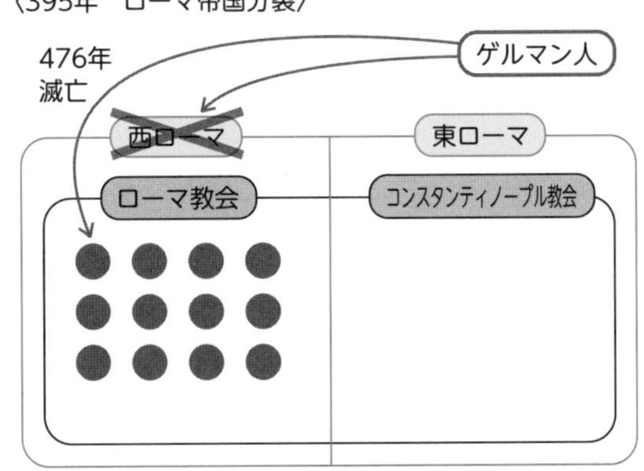

3 特に困ったのは，西側のキリスト教世界の高位聖職者たち。自分たちの政治的保護者である西ローマ帝国が滅亡したせいで，いわば「丸裸」になってしまった。周囲は「ゴロツキ」のゲルマン人がうろついている。普通ならあきらめてしまうところですが，ローマ教会の聖職者は**アタナシウス派キリスト教**を**布教してゲルマン人を仲間に取り込もうと考えた**。この時，最初に改宗をうけ入れたのが**フランク王国**の**クローヴィス**です。

この時期から，キリスト教世界に内紛の種が生まれます。ローマ帝国内で特に有力な教会を**五本山**（▲→テーマ5）といいましたね。その中でローマ教会は，**ペテロ**（イエスの十二使徒の筆頭▲）**がローマの初代司教**（▲ローマ司教のことをローマ教皇という）であることを根拠に，自らを教会組織の頂点に位置づけました(首位権)。しかし西ローマ帝国を失ったローマ教会は，ユスティニアヌス1世以来東ローマ帝国の影響下。その東ローマ帝国は首都のコンスタンティノープル教会と結びついており，ローマ教会としては，**「格下たるコンスタンティノープル教会の保護者に世話になっている」**という屈辱的状況です。726年に東ローマ皇帝**レオン３世**が発した**聖像禁止令**は，東西教会の対立を決定的に。**偶像崇拝を禁止する**イスラームの影響で皇帝が聖像（▲イエスや聖母の像）の使用を禁じると，**ゲルマン人への布教に聖像を用いていたローマ教会は猛反発しました**。ローマ教会は考えた。「聖像禁止令なんかに振り回されるのは，わがローマ教会が東ローマ帝国の影響下にあるからだ。西ローマ帝国さえいてくれれば…」。**西ローマ帝国復活の機運が生まれます**。

いちはやくアタナシウス派に改宗してローマ教会と良好な関係を築いたフランク王国ですが，王家は内紛で弱体化し，**宮宰（マヨル＝ドムス）**の職を世襲していた**カロリング家**が実権を握りました。このカロリング家のカール＝マルテル率いる軍が，**トゥール＝ポワティエ間の戦い**でイベリア半島から進出してきた**ウマイヤ朝**に勝利！（▲イベリア半島に進攻したウマイヤ朝は，711年に西ゴート王国を滅ぼしている）これを見た**ローマ教会は，フランク王国を政治的な保護者として注目**（▲＝西ローマ帝国の後継）するようになり，**メロヴィング王家**を見限って，カール＝マルテルの子**小ピピン**の王位奪取を支援し，関係を強化しました。

22ー②

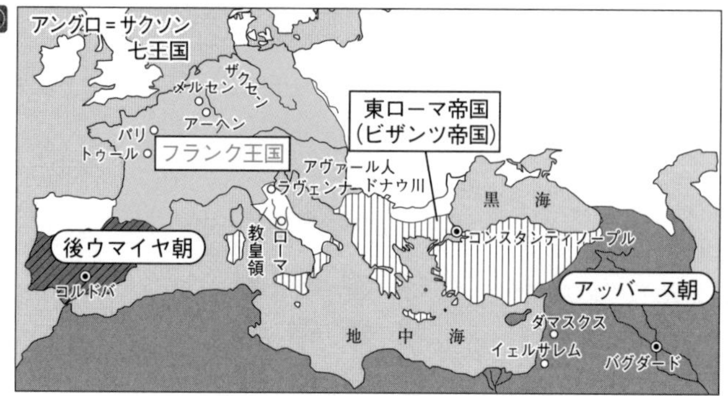

⑴　**カール大帝**（シャルルマーニュ，位768〜814）…ピピンの子

①領土の拡大…
- ・北ドイツの**ザクセン人**を征服
- ・北イタリアの**ランゴバルド王国**を征服
- ・**アヴァール人**（アルタイ語系遊牧民）を撃破
  ▲ユーラシア大陸北部に広く分布
- ・イベリア半島の**後ウマイヤ朝**と戦う
  ▲『ローランの歌』の題材

②統治…全国を州に分けて**伯**を任命。**巡察使**を派遣して伯を監察させた
▼軍事・行政・司法を委ねられた地方官
実際には伯は現地で自立しており，カールは領内を移動して伯との結びつきを確認▲

③**カールの戴冠**（800）…教皇**レオ３世**から西ローマ皇帝として戴冠された

④**カロリング＝ルネサンス**

・ブリタニアから僧**アルクイン**をアーヘンに招き，古典文化やラテン語の復興に尽力。キリスト教による統治の軸となる聖職者を育成
▲宮廷が置かれていた都市

⑤カール戴冠の意義

政治的	ゲルマン人の大移動以来，混乱していた西欧に平和をもたらした
宗教的	**ローマ教会が，東ローマ帝国の影響下から完全に離脱**
文化的	**ローマ・キリスト教・ゲルマンの３者が融合** **東ローマ帝国とは異質の，「西ヨーロッパ世界」が成立**

⑵　フランク王国の分裂

①**ヴェルダン条約**（843）…西フランク，中部フランク，東フランクに分裂
▲カール大帝を継いだルートヴィヒ１世の死後

②**メルセン条約**（870）…東西フランクが中部フランク領の一部を併合
▲イタリア　現在の仏・伊・独の基礎▲

③カロリング朝断絶

・中部フランク（875），東フランク（911），西フランク（987）

④**東フランク王国**（919年から**ザクセン**朝）

・**オットー１世**が**マジャール人**をレヒフェルトの戦いで撃退（955）
▲ウラル語系遊牧民

・オットー１世が，教皇ヨハネス12世から**ローマ皇帝の冠を授かる**（962）

・13世紀以降，「**神聖ローマ帝国**」の呼称が定着

ピピンの子**カール（大帝）**は西欧を概ね統一。「フランク王国こそ西ローマ帝国の後継者にふさわしい」と，ローマ教皇**レオ３世**は西暦800年のクリスマスにカールに西ローマ皇帝の冠を授けました。「粗暴な」ゲルマン人が「文明国」たるローマ帝国の後継者になったわけで，カールは**ラテン語を読み書きできる（帝国の統治を担う）聖職者を育成し，またローマ文化を復興させようとつとめました。**
▲例えばカール大帝は読み書きができなかった
▲カロリング＝ルネサンス

〈800年　カール大帝の載冠〉

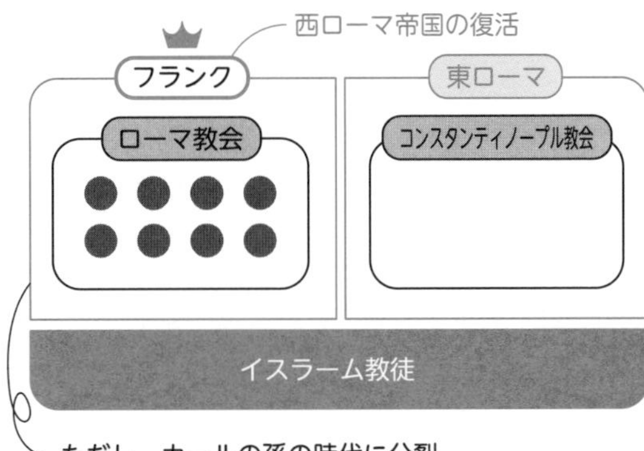

カール戴冠の意義を整理しましょう。宗教的には，**ローマ教会は念願かなって東ローマ帝国の影響下から完全に自立しました。**ローマ・キリスト教・ゲルマンの３者が融合した文化面も重要です。
▲東西教会は，この段階で事実上分裂

この３者の融合を示すもっとも分かりやすい例がクリスマス。クリスマスはイエス生誕の日（**「キリスト教」**）で，12月25日がクリスマスというのは，**「ローマ」**の多神教（ミトラ教）における冬至のお祭りが起源。そして，**「ゲルマン」**の神話における樹木への崇拝がクリスマスツリーの起源とされていますよ。

また，西欧は「ゲルマン」という東ローマ帝国にはない要素を帯びたわけで，これを**東ローマ帝国とは異質の「西欧世界」が成立した**，と表現します。
▲今までは，東西ヨーロッパ世界はいわば双子の兄弟だった

しかしカール大帝の子孫の間で相続争いが起こり，王国は３分割されてしまいます（ローマ教会は改めて再び西ローマ帝国の後継者を探す羽目に）。ここでローマ教会は，ヨーロッパに侵入してきた**マジャール人**を撃退した**東フランク王国**に注目。962年，**オットー１世**がローマ教皇から戴冠されました。
▲ハンガリーを拠点としていたアジア系遊牧民
▲現在のドイツに相当する

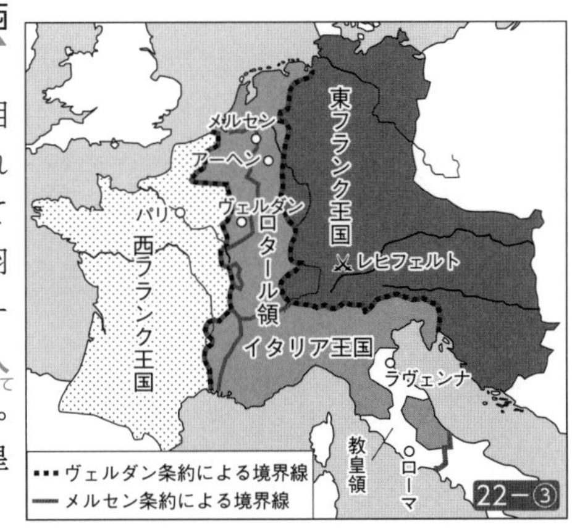

テーマ 23

ノルマン人の移動，封建社会（封建的主従関係と荘園制）

1 ノルマン人（ヴァイキング）の移動

(1) 先住地…スカンディナヴィア半島・ユトランド半島

(2) 移動…８世紀後半から移動を開始
▲寒冷な北欧では，農業よりも狩猟・牧畜・漁業が盛ん

➡西欧を圧迫し，封建的主従関係が成立する一因となった
▲アイスランド・グリーンランド・北米にまで到達した者もいる
▲侵略・略奪を行ったが，平和的な交易にも従事

(3) ノルマン人国家

①ロシア方面…ノルマン人は，次第にスラヴ人に同化していく

・**ノヴゴロド国**の成立（862）…**ルーシ**の**リューリク**がスラヴ人を征服
▲ルーシはスウェーデン系ノルマン人の古称。「ロシア Russia」の語源

・**キエフ公国**の成立（882）…ノヴゴロド一族がドニエプル川流域に建国
キエフはドニエプル川沿いの都市▲

②**ノルマンディー公国**（911）…ロロが西フランク王から臣下に封じられる

③イングランド

ノルマン人	アングロ＝サクソン人
・**デーン人**の侵入（９世紀以降）➡	・**アルフレッド大王**がデーン人を撃退 ▲エグバートの孫
・デーン人**クヌート（カヌート）**が征服 ➡デーン朝を開く（1016）が，クヌートの死後に王朝は崩壊 ➡	・アングロ＝サクソン王朝が復活
・**ノルマンディー公ウィリアム**が，ヘースティングズの戦い（1066）でイングランドを征服（ノルマン＝コンクェスト）➡ ▲ロロの子孫 ・**ノルマン朝**が成立（1066）	

④**両シチリア王国**（1130）…ルッジェーロ２世がイスラーム勢力を征服
▲ノルマン＝シチリア王国。都はパレルモ

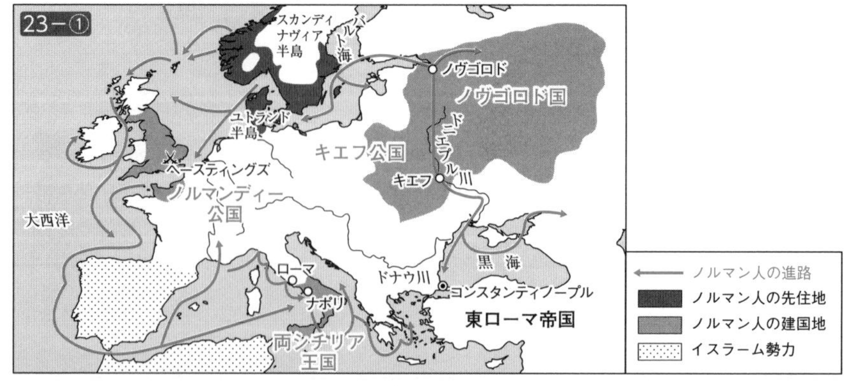

1 ゲルマン人の一派，ノルマン人が８世紀後半から移動を始めます。ゲルマン人の移動との相違は，**ゲルマン人が民族全体で移動したのに対し，ノルマン人の場合は先住地である北欧に残った者も多かった，という点です。**

▲「北方の人」の意味。Nor は英語の North に相当

ノルマン人が移動した原因については諸説ある▲

「引っ越し」なのか，「家出」なのか，の違いですね（笑）。

彼らが操った船は水深が浅い所でも航行が可能で，内陸部にもガンガン入っていきます。ときには略奪も行い**ヴァイキング**として恐れられました（これが封建的主従関係が成立する一因に）。このように移動して成立したノルマン人国家に共通するのは，**支配層のノルマン人は現地の住民よりも少数だったため，時代が経つにつれてノルマン人の血が薄れていく**ことです。**ノヴゴロド国**や**キエフ公国**はスラヴ化していきますし，**ノルマンディー公ウィリアム**がイギリスを征服した頃の**ノルマンディー公国**も，建国から150年近く経っており，ほぼ北フランスの住民に同化していたと考えてください（ちなみに，ノルマン人によるイギリス征服は「３度目の正直で成功した」と覚えるといいですよ）。なお先住地の北欧では，ノルマン人の国家デンマーク・スウェーデン・ノルウェーが成立していきます。

▲水深が1.5m あれば，積み荷が満載であっても航行できたという

2 ゲルマン人の大移動と西ローマ帝国の滅亡をうけ，西欧世界からは人々の身体・権利を守ってくれるような，公的な役所，警察，裁判所などはことごとく消滅（文字通りの無政府状態）。こんな状況下ですから，領地をめぐるライバル同士のいざこざが絶えません。また，８世紀以降イスラーム教徒・ノルマン人・マジャール人といった外部勢力が西欧にズカズカと入ってきました。治安は極度に悪化し，夜もおちおち寝てられません…（左下の図）。

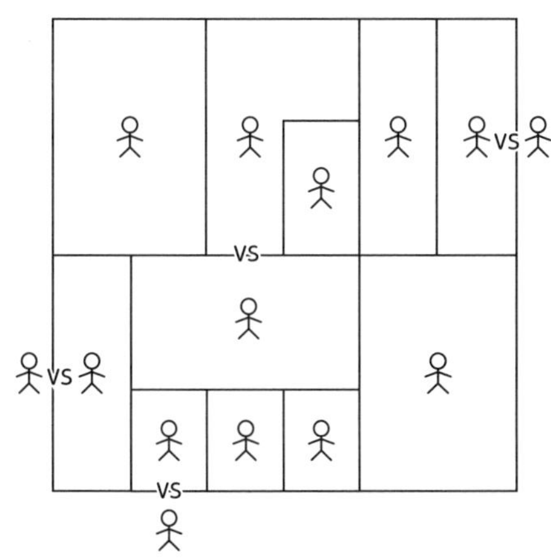

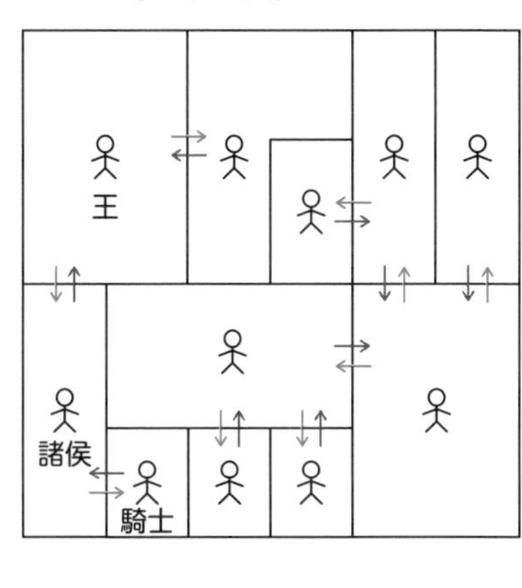

→ 封土の授与　→(忠誠)軍役

2 封建制（封建的主従関係）

⑴ 封建的主従関係の起源

①**恩貸地制**（おんたいちせい）…ローマ帝国末期，有力者が土地を貸与し代償として奉仕を要求

②**従士制**…ゲルマン社会で，自由民の子弟が有力者に忠誠を誓い，従者となる

⑵ 成立

①各地の領主は，近隣の有力者に自分の領地の保護を求めた

▲身体・財産の安全を確保するため

②臣従礼（しんじゅうれい）を経て，土地を媒介とした主従関係が主君と家臣の間で成立

③主君は家臣に領地（封土）を与え，保護下に置く

➡代償として，家臣は主君に忠誠を誓い軍役の義務を負う

⑶ 外敵の侵入…ノルマン人，イスラーム教徒，マジャール人などによる圧迫で，封建的主従関係の構造は固定化

⑷ 特徴

①主君と臣下の**双務的契約**

②「臣下の臣下は臣下にあらず」

③複数の主君に仕えてもよい

④**不輸不入権**…国王やその官吏は諸侯の荘園に立ち入れず（不入），勝手な課税も許されなかった（不輸）

▲インムニテート

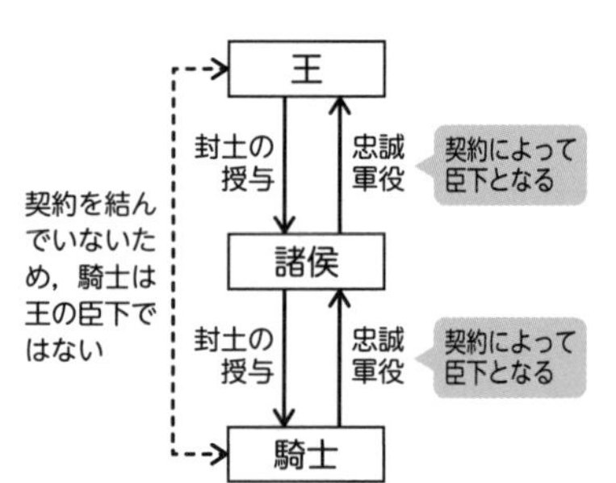

3 荘園制度

⑴ 荘園の構造…自給自足的な経済を営んだ

▲ノルマン人，イスラーム教徒の活動によって商業は退潮

①**領主直営地**…領主が保有する土地で，農奴が耕作

②**農民保有地**…農奴が使用を認められている土地

③共同利用地…森林・牧草地など

⑵ 領主…国王・諸侯・騎士・教会など

⑶ 農奴

①領主に隷属。移動・職業選択の自由はない一方，家族・農具などは所有可

▲ローマのコロヌスや，ゲルマンの没落民が強者に土地を託し，保護を求めた

②各種の経済的負担

▲各種施設（水車・パン焼きがま・ブドウしぼり器など）の使用料も負担

・**賦役（労働地代）**…直営地での無償労働。収穫は全て領主のもの

▲生産性は低い

・**貢納（生産物地代）**…農民保有地での生産物の一部を納めた

・**結婚税**・**死亡税**・**十分の一税**（教会に収穫の１割を納入）

③領主による経済外的支配…農奴は**領主裁判権**に服した

※封建社会…封建的主従関係と荘園制の上に成り立つ社会構造

そこで，土地の支配者は自分よりも強い有力者に領地の保護を求め，代償として有力者の臣下となって軍役の義務を果たしました（**封建的主従関係**，**封建制**。P143の右下の図）。この関係の最上位に位置したのが国王で，国王－諸侯－騎士という階層構造が形成されました（左ページ）。西欧の封建的主従関係の最大の特徴は**双務的契約**。主君と臣下の双方に契約を守る義務があり，主君が義務をサボって契約に反した場合，臣下には服従を拒否する権利がありました。契約を解消することだってあります。

▲敵から攻撃された臣下を救援し，保護する　▲血縁を基盤とする中国（周）の封建制とは対照的

解約したら，臣下は領地を保護してもらえなくなって困るのでは？

実は主君（王）の方にも，臣下（諸侯）との契約を維持したい事情があったんです。**手強い外部勢力と戦うためには臣下の軍事協力が必要ですし，当時は各地に勢力が割拠して効率的な行政機構がなかった。王（圧倒的な力を持っていたわけではない）にとって，私的な忠誠を求める主従関係は，当時の社会で上位に立つせめてもの手段だったんです。**だから臣下は主君に一方的に従うのではなく，「俺の兵力がないと戦争で不安じゃないッスか？　契約で領地を保障してくれれば，協力しますけど？」と主君に対しても結構強気に出る。自分の領地を守るための，まさにビジネスです。

高校世界史で「領主」とあった場合は，ほぼ諸侯・騎士のことを指す▼

3　さて，国王・諸侯・騎士は，各々の所領（荘園）の領主という側面も持っていました。その経営を見ていきましょう。この物騒なご時世，農民は様々な危険から守ってもらう代わりに領主に隷属しました。これが**農奴**で，まず領主サマの畑（**領主直営地**）を無償で「耕してさしあげ」ました（**賦役**）。一方，農奴が使用を認められた**農民保有地**の生産物は農奴の収入になりますが，生産物の一部は領主に**貢納**しました。さらに，教会にも**十分の一税**を納めました。経済的負担は他にもあって，いや～，大変だ！

教会が領地を所有していることも珍しくない▲　労働地代。「タダ働き」であり，生産性は低い▲　▲貨幣地代　▲収穫の１割

では，農奴は主従関係の頂点にいる王に対しては税を納めるのか？というと「納めません」。封建的主従関係において，王が諸侯の領地を保護するというのは**「諸侯が自らの領地を独占的に支配・統治することを，王が保障する」**という意味。ということは，王といえども諸侯の領地に手出しすることはＮＧなんです。これを**不輸不入権**といいます（この感覚は中国の封建制と似てますね）。領地の中では領主が絶対的な権力を握ったわけで，農奴に対する裁判権も行使できました（**領主裁判権**）。

▲もちろん，王は自らの領地では農民から徴税することができる

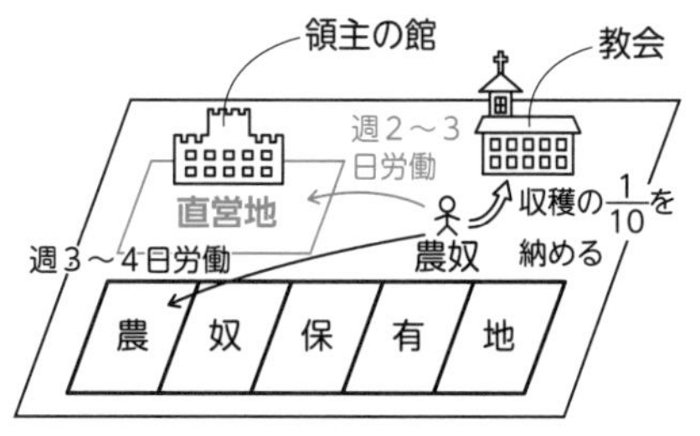

テーマ

24 東欧世界

1 東ローマ帝国（ビザンツ帝国，395～1453） 首都：**コンスタンティノープル**

⑴ **ユスティニアヌス1世**（位527～565）…全盛期を現出

①対外政策…大部分の旧ローマ帝国領を回復

・ゲルマン人の**東ゴート王国**と**ヴァンダル王国**を滅ぼす

・ササン朝ペルシアの**ホスロー1世**と対立

②**『ローマ法大全』**…トリボニアヌスらに編纂（へんさん）させた，ローマ法の集大成

③養蚕の導入…中国から蚕（かいこ）を輸入して養蚕業・**絹**織物業を興した

※テオドラ…踊り子出身でユスティニアヌスの皇后，共同統治者となる

⑵ ヘラクレイオス1世（位610～641）

①**軍管区制（テマ制）**…領土を管区に分け，現地の司令官に行政権も与えた

▲ササン朝ペルシア・イスラーム勢力の侵入に対抗するため撤回されたといわれる

②屯田兵制…農民に土地を与える代わりに，兵役義務を課した

⑶ **レオン3世**（位717～741）

①**聖像禁止令**（726）

・イスラームの偶像崇拝禁止の影響をうけ，**聖像画（イコン）**使用を禁止

843年に廃止され，イコンの使用は復活▲

⑷ **プロノイア制**…11世紀から普及

①背景…屯田兵制が機能不全に陥って地方の大土地所有者が強大化

②大土地所有者である貴族に，軍事奉仕の代償に国有地の管理を委ねる

▲帝国の分権化が進行

⑸ **第4回十字軍**（1202～04）…コンスタンティノープルを占領される

⑹ 滅亡…**オスマン帝国**の**メフメト2世**によって滅亡（1453）

2 ロシア

▲東スラヴ人。東スラヴ人としてはウクライナ人などもいる

⑴ ノヴゴロド国（862～），キエフ公国（882～）が起源

▲→テーマ23

⑵ キエフ公国の**ウラディミル1世**…**ギリシア正教**を受容（989）

⑶ モンゴル帝国（**キプチャク＝ハン国**）による支配…「**タタールのくびき**」

▲→テーマ11

⑷ **モスクワ大公国**

①**イヴァン3世**
- ・最後の東ローマ皇帝の姪（めい）と結婚し，**ツァーリ**を自称
- ・キプチャク＝ハン国の支配から自立（1480）

②**イヴァン4世**
- ・公式に**ツァーリ**を名乗る（16世紀半ば）
- ・イェルマークの協力を得てシベリアに領土拡大

▲コサックの首領

1 ローマ帝国が東西に分裂した後，一時期だけ地中海世界がほぼ再統一されました。それが**ユスティニアヌス１世**の時代です。地図を見ると，**西ゴート王国とフランク王国以外の地中海域を支配下に置いている**ことが分かります。

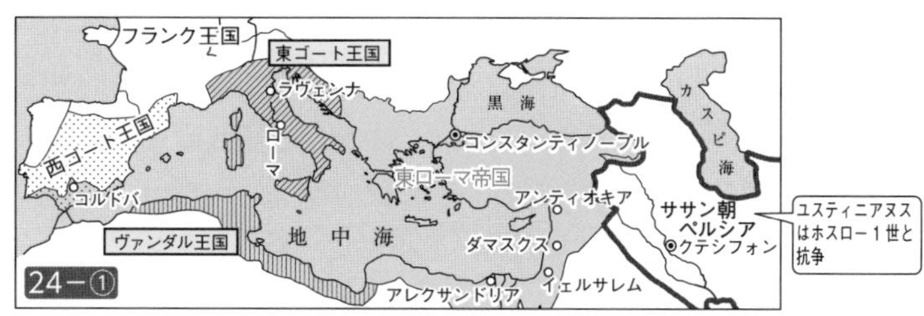

テーマ22で扱ったように，首位権を主張するローマ教会は「格下」の東方世界の影響下にあまんじることに耐えられず，東西教会は対立していきます。またユスティニアヌス１世は，東方では**ササン朝ペルシア**の**ホスロー１世**とも対立し，これがのちにイスラームが成立する背景をなしますね。**『ローマ法大全』**や**ハギア（セント）＝ソフィア聖堂**など，文化も花開きました。

▲→テーマ18　▲→テーマ77

ユスティニアヌス１世死後の東ローマ帝国は，ササン朝ペルシアやイスラーム勢力など東方勢力の攻勢に苦しめられました。各軍の司令官たちはこれに対処するため，自らの担当地域で食糧を自給し，独自に徴兵・徴税するなど自前で軍団の維持を強いられます（**司令官の権限は，おのずと軍事権を越えて行政権にまで及ぶように**）。これが**軍管区制（テマ制）**で，７世紀初頭にヘラクレイオス１世によってシステム化されました。「なりふりかまわず軍を強化せい！」というイメージです。さらに軍司令官は兵士を確保するため，**小農民に土地を与えて耕作させ，その代わりに兵役の義務を負わせました**（**屯田兵制**）。

▲軍管区　▲当初は，小アジアを４つの軍管区に分割したのが始まり　自作農の増加によって農村社会は活力にあふれるようになった▲

東ローマ帝国のことを「ビザンツ帝国」と呼ぶのはなぜですか？

コンスタンティノープルの旧称**ビザンティウム**にちなみます。東ローマ帝国は「ローマ帝国」とは名ばかりで，ローマを領域に含まない。**ローマ文化よりギリシア文化が優勢になっていく**んです。ビザンティウムはギリシアの植民市が起源であることから，「ビザンツ帝国」という呼称が生まれました。

▲ヘラクレイオス１世あたりから，ギリシア語が公用語に　▲→テーマ3

レオン３世は，コンスタンティノープルを包囲したイスラーム勢力を撃退しますが，宗教面の方が大問題に。偶像崇拝禁止を徹底するイスラーム教徒は，元来偶像崇拝を禁じていたはずなのに黙認しているキリスト教徒を猛批判しました（当時のビザンツ帝国では，イエスやマリアの**聖像画**（イコン）を容認）。自らの教義の誤りを認めれば内外に激震が走るのは明白で，レオン３世は**聖像禁止令**を発したのです。これがローマ教会との対立を呼びましたね。

「ギリシア火」を用いた▲　禁止令には，当時勢力を拡大していた修道院を抑制する目的もあった▲　▲→テーマ22

3 ロシア以外の東欧諸国

赤枠はカトリック，グレーの枠はギリシア正教

(1) 西スラヴ人…**カトリック**を受容

①**ポーランド人**

・カジミェシュ3世（カシミール大王　位1333〜70）…法典の整備，農民の待遇改善，クラクフ大学の創設など諸改革を実施

・**ヤゲウォ（ヤゲロー）朝**（1386〜1572）…ポーランドと**リトアニア**が合併（1386），リトアニア＝ポーランド王国が成立

②**チェック人**

・**ベーメン**王国を形成（10世紀）➡神聖ローマ帝国に編入（11世紀）
▲ボヘミア

・モラヴィア王国（9〜10世紀）…マジャール人により衰退

※現在ロシア語などを表記する**キリル文字**の起源は，ギリシア人のキュリロス兄弟がモラヴィア布教の際に用いたグラゴール文字
▲カトリックではなくギリシア正教の布教である点に注意。この布教は失敗

③スロヴァキア人…チェック人と同系の民族

(2) 南スラヴ人

①**セルビア人**…**ギリシア正教**を受容し，12世紀にセルビア王国を形成

・オスマン帝国の支配下に入る（14〜16世紀）
▲コソヴォの戦い（1389）に敗北，16世紀前半にはベオグラード陥落

②**ブルガール人**

・トルコ系民族がドナウ川下流域に定着し建国。徐々にスラヴ人に同化

・**ブルガリア帝国**（681〜1018，1187〜1396）を形成
▲ツァーリを名乗る君主も存在
➡オスマン帝国の支配下に入る（14世紀末）

③**クロアティア人**…フランク王国による支配をうけ，**カトリック**に改宗
▲カール大帝
➡ハンガリーの支配（12世紀）

▼カール大帝
④スロヴェニア人…フランク王国による支配をうけ，**カトリック**に改宗

(3) スラヴ人以外の民族

①**マジャール人**…**ウラル語系**
▲ウラル山脈の西側地域に分布

・パンノニアに定着し，ハンガリー王国を形成（1000年頃）

・レヒフェルトの戦い（955）で**オットー1世**に敗退
➡**カトリック受容**

②ルーマニア人…ラテン系
▲ローマ帝国のトラヤヌス帝による征服の際，ラテン人が入植したとされる

・ワラキア公国，モルダヴィア公国を建てる（14世紀）

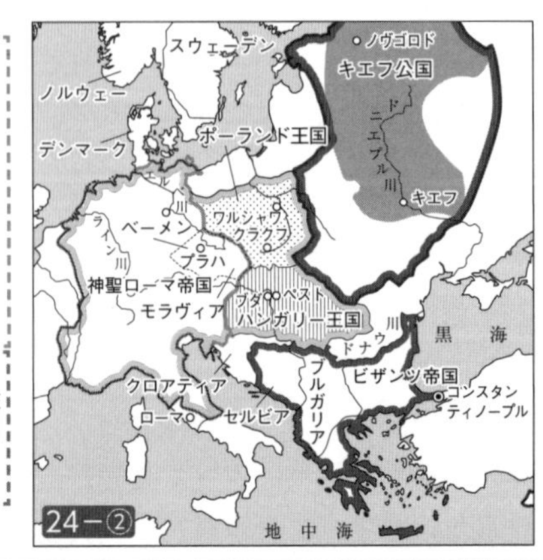

後期ビザンツ社会のポイントは**プロノイア制**。11世紀頃から大土地所有者（貴族）が強大化し，屯田兵制を担う中小農民は没落し，兵役を果たせない状況に。（▲軍司令官が世襲貴族化した例もある）そこで，**皇帝は軍役奉仕と引きかえに貴族に領地の支配を認めました。**「100人の農民がそれぞれ兵士になるのが屯田兵，１人の貴族が100人の手下を連れてきて戦うのがプロノイア」とイメージすると分かりやすいかと。

末期には，小アジアはイスラーム教徒（▲セルジューク朝，オスマン帝国），バルカン半島はスラヴ人に侵食され，帝国は首都コンスタンティノープル周辺だけの地方政権になってしまいます（その首都も，**第４回十字軍**（▲→テーマ25）で攻撃され…）。最後はバルカン半島を丸ごと呑（の）み込む勢いの**オスマン帝国**（メフメト２世時代）（▲→テーマ20）によって滅亡しました。

2 ビザンツ帝国が滅亡した後，**モスクワ大公国**（▲ロシアの前身）の**イヴァン３世**は最後の皇帝の姪と結婚し，皇帝権の継承を主張。「**ツァーリ**」（▲皇帝を意味する。ツァーリ（Czar）はカエサル（Caesar）のロシア語読み）を自称します。彼は**キプチャク＝ハン国**への貢納を拒否し，支配下から自立しました。**イヴァン４世**はツァーリを公式に採用し，ロシアの基盤が形成されていきました。

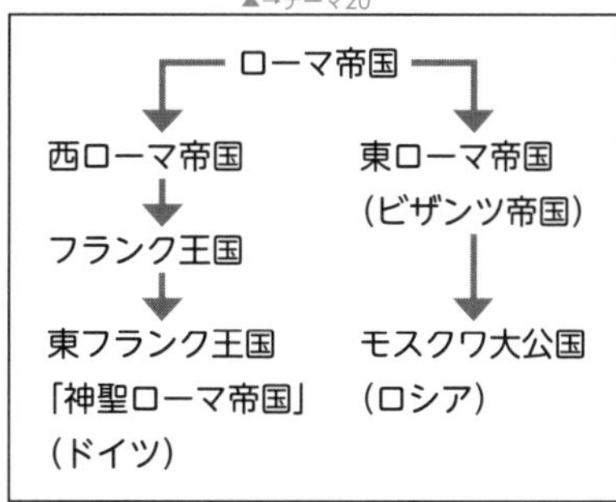

3 東欧に定着したスラヴ人の第１のポイントは，キリスト教の宗派です。**ローマ教会に近い西側の民族は**カトリック**を，コンスタンティノープル教会に近い東側の民族は**ギリシア正教**を受容しました。**

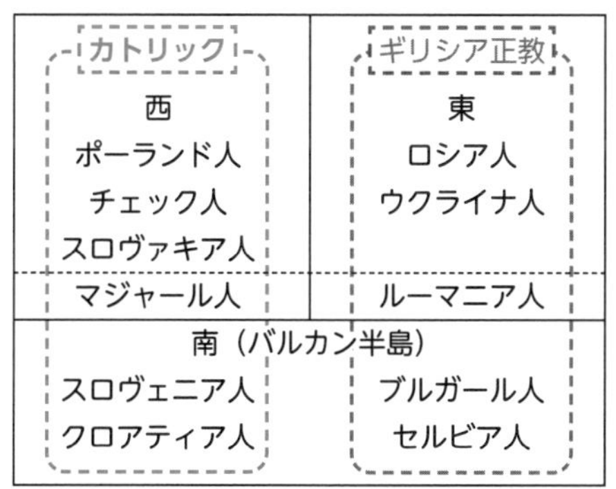

カトリック	ギリシア正教
西	東
ポーランド人	ロシア人
チェック人	ウクライナ人
スロヴァキア人	
マジャール人	ルーマニア人
南（バルカン半島）	
スロヴェニア人	ブルガール人
クロアティア人	セルビア人

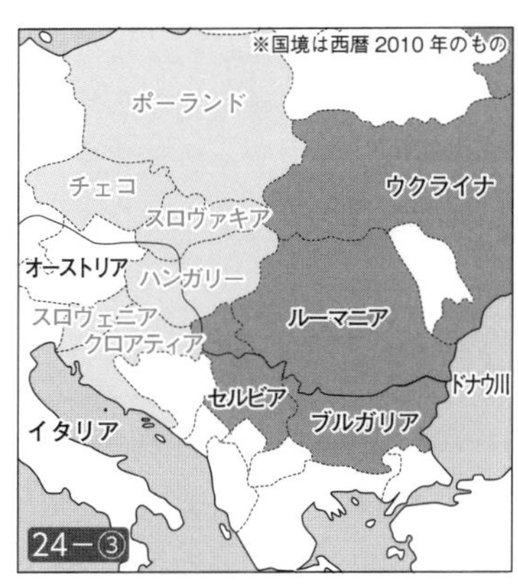

上の図で整理すると，宗派がスパッと分かれているのが分かると思います。

現代の世界地図で見ると，よりリアルに宗教分布が分かりますね。

マジャール人（▲ハンガリー）とルーマニア人は非スラヴ系なので，注意してくださいね。

テーマ 25

ローマ＝カトリック教会の発展，十字軍

1 ローマ＝カトリック教会の発展

※聖職者階層制（ヒエラルキー）…教皇を頂点とする，ローマ＝カトリック教会聖職者の序列

(1) 初期ローマ教会

①使徒**ペテロ**…ローマで殉教したとされ，初代ローマ教皇に位置づけられる
▲ペトロ

➡のちに**ローマ教会が首位権を主張する根拠**となる

②**グレゴリウス1世**（6世紀末～）…ゲルマン人への布教に尽力
▲特にアングロ＝サクソン人

(2) **東西教会の分裂**が確定（1054）
▲聖像禁止令（726）やカール戴冠（800）が背景 →テーマ22

(3) **叙任権闘争**

①帝国教会政策…神聖ローマ皇帝が臣下を聖職者に任命し，帝国の統治に利用

➡聖職者の世俗化・腐敗

②教皇**グレゴリウス7世**（位1073～85）
▲クリュニー修道院の影響をうけた

・聖職者の妻帯，聖職売買を禁止し教会刷新 ➡皇帝**ハインリヒ4世**と対立
▲世俗君主による聖職叙任も聖職売買とみなした

③**カノッサの屈辱（カノッサ事件**，1077）
皇帝権の強化を望まない諸侯は教皇を支持したため，皇帝は屈服▼

・破門されたハインリヒ4世が教皇グレゴリウス7世に謝罪
▲信徒を教会から除外すること。社会的抹殺を意味し，教皇側の最大の武器

④**ヴォルムス協約**（1122）…叙任権闘争は一応終結
▲あくまで妥協であり，以後も両者の対立は続く

・内容…教皇が叙任権を掌握する一方，皇帝が教会に封土を授与する

・教皇権が皇帝権から分離・自立

(4) **インノケンティウス3世**（位1198～1216）

①教皇権の絶頂期…「教皇は太陽，皇帝は月」
▲ジョン王・フィリップ2世と対立，第4回十字軍，アルビジョワ十字軍 →テーマ27

2 修道院運動
▲聖職売買，聖職者の妻帯，農奴からの搾取などの腐敗を正す

(1) **ベネディクト修道会**…中部イタリアの**モンテ＝カシノ**に創設

① 「清貧・純潔・服従」，「祈り，働け」

(2) **クリュニー修道院**（910～）…教会・修道院の粛正運動を展開
▲フランス中東部

(3) **シトー修道会**…**荒地の開墾**で活躍。**農法の発展**にも貢献
▲フランスのブルゴーニュ地方

(4) **托鉢（たくはつ）修道会**…財産所有を否定し，信者の喜捨によって都市を拠点に活動
▲13世紀前半に認可をうけた

①**フランチェスコ修道会**…フランチェスコがアッシジに創設
▲イタリア中部

②**ドミニコ修道会**…カタリ派（アルビジョワ派）などの**異端排斥**の先陣を担った
▲フランス南部

★**カタリ派**…禁欲と善悪二元論を特徴とし，南ヨーロッパに拡大

1 **テーマ22**で扱った中世初期の地中海世界。東フランク王国のオットーが戴冠した時の構造が右図です。カール戴冠によって事実上分裂していた**東西教会は1054年に正式に分裂**。西方は「**ローマ＝カトリック**」，東方は「**ギリシア正教**」という呼称が定着しました。東ローマ皇帝と神聖ローマ皇帝（この呼称は13世紀に定着しますが，便宜上この呼称を用います）が「**神の代理人**」としてそれぞれのトップに君臨していましたが，西方の権力構造はややこしいことに。**「教皇レオ３世がカールに戴冠することで，ローマ皇帝が生まれた（＝教皇が皇帝の生みの親）。ということは，教皇の方が格上じゃないの？」** ということです。両者の上下関係が不明確だったことを背景に，**叙任権闘争**が起こりました。
▲聖職者を任命する権利

神聖ローマ皇帝の本拠地ドイツは多くの諸侯が割拠し，その中には大司教・司教など高位聖職者もいました。そこで皇帝は「神の代理人」として叙任権を握り，**息のかかった手下を聖職者に任命して，教会組織（とその領地）を自らの統治下に組み込んで大諸侯に対抗したのです**。しかし，聖職者の資質に欠ける輩が任命されることも多く，聖職者が世俗化・腐敗する一因に…。これに喝を入れたのが教皇**グレゴリウス７世**です。世俗権力からの教会の解放を掲げてドイツ王**ハインリヒ４世**と対立，謝罪に追い込みました（**カノッサの屈辱**）。
▲彼らは広大な荘園領主という顔も併せ持っていた
▲ドイツの皇帝に限らず，世俗の王や領主は聖職叙任権を持ち，統治に利用
▲1084年から皇帝

グレゴリウス７世の勝因はなんでしょう？

これにはちゃんと理由があって，**テーマ27**で説明しますね。叙任権闘争は1122年の**ヴォルムス協約**で一応の決着をみます。「灰色決着」で，皇帝と教皇の対立は続きますが，かつての「皇帝が頂点に立つ」状況から「**皇帝権と教皇権が並立する**」という体制に持ちこめたわけで，教皇にとっては万々歳です。

2 世俗の君主が叙任権を握ったことを一因として，教会の世俗化・腐敗を招いたことは長らくローマ教会の懸案事項でした。**クリュニー修道院**は，６世紀に清貧・純潔・服従の戒律を修道士に課した**ベネディクトゥス**の理念を復活させ，教会改革に乗り出します。13世紀には，教会の財産所有を否定する**托鉢修道会**も現れました。「みんなローマ教会のことを金まみれって叩くけど，ウチにも財産所有を批判する団体はあるんだからね」という意図があったようです。
▲グレゴリウス７世の活動に影響を与えた

3 十字軍運動

(1) 直接の原因と，十字軍の提唱

①**セルジューク朝**の小アジア進出　➡ビザンツ帝国が西方に救援要請
▲マンジケルトの戦い（1071）

②**クレルモン宗教会議**（1095）…教皇**ウルバヌス２世**が十字軍遠征と**イェルサレム**奪回を主張

(2) **十字軍**遠征

①**第１回**（1096〜99）…聖地回復に成功し，イェルサレム王国を建設

②第２回（1147〜49）…ダマスクスを攻撃するが失敗

★**アイユーブ朝**の**サラディン**がイェルサレムを回復（1187）

③**第３回**（1189〜92）

・英王リチャード１世，仏王**フィリップ２世**，独帝フリードリヒ１世が参加
▲獅子心王　▲バルバロッサ

➡フリードリヒ１世は事故死，フィリップ２世は途中帰国
▲リチャード１世と対立したため

・リチャード１世単独でサラディンと交戦するが，聖地奪回はできず
▲聖地巡礼の自由は確保

④**第４回**（1202〜04）

・教皇**インノケンティウス３世**の提唱で結成

・**ヴェネツィア**商人の主導で商敵**コンスタンティノープル**を占領

➡**ラテン帝国**建国
▲1204〜61

⑤第５回（1228〜29）…独帝フリードリヒ２世の交渉で，聖地を一時回復
▲シチリア島生まれ

⑥第６回（1248〜54）…仏王**ルイ９世**がエジプトを攻撃するが失敗
マムルーク朝に大敗，王自身が捕虜となる▲

⑦第７回（1270）…仏王**ルイ９世**がチュニジアを攻撃するが，王自身が病死

★十字軍の終了（1291）…十字軍の最後の拠点であるアッコンが陥落

25－①

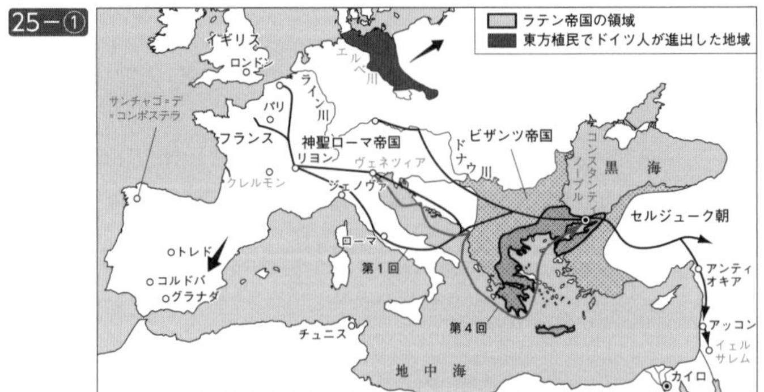

(3) 宗教騎士団…占領した聖地防衛のため，遠征先で結成
▲騎士が聖職者同様の厳しい戒律の下で生活

①ヨハネ騎士団…キプロス島，ロードス島，マルタ島を拠点とした

②テンプル騎士団…14世紀にフランスの**フィリップ４世**に解散させられた

③**ドイツ騎士団**…エルベ川以東で**東方植民**を行ない，ドイツ騎士団領を形成

3 西暦1000年頃から（イエスが生まれてジャスト1000年なので），終末論の
▲キリストが再来し，「最後の審判」を行う
噂(うわさ)が飛び交い，人々の**宗教的情熱が高まります**。そんな11世紀後半，イスラームの**セルジューク朝**が小アジアに進出して東ローマ帝国を圧迫。東ローマ帝国はローマ教会に救援を要請しました。教皇**ウルバヌス２世**が対イスラームの聖戦と聖地**イェルサレム**奪還を叫び，1096年から**十字軍**遠征が始まります。ただ，宗教的情熱を土台とした十字軍ですが，各階層の本心は別にありました。
▲各地に教区教会が立ち，民衆にもキリスト教が浸透したことも背景

①教皇…ギリシア正教会，神聖ローマ皇帝に対する優位を確立したい
②国王・諸侯・騎士…領土・戦利品の獲得
③北イタリア商人…東方貿易による利益の獲得

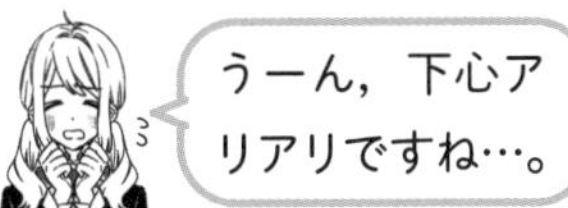

1054年に東西教会は分裂，1077年にカノッサの屈辱。当時の教皇は東方教会と神聖ローマ皇帝，双方と火花バチバチです。この状況で教皇が十字軍プロジェクトを立ち上げて成功に導けば，**「教皇こそがキリスト教世界の頂点にふさわしい」**という絶好のパフォーマンスになりますからね。②③は純粋に物欲です（笑）。
▲十字軍開始の段階では，まだヴォルムス協約（1122）は結ばれていない

第１回十字軍はイスラーム勢力の内紛にも助けられ，イェルサレム征服に成功。しかし12世紀後半，新興の**アイユーブ朝**の**サラディン**がイェルサレムを征服。これに対する第３回十字軍は，豪華な顔ぶれになりますが，**フィリップ２世**が途中帰国，フリードリヒ１世にいたっては事故死…。リチャード１世が単独でサラディンと戦うものの，聖地奪還はなりませんでした。そして**第４回**，輸送を担った**ヴェネツィア**商人の手引きで，なんと同じキリスト教圏の**コンスタンティノープル**を攻撃＆略奪！　対イスラームの使命感など二の次で，世俗的な欲が第一，という参加者の下心が露(あら)わになったわけです。敬虔(けいけん)な「聖王」**ルイ９世**率いる遠征が王の死によって頓挫(とんざ)すると，一連の遠征は幕を閉じました。
この時に聖地を守護するためのヨハネ騎士団とテンプル騎士団が成立▲
▲領土をめぐってリチャード１世と対立していたため
ヴェネツィアの商売敵だった▲

十字軍が失敗した結果，①プロジェクトを立ち上げた**教皇の権威には傷がつきました**。そして②諸侯は目当ての戦利品も手に入らず，戦死した者も少なくなかった。経済的にかなり無理をして遠路はるばる遠征していたので，**多くの諸侯が没落**します。一方，③十字軍に便乗してアジアの物産を取り引きした**イタリア商人は大きな利益をあげ**，また彼らは「国王が国土を統一してくれた方が，安全に商売ができるぞ」と考えて**国王を経済的に支援しました**。これが④**王権強化**の背景となります。
▲この関係は，遊牧民とオアシス民の共生と同様のしくみといえる　→テーマ15

11～13世紀は，農業生産の増加に伴い人口が増えた時代。これが西欧世界拡大を下支えしました。十字軍も，イベリア半島の**レコンキスタ**も，十字軍遠征から帰還した**ドイツ騎士団**による**東方植民**も，同じ文脈の中で語ることができます。
▲サンチャゴ＝デ＝コンポステラへの巡礼も流行

商業の発展，荘園制の崩壊，教皇権の衰退

1 商業と都市の発展

(1) 農業生産の増加

①**三圃制**（さんぽせい）農法…11世紀以降普及。耕地を春耕地・秋耕地・休耕地に三分する

②**鉄製重量有輪犂**（てつせいじゅうりょうゆうりんすき）の普及…家畜に引かせ，耕作の効率が上昇

▲背景に蹄鉄とくびきの実用化がある

➡開放耕地制が確立し，共同作業の必要性から農村共同体も成立

▲背景①家畜・鉄製農具は高価なため農民が共有，②重量有輪犂は小回りが利かない

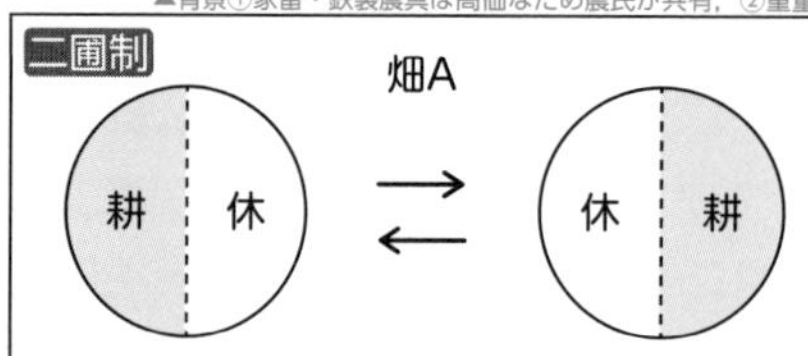

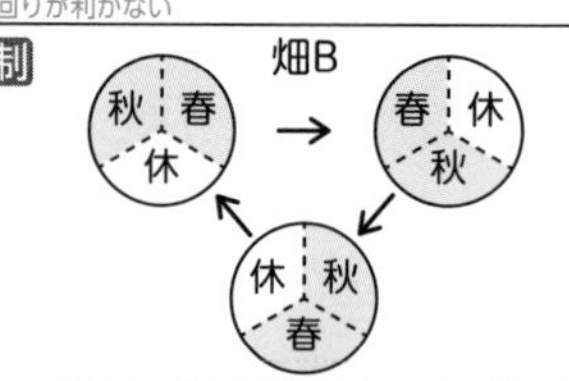

(2) 商業の復活（商業ルネサンス）と都市の成立

①余剰生産物を交換し，交通の要地に定期市が成立。のちに商工業者が定住

②**十字軍遠征による交通路・輸送路の整備** ➡遠隔地商業が発展

(3) 自治権の獲得…都市が封建領主と抗争し，特許状を得て自治権を獲得

▲市参事会が都市法を制定

①**「都市の空気は（人を）自由にする」**…ドイツのことわざ

▲農奴が都市に逃げ込み，1年と1日住むと自由な身分になれた

②帝国都市（**自由都市**）…皇帝に直属し，諸侯と同格になったドイツの都市

③**コムーネ**（自治都市）…イタリアで，周辺の農村も支配した都市国家

(4) **ギルド**…商品の生産・販売を統制する商工業者の排他的な同職組合

商人ギルド	**同職ギルド（ツンフト）** ▲手工業者のギルド
営業と販売の独占権を持った	親方・職人・徒弟の間には厳しい**徒弟**制度があり，徒弟は親方に隷属。市政に参加できるのは親方のみ

★**ツンフト闘争**（13世紀～）…同職ギルドが市政参加を求め商人ギルドと抗争

闘争後，職人も市参事会に参加して市政に携わるようになっていく▲

(5) 中世都市

北方商業圏…北海・バルト海沿岸を中心に**日用品**を交易 ▲にしん・鱈・木材・毛皮・琥珀など
①バルト海沿岸…**リューベック**（**ハンザ同盟**の盟主），**ハンブルク**，**ブレーメン** ▲エルベ川の河口付近に位置する ②**フランドル地方**…**毛織物**の一大産地。**ブリュージュ**・**ガン（ヘント）**
内陸商業圏…地中海貿易圏と北方貿易圏との接点
①**シャンパーニュ地方**…トロワなどで国際大市（定期市）が開催 ②南ドイツの**アウクスブルク**（銀産地で，富商**フッガー家**が有名）

1 紀元1000年頃からおよそ300年ほど，西欧は温暖な気候に恵まれます。この時期に**三圃制**や**鉄製重量有輪犂**が普及，水車も改良されて，農業生産力が大きく伸びました。三圃制は，畑を秋耕地，春耕地，休耕地に三分し，3年周期で使用する農法。従来は畑の半分を休耕地にあてていました（二圃制）。

▲従来は人力で木製農具を用いて耕作　▲粉ひきに用いる　小麦・ライ麦用▲　▲大麦・えん麦用　▲休耕地には家畜を放牧して地力の回復に努めた

休耕期間を「人間の睡眠時間」と考えてみると，二圃制の畑A（左ページ）は1日12時間睡眠，三圃制の畑Bは8時間睡眠。イメージとして，畑Aは寝すぎで，畑Bはちょうどよいくらいの睡眠時間ですよね（しっかり地力が回復）。休ませすぎの二圃制では畑全体の1／2しか使いませんが，三圃制では2／3を使えます。この生産増が人口増加につながり，十字軍の原動力になりました。

2年のうち1年，つまり全体の半分の時間を休んでいる▲　▲3年のうち1年，つまり全体の1／3の時間を休んでいる　逆に「3年耕して1年休む」だと，今度は地力が回復しない。「睡眠不足」▲　▲→テーマ25

また，農業生産増加に伴って余剰生産物が発生し，その取り引きが活性化。さらに遠隔地の取り引きも盛んになりました。**十字軍遠征で大量の人員が移動した際，陸路・海路とも輸送ルートが整備されて，このルートを商人が貿易に「再利用」したんですよ。**

p.152の地図をうけて，p.157の地図で都市が栄える，と。

交通の要所に定期市が立ち，やがてそこに商人が定住して商業都市が生まれました。**イスラーム教徒やノルマン人の活動によって萎縮（いしゅく）していた経済活動が再び活気を帯びてきます（商業の復活）。**

都市の多くは封建領主の領内に成立しました。領内で絶対的権力をふるう領主は，当然のように都市の運営に干渉してきます。都市市民は，時には武力（領主と抗争するコミューン運動），時にはカネ（皇帝や国王に金銭を支払って特許状を得る。君主の保護下で諸侯から自立），とあの手この手で領主の干渉から逃れ自治権を獲得。自治を得た都市は多くの場合，領主が支配する農村との境界に城壁を築きました。古代の国家は「都市が周囲の農村を支配する」のがセオリーでしたが，西欧中世の商業都市は，「都市が周囲の領主の支配から免れている」というユニークな状況に置かれます。「別個の法域をなす」というカッコイイ言い方をすることもあります。例外がイタリアの都市共和国で，大きな力を持った都市市民が周囲の農村を支配しました。

▲資料集などに載っているドイツのネルトリンゲンなどが有名

都市の舵取り（かじとり）は大商人が牛耳る市参事会によって行われました。大商人は排他的な同業組合である**ギルド**も結成。**非ギルド員が業界に新規参入できないのはもちろん，ギルド員にも店舗の数，販売量，価格など厳しい統制を敷きました。**

一方，職人界には厳しい**徒弟**制度があり，新人は無給の見習いからスタートして，厳しい修行を経て有給の職人になれました。さらに限られた親方に昇格した者だけが**同職ギルド（ツンフト）**のメンバーになることができました。

第3章 中世ヨーロッパ世界

地中海商業圏…東方貿易(レヴァント)で，アジア産の香辛料・絹織物など奢侈(しゃし)品を取引

①ヴェネツィア…「アドリア海の女王」と称され，地中海貿易で繁栄

②フィレンツェ…毛織物業と金融業で繁栄。のちにメディチ家が市政を独占
▲内陸都市

③ミラノ…ロンバルディア同盟の中核都市の一つとなった
▲内陸都市　▲神聖ローマ皇帝のイタリア政策に対抗。皇帝フリードリヒ１世を破る

④その他…ジェノヴァ（ヴェネツィアとの抗争に敗退），ピサ
▲斜塔で知られる

2 荘園制度の崩壊

(1) 荘園制の解体

①**貨幣経済**の農村への波及

・貨幣経済が波及　➡領主は賦役を廃して生産物地代や貨幣地代を徴収

・**農奴解放**…貨幣を蓄えた農民は領主に解放金を支払う　➡独立自営農民へ

・特にイギリスでは多くの独立自営農民が出現し，ヨーマンと呼ばれた

②黒死病（ペスト）の流行
▲14世紀の気候寒冷化が背景

・1340年代後半，ヨーロッパ人口の３分の１が死亡したとされる

➡労働人口が激減　➡**領主は農民の待遇を改善せざるをえなくなる**

➡農奴解放を促進

(2) 封建反動と農民一揆…領主が農民への支配を再強化　➡農民一揆(いっき)の勃発

①ジャックリーの乱（1358　フランス）…百年戦争中に勃発
▲ジャックとは，農民に対する蔑称

②ワット＝タイラーの乱（1381　イギリス）…百年戦争中に勃発
▲百年戦争の戦費を捻出するための課税が農民の負担となった

・**「アダムが耕しイヴが紡いだ時，誰が貴族であったか」**

…思想的指導者ジョン＝ボールが，荘園制を非難した言葉

3 教皇権の衰退

(1) フランス王フィリップ４世の政策…アナーニ事件，教皇のバビロン捕囚
▲→テーマ27

(2) 大シスマ（1378～1417）…ローマとアヴィニョンに教皇が分立
▲教会大分裂

(3) 宗教改革の先駆者

①ウィクリフ…英のオクスフォード大教授。聖書主義の立場から聖書を英訳
▲ローマ教皇の権威を否定し，教皇からのイギリスの独立を主張

②フス…ベーメンのプラハ大総長，ウィクリフの説を支持

(4) コンスタンツ公会議（1414～18）

・神聖ローマ皇帝ジギスムントが主宰し，大シスマを解消

・フスが火刑。すでに死去していたウィクリフにも異端宣告

➡フスを支持するベーメン民衆により，フス戦争が勃発
▲チェック人による民族運動という側面も

同業者の間で競争が激しくなれば，共倒れが怖いですもんね。

当時のヨーロッパの商業圏は，**①日用品を扱う北方の商業圏，②北方と地中海の接点となる内陸の商業圏，③東方貿易で入手したアジアの贅沢品を扱う地中海の商業圏，**が中核をなしました。都市が諸勢力に対抗し，共通の利益を求めて成立した都市同盟としては，**リューベック**を盟主とする**ハンザ同盟**と，**ミラノ**が参加したことで知られる**ロンバルディア同盟**を固めておきましょう。

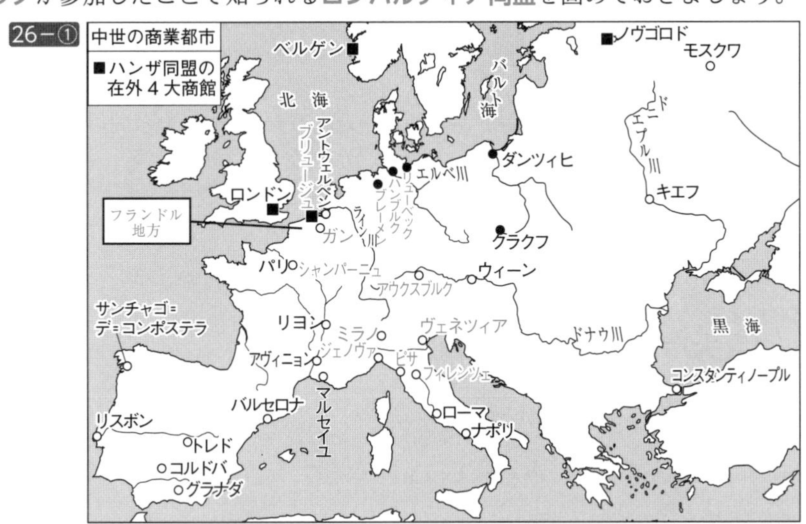

2 都市の**貨幣経済**は，農村にも波及してきます。領主は地代に占める賦役の割合を下げ，貨幣地代の割合を高めました。**農民の中には貨幣を蓄え，領主に解放金を支払って独立自営農民になる者も**。こんな中，アジアから伝染した**黒死病（ペスト）**が猛威を振るいました。多くの農民が死んだことで労働人口も減って人手不足に。これ以上働き手が減っては困る領主は，やむなく農民の待遇を改善。**黒死病にはとかくマイナスのイメージがありますが，運よく生き残った農民にはプラスに働いた**点に要注意ですよ。追い込まれた領主が再び締めつけを強化しますが（封建反動），農民の怒りが爆発して一揆が頻発します。

▲領主は賦役の生産性の低さにも気づきつつあった

モンゴル＝ネットワークを通じて伝播したとされる →テーマ11▲

▲14世紀に気候が寒冷化して凶作が続き，人々の栄養状態が悪化したことが背景

▲直営地の解体，結婚税・死亡税・領主裁判権などの撤廃・緩和

3 権勢を誇ったローマ教皇にも落日の日が（教皇が国王に屈するプロセスは，次講で確認を）。無二の存在である教皇がローマと**アヴィニョン**に並び立つ異常事態が**大シスマ**（教会大分裂）です。この頃にはローマ教会の権威に堂々と異を唱える**ウィクリフ**や**フス**も登場。1414年から開かれた**コンスタンツ公会議**で大シスマは解消し，フスは火刑に。一連のスキャンダルをなんとか火消ししましたが，ローマ教会の退潮の流れを食い止めるには至りませんでした。

テーマ27 中世ヨーロッパ諸国史

1 英仏王権の伸長と対立

イギリス（イングランド）	フランス（かつての西フランク王国）
	(1) **カペー朝**（987～1328） ①**カロリング家**断絶 ➡パリ伯**ユーグ＝カペー**（位987～996）が王に選出される ②しかし，当初はパリ周辺を領有するのみで**王権は弱体**
(1) **ノルマン朝**（1066～1154） ①**ウィリアム１世**（位1066～87） …ノルマン朝を創始 ②フランス諸侯であるノルマンディー公がイギリス王に即位した影響 ・**フランスに比べて王権の強い封建的主従関係が成立** ・フランスの文化・言語がイギリスに流入 (2) **プランタジネット朝**（1154～1399） ①**ヘンリ２世**（位1154～89） ・ノルマン朝の断絶　➡フランスの諸侯アンジュー伯アンリが即位 ・大陸にまたがる広大な領土を領有。大陸においてはフランス王の臣下	
②リチャード１世（位1189～99） ・**第３回十字軍**で**サラディン**と交戦 ③**ジョン王**（位1199～1216） ・フィリップ２世に敗北，大陸領の大半を喪失 ・教皇**インノケンティウス３世**に破門され屈服	③**フィリップ２世**（位1180～1223） ・**第３回十字軍**に参加したが，途中で帰国 ・**ジョン王**を破り，大陸のイギリス領を奪取 ・教皇**インノケンティウス３世**と対立したが，屈服
★**大憲章**（**マグナ＝カルタ**，1215） ・大陸領の奪回を狙うジョンが，戦費調達のために課税を試みる ➡大貴族（大諸侯）が反発 ・**王が課税する際，大貴族の集会の同意を得ることを確認**	

1 1066年，**ノルマンディー公ウィリアム**がイギリスへ上陸し，**ヘースティングズの戦い**でアングロ＝サクソン勢力を撃破，**ノルマン朝**を建てました。
（厳密には「イングランド」であるが，本書では慣例的に「イギリス」と表記▲）

ノルマンディー公って，確かフランス王の臣下でしたよね。

はい。この「**ノルマン＝コンクエスト**」によって「**フランスの諸侯がイギリス王になる**」というなんとも複雑な関係が生まれ，領土問題もこじれます。

フランス王 もはやお前は引っ越したんだから， ノルマンディーはフランス領だ
VS
イギリス王 ノルマンディーは我が王家の故郷であり，当然イギリス領だ

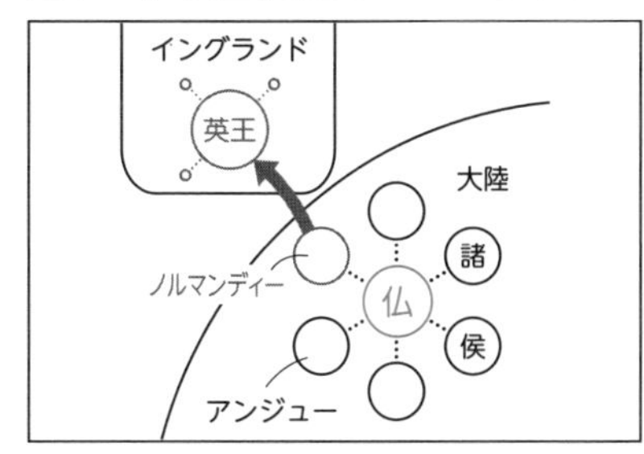

うーん，まさに水掛け論です。この対立は百年戦争まで続きます。

ノルマン朝が断絶して，新たに成立した**プランタジネット朝**。初代**ヘンリ2世**はなんと「アンジュー伯」，またもフランス諸侯でした。こういった経緯でイギリス王は大陸に広大な領土を領有しました。ヘンリ2世の子リチャード1世は，**第3回十字軍**で**サラディン**と戦いましたね（英仏独の君主は十字軍と関わる人が多いので，十字軍の復習が有効）。弟の**ジョン王**はフランスの**フィリップ2世**に敗れ，大陸領のほとんどを喪失。失地回復を図るジョン王は，諸侯に課税して戦費を調達しようとしました。これに貴族が猛反発します。
（▲アンジュー帝国）
（相続する大陸部の土地を持たず，「欠地王」とも呼ばれる▲）

ここで王と諸侯の関係を整理しておくと，ノルマンディー公は武力でイギリスを征服しましたから，もともと**王権は強大**でした。両者は「**全面戦争になれば，王は諸侯全員をつぶすことはできる。ただ王も大ケガを負ってタダではすまないから，できれば諸侯との衝突は避けたい**」という力関係でした。これを税に当てはめるならば，「**王は諸侯に課税することはできるが，貴族は納得できない課税に対しては拒否。全面対決を避けたい王は貴族の要求も尊重**」といえるんですね。そこで，ジョン王と大諸侯（大貴族）の間で課税について議論することに。これが**大憲章**（マグナ＝カルタ）です。ジョンには「ヘタレ」のイメージがつきまといますが，大憲章の前提はあくまで「王は強い」であり，これを大貴族たちが抑制しようとしているんですよ。王の専制を抑止し，貴族の諸特権を確認したという点で，**イギリス立憲政治の起源**と位置づけられています。
（貴族は，無条件に王に服従するほど弱くはない▲）
（▲不輸不入権を無視して課税）
（もし貴族の方が強いならば，課税を拒否すればいいだけのこと▲）

大憲章以降は簡単です。ヘンリ3世は大憲章を無視したために貴族からお灸（きゅう）を据えられた，と考えればいいでしょう。彼の治世に開かれた議会には，州の

・**イギリス立憲政治の基礎となる** ④ヘンリ3世（位1216～72） ・ジョンの子。大憲章を無視し課税 ・フランス系貴族シモン＝ド＝モンフォールが反乱 ★**シモン＝ド＝モンフォール**の議会（1265） ・大貴族・高位聖職者の集会に州の騎士と都市の代表が加わった ・**イギリス議会の起源** ⑤**エドワード1世**（位1272～1307） ★**模範議会**を開く（1295）	④**ルイ9世**（聖王　位1226～70） ・第6回・第7回十字軍を指揮するが，遠征途上に病死 ・モンゴルに**ルブルック**を派遣 ・**アルビジョワ十字軍**…**アルビジョワ派**を根絶し南フランスに王領地を拡大 ⑤**フィリップ4世**（位1285～1314） ・**聖職者課税問題**をめぐって，教皇**ボニファティウス8世**と対立 ➡全国**三部会**を召集し，諸侯らの支持を確認（1302） ・**アナーニ事件**（1303）…ローマ近郊で教皇を捕縛 ・**「教皇のバビロン捕囚」**（1309～77） …教皇庁が南仏の**アヴィニョン**に移転 ・テンプル騎士団を壊滅させ，財産を没収 ・**全国三部会**…聖職者・貴族（諸侯）・市民からなる身分制議会。王による課税の承認などを行った
⑥**エドワード3世**（位1327～77） ★二院制を確立（1341） ・上院（貴族院。貴族と聖職者の代表） ・下院（庶民院。各州の騎士と各都市の代表）	(2)　**ヴァロワ朝**（1328～1589） ①カペー朝の断絶をうけ，フィリップ6世が即位

2 百年戦争（1339～1453）

(1)　背景

①領土対立
- ・**フランドル地方**…毛織物業で繁栄（▲イギリスにとって羊毛の輸出先）
- ・ギエンヌ（ギュイエンヌ）地方…ぶどう酒が特産（▲当時はイギリス領）

②**フランス王位継承問題**…英王**エドワード3世**（▲母が仏王フィリップ4世の娘）が，フランス王位の継承を主張

(2)　経過

①初期…イギリスが優勢（エドワード黒太子（▲エドワード3世の子）の活躍）

騎士代表と都市の市民代表も参加し，**エドワード１世**はこれを踏襲・整備して**模範議会**が成立しました。**エドワード３世**の時代には二院制が確立します。

三分されたフランク王国のうち，西フランク王国ではカロリング朝断絶をうけて987年に**ユーグ＝カペー**（▲→テーマ22）が即位。ただ，**カペー朝**の領地はパリとその周辺のみで，**王より広い領地を誇る諸侯がいくつも存在しました。**ここからフランスはコツコツと王権を強化していきます。前述の通り，**フィリップ２世**はジョン王を破ってイギリスの大陸領を奪い，王領に組み込みました。しかし教皇**インノケンティウス３世**には歯が立たず，屈服させられます（ジョン王も（カンタベリ大司教の任免をめぐって教皇と対立▲））。「聖王」（敬虔なカトリックであったことにちなむ▼）**ルイ９世**は，南フランスの**アルビジョワ派**（▲→カタリ派，テーマ25）を討伐，南仏を手中に収めました。彼が死んで一連の十字軍遠征は終了しますが，ということは前講で触れたように諸侯は没落し，商人の支援をうけて王は強大化していくわけです。王権強化の結果，ついに教皇に全面抗争を仕掛けたのが**フィリップ４世**。

今まで歯が立たなかった教皇に，なぜ勝てるようになるんでしょう。

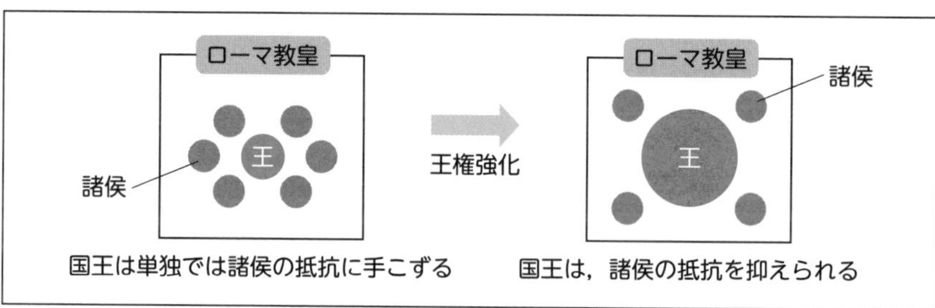

従来のフランスが地方分権で，王の力が強くはなかった点は，もう大丈夫ですね。諸侯が王の前で家臣として跪(ひざまず)くのも，自分の領地を保障してもらうためのビジネス上の「手段」なんです。国王のことを快く思わない諸侯なんていくらでもいる。**王は国内を安定して支配するため，ローマ教会による権威づけを必要としました。**大聖堂でエライ聖職者から仰々(ぎょうぎょう)しく王冠を授かり，「神が認めた正統な王」というお墨付きをもらい，諸侯はこれを尊重する，という図式です（上図の左）。この状況で教皇と王がケンカすると，教皇は伝家の宝刀「破門」（▲信徒を教会から除外すること。社会的抹殺を意味し，教皇側の最大の武器）を行使。王にとって何が困るのか。「キリスト教徒失格を宣告された奴に王の資格なし！」と**諸侯がここぞとばかりに王を追い落としにかかる。**諸侯たちをねじ伏せる力を持たない王は，自力で事態を収拾できず，教皇に頭を下げるしかない……。これが皇帝（▲ハインリヒ４世）や国王（▼ジョン王，フィリップ２世）が教皇に屈してきた構図です。

しかし**王権が強化されると，王は自力で諸侯を抑え込める**ように（上図の右）。14世紀初頭，フィリップ４世はローマ教会の息がかかっていたフランス各地

・クレシーの戦い（1346）…長弓隊が活躍し，イギリス軍が勝利
・**黒死病**の流行（1340年代後半）
▲ペスト
・**ジャックリーの乱**（1358），**ワット＝タイラーの乱**（1381）**➡テーマ26**

②15世紀…イギリスはフランスの親イギリス諸侯と提携 ➡圧倒的優勢に
▲ブルゴーニュ公など
・フランス農民の娘**ジャンヌ＝ダルク**が**オルレアン**を解放（1429）
▲ジャンヌはイギリス軍に捕らえられ火刑
・フランス王**シャルル７世**が敗勢を挽回し勝利（1453）
・イギリスは**カレー**を除いて大陸領を失う

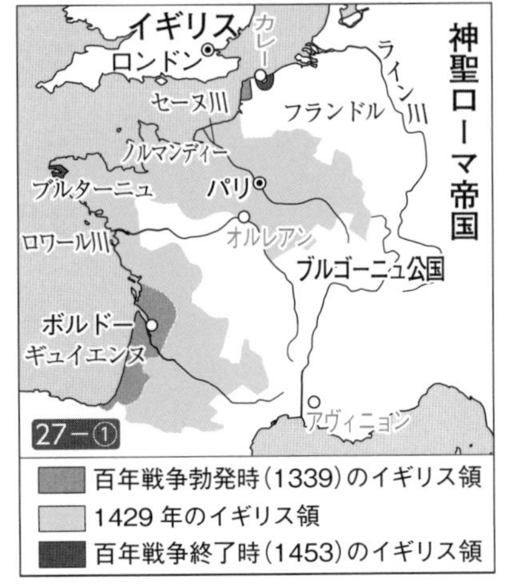

3 戦後の英仏の状況

(1) 戦後のイギリス…**バラ戦争**（1455～85）

①**ランカスター家**と**ヨーク家**が王位継承で対立，抗争
▲赤バラ ▲白バラ

②結果…テューダー家の**ヘンリ７世**が内乱を収拾 ➡**テューダー朝**を創始
▲ランカスター系

③影響…バラ戦争中に諸侯・騎士が相互に抗争し，没落 ➡王権強化

※星室庁裁判所…国王に直属する特別裁判所。王権に抵抗する者を裁いた
▲近年は，ヘンリ７世を継いだヘンリ８世の治世に整備された説が有力

(2) 戦後のフランス…百年戦争の戦場となり国土が荒廃し，諸侯が没落

①**シャルル７世**（位1422～61）…財政改革や常備軍の創設など，王権を拡大
▲富商ジャック＝クール

②シャルル８世（位1483～98）…神聖ローマ皇帝と対立 ➡イタリア戦争へ

4 ドイツ（神聖ローマ帝国）
▲東フランク王国

(1) **イタリア政策**

①歴代の皇帝はローマ帝国復興を目指して，さかんにイタリアに遠征・干渉
➡皇帝は国内で帝権強化を進めず，諸侯（領邦）が自立。地方分権化が進行

(2) 叙任権闘争…皇帝権は後退
▲→テーマ25

(3) **大空位時代**（1256～73）

①背景…イタリア政策によって300以上の諸侯が分立

②**シュタウフェン朝**断絶（1254） ➡事実上の無皇帝時代へ
▲ドイツ以外の貴族を名目的な皇帝に擁立

(4) **金印勅書**（1356）

の教会を支配下に収めようとしました。従来ならローマへ送られていた税を王の懐（ふところ）へ入れようという魂胆（こんたん）です（**聖職者課税問題**）。**フィリップ４世**が**全国三部会**を開催したのは，教皇とケンカするにあたって国民，とくに**諸侯（貴族）の支持を確認するため**でした。教皇**ボニファティウス８世**はフィリップ４世を破門しますが，国内をまとめたフィリップ４世は，ボニファティウス８世を捕縛＆監禁（**アナーニ事件**）！　アナーニ事件の後，ローマ教皇庁は南フランスの**アヴィニヨン**に移転しました。これはフィリップ４世が移転させたというより，当時の教皇がフランス出身で，政情不安なローマを離れたかったというのが実情です。ただ，教皇が本来の座所から離れたインパクトは大きく，**「教皇のバビロン捕囚」**という刺激的な呼称が後世に用いられたんですね。その後はローマとアヴィニョンに教皇が並立し（**教会大分裂**），混迷は続きます。

中世の身分制議会は諸身分の代表からなり王の課税に対する承認権を持った▼
イギリスとの領土争いに必要な戦費を，課税でまかなおうとした▲
▲ボニファティウス８世は救出されたものの，その後に憤死
「元祖」バビロン捕囚については　→テーマ２▲
ペトラルカがアヴィニヨンを「西方のバビロン」と呼んだのがきっかけ▲
▲→テーマ26

強大な教皇権というのは，あくまで王と諸侯の均衡を前提としていたんですね。王権が強くなれば，相対的に教皇権は弱体化する，と。

2　こうして強大化したフランス王権が，**百年戦争**でイギリス王権と全面衝突します。原因は，先ほど述べた領土対立に加えて，**フランス王位継承問題**でした。フランスでは**ヴァロワ朝**がカペー朝を継ぐのですが，これに英王**エドワード３世**（彼の母は仏王フィリップ４世の娘。政略結婚でイギリス王室に嫁いでいました）が「私はフランス王の孫である。カペー朝は断絶していない！」と主張して，フランス王位も求めたのです。これを突っぱねたフランスに対してエドワード３世が宣戦し，戦争の火ぶたが切って落とされました。

▲カペー朝

序盤はエドワード黒太子が率いる長弓隊の活躍もあってイギリスが優勢でしたが，**黒死病（ペスト）**の流行で一時休戦。15世紀初頭にはフランスの大諸侯がイギリス側についたこともあり，イギリスが大陸に広く侵攻して圧倒的優勢に。この危機を救ったのが農民の娘**ジャンヌ＝ダルク**です。フランスの最後の砦（とりで）**オルレアン**を包囲していたイギリス軍を突破し，ここから反転攻勢へ（ジャンヌはイギリスに捕らえられ，火刑に処されてしまいますが…）。王太子シャルルはランス大聖堂で晴れて**シャルル７世**として戴冠し，大諸侯とも和解。1453年にイギリス軍を大陸から駆逐し，フランスの勝利に終わりました。

▼彼女の名声を恐れていたシャルル７世は，身代金支払いを拒否
東ローマ帝国が滅亡した年でもあり，中世が終わる節目の年といえる▲

3　百年戦争の戦禍で多くのフランス諸侯が没落し，王権は強化されました。イギリスでも戦後に起こった**バラ戦争**で諸侯が互いにつぶし合ったことが，王権強化につながりました。**百年戦争を経て，英仏の領土問題はほぼ清算されて領域が確定し，王を頂点とする統一国家の原型ができあがった**といえるでしょう。

▲両派の紋章が赤バラと白バラであったとする後世の想像から，こう呼ばれる

4　続いてドイツ。**テーマ25**で紹介した叙任権闘争で見たように，神聖ローマ

①皇帝**カール４世**が発布

②聖俗の**七選帝侯**による皇帝選挙制を規定し，教皇などの対外勢力を排除
▲ベーメン王・ブランデンブルク辺境伯・ザクセン公・ファルツ伯・マインツ大司教・トリーア大司教・ケルン大司教

③影響…選帝侯の特権が法的に承認され，帝国はさらに分権化

➡領邦や帝国都市を緩やかに統合する体制へ

(5)　**ハプスブルク家**による帝位世襲が始まる（1438）

5 イタリア

(1)　**カロリング朝**断絶（875）➡国内は分裂

(2)　神聖ローマ皇帝のイタリア政策…皇帝派と教皇派が対立

皇帝党（ギベリン）	VS	教皇党（ゲルフ）
神聖ローマ皇帝を支持した派		ローマ教皇と結んで皇帝に対抗

(3)　北イタリア…ミラノ，ヴェネツィア，フィレンツェなど都市共和国が分立

(4)　両シチリア王国…南イタリア（ナポリ）とシチリア島を支配
▲→テーマ23

6 北欧３国の成立
▲おおむね10世紀以降にキリスト教を受容

①先住地で**デンマーク王国**，**スウェーデン王国**，**ノルウェー王国**が成立

②**カルマル同盟**（1397）…デンマークの**マルグレーテ**を盟主とする同君連合
▲ハンザ同盟に対抗して成立

7 イベリア半島

(1)　イベリア半島のキリスト教国

①**カスティリャ王国**，**アラゴン王国**…それぞれ11世紀に成立

②**ポルトガル王国**…12世紀にカスティリャ王国から自立

(2)　**レコンキスタ**…キリスト教徒がイベリア半島からイスラーム教徒を追放
▲国土回復運動，再征服運動

※**サンチャゴ＝デ＝コンポステーラ**

…イベリア半島西北部の聖地
聖ヤコブの墓があるとされる▲

(3)　スペインの成立とレコンキスタ完成

①**スペイン王国**の成立（1479）

・カスティリャの**イサベル**とアラゴンの**フェルナンド**が結婚　➡統合
▲1469年

②レコンキスタの完成（1492）

・スペインが**ナスル朝**の都**グラナダ**を陥落させる

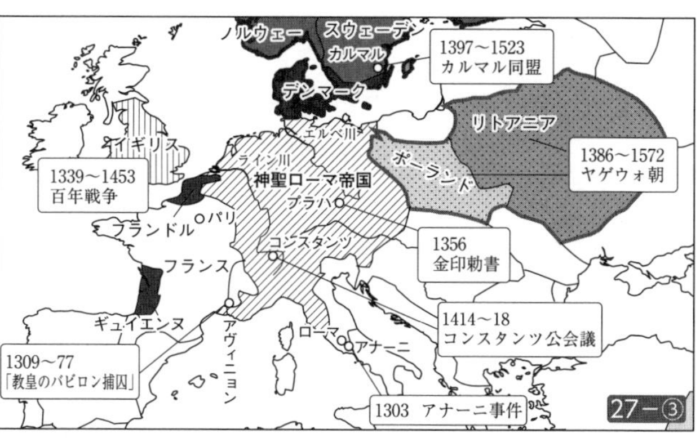

皇帝（ドイツ王）はローマ教皇に対し優位に立とうと考え，**イタリア制圧を目指して遠征を繰り返しました** ▲イタリアへ向かうにはアルプス山脈を越える必要があり，年月を要した （「ローマ皇帝」なんだからローマを支配して当然，という心情もあります）。これが**イタリア政策**で，皇帝不在の間にドイツの諸侯は羽を伸ばして自立。 ▲カノッサの屈辱の際も皇帝に抵抗したことを思い出そう その数およそ300です！　13世紀半ばに**シュタウフェン朝**が断絶すると，後継選びは大混乱です。諸侯たちは考えました。「マトモな奴を皇帝に選ばない方が，俺達には好都合だぜ」と。皇帝とは名ばかりの外国貴族が即位する**大空位時代**です。その100年後に**カール４世**が**金印勅書**を発して，**七選帝侯**の選挙によって皇帝を選出することを規定し，皇帝決定のプロセスを明確化。 ▲従来はローマ教皇など外部勢力も皇帝選出に関与 安定して皇帝を選べるようになった一方で，皇帝を選べる選帝侯は絶大な力を握ります。 選帝侯は，皇帝選出権以外にも様々な特権を認められた▲ 彼らに睨（にら）まれたら皇帝になれないのですからね。このように，**王権が国土を束ねていったイギリスやフランスとは異なり，ドイツでは諸侯が分立する状況が続く**ことをしっかり押さえておきましょう。15世紀の半ばから，辺境の**オーストリア**を拠点とし，お世辞にも大貴族とはいえなかった**ハプスブルク家**が帝位を世襲するようになりました。 ハプスブルク家は自領邦の経営に専念し，領邦や帝国都市を緩やかに統合▲ 100年後にはヨーロッパ国際情勢の主役に躍り出ますが，それはまたの機会に。 ▲→テーマ30

神聖ローマ皇帝によるイタリア政策の方は成功したんですか？

5　残念，失敗です。教皇を支持する**ゲルフ**は手強く，都市勢力にも苦しめられました。皇帝によるイタリア支配は叶（かな）わず，本拠地のドイツでも諸侯が自立する事態になり，結果的にほとんど得るものはありませんでした。一方のイタリア国内も統一されることなく，政治的分裂が続きます。

7　イベリア半島では，11～12世紀に**カスティリャ王国**・**アラゴン王国**・**ポルトガル王国**などのキリスト教国が勃興し，イスラーム教徒に対抗しました。**イサベル**と**フェルナンド**が結婚してスペイン王国が成立した後，1492年に**ナスル朝**の都**グラナダ**を攻略。イスラーム教徒をイベリア半島から一掃して**レコンキスタ**が完成しました。これは，**テーマ19**の裏返しですね。

テーマ 28

ヨーロッパ人の海洋進出「大航海時代」(「大交易時代」)

1 背景

(1) **国土回復運動**(レコンキスタ)の進展…スペイン，ポルトガルでは宗教・領土的情熱が高揚
(2) **香辛料**需要の高まり ➡ (従来の香辛料入手ルートであった地中海ではオスマン帝国が勢力拡大していたこともあり)，アジアで直接入手を目指した
(3) 東方世界への関心…**マルコ＝ポーロ**の**『世界の記述』**から情報を得る
(4) 航海術の発展…**羅針盤**・新型帆船・海図・天文学など

2 ポルトガルのアジアでの活動

(1) アジア航路開拓と交易

1415 アフリカ西北岸のセウタを攻略 ➡航海王子**エンリケ**が探検を奨励
1488 **バルトロメウ＝ディアス**…アフリカ南端の**喜望峰**(きぼうほう)に到達
▲国王ジョアン２世の命で航海
1498 **ヴァスコ＝ダ＝ガマ**…インド西岸の**カリカット**に到達
1510 インドの**ゴア**を占領，総督府を設置
1511 東南アジアの**マラッカ（ムラカ）王国**を征服
1512 香辛料の産地である**マルク（モルッカ，香料）諸島**に到達
▲特にクローヴとナツメグ
1515 **ホルムズ島**の制圧…イスラーム商人の貿易ルートを遮断するため
▲ペルシア湾の出入り口
1543 ポルトガル人が**種子島**(たねがしま)に来航。鉄砲を日本に伝えた
▲倭寇の頭目である王直の船に乗っていたとされる
1557 倭寇(わこう)を討伐し，明から**マカオ**（澳門）の居住権を獲得
16世紀後半 **平戸**(ひらど)，長崎において日本とも通商をひらく
▲日中の中継貿易に参入し，銀と生糸の交易で利益

(2) ポルトガルの衰退の一因…長い通商路はイスラーム＝ネットワークと競合

3 新大陸の探検と経営

(1) **コロンブス**（イタリアのジェノヴァ出身）
①**トスカネリ**の**地球球体説**を信じ，西回りのインド航路開拓を企図
②スペイン女王**イサベル**の援助をうけ航海 ➡**サンサルバドル島**に到達(1492)
※**カボット（父子）**…英王ヘンリ7世の援助で，北米沿岸を探検（15世紀末～）

(2) ポルトガルとスペインによる勢力分割
①植民地分界線（1493）…スペインとポルトガルの勢力境界線
▲教皇子午線

1 この時代に外洋へ漕(こ)ぎ出していく主役は，ポルトガルとスペインが支援した船乗りたちです。15世紀，**レコンキスタ**にひと区切りをつけたポルトガル人には，まだ「もっと領土を手に入れたい，キリスト教を広めたい」という情熱がたぎっていました。それが海外へ乗り出すエネルギー源になります。

貿易でお金儲(もう)けをしたい！　という動機もあったんですよね。

当時，イタリア商人が東南アジア産の**香辛料**を仲買人であるイスラーム商人から地中海で買いつけていました。その香りは食欲をそそり，さらに防腐作用もあったため，冷蔵技術が未発達な時代には高値で取り引きされていました。これをアジアへ直接仕入れに行こう！ということです（地中海東部ではオスマン帝国が伸長しており，東方貿易(レヴァント)が妨げられるのでは？という懸念もありました）。**マルコ＝ポーロ**らの記録も，アジアへの興味をかきたてましたよ。

▲胡椒，肉桂（シナモン），丁字（クローヴ），ナツメグなど
▲東方貿易　→テーマ26
▲→テーマ11

2 1488年には**バルトロメウ＝ディアス**がアフリカ南端の**喜望峰**に到達してインド洋へ。1498年には**ヴァスコ＝ダ＝ガマ**がインドの**カリカット**に至りました。16世紀前半には，インド西岸の**ゴア**に総督府を設置し，香辛料の一大産地**マルク（モルッカ，香料）諸島**にたどり着きます。さらに中国・日本にも来航して，日本にはキリスト教や鉄砲が伝わりましたね。ポルトガル商人は，香辛料などをヨーロッパへ運び大きな利益を得ましたが，これだけではありません。中国で**生糸**を仕入れて日本で売り**日本銀**をゲット。また中国へ向かい，日本銀で生糸を仕入れて日本で売りさばく，という「転売」を繰り返したことも「ドル箱」になりました（このような貿易を**中継貿易**といいます）。

▲主に自国以外の地を往来し，地域間の商品価格差で利益をあげる

こういった貿易に依存するポルトガルの手法ですが，16世紀いっぱいでかげりが見え始めます。その大きな要因はイスラーム商人との競合。イスラーム商人は，ポルトガル人がアジアへ来航する数百年前からインド洋に交易権を確立していました。ポルトガル人はアジアでは**「後から割り込んできた新参者」**にすぎず，交易路の維持に忙殺されたんです。ここで，ヴァスコ＝ダ＝ガマがマリンディからカリカットに至ったルートをp.170の地図で探してください。初めて通る航路のはずなのに，迷うことなくまっすぐカリカットに向かっている…。奇妙ですよね。実はこれ，**イスラーム教徒がガマ艦隊をカリカットまで案内**してるんです。ポルトガルが「新参者」であることを示す一例です。

▲1511年のマラッカ征服が対立の典型　→テーマ17
▲アフリカ東岸
▲イブン＝マージド

3 スペインが**グラナダ**を陥落させてレコンキスタを完了させたのは1492年。ポルトガルはすでに喜望峰を回ってインド洋へ進出しており，アジアへの競争には完全に出遅れ…。そんな折，ジェノヴァ出身の**コロンブス**は一発逆転のルート，「西回りでアジアへ到達するプラン」を売り込んで，女王**イサベル**の支

②**トルデシリャス条約**（1494）…植民地分界線を西へ移動
ポルトガルが植民地分界線に不満を持ったため▲
※**カブラル**…1500年に**ブラジル**に漂着したポルトガル人。ブラジルを，ポルトガル領と宣言

⑶ **アメリゴ＝ヴェスプッチ**（フィレンツェ出身）
①コロンブスが到達した大陸がアジアではない「新大陸」であることを確信
➡のちに新大陸は彼の名にちなんで「アメリカ」と呼ばれるようになった

⑷ **バルボア**…パナマ地峡を横断し，太平洋を「発見」（1513）
▲ヨーロッパ人として初めて

⑸ **コンキスタドール**（「征服者」）の活動

コルテス	ピサロ
アステカ王国を滅ぼし，メキシコを征服（1521）	**インカ帝国**を滅ぼし，ペルーを征服（1533）

⑹ 新大陸経営
①**ポトシ銀山**…1545年にボリビア南部で発見された，新大陸最大の銀山
②**エンコミエンダ制**…スペイン国王が植民者に対し，先住民（**インディオ**）をキリスト教化する代わりにインディオの使用を委託
➡インディオを酷使し，また**疫病の伝染**もあってインディオ人口は激減
➡代替労働力として，アフリカから**黒人奴隷**を輸入
※**ラス＝カサス**…インディオの酷使を批判したスペインの聖職者

4 世界周航とスペインのアジア経営

⑴ **マゼラン**（マガリャンイス，ポルトガル人）
①スペインに亡命し，スペイン王室の援助で世界周航に出航（1519）
▲国王カルロス１世
②南アメリカ大陸南端の水路（マゼラン海峡）を通過し，太平洋を横断
「おだやかな海」の意で，マゼランが命名▲
③**フィリピン**諸島に到達　➡現地勢力との戦いで，マゼランは戦死（1521）
➡部下が周航を達成（1522）

⑵ フィリピンに**マニラ**を建設（1571）…アジア植民地経営の拠点とした

⑶ **アカプルコ貿易**（ガレオン貿易）
①アカプルコからガレオン船で太平洋を横断し，マニラへ**メキシコ銀**を運ぶ
▲メキシコ西岸の港市
②メキシコ銀は中国商人がマニラに運んだ絹・陶磁器などと交換
※中国にはメキシコ銀だけでなく，石見（いわみ）銀山などで採掘された**日本銀**もポルトガル人によって流入
➡明代の中国で税を一括して銀納する**一条鞭法**（いちじょうべんぽう）が普及
▲→テーマ12

援を取りつけます。サンタ＝マリア号に乗ったコロンブスは，航海の末に到達した島を**サンサルバドル島**（▲西インド諸島北西部に位置するバハマ諸島）と命名，周辺の島々や大陸を探検しました。コロンブスは自分が降り立った地をインドと確信し，大陸は「インディアス」，先住民は「インディオ，インディアン」と呼ばれました。彼の航海をうけてスペインとポルトガル双方が大西洋海域に関心を高めて争いが激しくなったため，1494年に**トルデシリャス条約**（のちにブラジルがポルトガル領になったのもこれに基づく▲）が結ばれて両国の境界が設定されました。

インディアスの探検も続けられましたが，何か様子がおかしい。アジアにあるはずの香辛料は見当たらず，言語は聞き慣れないものばかり…。

コロンブスは，アメリカ大陸をインドと勘違いしてたんですよね。

はい，**アメリゴ＝ヴェスプッチ**はこの大陸を「未知の新大陸」と主張。この説が認められると，**彼の名にちなみ「アメリカ」という呼称が定着**しました。

4 このアメリカからさらに西航してアジアへ向かおうとしたのが，**スペイン王の支援をうけたポルトガル人マゼラン**（マガリャンイス）で，太平洋横断を果たして**フィリピン**に到達！　彼自身はフィリピンで戦死しますが，生き残った部下がスペインへ戻り（▲265人で出航し，生きて帰ったのはわずか18人），地球球体説が証明されました。

アメリカ大陸で，スペイン国王はインディオの使用を植民者たちに委ねました（▲エンコミエンダ制）が，その目に余る酷使に，**ラス＝カサス**などスペイン人からも告発者が出る始末でした。また**ヨーロッパ人が持ち込んだ伝染病に対する免疫を持たないインディオはバタバタと倒れ，人口は激減**してしまいます（いわゆるコロンブス交換の一例）。この時，代替の労働力としてアメリカに運ばれてきたのが，アフリカの黒人なんですね。このように白人・先住民・黒人（さらにはそれらの混血）という**アメリカ大陸の複雑な人種社会**が形成されていきます。

マゼランの航海をうけてスペイン領となった**フィリピンは，ポルトガルが優勢なアジアにおける唯一のスペイン領**となりました（▲太平洋方面まで見れば，グアム島やマリアナ諸島もスペイン領）。一方で**スペインが優勢なアメリカ大陸において，カブラルが上陸したブラジルは唯一のポルトガル領。**「例外的な事項」は入試では頻出なので，しっかり押さえておきましょう。

5 アメリカ大陸からヨーロッパへは様々な物産が運ばれましたが，16世紀に最大のインパクトを与えたモノは**銀**です（1545年，アメリカ最大級の**ポトシ銀山**が発見されました）。大量の銀がヨーロッパに流入したことで，ヨーロッパでは**銀（貨幣）の価値が下落**しました（今までなかなかお目にかかれないレアな存在だった銀が，どこにでもあるありふれたモノになってしまった，というイメージ）。貨幣価値の下落は，**物価の上昇**を意味します（これが**価格革命**）。

5 大航海時代のヨーロッパへの影響

▼＝貨幣価値は下落

(1) **価格革命**…新大陸からの大量の銀の流入をうけ，ヨーロッパで物価が騰貴

人口増加に伴う穀物価格の上昇も，物価上昇の一因とされる▲

影響…①ヨーロッパの商工業が活性化

②貨幣地代の額を固定していた封建領主層は，さらに没落

③フッガー家（アウクスブルク）などが没落

(2) **商業革命**…ヨーロッパの商工業の中心地，北イタリアから大西洋岸へ移動

①新たに繁栄した都市…**リスボン**，**アントウェルペン**（アントワープ）

▲ポルトガルの首都 ▲ネーデルラント南部

(3) 国際分業体制の確立

①大西洋岸の西欧…商工業が発達し，穀物需要が高まる

②エルベ川以東の東欧…領主は直営地を拡大し，農民に賦役を課して輸出用穀物を生産させた（**農場領主制〔グーツヘルシャフト〕**）。

▲従来は自給自足的な経済で，農民は比較的自由であった

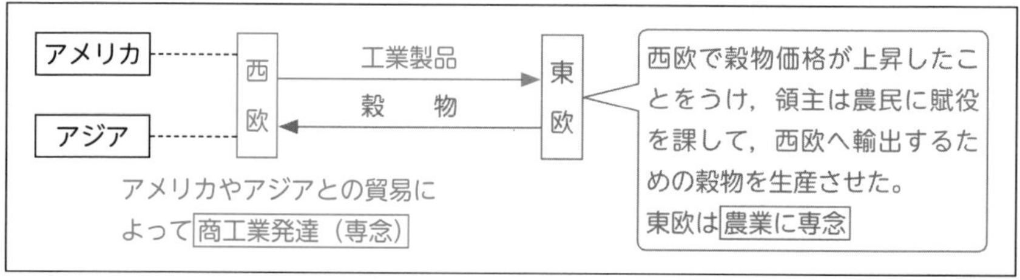

(4) 生活革命…新大陸原産の作物が，ヨーロッパ人の食生活を大きく変えた

※「**コロンブス交換**」…ヨーロッパ大陸とアメリカ大陸の間で起こった，動植物・伝染病・奴隷など多様なモノやヒトの交換・移動

▲→テーマ21

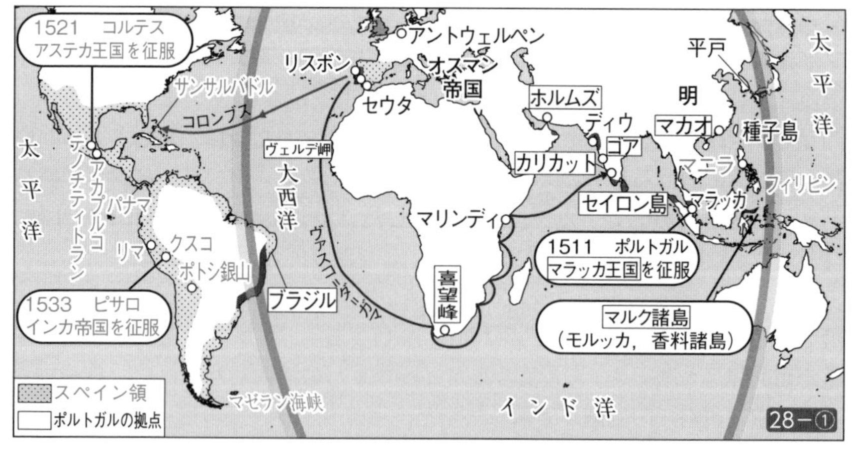

具体例で考えてみましょう。

A：パン１個＝100円 ──→ **B：パン１個＝200円**
（b：パン1／2個＝100円）

Aから**B**への変化は，一般に「**パンの値段（物価）が上がった**」と表現しますね。この「**B：パン１個＝200円**」という状況は「b：パン1／2個＝100円」と言い換えることができます。ここで，100円に注目。Aの時は100円渡せばパンを１個もらえたのに，bの時には100円渡してもパンは半分しかもらえなくなった。同じ金額のお金を渡した時，もらえるパンの量が減っているわけですから，A→bの変化は，貨幣の価値は下がったと表現できるわけです。**封建領主は，この貨幣価値下落（物価上昇）という時代の変化をつかめず地代の額を固定し続けた**ため，実質的な収入は目減りしてしまったんですね。

一方，メキシコで採掘された銀は，アカプルコから太平洋を横断してスペイン領の**マニラ**へ運ばれ，中国製品を購入する代金になりました。当時の東アジアは，明が海禁を緩和したことで「大交易時代」を迎えていました。空前の活況下で，メキシコ銀は上述した日本銀とともに中国へ流入して中国経済を潤し，また銀納の**一条鞭法**が普及する背景ともなりました。

（▲サカテカス銀山）（▲1567年　→テーマ12）

価格革命とならぶ，大航海時代がもたらしたヨーロッパへの影響が**商業革命**。当時のヨーロッパで経済の勝ち組になる条件は，**「香辛料など需要の高いアジア産の贅沢品を仕入れ，売りさばくこと」**でした。今までそのビジネスを手がけたのは，ヴェネツィアなどイタリア商人でしたね。しかし大西洋岸のポルトガルがアジア航路を開拓すると，アジアから直接香辛料を入手できるようになりました。安く仕入れることができて非常に大きなアドバンテージです。さらにアメリカ大陸という「ドル箱」が，銀の採掘・プランテーション経営・種々の貿易でヨーロッパに巨利をもたらしました。新大陸へ行きやすかったのは，大西洋岸の都市・国家なわけで，このように，アジア・アメリカへ直接赴くことができる大西洋岸の西ヨーロッパが，北イタリアに代わる「勝ち組」になったわけです。**商工業が発展した西ヨーロッパでは穀物が不足し，東欧が西欧への穀物供給地**となりました（左ページの図参照）。やがて「西欧は商工業に専念して，東欧は農業に専念する」という**国際分業体制**が確立。この流れが「英仏などの西欧は商工業が発展した先進国で，東欧は概して後進国」という現代世界のあり方につながっていくんですね。

（▲スペイン，イギリス，フランス，オランダなど）

テーマ
29 宗教改革

★ドイツとイギリスにおける宗教改革の比較

ドイツ
諸侯の勢力が強く，国内は分裂。反皇帝派の諸侯がルター派を受容

イギリス
国王が国内を政治的・宗教に統一

※**世俗の君主が領内の教会を支配する**，という理念は両国に共通

1 ルターの宗教改革

(1) 16世紀のドイツの状況…**帝権が弱体で領邦国家が分立**
➡ローマ教会による搾取の対象となり，「ローマの牝牛（めうし）」と呼ばれていた

(2) **贖宥状（しょくゆうじょう）**の販売
①ローマ教皇**レオ10世**（▲メディチ家出身）が，ローマの**サン＝ピエトロ大聖堂**の改築費を捻出するため，ドイツを中心に販売（▲販売にはアウクスブルクのフッガー家が協力）
②贖宥状…金銭で購入することで，罪の現世的処罰を免除する証書

(3) **マルティン＝ルター**（ヴィッテンベルク大学教授）の活動
①**九十五カ条の論題**の発表（1517）…贖宥状の販売に神学上の立場から反対
②**『キリスト者の自由』**の発表（1520）
・**信仰義認説**…人は善行・金銭によってではなく，信仰によってのみ神の愛を得て救われる，とする説
・**神の言葉である聖書の読解だけが信仰にいたる道**と主張（聖書第一主義）（▲ローマ＝カトリック教会の権威を否定）

(4) ルターと皇帝の対立
①ヴォルムス帝国議会（1521）…神聖ローマ皇帝**カール5世**（▲スペイン王としてはカルロス1世）がルターを召喚
➡ルターの法的保護を停止するが，ザクセン選帝侯フリードリヒが保護
②ルターはヴァルトブルク城内で**新約聖書をドイツ語訳**（1521～22）
※15世紀に**グーテンベルク**が改良した**印刷術（活版印刷）**（▲→テーマ78）によって，**書物の大量生産・低価格化が進み，聖書の普及に寄与**

(5) **ドイツ農民戦争**（1524～25）
①ルターに共鳴した**ミュンツァー**が農民を指導し，**農奴制**廃止などを要求
②ルターは当初，反乱軍に同情的であったが，農民の活動が社会改革を求めて急進化すると，**最終的には諸侯を支持** ➡ルターを支持する諸侯が増加

この講では，左ページの冒頭に宗教改革の結果を示してみました。まず宗派は無視して，○に注目。国王が国をまとめあげたイギリスには，ローマ＝カトリック教会はなかなか干渉できません。「イギリス（▲フランスも）国内の教会は国王が管理する。教皇は手を出すな！」という具合。これがイギリス宗教改革の背景です。

一方で，ドイツでは皇帝権が弱くて，諸侯が自立したんですよね。

1 そうですね。図の左側のような状況です。この分裂に乗じて，ローマ＝カトリック教会はドイツを恰好（かっこう）の搾取の対象にしていました（▲イタリア政策などの経緯はテーマ27で確認を）。16世紀前半，バチカンの**サン＝ピエトロ大聖堂**のリフォーム代を捻出しようとした教皇**レオ10世**は，「贖宥状を金銭で購入することは，教会への寄進に等しい。こうした善行によってあなたの罪は赦（ゆる）され，魂は天国へ導かれるのです」とドイツで**贖宥状**（本来は，十字軍参加者など教会に対し功績を残した者に与えられた▲）を販売。これに対し**ルター**が，「聖書は贖宥状について一言も言及していない！」と一石を投じたんです。これが思わぬ大反響を呼び，日頃から金まみれの聖職者に疑問を持っていた人々の心もつかんで，一躍ルターは有名人に。

ルターとカトリックの考え方の違いを端的に示すと，

聖典である聖書のみに依拠するルター	VS	キリスト教が1500年間積み上げてきた伝統や慣行も大切にするカトリック

という構図です。その伝統には清濁様々なモノ（教皇の至上権，聖職者階層制（ヒエラルキー），贖宥状，共通語となったラテン語など）があるわけですが，ルターはこれらを一刀両断。**ローマ＝カトリック教会の権威を否定**してしまったのです。

ローマ教会が黙っているはずもなく，ルターを破門。さらに皇帝**カール5世**（ローマ＝カトリック教会の保護者▲）（神聖ローマ皇帝はローマ教会の保護者ですから当然カトリック）は，自説を曲げないルターの法的保護を取り消しました。危機に陥ったルターを保護したのが，皇帝と対立していたザクセン選帝侯フリードリヒ（ドイツには反皇帝派の諸侯も多かった▲）。身の安全を確保したルターは，城にこもって**新約聖書のドイツ語訳**にいそしみました。聖職者しか読めないラテン語ではなくドイツ語の聖書を広めることによって，ローマ教会を介さずに信徒がダイレクトに聖書に触れられる環境を整えたわけです。

ここでルターに「援軍」が。農民たちがルターの思想に共鳴したんです。「聖書の世界には，聖職者も領主も存在しない。神の前で人間は平等なんだ！」と**農奴制**への不満をぶちまけました（**ドイツ農民戦争**）。ルターは当初は農民に同情的だったんですが，最終的には領主（諸侯）に一揆（いっき）の鎮圧を進言します。

(6)　カール５世とフランス・オスマン帝国の対立

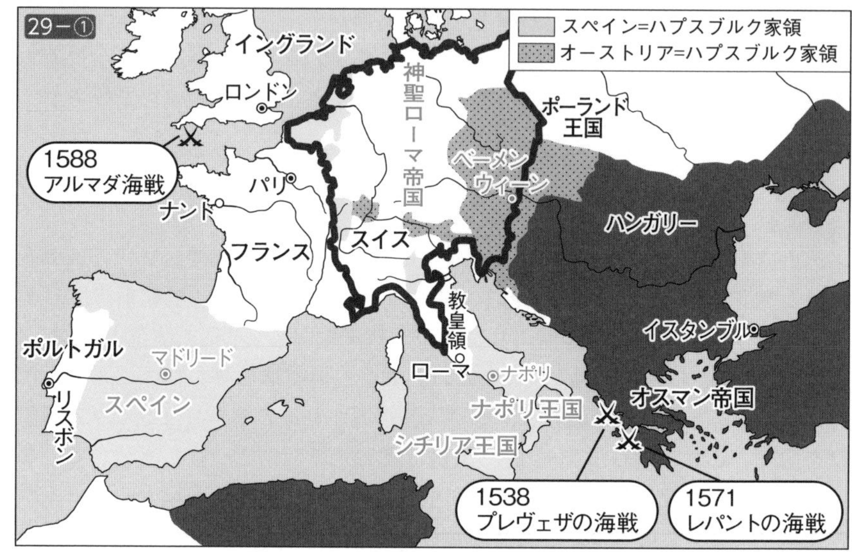

①オスマン帝国が，フランスと同盟して神聖ローマ帝国に進撃（1526）
▲スレイマン１世　→テーマ20　▲フランソワ１世　▲カール５世

②カール５世は，外敵に対抗するため諸侯の協力を得ようと，**ルター派を黙認**

③しかしカール５世は，戦況が優位になったことをうけ，**ルター派の弾圧を再開**（1529）
このあとに行われたオスマン帝国によるウィーン包囲は失敗▲

➡ルター派の諸侯は「抗議」。これが**プロテスタント**の語源となり，のちにカルヴァン派，イギリス国教会なども含む「新教」の総称となった
▲「抗議する人」
「新教」「旧教」という呼称は日本での俗称で，近年は使用されない傾向にある▲

(7)　ルター派の確立

①シュマルカルデン同盟（1530）…ルター派の諸侯が皇帝派に対抗

②シュマルカルデン戦争（1546～47）…ルター派　VS　皇帝派（勝利）
▲ルターは1546年に死去

③**アウクスブルクの和議**（1555）

・領邦君主にカトリックかルター派かの選択権（領邦教会制の確立）
▲世俗の領邦君主が領内の教会を支配

➡ドイツの政治的・宗教的分裂がさらに進んだ

・**カルヴァン派**や**個人の信仰の自由**は容認せず

2 スイスでの宗教改革

(1)　**ツヴィングリ**…**チューリヒ**で宗教改革を進めるが，旧教派との戦いで戦死

(2)　**カルヴァン**の改革…**ジュネーヴ**で推進（1540年代）
▲フランス出身

①『キリスト教綱要』をバーゼルで発表（1536）

②カルヴァンの**予定説**

農民はルターの思想を支持してくれているのに，なぜですか？

ルターは大学教授として，神学の面からキリスト教の教義を論じていました。ここは絶対に譲れない。一方で彼は，**神が創った「現世の」社会・身分秩序には不干渉**（▲言いかえれば，「どうすれば，人間の魂は死後に救済されるか」）の立場をとりました。ルターの思想を利用して社会変革を目指す農民たちには「きみたちは利己的に現世の（≒世俗の）利益だけを求めている。大切なことは，魂が救済されるかどうかだ。人は身分に関係なく聖書によって救済されるのだから，現状に文句を言う暇があるなら，家で聖書を読んでいなさい！」と批判的な目を向けたわけです。

国内が混沌とするドイツ（▲ルターが諸侯を支持したことで，ルターを支持する諸侯が増加）ですが，ここにフランス（**フランソワ１世**）と同盟を組んだオスマン帝国（**スレイマン１世**）軍が迫り，対外関係もテンテコ舞い（▲→テーマ20　p.129の図を参照）に。カール５世は諸侯の協力を得るため，**ルター派を一時黙認**するのですが，戦況が好転すると手のひらを返して**ルター派の弾圧を再開**しました。これにルター派が抗議（プロテスト）したことが「**プロテスタント**」の由来ですね。

その後，ドイツは皇帝派（カトリック）と反皇帝派（ルター派）に二分され，シュマルカルデン戦争にまで発展。ルターの死後も彼の信仰は守られ，カール５世はついに根負けして，**アウクスブルクの和議**でルター派を容認しました。とはいえ**諸侯が自領の宗派を選択し，領民個人には信仰の自由は認められなかった**ため，自分が望む宗派を信仰できない人も多く，不満はくすぶり続けました。

2　続いて，社会に与えた影響という点ではルター以上に重要な**カルヴァン**です。その肝は「**予定説**」。カトリックは「善行を積めば，罪は赦（ゆる）される」。ルターは「信仰すれば，罪は赦される」。カルヴァンは双方を否定します。「善行・信仰によって罪が赦されることはない。**救済は全能の神によって予（あらかじ）め決定されており**，人間ごときの力で運命を変えることはできぬ」。この考えを提示すると，「運命を変えようがないなら，善行もお祈りも意味ないじゃん」と言う人が当然出てきますが，カルヴァンはしっかりと生活・信仰の指針を示しました。「自分が救済されるかどうかは神のみぞ知る。でも『自分は救われる人間に違いない』と信じて，神が望む生活をせよ。具体的には，欲望に溺（おぼ）れることは（聖書にあるように）罪だから，**禁欲的な生活を送って勤勉に働き続ける**こと。そうすれば『自分は救われるに違いない』と確信できるだろう」と。

勤勉な労働を奨励するのは，「人間の職業も神が定めたモノ（天職）」という考えに基づきます（▲職業召命観）。ただここで，**働けば働くほどお金がたまっていくことが問題に**。カトリックでは「**蓄財**など欲の現れ。お金は貧しい人に施せ or 教会に寄進せよ」と説いており，蓄財は悪行になってしまいます。これに対しカルヴ

・魂の救済は人間の善行や意志に関わらず，神によって予(あらかじ)め決定されている

・信徒は神から与えられた職業に禁欲的にはげむべき，と主張

▲職業召命観

➡その結果としての**蓄財**を容認　➡**カルヴァン派は商工業者に普及**

カルヴァン派の呼称…**ピューリタン**（イングランド），**ユグノー**（フランス），ゴイセン（オランダ），プレスビテリアン（スコットランド） ▲清教徒

③政教一致の神権政治…厳しい宗教的規範を生活に取り入れた体制

④**長老主義**…信徒の代表である長老と牧師が教会を運営

▲カトリックのような階層的な教会制度を否定

3 イギリスの宗教改革

(1)　**ヘンリ８世**（位1509～47）

①妻キャサリンとの離婚問題で教皇と対立し，ローマ教会からの自立を図る

▲スペイン王女であった

②**首長法**（**国王至上法**，1534）…国王をイギリスの教会の首長と規定し，**ローマ＝カトリック教会の影響下から自立**

(2)　ヘンリ８世の子どもたち

▼ヘンリ８世の３番目の妻の子

①エドワード６世（位1547～53）

・一般祈禱(きとう)書（1549）…イギリス国教会の教義にカルヴァン派要素を取り入れる

②**メアリ１世**（位1553～58，「流血のメアリ」）

▲ヘンリ８世の最初の妻キャサリンの娘

・**カトリック**を復活させ，新教徒を弾圧。スペイン王**フェリペ２世**と結婚

▲結婚当時は王太子

③**エリザベス１世**（位1558～1603）

▲ヘンリ８世の２番目の妻アン＝ブーリンの娘

・**統一法**（1559）…イギリス国教の礼拝・祈禱を統一し，**国教会を確立**

▲第３回

4 カトリック改革（対抗宗教改革）

★プロテスタント（新教）に対する，カトリック（旧教）側の改革

実際は，ルター登場前からカトリックで改革の動きは始まっていた▲

(1)　**イエズス会**（ジェズイット教団）…カトリックの海外伝道に貢献

▲1534年に結成，1540年に教皇が認可

①設立者…スペイン出身の**イグナティウス＝ロヨラ**ら

②**フランシスコ＝ザビエル**…インドで布教後，日本に上陸・布教（1549）

▲中国で没した

(2)　**トリエント公会議**（1545～63）

▲当初は新旧両派の調停の場であったが，ルター派はほとんど参加せず

①ローマ教皇の至上権を確認。一方で，聖職者の世俗化の防止を図る

②**宗教裁判**（異端審問）の励行…**魔女狩り**が隆盛

③**禁書目録**の作成…反カトリック的書物を厳しく禁じた

(3)　カトリック改革の成果例…南ドイツはカトリック圏にとどまった

ァンは，「**職業に励んで稼いだお金は天職に励んだ証であり，尊い**」と主張して**蓄財を容認**したんですね。職業による営利活動を肯定的にとらえた**カルヴァンの思想は広く商工業者に受け入れられました**。「カルヴァンの教義は，ヨーロッパ資本主義を発展させる原動力の一つとなった」と主張した学者が**マックス＝ヴェーバー**ですよ。
▲お金を使うために蓄えるのではなく，蓄財そのものが自己目的化
→テーマ81▲

3 次にイギリス。16世紀前半のイギリスは，国内を統一したとはいえスペインなどに比べれば植民地を持たない弱小国。**テューダー朝**を建てた**ヘンリ７世**は，スペインとの結びつきを確保しようと，息子の嫁としてスペイン王女キャサリンを迎えました。即位した**ヘンリ８世**ですが，キャサリンとの間に男児が生まれないことに不満を持ち，侍女アン＝ブーリンを愛人として身ごもらせてしまいます。彼はキャサリンとの離婚を望みますが，ローマ教会が認めませんでした。ローマ教会の保護者は神聖ローマ皇帝ですね。**テーマ30**の系図にあるように，当時ハプスブルク家の皇帝**カール５世**はスペイン王**カルロス１世**も掛け持ちし，フランスを挟み撃ちする体制を敷いていました。そして，イギリス王ヘンリ８世の妻キャサリンは，カール５世の叔母なんです。
当初はヘンリ８世の兄と結婚したが，兄が死去していた▼
▲のちのヘンリ８世
▲母の妹

そうか。二人の結婚は，フランスを包囲するピースの一つなんですね。

それを見抜ければ鋭い。ローマ教会が二人の離婚に反対したウラには，カール５世の意向も働いていた，とされます。

ヘンリ８世はローマ教会と手を切って新宗派を旗揚げする！という荒業（あらわざ）で離婚を成立させました。これが，**国王至上法（首長法）**を発して**イギリス国教会**が成立した，ということです。この背景には，冒頭で説明した「**国王がローマ教会の影響下から自立したい**」という意図もありました。国教会の長となったヘンリ８世は，**没収した修道院領をジェントリ（郷紳）層に安く払い下げて彼らを掌握**。ジェントリはイギリス絶対王政の支持基盤になっていきます。
▲→テーマ30

ヘンリ８世はその後も離婚と結婚を繰り返し，３番目の妃（きさき）との間に待望の男児が誕生。これがエドワード６世ですが病弱で16歳にして死去します。続いて最初の妃キャサリンとの間に生まれていた**メアリ１世**が即位。彼女は両親の離婚時に一般庶民に落とされていたため，父への怒りは相当だったようで，**カトリックを復活させて新教徒を徹底して弾圧**しました。そのメアリを継いだのが，２番目の妃アン＝ブーリンの子**エリザベス１世**です。異母姉メアリからすれば，「父を奪った不倫相手の子」ですから，憎まれてロンドン塔に閉じ込められていました。離婚のゴタゴタの際に生まれた彼女は当然国教徒なので，1559年に**統一法**を制定。こういった紆余曲折（うよきょくせつ）の末，国教会が定着しました。
▲年齢に関係なく，男性の方が王位継承順位は上
▲テーマ30の系図で確認を

第4章 近世のヨーロッパ（～市民革命）

重要テーマ

3 主権国家と絶対王政

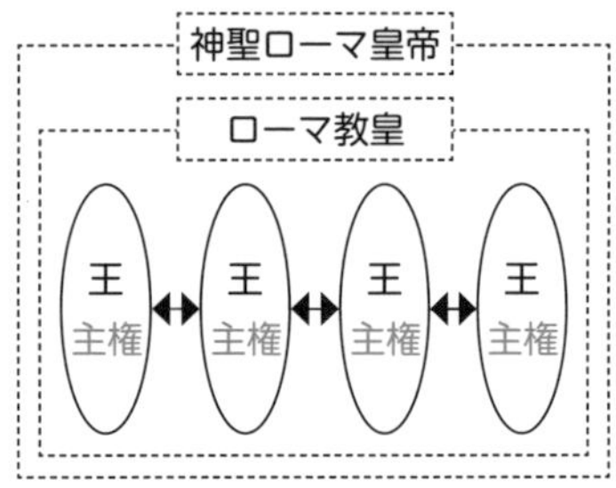

中世には，西ヨーロッパ全体を覆う２つの権力がありました。神聖ローマ**皇帝権**とローマ**教皇権**です。皇帝権が西欧を包含する理念は早期に形骸化してしまいますが，教皇権は普遍的権威を持ち続けます。中世末期，王権強化を進めた国王は国内を掌握。目の上のタンコブだったローマ教皇の影響力を排除しよう（▲アナーニ事件が典型）と動きますが，トラブルのたびにいちいち戦うのも面倒な話。そこで「王が最も偉い。何人（なんぴと）も私に逆らうことはできぬ」というルールを作ってしまった。それが**主権**（Sovereignty）です。主権の概念はフランスのボダンによって，16世紀後半に定式化されました。

①主権とは，その領域内において行使される最高の権力

ありていに言ってしまえば「この世には主権という至高の権力が存在し，国王がそれを手にしている。だから誰もが王に従わねばならない」ということです。明確な領域（▲国土）を有し，主権者（▲主権を持つ者）によって主権が行使されている国家を**主権国家**といいます。

②主権の及ぶ領域内においては，領域外のいかなる権力の干渉も排除される

主権は最高の権力ですから，主権者は当然ながら部外者の言いなりになることもない。この状態がいわゆる「独立」。「国家が**独立している**」というのは政治主体が主権を有している，ということです。

③主権国家同士は，領土・国力などの規模に関わらず互いに対等な関係

複数の主権国家が存在する時，双方が主権を保持しているため，一方が他方の命令に従うことはありません。従って**主権国家同士の関係は必ず対等**です。

こういった主権国家が並立する政治体制が**主権国家体制**（▲1648年のウェストファリア条約において，完全に確立）です。この体制は，近世の**イタリア戦争**（▲1494～1559）で成立したといわれています。オーストリア・スペイン・ネーデルラント・ナポリ・シチリアなどを支配下に置いて神聖ローマ皇帝**カール５世**は，**西欧を統一し「ローマ帝国」を復興せんと試みました**（▲テーマ29の地図を参照）。これに対抗したのが，スペインと神聖ローマ帝国に挟まれたフランス。両者はイタリアで火花を散らす。これが**イタリア戦争**です。この時，フランスは大国オスマン帝国やイタリアの小国と同盟を組んで対抗（**国力に天と地ほどの差があっても，**

対等な同盟ですよ。宗教・宗派を越えて同盟を組んだ点にも注目です)。カール5世も対抗して，両陣営で同盟・裏切り・引き抜き・詐術(さじゅつ)が入り乱れました。こういった複雑な対外関係を処理するため，**外交官の常駐制度などの外交システムが整備された**んですね。結局カール5世はフランス打倒を果たせず，彼の死後にイタリア戦争は終戦。主権国家が並立する体制が固定化されました。
▲1559年のカトー＝カンブレジ条約

④「勢力均衡」の原則…主権国家を凌駕(りょうが)する政治主体の出現を防ぐ

主権国家体制においては，（最高の権力である主権をつぶすことはルール上できないので）既存の主権国家を廃し，ヨーロッパを統一するような行為は許されません。そこで，特定の国家が絶大な力を持たぬように，同盟・条約などで国家間の力の均衡を保とうとしました。

主権の概念が産声(うぶごえ)をあげた当初，主権を握っていたのは国王ですよね。この状況がいわゆる「**絶対王政**」です。国王は官僚を手足として，行政の網を地方にまで拡大。また，諸侯が馳(は)せ参じて兵力を提供してくれる中世は過ぎ去り，国王が自前で軍を用意する時代に。これが絶対王政の二大支柱，**官僚制**と**常備軍**です（なお，この時代に**火器の普及に伴って戦争が大規模化**し，ケタ違いの戦費がかかるようになったことも，国内の徴税システムの整備を促しました)。
▲共和政の国家は除く
▲実際は，国王は社団（中間団体）の特権を認めたうえで支配を確立　→【重要テーマ4】
▲「軍事革命」

以上を見てみると官僚の人件費やら軍事費やら，絶対王政にはやたらカネがかかることが分かります。国民からの税収も重要ですが，それだけではとてもまかないきれない。そこで，政府は国富の蓄積を図る**重商主義**を推進します。重商主義には，大まかに言って2種類の手法があります。
▲金・銀などの貴金属

①**重金主義**…海外植民地での鉱山開発などで，貴金属そのものを国内に蓄積
▲スペインが典型
②**貿易差額主義**…輸出を振興して（&輸入を抑え)，国富を増大させる
- 諸外国へ輸出できる商品を生産するため，**国内産業を保護・育成**
▲産業保護主義ともいう
- **植民地の獲得**…自国商品の市場，また需要の高い商品作物の生産地
- 国王は大商人に商業・貿易の独占権を与える代わりに，資金援助をうけた

②は要するに「**輸出＞輸入**」の状況を実現するための策で，英仏が推進したことで知られています。政府が「外国に売れる魅力的な製品・商品作物を作れ！　貿易を独占させてやるからアジアの商品をどんどん転売せよ！」と大商人や工場経営者の尻を叩(たた)いているわけですね。産業育成を支援してくれたり植民地獲得をリードしてくれる政府の存在は大商人にとってもありがたいわけで，この時代，**政府（国王）と大商人は相互依存の関係にあった**といえますね。
▲この典型が東インド会社

テーマ
30 絶対王政①

1 スペイン　～カルロス1世（位1516～56）

(1) スペイン絶対王政の特徴

①**カトリック**理念で統合　⬅イスラーム教徒に対抗した**レコンキスタ**

②新大陸から流入する**銀**を活用（重金主義）

▲1545年にポトシ銀山が発見された　→テーマ28

(2) 王位継承の経緯（**ハプスブルク**家）

①スペイン国王に即位…母方から継承し，**カルロス1世**として即位

・**プレヴェザの海戦**（1538）…オスマン帝国海軍に敗北

▲スレイマン1世時代

②神聖ローマ皇帝に即位（1519）

・選挙でフランスの**フランソワ1世**を破り，**カール5世**として即位

▲フッガー家の支援をうけた

・イタリア支配をめぐって，フランスと**イタリア戦争**を戦った（～1559）

・ドイツ国内ではルター派と対立・抗争

▲→テーマ29

③広大な領域を統治…オーストリア・スペイン・ネーデルラント・新大陸・ナポリ・シチリア島など

(3) ハプスブルク家の分離…神聖ローマ皇帝位は弟フェルディナント1世に，スペイン王位とネーデルラントは子の**フェリペ2世**に譲った

2 スペイン　～フェリペ2世（位1556～98）

(1) **カトリック**理念を基盤とした対外政策

①**カトー＝カンブレジ条約**（1559）…イタリア戦争を終結させた

②**オランダ独立戦争**（1568～1609or1648）…戦線は泥沼化

③**レパントの海戦**（1571）…スペインなどの連合艦隊がオスマン艦隊を撃破

④フィリピンの**マニラ**に都市を建設し拠点とする（1571）

⑤**ポルトガル**を併合（1580～1640）…**「太陽の沈まぬ国」**と称された

▲フェリペ2世の母はポルトガル王の娘だった

⑥イギリスとの関係

・**メアリ1世**と結婚。エリザベス1世にも結婚を申し込むが拒否される

▲結婚当時のフェリペ2世は王太子

・**アルマダ海戦**（1588）…**無敵艦隊（アルマダ）**がイギリス海軍に敗北

➡地中海の制海権を失う

(2) 衰退の要因…**流入する銀を宮廷費や戦費に費やし**，国内産業を育成せず

1 **【重要テーマ3】**をやっておくと，この講は楽に進められます。ローマ帝国の復活を企てた皇帝**カール5世**はスペイン王**カルロス1世**でもありました。

スペイン王と神聖ローマ皇帝を兼ねたいきさつを教えてください。

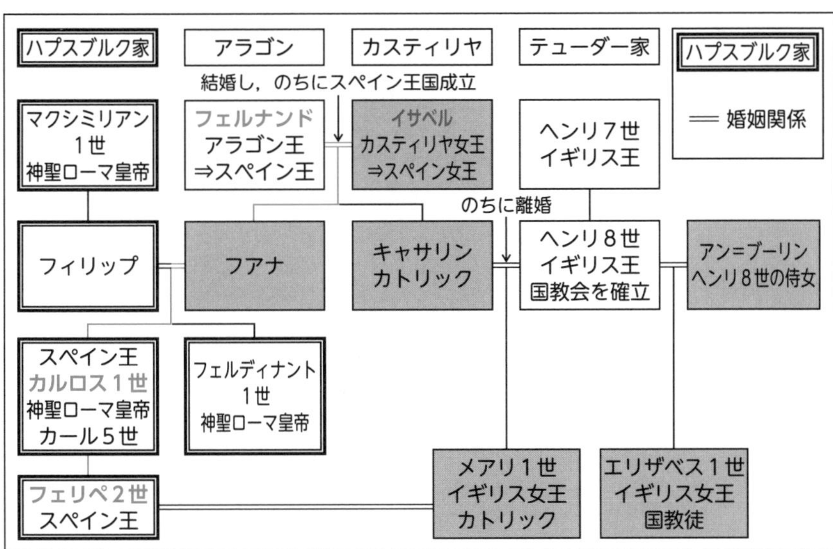

彼は母フアナがスペイン王女だったことからスペイン王位を，父方の祖父が神聖ローマ皇帝だったことから皇帝位を継ぎました（父フィリップは，祖父の在位中に事故死してしまった▲）（皇帝になる際，フランソワ1世との壮絶な選挙戦を制します）。またこの系図，スペイン王家とイギリスのテューダー家の関係がよく分かると思います。彼の治世に関しては，オスマン帝国，宗教改革の単元も見直しておいてくださいね。

しかし，西欧を統一する彼の夢は叶（かな）わず，ルター派との戦いにも疲れ果てて引退。モザイクのように分布するハプスブルク家領の統治は困難をきわめたため，弟に神聖ローマ皇帝位を，息子フェリペにスペイン王位を譲りました。

2 カルロス1世の治世中に発見された**ポトシ銀山**で採掘された**銀**はスペインを潤し，絶対王政の全盛を迎えた**フェリペ2世**の治世を支え，彼は当時としてはケタ外れの軍を作り上げます。父カルロス1世は**プレヴェザの海戦**でスレイマン1世時代のオスマン帝国に敗北を喫しましたが，**カトリック世界の守護者**（レコンキスタの伝統もあり，スペインはカトリック理念で固まっている▲）を自任するフェリペ2世は1571年の**レパントの海戦**でヨーロッパ連合艦隊が勝利し，父の雪辱を果たしました。この海軍が**無敵艦隊**（アルマダ）と呼ばれるようになっていきます。さらに母がポルトガル王女だったことから，1580年からは**ポルトガル王も兼ねて**ポルトガル植民地（▲アジア中心。テーマ28の地図で確認）を手中に収め，従来のスペイン植民地（▲アメリカ大陸中心）と合わ

3 オランダ独立戦争 (1568〜1609 or 48)

(1) **ネーデルラント**の変遷

①15世紀末に，婚姻政策によって神聖ローマ帝国領となる

▲自治を認められ，その収入はドイツの大きな財源であった

②カール５世引退の際，息子フェリペ２世に譲られスペイン領となった

北部７州（現オランダ）	南部10州（現ベルギー）
主にゲルマン系（ドイツ語系）	主にラテン系（フランス語系）
海運・貿易で繁栄	**毛織物**業（**フランドル**地方）で繁栄
カルヴァン派　「**ゴイセン**」	**カトリック**中心

(2) 原因…フェリペ２世の圧政（カトリック強制と，都市への重税）

(3) 経過

①**オラニエ公ウィレム**が指導して南北部が一体となって開戦（1568）

▲オレンジ公ウィリアム

②南部10州の脱落（1579）…スペインがカトリックの多い南部を懐柔

③**ユトレヒト同盟**（1579）…北部７州が結成，徹底抗戦を誓った

④**ネーデルラント連邦共和国**の独立宣言（1581）

⑤休戦条約（1609）…スペインがオランダの**独立を事実上承認**

⑥**ウェストファリア条約**（1648）…国際的に独立を承認された

4 イギリス

▼郷紳

(1) **ジェントリ**…貴族とヨーマンの間に位置する地主層。地域社会を代表

国王は統治のためにジェントリの協力を必要としたため，ジェントリが下院議員を務める議会を尊重。宗教改革も産業保護政策も，議会立法によって実現させた（▲大憲章の理念　→テーマ27）	協調	ジェントリは治安判事として，**無給で**地方行政を担当し（官僚の代わりを務め）絶対王政を支えた

(2) **第１次囲い込み（エンクロージャー）**

①イギリスからフランドル地方への羊毛・毛織物輸出が拡大

▲加工・仕上げされていない未完成品

②地主が共有であった農地を囲い込んで牧羊地に。失地農は困窮

(3) **エリザベス１世**（位1558〜1603）

①宗教政策…**統一法**（1559）を制定しイギリス国教会を確立

▲→テーマ29

②スペインとの対立

・フェリペ２世からの求婚を拒絶。「余は国家と結婚した」

・オランダ独立戦争中のオランダを支援…フェリペ２世との対立が背景

フェリペ２世は，エリザベス１世の廃位・暗殺を企てた▲

・私拿捕船（しだほせん）（私掠船（しりゃくせん））を使ってスペインの銀輸送船などを襲撃

▲国王から許可を得て，スペインに海賊行為を行った船

・**アルマダ海戦**（1588）…**無敵艦隊**を撃破（**ドレーク**などの活躍）

せて**「太陽の沈まぬ国」**となります。

3 フェリペ2世は父の代からの宿敵フランスを敵視していましたが，ふたを開けてみると彼が忙殺されたのは，フランスではなく新教国オランダとイギリスへの対応でした。オランダを含む**ネーデルラント**は，カルロス1世の祖父の代に神聖ローマ帝国領となっていました。ライン川河口域の北部は，**バルト海の穀物を西欧に運ぶ貿易で成長**。南部は**毛織物**産業で有名な**フランドル**地方ですね。自治を認められたネーデルラントは，ハプスブルク家の「ドル箱」的存在になります。カルロス1世は息子フェリペ2世にネーデルラントを相続させましたが，結果的にこれが大失敗…。スペインで生まれ育ったフェリペ2世は敬虔なカトリックですから，商業が盛んで**カルヴァン派**が浸透したネーデルラント北部に激怒し，自治権を剥奪して重税を課しました。これに反発したネーデルラントは独立戦争に打って出る。カトリックが多かった南部はスペインに懐柔されて戦争から離脱しますが，北部7州は戦いを継続して独立を宣言。ネーデルラントとは「低地」という意味で，水はけが悪く各地に堤防があります。オランダ人は自ら堤防を決壊させるなどして，スペインを消耗させました。

マクシミリアン1世の婚姻政策▲

▲このうちのホラント州が「オランダ」という通称の語源

▲泥沼も多く，スペインの大軍は移動・輸送に支障が生じた

4 そして，イギリスの**エリザベス1世**はオランダを支援しました。もともとイギリスは，以前から**毛織物の原料である羊毛をフランドル地方に輸出**していましたから，伝統的にネーデルラントとは友好的な関係にありました（大航海時代をうけて商工業が活性化すると，フランドルの毛織物業も大繁盛。羊毛需要の高まりをうけて，イギリスでは牧羊地確保のために**囲い込み**が行われました）。そしてエリザベスにプロポーズするもソデにされたフェリペ2世，イギリスにカトリックの王を擁立しようとエリザベスの廃位を画策！　エリザベスは離婚前のヘンリ8世や姉メアリ1世が行ってきたスペインとの友好政策に見切りをつけ，反スペインに舵を切ります。**独立戦争中のオランダを支援し，海賊と手を組んでスペインの銀輸送船を襲わせました。**

▲スコットランドのメアリ＝ステュアート

当時のイギリス，自前の海軍を持てないような貧乏国家だったとは意外です。超大国になるのはまだ先のことなんですね。

怒りが頂点に達したフェリペ2世はついに**無敵艦隊**（アルマダ）を投入しますが，戦場となったドーヴァー海峡は船の難所。小回りが利く船で，大砲を使ってヒットアンドアウェイ戦術をとるイギリス艦隊に翻弄され，スペインは敗退…。この後も銀輸送船団は脅かされ，スペインは衰退に向かいます。スペインがその繁栄を維持できなかった最大の要因は，**流入する銀を浪費・軍事費に費やし国内産業に投資しなかった**点にあるといわれています。

▲この主力も海賊船

▲貿易差額主義的な発想が乏しかった

テーマ31 絶対王政②

1 ユグノー戦争（1562~98）

▲「ユグノー」はフランスにおけるカルヴァン派の呼称

(1) フランス国内の対立

①政治面…王家と有力貴族（ギーズ公アンリなど）が対立

②宗教面…国民の大半・王家はカトリックだが，**商工業者にはカルヴァン派が普及**。一部の貴族も改宗し，王家・旧教貴族と対立

▲ブルボン家など

③国際面…フランスと対立するスペインなど（ハプスブルク家）が干渉

(2) 経過

①シャルル９世と母カトリーヌ＝ド＝メディシスが対ユグノー政策で迷走

②**サンバルテルミの虐殺**（1572）…カトリック側がユグノーを虐殺

③**ブルボン朝**の成立（1589）

・**ヴァロワ家**が断絶すると，ユグノー側の首領ナヴァル王アンリが**アンリ４世**として即位し，**カトリック**に改宗

④**ナントの王令**（1598）…ユグノーに個人の信仰を認めた

2 三十年戦争（1618~48）

(1) ドイツ国内の対立

①政治面…旧教諸侯（親皇帝派）と新教諸侯（反皇帝派）が対立

②宗教面…アウクスブルクの和議の不徹底

▲個人信仰の自由なし・カルヴァン派は除外

(2) 勃発…**ベーメン**におけるプロテスタント貴族の反乱

(3) 経過…ヨーロッパ各国が介入した**ヨーロッパ初の国際戦争**

▲傭兵が民間人に対して略奪や暴行を行った

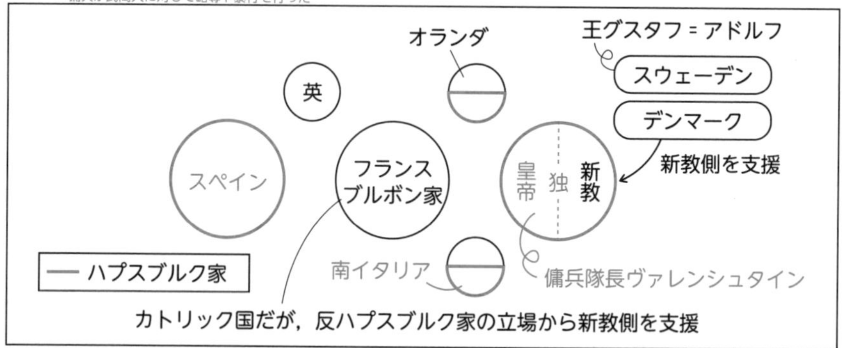

1 イタリア戦争の終結後も，ハプスブルク家はフランスに圧力をかけ続けますが，この時フェリペ２世に痛手を加えたのはオランダとイギリスでした。

なんかフランスの影が薄かったですね。どうしてでしょうか。

宗教内乱（**ユグノー戦争**，1562～98）に忙殺されていたんです。フランス国民の大半はカトリックですが，**商工業者にはカルヴァン派が浸透**していました。貴族同士の争いにも宗派が絡み，カトリックの大貴族ギーズ公に対抗する勢力はカルヴァン派を受容し，王家は**この抗争をうまく制御して国政をリードしてやろう**という魂胆でした。しかし両派の均衡をとろうとする国王シャルル９世と母カトリーヌ＝ド＝メディシスのやり方は，かえって火に油を注ぐ結果を招き，凄惨な内乱に…。サンバルテルミの虐殺では，数千人が犠牲になったといわれています。

（▲フェリペ２世の治世（1556～98）とほぼ一致する）（▲ブルボン家など）（▲ナヴァル王アンリとフランス王女の結婚式の際，カトリック側が襲撃）

そして戦争のさなか，**ヴァロワ家**が断絶すると，なんとユグノー派の首領ナヴァル王アンリに王位継承権が転がり込んできました。彼は**アンリ４世**として即位して**ブルボン朝**が開かれますが，当然，カトリックの国民はユグノーの国王など認めるはずがない。**スペインやローマ教皇も同意見で，軍事介入を試みます。**ここでアンリ４世は，「この国難を乗り切るためには，宗教対立よりも国家統一の方を優先させるべきだ」と決意し，**カトリック**に改宗。他方，彼は同胞だったユグノーを安心させるために**ナントの王令**を発して**個人の信仰の自由を保障**し，ようやく内乱に終止符が打たれました。

（▲アンリ３世が暗殺された）

2 ナントの王令から20年，今度はドイツが宗教戦争（**三十年戦争**）の渦中に。ドイツはルター派を受容した反皇帝派の諸侯と，カトリックの親皇帝派諸侯に二分され，対立がくすぶっていました。そんな折，**ベーメン**でカトリックを強制する王に対してプロテスタント貴族が蜂起。これが発火点となって，多くの国が参戦する国際戦争へと戦線は拡大していきました。皇帝率いるカトリック側には，ハプスブルク家のスペインが加勢。新教側には，**ルター派を受容**していた北欧の**スウェーデン**と**デンマーク**が参戦（建前は新教側の支援ですが，戦争に乗じて勢力拡大を狙ったのが本音）。皇帝側の傭兵隊長**ヴァレンシュタイン**とスウェーデン王**グスタフ＝アドルフ**は，三十年戦争を代表する好敵手です。両者の決戦ではスウェーデンが勝利するものの，グスタフ＝アドルフは戦死。ヴァレンシュタインの方は，皇帝に謀反（むほん）を疑われて暗殺されました。

（アウクスブルクの和議では個人の信仰の自由が認められなかった▲）（▲リュッツェンの戦い）

そして，三十年戦争の陣営について必ず問われるのがフランスの動向です。**宰相リシュリューの策で，フランスはカトリック国でありながら，反ハプスブルク家の立場から新教側で参戦しました**（宗教対立よりも，政治対立が優先さ

第４章 近世のヨーロッパ（～市民革命）

(4) 講和…**ウェストファリア条約**（1648）

①アウクスブルクの和議の確認。新たに**カルヴァン派**信仰を公認
▲個人の信仰の自由は依然として認められず

②**神聖ローマ帝国内の領邦君主（諸侯）にほぼ完全な主権を承認**

➡神聖ローマ帝国は事実上滅亡

③**スイス・オランダ**の独立を国際的に承認
▲15世紀末に事実上独立していた

④フランスが領土獲得…**アルザス**・ロレーヌ獲得
▲宰相マザラン　▲ロレーヌは一部

⑤スウェーデンが西ポンメルンを獲得

(5) 三十年戦争（ウェストファリア条約）の歴史的意義

①**ドイツの荒廃と分裂の決定化**。これにより近代化が大きく遅れた
▲人口が3分の2にまで減少

②ハプスブルク家に代わって**ブルボン家が興隆**

③**スウェーデンがバルト海の覇権を握る**

④**主権国家体制が確立**

※「**17世紀の危機**」…世界的な寒冷化をうけ，凶作が続くとともに疫病が流行し，人口増加率は鈍化。銀の流入が減少し，経済も停滞

3 フランス　～**ルイ13世**（位1610～43）
▲9歳で即位

(1) **全国三部会の招集停止**（1615以降）…フィリップ4世以来の議会を停止

(2) 宰相**リシュリュー**（任1624～42）の時代

①大貴族（**高等法院**）・ユグノーを抑圧し，王権を絶対化

※高等法院…13世紀頃に設置された司法機関。王令を審議する権限を保有

②**三十年戦争へ介入**（1635～）…ハプスブルク家に対抗し**新教側を支援**

4 フランス　～**ルイ14世**（位1643～1715）
▲5歳で即位

(1) 治世前半（宰相**マザラン**が補佐）

①**ウェストファリア条約**（1648）を締結…ハプスブルク家に対する優位を確立

②**フロンドの乱**（1648～53）

・**高等法院**に対する抑圧に対し，貴族が反乱を起こす

・マザランの手腕で鎮圧し，絶対王政を確立
▲フロンドの乱は，王権に対する最後の貴族反乱

(2) 親政期…マザランの死（1661）後

①**王権神授説**を信奉…ボシュエの主張を採用。「**朕(ちん)は国家なり**」，「**太陽王**」

②財務総監**コルベール**による**重商主義政策**

・王立マニュファクチュアの創設，東インド会社の改革・国有化，植民地獲得
▲→テーマ33

③**ナントの王令廃止**（1685）

れた，ということです)。最後は両陣営とも疲れ果て，新教側が優勢な状況で終戦し，**ウェストファリア条約**が結ばれました。ここに，ハプスブルク家に代わってブルボン家が優位な体制が明白になります。

▲史上初の国際会議で結ばれた，国際条約

この条約，世界史の中でも屈指の重要度です。まず，**カルヴァン派**の信仰が新たに認められました。続いてドイツの**領邦に主権が認められました**。主権を有する状況を，一般に「**独立**」と表現しましたね。個々の領邦が独立国になってしまったわけです（内政はもちろん，戦争も条約も領邦君主の思いのまま)。日本で例えるならば東京都が「東京国」，大阪府が「大阪国」，というように各都道府県ごとに別々の国になってしまった，ということ。日本という国家が消滅してしまったわけで，これをドイツにあてはめると**「神聖ローマ帝国が事実上解体・滅亡した」**という表現になりますよね。ドイツという国家が消滅し，これからはドイツの諸領邦を「国家」として扱っていかなければなりません。

アウクスブルクの和議では除外されていた▲　→【重要テーマ3】▲

ええーっ！　数が多くて面倒くさそうです……。

安心してください，最低限２つ覚えておけば大丈夫です。一つが，皇帝ハプスブルク家の本拠地**オーストリア**（日本なら東京都に相当します)。もう一つが，オーストリアの宿敵**プロイセン**（イメージとしては大阪府あたり？）です。

続いてドイツ以外についての取り決めです。勢力拡大を狙って介入したフランスとスウェーデンはしてやったり，それぞれ**アルザス**地方などと西ポンメルンをゲット。宰相リシュリューを継いだマザランの手腕で，**ブルボン家はハプスブルク家に対し（まだ挟撃されているものの）優位を確立**し，スウェーデンも**バルト海に覇権を確立**します。また，事実上独立を達成していた**オランダ**と**スイス**の独立も国際的に承認されました（両国の独立は，ハプスブルク家の領土を「削っている」とも解釈できますね)。

北ドイツで，バルト海に面する地域▲　▲帝国議会への参加権も得た　▲スペインから　▲オーストリアから

3 ここまで三十年戦争に介入する側面からフランスを見てきましたが，ここからはフランス目線でいきましょう。ブルボン朝の２代目**ルイ13世**の治世は絶対王政を足固めした時期。９歳で即位したために当初は母が摂政として後見し，身分制議会であった**全国三部会の招集を停止**しました。成長したルイ13世と母が対立すると，**リシュリュー**が巧みに国王に取り入って母を追放し，宰相として権勢をふるいます。彼は国内では抵抗する貴族やユグノーを抑え，外交面では**三十年戦争に介入**しましたね。

▲マリー＝ド＝メディシス

4 「太陽王」**ルイ14世**も即位した時は５歳で，宰相**マザラン**の補佐をうけました。リシュリュー路線を継承したマザランの政策において，1648年は大きな節目でした。まずは**ウェストファリア条約**。そして国内の**フロンドの乱**です。

▲イタリア出身

・宗派をカトリックで統一し，**国王が国内の教会を支配する体制を再建**

➡ユグノー（商工業者）が国外へ亡命し，フランス経済は衰退

▲ユグノーはイギリスやプロイセンへ流入し，経済発展に寄与

④**ヴェルサイユ宮殿**の造営…**バロック美術**

▲→テーマ79

31ー①
1648年のヨーロッパ

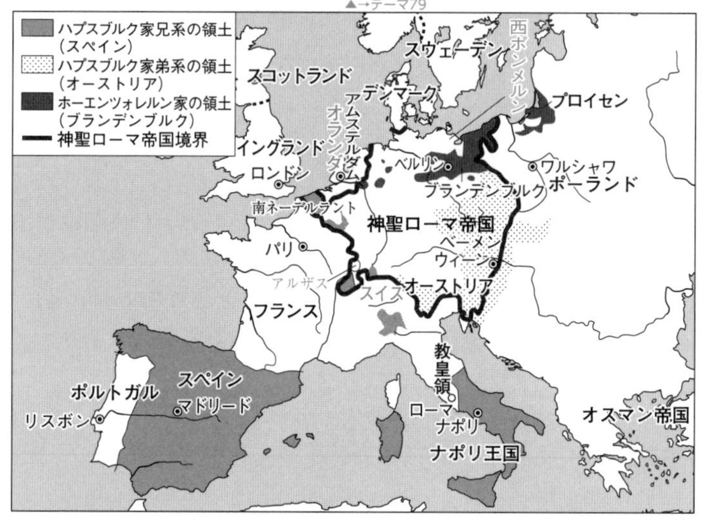

⑶　侵略戦争

▲ライン川・アルプス＆ピレネー山脈を国境とする自然国境説が口実

①南ネーデルラント継承戦争（1667～68）

▲ルイ14世が，スペイン領ネーデルラントの相続権を主張

②オランダ戦争（1672～78）

▲オランダに対し，南ネーデルラント継承戦争時の復讐のため出兵

③ファルツ（アウクスブルク同盟）戦争（1688～97）

▲ルイ14世がファルツ選帝侯領の継承権を主張し侵入

④**スペイン継承戦争**（1701～13）

・原因…スペイン＝ハプスブルク家の断絶

➡ルイ14世が孫の継承権を主張し，王位（フェリペ５世）に就けた

・対立の構図…仏・西　VS　墺（おう）・英・蘭・普

▲スペインの略号　▲プロイセンの略号

・**ユトレヒト条約**（1713）…英仏間の講和

・**ブルボン家のスペイン王家継承を承認**

▲ただし，フランスとスペインは合併しないことが条件

・フランスとスペインは海外植民地を喪失

▲→テーマ33

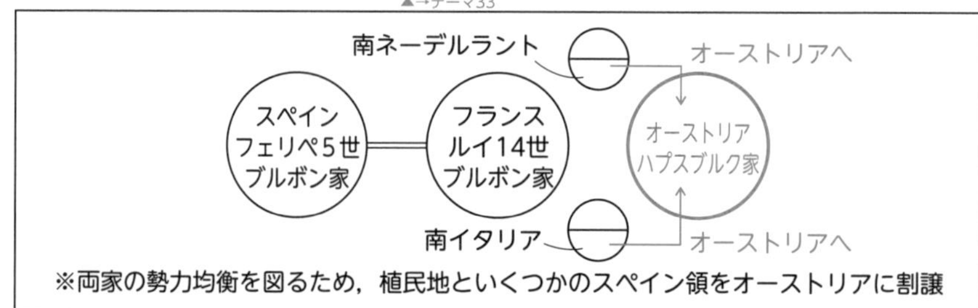

※両家の勢力均衡を図るため，植民地といくつかのスペイン領をオーストリアに割譲

※ルイ15世（位1715～74）…国政は混乱し，財政難も深刻化

これは，リシュリューやマザランが狙い撃ちにしていた高等法院を中心に起こった反乱です（**高等法院は王令の審査権を持っていたため，王権に対抗する貴族の牙城**となっていました）。反乱がマザランの手腕で鎮圧されると，もはや**王権に抵抗する勢力は消滅**。ここに絶対王政が確立されました。

▲日本の最高裁判所に相当

マザランが死去すると，ルイ14世は宰相を置かず親政を始めました。彼の治世に**重商主義**を一手に担ったのが**コルベール**ですね。**【重要テーマ3】**で示したような理論で，絶対王政に必要な財源を確保しようとしました（コルベールは財政安定を主張し，のちに対外戦争を進めるルイ14世と対立してしまいますが…）。そして，ルイ14世が祖父アンリ４世が発していた**ナントの王令を廃止**したことも忘れてはいけません。

どうして，国民から信仰の自由を奪ってしまったんですか？

宗教改革の政治的な背景には「**世俗の君主が，（ローマ教会の制約をうけず）領内の教会を支配したい**」という事情がありました。フランス王家は新教を採用しませんでしたが，この理念は共通しています。この場合，国民は君主の宗派に従わねばならないので，個人の信仰の自由は認められません。整理すると，

君主が領内の教会を支配	＝	**個人の信仰の自由なし**
君主は領内の教会を支配できない	＝	個人の信仰の自由あり

このようになります。ナントの王令で信仰の自由を認めたことで，**フランス国王がカトリックを柱として国内を掌握・支配できない体制になっていて**，実はルイ13世もルイ14世も不満を抱いていたんです。これがナントの王令が廃止された理由です。**ユグノーの商工業者は王令廃止に反発して国外へ逃げ出したため，フランス経済が少なからぬ打撃をうけた**ことも覚えておきましょう。

最後にルイ14世の征服戦争。反ハプスブルク家政策を継承して近隣に殴り込みをかけますが，いまいちパっとしない。そんなところに大チャンスが！スペイン＝ハプスブルク家の断絶をうけ，自らの孫をスペイン王位に据えたのです。これが通れば**スペインとオーストリアがフランスを挟む体制は崩れ，それどころかスペインとフランスが隣国どうしで親戚になれます**。「これではブルボン家が強くなりすぎてしまう！」と多くの国を敵に回す**スペイン継承戦争**に発展しますが，なんとか**ユトレヒト条約**でブルボン家のスペイン王位継承を認めさせました。ただ，その代償としてフランスとスペインは多くの海外領土を失う羽目に…。翌年には，ヨーロッパのスペイン領もオーストリアへ。結局フランスが得をしたのか損をしたのかは，議論の分かれるところです。

▲孫は，ルイ14世と結婚したスペイン王女の血を継承

北米植民地に関しては→テーマ33▲

▲ラシュタット条約

テーマ32
絶対王政③

1 プロイセンの誕生

(1) ドイツ人によるエルベ川以東への植民

12世紀 **ブランデンブルク辺境伯領**が成立 15世紀以降 **ホーエンツォレルン家**が支配	13世紀 **ドイツ騎士団領**が成立 16世紀 **プロイセン公国**（ルター派）に発展

↓

・ブランデンブルク辺境伯領とプロイセン公国が合併（1618）
▲1356年の金印勅書で選帝侯となっていた
・**スペイン継承戦争**にオーストリア側で参戦 ➡**プロイセン王国**に昇格（1701）

2 プロイセンの発展

(1) プロイセンの社会
①**ユンカー（エルベ川以東の地主貴族）**中心の体制
②**農場領主制（グーツヘルシャフト）**
・ユンカーが農民を農奴化し，**賦役**によって輸出用作物を生産させた
・大航海時代に伴う商業革命で国際分業体制が確立し，東欧が西欧に従属し，穀物供給地となったことを示す
(2) **フリードリヒ＝ヴィルヘルム１世**（位1713～40）
①「兵隊王」の異名を持つ。官僚整備・産業育成・軍備強化・徴兵制の採用
(3) **フリードリヒ２世**（大王，位1740～86）
①**啓蒙（けいもう）専制君主**
・プロイセンなど東欧諸国は，西欧に比べて経済的後進地域で，ユンカーによる農場領主制が支配的
➡貴族の伝統的特権を抑えるために，**啓蒙思想**を拠（よ）り所（どころ）とする改革を実行
Ex. 農民の保護・商工業の育成・司法改革・宗教寛容令・教育改革など
▲拷問の廃止
・**「君主は国家第一の僕（しもべ）」**…君主は人民の幸福と公共の福祉に責任を負う
・限界…啓蒙専制主義は，後進国が「上からの改革」によって富国強兵を実現するために啓蒙思想を利用したものにすぎず，革命思想は排除された
②文化…啓蒙思想家**ヴォルテール**と交際，**サンスーシ宮殿**を造営
▲ポツダムに建てられたロココ式の宮殿

1 **ウェストファリア条約**でドイツの領邦は主権を認められ，独立国となりました。その中から台頭したのが**プロイセン**と**オーストリア**（日本で例えるなら大阪と東京でした）。プロイセンは，かつて**エルベ川以東に植民したドイツ人**を起源に持ちます。幸いにも，三十年戦争であまり被害をうけませんでした。

（▲→テーマ25）

なるほど，それでスムーズに強大化を進められたんですね。

2 いやいや，大きな障害が立ちはだかります。**テーマ28**で，大航海時代がもたらした「国際分業体制」を扱いましたよね。**西欧の商工業に専念して発展するのと引き換えに，東欧は農業に専念することになりました。**

西欧	東欧
植民地経営・交易で**商工業発達**	商工業は発達せず（植民地なし，西欧に依存）
重商主義を推進し**王権強化**	国富を蓄積できず王権強化が進まず
領主は王権に**抑え込まれる**	農場領主制を行う領主の力は強大

西欧では，国王は商工業者と結びついて重商主義を進め，官僚制と常備軍に必要なお金を彼らに稼いでもらって領主（諸侯）を抑え込みます。しかし東欧では商工業の力が乏しい。王室財政はじり貧で，領主を抑えられない。それだけでなく，領主は**農場領主制（グーツヘルシャフト）**で輸出用作物を生産させ，西欧に売却して大きな利益を手にしていました。誰もが「東欧では国王が国をまとめるなんてムリ」と考えます。

（▲→【重要テーマ3】）

ここで一旦**テーマ79**へ飛んで，「啓蒙思想（**理性に信頼を置き，合理主義の立場から迷信や偏見を切り捨てて旧式なモノを批判**）」を確認してください。フリードリヒ２世を元祖とする**啓蒙専制君主**は，**絶対王政実現のために啓蒙思想をよりどころにしました。**例えば旧来の農奴制にメスを入れて農民を保護。すると**領主は農民から搾取できなくなり，王権に抵抗する力は低下**しますよね。また宗教寛容令で様々な宗派を容認。さらに**旧態依然とした商工業界には，国王自らが新風を吹き込んで積極的に近代化。**いわば「西欧のような絶対王政を人為的に生み出した君主」といえます。この手法について，ポイントを整理しておきましょう。

（▲プロイセンならばユンカー）（▲農場領主制で農民に賦役（≒タダ働き）を課せなくなる）（▲カトリック国では，強大な力を持っていた教会が打撃をうける）

① 啓蒙専制君主は，東欧において出現する（▲西欧では，啓蒙思想に依拠せずとも絶対王政が確立）
② 啓蒙思想は突き詰めれば絶対王政の否定につながるため，啓蒙専制主義では絶対王政を揺るがす思想（革命思想など）は厳しく規制された
③ ただし実際は，ユンカーは官僚・将校として王政を支える立場にもあったため，彼らを過度に弱体化させるような改革はほとんど実現せず

3 オーストリア

(1) 起源…マジャール人の侵攻に対し設置された東方辺境伯領（オストマルク）
➡13世紀以降，ハプスブルク家が領有

(2) **マリア＝テレジア**（位1740〜80，オーストリア大公）
▲内政では行政・軍事・農業改革，商工業の振興を推進

①**オーストリア継承戦争**（1740〜48）

・原因…マリア＝テレジアがハプスブルク家領を相続
➡バイエルン公などのドイツ諸侯がこれに反対

・経過

オーストリア	VS	プロイセン（フリードリヒ２世）
イギリス		フランス　バイエルンなど

・アーヘンの和約（1748）…マリア＝テレジアの相続を承認
プロイセンは占領した**シュレジエン**を領有

②**七年戦争**（1756〜63）

・「**外交革命**」…プロイセンへの復讐のため，宿敵フランスと和解

・経過…プロイセンは苦戦するが辛勝し，シュレジエンを維持

オーストリア	VS	プロイセン（フリードリヒ２世）
フランス　ロシアなど		イギリス

・フベルトゥスブルク条約（1763）…プロイセンのシュレジエン領有を承認

(3) **ヨーゼフ２世**（位1765〜90，神聖ローマ皇帝）
▲マリア＝テレジアの長男で，1780年まで母と共同統治

①**啓蒙専制君主**（けいもう）として**農奴解放・宗教寛容令**などを実施

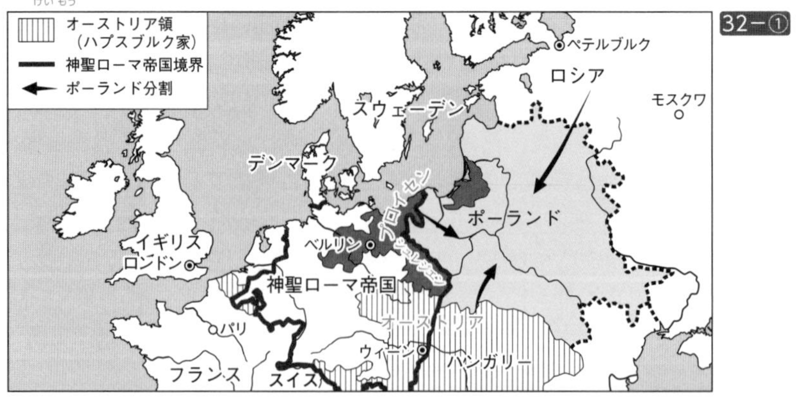

4 ロシア　〜ロマノフ朝（1613〜1917）

(1) **ロマノフ朝**の成立（1613）…ミハイル＝ロマノフが全国会議で皇帝に選出

うーん，②③を見ると，啓蒙専制主義って非常にデリケートですね。コトはそう簡単にはうまく運ばない。

3 **フリードリヒ２世**が即位した1740年，奇遇にも同年にハプスブルク家の家督を継いだのが**マリア＝テレジア**でした。彼女の相続をめぐって**オーストリア継承戦争**が起こります。ハプスブルク家は女性の継承を認めていなかったことがそもそもの火種で，息子に恵まれなかった父（▲カール６世）は娘の継承を宣言して死去。皇帝位を狙う親戚筋（▼バイエルンやザクセン）がこれに異議を唱えて戦争に打って出ます。

（▲ゲルマン起源の「サリカ法」を根拠とする）

〈オーストリア継承戦争における主な国際対立〉			
①オーストリア	vs	プロイセン	（プロイセンが領土拡大を狙う）
②オーストリア	vs	フランス	（ハプスブルク家 vs ブルボン家の因縁）
③イギリス	vs	フランス	（北米・インドの植民地をめぐる対立）

上記のような当時の対立が絡んだため，オーストリア継承戦争は左ページのような陣営になりました。８年間戦った末，マリア＝テレジアの相続は認められた一方で（神聖ローマ皇帝に即位したのは夫のフランツ１世▲），プロイセンのフリードリヒ２世はちゃっかり**シュレジエン**（▲地下資源が豊富）地方を手中に収めて国力増強に成功。マリア＝テレジアはこの「火事場泥棒」がどうしても許せなかった。リベンジを誓ったマリア＝テレジアですが，懸念材料となったのが上記②です。オーストリアがプロイセンと戦争をすれば（①），宿敵のフランス＝ブルボン家は必ず敵に回りオーストリアは挟まれる…。ここで彼女は200年以上反目しあってきた**宿敵フランスとの和解を決断**（「**外交革命**」）！　さらにはロシアとも同盟を組んで，プロイセン包囲網を完成させたのです。このような状況で始まった**七年戦争**（▲フランスと対立するイギリスはプロイセンを支援），フリードリヒ２世は冗談抜きで死にかけますが，突如ロシアが撤兵してくれたおかげで九死に一生を得て**シュレジエンを守り抜きました**。ではオーストリアとフランスの対立をおさらい。

①16世紀はハプスブルク家のオーストリアとスペインがフランス（ヴァロワ家，ブルボン家）を挟み撃ち（▲→テーマ30）

➡②17世紀以降はフランスが反撃し，スペイン継承戦争で挟撃体制は崩れる（▲→テーマ31）

➡③18世紀半ばの「外交革命」で両家は和解に至る

マリア＝テレジアの長男**ヨーゼフ２世**は，ライバル国プロイセンのフリードリヒ２世にならって**啓蒙専制主義**を採用し，農奴制廃止などの改革に踏み切りました。母マリア＝テレジアも（啓蒙専制君主ではありませんが），実は行政改革や農奴制の改革を行っており，母子２代で改革が行われたんですよ。（改革が国力を高めたかどうか，に関しては評価が分かれる▲）

4 続いてはロシアです。**モスクワ大公国**がビザンツ皇帝権を継承し**イヴァン４世**は「**ツァーリ**」（▲→テーマ24）を公式に名乗りました。しばらく後にイヴァン４世の血統が

(2) **ステンカ＝ラージンの乱**（1667～71）…コサックに率いられた農民反乱

※**コサック**…ロシア東南部に逃亡した農民などが形成していた集団。狩猟・遊牧を営み，辺境開拓や国境防備を担う一方，度々（たびたび）反乱も起こした

(3) **ピョートル１世**（位1682～1725）

①内政

・**自らイギリス・オランダを視察**し，先進的な技術・文化を導入

・絶対王政の確立…軍制・税制（▲人頭税の課税）の改革，行政機構の整備，**農奴制強化**など

②対外政策…ロシアは，**不凍港を求めて南下政策を推進**

・**ネルチンスク条約**（1689）…清（康熙帝（こうきてい））と国境を画定（▲→テーマ13）

・アゾフ海沿岸（▲クリミア半島の東北。1711年にオスマン帝国に敗れ，返還）を奪取（1696）…オスマン帝国を圧迫，黒海進出の第一歩

・**北方戦争**（1700～21）…スウェーデン（カール12世）と戦い勝利

➡バルト海に面した**ペテルブルク**（▲「西欧への窓」と呼ばれ，交易ルートを確保）を建設，遷都。バルト海の覇権を握る

・**ベーリング**…カムチャツカ半島を探検しベーリング海峡を「発見」。アラスカにも到達，ロシア領とした

※**キャフタ条約**（1727）…ピョートル１世の死後，清（▲雍正帝）と国境を確定（→テーマ13）

(4) **エカチェリーナ２世**（位1762～96，ドイツ出身）

①**啓蒙専制君主**

・**ヴォルテール**と文通。都市の自治拡大，社会福祉の充実，学芸保護

・**プガチョフの農民反乱**（1773～75）…この反乱やフランス革命を契機に，エカチェリーナ２世は反動化

②対外政策…南下政策を継続

・黒海への進出…**クリミア半島**（▲クリム＝ハン国）を中心とする黒海北岸をほぼ領有

・**ラクスマン**を根室（ねむろ）に派遣し（▲漂流民の大黒屋光太夫を日本に送り届ける），通商を要求（1792）

5 ポーランドの消滅

(1) **ヤゲウォ（ヤゲロー）朝**の断絶（1572）…**選挙王政**となり，貴族（▲シュラフタ）と結んだ国外勢力が干渉し，弱体化

(2) **ポーランド分割**

第１回（1772）	ロシア（エカチェリーナ２世），プロイセン（フリードリヒ２世） オーストリア（マリア＝テレジア・ヨーゼフ２世）
第２回（1793）	ロシア（エカチェリーナ２世），プロイセン（▲オーストリアは，フランス革命戦争中で不参加） ・愛国者**コシューシコ**が抵抗運動
第３回（1795）	ロシア（エカチェリーナ２世），プロイセン，オーストリア ・国家としてのポーランドは消滅

途絶えると内紛状態に陥りますが，中小の領主や商人たちの支持を得たミハイル＝ロマノフが1613年の全国会議で即位し，**ロマノフ朝**（イヴァン４世の后の兄の孫▲）が開かれました。

当時は辺境のド田舎国家にすぎなかったロシアの存在を西欧に知らしめたのが，**ピョートル１世**です。彼は**イギリスとオランダに自ら足を運んで先進技術を実見し，技術者を連れて帰って近代化を進めました**。なお，様々な改革を進める一方で，**農奴制も強化**しているのがロシアの特徴です（領主が農民からキッチリ徴税できるよう，農民の逃亡を禁じて土地に縛りつけたのです)。

絶対王政にはお金が必要で，金を稼ぐには商工業の発展が必須。ロシアはこの点で致命的なハンデを抱えていました。**海外と貿易できる大きな港を持っていなかったんです**。南の黒海はオスマン帝国が，西のバルト海はスウェーデンが押さえ，毛皮を求めて東方へ進出すれば清朝と衝突…。北方は海（▲北極海）に面していますが，一年の大半は氷が張って身動きがとれません。こういった事情から，**「不凍港」の獲得は長らくロシア対外政策の悲願になる**んですね。ピョートル１世は南・西・東それぞれへ進出を図りました。

まず南では，黒海北東部のアゾフ海へ進出しロシア最初の海軍を創設。西方では**北方戦争**でバルト海の覇者**スウェーデン**に挑戦しました。戦争中にネヴァ川河口域に新都**ペテルブルク**（▲冬期は結氷）を建設して，ついに**西欧との「窓口」を確保**し，戦争にも勝利します。この北方戦争での勝利を通じて**ヨーロッパ諸国は，ロシアが用いるツァーリの称号と，その国力を認知していきました**。東方では**ネルチンスク条約**（→テーマ13▲）で清朝と国境を画定させ，さらにはデンマーク出身の**ベーリング**が日本の北方にあるカムチャツカを探検し，アメリカ大陸に渡ってアラスカをロシア領に組み込みました。

ピョートル１世と並び近世ロシアの勢力を拡大させたのが，**エカチェリーナ２世**です。当初，彼女は**啓蒙専制主義の立場から開明的な政策を行いましたが**，**プガチョフの農民反乱**やフランス革命を見て改革はストップ（啓蒙思想がロシアでの革命に結びつくことを恐れた▲）。対外的には黒海へ進出し，また日本との通商を求めて**ラクスマン**を派遣したことは有名です。

5　そして彼女が３次にわたり参加したのが**ポーランド分割**（▲p.200の地図参照。）。ポーランドでは**ヤゲウォ朝**の断絶後に**選挙王政**が敷かれましたが，貴族が互いに争って国内は混乱。プロイセン・ロシア・オーストリアがこれにつけ込んで領土を分割（最初に誘ったのはフリードリヒ２世▲）。３度の分割で，ポーランドという国家は消滅してしまいました。

東欧で啓蒙専制君主が出現しなかったポーランドが，啓蒙専制君主が登場した３カ国の餌食（えじき）になってしまった，ということですか。

なるほど〜，そういう考え方もできますね！

テーマ33

西欧諸国の海外進出

1 オランダの飛躍時代

(1) **アムステルダム**…ヨーロッパ商業・金融の中心となった

(2) 中継貿易による繁栄

①**中継貿易**…（自国以外を往来し）地域間の商品価格差で利益を上げる

②バルト海貿易…農場領主制で生産された穀物を西欧へ輸送
▲→テーマ28

③アジア・アフリカへの進出

・**オランダ東インド会社**の設立（1602）

・ジャワ島の**バタヴィア**（現ジャカルタ）に総督府をひらく（1619）

・**アンボイナ事件**（1623）…オランダ人が**マルク（モルッカ，香料）諸島**でイギリス人商館員を虐殺，マルク諸島からイギリス勢力を締め出した
▲香辛料の一大産地

➡オランダは東南アジアの香辛料貿易を独占

・**台湾**の占領（1624）…ゼーランディア城を建設
▲のちに鄭成功に攻略される →テーマ13

・**マラッカ**（1641），セイロン島（17世紀半ば）をポルトガルから奪った

・日本…**日本の「鎖国」後も，長崎の出島で貿易を行った**

・**ケープ植民地**…アジア貿易の中継地として喜望峰周辺に建設（1652）

④新大陸への進出

・西インド会社の設立（1621）…新大陸・西アフリカの貿易独占権を持った
▲17世紀半ばまで，ポルトガル領ブラジルのサトウキビ経営に参入し巨利を得た

・**ニューネーデルラント植民地**を形成…中心都市は**ニューアムステルダム**

2 イギリスの勢力拡大と英蘭（えいらん）の抗争

(1) アジアへの進出

①**東インド会社**設立(1600)
エリザベス１世時代▲
…喜望峰以東のアジア貿易独占権を与えられた

②**アンボイナ事件**（1623）

➡東南アジアから撤退しインド進出に専念

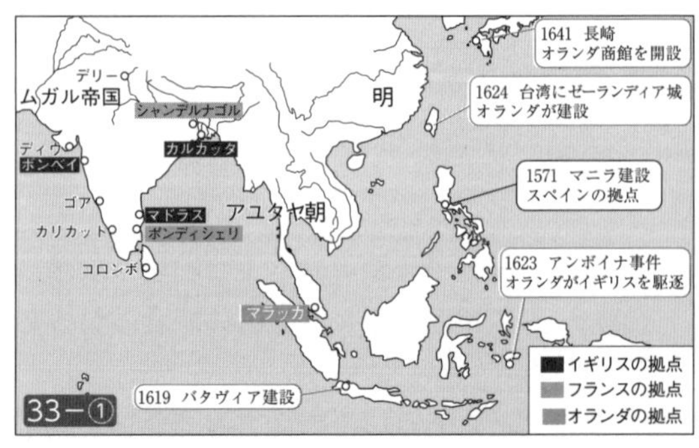

33−①

1 ヨーロッパにおける国際分業体制において「勝ち組」となった西欧。その原動力はアジア・アメリカとの貿易にありました。ポルトガルとスペインの繁栄にかげりが見えると，17世紀にまずはオランダが勢力を伸ばしました。ハプスブルク家領だった時代から**造船業**はピカイチで，バルト海貿易ではハンザ同盟を圧倒（農場領主制で生産された東欧の穀物の多くは，オランダ人（▲→テーマ26）によって西欧に運ばれていました）。その潜在能力（ポテンシャル）をアジアでもいかんなく発揮します。

1602年に**東インド会社**を設立し（▲1600年に設立されていたイギリス東インド会社に対抗），アジアへ進出（ポルトガルの拠点を丸ごと乗っ取ったイメージで覚えていくとよいです）。ジャワ島の**バタヴィア**（1619年に商館を開設▲）を拠点にして，三方へ勢力を広げていきます。東方はイギリスと**マルク（モルッカ，香料）諸島**（香辛料の中でもレアなクローヴとナツメグの産地▲）争奪戦を繰り広げ，**アンボイナ事件**で商館員を皆殺しにしてイギリス勢力を駆逐！　西方では，**セイロン島・マラッカ**という香辛料の産地・貿易拠点を押さえました。北方は台湾・日本へ。**「鎖国」下の日本との貿易を唯一認められたヨーロッパの国家**（▲→世界史の中の日本④）となり，銀（▲石見（いわみ）銀山などで採掘された銀）を気前よく払ってくれる日本との貿易を独り占めしました。江戸幕府がヨーロッパ勢力を追放したのは，キリスト教の布教を警戒したことが一因ですが，オランダ人は「キリスト教の布教には興味ない。我々は金儲（もう）けがしたいだけだ！」と言い放ったんですね。

うーん，すがすがしいまでの商人（あきんど）ぶり（笑）。

アフリカでは，アジア貿易への中継地として大陸南端に**ケープ植民地**を建設しましたね。新大陸方面では，ハドソン川河口域に**ニューネーデルラント植民地**を建設。あと，ブラジルの砂糖生産に関わったことは難関大向けです。

世界各地に拠点を築いたオランダのビジネスモデルは「中継貿易」です。**ある地域の特産品を仕入れて，それを高値で売れる場所へ運んで売りさばく**（今風の言い方をするならば，いわゆる「転売」に近い）。例えば，イギリスとプロイセンは右図のような貿易を行っていましたね。上述したように，オランダ人はプロイセンなど東欧で生産（▲→テーマ28）された穀物を仕入れ，イギリスに運んで売却していました（商工業に重心が置かれたイギリスでは，穀物が不足しているので高値で売りさばけます）。中継貿易そのものは，昔から世界中の商人がやってきたビジネスですが，オランダ人がすごかったのは，アジアの香辛料をヨーロッパへ，イギリスの毛織物をアメリカ大陸へ，西インド諸島の砂糖をヨーロッパへ…，と世界中を飛び回ったことです。

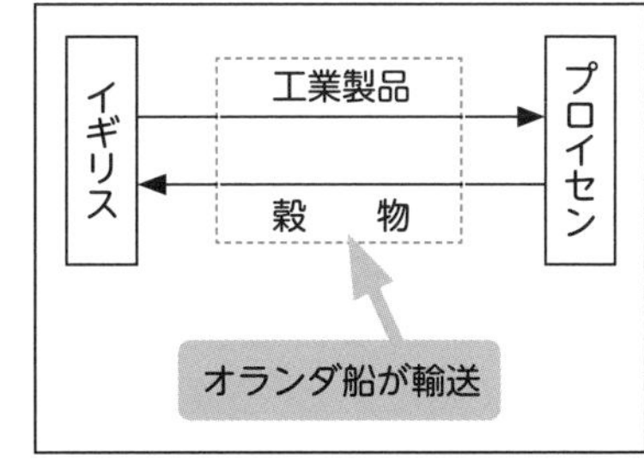

・インドで拠点建設…**マドラス**，**ボンベイ**，**カルカッタ**
▲ガンジス川下流の肥沃なベンガル地方

⑵ 北米に13植民地を建設 ➡**テーマ35**

⑶ **イギリス＝オランダ（英蘭）戦争**（1652～74）

①原因…**航海法**（1651）

・ピューリタン革命後，イギリスのクロムウェル政府が発布

・内容…**イギリスとイギリス植民地が輸入する商品の輸送を，イギリス船か商品産出国の船に限定**

・目的…オランダの**中継貿易を妨害** ＆イギリスの貿易の拡大・独占

②結果…戦争の末，オランダは航海法を承認。オランダの海上覇権が動揺

・イギリスがオランダから**ニューネーデルラント植民地**を奪う
▲1664年にイギリスが占領し，第２次英蘭戦争後に領有が確定

➡**ニューヨーク**植民地と改称（1664）

⑷ オランダの覇権の動揺

①アジア貿易の停滞 ⬅香辛料の需要低下，台湾の喪失，日本銀の枯渇など

②オランダの方針転換…中継貿易に代わり，**東南アジアで商品作物を生産**

3 フランスの海外進出

⑴ アジアへの進出

①ルイ14世に仕えた**コルベール**が**東インド会社を改革・国有化**（1664）
▲アンリ４世の治世の1604年に設立されていた

②インドの二大拠点…**ポンディシェリ**，シャンデルナゴル
▲インド東岸 ▲カルカッタの北方

⑵ 新大陸への進出

①**カナダ**植民…アンリ４世の治世に，**ケベック**を建設
▲セントローレンス河口

②フランス西インド会社（1664）…コルベールによって設立

③**ルイジアナ**…ミシシッピ川流域。ルイ14世にちなんで命名

4 北アメリカでの英仏抗争

⑴ 植民地とヨーロッパの戦争の連動

ヨーロッパ	北アメリカ
ファルツ戦争（1688～97）	ウィリアム王戦争（1689～97）
スペイン継承戦争（1701～13）	**アン女王戦争**（1702～13）
オーストリア継承戦争（1740～48）	ジョージ王戦争（1744～48）
七年戦争（1756～63）	**フレンチ＝インディアン戦争**（1754 or 55～63）

★最終的にイギリスが勝利し，**北米における優位を確定**

2 一方，アンボイナ事件で敗れたイギリスは**インドに転進**して**マドラス・ボンベイ・カルカッタ**という３大拠点を建設しました（これが結果的には大成功で，イギリスに輸出した**綿織物**（キャラコ）は，イギリスの運命を変える物産に）。17世紀の**重商主義政策で国内では毛織物産業が成長**し，少しずつ力を蓄えていきますよ。そして，オランダの中継貿易に不満をぶちまけます。「オランダ自身は商品を生産してないくせに，右から左へ運ぶだけで利益を得やがって。しかも，我がイギリス国内で外国商品を売却して利益を得るとは…」。船の数や性能，情報網などの面でオランダに敵わないイギリスは，**航海法**を発してオランダの中継貿易を排除するルールを作りました。

（17世紀半ば，ヨーロッパ船舶の６割はオランダ船だったとされる▲）

イギリス＆イギリス植民地が輸入する商品の輸送を，イギリス船か商品産出国の船に限定

イギリスとプロイセンの例であれば，「**プロイセン産の穀物をイギリス国内に持ち込んで売れるのはイギリスの船 or プロイセンの船だけ**」ということ。

名指しはしてないけど，完全にオランダを狙い撃ちしていますね。

オランダは怒り**イギリス＝オランダ（英蘭）戦争**が勃発しますが，国力を高めたイギリスはオランダと互角にわたりあいました。航海法を認めさせ，北米では**ニューネーデルラント植民地**を奪い取ります（この時期イギリスは，北米で13植民地を建設している途上ですが，これは**テーマ35**で扱いましょう）。

17世紀後半以降，オランダは受難の時期を迎えます。ヨーロッパで流通量が増えたこともあって**香辛料の需要が落ち込み**，「転売」で儲（もう）けられなくなりました。東アジアの一大拠点**台湾**は**鄭成功**（ていせいこう）（▲→テーマ13）に攻略され，**日本銀の産出も減少**して日本人の金払いもシブくなってしまった…。これらの事情が**英蘭戦争**と重なって，オランダの覇権は崩れていったのです。ここに至ってオランダは新たなビジネスモデルを構築しました。ジャワ島のプランテーションでサトウキビなど商品作物を生産する，つまり「転売」ではなく「**自ら商品を作り出す**」やり方です。

3 英蘭戦争が行われていた17世紀後半，フランスはルイ14世の治世で，財務総監**コルベール**が**重商主義政策**を進めていましたね。**東インド会社**の改革を進め，インドに植民地を建設しました。インドではムガル帝国の統治が動揺し始めており，英仏両国は自立の傾向を強めていた地方の支配者と結びついて，インド進出を進めていきました。北米方面ではアンリ４世の時代に進出していた**カナダ**支配を固め，ミシシッピ川の周辺を**ルイジアナ**と命名しました。

(2) イギリスが植民地戦争に勝利した背景

①イギリスの永住を前提とした農業植民に対し，フランスは毛皮取り引きを目的とした一時的な植民

②名誉革命以降，イギリスは**国債制度を整備**し，容易に戦費調達ができた
▲特にオランダ資本が協力

(3) **アン女王戦争**の**ユトレヒト条約**（1713）
▲スペイン継承戦争の講和条約でもある

①フェリペ5世のスペイン王位を各国が承認。但し，仏・西の合邦は禁止
▲ルイ14世の孫

②英が仏から獲得…アカディア・ニューファンドランド・ハドソン湾地方

③英が西から獲得…**ジブラルタル**・ミノルカ島

④英は西からアシエントを得る
▲アメリカ大陸のスペイン領への奴隷供給権　→テーマ37

33−②

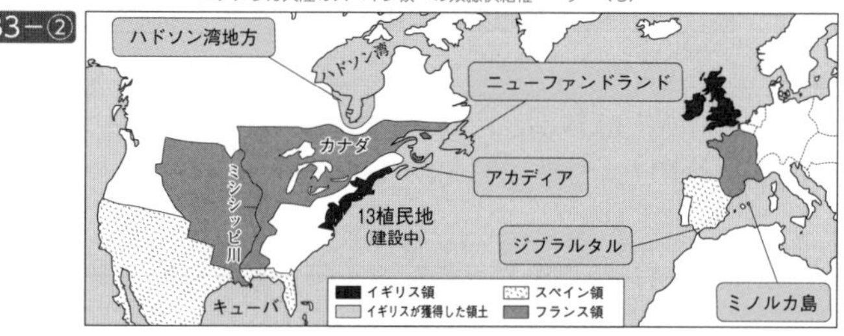

(4) **フレンチ＝インディアン戦争**の**パリ条約**（1763）
▲フランスは北米の全植民地を失った

①英が仏から獲得…**カナダ・ミシシッピ川以東のルイジアナ**

②英が西から獲得…**フロリダ**

③西が仏から獲得…**ミシシッピ川以西のルイジアナ**

33−③

5 インドでの英仏抗争

(1) カーナティック戦争…南インド東岸地帯での英仏の戦争
▲1744～48，50～54，58～63

①当初はデュプレクスの活躍でフランス優位だったが，イギリスが逆転

(2) **プラッシーの戦い**（1757）…英が仏・**ベンガル**太守連合軍に勝利

①東インド会社書記クライヴの活躍

②インドにおけるイギリスの優位が確定

4 オランダの覇権に対しては連携することもあった英仏ですが，名誉革命でオランダ総督オラニエ公がイギリス国王**ウィリアム３世**として即位したことで英蘭(えいらん)連合が形成され，**新たに「英蘭VS仏」の構図が浮かび上がってきました。**両国の対立は北米・インドにも飛び火し，英仏植民地戦争が始まります。**「ヨーロッパで英仏が戦争を起こすと，その知らせがアメリカにも伝わって，アメリカにいるイギリス人とフランス人も戦争を起こす」**というメカニズムです。

▲→テーマ34

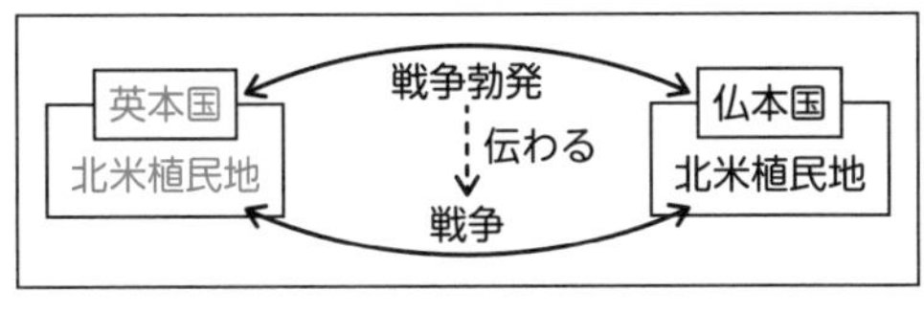

植民地戦争は最終的にイギリスの勝利に終わりました。なぜイギリスが勝てたか。左ページで２つ挙げておきました。１つ目は植民スタイルの違いです。英仏の北米植民地，どっちが広いですか？

そりゃあ断然，フランスですね。でも，負けてしまった……。

フランス人は，ビーバーやラッコの毛皮を目当てにやって来ました。獲物が手に入れば，さっさと本国に帰国するハンターも多かったようです（フランスにとって先住民は毛皮の取り引き相手であり，これがフレンチ＝インディアン戦争でフランスと先住民が提携する一因になります）。一方イギリス人は畑を切り開いて定住し，骨をうずめる覚悟（先住民とは土地を奪い合う関係）。この精神の違いは結構大きいかも。２つ目の**名誉革命後のイギリスで国債制度が整備された**ことも重要で，これはのちほど。

▲→テーマ34

北米での植民地戦争のうち，重要なのは**アン女王戦争**と**フレンチ＝インディアン戦争**です。スペイン継承戦争に連動するアン女王戦争は，一括して**ユトレヒト条約**で講和しました。**スペインのブルボン家継承が認められました**が，ブルボン家が強くなりすぎるのは困る。ここで「勢力均衡」の力学が働き，フランスとスペインの領土がイギリスに割譲されたんです。これは「イギリスがフランスに勝って領土を奪った」という考え方ができる一方で，「ブルボン家が強くなりすぎないように，フランスとスペインの領土を削り取ってバランスをとった」という解釈もできるんですね。そしてフレンチ＝インディアン戦争の結果，**パリ条約**でフランスは北米の植民地を全て失いました。

→テーマ31▲

5 インドでもイギリスの戦いっぷりは盤石でした。カーナティック戦争ではフランスのデュプレクスが本国に召還された後は形勢逆転に成功。クライヴの活躍で**プラッシーの戦い**に勝利し，アメリカだけでなくインドでも優位を確立してイギリス植民地帝国の素地ができあがりました。

テーマ

34 イギリスの革命

1 ピューリタン革命（イギリス革命，1640 or 42～49）

⑴ **ステュアート朝**の成立（1603）

①エリザベス１世の死で**テューダー朝**が断絶

②スコットランド王が**ジェームズ１世**として即位し，ステュアート朝が成立

⑵ 内戦勃発までの経緯

王党（宮廷）派	議会（地方）派
⑴ **ジェームズ１世**（位1603～25） ①王権神授説を信奉し，議会と対立 ②国教会体制…**ピューリタン**を圧迫 ▲イングランドのカルヴァン派の呼称	③**ピルグリム＝ファーザーズ**がメイフラワー号で北米へ（1620）
⑵ **チャールズ１世**（位1625～49） ④議会を無視した課税を強行 ⑥1629　議会解散…専制を強行 ⑦1639　**スコットランド**で国教を強制 ➡カルヴァン派が反乱 ▲プレスビテリアン ⑧短期議会（1640.4） ・反乱鎮圧費捻出のために召集 ・王は３週間で議会を解散 ⑩長期議会（1640.11～1653） ・王が軍を動員し，議会に圧力	⑤1628　**権利の請願**を提出 …議会の同意のない課説，不法な逮捕・投獄に反対 ⑨議会は王を非難し課税に反対 武力衝突，内戦へ
・序盤は，王党派が優勢	・ピューリタンの**クロムウェル**が鉄騎隊を指揮
・ネーズビーの戦い（1645）…議会派が大勝　➡チャールズ1世を拘束（1647）	

⑶ **議会派**の分裂

党派	支持層	目指す政体
王党派	・絶対王政を支持する大貴族や聖職者	絶対王政
長老派	・地主や大商人を代表。穏健派 ・王党派との早期和平を主張	立憲王政
独立派	・商工業者（中産市民）を代表 ・ピューリタンの**クロムウェル**が指導	共和政　制限選挙
水平派	・小市民・貧農・職人らを代表。急進派	共和政　普通選挙

1 エリザベス1世が生涯独身で亡(な)くなり，テューダー朝が断絶。親戚筋をたどり，スコットランド王が**ステュアート朝**の**ジェームズ1世**として即位します。

▲ジェームズ6世　ヘンリ8世の姉がスコットランドに嫁いでいた▲

スコットランドはイングランドのお隣さんなんですね。

はい。スコットランド王がイングランド王を兼ねることになり，100年後に両国は合体。本書で今まで「イギリス」といってきた国は，厳密には「イングランド」のことです。本講は必要に応じて「イングランド」表記でいきますよ。

▲現在は「グレートブリテンおよび北アイルランド連合王国」　スコットランドなどを含まない▲

ここで**テーマ30**で示したテューダー朝下での王政のポイントをおさらい。

①当時のイングランド王政は，地主層である**ジェントリ（郷紳）**の協力なしには成り立たない
②**大憲章（マグナ゠カルタ）**以来，国王による課税には議会の承認を必要とする（下院議員の多くはジェントリであった。上院議員は聖職者・貴族）

▲→テーマ27，30

イングランドでは，ジェントリ層が**無給の**治安判事という役職にあって官僚の代わりに地方行政を担っていました。**国王としては，ボランティアで統治に協力してくれる彼らの協力が絶対に欠かせない。**だから，歴代の王はジェントリとの関係に心を砕きました。彼らは下院議員でもありましたから，国王は議会のことも尊重。首長法など一連の宗教政策も，原則として議会立法を経て実施されました。もちろんマグナ゠カルタの伝統も守りますよ。

ヘンリ8世が修道院領をジェントリに売却したのが好例▲

この流儀，スコットランドからやって来た「異邦人」であるジェームズ1世にはたいそう窮屈(きゅうくつ)だったんですね。王権神授説をふりかざし，これらの伝統をことごとく無視。さらに，

・宗教的には**国教会体制を強化**し，カルヴァン派（商工業者に浸透）を弾圧
・また経済的には重商主義政策を進め，**一部の大商人に特権付与**

▲ピューリタン

という政策が，商工業者を怒らせました（国教徒になるということは「国教会の首長である国王に従う」ということであり，王権強化にはうってつけ）。

国教会体制と専制に反発し，ジェントリの一部もカルヴァン派に改宗▲

子の**チャールズ1世**も父と同様のワガママっぷり。さすがに議会派も黙ってられず「マグナ゠カルタの伝統を守って頂きたい！」「宮廷でぜいたく三昧するための費用を，地方への重税で穴埋めするな！」と**権利の請願**を提出。これに逆ギレした国王は議会を解散し，両者の関係は修復不可能になっていきます。そしてチャールズ1世が実家**スコットランド**にも国教を強制するとカルヴァン派の反乱が起こり，国王は鎮圧費用などを課税でまかなおうと，1640年の4月と11月に議会を召集しました。しかし議会派が国王への恨みつらみをぶちまけるわ，国王が軍を動員するわ，収拾がつかなくなり，ついに内戦に突入しました。

イギリス革命に関しては，近年「宮廷VS地方」という視点も重視される▲

(4) 共和政（コモンウェルス）時代

①**独立派**のクロムウェルが，水平派と結び長老派を議会から追放

➡チャールズ１世を処刑し，**共和政**に移行（1649.1）

▲イギリス史上，唯一の共和政時代

②クロムウェルの執政

・水平派を弾圧

…議会内で独立派の主導権を確立

・**アイルランド**征服（1649）…王党派の拠点だったアイルランドを征服

③**スコットランド**征服（1650）

…チャールズ１世の子が率いる軍を撃破

▼法案が議会を通過した時，クロムウェルは遠征途上にあった

④**航海法**の発布（1651）

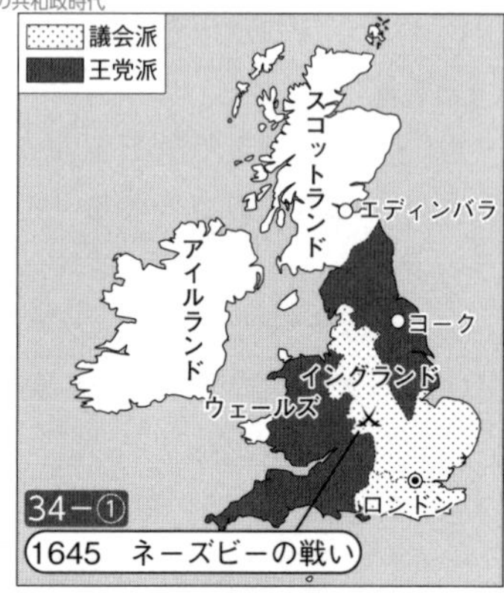

(5) **護国卿**（ごこくきょう）に就任（1653）

①長期議会を解散

➡水平派や王党派の動きに対処するため，議会によらず**軍事独裁**を展開

②ピューリタンの理想を追求した，禁欲的な規範を強制 ➡国教徒は不満

▲居酒屋・劇場の閉鎖，娯楽の禁止，教会礼拝の強制

2 王政復古と名誉革命

(1) クロムウェルの病死（1658） ➡政権崩壊

▲子リチャードは能力に乏しかった

(2) 王政復古（1660）…王党派と長老派が妥協し，チャールズ２世が即位

(3) **チャールズ２世**（位1660～85）

①亡命先のフランスから帰国し，議会の尊重を誓い，即位

▼仏王ルイ14世とカトリック同士で連携

➡しかし専制政治と**カトリック**を擁護する政策を推進

②**審査法**（1673）…議会派（国教徒）が，国王派（カトリック）を政治から遠ざけるため，公職就任者を国教徒に限定

▲議員・官僚・軍人等

③**人身保護法**（1679）…議会派が不法な逮捕・投獄を禁止

④カトリック教徒である王弟ジェームズの継承問題が発生

トーリ党（保守党の前身）	**ホイッグ党**（自由党の前身）
ジェームズの王位継承に賛成	ジェームズの継承に反対
国教会を擁護。地主階級の利害を代表	商工業者・非国教徒の利益にも配慮

(4) **ジェームズ２世**（位1685～88）…専制政治・カトリックの復活政策を強行

(5) **名誉革命**（1688）

①国王に王子（男児）が誕生 ➡世襲を恐れた議会が王女メアリ（国教徒）と夫でオランダ総督のオラニエ公ウィレム３世をオランダから招く

当初は王党派が優勢でしたが，鉄騎隊率いる**クロムウェル**（「超」厳格な**ピューリタン**）の活躍で議会派が王党派を破り，チャールズ１世を捕らえました。
▲ジェントリ出身
ただ，議会派にも亀裂が入り始めます。今までは「打倒国王！」で一枚岩だったのに，国王を捕らえた途端に「着地点・落としどころ」をめぐって利害対立が表面化したんですね。穏健派で王政を容認したのが長老派。共和政の普通選挙制を敷き貧民の政治参加を実現しようとしたのは水平派。その中間が，ピューリタンのクロムウェル率いる**独立派**で，商工業者層の支持を得ました。

クロムウェルの強みは軍を掌握していたことでした。軍を動員して，王政を擁護する長老派を追放し，チャールズ１世の処刑を断行！　返す刀でクロムウェルは水平派を弾圧し，さらには王党派の拠点であることを口実に**アイルランド**を征服（なんとも気の毒な「アイルランド問題」はここから始まります）。
▲議会では多数派を占めていた　▲ここから12年間がイギリス史上唯一の共和政時代　▲→テーマ39

航海法が制定されたのも，ちょうどこの時期なんですね。
▲→テーマ33

そうです。**オランダの中継貿易**を忌み嫌う商人層が政府に働きかけて制定されました。この後**英蘭(えいらん)戦争**に突入しますが，クロムウェル個人としては同じカルヴァン派を信仰するオランダとは友好を維持したかったようです。

1653年，クロムウェルは軍事力を背景に**護国卿**に就任，独裁体制を敷いてピューリタンの理想の実現に邁進(まいしん)します。**ピューリタンの徳目は「禁欲・勤勉」**ですから，彼は居酒屋・劇場を閉鎖するなど国民から一切の娯楽を取り上げました。これにはみんなドン引きです。クロムウェルが求める国家像が一般国民（≒国教徒）の考えとは大きくズレていることが明確になり，不満が増大していきました。そしてクロムウェルが死去すると政権は崩壊し，長老派が息を吹き返して王政復古に至ります。
▲→テーマ29

2　**チャールズ２世**はチャールズ１世の子で，亡命先から帰国して即位しました。議会から「イングランドの伝統を守ってくださいよ！」とクギを刺されていたものの，（予想通り？）議会を軽視します。それだけならまだ想定内だったんですが，チャールズ２世はなんと**カトリック**を擁護する姿勢を見せました。これは，亡命先のフランスに滞在中，面倒を見てくれた**ルイ14世**の影響といわれていますね。実際，1672年には英仏が連携し，オランダを標的に戦争に打って出ます。チャールズ２世のカトリックびいきを確信した議会派は，側近の政治介入を防ぐために**審査法**を制定し，**公職就任者を国教徒に限定しました**（なお，この時期の議会内部でピューリタンは勢いを失っており，国教会主流の状況に回帰しつつありました）。
→次ページ参照。第３次英蘭戦争とオランダ戦争▲
▲国王の側近もカトリックであった

チャールズ２世を継いだのは弟**ジェームズ２世**で，即位前からカトリックで
▲兄チャールズ２世とともに，フランスに亡命していた

➡ジェームズ２世を廃位し，**メアリ２世**と**ウィリアム３世**が即位（1689）

②**権利の章典**（1689）…権利の宣言（**王権に対する議会の優越**）を法文化

▲国民の自由，財産権の保障なども規定

※イギリス革命は，国王に対する議会の優越を実現したものであり，フランス革命のように「人間の自由・平等」を掲げてはいない点に注意

⑹　イギリスの外交関係の変化

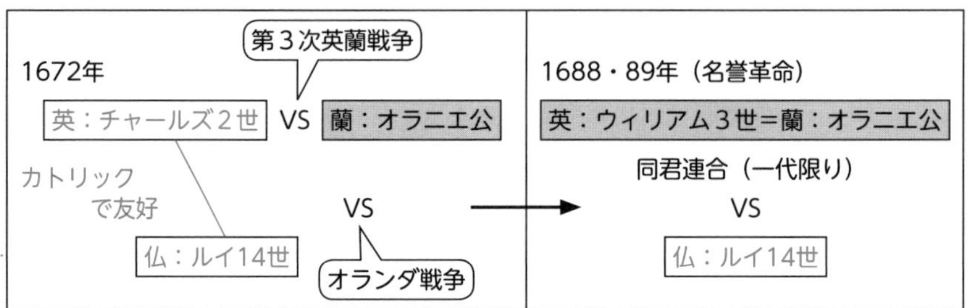

革命前の親フランス的関係から，オランダと協調しフランスに対抗する関係へ

⑺　寛容法（1689）…プロテスタントの信仰を保障

➡ナントの王令廃止をうけフランスから流出したユグノーがイギリスに流入

▲→テーマ31

⑻　**イングランド銀行**の設立（1694）…国債を発行し，対仏戦費を調達

革命前	➡ 革命後　「財政革命」
国王が徴税権を持つ ・国王がマグナ＝カルタを無視することがある ・専制政治では反乱・革命の可能性がある	議会が徴税権を持つ ・納税拒否なし
税収は不安定	財政は安定。**国債の信頼上昇** ➡対仏戦費を容易に調達

⑼　**アン女王**（位1702～14）

▲メアリ２世の妹

①**グレートブリテン王国**（1707）…イングランドとスコットランドが正式に合併

3 ハノーヴァー朝の成立と立憲政治の確立

⑴　**ジョージ１世**（位1714～27）

①アン女王の死をうけ，ドイツのハノーヴァー選帝侯が即位

②イギリスの国情に疎く，ドイツ滞留が多かった

⑵　**ウォルポール**

①事実上の首相（蔵相任1721～42）として，王に代わって行政を執行

②**議員内閣制**（議会で多数の議席を占めた政党が内閣を組織）を確立

▲責任内閣制

③「**王は君臨すれども統治せず**」…名誉革命以降の立憲政治を示す言葉

あることを公言し，議会も軽視する有様。議会の我慢はついに限界となり，娘しかいなかったジェームズ２世に男児が生まれたこと（▲カトリックとして育てられる可能性が高かった）を引き金に，国王の廃位を決議(1688)します。そして，王位継承権を持ち**国教徒として育てられていた娘メアリ**を嫁ぎ先のオランダから夫とセットで招き，夫婦で即位(1689)しました。これが**名誉革命**です。翌年に**権利の章典**で**王権に対する議会の優越**が法文化され，１世紀近くにわたった国王と議会の対立に終止符が打たれます。

ジェームズ２世，国民全体から愛想を尽かされてたんだ…（涙）。

ここで夫オラニエ公の視点で考えてみます。当時覇権国家だったオランダですが，上述したようにチャールズ２世治世下の1672年（▲この年にオラニエ公はオランダ総督に就任）には「英仏連合」に攻撃されるなど苦しい状況に。ジェームズ２世の後ろにも「太陽王」ルイ14世の影がちらついている…。名誉革命でオラニエ公がイギリス王に即位したことは「英仏連合」が崩れて**「英蘭同盟」を成立**（▲ただし，オランダ総督がイングランド国王になったのは彼の代のみ）することを意味し，オランダにとって外交関係をひっくり返す転機になりました（「イギリス議会がオラニエ公を招いた」という側面と，「オラニエ公の方がイギリスに押しかけてきた」という側面，２つの見方があるのは興味深いですね）。これに怒ったルイ14世とイギリスの対立が表面化し，北米でウィリアム王戦争（▲→テーマ33）が勃発。**北米で植民地戦争が起こった背景には，名誉革命に伴う英仏対立があった**んですね。

この植民地戦争でイギリスが勝てたのは，**国債**（▲政府の借金）**を発行して莫大な戦費を調達できるようになった（財政革命）**ことが一因です。左ページの表にあるように，専制体制では，国王と国民が衝突する恐れがあり**税収は不安定**になりがち（また，息子が父王の借金を踏み倒すのも日常茶飯事だった▼）。国王の借金返済には税金が充(あ)てられるわけで，国民が納税を拒否する可能性を考えると，国王への融資はリスクが高い。でも議会主権の国であれば，必ず議会（＝国民の代表▲）の承認を得た上で課税が行われるので，国民はキッチリ納税。投資家（イギリス国債を主に購入したのはオランダ人投資家▲）は安心して政府に金を貸せるようになったんです。

メアリの妹**アン女王**の時代，ここで**イングランドとスコットランドが合体**して**グレートブリテン王国**が成立しました。スペイン継承戦争に連動するアン女王戦争（→テーマ33▲）の名は彼女に由来します。ちなみに彼女は大のお茶（▲紅茶）好きで，彼女の趣味がまず上流階級に広まり，18世紀後半から本格化する産業革命（▲→テーマ37）を通じ，**喫茶の習慣がイギリス国民に浸透した**ともいわれていますよ。

3 アンの死をもってステュアート朝が断絶すると，ドイツの**ハノーヴァー**選帝侯に白羽の矢が立ちました。彼が**ジョージ１世**として即位しますが，**英語は喋(しゃべ)れず政治への関心も薄く，結構里帰りもする**。実務は**ウォルポール**に任せ，国王に代わって首相が行政を担当する**議院内閣制**が整備されていきます。

アメリカ独立革命

1 13植民地の成立

(1) 13植民地

①**ヴァージニア**植民地（1607）

▲人口・面積とも最大

…**最初**の植民地。エリザベス１世時代の開拓失敗後，再び開拓。タバコのプランテーションで繁栄

▲エリザベス１世時代

②**マサチューセッツ**植民地（中心都市**ボストン**）

▲ニューイングランドの一部

…**ピルグリム＝ファーザーズ**がメイフラワー号でプリマスに上陸（1620）

▲巡礼始祖

③**ニューヨーク**植民地

・オランダ領**ニューネーデルラント**が起源。第２回英蘭戦争で獲得

・都市**ニューアムステルダム**もニューヨークと改称

④ペンシルヴェニア植民地…中心都市**フィラデルフィア**

▲クウェーカー教徒のウィリアム＝ペンが建設

⑤ジョージア植民地（1732）…最後に建設された南端の植民地

(2) **自治**の伝統…住民代表が参加する**植民地議会**が定着

(3) イギリス本国による植民地への**重商主義**

①イギリス本国の工業製品を北米植民地に購入させる

②北米植民地で販売されている商品に重税

※しかし，フランスの植民地戦争に勝利するためには13植民地を弱体化させることは得策ではなく，本国は重商主義政策をあまり強制せず

▲「有益なる怠慢」

2 イギリス本国と13植民地の対立

(1) **フレンチ＝インディアン戦争**（1754 or 55〜63）でイギリスが勝利

フランスは北米の植民地を全て失う　→テーマ33▲

イギリス本国	植民地
戦費回収のために植民地から搾取	**フランスの脅威が消え自立機運が高まる**

(2) 本国の重商主義政策の強化

①砂糖法（1764）…植民地に対して英領ジャマイカ産砂糖の購入を強制し，

1 まずはイギリスが北米に建設した13植民地を確認していきましょう。共通テストの観点では，最初の**ヴァージニア**，**ボストン**で知られる**マサチューセッツ**，**フィラデルフィア**があるペンシルヴェニア，オランダから奪った**ニューヨーク**あたりを固めておけば大丈夫。**これらの植民地には自治が認められていました。**宗教的自由を求めた**ピルグリム＝ファーザーズ**のように，束縛を逃れて渡米した人も多く，「他人の指図はうけない。自分たちのルールは植民地で決める」という気風はアメリカ人の精神的支柱になります。あとは，

この傾向は，北部において特に顕著▼

南部：温暖で，ヨーロッパに輸出できる商品作物をプランテーションで栽培 北部：寒冷で，商工業がさかん。中小自作農民が農業を行う

という風土・経済も押さえておきましょう。南北戦争でカギとなります。

▲→テーマ42

イギリスが植民地の建設を推進・容認したのは，本国の「金づる」になると考えていたからでした。イギリス製品の購入を義務づけたり，植民地が輸入する商品に課税したり，と。植民地側は当然ながら嫌がります。フランスとの植民地戦争が始まると，本国は植民地といがみ合ってはまずい，と考える。内紛のせいでフランスに負けてしまったら，本末転倒もいいところです。従って**イギリス本国は，あえて厳しい搾取をせずに手心を加えていました。**イギリス本国に守られ，13植民地の経済規模は，七年戦争後には本国の約３分の１にまで成長したんですよ。

2 そして植民地戦争ではイギリスが勝利し，フランスは北米から撤収。するとどうなるか。本国は「**もう手加減する必要はない。本国は植民地を守るために相当の犠牲を払ったのだから，君たちも相応の戦費を負担をしてくれ**」と，課税ラッシュをかけてきたんです。砂糖法は，植民地が輸入する砂糖に関税を課す法律。**印紙法**は，植民地のあらゆる印刷物に印紙を貼付する法律です。

▲新聞・本はもちろん，役所が発行する証明書，はてはトランプまで

印紙って何ですか？　聞いたことがありません。

切手みたいなもので，記されている金額分だけ印刷物の価格に税金が上乗せされます。輸入品に関税を課すのとは違って，植民地内で売買されている商品に直接課税したインパクトは大きく，また出版物への課税は言論統制とも解釈されてしまい，各地で反対運動が巻き起こりました。当時のイギリスにおける課税の原則は「**臣民は自らの代表が承認・同意した税のみを負担する**」というもの（もちろん大憲章〔マグナ＝カルタ〕の理念を継承）。

「政府が課税する際には議会の承認を得る」▼　▲代表が議論する場が議会

本国民の代表は国会議員となり，議会で政府の課税を承認する ▲課税の法案を可決する ➡　それをうけて政府は国民に課税する

という流れです（次ページ参照）。しかし，植民地人の代表はというとロンド

砂糖の密輸取り締まりを強化
▲本国はかつてフランスとの戦争中は密輸を黙認していた

②**印紙法**（1765）

・公文書・新聞・雑誌などあらゆる印刷物に印紙を貼付することを規定
▲≒出版物に課税　▲植民地の反発で翌年廃止

・**「代表なくして課税なし」**…課税の際に植民地の承認を得るよう求めた。当時，植民地の代表者は本国の国会議員になれなかったため，本国政府に課税決定権は認められない，と主張

③**茶法**（1773）…東インド会社に，北米における茶の独占販売権を与えた
▲当時財政難であった

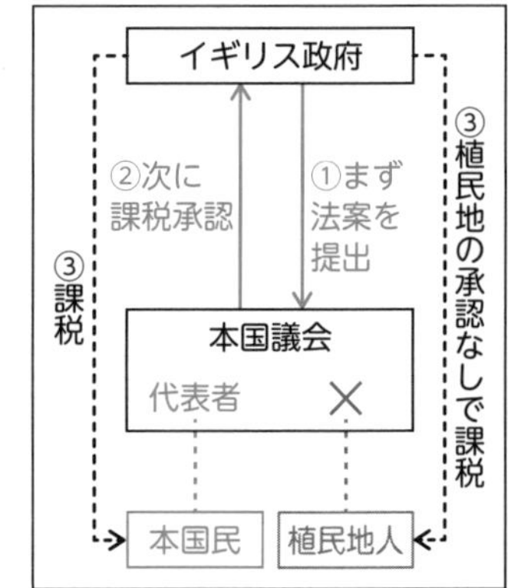

(3)　**ボストン茶会事件**（1773）

①植民地の急進派が東インド会社の船に侵入し，茶箱を海に投棄

➡イギリス側はボストン港を閉鎖し，マサチューセッツの自治権を剥奪（はくだつ）

(4)　第１回**大陸会議**（1774）
▲ジョージア植民地は不参加

①**フィラデルフィア**で，本国による弾圧の撤回を要求

3 アメリカ独立戦争

(1)　**レキシントン・コンコードの戦い**（1775.4）…アメリカ独立戦争の開始

(2)　第２回大陸会議（1775.5）…植民地軍の総司令官に**ワシントン**を任命

(3)　植民地内部の情勢

愛国派	中立派	国王（忠誠）派
独立戦争を支持。南部プランター・自営農民・中小商人など	当初は最も多かった	本国を支持しイギリスに協力。官僚・大地主・大商人など

(4)　**『コモン＝センス』**（『常識』）

①**トマス＝ペイン**が独立の必要性と共和政の正しさを平易な文章で説いた

②独立への世論形成に大きく寄与

(5)　**独立宣言**（1776.7.4）

①**トマス＝ジェファソン**らが起草し，大陸会議が採択

②**ロック**の**社会契約説**の影響をうけ，基本的人権・人民主権・**抵抗権**を主張
▲革命権

※抵抗権（革命権）…為政者が被統治者の生命・自由・財産を侵害した場合，被統治者は為政者に反抗してこれを交替させることができる

(6)　アメリカ連合規約（1777承認）…大陸会議で採択された**初の憲法**
▲1781年に発効　「アメリカ合衆国」という呼称が定められた▲

ンの国会議員になれなかった。**本国政府は，植民地の同意を得ずに課税してくる**わけです。「本国議会で植民地**代表**の同意を得ていないのだから，本国政府による植民地への**課税**は無効！自治の侵害だ！植民地に課税したいなら，俺たちの代表をロンドンの国会に議員として呼んでちゃんと話を通せ！」これが**「代表なくして課税なし」**の論理です。

1773年の**茶法**は，東インド会社に中国茶を独占販売する権限を与えたもので，植民地からの税収が目当てではなく，東インド会社の救済策でした。今回は「本国が指定した業者による商売独占を許せば，植民地業者が失業する！」（むしろ茶の価格は従来よりも下落した）という危機感が植民地側を怒らせたのです。彼らの怒りは東インド会社に向けられ，積み荷の茶箱を海に投げ捨てる**ボストン茶会事件**（英語では「Boston Tea Party」）が起こりました。

3 イギリスがボストン港を閉鎖するなど強硬手段に出ると，植民地の代表が**フィラデルフィア**に集まって**大陸会議**が開かれ，反イギリスで結束。そして1775年，**レキシントン**で起こったイギリス軍と植民地民兵の突発的な武力衝突から独立戦争が始まります。実は，大陸会議にとっては「寝耳に水」で，あわてて**ワシントン**を司令官に任命するドタバタぶりです。

準備万端で独立戦争に打って出たわけじゃなかったんだ…。

住民の意見もバラバラで愛国派（パトリオット），国王派（ロイヤリスト），中立派がほぼ拮抗。「独立よりも，まずは植民地住民の権利を認めて！」という意見が多かったようです。**トマス＝ペイン**の**『コモン＝センス』**（10万部以上売り上げてベストセラーとなった）（『常識』）は中立派を独立になびかせ，重要な役割を果たしました。

1776年７月４日に発せられた**独立宣言**で示された**自由・平等の理念は，近代市民社会の原理**として不朽の意味を持ちますね。**抵抗権**も重要。かみ砕いて言えば「政府の役割は，人民の生命や財産を守ることだ。本国政府はその役割を果たしていないから失格，レッドカードで退場！　新しい政府は自分たちで創るから」という理念。これを示すことで「この戦争は，卑劣な反乱ではなく正当な行為。正義は我らにあり！」と**独立戦争を正当化できる**わけです。

戦線の方に目を向けてみると，植民地軍は当初イギリス軍に全く歯が立ちません（農民兵も多く，戦争というより「一揆（いっき）」みたいな感じ…)。しかし，ワシントンらに鍛錬された植民地軍がサラトガの戦いに勝利したことで，風向きに変化が。「ん？植民地が反乱を起こしただけだと思ってたが，意外とやるじゃないか」と，**フランス**が独立戦争に色気を見せます。植民地戦争のリベンジマッチととらえ，イギリスから植民地を奪回してやろうと考えたわけですね。アメリカ側としても，喉から手が出るほど同盟国が欲しいわけで，外交官**フラ**

(7) サラトガの戦い（1777）…アメリカ独立軍がイギリス軍に勝利

(8) 列国によるアメリカ支持

①米仏同盟の結成 ➡**フランス**（1778）参戦，続いてスペイン（1779）も

②**武装中立同盟**（1780～83）
▲ロシア，スウェーデン，デンマーク，プロイセン，ポルトガルなどが参加

・イギリスの対米海上封鎖に対抗し，ロシア（エカチェリーナ２世）が提唱

▼フランスの社会主義者
③義勇軍の参戦…**ラ＝ファイエット**，**コシューシコ**，サン＝シモンなど
▲フランス貴族 →テーマ36 ▲ポーランド人 →テーマ32

(9) **ヨークタウンの戦い**（1781）…アメリカ・フランス連合軍が勝利

(10) **パリ条約**（1783）

①イギリスはアメリカ合衆国の完全独立を承認

イギリスの北米植民地はカナダのみとなった▼
②イギリスは**ミシシッピ川以東のルイジアナ**を合衆国に割譲

(11) アメリカ独立革命の限界…**先住民・黒人奴隷の権利は無視されていた**

4 合衆国憲法の制定（1787年制定，1788年発効）

(1) アメリカ連合規約（1777制定，1781発効）

①中央政府は弱体…外交権・国防権・貨幣鋳造権などを認めたのみ

徴税権や常備軍保持などは認められず▲
②独立戦争後の財政窮乏・混乱をうけ，強力な中央政府を求める声が高まる

(2) **アメリカ合衆国憲法**

①憲法制定会議（1787）…ワシントンを議長に，フィラデルフィアで開催

②アメリカ合衆国憲法の特徴

・中央政府である**連邦政府の権限を強化**

Ex. 通商規制権・徴税権などが認められた

・一方で，各州には広範な自治権が認められていた

▼フランスのモンテスキューが理論化
・連邦政府が強くなりすぎないように，**三権分立**を採用

▼人口に比例して州ごとに議員数を割り当てる
立法…アメリカ連邦議会（上院と下院の二院制）
▲各州代表２名ずつからなる
行政…アメリカ大統領（任期４年）が連邦政府の長
司法…最高裁判所（立法・行政が憲法に適合しているかを判断）

(3) 憲法をめぐる議会内の対立激化

連邦派 ハミルトンら ▲ワシントン政権の財務長官	**反連邦派（州権派）** ジェファソンら ▲ワシントン政権の国務長官
連邦政府の権限強化，憲法草案を支持 商業都市・製造業者を支持基盤とする	連邦政府の権限強化に抵抗し，憲法草案に反対 主に農業的利益を重視

(4) 初代大統領**ワシントン**（任1789～97）

※ワシントン D.C. が首都となる（1800）

ンクリンがフランスを口説き落としました。また，イギリス海軍が北米の港を
▲スペイン，オランダも参戦
封鎖したことに対し，「アメリカと貿易できないじゃないか！　親子ゲンカをするのは勝手だが俺たちを巻き込むなよ」とヨーロッパ諸国が怒り，**武装中立同盟**も結成されました。あと，**ラ＝ファイエット**や**コシューシコ**ら義勇兵も忘れてはいけません。二人ともこの後，祖国に戻って大きな働きをしますよね。
植民地寄りの中立▲

アメリカ＆フランス連合軍が1781年の**ヨークタウンの戦い**に勝利し，大勢は決しました。1783年の**パリ条約**でイギリスはアメリカの独立を認めましたが，この条約，フランスにとってはショックな内容。イギリスから北米を奪回できなかったのです…。アメリカまで大軍を送ったのに何ら得るものがなく，莫大な軍事費を費やしただけ。これが**フランス革命の遠因**になります。
ミシシッピ川以東のルイジアナはアメリカ領に▲

4　独立後のアメリカで懸案となったのは，州政府と中央政府の関係でした。

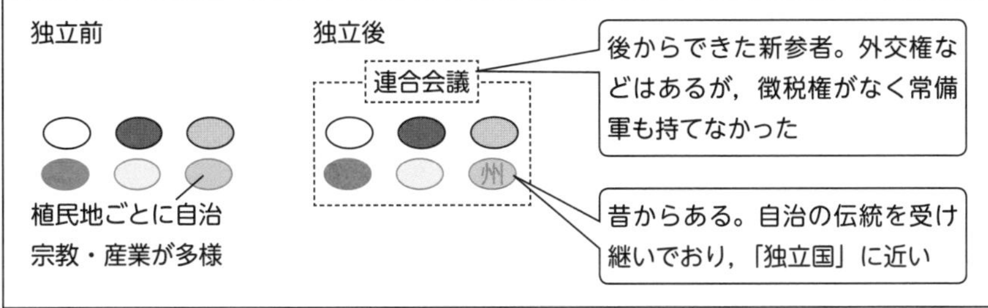

13植民地は自治権を持ち**「自分たちのルールは植民地で決める」**気風に満ちて，**宗教・産業もバラバラ**。植民地は独立後に「州」となりますが，**独立国に近い**感じです。一方，独立戦争中に発効したアメリカ連合規約に基づき設置された中央政府を「連合会議」といいます。「州政府の方が昔から存在し，後から連合会議ができた」経緯を考えれば，連合会議に大きな権限が与えられるはずもなく，弱体でした。
▲連合規約の段階では「邦」とも呼ばれる

しかし，独立後に経済問題が山積し，農民反乱が起こるなど社会も不安定になったため，**強力な中央政府を待望する声が高まり**，これに応える形で憲法制定会議が開かれました。この時，中央政府の権限強化を求めたのが**連邦派**，州政府の独立性を重んじたのが**反連邦派**です。結局，憲法では中央政府である**連邦政府の権限は連合規約よりも強化され，徴税権と常備軍の保持が認められました**。一方で**各州には大幅な自治権が認められ**，また行政府である連邦政府の強大化を防ぐため，立法・行政・司法が相互にけん制し合う**三権分立**の理念を採用します。この憲法に基づき，**ワシントン**が初代大統領に就任しました。
▲独立戦争での債務の返済，各州の利害がぶつかる関税政策など
ただし，連邦政府の権限をめぐる論争はこの後も続いていく▲
▲州を意味する「STATE」には「国家」という意味もある

重要テーマ4 国民国家とナショナリズム

人間には様々な属性（アイデンティティ）が備わっていて，これを共有する集団も同時に存在します。下のような高校生X君がいたとしましょう。

高校：A高校の生徒です。	**クラス**：A高校の3年B組に属しています。
出身県：C県生まれです。	**宗教**：D教を信仰しています。
国籍：Eという国の国民です。	**ひいきチーム**：サッカークラブFのファン。
家族：名門G家の一員です。	**髪型**：H丸坊主です。

ケースによって，X君が重視する属性は変わります。部活の試合ではAが，学校の体育祭の日はBが重視されるでしょう。親戚の結婚式やお葬式ならばGが前面に出てきます。サッカー観戦ならばFですね。**ナショナリズムとは，上記の中で，「X君はE国民」という属性を最上位に置く思想です**（この時，「同じ言語を話す」「同じ人種」など別の共通属性を重ね合わせて，Eへの求心力・魅力を高めたりします）。フランス革命は，ナショナリズムが勃興する節目でした。

旧体制下では，聖職者や貴族といった身分はもちろんギルドや農村共同体など，様々な団体（**社団**）が強固な結束を保っており，国王から一定の権利を与えられ（これは王の支配に抵抗しているともいえます），国内はバラバラ。この社団が属性の上位に置かれ，フランス国民とは「国境で囲まれた一定の領域内の一員」くらいの意味でしかなく，「あなたは何者？」と尋ねれば，**「私はフランス国民である前に貴族だ！」**という答えが返ってきました。

しかし，フランス革命が起こると状況は一変！　「国民の自由・平等」が掲げられました。これは**「特定の国民への特別扱い，区別差別を一切やめる」**，つまり**社団が解体された**ことを意味するのが分かるでしょうか。

社団なき後，残されたのは国家です。革命の指導者たちは，**「同一の人権を共有する，自由で平等なフランス国民」**を創り出しました。言い換えれば，今まで大した共通点もなかった「フランス国民」という属性に，「自由・平等で均質な人民」という（属性を共有する，共通点を持つ）集団をあてはめた，ということです。さらに政府は**「文化的均質化」**を進め，一環としてフランス語の**標準国語**を定めて教育で浸透させ，当時まだ使用されていた地域言語や方言を「抹殺」。「フランス国民は標準語を話す（＝言語という属性を共有）」ことにもなり，その結束は強化されました。指導者たちは，革命を通じて従来とは全く異なる新しい人間を創出し，習俗や心性も過去と決別して変革しようと考えていたのです。

そしてルイ16世を処刑した後のフランス共和国は，「構成員全体の団結によってしか存立しえない国家」「一にして不可分」とされました。「キミたち一人一人が国家に欠かせないピースなんだ」ということです。こうなると「あなたは何者？」と尋ねた時，返ってくる答えは当然「私はフランス国民である！」ですね。

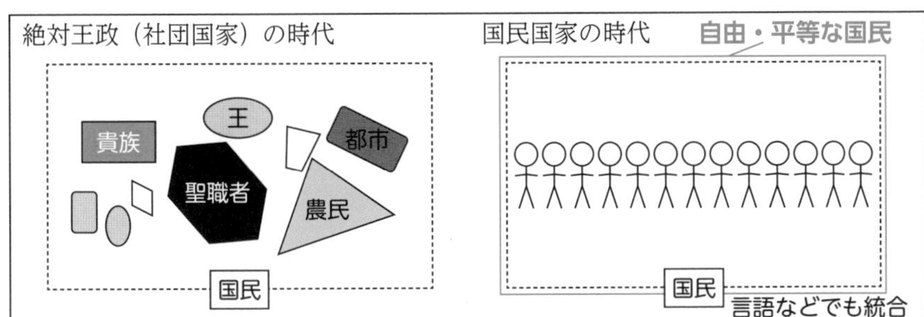

ここでX君に話を戻します。部活の試合で選手と応援団が同じ「校歌」を歌う。体育祭でクラス全員がお揃いのTシャツを着る。これらは，歌や服といった象徴を用いて「属性」の等質性・共通性を意識させる定番の手段ですね。革命政府は国家レベルでこの手の事業（国民統合）を行っており，フランス国旗・国歌がいずれも革命期にルーツを持つことは，広く知られるところです。（これらが正式に制定されるのは，19世紀後半の第三共和政期において）このような，均質な国民（nation）を主権者とする国家を「**国民国家**（nation-state）」と呼び，ナショナリズムは国民国家を建設しようとする運動ということもできます。

ルイ16世を処刑した後，フランスは内外で反革命の危機にさらされました。「祖国の危機」が叫ばれると，「国民」属性を最優先に考えた**国民は愛国心をかきたてられ，士気に溢れる義勇兵として戦うなど革命戦争に結集し，今までにないような力を発揮しました**。（徴兵制はその典型）国民意識（ナショナリズム）を高揚させることは，戦時など国民の求心力が必要な事態には不可欠なことが，次第に認識されてきます。

このナショナリズム，ドイツではフランスとは異なった現れ方をしました。ドイツのナショナリズムが発生する経緯は**テーマ36，40**で確認してもらうとして，

フランス　nation＝国民	ドイツ　nation＝民族
革命が成功。社会契約説・啓蒙思想に基づいて，**「フランス革命理念を支持する，自由・平等な国民」という属性を共有する集団**が集まって国民国家を創る。 民族主義には依存しない	絶対王政が存続しているため，「自由で平等な国民」は存在しない。 そこで，**「同一の言語・歴史・文化・先祖」という属性を共有していると自己認識する集団**が集まって国民国家を創る

ドイツでは革命が起こっていないので，君主・身分制度・社団が残っていて「平等な国民」という属性が用意できない。そこで，ドイツ人は**「先祖を共有する集団」が国民を構成する**，と考えて国民国家を創ろうとしました。**自由主義**に立脚したフランスのナショナリズムに対して，ドイツは「**民族主義**に立脚したナショナリズム」であり，ナショナリズムの意味内容には差異がありました。ただフランスでも「民族」の属性，ドイツでも「自由で平等な国民」の属性がそれぞれある程度は追求されており，ナショナリズムは複合的なものであったといえます。

ナショナリズムは近現代史を貫く「柱」であり，**テーマ38，40，55**をはじめとする様々な単元のキーポイントになってきますよ。

フランス革命とナポレオン

1 革命前夜のフランス

(1) **旧制度（アンシャン＝レジーム）**

★**ルイ16世**（位1774～92）…人間的には温厚で，国民からの人気は高かった

- ①第一身分（人口の0.5%）…聖職者
- ②第二身分（人口の1.5%）…貴族
- ③第三身分（人口の98%）…平民。参政権を持たず重税に苦しむ
  ▲また，総人口の約80%が農民

特権身分…重要官職を独占，国土の４割を所有。免税・年金等の特権を保持

(2) 革命気運の起こり…啓蒙思想の普及，アメリカ独立革命の成功

※1787年からの不作で，民衆は飢饉(ききん)・食料価格の高騰に苦しんでいた

(3) フランス財政の窮乏

▲18世紀に入ってから，政府は２度にわたって債務放棄

①ルイ14世以来の対外戦争（特に**アメリカ独立戦争**），宮廷の奢侈(しゃし)が主因

②財務総監らによる財政改革

- ・**テュルゴ**（任1774～76）…重農主義者（ケネーの弟子）で自由主義的改革（特権身分への課税）を主張するが，特権身分への抵抗で挫折
- ・**ネッケル**（任1777～81，88～89）…特権身分への課税を主張
  ▲スイス出身の銀行家
  ➡反発した特権身分は，事態の打開のため**全国三部会**の召集を要請

2 全国三部会

(1) 全国三部会の開会（1789.5）…議決方法をめぐって紛糾
▲ルイ13世の治世に閉鎖されていた

★議案…特権身分への課税

	従来の身分別議決法	個人別評決法
第一身分	1票（反対）	300票弱（下級聖職者は**賛成**）
第二身分	1票（反対）	300票弱（自由主義貴族は**賛成**）
第三身分	1票（賛成）	600票弱（賛成）

否決　可決

3 国民議会（1789～91）

(1) 成立(1789.6.17)…ミラボーらの指導で第三身分代表が全国三部会から離脱
▲7月には憲法制定議会と改称

(2) **テニスコート（球戯場）の誓い**（1789.6.20）

1 **2** フランス革命前夜の**旧制度（アンシャン＝レジーム）**▲英語の ancient（＝旧式の，古代の）に相当 下の人口構成を生徒数1000人の高校で例えてみると，聖職者５人，貴族15人，平民980人という感じになります。

これくらいの規模の高校って多そうだから，分かりやすい例えです。

1000人中の20人▲人口の２％が種々の特権を持ち，フランスの土地の約40％を所有していました。平民は政治的に無権利で，重税などの負担▲農民は地代，十分の一税なども負担にも苦しんでいましたが，この状態を当たり前のものとして受け容れていました。これが18世紀に入ると風向きが変わり始めます。**自然法・社会契約説**▲→テーマ79**・啓蒙思想**が知識人の間に定着すると，現体制を改めるべきだという「世論」が生まれてきたんですね（サロンやカフェが知識人の情報交換の場となりました）。そして，アメリカ帰りの**ラ＝ファイエット**が自由・平等の精神を伝えました。「独立戦争で同盟を組んだアメリカ人には身分などない。我が国の身分制度はおかしいではないか！」と。

一方，当時の国王**ルイ16世**にとって頭痛の種は**財政問題**でした。宮廷の奢侈（王妃マリ＝アントワネットの贅沢は有名です）に加えてヨーロッパと植民地での相次ぐ戦争で財政は火の車で，アメリカ独立戦争で大軍を送った▲フランスは植民地を奪回できなかったのがトドメを刺しました。そこで財政改革を託された**ネッケル**が，**特権身分にメスを入れて彼らから徴税しようと提案**。特権身分が承諾するはずもなく，1615年以来の**全国三部会**でこの問題を討議することになりました。

全国三部会は議決方法でもめます。「聖職者＆貴族は課税案に反対で，平民は賛成」という立場であり，従来の身分別議決法であれば否決。しかし個人別評決法（１人１票）であれば，**下級聖職者**▲上位聖職者とは異なり，貧困にあえぐ**と自由主義貴族**▼進歩的な考え方を持ち改革を主張**は賛成に回る**ので可決が確実（左ページの表を参照）。どちらの議決方法にするかで法案の可否が決まってしまうので，議会は紛糾します。

3 ゴタゴタの中で議会から締め出された第三身分代表は，自由主義貴族に手引きされて結集し「自分たちで憲法を創るまでは解散しないぞ！」と叫びました。**国民議会**の成立です。議会を主導したのは**ミラボー**や**ラ＝ファイエット**ら自由主義貴族で，彼らは**急進的な改革は行わず立憲君主政を目指しました**。彼ら自身はリッチに暮らしていて「道楽」として改革を進めているにすぎません。あくまでもセレブ目線で，貧民の意見は反映されないのが国民議会期です。

ルイ16世は温厚な人柄で，実は国民には人気がありました。ただ優柔不断で，保守的な大貴族に幾度も振り回されます。今回も，「財政再建には改革が必要だから国民議会の存在も悪くない」「しかし名門ブルボン朝の威厳は守らねば。大貴族もウルサイし」と板挟みになり，結局パリに軍隊を集結させるよ

…憲法制定まで解散しないことを議員が宣言　➡国王は国民議会を承認
特権身分にも同調者が出たことをうけて▲

⑶　国民議会の指導者…**いずれも穏健派であり，立憲君主政を目指す**

①**シェイエス**…第三身分出身の聖職者。**『第三身分とは何か』**を著し，特権身分を攻撃して世論の反響を得た

②**ミラボー**…自由主義貴族。国王とも親密で，議会の内情を伝えていた
▲三部会には第三身分代表として当選

③**ラ＝ファイエット**…自由主義貴族。アメリカ独立戦争に参加し，革命理念をフランスに広めた

⑷　**バスティーユ牢獄襲撃**（1789.7.14）

①ルイ16世が大貴族の圧力をうけ，国民に人気があったネッケルを解任

②パリ市民は武器弾薬を求めバスティーユ牢獄へ向かい，国王軍と軍事衝突

⑸　**封建的特権の廃止**（1789.8.4）…農民の蜂起が背景
▲革命勃発後に貴族の報復を恐れた

無償廃止されたもの	**有償**廃止であったもの
免税特権，農民に対する領主裁判権・賦役，教会に支払う十分の一税など	農民に対する**封建地代**は有償（20〜25年分の地代を一括払い）で廃止

⑹　**人権宣言**（人間および市民の権利の宣言，1789.8.26）

①**ラ＝ファイエット**らが起草。ルソーの啓蒙思想の影響をうけている

②自然権（自由と平等，抵抗権），国民主権，**私有財産の不可侵**などを規定

⑺　**ヴェルサイユ行進**（十月事件，1789.10）

①食糧価格の高騰をうけ，パンを求めるパリの女性がヴェルサイユ宮殿に殺到

②ルイ16世一家はパリに移り，パリ市民の監視下に置かれた
▲国民議会もパリへ移転

⑻　教会財産の国有化（1789.11）…競売にかけ，政府の財源にあてた

⑼　ギルドの廃止（1790）…自由競争の原理に基づき，ギルドを廃止

⑽　**ヴァレンヌ逃亡事件**（1791.6）

①共和政への恐怖心が高まったルイ16世一家が，王妃マリ＝アントワネットの出身地であるオーストリアへの逃亡を図ったが失敗
▲議会とのパイプ役だったミラボーが死去したため

②ルイ16世に対する国民の不信が増大し，**急進共和派が台頭**

⑾　ピルニッツ宣言（1791.8）…**革命が自国へ波及することを警戒した**オーストリア皇帝とプロイセン国王が，フランス国王の地位回復と，革命政府の非正統性を主張
▲共和政
フランスへの武力干渉も示唆▲

⑿　**1791年憲法**（1791.9）

①**立憲君主政**
②**制限選挙制**
｝自由主義貴族や，上層市民の主張を反映

※**オランプ＝ド＝グージュ**…『女性の権利宣言』を刊行した女性劇作家

う命じました。これに対してパリ市民は立ち上がり，７月14日に武器弾薬を
▲ネッケルも罷免
求めて**バスティーユ牢獄**へ殺到。国王派の守備隊と軍事衝突し，革命の火ぶたが切って落とされました。

８月，国民議会は**封建的特権の廃止**を宣言し，特権身分の**免税特権**・年金，
▲背景に「大恐怖」と呼ばれる各地の農民暴動
農民に対する領主裁判権・賦役・十分の一税が廃止されました。ただ，農民が貴族（領主）に負担する地代だけは「**有償**」廃止でした（自由主義貴族が領主
▲20～25年分の地代を一括払いすることが必要
の利益を優先させてしまったわけです）。月末に発せられた**人権宣言**（人間および市民の権利の宣言）は，アメリカ帰りの**ラ＝ファイエット**が起草しただけあって，アメリカ独立宣言と多くの共通点が見られます。**所有権の不可侵**は，フランス革命期に再三強調される理念なので覚えておいてください。10月の**ヴェルサイユ行進**で，国王一家がパリから来た女性たちとともにパリへ移った
▲テュイルリー宮殿
ことは，ルイ16世の温厚な人柄を表していますね。その後に行われた教会財産の国有化やギルドの廃止は，まさに**【重要テーマ４】**で扱った「社団」の解体です。

憲法制定作業が進んだ1791年，**ミラボー**が病死します。ルイ16世は密かに彼と連絡をとって議会の情報を収集していたのですが，情報源が絶たれてしまった。「立憲君主政の憲法になるはずだけど，気が変わって共和政になったらどうしよう」と不安に襲われた国王は，なんと王妃マリ＝アントワネットの実家オーストリアへの夜逃げを企てます。しかし，国境近くのヴァレンヌで見つかってしまった…。この騒ぎで，ルイ16世の人気は失墜。「国王は外国とつるんで革命をつぶそうとしてる」「国を捨てるような無責任な奴に統治を任せられるか」と共和派が勢いづいてしまいました。

余計なことをして，墓穴を掘っちゃった感じですね。

共和政の機運が高まってくると，近隣国の君主も，「ルイ16世が玉座を追わ
▲オーストリア皇帝はマリ＝アントワネットの兄
れれば，自身にも同じ災いがふりかかるかもしれぬ。フランスの王政を救わねば」と考えピルニッツ宣言でフランスをけん制しました。こんな風に共和政の声が高まったものの，結局のところ，制定された**1791年憲法**は当初の予定通り**立憲君主政**でした（自由主義貴族が主導していたわけですからね）。

改革された点	民衆・農民に不満が残った点
封建的諸特権廃止，人権宣言， 1791年憲法（専制に歯止め）	地代は有償廃止 1791年憲法（王政は維持，制限選挙）

この表を見ると，国民議会の改革が民衆目線ではないことが改めて分かると

4 立法議会（1791.10～92.8）

⑴ 議会内の党派

党派	支持層	支持する政体
フイヤン派	自由主義貴族，上層市民	立憲君主政
ジロンド派	中産市民（商工業者など）	穏和な共和政
ジャコバン派（山岳派）	都市民衆	急進的な共和政

⑵ オーストリアに宣戦布告（1792.4）

①**ジロンド派**内閣が，国内外の反革命の動きに決着をつけようとした

②義勇兵中心のフランス革命軍はオーストリア・プロイセン軍に連敗

※パリへ向かう義勇兵が歌った行進曲が「ラ＝マルセイエーズ」
▲現在のフランス国歌

⑶ **8月10日事件**（1792.8.10）

①オーストリア・プロイセン軍がフランス領に侵入

➡危機感を抱いた義勇兵と**サンキュロット**が宮殿を襲い，国王一家を逮捕
▲パリの都市民衆。中小店主や職人

②王権の停止…立法議会が宣言。男子普通選挙の実施を約束

5 国民公会（1792.9～95.10）

⑴ 成立（1792.9）…**フランス史上初めての男性普通選挙**によって成立

①王政の廃止・共和政の実施を宣言（＝**第一共和政**）

②議席数ではジロンド派が多数を占め，ジャコバン派は少数派
▲議会外のサン＝キュロット勢力の支援を得た

⑵ ヴァルミーの戦い（1792）…対外戦争の激化

①義勇兵からなるフランス革命軍がプロイセン軍に初勝利

②「この日，この場所から世界史の新しい時代が始まる」by ゲーテ

⑶ ルイ16世の処刑（1793.1）

⑷ 内外の危機

国外	国内
第1回対仏大同盟（1793～97） ・イギリス首相ピットの提唱で，英・普・墺（おう）・西・蘭などが参加 ・フランス革命政府は**徴兵制**の実施で対抗した	**ヴァンデーの反乱**（1793～95） ・王党派に扇動（せんどう）され，農民がルイ16世の処刑，反カトリック的政策，**徴兵令**に反発して蜂起

⑸ ジャコバン派独裁の確立

①**公安委員会**…行政・軍事の最高機関として設置された

思います。

4 国民議会が解散した後に召集された**立法議会**では，商工業者を支持基盤に共和政の制限選挙を目指す**ジロンド派**が政権を握りました。ピルニッツ宣言以来，近隣国がフランスの亡命貴族と組んで革命をつぶしに来るのでは？という危機感が議会内で高まっており，1792年の春にジロンド派は革命を守るために対外戦争に打って出たのです。ルイ16世はフランス革命軍に負けてほしいので，宣戦に賛成しましたよ。

フランスの方から仕掛けたということは，勝算あったんですね。

いえいえ。「議会内で主導権を握る決め手がほしい」「経済混乱に苦しむ農民や都市民衆の不満を戦勝で吸収したい」といった下心が先走っていて，ジロンド派はまともな戦略を描いてませんでした。しかもフランス軍の将校は貴族であり（ルイ16世と同じ考えですから），思いっきり手を抜きます。作戦に関してはマリ＝アントワネットを通じてオーストリアに筒抜け…。連戦連敗です。これはマズイ，と議会が７月に「祖国は危機にあり！」と非常事態を宣言すると，各地から義勇兵がパリに集結。プロイセン軍侵入の危機が迫る中，義勇兵とパリの都市民衆**サンキュロット**は反革命派の打倒を叫び，ルイ16世がいたテュイルリー宮殿を占拠し国王一家を逮捕しました（**8月10日事件**）。国王権力が停止されて，フランスは共和政へ移行しました。

▼ボランティアの志願兵　オーストリア・プロイセン軍はパリに迫っていた▲

▲ナショナリズムが高まっていたことを示す　→【重要テーマ４】

【ところで，フランス革命中の議会では，議長席から見て右側に保守・穏健派が，左側に急進派が議席を占めて座っていました。これが現在の政治用語**「右派＝保守派」「左派＝急進派」**の起源です。】

▲穏健派を指す場合もある

5 1792年９月に成立した**国民公会**の方針は当然ながら急進的で，**フランス初の男性普通選挙**によって議員が選ばれました。翌年，公会はルイ16世の処刑を可決。多くのパリ市民が見守る中で国王の首をギロチンで切り落としたことは，「もう王政には戻らない」という政府の決意表明であったといえます。これに対し「同じことを我が国で起こされたらシャレにならん！」と近隣の国王たちは戦慄し，目の色を変えてフランス包囲網を構築しました（**第１回対仏大同盟**）。ここにフランス革命は最大のピンチを迎えたのです。一瞬も気が抜けない，息が詰まるような緊急事態にどう対処すればいい…？　ジャコバン派は議会内では少数派でしたが，サンキュロットの支持を背景に力を伸ばしており，議会からジロンド派を追放して**独裁**に踏み切りました。そして「この非常事態に，反対者・抵抗者のせいで戦争への対応が遅れれば，それだけで命とり。

②ジロンド派の追放（1793.6)

(6) ジャコバン派の**恐怖政治**（テルール）

①中心人物は**ロベスピエール**

②内外の非常事態に対処するため，少しでも反革命的と見なされた者は挙国体制を乱したかどで逮捕され，ギロチンで処刑された

(7) ジャコバン派による諸改革

①**1793年憲法**（ジャコバン憲法　1793.6)

・人民主権，**男性普通選挙**，革命権などを規定
▲フランス憲政史上，初めて明文化された

・対外戦争のため施行延期　➡後にジャコバン派が没落したため**施行されず**

②**封建地代の無償廃止**（1793.7）➡自作農となった農民は，以後**保守化**

③**最高価格令**の制定（1793)

・物価を統制して穀物・賃金などの最高価格を定め，民衆を保護
➡商品を生産・販売する商工業者や，賃金上昇を望む労働者は反発

④**非キリスト教化運動**…政教分離の推進

・背景…絶対王政とキリスト教は不可分の関係だったため
▲王権神授説が好例

・理性の崇拝や，**革命暦**の採用（従来の**グレゴリウス暦**を廃止）
▲ジャコバン派左派のエベールが推進

※フランス革命期に度量衡の統一が決議され，**メートル法**が確立された
パリを通る子午線の長さの4000万分の１を１メートルとした▲

(8) **テルミドールの反動**（**テルミドール９日のクーデタ**，1794.7.27)

①背景…
- ・内紛…ロベスピエールはダントンやエベールを処刑
▲ジャコバン右派　▲ジャコバン左派
- ・対外戦争の好転，恐怖政治への反発，急進的改革に対する富裕層の反発，農民の保守化

②反ロベスピエール派がロベスピエールを逮捕・処刑　➡独裁は崩壊

6 総裁政府（1795.10～99.11)

(1) **1795年憲法**（共和国第３年憲法，1795.8制定）…穏健共和派が主導

①財産資格による**制限選挙**

②５人の総裁，**二院制**の議会…**独裁を防ぐため，権力を分散させた**
▲法案を提出する五百人議会と可決する元老院の二院制

(2) 政情不安

- ①右　王党派の反乱（1795）…ナポレオンが鎮圧
▲ヴァンデミエールの反乱
- ②左　**バブーフ**の陰謀（1796.5）…私有財産を否定し，クーデタを計画

(3) **ナポレオン＝ボナパルト**（1769～1821）…コルシカ島出身の貴族
▲ジャコバン派を支持し，テルミドール９日のクーデタで一時投獄される

①第１回**イタリア遠征**（1796～97）…第１回対仏大同盟を崩壊させる

②**エジプト**遠征（1798～99)

・**イギリスとインドの通商路の遮断を狙って**エジプトに上陸

彼らは革命の敵だ！」と**ロベスピエール**らジャコバン派指導者は叫び，反対派を容赦なくギロチンに送りました（**恐怖政治**（テルール））。政府が，【重要テーマ4】で扱った国民統合を特に強化したのがこの時期ですね。諸国に包囲された状況を打ち破るため，国民の気持ちを国家に結集させようとする必要があったわけです。この時期の国内では**ヴァンデーの反乱**も起こっており，まさに「内憂外患」でした。

独裁期に，ジャコバン派は急進的な改革を矢継ぎ早に打ち出しました。平和が到来した時を見越して民主的な**1793年憲法**を作成し（結局施行されませんでしたが…），国民議会期には条件付き廃止だった**封建地代を無償廃止**しました。農民は念願の自作農となったわけですが，以後彼らは**「何より俺の土地が第一なので，土地所有権を揺るがすような騒ぎは勘弁してください。そして俺の土地さえ守ってくれるなら，どんな政治でも結構です」**という考え方をするようになりました。これがフランス史のポイントである「**農民の保守化**」です。

▲革命・内乱

物価の上昇を抑えようという**最高価格令**が，民衆目線の改革であることは明白ですね。【重要テーマ4】でも述べたように，フランス革命では人間の「習俗」「心性」にまで変革の波が及びました。その典型が啓蒙思想を基盤とする**非キリスト教化運動**です。「キリスト教など迷信だ！」と切り捨て，王権神授説に立脚した絶対王政を全否定し，イエス生誕を紀元とする**グレゴリウス暦**を廃止しました。これに代わって理性崇拝の祭典を挙行し，合理的な十進法の**革命暦**を採用。また革命期を通じて，度量衡でも十進法の**メートル法**が導入されました。

もっとも，ロベスピエールは反対の立場で，国民にも不評▼

理性に信頼を置く，合理主義的な思考法　→テーマ79▲

1カ月は全て30日。1カ月は10日ごとに3つの「旬」に分ける▲

しかし，急激な改革には反発がつきもの（地代収入を失った領主，最高価格令に反発する商工業者，キリスト教信仰を奪われた敬虔（けいけん）な農民など）。**対外戦争の戦況が好転したことで独裁を行う大義名分も揺らぎ，恐怖政治への反発が噴出**し始めて，ロベスピエールは苦しい立場に追い込まれます。反ロベスピエール派は攻勢をかけ，1794年**テルミドール**9日にロベスピエールを逮捕。革命の理想を追い続けた彼は，即日ギロチンへ送られてしまいました。

▲革命暦の「熱月」

6 新たに制定された**1795年憲法**では**制限選挙**が復活。急進的なジャコバン派を倒した後だけあって，まあ当然です（この憲法をうけて**総裁政府**が成立）。憲法のコンセプトは「恐怖政治の再来を防げ」でした。行政の長**総裁が5人いる&議会が二院制**であることを見れば明白ですね。でも弱点が…。

▲共和国第3年憲法

▲法案を提出する議会と可決する議会が別

分かります。非常時に「何も決められない」政府ですよね。

そう，政府はビシッと手を打てない。王党派の反乱や**バブーフ**の陰謀に振り回されました（共和政の制限選挙って，保守・急進の両派から攻撃の対象にさ

▲彼の思想はのちの社会主義に通じる

第4章 近世のヨーロッパ（〜市民革命）

・フランス艦隊がイギリスのネルソン艦隊に撃破され，フランス軍は孤立
▲アブキール湾の戦い
・**第２回対仏大同盟**の結成（1799）
…イギリス首相のピットの提唱で結成
➡ナポレオンは自軍をエジプトに置き捨てたまま帰国

⑷　**ブリュメール18日のクーデタ**（1799.11）
①ナポレオンが総裁政府を打倒し，**フランス革命は終了**

7 統領政府（統領体制，1799～1804）

⑴　３人の統領からなる政府だが，実態はナポレオンの独裁
⑵　**アミアンの和約**（1802）…英仏間で締結。➡第２回対仏大同盟の解消
和約に先立ち，第２回イタリア遠征でオーストリア軍を撃破している▲
⑶　内政
①フランス銀行の設立（1800）…財政・金融安定化のための中央銀行となる
②**宗教協約**（**コンコルダート**，1801）
・背景…革命中のキリスト教排斥運動で，ローマ教皇はフランス政府に反発
・ナポレオンとローマ教皇が和解し，フランスでカトリックが復活
▲ピウス７世　▲敬虔な農民層の支持を集めた
③**ナポレオン法典**（フランス民法典，1804）
・法の前の平等，私有財産の不可侵，契約の自由など，近代の法原理を確立
・目的…革命による成果の確認と維持
⑷　終身統領を経て，**国民投票**によって皇帝**ナポレオン１世**となる（1804）
＝**フランス第一帝政**の成立

8 大陸制覇　～ナポレオンの全盛期

⑴　**第３回対仏大同盟**の結成（1805）
▲イギリス・オーストリア・ロシア
①ピット内閣が，ナポレオン皇帝即位と**「革命の輸出」**に対抗して提唱
▲自由と平等の精神をヨーロッパに拡大させる
⑵　**トラファルガーの海戦**（1805）
①ネルソン率いるイギリス艦隊が，フランス・スペイン連合艦隊を撃破
ネルソン自身は戦死▲
⑶　**アウステルリッツの戦い**（**三帝会戦**，1805.12）
①フランス（ナポレオン１世）がオーストリア・ロシアの連合軍を撃破
▲フランツ２世　▲アレクサンドル１世
②戦後に第３回対仏大同盟は崩壊
⑷　**神聖ローマ帝国の消滅**（1806）
①西南ドイツの領邦が神聖ローマ帝国から脱退し，オーストリア皇帝が帝位を放棄
②ナポレオンの保護下に**ライン同盟**が成立

れる気の毒な体制ですね)。国民からはすぐに見放される始末です。そんなさなか，「パリの街中で効果的に大砲を使って王党派の反乱を鎮めたスゴイ奴がいるぞ」と噂になった若手の軍人がいました。その名を**ナポレオン＝ボナパルト**といいました。

この頃のフランスはナショナリズムが「熟成」されてきた時期。フランス軍には国民意識・士気が高い成人男性が**徴兵制**によって供給され，質・量ともに絶対王政の軍を圧倒し始めます。この「国民軍」にナポレオンの才能が加わることで，ここから10年間は「無双」に近い状態。ナポレオンは**イタリア**に遠征し，対仏大同盟の中核オーストリアを屈服させました。続いて**エジプト**へ向かいますが，ナポレオン軍が現地に上陸した後，フランスの輸送艦隊がイギリスのネルソンによって全滅し，フランス軍はエジプトから身動きがとれなくなってしまいました。すかさず**第２回対仏大同盟**が成立しますが，ナポレオンはわずかな部下を連れてエジプトから帰国し，総裁政府を倒しました（**ブリュメール18日のクーデタ**)。「総裁政府では頼りない。我が国を守ってくれるのはナポレオンだ」というのが，多くの国民とナポレオン本人の共通認識になっていた，ということですね。1789年に始まったフランス革命は，ちょうど10年後に終了しました。

（徴兵制の注：士気が高いフランス兵の歩く速度は，他国兵の1.5倍だったという▲）
（エジプトの注：イギリスとインド貿易の中継地▲）

7 **統領政府**では，事実上ナポレオンの独裁体制が敷かれました。対外的には**アミアンの和約**を結んでイギリスと和解し，10年ぶりにフランスに平和が戻ります。内政面では，中央銀行に相当するフランス銀行を設立して財政・経済の安定に努め，（国民には不評だった）キリスト教排斥運動を撤回してカトリックを復活。関係が悪化していたローマ教皇と和解しました（**宗教協約**(コンコルダート)）。1804年には**ナポレオン法典**を制定し，10年間の革命で実現した**自由主義の原理・原則を改めて確認**。土地所有を保障してもらいたい農民には，「所有権の不可侵」は本当にありがたい規定でした。このように国民のハートを鷲掴(わしづか)みにしたナポレオンは，国民投票の結果，皇帝**ナポレオン１世**として即位しました。

「国民はみんな平等」の国を「皇帝」が統治するなんて奇妙ですね。

国民投票というカラクリによって，この２つが両立するわけですね。

8 皇帝となったナポレオンは，**「革命の輸出」**を名目に大陸制覇に乗り出しました。「わが軍が他国の民衆に代わって絶対君主を倒す。フランス革命精神を全ヨーロッパに教えてあげよう。これは解放戦争である」ということです。近隣の君主には迷惑この上ない話で，ピットは三たび**対仏大同盟**を結成。ナポレオンは宿敵イギリス上陸を目指し海軍を派遣しますが，その前にまたしてもネ

(5) **大陸封鎖令**（1806.11）…大陸諸国とイギリスの通商を禁止
▲ベルリン勅令

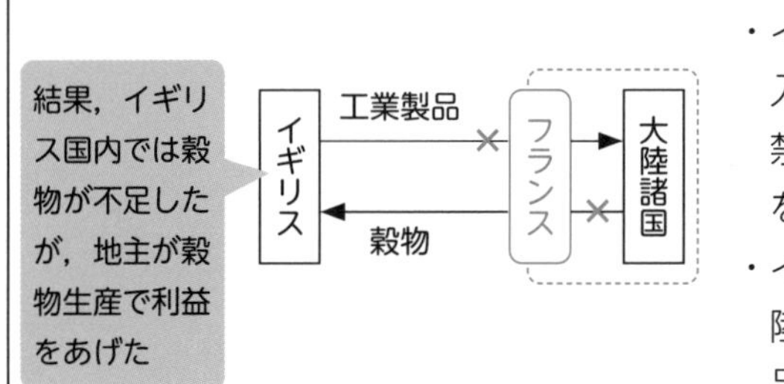

・イギリスからの工業製品の輸入，イギリスへの穀物輸出を禁じてイギリスに経済的打撃を与える
・イギリス製品をヨーロッパ大陸から締め出し，フランス製品の市場拡大も狙った

(6) ティルジット条約（1807.7）…ナポレオンの絶頂期
①対ロシア…ロシアも大陸封鎖に参加させた
②対プロイセン…プロイセンの領土を半減させ，賠償金を課した
▲プロイセンにはフランス軍が駐留
・**ワルシャワ大公国**…旧ポーランド領に建国。ナポレオン１世に従属

9 ナポレオン１世の没落

(1) 自由主義・国民主義の高まり

ナポレオンが大陸諸国を制覇（一族・側近を王に据えた）

↓

ナポレオンが諸国の絶対君主を屈服させ，現地で民法典を施行して，**自由主義を伝える**
諸国の民衆から「**解放者**ナポレオン」と見なされた側面もある

諸国の民衆はフランスのナショナリズムを見せつけられる
↓
「**侵略者**ナポレオン」への反感から，**諸国でもナショナリズムが発生**

※大陸封鎖令による困窮も反仏感情を増幅させた

(2) プロイセンの改革（1807～）…「上からの近代化」
①**シュタイン**と**ハルデンベルク**…**農奴制**を廃止，行政機構を改革
▲ただしユンカーの大土地所有は存続
②フランスに対抗し徴兵制を導入
シャルンホルストとグナイゼナウ▲
③**「ドイツ国民に告ぐ」**…哲学者**フィヒテ**が**「ドイツ民族」の意識を鼓舞**
ベルリン大学総長▲

(3) **スペイン反乱**（1808～14）
①ブルボン家の王を追放し，ナポレオン１世の兄ジョゼフが即位
②マドリードでの反乱（1808）…反フランス感情が爆発。フランスは苦戦
※非正規軍による奇襲・かく乱戦術は「ゲリラ戦」の語源

ルソンが立ちはだかり，ジブラルタル沖の**トラファルガー**でフランス海軍を打ち破りました（ナポレオンは陸軍の軍人なので，彼が海軍を指揮していたのではありません）。イギリス上陸を断念したナポレオンは大陸制覇に専念します。

アウステルリッツの戦いは，「三帝会戦」とも呼ばれますね。

はい。ナポレオンが皇帝号を用いたのは，ヨーロッパを統一したローマ帝国の後継者たらんと考えていたからでした（▲「王」という称号だと絶対王政を想起させる恐れもあった）。しかしヨーロッパで「皇帝」を称するのは，西ローマ帝国の後継オーストリアと，東ローマ帝国の後継ロシアの君主に認められたステータスです。「コルシカ島出身の成り上がり者め！」と両皇帝ともかなり気合（▲→テーマ24）を入れていたのに「3人の皇帝」が相まみえた**アウステルリッツ**で叩(たた)きのめされ，またまたまた対仏大同盟は崩壊です。

ナポレオンが1806年にドイツ諸領邦を従属させて**ライン同盟**を結成し，神聖ローマ帝国から離脱させると，ついにオーストリア皇帝（▲フランツ2世）は帝位を放棄し，**神聖ローマ帝国は名実ともに滅亡**（▲ウェストファリア条約で，帝国は事実上解体していた）。この後，ドイツ領邦の雄として残っていたプロイセンがロシアとともにナポレオンに挑戦するものの，イエナの戦いであっさり返り討ちにあいました。ティルジット条約では領土を奪われて賠償金も課され，プロイセンは屈辱にまみれました。ここがナポレオンの絶頂期です。

ベルリン（▲プロイセンの首都）を占領したナポレオンは，この地で**大陸封鎖令**を発しました。イギリスとの貿易を禁じた封鎖令の目的は，イギリスを苦しめるだけでなく，**イギリス製品をヨーロッパから締め出して，フランス製品の市場を拡大させる**ことにありました。英仏の覇権争いの本質がここに見え隠れします。産業革命で先行するイギリスを追い上げたいフランスですが，フランス製品は品質・価格ともにイギリス製品にかないません。そこで，**ナポレオンが大陸を制覇してヨーロッパという広大な市場を囲い込もうとした**んですね。大陸封鎖はその延長にある政策です。ただ，イギリスは広大な海外市場を持っていたため大したダメージをうけませんでした。また当時のフランス製品のクオリティではイギリス製品の代わりにはなり得ず，**イギリスと貿易できない不満が次第に大陸諸国に広がっていった**のです。

9 このように大陸を制覇したナポレオンですが，自慢の民法典を各地で公布して自由・平等の精神を広め，その点では「解放者」であったといえます。しかし，ナポレオン一族や腹心が君主となり，各地を統治し続けました。税負担も非常に重いものでした。これに大陸封鎖への不満も重なり，一連の戦争は単にフランスが軍事的・経済的にヨーロッパを支配するためのものにすぎない，という実態が明るみに…。「征服者・圧政者ナポレオン」というとらえ方です。

③ゴヤの「**1808年5月3日**」…フランス軍による民衆の虐殺を描く

(4) **ロシア遠征**（モスクワ遠征，1812）

①**大陸封鎖令による穀物輸出の減少や日用品の欠乏は，大陸諸国に打撃**
▲特にロシア・プロイセン

➡ロシアが封鎖令を無視してイギリスと貿易を再開

➡ナポレオンは激怒し，遠征を実行（約60万）

②ロシア軍による焦土戦術に苦しみ，モスクワを占領するが撤退
▲クトゥーゾフ将軍

③寒さと飢え（「冬将軍」）でフランス軍の主力は壊滅

(5) **ライプツィヒの戦い**（**諸国民戦争，解放戦争**，1813）

…フランス軍が連合軍に大敗，パリ陥落
▲オーストリア・プロイセン・ロシア・スウェーデン

(6) ナポレオン1世の退位（1814） ➡**エルバ島**に流刑
▲イタリア半島の西

(7) 「**百日天下**」…ウィーン会議の停滞を見てエルバ島を脱出

①ナポレオン1世が皇帝に復位（1815.3）

②**ワーテルローの戦い**（1815.6）

・ナポレオン1世が英（ウェリントンが指揮）・プロイセン連合軍に敗北

・再び退位，「百日天下」の終了

③**セントヘレナ**への流刑（1815）…南大西洋の孤島。ナポレオン死去（1821）

④ナポレオン戦争の意義…**ヨーロッパに自由主義と国民主義を広めた**
▲フランス革命精神 ▲ナショナリズム

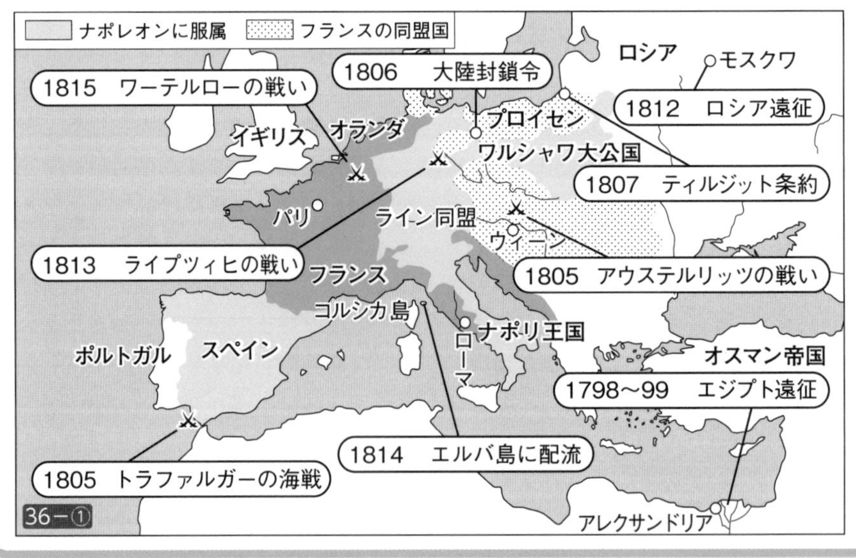

36－①

さらにこの時，ナポレオンが図らずも他国に伝えてしまった理念がありました。

それって，ナショナリズムですよね？

その通り。憎たらしいフランス兵士が「祖国フランス，万歳～！」と熱狂的に叫ぶ姿を見た他国の人たちは，「フランスに負けてたまるか，オレ達は○○人だ！」と**ナショナリズムに目覚めてしまった**んです。**【重要テーマ4】**でお話したように，この現象は他国の人々が「自分は○○人である」（▲民族，国民）という属性を共有し，これを最優先に考えるようになった，ということです。

「そうか，フランス軍とプロイセン軍の差は，国家構造の違いが原因だ」と気づいたのはプロイセンでした。**農民解放**（▲社団の解体），**教育改革**，徴兵制の導入など「対抗近代化」を進めます。**フィヒテ**の講演は，ウェストファリア条約以降，プロイセン・バイエルン・ザクセンなど別個の国家（▲→テーマ31）になっていたドイツにおいて，**領邦を越えた「ドイツ民族」としての意識を喚起しました**。スペインの民衆反乱もフランスを苦しめました。フランス軍による民衆の処刑を描いた**ゴヤ**の絵を見ると，本来ならばナポレオンが支持していたはずの民衆が敵になっている矛盾をよみとれますね。ロシアも大陸封鎖を無視してイギリスと貿易を再開。ナポレオンは60万人ともいわれる大軍を率いて遠征を行いますが，ロシアは巧みに焦土戦術（▲村々を焼き払い，食糧の現地調達を阻止）を用いて退却し，時間を稼ぎました。モスクワまで侵攻した頃には秋も深まり，ロシアの厳しい冬が迫ってきます。冬装備を持たず，大軍の補給もままならないフランス軍はあわてて退却するものの，反転攻勢をかけてきたロシア軍に追撃されて総崩れとなり，主力が壊滅しました。

大敗を見た諸国はフランスの従属下から離脱し，第４回対仏大同盟を結成し戦いを挑みました。この軍隊，絶対王政時代の兵士とはわけが違う。国民意識を持った「国民軍」になりつつあったんです。フランス軍の強みを他国もマネしたわけで，もはやフランス軍にはかつてのアドバンテージはありません。**ライプツィヒの戦い**で敗れ（**「諸国民戦争」**というのは，国民意識を持った軍がフランスだけでなくて複数あるよ，という意味です），即位から10年，ナポレオンは退位（▲ナポレオン自身の頭脳も徐々に衰えていた）に追い込まれました。その後の皇帝に復位した時期がいわゆる「百日天下」で，**ワーテルロー**での決戦にも敗れたナポレオンは西アフリカ沖の孤島**セントヘレナ**に流され，そこで生涯（▲彼の遺体はフランスに運ばれ，パリの廃兵院に安置されている）を終えました。

ヨーロッパ中を巻き込んだナポレオン戦争の意義，それは**フランス革命の自由・平等精神（自由主義）と，ナショナリズム（国民主義）を全ヨーロッパに広めた**こと，といえるでしょう。この後，ナショナリズムのうねりはヨーロッパだけでなく全世界を巻きこんでいくことになります。

テーマ 37 産業革命

1 イギリス産業革命の背景

⑴ イギリス産業革命の背景

⓪17世紀の**市民革命**（▼名誉革命）で，**市民の自由な経済活動が保障されていった**

①資本の蓄積

・**大西洋三角貿易**の奴隷貿易による**資本の蓄積**

・**毛織物**工業…かつてイギリスは毛織物を国産化できず，羊毛・未完成品をフランドルなどに輸出。その後，産業の育成政策（重商主義）によってマニュファクチュアが成立し，毛織物の国産化を実現

②**マニュファクチュア（工場制手工業）**…①の経緯において成立

③**広大な市場**…植民地戦争の勝利により広大な植民地を獲得

（▲原料供給地・商品販売市場）

④**地下資源**…イギリスは鉄鉱石・石炭に恵まれていた

⑤労働力…18世紀の人口増加と囲い込みが，新たな労働力を創出

⑵ 「**農業革命**」と人口の増加

①ノーフォーク農法

・休耕地をもうけずに大麦➡クローバー➡小麦➡カブの順番で四輪作

・クローバーは牧草，カブは冬期の飼料となり，家畜数が増加

（▲排泄物（はいせつぶつ）が肥料にもなった）

・農業生産（特に穀物）が飛躍的に増大し，人口増加を支えた

②**第２次囲い込み（エンクロージャー）**

・ノーフォーク農法を容易にするため，ジェントリが土地を集約

・失地農は農業労働者となり，一部は都市に流入して工場労働者になった

③**資本主義的農業経営**…集約された農地で，生産の効率化・合理化が進んだ

（例えば，農業労働者は時間給で働いた▲）

2 綿工業の発展

⑴ インドとの貿易

①17世紀後半以降…インドに**マドラス・ボンベイ・カルカッタ**を建設

（▲アンボイナ事件後にインドへ転進）

②インド産の**綿織物（キャラコ）**がイギリスに流入。毛織物を圧倒

➡毛織物業者の働きかけで，18世紀初頭にはキャラコの使用・輸入は禁止

③綿花を輸入し，**綿織物をイギリスで国産化**する動きが生まれる

⑵ 大西洋方面（西インド諸島，アメリカ合衆国）

1 産業革命についての一番シンプルなイメージは，機械で商品をガンガン大量生産することだと思います。では，なぜ大量生産するんでしょうか。

たくさん売りまくって，お金を儲(もう)けて億万長者になりたいから。

まあそうですよね。しかし今までのヨーロッパは「好きなだけ店を出し，商品を作って売る」ことができない社会でした。都市の職人は，ギルド（▲過当競争で共倒れになるのを防ぐため）に加盟して親方にならないと店を開けません。また，仮に工場が建ったとしても労働者は不足しがち。農奴制（▲イギリスに関しては，早期から農奴解放が進んでいた）によって領主に支配された農民には移動の自由がなく，都会へ引っ越せないからです。この状況に風穴を開けたのは1688年に起こったイギリスの**名誉革命**（▲→テーマ34）です。これを通じて**規制や特権が廃止され，私有財産が保障されました**。「好きなだけ商品を売れるぞ➡大量生産しよう➡技術革新だ！」 産業革命の前提としてこのようなマインドがあったわけです。市民革命で古い規制を取っ払うと，産業革命のお膳立てが整う。洒落(しゃれ)た言い方をするなら**「産業革命は市民革命と連動する」**ということです。

さらに，イギリスが他国に先駆けて産業革命を進められた背景として，「5M」という有名な合い言葉があります。① Money（▲資本），② Manufacture（▲マニュファクチュア≒工場），③ Market（▲市場），④ Material（▲資源），⑤ Man（▲労働者）の５つです。①②毛織物産業は，17世紀には政府の保護（▲重商主義）によってイギリスの基幹産業に成長していきます。工業製品の生産様式をざっくり整理してみると，次の表の下に行くほど生産力が上がります。

生産様式	ヒト	工場	機械
家内工業（職人）			
問屋制家内工業…商人が手工業生産者に道具・原料を前貸し	多		
工場制手工業…労働者を工場に集め，協業・分業で生産	多	あり	
工場制機械工業…蒸気機関などで動く機械を動力源とする	多	あり	あり

商人が道具や原料を生産者に前貸しして，たくさんの商品を作るのが**問屋(といや)制**。さらに財産を築いた商人は，工場を建てて労働者を集めるようになります（**工場制手工業(マニュファクチュア)**）。ポイントは**分業に基づく協業**。まず完成までの工程を役割分担すること（▲分業）で，特定の作業に専念でき労働者のスキルが向上します。そして，全工程を労働者を集めた一カ所で行うこと（▲協業）で，材料や部品を運搬するコストと時間を節約できます（▲この細分化された工程が，機械化されていく）。イギリスの産業革命前夜，毛織物などの部門ではマニュファクチュアは珍しいものではなく，それなりの生産力を持っていてお金を稼ぎだしてくれていました。このように工場が登場したことが，機械化の前提条

①1713　**ユトレヒト条約**でイギリスはスペインから**アシエント**を獲得
▲スペイン領への黒人奴隷の供給権

②大西洋三角貿易

・西インド諸島➡ヨーロッパ…**砂糖**
▲ヨーロッパで消費が激増

・西アフリカ➡西インド諸島…**黒人奴隷**
▲ダホメ王国，ベニン王国など　▲プランテーションの労働力として

・ヨーロッパ➡西アフリカ…**火器・綿布**

西アフリカに輸出する綿布を生産するため，イギリスで綿工業が発展

※大西洋三角貿易で蓄積された資本は，産業革命の資金源となった

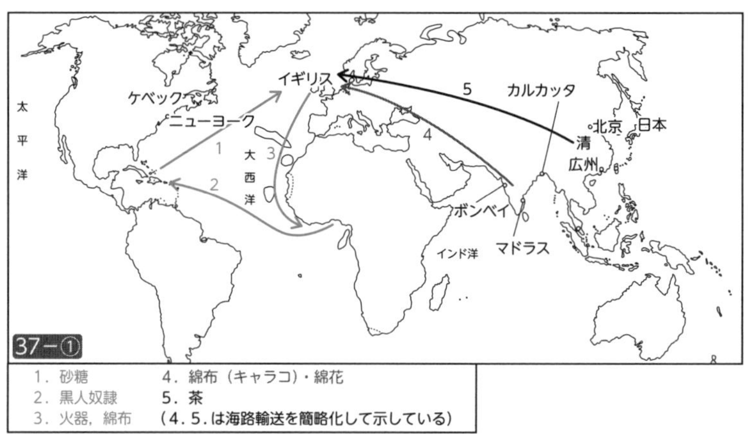

⑶　綿布生産工程の機械化

名　称	年　代	発明者	特　徴
飛び杼（ひ）	1733	**ジョン＝ケイ**	織布の際に横糸を通す織機の付属具。綿布生産量が増加
ジェニー（多軸）紡績機	1764	**ハーグリーヴズ**	同時に多数の糸を紡（つむ）げる
水力紡績機	1769	**アークライト**	水力を利用して，紡績を行う
ミュール紡績機	1779	**クロンプトン**	ジェニー＆水力紡績機を融合。太さと強さが均一な糸になる
力織機	1785	**カートライト**	蒸気機関を用いた織機
綿繰り機（わたく）	1793	**ホイットニー** ▲アメリカ人	綿花と種を切り離す道具 ▲アメリカの綿花生産・奴隷制度が拡大

3 その他の部門

⑴　**コークス製鉄法**（1735）…**ダービー**によって発明された

➡木炭に代わり石炭での製鉄が可能となり，機械自体の生産が増大

件になりました。家内工業▲自分の家で作業をするの段階では，大きな機械を置けませんからね。

次に⑤。この時期にイギリスの人口が増えていて，それが工場労働者の供給源となりました。人口増加の原動力は，ノーフォーク農法。今までの休耕地を2つに分けて，そこにクローバー▲クローバーには地力を回復させる効果もあるとカブを植えました。これらは家畜の餌（えさ）になりましたが，特にカブによって家畜たちが寒い冬を越せるようになりました。家畜が増えたことで，「肥料」（つまりフンですね）も増えますよ。

面積あたりの穀物生産量が大幅にアップしたため，ジェントリ▲地主層は「これだけ大量生産できるならビジネスになるぞ」と新農法に注目しますが，耕地を4種類に分けるので広い農地▲従来は自給自足が前提が必要でした。そこでジェントリは中小農民の土地や村の共有地をあわせて大規模な農地に集約していきました（**第2次囲い込み**）。牧羊のために行われた第1次▲→テーマ30に比べて規模が大きく，イギリスの農地の約20％が集約されてしまいました。

2 イギリスの産業革命は綿工業部門から始まります。インドに植民地▲マドラス・ボンベイ・カルカッタを持っていたイギリス▲東インド会社が特産品である**綿織物**（キャラコ）を輸入したところ，これがバカ売れ。

肌ざわり，吸湿性，洗濯しやすさ，どれも毛織物より上です。

ウールのセーターは真冬には最高なんだけどね。危機感を持った毛織物業者は，完成品である綿布輸入を阻止しようと画策。すると綿布を扱う業者は「ならば，原料の綿花▲寒冷なイギリスでは綿花は栽培できないを仕入れてイギリスで加工してやろう」と考え，綿布生産を機械化することで，**綿工業の国産化**を目指したんです。

ここで大西洋で行われていた**三角貿易**にも目を向けてみましょう。熱帯の西インド諸島▲代表的なイギリス領はジャマイカでは**砂糖**▲寒冷なヨーロッパでは栽培できずが生産され，ヨーロッパの食生活を大きく変えました。ヨーロッパで砂糖消費が伸びると，西インド諸島ではサトウキビ＝プランテーションが拡大し，人手不足が深刻に。そこで，プランター▲プランテーションのオーナーは労働力を補うために，アフリカから運ばれて来た**黒人奴隷**を購入しました。その奴隷貿易ですが，当時アフリカの西海岸には「黒人を捕まえて白人に売り飛ばす黒人商人▲ダホメ王国やベニン王国など →テーマ21」がいましたね。イギリス商人は黒人奴隷の対価を渡さなきゃいけないわけですが，奴隷商人が欲したのが，**火器**▲奴隷狩りに用いる鉄砲と**綿布**でした。この**アフリカ向け綿布の需要が，綿布の国産化を後押ししました**。このように，イギリスは各地域に需要の高い商品を転売して莫大な利益を上げ，これも① Money になるんです。

では綿布生産の機械化（主に3つの工程）の過程を見ていきます。

①綿の実から種を取り除く ▲これは畑で行う ➡ ②紡績 ▲綿を紡いで糸にする ➡ ③織布 ▲糸を織って布にする

最初は③の過程で**ジョン＝ケイ**が**飛び杼**▲当初は毛織物向けに発明されたものだったを発明しました。すると③だけが速

(2) 蒸気機関の発明と実用化

①実用化…**ニューコメン**が，炭坑の排水ポンプ用として実用化に成功（1712）

②改良…**ワット**が**往復運動を回転運動に変え**（1781），様々な動力源になる

※燃料革命（エネルギー革命）…製鉄法の改良・蒸気機関の実用化によって，エネルギーの主体が木炭から石炭へ

(3) 交通革命…ヒト・原料・製品の大量輸送が実現

▲国内経済の統一と「世界の一体化」をもたらした

※運河…18世紀後半以降，鉄や石炭の輸送のために開削されて，鉄道発達以前の大量輸送を支えていた

①**スティーヴンソン**が**蒸気機関車**を実用化（1814）

・ストックトン・ダーリントン間で客車・貨車のけん引に成功（1825）

・リヴァプール・マンチェスター間に鉄道が開通（1830）

②**フルトン**（アメリカ人）が外輪式**蒸気船**を建造（1807）

▲1819年に，サヴァンナ号が大西洋を横断

4 イギリス社会の変化

(1) 「**世界の工場**」…安価・良質な製品を大量に輸出した，イギリスを指す言葉

(2) 工業都市の繁栄

①**リヴァプール**…奴隷貿易，綿布輸出で栄えた。マンチェスターの外港

▲18世紀　▲19世紀

②**マンチェスター**…イギリス綿工業の中心

▲ランカシャー地方

③バーミンガム…鉄鋼業で繁栄

(3) 資本主義体制の確立

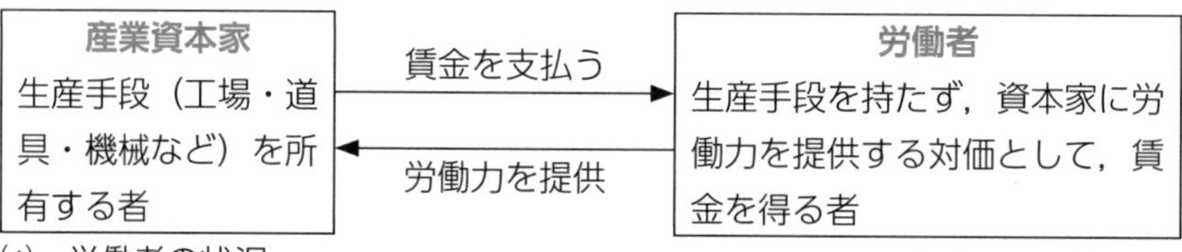

(4) 労働者の状況

①劣悪な労働条件…工場制機械工業では熟練工は不要であり，**労働者は低賃金で長時間労働を強いられた。資本家は低い賃金の女性・子どもを雇用**

②**工場法**…労働者を保護する法律の総称。19世紀に数回にわたり制定

・一般工場法（1833）…労働時間の制限（12時間）・18歳未満の深夜労働禁止・工場監督官の設置などを定めた

③労働者は時間給で労働…**時計の時間を単位として管理される**労働形態

★**ラダイト（機械打ちこわし）運動**…熟練労働者が工場・機械を破壊

(5) 消費の増大…経済の活性化によって，都市民を中心に消費需要が高まった

※労働者階層に**砂糖**入りの**茶**の飲用が定着　➡イギリスの国民文化に

▲中国から輸入

くなって[2]の速度はそのままですから，糸が不足します。綿布を大量生産するためには，[1][2][3]がバランスよくスピードアップしなきゃダメだ。そこで[2]のスピードを上げてくれ！　ということで，**ジェニー（多軸）**，**水力**，**ミュール紡績機**が発明されました。すると今度は[2]のスピードが[3]を追い越してしまったので，**力織機**によって[3]が追いつきます。最後に，[1]は畑で行う作業なので，**綿繰り機**はイギリスではなく**アメリカで発明**されました。

▲種を取り除いて綿をまとめた方が輸送コストが安い

▲合衆国南部は綿花産地　→テーマ42

3　綿工業以外の発明です。採掘された鉄鉱石は製鉄する必要があり，機械の原料として鉄需要が伸びると，従来の木炭だけでは燃料が足りなくなったので，**ダービー**が**コークス**で製鉄する技術を編み出します。蒸気機関のおおもとは，ヤカンに水を入れて沸騰させた時などに飛び出す蒸気。蒸気の力を回転運動に変換させたことで，蒸気機関は機関車や船の動力となり，ヒトの移動やモノの輸送に革命を起こしました。回転運動に変えたのが**ワット**，蒸気船を発明したのが**フルトン**，蒸気機関車を実用化させたのが**スティーヴンソン**です。

▲溶かしてゴミを取り除く

▲森林が伐採され，自然環境が破壊された

▲石炭を蒸し焼きにしたもの

4　冒頭で，産業革命＝機械，というイメージで話をしましたが，実際にはもっと巨大なスケールで，**「社会全体，生活様式，人間の精神のあり方」までもが変化**しました。まず，新興工業都市が生まれます。**綿工業**の**マンチェスター**，鉄鋼業のバーミンガムが有名で，マンチェスターで作られた綿布の積出港が**リヴァプール**。イギリスは圧倒的な生産力を誇り「**世界の工場**」と呼ばれました。

また，２種類の新階層が登場します。まずは工場のオーナー**（産業）資本家**。そして資本家に労働力を提供して給料をもらう**労働者**。複雑な作業は機械がやってくれるので，健康な肉体があればスキルがなくても労働者として勤務できました。多くの人が応募できるので，資本家は「お前の代わりなどいくらでもいる！」と強気の態度に出て，**労働者は低賃金＆長時間という劣悪な条件で働く**ことに。彼らの労働条件改善を目指して制定されたのが**工場法**です。

女性や子どもはさらに安い賃金で働かされた▲

また蒸気機関は，手軽にスイッチを ON − OFF することができませんでした。そこで，機械が動いている時間に合わせて労働者が働く必要が生まれ，資本家が労働者の実働時間を管理して時間給を支払う労働働形態が一般化します。「遅刻早退 NG」「勤務時間中はサボるな」と**時間に従う規律が求められるようになり，時計が刻む時間に従って生活する**という，今までになかった価値観が社会全体を覆っていったんですよ。これが「近代」の一側面です。

▲起動するのに時間がかかる上に，簡単には止められない

ホントだ，人間の精神性まで変えてしまったんですね…。

また，今までは家で働いていた男性が工場へ「通勤」するようになり「男性は仕事，女性は家庭」という**性別役割分業**が定着したのも大きな変化ですね。

▲女性の家庭外労働は家事と同等とみなされたので，低賃金となった

世界史の中の日本 

1 戦国時代～織豊政権

(1) 寧波の乱（1523）…勘合貿易の利益をめぐり，商人・大名が衝突
▲堺の商人と結ぶ細川氏と博多の商人と結ぶ大内氏
※寧波はかつては**明州**と呼ばれ，遣唐使船・勘合貿易船など，**日本との貿易の拠点であった**

(2) **石見銀山**の開発（1530年代～）…朝鮮人を通じて新たな精錬を導入
▲島根県　▲灰吹法

(3) ヨーロッパ勢力との交渉

①鉄砲伝来（1543）…**種子島**に漂着したポルトガル人によって伝来
▲堺・近江の国友・紀伊の根来などが産地として成長
・**王直**（後期倭寇の中心人物）の船団に乗っていたポルトガル人とされる
・織田信長の台頭…鉄砲を積極的に導入

②**フランシスコ＝ザビエル**の来航（1549）➡キリスト教の布教
▲イエズス会士　→テーマ29

(4) 明による海禁緩和（1567）…日本人に対する渡航制限は続く

(5) 織豊政権（16世紀後半）

①織田信長…将軍足利義昭を追放し，室町幕府を滅ぼす（1573）
➡本能寺の変で明智光秀に敗死

②**豊臣秀吉**…朝廷から関白に任じられ，全国の支配権を掌握（1590頃）
・朝鮮侵攻（**文禄・慶長の役**，**壬辰・丁酉の倭乱**）
▲→テーマ12　▲1592～93　▲97～98

(6) **徳川家康**が関ケ原の戦い（1600）に勝利
➡**江戸幕府**の成立（1603）

世界史の中の日本

1 17世紀の日本と世界のつながり

(1) **江戸幕府**の成立（1603）

①**徳川家康**が豊臣秀吉(とよとみひでよし)の死後に実権を握り，征夷(せいい)大将軍に任命される

②全国を幕府の直轄領と，大名が領内の政治を行う藩に分ける

③将軍は大名を臣従させ，天皇の権威をよりどころに全国を支配

(2) **朱印船(しゅいんせん)貿易**

①幕府が貿易奨励策のもと，渡航許可証である朱印状を発給し貿易管理

（外国船にも発給▲）

②日本商人と中国商人などが，東南アジアにおいて出会(であい)貿易

➡**日本町**（タイの**アユタヤ**，マニラなど）の形成

（▲山田長政の活躍が知られる）

※江戸幕府成立と同時に，いわゆる「鎖国」体制へ移行したわけではない点に注意すること

(3) 豊臣秀吉の朝鮮侵略（16世紀末）で断絶していた朝鮮との国交が，**対馬(つしま)**の**宗氏**を介して復活（17世紀初め）

(4) **薩摩(さつま)**の**島津氏(しまづし)**による**琉球**征服（1609）

➡琉球は中国との朝貢・冊封(さくほう)関係を続け，日中両属の状態となる

(5) 「鎖国」…幕府はキリスト教の禁教を徹底。日本人の海外渡航と帰国や，外国船の来航を禁止。実際は「四つの口」を通じて対外交流

（▲1639or41年に完成したとされる）

①**長崎**でオランダや中国と貿易…オランダ商館は平戸(ひらど)から長崎の出島(でじま)へ（1641年▲）

➡オランダ商館長からの「オランダ風説書(ふうせつがき)」によって世界情勢を把握

②**対馬**経由で朝鮮と国交…**宗氏**が貿易を独占。朝鮮通信使が将軍の代がわりを慶賀(けいが)

③**薩摩**経由で**琉球**と国交…薩摩藩は琉球貿易に介入し中国物資を入手。幕府は慶賀使（▼将軍代がわり）・謝恩使（▼国王代がわり）を朝貢として受け入れ

④松前(まつまえ)藩は蝦夷地(えぞち)のアイヌと交易

➡シャクシャインの戦いに勝利し，**アイヌ**を服従させる（のち和人(わじん)商人がアイヌを漁業の労働力として酷使）

(6) 中国・オランダ・朝鮮・琉球から中国産生糸を入手，銀や金が流出

➡のち幕府は銅や俵物(たわらもの)の輸出へ移行させる。日本国内では生糸の国産化が進行（幕末には欧米への輸出品となる）

（▲ふかひれ・干しあわびなどを俵に詰めたもの）

世界史の中の日本 

1 18世紀の日本

※(1)は「歴史総合」の準備として内容。(2)は「歴史総合」「日本史探求」両方に必要。つながりをしっかりとつかんでおこう。

(1) 18世紀の日本の社会・経済

①享保(きょうほう)の改革（1716〜45）

・８代将軍徳川吉宗(よしむね)…年貢増収による財政の立て直しを目指し経済改革

➡幕府の年貢収納率は上昇

②海運

・東廻り海運・西廻り海運の整備や江戸・大坂間の海運の発達…大坂・江戸・京都の三都を中心に，年貢米や特産物が流通する全国市場が確立

（▼菱垣廻船・樽廻船の運行）（▼「天下の台所」）（▲17世紀後期。西廻りは東北から日本海沿岸をまわって大坂・江戸へ，東廻りは東北から太平洋沿岸を南へ下って江戸へ）

・遠隔地海運の発達…蝦夷地や東北地方と西日本を西廻りで結ぶ北前船(きたまえぶね)

（▲18世紀末）

➡蝦夷地海産物は，西日本や琉球で流通（昆布），長崎から輸出（俵物(たわらもの)）

③農村の変化

・商品作物生産の奨励によって，貨幣経済が農村にも浸透

➡土地を集積する有力百姓と田畑を失った小百姓への分化

・18世紀後半には凶作や飢饉(ききん)に伴う人口停滞➡一揆や打ちこわしが発生

・19世紀には農村で織物業・製糸業が発達し，再び人口増加へ向かう

(2) ロシアの南下への対策

①**ラクスマン**が根室に来航（1792）…日本との貿易を要求

（▲エカチェリーナ２世時代　→テーマ32）

➡幕府は要求を拒絶

②**アイヌ**への支配強化…松前藩に代わり，幕府が自ら蝦夷地政策にあたる

コラム1 column

ロシア軍によるウクライナ侵攻

2022年，ロシア軍がウクライナへ侵攻しました。両国の間に横たわる，中世から現代にいたるまでの，浅からぬ関係を見てみましょう。

ウクライナ	ロシア
882　**キエフ公国**が成立 989　**ウラディミル１世**（→テーマ23）が**ビザンツ皇帝の妹と結婚**	862　**ノヴゴロド国**が成立
13C　モンゴル帝国が征服	
14C　**リトアニア**が進出 →リトアニアはポーランドと合体し**ヤゲウォ朝**となる。この時期に**カトリック**の影響が強まる	13C 後半　モスクワ大公国が成立 15C 後半　**イヴァン３世** ①ノヴゴロドを征服 ②**最後のビザンツ皇帝の姪（めい）と結婚** →**ツァーリ**を名乗る

10世紀末，キエフ公国の**ウラディミル１世**は**ビザンツ皇帝の姪と結婚**して**ギリシア正教**（→テーマ24）を受容しました。**現在のウクライナの首都キエフ**（ウクライナ語読みでは「キーウ」）**は，ビザンツ帝国の権威のもとに東スラヴ人諸公国の盟主として君臨していた**のです。しかし，13世紀に東方から侵攻してきたモンゴル軍によってキエフは荒廃。その後，キプチャク＝ハン国に従属しながらも力をつけてきたのが，ロシアの前身モスクワ大公国です。**最後のビザンツ帝国の姪と結婚した イヴァン３世**がビザンツ皇帝の後継者を自任しましたね（→テーマ24）。一方のキエフは**カトリックのヤゲウォ朝**（→テーマ24）**の影響下に入ります**。そして，18世紀のポーランド分割などを経て，キエフを含むウクライナはロシア領に編入されました。ロシア革命後，ウクライナはロシアとともにソ連の一員となりますが，事実上はロシアに従属していました。

冷戦終結後，ソ連の解体に伴ってウクライナは「独立」を取り戻します。かつて反共軍事同盟であった**NATO**（ナトー）は，ロシアを抑止する同盟に変質し（冷戦終結後，旧共産圏のポーランドなども加盟した），ウクライナ内でも加盟を望む声が…。この状況にロシアは不満を募らせます。また，ロシアは2014年にウクライナ領**クリミア半島**の「併合」を宣言して実効支配下に置きました。このクリミア半島はロシア本土からすると「飛び地」のような関係にあるため，2022年の軍事行動には，ウクライナ領の一部をロシアに編入して，クリミア半島を本土とつなげる意図も見え隠れしています。「クリミア半島」「南下」と聞いて，**東方問題**（→テーマ41）を思い出した人は鋭い。**南下政策**というロシアのコンセプトは，21世紀も受けつがれているとも言えるわけです。

テーマ
38 ウィーン体制

1 ウィーン会議（1814〜15）

(1) 目的…フランス革命とナポレオン戦争によって乱れた秩序の回復

(2) 主な出席者

①**メッテルニヒ**…**オーストリア外相**でウィーン会議の議長をつとめた（▲のちに首相）

※オーストリアは多民族国家のため，ナショナリズムを極度に恐れた

②**タレーラン**…**フランス**外相。**正統主義**を主張。フランスの戦争責任を回避

(3) ウィーン会議の原則

①**正統主義**…革命前の各国の主権・領土を「正統」とし，その状態へ復帰

②**勢力均衡**…特定の国家・勢力が国際秩序を支配しないよう国力を分散させる

▲主権国家体制の再構築を目指した

➡大国間の戦争を防ぎ，各国（の君主）が協調して，自由主義・ナショナリズムを刺激しかねない戦争・革命を防ごうとした

(4) 経過…各国の利害が対立し紛糾。「会議は踊る，されど進まず」（▲当時の風刺語）

(5) **ウィーン議定書**（1815.6）…ナポレオンのエルバ島脱出をうけ，急遽（きゅうきょ）調印

①イギリス…**ケープ植民地**・**セイロン島**・マルタ島を獲得

②フランス・スペイン・ナポリ王国…ブルボン家が復活

▲フランスは正統主義に基づき，革命前の主権・領土をほぼ回復

③オーストリア…**ヴェネツィア**と**ロンバルディア**を獲得

④プロイセン…ラインラントなどを獲得（▲ライン川左岸で，工業が盛ん）

⑤ドイツ諸領邦…オーストリアを議長とする**ドイツ連邦**が成立（▲35の君主国と４の自由市からなる）

⑥ロシア…**フィンランド**・ベッサラビア（▲黒海の西北岸）を獲得。ロシア皇帝は**ポーランド**王国の王位を兼ねた

⑦オランダ…立憲王国となる。南ネーデルラント（▲ベルギー）をオーストリアから獲得

⑧スイス…**永世中立国**となった

⑨スウェーデン…デンマークからノルウェーを獲得

(6) 国際的復古・反動体制（**ウィーン体制**）の形成

①**神聖同盟**…ロシアの**アレクサンドル１世**の提唱によって成立。キリスト教の同胞愛の精神に基づき，ヨーロッパ各国の君主が協力し，ヨーロッパの封建的秩序を維持しようとした同盟（政治的な実効性はない▲）

②**四国同盟**…イギリス・オーストリア・プロイセン・ロシア間で結成。ヨーロッパの現状維持のための軍事的・政治的同盟

➡フランスが加入（**五国同盟**，1818）➡イギリスが脱退し崩壊（1822）

1 ナポレオン戦争をうけて自由主義・ナショナリズムが席巻したヨーロッパは，国王にとってはずいぶん居心地の悪い空間になってしまいました。ナポレオンが没落すると国王ら保守派は「この機を逃すな！」と力を合わせてヨーロッパ全体をフランス革命前の状況に戻そうとしました。これが**ウィーン会議**です。主役はオーストリアの**メッテルニヒ**。オーストリアは領内に多くの民族を抱える**多民族国家**で，ナショナリズムが広がればハプスブルク帝国は空中分解の危機にさらされますから，彼は30年余りの間，自由主義・ナショナリズムの火消しに奔走しました。

そうか～，だからこの人はいたるトコロに顔を出してくるのか。

ウィーン会議の第一の原則は，フランス外相**タレーラン**が唱えた**正統主義**です。

「フランスの保守派もフランス革命の被害者である」として戦争責任を回避▲

フランス革命前の主権・領土こそが，あるべき正統な状態である（**＝フランス革命によって高揚した自由主義とナショナリズムも認めない**）と主張しました。第二がイギリスが主張した**勢力均衡**。**【重要テーマ3】**でお話したように，主権国家体制ではヨーロッパを統一する「帝国」の出現は許されません。しかしナポレオンがヨーロッパを統一し「帝国」が復活，という予期せぬ事態になってしまった。そこで戦後，ナポレオンが征服した領土を適切に配分して大国の均衡を保とうとしました。しかし，各国代表は領土の分け前をめぐってエゴをむき出しにし，会議は紛糾。「会議は踊る，されど進まず」は，これを風刺した言葉です。

▲舞踏会で友好を深めるが，審議の方は進まない

ナポレオンがエルバ島を脱出した知らせを聞き，慌てた各国は妥協して領土問題を整理し，ようやくウィーン議定書に調印しました。こうして構築された，保守反動の秩序が**ウィーン体制**です。ウィーン体制下では，**神聖同盟**や**四国同盟**に見られるように国王たちは互いの友情を大切にしました。体制を揺るがす革命・暴動がどこかで起こったら，国王同士で協力して対処しなければいけませんよね。ウィーン体制では革命や独立運動は吹き荒れますが，**国王は国家間の戦争は自重**するんです。また，勢力均衡がうまく機能すると，各国は「国力が拮抗しているから，戦争しても簡単には勝てない…」と考え，**戦争を抑止する**効果が期待できます。このように国と国の関係という点から考えると，この時代は「平和」なんですよ。

2 しかし，ヨーロッパ中がナポレオン戦争で味わってしまった自由主義とナショナリズムの記憶は，早々には消えませんでした。人々は，保守派によって取り上げられてしまったこれらの理念を渇望し，ドイツの**ブルシェンシャフト**など各地で運動が起こりました。しかし，**メッテルニヒ**を中心とする保守派の牙

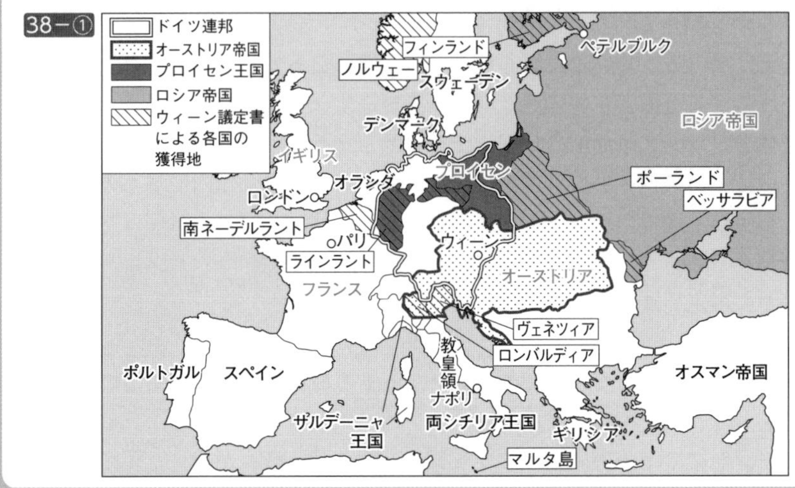

2 自由主義・国民主義とその弾圧

(1) **ブルシェンシャフト**（ドイツ学生同盟，1815年成立）

①ドイツでの憲法制定・統一を目指し結成 ➡メッテルニヒが干渉し弾圧

▲ルターの宗教改革300周年を祝う

(2) **スペイン立憲革命**（1820）

①復活したブルボン朝で立憲革命が勃発

②革命の波及を恐れたフランスが武力干渉し指導者リエゴが処刑され，失敗

(3) **カルボナリ**（炭焼党，19世紀前半結成）

①イタリアでの憲法制定・統一を目指したが，メッテルニヒが干渉し弾圧

(4) **デカブリストの乱**（十二月党員の乱，1825.12）

①ナポレオン戦争に参加した青年貴族将校がロシアの後進性を憂い，アレクサンドル１世の死を契機に憲法制定を目指して武装蜂起

②新皇帝の**ニコライ１世**が鎮圧

3 ギリシア独立戦争（ギリシア独立運動，1821～29）

(1) オスマン帝国支配下のギリシアが独立を目指し，国外の結社が蜂起

(2) 文化人と国際社会の支持

①文化人は，ヨーロッパ文明発祥の地としてギリシアの独立を支援

▲バイロンやドラクロワ　　世論も独立支援支持に傾いた▲

②英・仏・露は，オーストリアの反対にもかかわらず，**ウィーン体制の理念に反してギリシアを支援**し，オスマン帝国に勝利

▲オスマン帝国に干渉して領土・権益拡大を図った

(3) 独立の達成…**ロンドン会議**（1830）でギリシアの独立を国際的に承認

城は固く，全て鎮圧されてしまいました。

3 しかし，国王たちの手をかいくぐって体制から離脱する勢力が現れ始めます。まずは中南米諸国（**テーマ42**で扱っています）なんですが，これはまだヨーロッパから遠く離れた「対岸の火事」でした。しかしついに，ヨーロッパ本土で独立を果たした国が登場。それが**ギリシア**です。ギリシアにとってラッキーだったのは英・仏・露が支援してくれたことでした。

あれ。独立を支援って，ウィーン体制の理念に反してませんか？

そう，色々事情があったんです。まずは保守反動の代表格であるはずの**ロシアがギリシアを支援**。ギリシアを支配下に置いていたオスマン帝国の領土に並々ならぬ関心を抱いていたロシアは，オスマン帝国を叩いて何か収穫を得ようと考えたのです。ロシアだけにオイシイ思いをさせるか！と英仏もギリシア&ロシア側で参戦します。さらに，**ギリシアはヨーロッパ人にとっては「文明の故郷・源泉」**であり，文化人を筆頭として独立に同情的な意見が多数を占めました。心情的にも，ギリシアを支援しないと…，という空気になっていたんですね。ギリシアにとってはラッキーなことで，難なく独立できました。

（つまり，ウィーン体制よりも領土拡大を優先させた▲）
（高校世界史でもヨーロッパ文化は「ギリシア文化」から始まる▲）
（ロシアはボスフォラス・ダーダネルス海峡の航行権を獲得▲）

4 続いて革命の「震源地」フランスです。ウィーン会議の結果，20年前に処刑されたルイ16世の弟**ルイ18世**が即位しました。実は，ブルボン復古王政は絶対王政に戻ったわけではなく，形だけの議会は存在していました。ただ民衆は政治からは蚊帳の外で，その不満は続く**シャルル10世**の時代に爆発します。

（▲即位年が離れているが兄弟）
（▲ルイ18世は，自由主義にある程度の理解は示した）

選挙で自由主義派が勝利すると，国王は議会を招集せず閉鎖。そして言論・出版を統制して選挙権を狭める七月王令を発して締めつけを図りました。パリの民衆が立ち上がり，３日間のバリケード戦の末，シャルル10世は亡命！「さあ新しい政府をつくるぞ。**もちろん共和政で**」と民衆が準備を始めるのですが，これを快く思わなかったのが大資本家・銀行家といった大富豪たちでした。**民衆に主導権を渡したくなかった彼らは，王族ルイ＝フィリップを王に担ぎ上げ，新たな王政をスタートさせてしまいます。**つまり，革命後も王政が続くことになったんですね（**七月王政**）。民衆は納得いきません。自分たちが命を張って王を倒したのに，富豪にオイシイトコロだけ持っていかれてしまったのですか

パリの状況

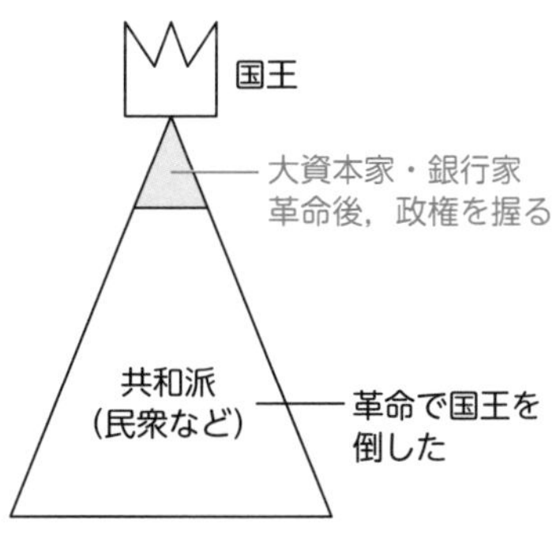

4 フランス七月革命

⑴　ブルボン復古王政

①新憲法によって，制限選挙に基づく立憲王政が成立
▲革命で実現した農民の土地獲得も追認された

②**ルイ18世**（位1814～24）…ルイ16世の弟。ナポレオンの百日天下後に復位

③**シャルル10世**（位1824～30）…ルイ18世の弟

・**アルジェリア遠征**（1830.5～）…政治に対する国民の不満の矛先をそらす

・７月の選挙…国王の選挙妨害を乗り越えて，国王反対派が選挙で勝利

・国王の反動化…**召集前の議会を解散**し，七月王令を発布
▲選挙制度を改悪し，言論・出版を統制

⑵　**七月革命**（1830.7）

①七月王令に対し，パリ市民が武装蜂起　➡シャルル10世は亡命

②**七月王政**の成立

・**共和政を求める民衆が革命の中心であったが，革命の急進化を恐れた銀行家や大資本家が政権を握る**

・ブルボン家の遠戚である**オルレアン家**の**ルイ＝フィリップ**を王に迎えた
▲開明派で民衆に人気があった

5 七月革命の影響

⑴　**ベルギー独立**（1830　かつての南ネーデルラント）

①オランダからの独立を宣言し，ロンドン会議で国際的に独立を承認
1839年に永世中立国となった▲

⑵　ドイツ蜂起（1830～33）

①西南部の領邦で，憲法制定を求め反乱　➡オーストリアの干渉で失敗

⑶　イタリア

①**カルボナリ**が各地で武装蜂起（1831）したが，オーストリア軍が鎮圧

②**青年イタリア**…**マッツィーニ**が，大衆の支持による統一を目指して結成
▲カルボナリ党員

⑷　**ポーランド蜂起**（1830～31）

①ワルシャワでの蜂起をロシア軍が鎮圧　➡ポーランドは**ロシアの直轄領化**

⑸　イギリスの**第１回選挙法改正**（1832）➡**テーマ39**

6 フランス二月革命

⑴　七月王政

①**ルイ＝フィリップ**（位1830～48）の政策

・銀行家と大資本家を支持基盤とした。「株屋の王」と称される

・**極端な制限選挙**を施行

ら。七月王政は，民衆の不満が渦巻く中での船出となりました。

5 このように「消化不良」な七月革命ですが，国王が打倒された情報は各地に伝わり，近隣国では様々な運動が起こります。ドイツ・イタリア・ポーランドの運動はねじ伏せられますが，**ベルギー**（▲イギリスに次いで産業革命が進んだことでも知られる）はオランダから独立（▲ここでもメッテルニヒが干渉）を達成しました。少しずつですが，保守派が抑えきれない国が確実に増えてきています。

6 案の定，銀行家が主導する七月王政では厳しい**制限選挙**（▲有権者は国民の１%以下）が敷かれました。しかし従来との大きな違いは，政権の中枢にいたのが銀行家と大資本家という「ビジネス界」の人間だったこと。彼らの意向で鉄道網が整備されるなど**産業革命が加速**したんです。パリでも，**資本家と労働者という階層の存在が明確になってきました**（▲ここでいう資本家とは「大資本家」ではなく，中小工場の経営者）。劣悪な待遇に苦しむ労働者は，「生産手段（▲工場）を所有する資本家が労働条件を決めているから，労働者は苦しんでいるんだ。ならば，我らが生産手段を奪って，労働者の手で共同で運営しよう。自分で労働条件を決めるのだから，待遇は良くなる！」と考えました。生産手段は資本家の私有財産ですから，このアイディアを突き詰めると「私有財産を皆で共有しよう」という考えになる。これが**社会主義**（▲→テーマ43）ですね。

存在感を増した中小資本家と労働者は選挙権を求めて「改革宴会（かいかくえんかい）」で大騒ぎ。「それ，宴会じゃなくて政治集会じゃねーか！」という政府による取り締まりに対し，パリの人々が立ち上がりました。戦いの末，18年前と同じく国王を追い出し，そして18年前とは違って共和政に移行しました。臨時政府には労働者の利益を代弁して**社会主義者ルイ＝ブラン**が参画。彼の提案で，失業者に職を与える名目で国立作業場が設立され，職（&食）を求める失業者がパリに押し寄せました。そんな大人数全てに与える仕事などはなく，人手が余ってしまったんですが，**業務がない労働者にも日当**（▲2フラン）**が支給された**んです。職を求める人々がパリに押し寄せ，国立作業場の登録者数は当初の１万２千人から５月にはなんと10倍の12万人に膨れ上がりました。資本家は「これ，ヤバくね？」と戦慄（せんりつ）します。作業場は「国営」ですから，給料の原資は税金ですよね。庶民よりも金持ちの資本家の方が納税額は多いです。税金という形で富裕層から金を集め，それを仕事をしていない労働者に無条件にバラ撒（ま）く…。

ん？　お金持ちの財産を取り上げてみんなで山分け…。これってまさに社会主義じゃないですか。

このままルイ＝ブランたちを放置すれば，完全に社会主義にされて自分たちは身ぐるみ剥（は）がされてしまう。資本家の警戒が高まった緊張感の中，四月に**普通選挙**が行われました。共和派（資本家），社会主義者とも多くの候補者を立

②**産業革命**の進行…七月革命以降，フランスでも本格化

➡**産業資本家層，労働者層が形成され，同時に社会主義者も勢力を拡大**

③**選挙権拡大運動**の頻発

➡国王は反動化し，政治活動への抑圧を強め改革宴会を禁止

(2) **二月革命**（1848.2）

①勃発…パリ市民が蜂起し，ルイ＝フィリップはイギリスに亡命

▲1846年の大凶作と，翌年のイギリスに始まる恐慌も一因

②**第二共和政**（1848〜52）の臨時政府が成立

・ラマルティーヌ…ロマン派詩人で共和主義者。臨時政府の外相となった

▲資本家の利益を代弁

・**ルイ＝ブラン**…**社会主義者**。臨時政府内で労働委員会の委員長となった

(3) 第二共和政

①国立作業場…失業者救済のために設立。**業務がなくても労働者に賃金を支払ったため，資本家・農民は反発**

②四月普通選挙（1848.4）

・共和派（資本家）が9割の議席を獲得し，社会主義勢力（労働者）は惨敗

・社会主義勢力が敗れた原因…**フランス革命で自作農となって保守化していた農民が，土地を失うことを恐れて社会主義に反発したため**

▲国民の８割

③**六月蜂起**…国立作業場廃止の決定に対し，パリの労働者が蜂起

➡資本家は軍を動員して鎮圧

➡**資本家と労働者の協力は破綻（はたん）し，資本家は保守化**

④第二共和政憲法（1848.11）…普通選挙・人民主権・三権分立・大統領制

(4) **ルイ＝ナポレオン**（ナポレオン１世の甥（おい））の登場

▲ナポレオンの弟ルイの息子

①大統領選挙で当選（1848.12）

②1851年クーデタ（1851.12）…大統領の権限を拡大させ，独裁を開始

③**国民投票**で皇帝**ナポレオン３世**となり**第二帝政**が成立（1852.12）

7 二月革命の各国への影響

(1) **ドイツ三月革命**…ウィーン三月革命，ベルリン三月革命

★**メッテルニヒ**がイギリスに亡命して**ウィーン体制は崩壊**

(2) ハンガリー民族運動…**コシュート**らによる

(3) ベーメン（ボヘミア）民族運動…パラツキーらによる

(4) イタリア…サルデーニャによるオーストリアへの宣戦，**マッツィーニ**による**ローマ共和国**建国

（(1)〜(4)）「**諸国民の春**」➡**テーマ40**

(5) ポーランド独立運動…1848年の独立運動は鎮圧された

▲1848年に先立つクラクフ蜂起（1846）も失敗

(6) イギリスの**チャーティスト運動**の高揚

てたのですが，結果は**資本家の圧勝**。社会主義陣営はルイ＝ブランすら落選する惨敗でした。資本家が勝利したカギ，それは農民が握っていました。フランス革命で自作農となった彼らの考えをおさらいしましょう。**「何より俺の土地が第一なので，土地所有権を揺るがすような騒ぎ**▲革命・内乱**は勘弁してください。そして俺の土地さえ守ってくれるなら，どんな政治でも結構です」**でした。社会主義▲→テーマ36になれば私有財産は否定されて土地は没収されてしまう。これ，農民が最も恐れることなわけで，怒れる農民はこぞって資本家に投票したわけです。農民と労働者というと，どちらも貧しいイメージが先行しがちですが，自作農民は「自分の土地」という財産を持っている。これが大きな違いです。

自作農は「中間層」，労働者は「下層」に分類される▲

選挙に勝った共和派（資本家）は，国立作業場の閉鎖を決定しました。「俺たちのオアシスを返せ！」と逆ギレした労働者が暴動（**六月蜂起**）を起こすと，ついに資本家の我慢は限界に。軍を動員して暴動を鎮圧し，**ここに資本家と労働者の協力は終わりを告げました**。まずこの点において，1848年という年は大きな節目になりました。ただし蜂起が鎮圧されたとはいえ，労働者の力が衰えたわけではありません。資本家は「利益を求めて工場を拡大すればするほど労働者も増える」というジレンマを抱えることになり，世紀後半にかけて労働者との上手なつき合い方を模索していきます。また，革命が起こった1848年は**マルクス**が**『共産党宣言』**▲→テーマ43を発表した年でもあり，興味深い偶然ですよね。

7 そして，フランス二月革命の知らせはヨーロッパ中に伝わり，各地で自由主義とナショナリズム運動が高揚しました。これが**「諸国民の春」**▲→【重要テーマ4】です。オーストリアで起こった三月革命によって**メッテルニヒ**が亡命し，ここに**ウィーン体制は崩壊**しました。この点においても1848年は重要な意味を持ちます。1848年の意義については**【重要テーマ5】**で説明しましょう。

フランスに話を戻すと，1848年末の大統領選挙ではどんな階層の人が当選したと思いますか。

やっぱり，社会主義者を追い出した共和派じゃないですか？

唐突に登場するんですが，ナポレオンの甥っ子**ルイ＝ナポレオン**です。二月革命を機に亡命先から帰国。抜群の知名度と，他候補の決め手のなさもあって選挙に勝利しました。1851年にクーデタで議会を解散して憲法改正に踏み切って独裁権力を掌握し，そして**国民投票**によって皇帝**ナポレオン3世**となりました。フランス**第二帝政**の成立です（ちなみにナポレオン2世は？という疑問について。ナポレオンには息子がいて，1815年に2週間だけ名目上の皇帝となりました。21歳で死去し，ナポレオンの直系は途絶えたとされています）。

重要テーマ

5 1848年

1848年は，なぜヨーロッパ史の節目なのでしょうか。まずは下の鉄則に注目。

強大な王（保守派）を革命で倒すためには，資本家と労働者の協力が必要

まあ当然ですよね。両者の足並みが乱れたら，保守派に勝てるはずがありません。

ではフランスからいきます（詳しい経緯は**テーマ38**で）。**二月革命**で，資本家と労働者は力を合わせて**ルイ＝フィリップ**を追放しました。その友情があるので，臨時政府には共和派（資本家の利益を代弁）と社会主義者（労働者の利益を代弁）が相席します。しかし資本家は社会主義の恐怖を肌で感じ，昨日までの友だった労働者を弾圧。これが**資本家の保守化**ですね。**ウィーン体制下で工業化が進むうち，保守主義VS（経済の）自由主義という構図に，新たに労働者の社会主義という第三勢力が登場してきてしまった**，と整理できます。

一方，フランス以外の国です。二月革命に刺激された，諸民族の革命や民族運動（「諸国民の春」）は悉（ことごと）く鎮圧されてしまいました。「あれ？」と思った人もいるでしょう。革命や独立運動が成功してハッピーエンド！　ではないんです（**保守派に勝利したといえるのはフランスだけ**）。保守派が革命をつぶしたのに，なぜウィーン体制が崩壊したと表現するのでしょうか？　まずは国王目線で考えてみます。

①保守派は，もはや国民の意向を無視した統治はできないことを悟った
②圧倒的な工業力を誇るイギリスに対抗するために，国王は国民国家を容認

①1848年，保守派の勝利は紙一重。オーストリアではメッテルニヒは亡命し，皇帝は一時ウィーンから脱出する事態となり，プロイセンもギリギリ抑え込んだ感じです。「旧体制を続ければいずれ革命がまた起こり，今度こそ負ける…。**国民に譲歩して彼らの要求をある程度は認め，王政を維持した方が利口だ**」と考えたんですね。

②自由主義が抑圧されたウィーン体制の間，**イギリスだけは自由主義を謳歌（おうか）して，圧倒的な工業力を手に入れました**（これをフランスが追走）。安価・良質なイギリス製品は各国の市場を席捲（せっけん）し，国王に「イギリス製品によって我が国の産業は壊滅してしまう。完全に周回遅れだ…」という危機感を抱かせました。そして，「**英仏とこれから渡り合っていくには，両国のように自由主義やナショナリズムを認めて，国民国家へ向かうしかないか…**」という結論に至りました。**国民国家という枠組みは，覇権国家イギリスに続いて，「上から」すなわち政府主導で経済を保護・育成して工業化を実現するという緊急の課題に対しても有用だった**のです。例えば，国家統一を目指したドイツとイタリア。分裂状態では，国家レベルで保護貿易を採用して国内産業を保護・育成できません。でも国家統一を果たせば国内産業の保護・育成はもちろん，分裂時代よりも広大な国内市場が生まれ，企業は輸出に依存せず国内で売り上げを伸ばし成長できるでしょう。このような考えを「**国民経済**」といいます。また**戦時など国民の求心力が必要な事態において，ナショナリズムがもたらす愛国**

心が国力増強に有効だったことはいうまでもありません（➡【重要テーマ4】）。

次に王ではなく，英仏以外のドイツ・イタリアなどの資本家に目を向けてみます(これらの一部地域では，ウィーン体制下で工業化が進んでいました)。1848年の革命に敗れた資本家たち，今までなら不屈の精神で何度も立ち上がってきたのですが，今後は革命を起こすのをためらいます。冒頭の鉄則を思い出して下さい。**革命を成功させるには労働者との協力が必要**でした。でもフランスの資本家が社会主義者に圧倒されかけたのを見て，他国の資本家も「労働者が暴走する可能性を考えると，**彼らと組んで革命を起こすのはリスクが高すぎる**」と慎重になったんですね。そして，「そういえば，国王が自由主義とナショナリズムを許容してくれるようになった…。ならば，リスクを冒さず国王についていった方が利口だ」と考えた。このように**国王と資本家が妥協して，国王主導で「上から」国民国家を目指す体制ができあがった**のです。「打倒国王！」から「国王陛下バンザイ！」へ。これも**資本家の保守化**です。整理すると，ウィーン体制の崩壊とは，「国王が革命で打倒されて」ではなく「国王が国民国家を容認して」旧体制が否定された，ということなんですね。

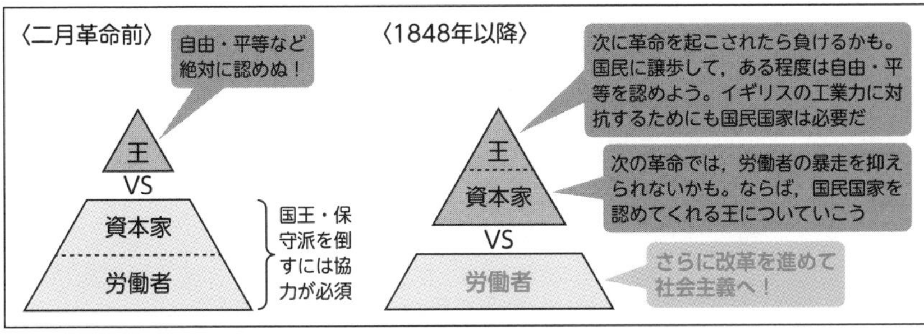

こういった，君主主導で「上から」国民国家建設を模索する国家としてはイタリア・ドイツが代表格（考え方によってはロシアも)。このタイプの鉄則が

「上から近代化・統一」された国家では，保守派が主導権を握り続ける

です。国王は自ら改革を進めつつも権力を極力キープしようと考え，国民に主導権を渡すことはないですよね。また，英仏を含む多くの国家では

政府は，労働者の要求をある程度は受け容れて普通選挙・労働立法などを実現し，労働者を体制側に取り込む

という考え方が19世紀末には浸透します。政府は社会主義は絶対に認めません。でも労働者の要求を無視し続ければ不満が爆発して革命へ。それならば「今の政府はいたれりつくせり。革命なんて必要ないや」と，資本主義の枠組みの中で満足させて手なづけた方が得策，ということです。

最後に「諸国民の春」では，**チェック人**や**マジャール人**など，多民族国家オーストリア領内の**少数民族までもが民族独立運動に本格的に身を投じました**（クラクフの**ポーランド人**も1846年に蜂起しています)。1848年以降，ナショナリズムによる民族自立は，東欧地域を特徴づける重要なテーマになっていきます。

19世紀のイギリス

1 パクス＝ブリタニカ

▲パクス＝ロマーナ（ローマの平和）になぞらえた

(1) 経済覇権を確立した19世紀のイギリスを指す言葉

(2) ヨーロッパ大陸では**勢力均衡**を維持させ，圧倒的な工業力と海軍力を背景に**自由貿易**を推進

(3) **ヴィクトリア女王**（位1837～1901）期と重ね合わせられることが多い

(4) ロンドン**万国博覧会**（1851）…世界初の万国博覧会技術力を世界に誇示

2 自由主義的改革（政治改革）

(1) 選挙法改正…名誉革命後も，厳しい制限選挙が敷かれていた

▲有権者は国民の３％

回	年代	選挙権の拡大	首相（政党）	人口比
1	1832	**産業資本家層**	グレイ（ホイッグ党）	4.5％
	・**腐敗選挙区**（産業革命の影響で人口が激減した，有権者が少ない選挙区）を廃止			
★**チャーティスト運動**（1837～50年代） ・第１回選挙法改正で選挙権を得られなかった労働者が，普通選挙を求めた ・フランス二月革命（1848）の影響をうけて最高潮に達する				
2	1867	**都市の労働者**	ダービー（保守党）	９％
3	1884	農業・鉱山労働者	**グラッドストン**（自由党）	19％
4	1918	**21歳以上の男性・30歳以上の女性**	**ロイド＝ジョージ**（挙国一致内閣）→テーマ56▲	46％
5	1928	**21歳以上の男女（男女平等）**	ボールドウィン（保守党）	62％
6	1969	18歳以上の男女	ウィルソン（労働党）	71％

(2) 労働者をめぐる問題，労働運動

①団結禁止法の廃止（1824）…労働組合が公認された

▲1799年に制定されていた

②工場法（**一般工場法**，1833）…労働時間の制限（12時間）・18歳未満の深夜労働禁止・工場監督官の設置などを定めた

③都市への人口集中 ➡衛生状態，貧困や犯罪が問題となる

▲1848年の公衆衛生法で上下水道を整備

3 自由主義的改革（経済改革）

★工業生産性で優位に立つイギリスにとって，自由貿易は輸出力強化（工業

1 フランス革命のおよそ100年前，イギリスでは**名誉革命**が起こりましたが，
▲1688年
実情はフランスとは大きく異なっていました。王政は維持され，国民の自由・平等が明言されたわけでもなく，厳しい制限選挙が敷かれました。**ただ，議会立法によって平和的に改革が行われるようにはなったのは大きな一歩でした。**
▲あくまでも議会>国王
イギリスでは，社会の要請に応じて柔軟に改革が進んでいきます。ナショナリズムの高揚もフランスほどの激しさはなく，ジワリジワリと国民国家を成熟させていきました。そんなイギリスが19世紀に覇権を確立させました。

2 名誉革命当時，イギリス社会の中核をなしていた層を覚えていますか？

産業革命を起こした国だから，産業資本家だったと思います。

残念，まだその頃は産業革命は本格化しておらず，**地主**(ジェントリ)層主導の社会で選挙権も彼らの手中に。18世紀半ばくらいから工業化が進んでいくと，**産業資本家層と労働者階層が出現し，選挙政権を要求するようになりました。**この要請をうけて，1832年の**第１回選挙法改正**によって**産業資本家**に選挙権が認められました。ちょっと話が脱線しますが，**工業化の進行は農村から都市への人口移動を促し，**農村人口が激減。しかし選挙区の区割りは従来のままだったので，有権者がほとんどいない選挙区（**腐敗選挙区**）が生じてしまいました。現在の
▲簡単に票を買収できるため，こう呼ばれる
日本にも「一票の格差問題」が存在しますが，その極端な状況と考えて結構です。第１回選挙法改正では選挙区の区割りが見直され，腐敗選挙区も廃止されました。一方，都市では人口集中によってスラムや労働者街が形成され，**生活・衛生環境の悪化が深刻な問題に**（特に厄介だったのがコレラの流行）。これに対処するために上下水道などインフラ整備も進みます。
▲当時，予防医学が発達したことも大きい

話を選挙法改正に戻すと，第１回選挙法改正で選挙権を得られなかった労働者は選挙権を求めて大騒ぎ。彼らが要求を**人民憲章**(ピープルズ＝チャーター)にまとめたことから，**チャーティスト運動**と呼ばれます。その後，**第２回・第３回選挙法改正**で労働者にも選挙権が認められました。
▲21歳以上の男性普通選挙，議員の財産資格の廃止，議員の歳費支出，無記名投票など
産業革命のイメージが強烈なため，産業資本家層が19世紀のイギリス政治を主導していくように思えますが，実際には投資や地代収入で暮らす地主(ジェントリ)層がイギリス政治の中核であり続けるのでご注意を。
▲ジェントルマン資本主義

3 イギリスが他国に先駆けて産業革命を進め，リードすることができたのは，**名誉革命によって自由な経済活動の道が開けた**からでしたね。19世紀に入ると，最後の総仕上げとして，残っていた規制を一掃します。世紀の初頭には人道的観点から**奴隷貿易**が，のちにイギリス領ジャマイカなどで**奴隷制**そのものが廃止されました。そして**東インド会社の貿易独占権**も廃止。「アジアとのオイシイ貿易を，政府とつるんだ国策会社が独占するな！」ということです。
▲産業資本家とジャマイカのプランターが対立していたことも背景

製品）と，輸入品価格の低下（原材料・農産物）という利点があった

(1) 奴隷制度の廃止…人道的観点から**奴隷貿易**（1807），**奴隷制**を廃止（1833）
▲ただしイギリス領以外への奴隷供給は存続

(2) **東インド会社の貿易独占権**の廃止

①対インド貿易（綿布）の独占権廃止（1813）

②**対中国貿易（茶）の独占権廃止**（1833）…貿易活動を停止

(3) **穀物法**をめぐる動き

①背景…ナポレオン戦争中，大陸封鎖によってイギリスでは穀物が不足して価格が高騰し，地主層（ジェントリ）は大きな利益を上げていた。しかし，ナポレオン戦争終了をうけて，大陸から再び穀物が流入

②穀物法の制定（1815）…地主層が輸入穀物に関税を課し，国産穀物を保護

③反穀物法同盟…**コブデン**，ブライトを中心に，自由貿易を求める

④穀物法の廃止（1846）…ピール内閣（保守党）の時に実現

(4) **航海法**の廃止（1849）…1651年に制定された重商主義の象徴を廃止

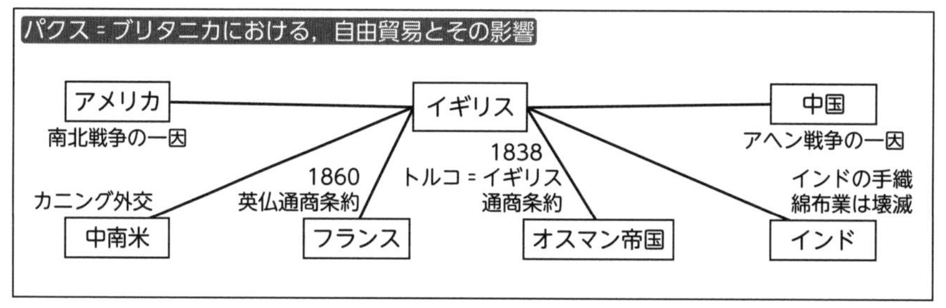

4 二大政党時代

自由党（旧ホイッグ党）	**保守党**（旧トーリ党）
産業資本家層の利益を代表	地主層（ジェントリ）の利益を代表
グラッドストン 首相に４回就任。自由主義政策を推進 ▲1868〜74，80〜85，86，92〜94	**ディズレーリ** 首相に２回就任 ▲1868，1874〜80
①教育法（1870）…公立学校増設を決定 1880年に世界初の義務教育を施行▲ ②労働組合法（1871） …労働組合に法的地位を認めた	スエズ運河会社株買収やインド帝国成立など帝国主義的政策を推進

5 アイルランド問題

(1) **クロムウェル**による征服（1649）➡テーマ34

穀物法の背景はナポレオン戦争にありました。ナポレオンの大陸封鎖（▲→テーマ36）によって穀物の輸入がストップ。「ナポレオンめ，許せん！」となるところですが，**穀物が不足して価格が高騰したため，地主層（ジェントリ）は穀物生産で巨利を得た**んです。

地主は内心「ナポレオン最高！」ってウハウハなんですね（笑）。

しかしナポレオンが没落すると封鎖が解かれ，再び穀物が流入。大陸封鎖中の甘い思い出を忘れられない地主層（ジェントリ）は，**輸入穀物に関税を課す**ことで輸入を抑制したんですね。これに資本家が猛反発。理由としては，**安価な穀物が輸入されれば労働者の食費が安くなり，資本家は労働者の給料を抑制できる，**といったリアルな事情がありました。さらに，「労働者の給料が高ければ，その分を製品の価格に上乗せする必要がある。**価格が高くなれば，それだけ大英帝国の工業製品の優位が損なわれてしまう**ではないか！」という理屈にもつなげていくんです。**コブデン**ら反穀物法同盟の運動もあって，1846年に穀物法は廃止されました。そしてクロムウェル政府が制定していた重商主義的な**航海法**も廃止され，国内での自由貿易体制が成立しました。

イギリスの経済面での自由（貿易）主義といった場合，

①イギリス国内の規制を排除する政策
②イギリスの貿易相手国にも自由貿易を要求する政策

の２種類があります。前段落までで説明したのは①です。②の詳細は各国の単元で説明するとして，左ページの図を見ると，世界中に自由貿易を突きつけていることが分かります。**工業化の先頭をひた走り「世界の工場」とも呼ばれたイギリスが誇る安価で良質な製品は，公平な条件（すなわち自由貿易）なら絶対に負けません。覇権国家には自由貿易というルールこそが好都合なんですね。**（内陸支配までは行わず）自由貿易を強制するこの理念を「自由貿易帝国主義」ともいいます。

4 このように19世紀中葉のイギリスは，経済的繁栄と社会的安定を享受しつつ，国際的覇権を握りました。この時代が「**パクス＝ブリタニカ**（▲イギリスによる平和）」です。その時代の象徴が**ヴィクトリア女王**（▲即位してからの半世紀間を覇権の時代とする見方が有力）。彼女の治世の後半は，**保守党**と**自由党**による二大政党時代を迎えました。代表する首相が**ディズレーリ**と**グラッドストン**です。ディズレーリの代名詞である帝国主義政策（▲対外進出も行っている）は，別の単元で扱いましょう。グラッドストンは国内改革に尽力。初等教育を充実させる教育法によって，国民国家に適応できる国民育成（▲ナショナリズムを持ち，工業化社会の規律を守る）を目指します。労働組合法と**第３回選挙法改正**で労働者の権利は大きく伸びました。これは**【重要テーマ5】**で扱った「**労働者の取り込み**」と解釈することもできますね。そんなグラッドストンが尽力した

⑵　アイルランド併合(1801)…グレートブリテン＝アイルランド連合王国が成立

⑶　アイルランド人がうけた差別・搾取

①民族…**ケルト人**が，イギリス人（アングロ＝サクソン）の支配をうけた
②宗教…**カトリック**教徒であり，国教徒が多い本国から差別をうけた
③経済…**小作人**として，イギリス人の不在地主から搾取された

⑷　宗教的平等への道

①**審査法**廃止（1828）…非国教徒に公職を開放。しかしカトリックは除外

②**カトリック教徒解放法**（1829）…オコネル（オコンネル）らの努力で成立
▲アイルランド人のイギリス議会への進出が可能となった

⑸　**ジャガイモ飢饉**（1840年代後半）

①主食であった**ジャガイモ**の凶作で多くのアイルランド人が餓死

②**北米へ移民するアイルランド人が激増**

⑹　アイルランド土地法（1870，81）

①グラッドストン内閣が小作人の権利を保護
▲小作権利の安定，地代の適正化，小作権売買の自由を図った

⑺　アイルランド自治・独立をめぐる問題

①**アイルランド自治法案**（1886，93）…グラッドストン内閣が議会に提出
▲自治権＝内政権
➡2回とも不成立

②**シン＝フェイン党**の結成（1905）…完全独立を主張した民族主義政党

③**アイルランド自治法**の成立（1914，アスキス内閣）
➡議会を通過したが，**第一次世界大戦勃発のため実施は延期**
➡反発した急進派による蜂起（**イースター蜂起**，1916）
▲シン＝フェイン党が関与　▲イースターとは復活祭のこと

⑻　自治から独立へ

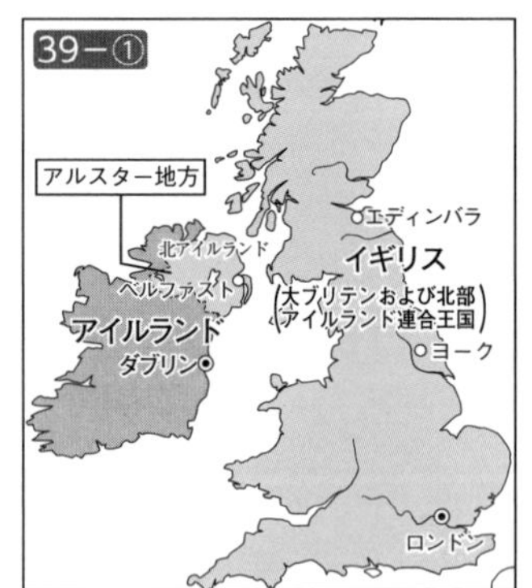

①**アイルランド自由国**（1922）
・自治国となったが，イギリス系住民が多かったアルスター地方は英領に残留

②イギリス連邦…イギリス帝国会議(▲1926)とウェストミンスター憲章(▲1931)によって成立。自治領は王冠への忠誠のもとに本国と対等な地位が認められ，事実上独立

③**エール**（1937）…王冠への忠誠宣言を廃止。新憲法を公布し共和政へ

④アイルランド共和国（1949）…イギリス連邦から脱退して完全独立

⑤北アイルランド紛争…北アイルランド（アルスター地方）をめぐるイギリスとアイルランドの対立
▲1998年に，アイルランド共和軍（IRA）との間で包括的和平合意が成立

ものの，ついに果たせなかった政策が，アイルランド自治でした…。

5 1649年に**クロムウェル**がアイルランドを征服して以来，イギリス人は不在地主となり，小作人に転落したアイルランド人から経済的に収奪していました。両者の間には**ケルト人**とアングロ＝サクソン人，**カトリック**と国教徒，という民族・宗教問題も横たわります。この中でまずイギリスで論争となったのが宗教差別でした。1673年に制定された**審査法**はどんな内容？

えっと〜，不当な逮捕と投獄を禁止する法律でしたっけ。

そっちは**人身保護法**（▲1679年）ですね…。**「公職就任者を国教徒に限定する」**（▲→テーマ34）法ですよ。宗教差別が公に存在していたわけですが，19世紀に入ると自由主義の風潮の中で審査法が廃止され，「国教徒以外のプロテスタント」（▲ピューリタンやクェーカー教徒など）には公職は開放されました。しかし**カトリック教徒はその対象から除外され，差別は続いた**のです（カトリックに対する国民の拒否感は根強かったようで）。審査法が廃止された年，あえて国会議員選挙に出馬したアイルランド人オコネル（オコンネル）は大差で圧勝しますが，当選は取り消し。燎原(りょうげん)の火のごとく抗議運動は広がり，事態を重く見たイギリス政府は翌1829年に**カトリック教徒解放法**を制定し，法的な宗教差別は消滅しました。

続いて経済問題です。アイルランド人が働く畑で収穫された小麦は地主の懐(ふところ)に入ってしまうので，小作人のアイルランド人はやせた土地でもよく育つ**ジャガイモ**を主食にしていました。しかし1840年代後半，ジャガイモが病気によって全滅！ 100万人近くが餓死したとされ，小作人として貧困にあえぐアイルランド人の苦境を際立たせる出来事となってしまいました。**ジャガイモ飢饉**(ききん)の際に，**多くのアイルランド人がアメリカへ渡った**（▲彼らに安価な穀物を供給することも，穀物法廃止の目的）ことは頻出事項ですね。のちのアイルランド土地法によって，小作人の保護（▲→【重要テーマ6】）が図られます。

最後に独立問題です。グラッドストンが議会に提出した**アイルランド自治法案**は２度にわたって否決。1914年に自治法案が議会を通過しますが，**第一次世界大戦が勃発したため，なんと実施は延期に**（▲帝国の解体につながることを恐れた一部の自由党議員が反発したため）。怒れる民衆は**イースター蜂起**を起こします。第一次世界大戦後にようやく自治国であるアイルランド自由国となり，1937年には「王冠への忠誠」を嫌い共和政の「エール」へ移行し，戦後にはイギリス連邦から離脱しました。イギリスと紛争の火種となったのがアルスター地方（▲北アイルランド）。アイルランド島北東部に位置し，**イギリスからアイルランドへ渡る玄関口に相当したため，イギリス系住民が多く住んでいました**。これを理由にアルスター地方はイギリス領に残ることとなり，アイルランド島を分断されたアイルランド人は猛烈に反発。20世紀末まで紛争は続きました。

テーマ40 19世紀のフランス・イタリア・ドイツ

1 フランス第二帝政（1852～70）

(1) **ナポレオン３世**の支配…利害の異なる各勢力の支持を基盤とした
▲軍部・資本家・労働者・農民

①新興の資本家層からの支持の獲得…工業化の推進
・鉄道建設など交通網の拡充，金融機関の新設，英仏通商条約（1860）
▲自由貿易

②労働者の保護
・社会政策の推進。ナポレオン３世は「馬上のサン＝シモン」と自称
▲フランスの社会主義者　→テーマ43
・セーヌ県知事オスマン…**首都パリを改造し，上下水道も整備**

③農民層からの支持獲得…国内交通網の拡充によって農産物市場を整備

(2) 国威発揚…言論を規制して議会を軽視する帝政に対し，国民の不満が根強かったため，**積極的な対外政策によって国民の不満をそらし，皇帝の威信高揚を図った**

(3) 対外戦争…「ナショナリズムの擁護者」を自任

①**クリミア戦争**（1853～56）
▲→テーマ41

②**アロー戦争**（1856～60）
▲→テーマ49

③**インドシナ出兵**（1858～67）

④**イタリア統一戦争**に参戦（1859）

⑤**メキシコ遠征**（出兵，1861～67）
・メキシコが財政難におちいり，外債利子不払いを宣言
➡米国が掲げたモンロー教書を無視し，南北戦争の隙（すき）を突き出兵
イギリス・スペインも共同で▲
・メキシコのフアレス政権と戦い，マクシミリアンを皇帝に擁立
▲ハプスブルク家
・メキシコ人の抵抗と米国の反発で撤退　➡ナポレオン３世の支持が急落

⑥**ドイツ＝フランス（独仏）戦争**（普仏戦争，1870～71）
・ナポレオン３世はドイツ統一に警戒心を抱き，反対の立場をとっていた
・結果…スダン（セダン）でプロイセン軍に捕らえられ，退位

2 フランス第三共和政

(1) 独仏戦争の敗北…ティエールを首班とする臨時政府がドイツに降伏
▲ボルドーに成立

(2) **パリ＝コミューン**（1871.3～5）

①成立…臨時政府の講和方針に反発したパリ市民が蜂起し，新政府を樹立
＝**世界初の労働者などの民衆を中心とする自治政府**
▲≒社会主義的

②崩壊…内部対立で動揺し，臨時政府が武力で圧殺（ドイツ軍の援助もあった）

「イタリア」「ドイツ」という主権国家は，それぞれ1861年と1871年に成立します。大まかにいうとイタリアは**カロリング朝**断絶以降，ドイツは中世から**ウェストファリア条約**にかけてバラバラになりました。そして**ナポレオン戦争でナショナリズムを刺激されて統一の機運が高まった**，という共通点があります。**【重要テーマ4】**でお話したように，ドイツのナショナリズムの基盤は「民族」でしたが，その一方でフランス的な**「国民は自由・平等の権利を共有するんだ」**という理念も重視されたので，ウィーン体制下では各地で自由と平等を求める革命運動が起こりました。当然国王は，これらを圧殺…。この時代で注目したいのは**ドイツ関税同盟**。当時存在した**ドイツ連邦**は独立国家の集合体で，各種商品には領邦の国境を越えるごとに関税がかけられていました。プロイセンがウィーン会議で獲得した**ラインラント**は，**本土と切り離された「飛び地」になっていて**，本土とラインラントで製品をやり取りするだけで他の領邦を通過する必要があり，関税を取られる状況だったんです。そこで**領邦間の関税を撤廃し，また外国からの輸入品に共通関税を課せる体制が整えられました。**

▲875年　→テーマ22
▲1648年　→テーマ31
「同一の言語・歴史・文化・先祖」を共有している集団▼
▲イタリアも
オーストリアは参加しなかったため，工業化に後れをとった▲

【重要テーマ5】で出てきた，「国民経済」が生まれたわけですね。

そして1848年のフランス二月革命に刺激され，イタリアでも民族運動が高揚！　ビビったローマ教皇が逃亡したローマでは，**青年イタリア**の革命家**マッツィーニ**が**ローマ共和国**を建て，「ローマを核に民主的イタリアを！」と訴えます。しかし，フランス大統領**ルイ＝ナポレオン**が教皇の要請をうけ軍事介入し，共和国を崩壊させました。マッツィーニのような**「下からの統一」**に対し，**「上から」**国王主導で民族を束ねようとしたのが**サルデーニャ**国王カルロ＝アルベルトです。ここで**【重要テーマ5】**の出番。**1848年以降，国王は「ある程度の」自由主義なら容認するようになります**ね。彼はその先駆けとして憲法を制定するなど改革を推めていました。そして「異民族」オーストリア領であった**ロンバルディア**と**ヴェネツィア**を，イタリア人の手に取り戻すべく宣戦！しかし大国オーストリアに惨敗し，無念にも退位…。

▲「カトリックの守護者」をアピールし，国民の支持を集めようとした
▲オーストリアに対するイタリア人の反乱が起こっていた

一方，オーストリアでは**ウィーン三月革命**で**メッテルニヒ**が失脚し，**ウィーン体制は崩壊**しました。ベルリンでも革命騒ぎが起こり，オーストリアもプロイセンも自由主義的な改革を一時的に容認して国民をなだめようとしました。そして各領邦の代表が一同に会してドイツ統一を話し合う**フランクフルト国民議会**が開かれます。ここで争点となったのは，「領邦の双璧（そうへき）であるオーストリアとプロイセン，どちらをドイツの中心に据えるか？」という問題でした。オーストリアを中心とするのが**大ドイツ主義**で，この場合は，オーストリアは領

国王ではなく国民主導である点がポイント▼

第5章 近代の世界（19世紀～第一次世界大戦）

(3) **第三共和政**の成立

①ティエールが主導し，**男性普通選挙**を定めた第三共和国憲法を制定（1875）
▲単一の憲法ではなく，３つの法律からなる

②不安定要素
・**対ドイツ報復の風潮**…右翼・軍部が台頭
・政情の不安定…共和派と反共和派が対立
▲王党派・軍部・カトリック勢力

(4) **ブーランジェ事件**（1887〜89）…ブーランジェ将軍によるクーデタ未遂

(5) **ドレフュス事件**（1894〜99）

①軍部はドイツのスパイとして，ユダヤ系のドレフュス大尉を逮捕

②軍部内に真犯人が判明したが，軍部は威信保持のため否定

➡共和派による救済運動が展開され，結局ドレフュスは釈放された

③自然主義作家**ゾラ**は，新聞に「私は弾劾する」を寄稿してドレフュスを擁護

(6) **政教分離法**（1905）…カトリックの政治介入を防ぐために制定
▲急進社会党の主張による

(7) 第三共和政の経済政策…金融業，外国投資によりフランス資本主義は繁栄

3 イタリア統一への準備 ～フランス二月革命の影響

(1) **ローマ共和国**の樹立（1849.2）

①ローマ教皇の逃亡に乗じ，**マッツィーニ**が**「青年イタリア」**を率いて樹立

②教皇と結んだ**ルイ＝ナポレオン**による武力干渉で崩壊（1849.7）

(2) サルデーニャ国王カルロ＝アルベルト

①憲法を制定するなど自由主義的改革を推進

②オーストリアに宣戦（1848）するが，敗北し退位・亡命（1849.3）

4 イタリア統一（リソルジメント）

(1) **サルデーニャ王国**の情勢　首都：トリノ
▲イタリア産業革命の中心ピエモンテ地方を領有

①国王**ヴィットーリオ＝エマヌエーレ２世**
▲位1849〜61。1861〜78はイタリア国王

②首相**カヴール**…鉄道建設・産業振興を推進
▲任1852〜61

(2) 統一への準備

①**クリミア戦争**（1853〜56）に参戦…フランスに接近

②**プロンビエール密約**（1858）…ナポレオン３世と締結

・対オーストリア戦争の際，フランスがサルデーニャを支援

・代償として，サルデーニャはサヴォイア・ニースの割譲を約束

(3) **イタリア統一戦争**（1859）

①サルデーニャがオーストリアに宣戦し，フランスの援軍を受け勝利

②ナポレオン３世はオーストリアと講和し，撤兵
▲サルデーニャの強大化を恐れた

内の異民族支配を放棄する必要があります（「ドイツ民族」の国家を創るのに，スラヴ人とかがいたら奇妙ですもんね）。（▲ベーメンは除く）オーストリア政府は領土が削減されることを嫌ったため，このアイディアを拒否。結果，オーストリアを排除してプロイセン主導で統一する**小ドイツ主義**が採用されました。そして，国民議会で練った憲法をプロイセン国王に提出するのですが，**プロイセン王は憲法受け入れを拒む**のです。

なぜですか？　国民の方は王政を認めてくれているのに。

　またまた**【重要テーマ5】**です。国王が容認する体制は「ある程度の」自由主義であって，**決して国民に主導権は渡しません**。でも国民議会がつくった憲法では，**国王権力は骨抜きにされ国民が主導権を握る内容だった**んですよ。また，フランスの六月蜂起で労働者が暴走したのを見て，ドイツの資本家は「労働者と組むのはリスクが高い。やめた方がいいかも…」と保守化し，国王への矛を収めます。最終的には各地で保守派が巻き返す結果となりました。「下からの統一」は失敗です。

　フランスでは1852年，皇帝**ナポレオン３世**が即位。家柄だけでほとんど実績がない彼がどのように帝政を確立できたのか，ポイントは２つです。

①　**資本家と労働者が対立しており，他の各階層も勢力が拮抗**（▲保守派，農民など）
②　**各階層から支持を獲得するため，各種政策を推進**

　資本家と労働者の友好はすでに六月蜂起で破綻しているので（▲→テーマ38），両者が協力して革命を起こして皇帝を倒すことはまずありえない。ナポレオン３世はこの状況下で，国民から人気を集めようと腐心します。「保守派よ，民衆に主導権は渡さぬから安心せよ」「資本家よ，産業革命を進めよう」「労働者よ，君たちの権利を拡大しよう」「農民よ，諸君の土地所有は保障する」と。また，オスマンによる**パリの大改造**（凱旋門から放射状に道路を伸ばし，上下水道を整備）（▲道幅を広げてバリケードを作れないようにした）も押さえておきましょう。さらに万国博覧会でも国威発揚を図ります。そして，彼にとっての人気の源は，「ナポレオン１世時代の栄光」，つまり戦争であることは言うまでもありません。**華々しい勝利を重ねて，皇帝独裁に対する不満を封じ込めようとしました。**1で確認しておきましょう。

　同じ頃サルデーニャでは，**カヴール**が国王**ヴィットーリオ＝エマヌエーレ２世**（▲カルロ＝アルベルトの子）から首相に抜擢されました（彼がイタリア統一を主導するので，次ページのイタリアの地図40－①で後述する①～⑥，Ⓐ～Ⓓの地名を確認しながら読み進めてください）。彼は前王とは同じ轍を踏まぬよう，オーストリアに対抗できる同盟国を求めます。そんな折に勃発したのが**クリミア戦争**（▲1853～56年）です。

③サルデーニャもやむなく墺と講和し，**ロンバルディア**のみを獲得

(4) **中部イタリア**の併合（1860）
▲パルマ・モデナ・トスカナの３君主国

①人民が蜂起し，人民投票の結果，サルデーニャへの併合が決定

②カヴールがナポレオン３世と交渉し，**サヴォイア・ニース**割譲を条件に併合

(5) **両シチリア王国**の併合

①**ガリバルディ**…元「青年イタリア」党員。**千人隊（赤シャツ隊）**を組織

②両シチリア王国を征服（1860）

③王政での統一を目指すサルデーニャ王国と，共和政でのイタリア統一を目指すガリバルディは対立し，カヴールはガリバルディの活動を警戒

➡ガリバルディは全ての占領地をサルデーニャ王国に献上

40－① 1870年のイタリア

(6) **イタリア王国**の成立（1861）

(7) **ヴェネツィア**の併合（1866）

…**普墺戦争**でプロイセンと同盟し獲得

(8) **ローマ教皇領**の占領（1870）

①**独仏戦争**の際，フランス軍守備隊が教皇領から撤退したことに乗じ併合

②ローマへ遷都（1871）
▲今までの首都はトリノ，のちにフィレンツェだった

(9) 「**未回収のイタリア**」

…**南チロル・トリエステ**など。住民はイタリア系だが，オーストリアが領有

5 ドイツ統一前史

(1) **ナポレオン**によるドイツ征服（19世紀初頭）

➡反仏感情からナショナリズムが高揚し，ドイツ統一の機運が高まる

(2) **ドイツ連邦**の成立（1815）…ウィーン議定書で規定

(3) **ドイツ関税同盟**（1834年発足）

①プロイセン主導で成立し，領邦間（オーストリアを除く）の関税を撤廃

②ドイツの経済的統一が進み，産業革命を進展させた

6 ドイツ三月革命 ～フランス二月革命の影響

(1) オーストリア…**ウィーン三月革命**（1848.3）

①市民が蜂起し，**メッテルニヒ**はイギリスに亡命し，**ウィーン体制は崩壊**

➡しかし，皇帝が弾圧に転じて完全に鎮圧（1848.10）

①サルデーニャ王国は英仏連合軍側で軍を派遣して友好を深め，ある大物から支援を引き出そうとしました。誰でしょうか？

助けてくれそうなのは…そうか。戦争大好き，ナポレオン３世！

その通り。カヴールはフランスとの同盟に成功し，満を持して②ロンバルディアへ侵攻！　これが**イタリア統一戦争**です（ただカヴールは，統一戦争の段階では北イタリア併合のみを望んでいて，イタリア全体の統一までは想定していなかったようですが）。フランス軍のサポートもあってサルデーニャ軍はオーストリア軍を撃破し，そのまま③ヴェネツィアまで快進撃ィ～と行きたかったんですが，ここでフランスが援助を打ち切って突如撤兵。単独でオーストリアと戦う力のないサルデーニャは，ヴェネツィアを泣く泣く諦めることに。
（▲サルデーニャが予想以上に強大化しそうだったため）

ナポレオン３世の背信に激怒したのはサルデーニャだけではありません。④中部イタリアで民衆が暴発し，「サルデーニャのもとへ集え！」と合流を決議。しかし，サルデーニャの強大化を望まぬナポレオン３世がまたまた介入し，「中部イタリアの併合は認めてやるからⒶサヴォイア・Ⓑニースを譲れ」と無茶な要求をしてきたんです。カヴールは屈しました。大国に翻弄される小国…。

時を同じくして，元「青年イタリア」党員**ガリバルディ**が動きました。情熱溢れる**千人隊（赤シャツ隊）**を率いて⑥両シチリア王国を征服し，サルデーニャ王国の**カヴール**とは逆方向，すなわち**共和政という「下からの」アプローチ**でイタリア統一を目指しました。ここで「両者の仲が良くはない」ことを理解できますか？　「**上から**」統一するサルデーニャ方式は国王が主導権を握り，「**下から**」統一するガリバルディ方式は国民が主導権を握る…。水と油です。緊張が高まる両者ですが，最後はガリバルディが譲歩して，両シチリア王国をサルデーニャ国王に献上し，彼は統一運動の第一線から退きました。
（▲例えば，選挙は制限選挙）（▲フランクフルト国民議会と同じ構図）

ここに至って，1861年にヴィットーリオ＝エマヌエーレ２世を国王として**イタリア王国**の成立が宣言されました。ただ③ヴェネツィアと⑤ローマ教皇領はまだイタリア領ではないことに注意です。これと同年，フランスではナポレオン３世が**メキシコ出兵**を敢行。最初の数年間はフランス優勢で首都を陥落させました。ただこの後，**メキシコ民衆の抵抗に思わぬ苦戦を強いられます**。
（▲カヴールは王国成立の直後に病死）（▲メキシコの債務の利子不払いを口実として）

翌62年，プロイセン首相**ビスマルク**が誕生しました。**ユンカー**出身でバリバリの保守派ですから「下からの統一」など笑止千万。**戦争でプロイセンの軍事力を見せつけて他の領邦を従わせる**，それが彼のやり方「**鉄血政策**」です。そのターゲットとなったのは，ドイツの中核たるオーストリアでした。ビスマルクはデンマーク領の**シュレスヴィヒ・ホルシュタイン**に目をつけ，オースト
（▲ドイツ系住民が多い）

②オーストリア領内の諸民族の動き

- ・**ハンガリー(マジャール人)**…**コシュート**の指導で革命政府樹立(1848.3)
  ➡オーストリアの要請で，ロシア軍が進撃し鎮圧（1849）
- ・**ベーメン（チェック人）**…パラツキーの指導でスラヴ民族会議を開催

(2)　プロイセン…**ベルリン三月革命**（1848.3）

①プロイセン国王が民主的な憲法制定を約束し鎮静化

②国王は非民主的な欽定（きんてい）憲法を制定（1848.12）。自由主義者の内閣が誕生

(3)　**フランクフルト国民議会**（1848〜49）…ドイツ統一の方式を討議

大ドイツ主義	**小ドイツ主義**
オーストリア中心のドイツを主張 ※ここでいうオーストリアとは，ドイツ人地域とベーメンのみ	**プロイセン**中心のドイツ統一を主張する立場（オーストリアを除外して） ➡勝利
・ドイツ国憲法の可決（1849） ➡しかし，プロイセン王は，**自由主義的な憲法を受け入れることで実権を失うことを恐れて戴冠（たいかん）を拒否したため，ドイツ統一は挫折**	

7 プロイセンによるドイツ統一

(1)　**ビスマルク**の就任（任1862〜90）

①国王**ヴィルヘルム１世**によって首相に登用された，ユンカー出身の政治家
▲エルベ川以東の地主貴族

②**鉄血政策**…軍事力によるドイツ統一のための，軍備拡大政策を指す言葉

(2)　**プロイセン＝オーストリア（普墺（ふおう））戦争**（1866）

①**シュレスヴィヒ・ホルシュタイン**問題
▲住民の大半はドイツ系だが，デンマークが支配

・プロイセン・オーストリアが共同出兵し占領，共同管理（1864）
▲デンマーク戦争

・しかし，両公国の処理をめぐりプロイセン・オーストリア間で対立が発生

②開戦　➡プロイセン軍が７週間で圧勝
▲参謀長モルトケの活躍

③**北ドイツ連邦**（1867）…プロイセンを盟主としてマイン川以北に成立
▲ドイツ連邦は解体　一方で南ドイツはプロイセン主導の統一に反発▲

④**オーストリア＝ハンガリー帝国（二重帝国）**の成立（1867）

・オーストリアの敗戦で領内諸民族（スラヴ人など）の独立運動が再燃

・オーストリアはマジャール人に妥協し，**ハンガリーの自治を承認**
▲「アウスグライヒ」…ドイツ語で「妥協」を意味する

・皇帝フランツ＝ヨーゼフ１世がハンガリー王を兼ねる同君連合

・外交・軍事・財政は共通だが，内政は別々の政府・議会を持つ
▲オーストリアは内政面でも立憲改革を進めた

(3)　**ドイツ＝フランス（独仏）戦争**（普仏戦争，1870〜71）
▼ブルボン家の国王が亡命

①スペイン王位継承問題…スペインで革命が勃発（1868）し，議会はホーエンツォレルン家の人物をスペイン王に戴（いただ）くことに決定
プロイセン王家の一門▲

リアを誘って同地の占領・分割を持ち掛けました。両国は**デンマーク戦争**で両地域をゲット（この時プロイセンはオーストリア軍を徹底分析！）。そして，プロイセンは，「オーストリアがホルシュタインにおける反プロイセン運動を放置している」と難癖（なんくせ）をつけて挑発し，戦争に引き込みました。1866年の**プロイセン＝オーストリア（普墺）戦争**です。「丸裸」のオーストリア軍は総崩れで，プロイセンが圧勝。またビスマルクは，戦前にダメ押しとしてイタリアとも同盟を組んでおきました。イタリアの狙いを考えましょう。

分かりました，③**ヴェネツィア**を奪いたかったからですね。

そう，イタリア統一も一歩前進です。プロイセンは自らを盟主とする**北ドイツ連邦**を結成し，北部領邦を束ねました。一方のオーストリアでは大敗をうけて，領内の異民族が「今が独立の好機！」と騒ぎ出します。帝国内のドイツ系人口はわずか25%。ヤバイ。ついにオーストリアは「妥協（アウスグライヒ）」しました。

異民族の最大勢力である**マジャール人**（▲ハンガリー）だけには自治を与え，オーストリアと対等な地位を認めました。これからオーストリアは，マジャール人と協力して諸民族（▲スラヴ系が中心）の独立を抑え込めるようになったんです。これが**オーストリア＝ハンガリー帝国**の構造です。

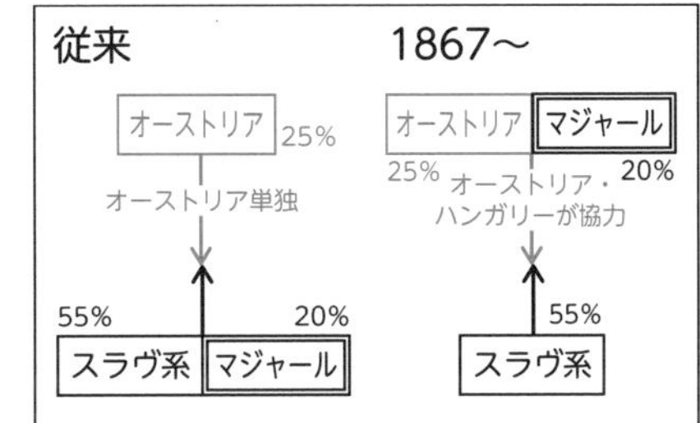

1868年，スペインで革命が起こってブルボン家の王が亡命。プロイセンの王家であるホーエンツォレルン家のレオポルトを王に推戴（すいたい）するという案が浮上し（スペイン王位継承問題▲），ビスマルクもこれをプッシュ。これにナポレオン３世が反対を表明します（スペイン王家がホーエンツォレルン家となれば，フランスはプロイセンとスペインに挟まれてしまう（▲かつてフランスがハプスブルク家に挟まれた状況の再来））。実はレオポルト本人は王位にあまり関心もなく，王位を辞退しました。ここでナポレオン３世は大使をヴィルヘルム１世のもとへ派遣し，王位辞退を確約させようとしたんです。この会談での大使の高圧的な態度に国王は激怒し，大使を追い払ってしまいました！　これが新聞を通じてフランスとプロイセンに伝わると両国の世論も激高し，戦争への道筋が開かれたのです！　…なんですが，実はこれ，ビスマルクが会談の内容（▼実は荒れた内容ではなかった）を大げさに書き立てた結果です（エムス電報事件）。**テーマ20**と同じで「話を盛（も）った」わけです（笑）。なぜこんなことをしたかというと，ビスマルクはフランスとの戦争がドイツ統一の決め手になると考えていました。北ドイツ連邦で北部ドイツは束ねたものの，バイエルンなど**南ドイツ領邦はプロイセンに従うのを拒ん**（▲ルター派のプロイセンに対し，カトリック国であったことが一因）

➡フランスの**ナポレオン３世**は反対の立場を表明

②エムス電報事件（1870.7）…ヴィルヘルム１世とフランス公使の会談内容をビスマルクが改ざんして発表し，両国の世論が激昂（げっこう）

③フランスが宣戦するが，ナポレオン３世がスダンで捕虜となり退位（1870.9）
▲セダン

④**ドイツ帝国**が成立（1871.1）…**ヴェルサイユ宮殿**で統一式典が行われた
▲バイエルンなど南部４邦が加わった

⑤講和…ドイツは**アルザス・ロレーヌ**，賠償金50億フランを獲得
▲鉄・石炭などの資源が豊富

8 ドイツ帝国　首都：ベルリン

⑴　ドイツ帝国憲法（1871発布）

・連邦制…プロイセン王を皇帝，プロイセン首相を帝国宰相と規定
▲ヴィルヘルム１世（位1871～88）　▲ビスマルク（任1871～90）

・二院制
- 連邦参議院…各邦の代表で構成。議長は帝国宰相が務める
- **帝国議会**…**男性普通選挙**で議員を選出。予算議決権はなかった

・皇帝と宰相への権力集中…**宰相は皇帝に対してのみ責任を負う**
▲軍事・外交面では発言を封じられた　▲責任内閣制ではない

※プロイセン中心の体制…プロイセンのユンカーが政治・軍事の中枢を独占

⑵　ビスマルクの内政

①**文化闘争**

・ビスマルクが，南ドイツ（反プロイセン感情の強いバイエルンなど）やプロイセン東部（旧ポーランド領）の**カトリック**教徒を警戒し抑圧
▲ルター派が多数派を占めた

・ビスマルクは当初は強硬姿勢だったが，社会主義勢力が台頭すると妥協

②社会主義者との対立…**「飴（アメ）と鞭（ムチ）」によって労働者を社会主義から切り離す**
▲ドイツ社会主義労働者党

・**社会主義者鎮圧法**（1878）…皇帝狙撃事件を口実にビスマルクが制定

・**社会政策**の実施…労働者の生活を向上させて反抗の緩和を狙った
▲災害保険・疾病保険・養老保険

③産業の育成

…保護関税法（1879）

➡保護貿易によって重工業が発展し，20世紀初頭にはイギリスを抜いてアメリカに次ぐ**世界２位の工業国**に成長

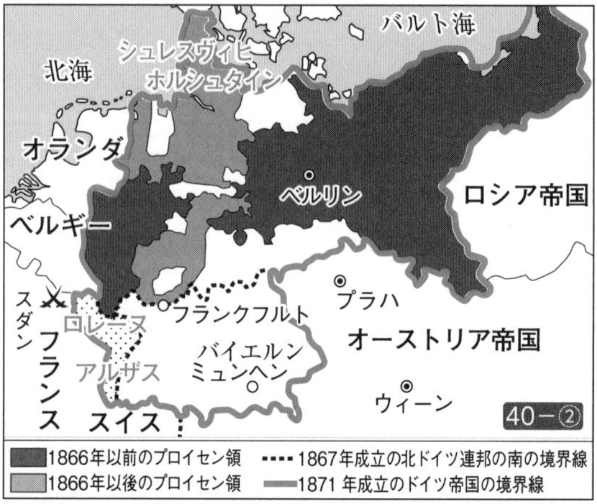

でいました。しかし，ナポレオン１世以来の宿敵フランスと戦うとなれば話は別です。ナショナリズムを刺激されてバイエルンも仲間になってくれるでしょう。フランスの方はといえば，**メキシコ出兵に失敗して支持率がガタ落ち**のナポレオン３世は，なんとしても次の戦争に勝ちたかった。「フランスはドイツに宣戦し，南ドイツはプロイセンと仲間になる」という，ビスマルクのシナリオ通りに二勢力とも動いてしまいます。恐るべし。

ドイツに強大な統一国家ができることにも抵抗があった▲

準備万端のプロイセン軍はナポレオン３世をスダン（セダン）で捕らえ，退位に追い込みます。パリを占領すると，**ヴェルサイユ宮殿**でドイツ帝国の統一式典を挙行しました。ドイツ人には最高の，フランス人には最悪の瞬間です。降伏の方針に反発したパリの民衆は**パリ＝コミューン**を成立させ徹底抗戦を主張。フランス臨時政府は**社会主義者も含んでいたコミューンが社会主義に傾くことを恐れ**，徹底的に弾圧しました。降伏したフランス臨時政府から，ドイツは**アルザス・ロレーヌ**と賠償金をせしめます。なお，教皇領を守っていたフランス軍も戦争に動員され，その隙にイタリアが**⑤ローマ教皇領**を併合していますよ。

▲鎮圧にはドイツ軍も協力

▲50億フラン

ただし，ⓒ南チロルやⓓトリエステはオーストリア領のまま▲

敗戦後のフランスでは憲法が制定されて**第三共和政**が成立（二月革命の後，20年近い第二帝政を挟んでやっと共和政に戻ってきた感じ）。この時代，多くの国民は口をそろえて「ドイツに復讐を！」と訴えました。その風潮の中，ユダヤ系軍人がドイツのスパイとして吊るしあげられた**ドレフュス事件**が起こり，当時のユダヤ人差別も絡み国論を二分する大騒ぎに。また**ユダヤ人を差別する保守派にはカトリック聖職者が多く，当時の彼らは学校教育にも関わっていました**。これが「特定の宗教が（公）教育に介入していいのか？」という論争を引き起こし，20世紀初頭の**政教分離法**につながります。

最後にドイツ帝国。イタリアと同じくドイツも**「上からの統一」ですから，皇帝と宰相がガッチリ権力を握っています**。**帝国議会**の議員は普通選挙で選ばれるので，一見民主的に見えますが，**宰相は皇帝に対してのみ責任を負いました**。

▲22の君主国と，３つの自由市からなる

「ビスマルクをクビにできるのはヴィルヘルム１世だけ。議会にはそんな権限は認めないよ」ということですね。

ビスマルクが対立した国内勢力も押さえましょう。まずはルター派のプロイセンに立ち向かうカトリック勢力（このバトルが**文化闘争**）。次に**社会主義者**。ビスマルクは「ムチ」の**社会主義者鎮圧法**で徹底的に締め上げる一方，「アメ」の**社会政策**で労働者を懐柔します（これも**【重要テーマ５】**の「取り込み」）。社会主義が高揚する背景には**工業の発展**があるわけですが，これについては改めて触れますね。

→テーマ43▲

19世紀のロシア

1 内政

(1) ニコライ1世（位1825～55）➡テーマ38

(2) **アレクサンドル2世**（位1855～81）

①**農奴解放令**（1861）

・**改革の背景…クリミア戦争の敗北でロシアの後進性を痛感**

・農民に人格・移動・職業選択の自由が与えられ，賃金労働者が登場して**ロシアの工業化の出発点**となった

・一方で**農地の分与は有償であったため，改革は不徹底**
▲貴族に補償金も支払われた

②**ポーランド反乱**（1863～64）…ロシアの改革に刺激をうけ勃発したが鎮圧

➡これを契機にアレクサンドル2世は**反動化**

③**ナロードニキ**（人民主義者）による運動
▲「ヴ＝ナロード（人民の中へ）」に由来

・農村共同体**ミール**を基盤とした社会主義を目指した**インテリゲンツィア**
▲ロシアの知識人階層

➡農民の無関心や，政府による弾圧で挫折

➡ナロードニキの一部は**テロリズム**に傾き，アレクサンドル2世を暗殺
▲要人の暗殺など

2 アジア方面の対外政策（1880年代まで）

★**不凍港**獲得と，**ツァーリズムへの国民の不満をそらす**ため，南下政策を推進

41－①

モスクワ
シベリア
ネルチンスク条約（1689）
ロ シ ア 帝 国
1875 樺太
千島列島
外興安嶺
1858
アムール川
キャフタ条約（1727）
ネルチンスク
1860
沿海州
ウスリー川
キャフタ
アイグン
ヒヴァ 1873
ブハラ 1868
コーカンド 1876
イリ
イリ条約（1881）
モンゴル
清
ウラジヴォストーク
日本

(1) 東アジア方面…初代東シベリア総督のムラヴィヨフが活躍

①**アイグン条約**（愛琿条約，1858）…**アムール川（黒竜江）**以北を領有

②**北京**（ペキン）**条約**（1860）…**沿海州**を領有 ➡拠点**ウラジヴォストーク**を建設
沿海州はロシアと清で共同管理▲
▲「東を支配せよ」の意

ロシアはナポレオンの遠征軍を撃退したことで地位を高め，その陸軍はヨーロッパに名を轟(とどろ)かせます。**ウィーン体制ではロシアはオーストリアと並ぶ保守反動の牙城(がじょう)**となりました（ニコライ1世はデカブリストの乱も，ポーランドの反乱も，ハンガリー民族運動も粉砕！）。ヨーロッパ中に目を光らせる**「ヨーロッパの憲兵」**と揶揄(やゆ)される一方，積極的に南下政策も推進。ロシアの南下政策の目的といえば第一に「**不凍港**の獲得」ですが，19世紀に自由主義思想が流入してツァーリズムへの批判が生じると，**「南下政策（対外戦争）によってツァーリズムに対する不満の矛先をそらす」**という意味も持つようになりました。南下政策の過程で列強対立が実際の戦争にまで発展したのは，弱体化が明らかになったオスマン帝国がある黒海～東地中海方面でした。この地域における一連の対立が「東方問題」です。

▲→テーマ32
▲ロシアはツァーリズムを維持するために戦争を求める，と考えることもできる
▲一般には，ギリシア独立戦争～露土戦争まで

各国は，どういった利害関係だったんですか？

ロシア…**南下政策**の一環として，バルカン半島方面への進出を狙う
イギリス…**インド航路防衛**のため，東地中海・エジプトを重視
フランス…ナポレオンのエジプト遠征以来，**エジプト**に影響力を保持
〔オーストリア…**19世紀後半以降**，バルカン半島進出を画策〕

以上のような感じで火花バチバチ。まずはウィーン体制で扱ったギリシア独立戦争です。講和条約で**ボスフォラス・ダーダネルス両海峡**におけるロシア船舶の航行権が認められ，ロシアはガッツポーズ。この戦争で存在感を放ったのが，オスマン帝国のエジプト総督**ムハンマド＝アリー**。せっせとエジプトの近代化を進めて帝国内の独立勢力に。彼はギリシア独立戦争でオスマン本国を支援した見返りにシリアの領有を要求。「ギリシアを潰(つぶ)せなかったくせに生意気なこと言うな！」と本国は激怒し，２次にわたる**エジプト＝トルコ戦争**に発展しました。

▲p.270の地図で確認を
▲「エジプトのナポレオン」と称される

この戦争，東方問題の戦争の中で一番面倒です。ポイントは２つ。

①東方問題の戦争において，この戦争だけロシアはオスマン帝国側につく
②イギリスが途中で支持する陣営を変える

①今回のロシアは「オスマン帝国よ，助けてやるから何かよこせ」という態度です。続いて②イギリス。第１次ではロシアを抑えるためエジプト側で参戦。しかしのちにフランスと対立してしまい，第２次ではなんとオスマン帝国・ロシア側へ「裏切り」。フランスを屈服させた後，巧みな交渉によってロシアがオスマン帝国に認めさせていた「両海峡におけるロシア軍艦の独占航行権」も

③**樺太**（からふと）**・千島**（ちしま）**交換条約**（1875）…樺太をロシア領，千島列島を日本領とした

(2) 中央アジア・イラン方面への進出

①**トルコマンチャーイ条約**（1828）…イランからアルメニアを獲得
▲ガージャール朝

②**ウズベク3ハン国**進出（1860～70年代）➡ロシア領トルキスタンの形成
▲ブハラ（ボハラ）＝ハン国，ヒヴァ＝ハン国，コーカンド＝ハン国

③清朝の新疆（しんきょう）をめぐる動き

・1860年代　ヤークーブ＝ベクが，回民の反乱に乗じて新疆に政権樹立
▲コーカンド＝ハン国の将軍　▲イスラーム教徒

・上記の動乱に乗じてロシアは新疆のイリ地方を占領
ベク政権とは別の地▲　▲イリ事件，1871～81

・清の左宗棠（さそうとう）がヤークーブ＝ベクから新疆を奪還

・**イリ条約**（1881）…ロシアはイリ地方を返還する一方，通商特権を得る

3 東方問題の展開

(1) **ギリシア独立戦争**（1821～29）
▲→テーマ38

英・仏・露　＋　○ギリシア　VS　オスマン帝国●

(2) 第１次**エジプト＝トルコ戦争**（1831～33）

英・墺・仏　＋　○エジプト　VS　オスマン帝国●　＋　ロシア

①エジプト太守**ムハンマド＝アリー**

・**マムルーク**勢力を一掃し，近代的な陸海軍の創設，富国強兵を推進
工場・造船所の建設，綿花栽培の奨励，教育改革▲

・ギリシア独立戦争でオスマン帝国を支援　➡代償としてシリアを要求

②開戦　➡エジプトはシリアを占領

③オスマン帝国は，**ボスフォラス海峡**と**ダーダネルス海峡**におけるロシア軍艦の独占航行権を承認
▲ウンキャル＝スケレッシ条約

(3) 第２次**エジプト＝トルコ戦争**（1839～40）

仏　＋　●エジプト　VS　オスマン帝国○　＋　露・**英**・墺・普

①ムハンマド＝アリーが**エジプトの世襲**を要求　➡オスマン帝国が開戦

②英は，普・墺・露とともにオスマン帝国を支援
▲フランスは孤立

③**ロンドン会議**・ロンドン４国条約（1840）

・ロシアは両海峡の軍艦航行を撤回…イギリスの外交的勝利

・ムハンマド＝アリーは，エジプトの**世襲を認められるが，シリアを放棄**

(4) **クリミア戦争**（1853～56）

●ロシア　VS　オスマン帝国○　＋　英・仏・サルデーニャ

キャンセルさせました。

肝心のムハンマド＝アリーはどうなったんですか？

第１次でシリアをゲット。世襲（≒独立）を求めた第２次では，**世襲は認められた**（エジプトは事実上独立）ものの，シリアは放棄させられます。

オスマン帝国は，16世紀以来の同盟国フランスに，聖地**イェルサレム**の管
▲→テーマ20　イェルサレムのうち，キリスト教聖地の部分▲
理を認めてきました。フランス革命中のキリスト教排斥などの影響で管理権を一旦リリースしたんですが，**ナポレオン３世**が再びこれに目をつけ，管理権を手にします（敬虔なカトリックが多いフランス国民には格好のアピール材料です）。これにムカついたのが，フランスと入れ替わるような形で，19世紀初頭からオスマン帝国に聖地管理権を認めさせていたロシアです。オスマン帝国は気の毒にも，フランスとロシアに板挟みにされてしまったわけですね。オスマン帝国に何かと介入する口実にもなるし，**ツァーリは東方正教会のトップ**です
ロシアはビザンツ帝国の後継者であるため　→テーマ24▲
から聖地を管理したいのは当然。そのロシアがオスマン帝国に宣戦しました。聖地管理権で揉めたフランスは当然として，ロシアの南下を抑えたいイギリスもオスマン帝国側についてロシアに敵対。これが**ナポレオン３世のデビュー戦**
▲サルデーニャ王国も参戦したことを忘れないように！　→テーマ40
となる**クリミア戦争**で，結果は英仏側の勝利。**パリ条約**によって**黒海の中立化**
軍艦の航行は禁じられ，海軍基地も廃棄された▲
が定められ，ロシアは南下どころか北に押し戻されてしまいました…。

この戦争中に即位した**アレクサンドル２世**が痛感したもの，それは絶望的なまでの英仏とのレベル差（射程の長い大砲，蒸気力の軍艦，輸送のためにフル
▲ロシアは帆船が中心
稼働する鉄道，士気の高い兵士）でした。**【重要テーマ５】**でお話した「**国民**
▲ロシアは馬車による輸送が中心
国家は強い」の法則をまざまざと見せつけられた新皇帝は，ついに旧体制にメスを入れ，1861年に**農奴解放令**を発しました。農奴に人格的な自由を認め貴
▲他にも税制・銀行・財政・通貨などを改革
族（領主）から解放してあげたんです。ただ，これも「上からの」近代化です。
▲2000万人以上が解放された

ツァーリは決して国民には主導権を渡さないってことですね。

考え方はそれでＯＫ。今回は「ツァーリの権力を維持しよう」というよりは「ツァーリのカワイイ子分である貴族のダメージを最小限にしてあげよう」ということです。具体的には，**土地はタダではなく農民が政府に代金を払う必要**
政府が土地代を肩代わりして貴族に支払っていたため▲
がありました。ほとんどの農民は支払い負担に困窮（分割払いが認められていましたが，支払いが終わるまでは当然自分の土地にはなりません）。ただ，農
▲支払いの間，土地はミール（農村共同体）に帰属
民に移動の自由は認められたので，都市に移住して工場労働者に転化した者もいたため，農奴解放令は**ロシア工業化の出発点**と位置づけられています。二月

①**聖地管理権**問題
▲イェルサレム

- 仏がカピチュレーションの一環として，オスマン帝国から獲得（16世紀）
- フランス革命からナポレオン戦争期，フランスは管理権を放棄
  キリスト教廃止や，ナポレオンのエジプト遠征が背景▲
  ➡かねてから管理権を主張していたロシアがオスマン帝国に認めさせる
- **ナポレオン３世**が再度管理権を得たため，ロシアが不満を抱く
  ▲聖地にある教会の鍵を得た

②ロシアが，オスマン帝国内のギリシア正教徒保護を口実として宣戦

③クリミア半島の**セヴァストーポリ要塞**の攻防戦となり，ロシアが敗北

④**パリ条約**…**黒海の中立化**を規定し，ロシア南下政策は後退

※**ナイティンゲール**…クリミア戦争において傷病兵を看護した女性。これに影響をうけた**デュナン**が，**国際赤十字**を設立

(5) **ロシア＝トルコ（露土）戦争**（1877～78）

○ロシア　VS　オスマン帝国●

①ロシアがスラヴ民族保護を理由にオスマン帝国に宣戦し勝利
▲オスマン帝国がスラヴ民族の独立運動を鎮圧したことが背景

②**サン＝ステファノ条約**（1878.3）

- **セルビア・モンテネグロ・ルーマニア**がオスマン帝国から独立
  ▲ベルリン条約で確認
- **ブルガリア**をオスマン帝国領内の自治国（**ロシアの保護下**）とする

③**ベルリン会議・条約**（1878.6～７）…ロシアの南下はまたも挫折

- 英・墺がサン＝ステファノ条約に反発したため，**ビスマルク**が調停
  ▲「誠実な仲買人」
- ブルガリアの領土を大幅に縮小し，**オスマン帝国の保護下**に置いた
- オーストリアは**ボスニア・ヘルツェゴヴィナ**の行政権を獲得
- イギリスはキプロス島の行政権を獲得

41ー②　東方問題

41ー③　サン＝ステファノ条約

革命が起こった1848年も「ウィーン体制の崩壊？　よその王は弱体なことよ」と揺るがなかったツァーリズムですが，時代が変革を迫ったといえるでしょう。しかし**ポーランド**（▲ロシアの皇帝専制）での反乱をきっかけに，アレクサンドル２世は**反動化**。議会や憲法といった政治面の改革など夢物語でした。農村からの革命を目指した**ナロードニキ**（人民主義者）の活動も徹底的に弾圧されます。

対外政策に目を戻すと，クリミア戦争の敗北で地中海への道を塞（ふさ）がれてしまったため，**ロシアは東方へ目を向けました**。中国方面で，**アロー戦争**（▲第２次アヘン戦争　→テーマ49）に苦しむ清につけ込み**アムール川**（▲黒竜江）以北を奪い，さらには頼んでもいないのに講和を仲介して，**沿海州**を獲得。極東の一大拠点**ウラジヴォストーク**を建設します。

へえ〜，じゃあ日本の方にも来たんですか？

はい，1854年に日露和親条約，1875年に**樺太・千島交換条約**（▲→ p.524）を結んでいます。この後1890年代にウラジヴォストークを終点とする**シベリア**（▲→テーマ50）鉄道の建設が始まると，ロシアの極東進出は激しさを増していきますよ。

イランから中央アジアにかけては（すでに1828年にアルメニア（▲黒海とカスピ海の間に位置する）を獲得済み），1860年代以降**ウズベク３ハン国**を征服。また西方からも清に手を出し，1881年に**イリ条約**を結びました。イラン方面は**イギリスがインド防衛のために特に神経を尖（とが）らせている地域**で，**テーマ46**で再び扱いますよ。

クリミア戦争から20年，オスマン帝国で起こったスラヴ系民族（▲ギリシア正教徒）の反乱は，黒海海軍を再建したロシアにとって介入の口実となりました。**ロシア＝トルコ（露土）戦争**ですね。戦後の**サン＝ステファノ条約**はロシアにとって大満足の内容。**セルビア・モンテネグロ・ルーマニア**が独立し，自治国となった**ブルガリア**（▲今まではオスマン帝国領だった）を**ロシアの保護下**に置くことに成功し，地中海が見えてきました！　しかし，これに**イギリス**と**オーストリア**が猛反発して，**ビスマルク**が仲裁に入り**ベルリン会議**が開かれました。結果，自治国ブルガリアの領土は縮小されて**オスマン帝国の保護下**に入ることに。ロシアの南下はまたしても叶（かな）わず…。東方問題は色々と複雑ですが，とにかく**「ロシアは南下できない」**という結論は覚えておきましょう。

最後にオーストリアの外交方針を整理します。**ウィーン体制下**（▲メッテルニヒ時代）**のオーストリアはロシアとの友好を最優先して**オスマン帝国への干渉は極力控えていました。でもウィーン体制（▲保守反動の盟友）が崩壊すると，**ロシアとの友好より国益を優先させる**ようになり（▲勢力均衡が崩れたという側面もある），バルカンへの野心を見せ始めます。クリミア戦争ではロシアを支援せず，そして露土戦争後にはロシアの南下に猛抗議するまでになりました。この結果，オーストリアが得た果実が**ボスニア・ヘルツェゴヴィナ**（▲ロシアとの対立は，第一次世界大戦まで引きずることになる）なんですね。

第５章　近代の世界（19世紀〜第一次世界大戦）

テーマ 42

19世紀〜20世紀初頭のアメリカ大陸

1 建国後のアメリカ

(1) 初代**ワシントン**大統領（任1789〜97）…フランス革命戦争に対し中立

(2) 第３代**トマス＝ジェファソン**大統領（任1801〜09）…反連邦派

(3) **アメリカ＝イギリス（米英）戦争**（1812〜14）
▲第２次独立戦争とも呼ばれる

①ナポレオンの大陸封鎖に対抗し，イギリスはヨーロッパ諸国とアメリカとの貿易を妨害し，逆封鎖。結果的にアメリカの貿易も妨害された

②アメリカが反発し，開戦。ナポレオン戦争終結をうけて講和
▲ナポレオン戦争では中立を保っていた

③影響…戦争中にイギリス製品の流入が途絶えたため，**アメリカでは北部の綿工業を中心に工業化が進展**

(4) 第５代**モンロー**大統領（任1817〜25）…**モンロー宣言**を発表
▲ロシアのアラスカ進出と南下政策をけん制する目的も

(5) 第７代**ジャクソン**大統領（任1829〜37）…**独立13州以外出身で初の大統領**

①男性普通選挙などの普及に尽力。「ジャクソニアン＝デモクラシー」を展開

②**先住民強制移住法**を制定（1830）…先住民を**保留地**へ。**「涙の旅路」**
▲インディアン　▲チェロキー族の過酷な移動

③**民主党**…ジャクソン支持派が1820年代に結成

2 アメリカ合衆国の領土拡大

(1) フロンティア（北米大陸における，開拓地と未開拓地の境界）の西漸（せいぜん）

(2) **明白なる運命（マニフェスト＝デスティニー）**…「アメリカが近代文明を拡大することは，神の与えた使命である」として西部開拓を正当化
1840年代から，メキシコからの領土獲得の口実とされた▲

(3) 経過

①**ミシシッピ川以東のルイジアナ**（1783）…パリ条約でイギリスから獲得
▲独立戦争の講和条約

②**ミシシッピ川以西のルイジアナ**(1803)…ジェファソンがフランスから買収

③**フロリダ**（1819）…スペインから買収

④**テキサス**（1845）…メキシコから独立していたテキサス共和国を併合
▲1836年にメキシコから独立していた

⑤オレゴン（1846）…英領カナダとの国境を画定し，イギリスと分割

⑥**カリフォルニア**（1848）

・**アメリカ＝メキシコ（米墨（べいぼく））戦争**（1846〜48）に勝利し，獲得

・**ゴールドラッシュ**で，西部への移民が急増

⑦**アラスカ**（1867）…ロシアから買収。のちに金鉱が発見された

1 独立直後のアメリカでは，フランスに絡む出来事が色々と起こりました。まず独立戦争の司令官でもあった初代大統領**ワシントン**は，フランス革命戦争に対し中立の立場を表明しました。第３代**トマス＝ジェファソン**大統領の時代に，独立戦争時の同盟国フランスから**ミシシッピ川以西のルイジアナ**を買収。ナポレオンとしては，戦争に備えて資金を確保しておきたかったようです。

▲のちの孤立主義の先駆け
▲この時点ではまだ皇帝になっていない　▲イギリスとの戦争，ハイチ独立運動の抑圧

ジェファソンって，独立戦争中に独立宣言を起草した人ですよね。

そうですね。ワシントン政権では国務長官を務めていましたよ。
▲日本でいう外務大臣に相当する

皇帝となったナポレオンはイギリスを苦しめるため**大陸封鎖令**を発しましたが，ヨーロッパ大陸諸国でも日用品が不足してしまいましたよね。イギリスはこの状況を逆に利用して，アメリカと大陸の通商を妨害して，一気に大陸諸国を締め上げにかかったんです。でも，こういった通商妨害は**ターゲットではない方のアメリカも苦しめる**ことになりますから「英仏が戦争をするのは勝手だが，中立である我が国を巻き込むな！」と怒ったアメリカが宣戦しました。**アメリカ＝イギリス（米英）戦争**の始まりです。イギリス軍がワシントンD.C.に攻め込んで圧倒するものの，ナポレオンが没落して大陸封鎖が解かれ，イギリスと大陸は貿易を再開。イギリスにとって大陸とアメリカの貿易をジャマする必要性もなくなり，通商妨害を解除。となれば米英両国が戦う理由そのものがなくなり，自然消滅的に終結しました。この**戦争中にイギリスから工業製品を輸入できなくなったことをうけて，北部の工業化がスタート**し，また戦後には国民の間で「アメリカ人」としての自覚が高まりました。
▲→テーマ36

このあと，アメリカは西方に領土を拡大していきます。西部開拓のスピリットを体現した大統領が**ジャクソン**で，彼は**独立13州以外の出身**。当時，独立13州はおおむね開発が仕上がっていて，法律家とか大地主といったエリート層が形成されていました。対してジャクソンは**「西部出身の叩き上げ」であり，庶民目線の政治を行います**。他方で，「開拓者」としての側面は**先住民強制移住法**に見て取ることができます。白人による西への「開拓」とは，数百万に及ぶ先住民の権利を無視した白人の一方的な価値観なわけで，強制移住法はその際たるもの。先住民はミシシッピ川以西の居留地に追いやられていきました。
▲白人男性の普通選挙を普及させ，公立学校を充実させた

2 開拓者が西方へ進んでいくと，メキシコ領にぶつかります。アメリカ人がメキシコにガンガン入植して，テキサス地方ではアメリカ系住民がメキシコ人を圧倒…。アメリカ系住民はテキサス独立を叫んでアメリカへの合流を求め，アメリカがテキサス共和国を併合しました。この時にアメリカは，「近代文明を未開の地に広げることは，**明白な天命**（マニフェスト＝デスティニー）」という，身勝手な主張を掲げます。
▲19世紀初頭に独立

42−①

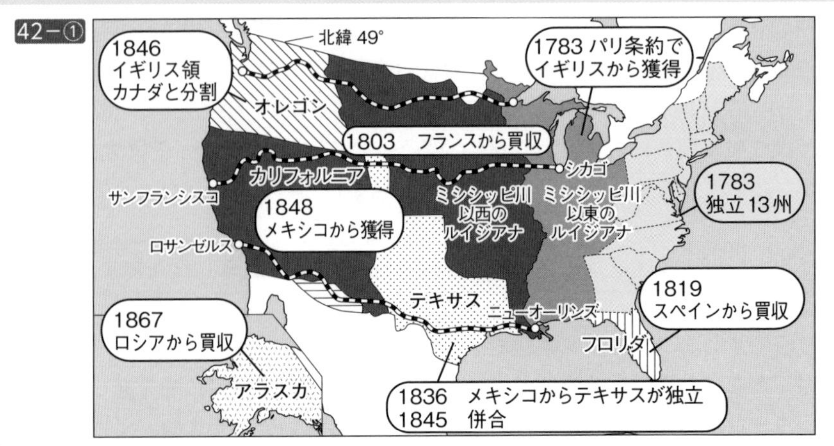

3 南北対立の激化

(1) 南北対立の構造

	北部 イギリス経済に対抗	南部 イギリス経済に依存
産業	**工業が発展**	**綿花プランテーションが発達**
貿易	**保護貿易**を主張	**自由貿易**を主張
政体	**連邦主義**(連邦政府の権限強化)	**州権主義**(連邦政府の権限を制限)
奴隷制	**反対**(人道主義の観点&自由な労働力育成への期待)	**支持**(プランテーションにおける労働力として)
政党	**共和党**を支持	**民主党**を支持

(2) 奴隷制をめぐる対立

①**ミズーリ協定**(1820)…新たに州が成立する際,北緯36度30分以北は自由州,以南は奴隷州と規定
▲奴隷を禁止する州 ▲ミズーリ州は奴隷州とする

②**カンザス・ネブラスカ法**(1854)…ミズーリ協定を破棄し,自由州か奴隷州か住民投票で決定。南北対立が激化し,**共和党**成立
▲反ジャクソンが1834年頃に結成したホイッグ党が起源

③**『アンクル=トムの小屋』**…女流作家**ストウ**が人道的立場から奴隷制を批判

4 南北戦争

(1) **リンカン**大統領(第16代 共和党,任1861〜65)の当選

(2) **アメリカ連合国(アメリカ連合)**の結成

①リンカンの当選に抗議し,南部11州が合衆国から脱退
▲奴隷州の全てが合衆国から離脱したわけではない

②首都はヴァージニア州のリッチモンド

要するに，アメリカがテキサスを奪ったようなモノですね…。

これにはメキシコもキレた。**アメリカ＝メキシコ（米墨）戦争**が勃発しますが，アメリカに敗れて**カリフォルニア**までも奪われました。その**カリフォルニアで金鉱が発見されて，一獲千金を夢見る者どもが殺到**（**ゴールドラッシュ**）し，西海岸の人口が急増します。

3 東海岸の方では，独立13州のうち，北部と南部で方向性の違いが明らかになってきました（この単元の北部・南部とは，**東海岸すなわち東部を南北に分けた地域**を指していることに気をつけてくださいね）。それを際立たせたのは**「覇権国家イギリスの存在」**。左ページの表を見ながら丁寧にいきますね。まず**温暖な南部では，ヨーロッパでは栽培できない商品作物（タバコ・綿花など）を栽培できる**ので，ヨーロッパへの輸出でカネを稼げます。イギリスの方は世界一の工業製品をアメリカにも買ってもらいたい。「お互い自由に貿易をしようぜ！　win-win だ」と利害が一致します。

逆に，寒冷な北部は商品作物も栽培できず資源も乏しい…。独立戦争の時点でも自給的な中小農民が多かった。でも米英戦争の頃から**工業化**がスタートしていて「いつかはイギリスのレベルに追いつきたい…」と高い志を持ちました。ここでまた**【重要テーマ5】**の「国民経済」です。**北部としては合衆国全体を一つの経済圏としてとらえ，国全体で保護貿易を推進したい**。そうすればイギリス製品を遮断して北部の製品を南部や西部に売り込み，北部の資本家が力を伸ばせます。でも，南部の人間は反発しますよ。「なぜ世界一のイギリス製品の価格を関税でつり上げて，粗悪な国産品を買わなきゃいかんのだ！」とか「南部にとってイギリスは大事な取り引き先。イギリス製品に関税をかけて，お得意様を怒らせるようなことをすんなよ！」と考えますからね。

以上，「北**保護貿易**　VS　南**自由貿易**」という構図が見えましたか？　続いて，**テーマ35**で扱った「**連邦**」についての考え方がカギになってきます。アメリカの**連邦政府**に関税を課す権限を認めれば，合衆国全ての州に流入する外国製品に関税がかかります。北部はこれを求めました。しかしアメリカでは**「州政府の独立性を尊重し，連邦政府の権限は制限されるべき」**という考え方が根強かったですから，連邦政府の権限を拡大することには大きな抵抗がありました。南部は「関税を課すかどうかは州レベルで決める。連邦政府がイギリス製品に関税を課した結果，我々南部の人間が品質にも劣る割高な国産品を買わされるのは不当だ！」と訴えました。「アメリカ全体で**保護貿易**を行うためには**連邦主義**」，「（州レベルで）**自由貿易**にするためには**反連邦主義（州権主**

⑶　開戦…当初は南軍（総司令官リー将軍）が，北軍に対し優勢
⑷　リンカンの政策
①**ホームステッド法**（自営農地法，1862）…西部農民の支持を狙ったリンカンの措置。西部の公有地に５年居住した開墾者に土地を無償で分与
▲160エーカー
②**奴隷解放宣言**（1863）…リンカンが発布。南部の奴隷の法的な自由を保証
⑸　**ゲティスバーグの戦い**（1863）…最大の激戦となったが北軍が勝利
★**ゲティスバーグ**での追悼演説…**「人民の，人民による，人民のための政治」**
⑹　終戦…グラント率いる北軍がリッチモンドを陥落させ，勝利（1865）
⑺　リンカンの暗殺（1865）…南部の支持者による

5 南北戦争後のアメリカ合衆国

⑴　黒人問題
①憲法修正第13条（1865）…奴隷解放を明文化。黒人に市民権・参政権付与
➡しかし，**南部諸州では州法によって黒人の投票権は制限され差別は続く**
②**シェアクロッパー（分益小作人）**…黒人は収穫の半分程度を地主に納めた
③**クー＝クラックス＝クラン（ＫＫＫ）**…黒人を迫害する秘密結社
▲テネシー州で結成された
⑵　資本主義の発達
①**大陸横断鉄道**の完成（1869）
・東部の工業製品と，西部の食糧・原材料・燃料が結びつけられた
▲広大な国内市場が形成された
・西からの**中国**系移民，東からの**アイルランド**系移民が建設に貢献
②北部の工業の急速な発展
・南北戦争後に重化学工業が発達し，**19世紀末には世界一の工業国**に
・独占資本による，自由競争の阻害などの問題が発生
「鉄鋼王」と称され，のちのＵＳスティールを設立▼
・代表的な独占資本…**ロックフェラー**（１世），カーネギーなど
▲スタンダード石油
・政府はシャーマン反トラスト法（1890）などで規制したが，効果は限定的
モンロー教書は拡大解釈され，アメリカの中南米進出の口実になった▼
③**フロンティア**の消滅（1890）　➡対外膨張政策へ方針転換

6 海外積極策の開始

⑴　**パン＝アメリカ会議**（第１回は1889）
①定期的に開催し，中南米への合衆国の影響力の拡大を図っていった
⑵　**マッキンリー**大統領（共和党　任1897～1901）
①**アメリカ＝スペイン（米西）戦争**（1898）

義）」という構造が分かればＯＫです。

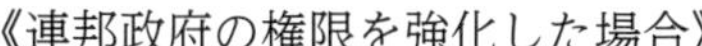
《連邦政府の権限を強化した場合》　《連邦政府の権限を制限した場合》

北：北の製品を南部に売れる　北：南部は北の製品を選んでくれない…

関税障壁

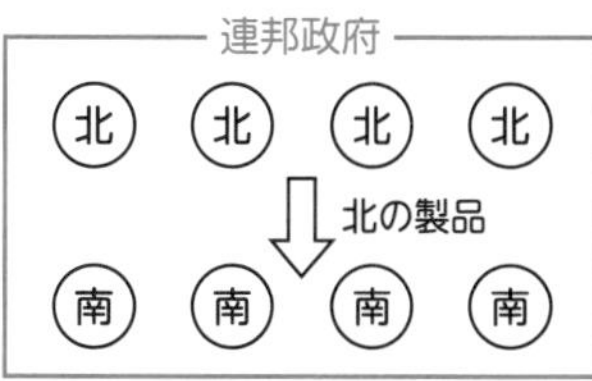

×← イギリス製品

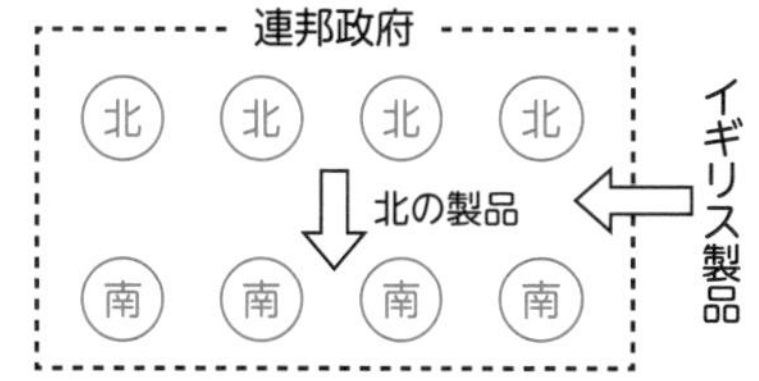

イギリス製品

南：品質などに劣る北の製品を買わされる　南：世界一のイギリス製品を買える

続いて奴隷制の問題。**奴隷制に対するニーズが高かったのは，単純な肉体作業が求められる南部のプランテーション**でした。そしてこの奴隷制の可否は州レベルで決めることができました（州の独立性が高いですからね）。そして西部開拓が進んで新たに州が成立する際，自由州の数と奴隷州の数のバランスが論争の火種になっていきます（自由州と奴隷州の数が，連邦議会の議席数に反映されるため）。**ミズーリ協定**では，自由州か奴隷州かは北緯36度30分を境にオートマチックに決まることとし，南北の勢力バランスを保とうとしました。しかし，1854年に原則は崩壊…。カンザスとネブラスカはミズーリ協定の境界線よりも北に位置しているので自由州になるはずです。でも**カンザス・ネブラスカ法**では**両州の奴隷制の可否は住民投票に委ねられる**ことに！　自動的に自由州になるはずが，奴隷州になる可能性も出てきたことで，奴隷制に反対する北部は怒り，この流れからホイッグ党を前身とする**共和党**が成立しました。

▲奴隷制を認めない州（自由州）

▲上院議員は各州代表２名から選ばれた（連邦議会の議席数）

民主党は，1820年代にジャクソン支持派が結成▲（共和党）

4　1860年の大統領選挙で当選したのは共和党の**リンカン**。南部はついに合衆国から離脱して**アメリカ連合国**成立を宣言しますが，リンカンはこれを認めませんでした。「国民経済」を構築して北部製品を南部に売り込むためには，合衆国にとどめておく必要があるからです。ついに，合衆国史上で最大の犠牲者を出した**南北戦争**が開戦。前半は士気が高く優れた指揮官が多かった南軍が優勢な中，リンカンが発した２つの法令も「国民経済」の観点から考えてみましょう。まず，北部が考える「国民経済」にとって西部は重要な市場でした。そこで彼らの支持を得るためにリンカンは**ホームステッド法**（自営農地法）で土地を大盤振る舞いです。次に国外に目を移してみると，仮にイギリスが南北戦争に介入するとしたら，南北どちらの味方をするでしょうか？

自由貿易をしたいのだから，南部…。これ，北部がヤバいですよ。

・キューバの独立運動を支援して開戦し，勝利
・パリ条約（1898）
・アメリカがスペインから，**フィリピン・グアム・プエルトリコ**を獲得
初の海外領土▲
・キューバは独立するが，**事実上アメリカの保護国**とされた
▲プラット条項（1901）によって
②**ハワイ**併合（1898）…以前からアメリカの砂糖業者が進出していた
③**門戸開放宣言**（1899，1900） by 国務長官**ジョン＝ヘイ**
▲→テーマ50
・中国分割に出遅れたため，中国での**門戸開放・機会均等・領土保全**を主張
⑶ **セオドア＝ローズヴェルト**大統領（共和党　任1901～09）
①**革新主義**…独占資本に対し，自由競争の復活や労働者の保護を提唱
②対外政策…**「棍棒外交」**（こんぼう）を展開し，中南米諸国に対する支配力強化を狙った
・**パナマ運河**の建設（1904～14）…コロンビアからパナマを独立させ，建設
・**ポーツマス条約**の斡旋（あっせん）（1905）…日露戦争では日本に対し好意的中立
中国市場でのロシアの拡大を警戒していたため▲
⑷ タフト大統領（共和党　任1909～13）
①ドル外交…海外への資本輸出によって，アメリカの影響力の強化を図った
⑸ **ウィルソン**大統領（民主党　任1913～21）
①宣教師外交…アメリカの議会制民主主義の道徳的優位を主張し，米国の指導力を認めさせる対中南米の外交方針
※第一次世界大戦以後のウィルソン大統領の政策は**テーマ55**

7 ラテンアメリカ(中南米)諸国の独立(19世紀前半)

⑴ ラテンアメリカの人々
①**クリオーリョ**…植民地生まれの白人で地主階級が多い。本国の搾取に反発
②**メスティーソ**…白人とインディオの混血。多くがクリオーリョに協力
③**ムラート**…白人と黒人の混血を指す呼称
④黒人奴隷
⑵ 独立の背景
①**フランス革命・ナポレオン戦争で自由・平等の精神がヨーロッパに拡大**
➡スペインなどの宗主国から中南米にも自由主義が伝播
※**大西洋革命**…大西洋を中心に，アメリカ独立革命・フランス革命・ラテンアメリカ独立が起きた一連の現象を指す
⑶ フランスからの独立…**ハイチ**（1804　中南米で初の独立）
▲世界初の黒人共和国でもある
①17世紀末にスペイン領からフランス領となり，サン＝ドマングと呼ばれた
②**黒人トゥサン＝ルヴェルチュール**が独立を指導　➡彼が獄死した後，独立
▲「黒いジャコバン」と呼ばれた

お，リンカンと同じ発想ができました。北部が想定する「国民経済」にとって潜在的なライバルはイギリスなんです。そこでリンカンは**奴隷解放宣言**を発して，南北対立の争点として奴隷問題をクローズアップさせ，**「北は奴隷制を否定する正義の味方であり，南はいまだに奴隷制を続ける悪の勢力」**というイメージを国際社会に植えつけた。こんな情勢で，イギリスは南を支援できますか（反語）？　リンカンは，こういった政略によって戦局を北部有利に導き，**ゲティスバーグ**の激戦も制して勝利につなげました。

5　南北戦争後の状況ですが，**解放された黒人への差別は続きます…**。憲法レベルでは黒人の市民権も認められるのですが，そこは州が自立している合衆国。州法によってあの手この手で参政権を制限します。黒人農民には土地を買うような経済力もなく，地主に対する高額の小作料に苦しみ，また**クー＝クラックス＝クラン（KKK）**のような黒人を迫害する組織も生まれました。

▲投票税を払わせたり，読み書きテストを課したりした

経済面では，**大陸横断鉄道**が開通したことで，北部が望んだ「国民経済」が一気に成熟していきますね。アメリカの工業力は飛躍的に成長し，**19世紀末にはイギリスを抜いて世界一の工業国となりました**。企業同士が合併したり，ライバルを買収したりして，**ロックフェラー**やカーネギーに代表される巨大企業（独占資本）が登場。しかし少数の企業が業界を牛耳ったことで，企業が水面下で協定を結んで価格を操作するなど，消費者に不利益が生じました（まさに資本主義の「光と影」）。反トラスト法やセオドア＝ローズヴェルトの**革新主義**は，こういった独占資本を抑制する姿勢の表れといえます。

▲カルテル

6　1890年頃に**フロンティアが消滅し，国内開拓が飽和状態になると，アメリカはついに海外進出へ**。**マッキンリー**政権は，キューバでスペインからの独立運動が高まると，これを支援する名目でスペインと戦い，**フィリピン**などを獲得。

米西戦争に際して，アメリカは独立を約束していた▲

キューバを形式的に独立させて影響下に置くなんて，ひどいです…。

また**ハワイ**を併合して中国への中継地を整えるのですが，中国分割には間に合わず，**門戸開放宣言**で分割に抗議。続く**セオドア＝ローズヴェルト**は高圧的な**「棍棒外交」**を掲げました。コロンビアからパナマを独立させ**パナマ運河**建設に着手したのは，その象徴。タフトの資本輸出は，まさに帝国主義ですね。

▲カメハメハ王朝はすでに滅亡している　→テーマ48　▲→テーマ50

武力による領土獲得には国内の反発が強く，アメリカ帝国主義は経済進出に主軸が置かれた▲

7　中南米（ラテンアメリカ）の話が出てきたので，ウィーン体制時代に戻って独立の事情を見てみましょう。**ナポレオンがヨーロッパ大陸を制覇して各国に自由主義が拡大しました**ね。この自由主義，なんと海を越えて中南米にも伝わったんです。当時，中南米植民地の人々は本国に搾取されてましたから，「俺たちが一方的に搾取されるのは自由・平等の精神に反する。北のアメリカ合衆

⑷　スペインからの独立

①**シモン＝ボリバル**…ベネズエラとコロンビアが合同した**コロンビア**の独立（1819）に尽力
▲ベネズエラのクリオーリョ。ボリビアの国名の由来

②**サン＝マルティン**…**アルゼンチン**（1816）・チリ・**ペルー**の独立に関与

③イダルゴ…**メキシコ**独立運動の先駆
▲クリオーリョの神父

⑸　ポルトガルからの独立…**ブラジル**（1822）

①ポルトガル王子が皇帝として即位し，帝政を敷いた
▲ナポレオン戦争中に，ブラジルへ渡った

➡1889年から共和政

⑹　中南米独立に対する諸国の対応

①**メッテルニヒ**…独立に対し干渉を企図

②英外相**カニング**…中南米を**商品販売市場として注目**し，独立を支持

③**モンロー宣言**（1823）…米大統領モンローが，**アメリカ大陸とヨーロッパ大陸の相互不干渉**を掲げ，中南米の独立を間接的に支援

8 独立後のラテンアメリカ諸国

⑴　社会状況

①**クリオーリョ**中心の体制…大土地所有制が存続し，貧富の差が拡大

・先住民・黒人などに参政権は与えられず。反乱を防ぐために軍事独裁
カウディーリョ（地主を母体とする政治的実力者）による寡頭政治▲

②**モノカルチャー**経済…製品価格の変動が激しく，経済不安を招いた
▲単一の物産（農産物，工業原料）の輸出に依存する経済

⑵　メキシコ

①メキシコ内乱（1857～67）…自由主義派フアレスが保守派に勝利
▲先住民出身

②フランスの**メキシコ出兵**（1861～67）

・メキシコの外債利子不払い宣言に対し，**ナポレオン３世**が出兵

➡メキシコ政府（フアレス政権）を倒し，マクシミリアンを皇帝に立てる
▲ハプスブルク家

➡メキシコ人の激しい抵抗・アメリカ合衆国の反発で撤退
フランスは南北戦争の隙を突いて出兵していた▲

③**ディアス**大統領の**独裁**（任1877～80，84～1911）

④**メキシコ革命**（1910～17）…ラテンアメリカ最初の民主革命

・マデロら自由主義者が蜂起（1910）し，ディアスを打倒

・**メキシコ憲法制定**（1917）

・**サパタ**とビリャ…メキシコ革命で**農民の指導者**として活動

国だって独立したではないか！」と立ち上がりました。

中南米の大半はスペインの植民地でしたが，カリブ海の**サン＝ドマング**（▲エスパニョラ島の西半）はフランス領。ここにはフランス革命精神がダイレクトに注入された関係で，まっさきに独立運動が起こります。しかもユニークなのは**黒人奴隷**だった**トゥサン＝ルヴェルチュール**が独立運動を主導した点です。彼はフランスに捕らえられて獄死してしまいますが，1804年に**中南米初の独立国ハイチ**が成立しました。

スペイン領で独立の主体となったのは**クリオーリョ**（▲植民地生まれの白人）層。ナポレオンのスペイン征服によってスペイン本国が動揺したことも，独立運動の追い風になりました。**シモン＝ボリバル**，**サン＝マルティン**らが独立を指導しましたね。スペイン植民地の心臓部は**ペルー**だったので，「ボリバルは**北から**，マルティンは**南から**ペルーに迫った」と地図でイメージすると，インプットしやすいと思います。

コロンビアの独立が，なんかややこしいです。大コロンビアとか…。

アメリカ合衆国の独立って，イギリスの13植民地が１つの国家にまとまりましたよね。**ボリバルも「スペイン植民地が１つの国にまとまろう」と同じことを考えていた**（▲パン＝アメリカ主義）んです。で，手始めにベネズエラとコロンビアを統合した**大コロンビア**を成立させた。でも中南米の国家群を１つにまとめることはできず，大コロンビアがコロンビア・ベネズエラ・エクアドルに分離する運びになった，と覚えておきましょう。またポルトガル領だった**ブラジル**では，ナポレオン戦争を逃れて来た王子がそのまま皇帝になって，**帝政**が敷かれました。

これら独立運動に対し，ウィーン体制を代弁する**メッテルニヒ**は当然反対。しかしアメリカ大統領**モンロー**が，**ヨーロッパ大陸とアメリカ大陸の相互不干渉**（両大陸は，お互いに手出しをせずに放置すること）を主張し，間接的に中南米の独立を支援しました（合衆国もヨーロッパ側からの度重なる干渉にウンザリしていたのと同時に，「西半球（▲アメリカ大陸）を自分の勢力圏にしたい」という下心があったようです）。これがアメリカの外交方針である**孤立主義**ですね。さらに，**中南米をスペインから切り離して自国製品の市場にしたかった**イギリスも独立を支持したことで，さすがのメッテルニヒも干渉を断念せざるをえませんでした。

8 最後に，イダルゴ神父の運動を皮切りに独立したメキシコ。独立運動のスタートから100年後の1910年に民主化を求めた革命が起こりました。この背景には，現地社会の頂点にいたクリオーリョが独立を主導した事情があります。（中南米全体にいえることですが）**地主層であったクリオーリョの寡頭支配が独立後も続き，民主的体制には程遠い**社会状況でした（ディアスによる独裁はその典型▲）。先住民・黒人に参政権は与えられず，反乱を防ぐための軍事独裁も行われていたんです。

テーマ
43 社会主義の歴史

1 社会主義思想の誕生

(1) 社会主義とは…私有財産の制限・廃止，生産手段の共有によって経済的な平等を実現し，社会全体の幸福を目指す
▲工場や土地

(2) 空想的社会主義…人道的見地から資本家の良心に期待して社会主義の実現を目指す。**エンゲルス**が，「**空想的**」と批判的に呼んだことが由来
▲実現の見込みがない

①**オーウェン**（1771～1858　イギリス）
・ニューラナークで工場主として労働時間の短縮などに尽力
▲スコットランド
・アメリカで生産村の建設を企てるが失敗
▲ニューハーモニー
・労働立法の必要を説いて工場法の成立に寄与
▲ただし1833年の一般工場法への関与は薄い

②**サン＝シモン**（1760～1825　フランス）
▲アメリカ独立戦争にも参加
・宗教的友愛に基づき，有能な「産業者」が政治を主導する社会を構想

③フーリエ（1772～1837　フランス）
・ファランジュと呼ばれる生活協同組合に基づく理想社会を構想
▲生産や消費を共同で行う

(3) 科学的社会主義…**マルクス**（1818～83　ユダヤ系ドイツ人）

①労働者の階級闘争の理論である**唯物史観**（ゆいぶつしかん）**（弁証法的唯物論）**を確立
▲「共産主義の到来は必然」と主張

②**『共産党宣言』**…**エンゲルス**と共同で1848年２月に発表
▲二月革命と同時期
・文頭…「ヨーロッパに幽霊が出る。共産主義という幽霊である」
▲共産主義の到来が必然であることを暗示
・末尾…「万国の労働者よ，団結せよ」

③**『資本論』**…資本主義社会を分析

(4) **無政府主義**（アナーキズム）…国家・政府など一切の権力を否定し，人間の完全な自由を目指す

①**プルードン**（1809～65　フランス）
▲無政府主義の先駆者
・労働に基づかない私有財産を批判。「**私有財産は窃盗**（せっとう）**である**」

②バクーニン（1814～76　ロシア）
・サンディカリズム（仏）に影響を与え，ナロードニキの基盤となる
▲人民主義者　→テーマ41

2 インターナショナルの成立

(1) **第1インターナショナル**（国際労働者協会，1864～76）…**ロンドン**で結成
①**ポーランドの反乱**（1863）に対する英仏の労働者の支持運動をうけて結成
②創立宣言と規約はマルクスが起草。マルクスは無政府主義者と対立

1 労働者の貧困など，工業化に伴って生じた諸問題をどう解決するか。そこから社会主義思想が生まれたことは，**テーマ38**でお話しました。本テーマでは社会主義者たちを紹介し，欧米諸国での社会主義運動の展開を扱います。

初期の社会主義者（**オーウェン**，**サン＝シモン**，フーリエ）は，細部に違いこそあれ，**工場を経営する資本家と労働者が協調して理想的な社会を築く**ことを想定しました。本来ならば労働者を搾取する立ち場の資本家も労働者と手を取り合っていける，ということです。これに対して**マルクス**と盟友**エンゲルス**は，社会主義思想を「科学」といえる水準にまで高め，理論化。エンゲルスは従来の社会主義者たちを，批判的な意味を込めて**「空想的」**と呼びました。「実現する見込みのない理想郷(ユートピア)みたいな夢物語を語るなよ」と，切り捨てたのです。

確かに，労働者を人道的に労(いたわ)る資本家なんて，レアな存在ですよね。

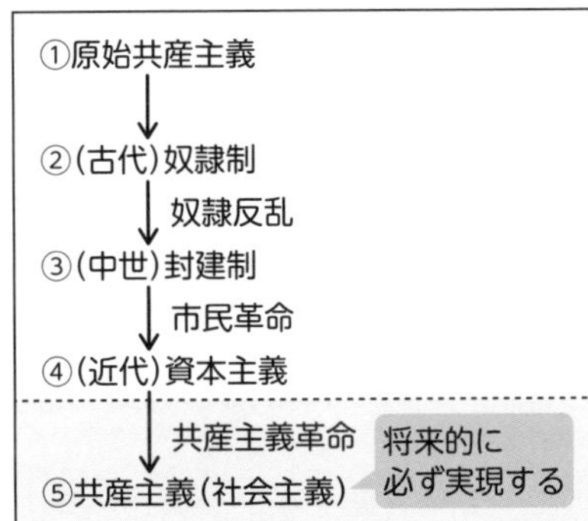

マルクスは人間の歴史にも科学的な法則があると考えました。ごく簡単に言えば，「経済・生産力が発展しても，既存の社会システムはそれに対応できず，商品の大量生産ができない。そこで社会変革（反乱・革命）が起こって，社会システムがより高度に変革されていく」というモノ。例えば，中世封建制（▲封建的主従関係）下でAさんが大量生産ができる新しい機械を発明したとしても，商人ギルド・職人ギルドが生産から販売までを牛耳っているため，Aさんは大量生産ができません。市民革命（▲→テーマ37）によってギルド的規制が排除されることで，Aさんは大量生産が可能になるわけです。マルクスの凄(すご)いところは，彼が生きていた当時の資本主義社会に対してもこの法則をあてはめ，未来の社会を提示したことです。

労働者による共産主義革命は，全ての国家でいつか必ず実現する（世界革命）

革命の成功が約束されているわけですから，この理念は労働者にとって心強い拠(よ)り所(どころ)になりました。逆に資本家はたまったもんじゃない。資本主義国が共産主義を徹底弾圧したのは，こういった事情によるのですね（なお，マルクスは資本主義が革命で崩れた後の，共産主義に至る過渡期を「社会主義」と位置づけていますが，高校世界史では両者はほぼ同義と考えて差し支えありません）。

③パリ＝コミューン失敗の影響で弱体化・崩壊

(2) **第2インターナショナル**（1889〜1914）

①**フランス革命100周年を記念し，パリで結成。中心はドイツ社会民主党**

②ゼネストによって第一次世界大戦を阻止しようとしたが，**各国の社会主義者がナショナリズムに傾いて防衛戦争を容認したため，大戦を防げずに崩壊**

(3) 第3インターナショナル（1919〜43）…通称コミンテルン

▲→テーマ54

3 欧米諸国の社会主義

(1) イギリス

①**フェビアン協会**（1884）

・ウェッブ夫妻，バーナード＝ショーらが中心。漸進（ぜんしん）的改革を主張

②労働代表委員会（1900）…フェビアン協会と他派が合同

▲社会民主連盟・独立労働党

③**労働党**の成立（1906）

・労働代表委員会を改称。**議会を通じて社会改革を目指す**改良主義路線

マルクス主義の階級闘争を避けた▲

(2) フランス

①サンディカリズム…議会活動を否定して，**労働者の直接行動**（ゼネストなど）による革命を目指した。フランス社会主義の特徴

▲サンディカとは労働組合のこと　ゼネラルストライキ＝全国的なストライキのこと▲

②急進社会党（1901）…ドレフュス事件を契機に共和派が結集

党名のイメージとは異なり，中産階級を基盤に，議会制・私有財産を擁護▲

③フランス社会党（統一社会党，1905）…ジャン＝ジョレスが中心

▲第一次世界大戦に強硬に反対し，右翼によって暗殺

(3) ドイツ

①ドイツ社会主義労働者党の結成（1875）

・ラサール派とアイゼナハ派が合同

▲全ドイツ労働者協会　▲社会民主労働党

②**社会主義者鎮圧法**（1878）…皇帝狙撃事件を口実にビスマルクが制定

③**ドイツ社会民主党の成立**（1890）

・社会主義者鎮圧法の廃止（1890）によって合法となった

▲皇帝ヴィルヘルム２世の政策

・第2インターナショナル（1889〜1914）の中心勢力となった。

左派　革命路線の堅持を主張	右派　党内の主流派をなす
カール＝リープクネヒトやローザ＝ルクセンブルク（ポーランド出身の女性）は第一次世界大戦中に**スパルタクス団**を組織。1918年に**ドイツ共産党**を結成	**ベルンシュタイン**はマルクス主義に基づく革命を否定し，**議会活動での社会主義実現**を主張（「**修正主義**」と批判された）

(4) アメリカ

①アメリカ労働総同盟（AFL，1886）

▲初代会長はサミュエル＝ゴンパーズ

・職業別の労働組合で，熟練工が主体だったため方針は穏健であった

2 そして，労働者が国を越えて団結したのがインターナショナルです。**第1インターナショナル**結成にはマルクスが関わっていて，世界革命やる気満々。しかし，資本主義に対抗するために強大な権力の必要性を説いたマルクスと，一切の権力を否定する**無政府主義者**（アナーキスト）が内輪もめ。結局分裂してしまいました。

続く**第2インターナショナル**は，1914年に勃発する**第一次世界大戦に際して反戦を打ち出しました**。ポイントは2つ。①帝国主義は，社会主義者が憎む資本主義が肥大化して生まれたもの。だから第2インターは，帝国主義的対立から起こった大戦に反対です。②労働者が国を越えて連帯するためには，ナショナリズムは否定されます。労働者が「**俺はフランス国民である前に労働者階級だ**。だからドイツの労働者とも手を取り合おう」と考える必要があるからです。国民国家同士の愛国的な戦争はタブーになるんですね。でも，②に綻（ほころ）びが生じて連帯は崩壊へ…。**労働者が愛国主義に傾き，「俺は労働者である前にフランス国民だ**。やっぱり宿敵ドイツの労働者はキライ！」となってしまったからです。

属性の最上位が「労働者」になっている，ということ▲

実際は，第2インターナショナルの成立当初から，この傾向は存在▲

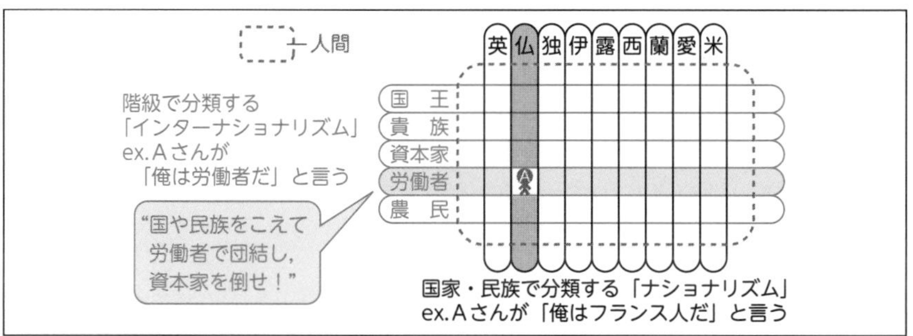

3 国別の運動に目を向けると，英仏独での運動には共通点が見られます。**1873年に始まる不況**は，社会主義運動が高揚する一因となりました。これに対応するため，政府は労働者に選挙権を与え，労働組合を認め，社会保障も整備。

→テーマ44▲

あ，これは【**重要テーマ5**】で扱った「取り込み」ですね。

そう，この「取り込み」が効果を発揮して，**労働者が暴力革命を目指すマルクス路線は下火になっていき，議会内で平和的に労働者の権利を拡大していく路線がメジャーになりました**。これを**社会民主主義**と呼び，イギリスの**労働党**，フランス社会党や**ドイツ社会民主党**がその代表格。一方で過激な例としては，**労働組合による直接行動**を特徴とするフランスのサンディカリズムが有名です。現在でもフランスでは公共交通機関のストライキは日常茶飯事なんですが，この伝統が少なからず受け継がれているから，ともいえます。

▲革命路線を堅持する者からは「修正主義」と批判された

▲フランス社会党とドイツ社会民主党は当初は革命路線をとった

帝国主義時代の概況

1 第２次産業革命と独占資本主義

(1) **第２次産業革命**

第１次産業革命（18世紀半ば～）	第２次産業革命（19世紀後半～）
イギリスから開始	**アメリカ・ドイツ**が急速に発展
軽工業が中心，動力源は石炭	**重化学工業**が中心，動力源は石油・電気

※イギリスは工業面の優位を失い「**世界の工場**」から「**世界の銀行**」へ
▲海運・保険・金融などのサービス収入を柱とする

(2) **独占資本**

①市場において大きなシェアを占める大企業。激しい競争の結果，一部の大資本だけが生き残り，中小資本は淘汰（とうた）された

②独占の形態

- ・**カルテル**…企業連合。**同一業種**の企業が商品価格・生産量などを協定
- ・**トラスト**…企業合同。合併などで，**同一業種**の企業が１つにまとまる
- ・**コンツェルン**…同一の資本が，**複数業種**・分野の企業を株を保有

※**金融資本**…産業資本と銀行資本が結合した資本
▲重工業には多額の設備投資が必要なことが成立の背景

2 帝国主義（資本主義が高度に発達した列強による膨張主義）

(1) 植民地獲得の諸相

①イギリスは，**相対的な国力低下を植民地支配の強化**で補った
▲市場の囲い込み

②**1873年に始まる不況**をうけ，各国は新たな市場を求めて植民地獲得へ
▲ウィーン証券取引所の株価大暴落が発端となり，1890年代半ばまで続いた

・また，諸国は国内市場を守るため**保護貿易**へ傾く（イギリスは除く）
「世界の銀行」として活動するためには，経済活動の自由が必要だった▲

③高揚する労働運動や社会主義運動に対し，**政府が対外進出を進めることで国民の不満をそらした**

④独占資本や金融資本は国家権力と結合し，原料供給地・販売市場としてのみならず，**資本の投下先**として植民地を求めた

(2) 国内状況（1873年に始まる不況を背景として）

①企業の集中・独占が進行

②労働運動の高揚・社会主義政党の組織化。労働者は国際的連帯も重視
▲インターナショナリズム　→テーマ43

➡政府は社会保障政策の整備などで対応，労働者を体制に取り込む

③排他的なナショナリズムの高揚　Ex. ドレフュス事件
▲→テーマ40

1 1870年代以降の欧米諸国は対外膨張策をとる「帝国主義の時代」と位置づけられます。以下の文章の中で，各国が**植民地を広げていく事情**を挙げていきますね。まず，この時期を特徴づけるのが**第２次産業革命**。アメリカとドイツが重化学工業でメキメキと力をつけ，イギリスの工業力を抜き去りました。
▲アメリカが世界一，ドイツが２位

イギリスは軽工業が強すぎて，重工業への転換が遅れるとは…。皮肉ですね。

「自由貿易帝国主義」→テーマ39▼
放っておいても世界一のイギリス製品を消費者が選んでくれる時代は終了。
これを「非公式」帝国の「公式」帝国化という▼
イギリスは植民地支配を強化することによって市場を囲い込み，ここに帝国主義的な対外膨張政策が本格化します。ただし，イギリスは世界一カネを稼ぐ国であり続けますよ。工業製品の貿易収支が悪化した分を，海運・保険・投資といったサービス収入で補ったのです（「**世界の銀行**」）。ところで，重化学工業は軽工業に比べて工場そのものがデカイですよね。企業規模も自然と大きくなり，設備投資のためには銀行から融資をうける必要がありました。こういった経緯で産業資本と銀行資本が融合した**金融資本**が形成されます。
▲鉄鋼・電気・化学
▲繊維など

▼近年の研究では，長期の不況というより，低成長時代に移ったとする説もあり
2 1873年に始まる不況も，この時代のポイントです。ヨーロッパではモノが売れない！ということで，**各国は市場確保のために植民地拡大**に乗り出し**保護貿易**を採用。不景気な社会に不満を持った労働者が社会主義運動に熱を上げたため，その**ガス抜きをするために政府が植民地獲得に向かって**ナショナリズムを刺激した側面もあります。これに絡み，19世紀後半は各国政府が国民統合に熱をあげた時期でしたから，他国民や少数民族を敵視する**偏狭な愛国主義**も生まれてきてしまいました。また不況下では競争に敗れた企業はどんどん淘汰され，買収や合併が相次ぎました。第２次産業革命で出現した大企業がさらに巨大化して市場を独占する，**独占資本**の登場です。
イギリスは自由貿易を維持した点に注意▼

今までの植民地には製品市場，原料・商品作物・資源の供給地という役割が期待されていましたが，新たに成立した**金融資本や独占資本は，政府とつるんで植民地に資本を投下**（＝資本すなわち企業が，植民地で工場や鉄道などビジネスを手掛ける）しました。このように「市場を囲い込み，プランテーションや鉱山を経営し，企業も活動する」ためには，対象となる国や地域をガッチリ囲い込み支配下に置く必要がありますよね。こんな感じで植民地化をイメージしましょう。

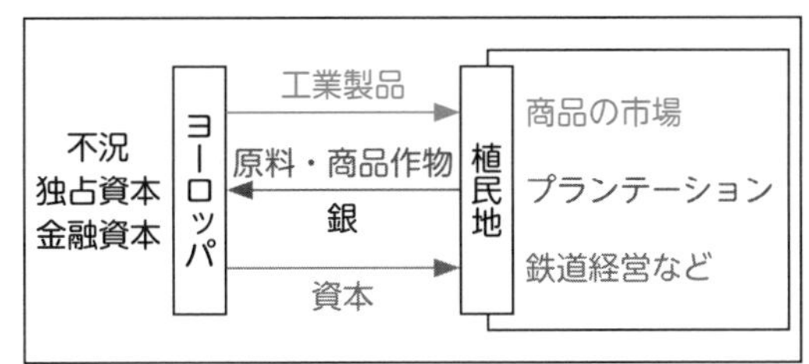

テーマ45 アフリカ分割

1 分割前の状況

(1) アフリカの探検

①**リヴィングストン**（英）…ヴィクトリア瀑布（ばくふ）を「発見」したが消息を絶つ
▲宣教師
②**スタンリー**（米）…リヴィングストンを捜索し，発見。ベルギー王レオポルド２世の援助をうけてコンゴ川流域を踏査

(2) **ベルリン会議**（**ベルリン＝コンゴ会議**，1884～85）

①ベルギーが進出したコンゴをめぐる対立を，**ビスマルク**が調停
▲イギリスやポルトガルが反発していた
②アフリカを「無主地（むしゅち）」とし，**先占権**（せんせん）と**実効支配**を分割の原則として確認
▲最初に占領した国が支配権を持つ
③会議をうけ**コンゴ自由国**（1885）が成立…実態はレオポルド２世の私領
過酷な支配が批判されて，のちにベルギーの正式な植民地となる▲

2 イギリスのアフリカ縦断政策

(1) エジプトからの南下

①**スエズ運河**の建設…フランスの**レセップス**の尽力で建設（1869）
②**スエズ運河会社株買収**（1875）…**ディズレーリ**内閣が，エジプト政府からスエズ運河会社の株式を買収して，運河を支配下に置いた
▲ユダヤ財閥ロスチャイルド家が資金を用立て
③**ウラービー（オラービー）運動**（1881～82）

・立憲運動を目指す反乱をイギリス軍が鎮圧。エジプトを**事実上保護国化**

④マフディー運動（1881～98）…ムハンマド＝アフマドがマフディーを名乗ったイスラーム教徒の反乱
▲救世主の意

➡18年を要してイギリスは鎮圧し，**スーダン**を征服
▲エジプト・イギリス連合軍

(2) 南アフリカからの北上

①**ケープ植民地**…1815年のウィーン議定書でオランダから獲得
②**ブール人**（ケープ植民地のオランダ系住民）の活動…イギリス支配を嫌って北上し，**トランスヴァール共和国**・**オレンジ自由国**を建国（1852,54）
▲グレート＝トレック

➡前者では**金**，後者では**ダイヤモンドの鉱山が発見された**

③ローデシア建設（1894）…ケープ植民地首相**ローズ**が推進
ローデシアは彼の名にちなむ。「惑星までも併合したい」▲
④**南アフリカ戦争**（ブール戦争，1899～1902）

・植民地相**ジョゼフ＝チェンバレン**が推進
・ブール人の激しい抵抗をうけて苦戦するが，**トランスヴァール共和国**と

1 かつてのアフリカは，「キリスト教文明が浸透していない」という一方的な価値観に基づき「暗黒大陸」と呼ばれていました。伝染病マラリアの特効薬の開発や，前テーマで述べた列強の帝国主義的欲求もあって，**リヴィングストン**や**スタンリー**らが大陸の奥深くへと足を踏み入れました。

ベルギー国王**レオポルド2世**は，支援したスタンリーが踏査した**コンゴ**の領有を宣言。イギリスなどが「抜け駆けはずるい！」と反発したため，**ベルリン＝コンゴ会議**が開かれ，アフリカ分割の原則（**先占権**と**実効支配**〔▼現地に行政・治安機構をつくる〕）が確立しました。ここからヨーイ，ドン！でアフリカ分割競争〔▲いわば，早い者勝ち〕が激化していきます。

地図を見ると，多くのヨーロッパ諸国が分割に参加してますね。

2 **「イギリスが縦，フランスが横。＆その他」**というイメージで覚えていくのがコツです。イギリスにとって一番大切な植民地はインドで，インドへ向かうアフリカ大陸廻りのルートでは，**ケープ植民地**〔▲アフリカ最南端〕が重要な中継点でした。地中海からスエズ地峡を徒歩で渡り，紅海を抜けるというもう1つのルートは，距離ではケープ植民地ルートより短いものの，船を乗り換えなければいけないのがネック。これが，1869年に**スエズ運河**〔▲インド航路が距離にして約8000キロ短縮〕が開通したことで状況は一変！ スエズ運河建設を主導したのはフランスで，エジプト〔▲ナポレオンのエジプト遠征以来，関心を持っていた〕と共同で運河経営にあたりました。しかしエジプト政府は**近代化や運河建設で膨らんだ債務に苦しみ**，ついに運河会社の株式を売却して借金返済にあてることを検討。これを知った英首相**ディズレーリ**は議会を通さずにロスチャイルド家〔▲ユダヤ系の国際金融一族〕の融資をうけ，電光石火で株式を買収し，運河を支配下に置きました。スエズ運河があるエジプトとケープ植民地，この**新旧の拠点を縦に結ぶ**のがイギリスのコンセプトです。

エジプトから南下するルートでは，エジプトの軍人**ウラービー**〔▲オラービー〕，スーダンの**マフディー**の反乱に直面。前者を鎮圧したイギリスはエジプトを**事実上保護国化**〔エジプトは形式上はオスマン帝国領▲〕しました。後者には18年間も苦しめられ，1898年にやっと全面制圧しました。〔▲太平天国の鎮圧に活躍したゴードンが戦死〕

続いてケープ植民地ですが，イギリスは**ウィーン議定書**でこのインド航路の拠点を抜かりなく獲得。もとはオランダ領でしたからオランダ系の**ブール人**が多く，彼らはイギリス支配を嫌い北方に**トランスヴァール共和国**と**オレンジ自由国**を建国。スエズ運河の方が注目されるにつれ，ケープ地方の存在感も薄れるよな…と思いきや，なんとトランスヴァール共和国で**金**鉱〔▲1886年〕，オレンジ自由国で**ダイヤモンド**鉱〔▲1867年〕が発見され，アフリカ南部に再び熱い眼差（まなざ）しが向けられました。イギリス人**ローズ（セシル＝ローズ）**はこれらの鉱山に投資して財をなし，ケープ植民地首相に就任すると，**ローデシア**〔▲南アフリカをスーダンと連結しようと試みた〕を建設します。ブール人国家に対するイギリスの帝国主義的野心は**南アフリカ戦争**でむき出しになり，両国を征

オレンジ自由国を征服
⑤**南アフリカ連邦**の成立（1910）…ケープ植民地を中心とする自治領
・**アパルトヘイト**（黒人に対する人種隔離政策）が開始された
▲この表現が定着するのは第二次世界大戦後

3 フランスのアフリカ分割と，英仏の和解

(1) フランスのアフリカ横断政策
①**アルジェリア**出兵（1830）…国王**シャルル10世**の治世
▲七月革命の直前
②**チュニジア**の保護国化（1881）…進出を狙ったイタリアが反発
③**ジブチ**建設（1896）
▲"アフリカの角"と呼ばれるソマリランド
④サハラ砂漠地帯領有（1890年代）
⑤マダガスカル領有（1896）
(2) **ファショダ事件**（1898）…英仏が，スーダンのファショダで衝突
➡兵力に劣る**フランスが譲歩**
▲ドレフュス事件に伴う混乱も一因
(3) **英仏協商**（1904）…英仏が**エジプト**と**モロッコ**の優先権を相互に承認
▲イギリス　▲フランス

4 ドイツのアフリカ分割

(1) ドイツ領…カメルーン・トーゴランド・南西アフリカ・東アフリカ
▲現ナミビア　▲現タンザニアなど
(2) 第１次**モロッコ事件**（タンジール事件，1905）
①皇帝**ヴィルヘルム２世**がタンジール港を訪問し，フランスの進出に反対表明
②**アルヘシラス**国際会議（1906）…ドイツは譲歩を余儀なくされた
イギリスが英仏協商にもとづいてフランスを支持したため▲
(3) 第２次**モロッコ事件**（アガディール事件，1911）
①ドイツがアガディールに軍艦を派遣
➡結局ドイツは撤退し，フランスがモロッコを保護国化

5 イタリアのアフリカ分割

(1) イタリア領…東部のエリトリア（1885），伊領ソマリランド（1889）
(2) **イタリア＝トルコ戦争**（伊土戦争，1911～12）…**リビア**を獲得
▲トリポリ・キレナイカ

6 独立を維持したアフリカ諸国

(1) **エチオピア帝国**…イタリアの侵略を，アドワの戦い（1896）で撃退
(2) **リベリア共和国**（1847～）…アメリカの解放奴隷の居住地として成立

服しました。ただ，**イギリスが大苦戦を強いられた**ことは，極東政策に多大な影響を与えることに…。この苦戦もあり，戦後のイギリスは雇用や土地取得の際にブール人を（黒人よりも）優遇してなだめすかそうとしました。これが**南アフリカ連邦**における悪名高い**アパルトヘイト**の端緒です。

▲50万人近い兵力を投入　▲→テーマ52　▲アフリカーナーとも呼ばれる

3　フランスは1830年に**アルジェリア**に出兵していました。半世紀後に帝国主義時代を迎えると，ここを足場にアフリカ分割へ乗り出しました。アルジェリアの東，**チュニジア**を保護国化した際にはちょっとした軋轢（あつれき）が。**チュニジアを狙っていたイタリアが，フランスに出し抜かれて反発**したんです（ビスマルクがこれを利用してイタリアを同盟に引き込みます）。この後フランスは広大な**サハラ砂漠**を領有。東海岸では**ジブチ**と**マダガスカル**を押さえました。

▲七月革命前夜，復古王政への不満をそらすため　▲→テーマ52　▲西アフリカの仏領セネガルがアルジェリアとつながった　▲紅海に面している

「横断政策」がおぼろげながら見えてきましたね。

サハラ砂漠とジブチをつなぐイメージで，フランス部隊がスーダン南部の**ファショダ**に駐留すると，なんとそこにイギリス軍が姿を現して鉢合わせ！　両軍が本国政府に指示を仰ぐと，当時**ドレフュス事件**で国論が二分していたフランス政府は，軍を動かしても国民の支持を得られないと判断して撤退を命じました。衝突は回避され，６年後に**英仏協商**が結ばれて**エジプト**に対するイギリスの優先権，**モロッコ**に対するフランスの優先権が相互に承認されました。

▲→テーマ40　▲フランスの兵力が圧倒的に劣勢だった事情もある

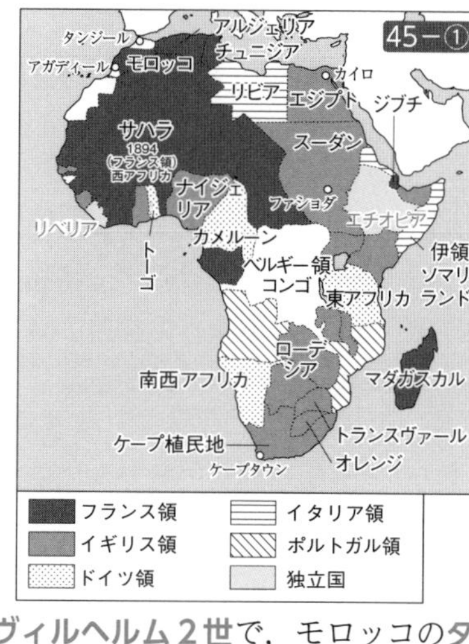

4　これが気に食わなかったのがドイツ皇帝**ヴィルヘルム２世**で，モロッコの**タンジール**を訪問してフランスのモロッコ進出に反対を表明しました。しかし，イギリスが英仏協商に基づいてフランス支持の姿勢を明確にしたため，皇帝（カイゼル）の野望は挫折。1911年，ドイツがまたもモロッコに軍艦を派遣すると，イギリス軍まで出動を準備するなど，緊張が一気に高まりました。

▲日露戦争で，世界中の関心が極東に向いていたことも背景　▲ベルベル人の反乱を鎮圧に向かったフランス軍に対抗　▲ドイツはフランスからわずかな領土を得て譲歩

5
6　皆の眼（め）がモロッコにくぎ付けになってる間隙（かんげき）を突いたのがイタリアで，オスマン帝国と戦い（**イタリア＝トルコ戦争**）**リビア**を獲得しました。そしてイタリアといえば，エチオピア征服を企てるものの1896年のアドワの戦いで撃退された苦杯をなめました。この**エチオピア**と，アメリカの解放奴隷が入植して建国した**リベリア**は**植民地化を免れた国**として，入試で「超頻出」ですよ。

テーマ 46 西アジアへの列強の進出

1 オスマン帝国の衰退と改革

(1) 支配の動揺

①第２次**ウィーン包囲**に失敗（1683）

②**カルロヴィッツ条約**（1699）…オーストリアに**ハンガリー**などを割譲

③クリミア半島を喪失（1783）…保護下のクリム＝ハン国をロシアが征服
▲エカチェリーナ２世

④アーヤーン…地方の有力者。自立化し，オスマン帝国衰退の一因となる
▲徴税請負などで富を蓄えた

(2) 西欧への従属と改革

①マフムト２世…スルタン直属の歩兵軍団**イェニチェリ**軍団の解体（1826）
▲政治に介入し，近代化を妨げていた

②**トルコ＝イギリス通商条約**（1838）…帝国の市場が開放されてイギリス製品が流入し，帝国内の産業は衰退

③**タンジマート**（恩恵改革，1839～76）…アブデュルメジト１世が**ギュルハネ勅令**を発布し，司法・行政・財政・軍事を西欧化
▲保守派の反対もあり，十分な成果をあげられず

④**ミドハト憲法**（オスマン帝国憲法，1876）

・背景…**クリミア戦争**に**勝利したものの**，英仏からの借款（しゃっかん）によって財政が破綻（はたん）し，列強への従属に対する危機感から立憲運動が高まった

・宰相**ミドハト＝パシャ**が**アジア初の憲法**を制定し，立憲君主政に移行

・しかし，スルタン**アブデュルハミト２世**（位1876～1909）が**ロシア＝トルコ戦争**の勃発を口実に**憲法を停止**し，**専制を復活**（1878）

⑤**青年トルコ革命**（サロニカ革命 ,1908）

・「**青年トルコ人**」…憲法復活を求めた人々。「統一と進歩団」が中心
▲青年将校や知識人が主体だった

・ギリシアのサロニカを拠点に蜂起
➡アブデュルハミト２世は憲法復活・国会開設を約束して退位

2 アラビア半島

(1) イブン＝アブドゥル＝ワッハーブが創始した**ワッハーブ運動**の興隆(18世紀半ば)

①原始イスラームへの復帰と禁欲主義を提唱し，**スーフィズムを批判**

②ネジド地方の豪族**サウード家**の支援をうけ発展

(2) ワッハーブ王国（1744頃～1818，1823～89） 首都：リヤド

①オスマン帝国の命をうけた**ムハンマド＝アリー**によって滅亡（1818）
▲1823～89年の間，復活

1 17世紀末にかけ，第２次**ウィーン包囲**に失敗し，**カルロヴィッツ条約**でハンガリーを失ったあたりから，ヨーロッパにおけるオスマン帝国の強勢に翳り（かげ）が…。本講は「東方問題」を扱った**テーマ41**と並行して読み進めてください。

今まで見下していたヨーロッパ諸国が，ナショナリズムと工業力を兼ね備えた国民国家に脱皮して圧倒しようとしている現実がオスマン帝国に迫ります。

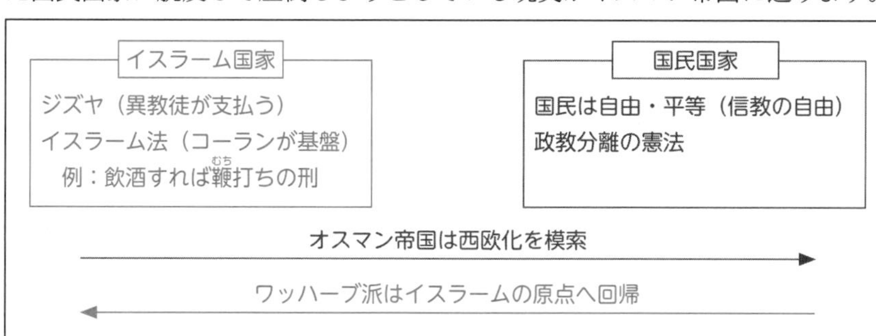

ヨーロッパではドイツ・イタリア・ロシアなどが試みた対抗近代化ですが，イスラーム国家の場合，国家基盤が異質です。例えばイスラーム教徒以外の異教徒が支払う人頭税である**ジズヤ**の存在。イスラーム教徒か異教徒かで税負担が異なるわけです。これって国民国家の理念からすれば明確な宗教差別（国民国家では「信教の自由」が保障されていますから）。さらに**コーラン**を基盤とする**イスラーム法**（▲シャリーア）（▲政教分離）です。**飲酒すると鞭打ちの刑にされる**のは，コーランに「酒を飲むな」という神（アッラー）の言葉があるから。ムハンマドの時代から1200年積み重ねてきた伝統ですから，「特定の宗教に依処する法を改めて**政教分離**にして，ニュートラルな憲法を作ろうよ」なんて，簡単にはいきません。

オスマン帝国は，この（難航するであろう）西欧化を進めました。**イェニチェリ**（ギリシア独立戦争で全く活躍できず▲）を解散させて西欧式軍隊に切り替え，エジプト＝トルコ戦争を機に**タンジマート**（▲行政・財政・司法・軍事など）を開始。多方面で改革を打ち出しますが，保守派の抵抗が激しく成果は芳（かんば）しくありませんでした。そして**クリミア戦争**は帝国を窮地に追い込みます。

あれ？　オスマン帝国はクリミア戦争で勝ったはずですけど。

オスマン帝国は，**クリミア戦争の戦費や近代化に必要な経費を英仏からの借金でまかなった**んです。戦勝したとはいえ，これが重荷になって財政は破綻。危機感を持った改革派によって**ミドハト憲法**（▼オスマン帝国が自らの改革能力を示すことで，列強の政治介入を排除しようとする意図もあった）（▲民族・宗教を越えて帝国民の平等を掲げた）が制定されました。しかし，スルタン**アブデュルハミト２世**は**ロシア＝トルコ戦争**の勃発を口実として**憲法を停止して専制を復活**。アブデュルハミト２世は，**パン＝イスラーム主義**に傾倒したことでも知られてます（▲「上からの改革」は，どの国でも不徹底になる）。「世界中のムスリムの団結を説くこの思想…。当然

3 イラン（ガージャール朝）・中央アジア

(1) イランをめぐる英露対立…ロシアは南下政策，イギリスはインド防衛

(2) **トルコマンチャーイ条約**（1828）
…アルメニアをロシアに割譲。領事裁判権も認めた

(3) ロシアがウズベク３ハン国へ進出
…**ブハラ＝ハン国**（1868），**ヒヴァ＝ハン国**（1873），**コーカンド＝ハン国**（1876）

(4) **バーブ教徒の乱**（1848～52）…農民がガージャール朝に対し反乱
▲シーア派系の神秘主義的宗派　封建的支配・外国勢力への屈従に反発▲

(5) **タバコ＝ボイコット運動**（1891～92）
・ガージャール朝が，タバコの独占的利権をイギリス業者に譲渡
・民衆が不買運動を起こし，利権廃棄に成功
▲しかし賠償金支払いのために，政府財政は逼迫（ひっぱく）

(6) **イラン立憲革命**（1905～11）…政府に不満を持つ国民が立憲運動を開始

(7) **英露協商**の成立（1907）
①イラン…北部をロシア，東南部をイギリスの勢力圏。中部は緩衝地帯
▲チベットも不干渉地帯とされた
②アフガニスタン…イギリスの勢力圏
③イラン立憲革命に英露共同で圧力をかけ，1911年に議会を解散させた
※**パン＝イスラーム主義**…ヨーロッパの進出に対抗して，世界中のイスラーム教徒の一致協力を主張。**アフガーニー**やその弟子ムハンマド＝アブドゥフが唱え，イスラームの民族運動に影響
▲ヨーロッパ文明との調和を主張している点も特徴　▲エジプトでウラービー運動に参加

4 アフガニスタン

(1) 第１次**アフガン戦争**（1838～42）…イギリスが撃退された
▲ドゥッラーニー朝によって

(2) 第２次**アフガン戦争**（1878～80）…イギリスがアフガニスタンを保護国化

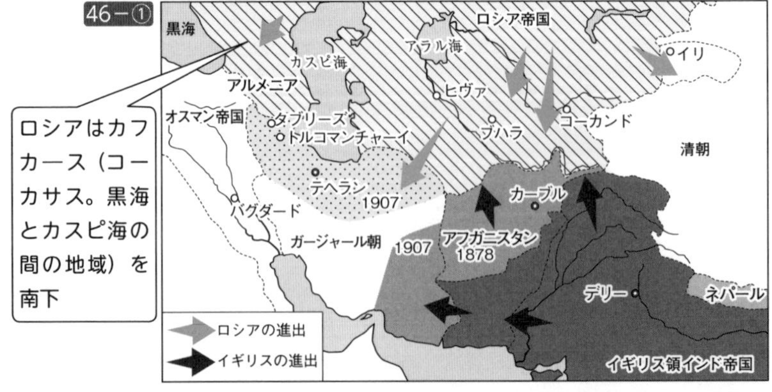

全てのイスラーム教徒はカリフである私の下(もと)にひれ伏すことになるであろう」
▲18世紀以降，スルタンはカリフ位を継承していることを主張 →テーマ20
と自らの権威を高めるのに利用したんですね。アブデュルハミト２世が一時期アフガーニーを厚遇したのは，こういったワケがあったんです。

「上からの改革」が不十分ならば力ずくの「下からの革命」しかない。これが1908年の**青年トルコ革命**で，ほぼ無血で成功しミドハト憲法が復活しますが，バルカン問題をめぐる対外危機に対応するため，結局**青年トルコ**による**独裁体制に変質**してしまいます。対応がことごとく後手に回った印象です…。
▲日露戦争における日本の勝利に刺激された ▲→テーマ53

2 西欧化を目指す路線に対し，「ムハンマド以来のイスラームの伝統を軽視し堕落したことが，現在のイスラーム劣勢の原因である」と考えたのが，アラビア半島の**ワッハーブ派**。イスラームの初心に立ち返ることを唱え，コーランの王道から外れた**スーフィズムを厳しく批判**しました。整理するとオスマン帝国＝西欧化，ワッハーブ派＝イスラームの原点に回帰，と対比することができるでしょうか。
▲→テーマ76 西洋文明を肯定するパン＝イスラーム主義は，両者の中間ともいえる▲

3 4 他方，当時のイランは**ガージャール朝**が支配していました。運悪く**ロシアの南下政策**と**イギリスのインド防衛**が衝突する「ホットスポット」にあたり，度重なる両国の干渉をうけます。中央アジアでも1870年代にロシアがウズベク３ハン国を制圧すると，イギリスは第２次**アフガン戦争**で**アフガニスタンを保護国化**し，まさにがっぷり四つ。地図を見ると，アフガニスタンが「インドを守る壁」の役割を担っていることが分かると思います。
▲18世紀末に成立。君主はトルコ系 ▲1877年にインド帝国を成立させており，インド防衛を重視 ▲中央アジアにおける英露対立を「グレートゲーム」と呼ぶ

ガージャール朝は近代化策の費用や軍事費をまかなうため，各種利権を列強に切り売りしていました（目先のカネに目が眩(くら)んでしまったんですね)。そして，タバコを独占販売する利権をイギリス業者に売り渡すと，国民がこれに激怒（禁酒のイスラーム世界ではタバコが重要な嗜好品(しこうひん)だったことも背景）！　抵抗を主張する**アフガーニー**の訴えにウラマーが応え，「イギリス印のタバコなんぞ買えるか！　利権を売り渡した政府も許さん！」という大規模な**タバコ＝ボイコット運動**が起こりました。国王(シャー)はこれに屈して利権を廃棄。国民の勝利です。
▲工場設立，新型軍隊の創設など 電信・金融・鉱山など▲ ▲イスラーム法学者

20世紀初頭，イランでも**日露戦争の影響**で**立憲革命**が起こり，議会と憲法が整えられました。でも，1907年に**英露協商**が成立すると不穏な空気が…。

両国ともイランの近代化は迷惑ですね。旧体制のままで搾取したい。

そう考えますよね。**英露は共同で革命に干渉し，結局議会は解散に追い込まれてしまいました**。なお，この英露協商によって利害調整がなされ，イランとアフガニスタンの勢力圏が画定。ドイツに対抗する準備が整っていきます。
国王自身も本心は立憲体制を嫌っていた▲ ▲→テーマ52

第5章 近代の世界（19世紀～第一次世界大戦）

イギリスによるインド植民地化

1 イギリスによるインドへの本格的進出

(1) **プラッシーの戦い**（1757）後…ムガル皇帝からベンガル地方などの**徴税権**（ディーワーニー）を獲得して，**東インド会社による領土支配が始まる**

(2) イギリス支配の拡大

①**マイソール戦争**（1767〜99）
▲4次にわたる
…インド南部のマイソール王国を破る

②**マラーター戦争**（1775〜1818）
▲3次にわたる
…マラーター同盟を破り**デカン高原**を征服

③**セイロン島**（1815）
▲茶のプランテーションが発展
…ウィーン議定書で領有

④**シク戦争**（1845〜46，48〜49）
…シク教徒を破り，**パンジャーブ地方**を征服

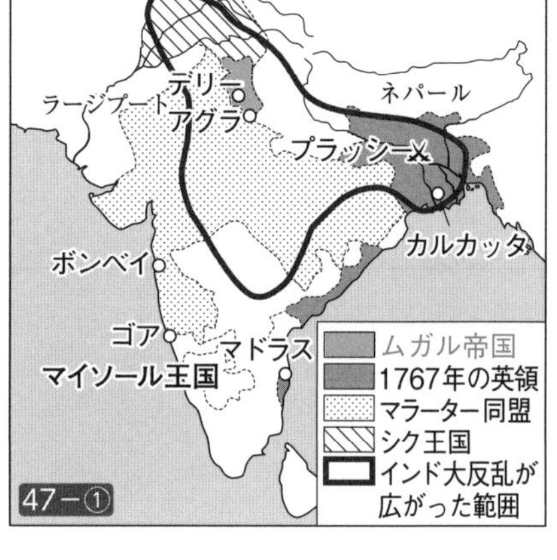

(3) イギリスによるインドからの搾取

①**綿織物**貿易…産業革命をうけ，イギリスは機械織**綿布**をインドに輸出
➡インドはイギリス製綿布の市場，原料である**綿花**の供給地となり，**インドの手織綿布（キャラコ）工業は壊滅的打撃をうけた**

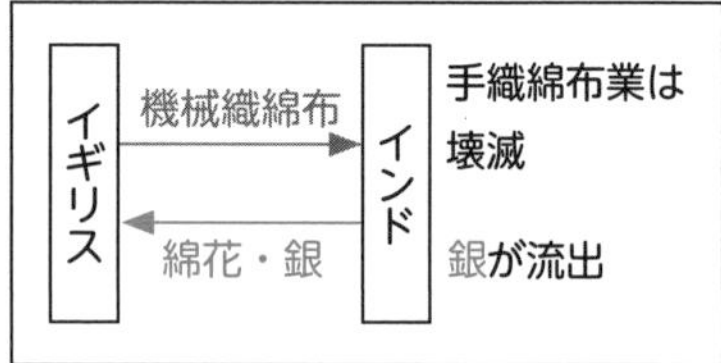

※東インド会社の変質

・対インド貿易の独占権，対中国貿易の独占権廃止（1813，33）
➡**商業活動を停止し，以後はインド統治機関となる**

②商品作物（**綿花**や**アヘン**）をプランテーションで栽培
▲主に中国向け　▲強制栽培も行われた

③イギリスによる**近代的な土地所有・税制の導入** ➡**伝統的農村が解体**
▲高額な税負担にも苦しむ

・**ザミンダーリー制**…ベンガル地方などで，領主（ザミンダール）に対して領内における地税納入の責任を負わせた

・**ライヤットワーリー制**…インド南部・西部で農民から地税を直接徴収

1 ムガル帝国は衰退したものの，インド各地ではヨーロッパとの交易の活性化も一因となって，地方勢力が伸長し経済は活性化しました。ここに，イギリスがじわりじわりと侵食してくるんです。**プラッシーの戦い**（▲→テーマ33）でフランスに勝利したイギリス東インド会社は，1760年代にムガル皇帝から**徴税権**（ディーワーニー）をゲット。これ以降イギリスにとって，**インドは「取り引き相手」から「支配する対象」に変質していきます**。従来は貿易の窓口として港市（▲マドラス・ボンベイ・カルカッタ）を押さえていただけですが，積極的に内陸部へ乗り出して行きました（▲東インド会社はインド統治機構を整備）。インド征服を固める時は「南インド＝**マイソール戦争**，デカン高原＝**マラーター戦争**，パンジャーブ地方＝**シク戦争**」と地域とセットにするのがコツ。

イギリスの収入源は大まかに，左ページの**1**(3)で挙げた①②③の３つです。

①18世紀のイギリスはインド製の手織綿布（キャラコ）を輸入し，銀を支払っていました。産業革命が進むと，イギリスの機械織**綿布**（▲→テーマ37）がインドに輸出されるようになり，立場が逆転（左ページの図参照）。19世紀半ばには安価＆良質なイギリス製綿布がインドを席巻し，**インド綿工業は壊滅**し職人は路頭に迷うことに…。

②一方，原料である**綿花**の需要が高まりますから（▲当然，綿布の対価としてインドから銀が支払われた），イギリスはプランテーションを経営したり，インド人に強制栽培させたりしました。そしてイギリスにとってのドル箱商品は，中国**茶**の対価として中国向けに生産させた**アヘン**（▲→テーマ49）でした。このように，**インドはイギリスの製品市場＆原料供給地という従属的地位に転落**してしまいました。この流れの中で「こんなオイシイ貿易を独占するな！」と東インド会社の**貿易独占権が廃止**（▲→テーマ39）されたんですね。

③３つめの地税収入が**インドの伝統的農村共同体を動揺させる**のですが，メカニズムの一例を説明します（▲徴税の仕組みには地域によって差異がある）。インドの農村には，耕作者（農民）が収穫の一部を，他の職業に従事する村人に分配する習慣がありました。一方で，床屋や大工や洗濯人も，他の村人のために自らの仕事を行っていたんです。

商品やサービスを互いに提供しあう，ってことですね。

村人どうしが助け合って経済活動が成り立っていたのですが，ここへイギリスがやって来て畑から土地税を徴収しようとした。そのためには**土地所有者を明確にする必要がある**ので，耕作者を土地所有者に指名。耕作者は高額の土地税に苦しめられました。でも，より深刻だったのは**「土地は耕作者のモノ＝収穫も耕作者の私有財産」**（従来は収穫を分配していたので，こういった価値観は希薄▲）という価値観が生まれ，耕作者が収穫物の分配を渋るようになったこと。村人は金銭を払わないと農作物を手に入れられなくなってしまったんですよ。相互に助け合う関係から，ドライに金銭でやりとりする関係に変質してしまったんですね。

2 シパーヒーの反乱とインド帝国の成立

⑴ **シパーヒー**の反乱（1857～59）…**インド大反乱**へ発展
①シパーヒー…東インド会社が雇ったインド人傭兵（ようへい）
▲ヒンドゥー教徒は上級カースト出身が多かった
②背景…東インド会社によるインド征服が進み，解雇されるシパーヒーが増加
③イギリスが弾薬包（だんやくほう）に牛と豚の脂を塗布しているという噂をうけて蜂起
④イギリス支配に不満を持つ各階層も呼応して，反乱は全インドへ拡大
→**デリー**城を占拠し，反乱軍はムガル帝国皇帝を擁立
⑤結果…イギリスが藩王国を懐柔（かいじゅう）し，本国から派遣した軍でなんとか鎮圧
▲地方の王侯
・**ムガル帝国**の滅亡（1858）…イギリスがムガル皇帝を廃して追放
・イギリス**東インド会社**の解散（1858）…反乱の責任をとらされ解散
➡以後，インドは**本国政府が直接統治**
⑵ イギリス領**インド帝国**の成立（1877）
①**ディズレーリ**内閣時代，**ヴィクトリア女王**をインド皇帝として成立

3 インド民族運動の開始

※ラーム＝モーハン＝ローイ…**サティー**（寡婦殉死（かふじゅんし））廃止に尽力した社会活動家
▲1772～1833
⑴ **インド国民会議**ボンベイ大会（1885）
①イギリスが，インド人エリート層を統治の協力者にしようと企図し開催
②当初は**穏健で，イギリスに対し協調的**だった
⑵ イギリスによるインド人の分断（**分割統治**）
①藩王国に対し，従来の取りつぶし政策を改め**内政権を認め懐柔**
▲後継者がいない場合はイギリスが併合
②伝統的な**カースト制度**を温存
⑶ **ベンガル分割令**（1905）…ベンガル州を，イスラーム教徒中心の東ベンガルとヒンドゥー教徒中心の西ベンガルに分割し，両者の分断・対立を狙う
▲反英運動の中心であった　▲1911年に撤回
⑷ インド国民会議**カルカッタ**大会（1906）
①**ティラク**らが中心
②４綱領を採択
・**スワラージ**（自治獲得）
・**スワデーシ**（国産品愛用）
・**英貨排斥・英製品の不買**
・**民族教育…植民地支配を否定。民族的自覚を促す**
⑸ **全インド＝ムスリム連盟**の成立（1906）
①イギリスの支援をうけたイスラーム教徒の政治団体
②反英姿勢を明確にした国民会議派から，イスラーム教徒を切り離して分断

2 東インド会社によるインド征服の実戦部隊となっていたのは，東インド会社が雇った傭兵，**シパーヒー**でした。

インド人がイギリスによるインド征服に手を貸していたとは…。

インド征服が完成に近づくにつれ，用無しとなったシパーヒーは容赦なくクビ。そこに「弾薬の包み紙に牛と豚の油が塗られている」という噂が舞い込んで，彼らの怒りが暴動に発展。シパーヒーの反乱が発火点となり，これを聞いたインドの人々の間で，上述した①②③で蓄積された不満が爆発（**インド大反乱**）！
（▼イスラーム教徒が蔑視　▲ヒンドゥー教徒が神聖視　▲包み紙を噛み切って弾を銃に込めるため，兵士は油が口に入るのを嫌悪）
軍を急行させたイギリス政府は，リーダーに擁立されていたムガル皇帝を廃位しました（ここに名門**ムガル帝国**は滅亡）。そして「お前らが雇った奴らが反乱を起こした。監督責任をとれ！」と**東インド会社**も解散。以降は**イギリス政府がインドを直接統治下**に置き，1859年になんとか反乱をねじ伏せます。

その後1870年代になると…，そう，**イギリスが植民地支配を強化する帝国主義の時代**。1877年にイギリス領**インド帝国**が成立しました（①ロシアが**ウズベク3ハン国**を制圧しインドに迫ったこと，②イギリスが**スエズ運河**株式を買収したことも背景）。イギリスはインドに英語教育を行う大学を設置し，高等教育をうけさせたエリート層を統治に利用しようと考えました。しかし彼らの間に民族意識が芽生え始め，イギリスに不信の目を向けるように…。そこでイギリスは**インド国民会議**を開いてエリートたちの意見に耳を傾け，なんとか丸め込もうとします。このように国民会議は**当初は親英的**でしたが，徐々に反英に傾いていくことになります。
（→テーマ44▲　▲1876年　1875年。インドへの時間と距離が大幅に短縮された▲）

3 イギリスの次の一手**ヒンドゥー教徒とイスラーム教徒の分断を画策**した**ベンガル分割令**です。これに対して大規模な反英運動が起こり，1906年に国民会議**カルカッタ**大会が開かれました。もう国民会議は完全に反英の組織です。4綱領の**スワラージ**は自治獲得。**スワデーシ**と**英貨排斥**はセットになっていて「イギリス製綿布を排斥し，国産の手織綿布を愛用しよう」というメッセージです。**民族教育**は，もちろんナショナリズムのためです。
（もともとは行政の効率化を意図して制定されたものであった▲　▲p.296の図を参照）

しかしイギリスもしつこい。**全インド゠ムスリム連盟**を新設することによって，国民会議＝ヒンドゥー，ムスリム連盟＝イスラームと分断したんです（居住地域で分断できないなら，組織で分断してやるという魂胆）。イギリスは他にも分断策を繰り出していました。**藩王国を優遇**して懐柔したり，**カーストを温存して**ヒンドゥー教徒内の差異を強調したり，と。身分制の撤廃は連帯意識を生み出す原動力（➡【**重要テーマ4**】）でしたが，今回は**身分を残す**ことで「インド人」という連帯意識の形成を妨害しているわけですね。
（今までは両教徒ともインド国民会議に所属していた▲　面積でインドの3分の1，人口で4分の1を占めた▲　▲ナショナリズムの基盤）

テーマ48 東南アジアの植民地化・太平洋分割

1 マレー半島（イギリス領）

(1) **シンガポール**領有（1819）…イギリスのラッフルズが現地首長から買収
(2) **イギリス＝オランダ協定**（1824）…**マラッカ**がイギリス領となる
(3) **海峡植民地**の成立（1826）…**ペナン・マラッカ・シンガポール**で形成
▲1786年に獲得
(4) **マレー連合州**（1895）…**錫**（すず）鉱山・**ゴム**プランテーション経営で潤（うるお）う
中国系移民が労働▲　▲インドのタミル系移民が労働
(5) 北ボルネオ領有（1888）…オランダと境界線を協定し，北部を英領とした

2 インドネシア（オランダ領東インド）

(1) ジャワ島の支配
①**マタラム王国**を征服（1755）
▲ジャワ島東部のイスラーム王国
②**ジャワ戦争**（1825〜30）…オランダの圧政に対する王族を中心とする反乱
オランダに打撃を与えた▲
③**強制栽培制度**（政府栽培制度，1830開始）
▲ファン＝デン＝ボスが実施　プランテーション的農業とは異質で，住民の在来農業のもとで採用▼
・耕作地の一部で商品作物を栽培させて，安価で買い上げる制度
▲コーヒー・サトウキビなど
・買い上げ価格が低く，主食のコメ生産が減少したため飢饉（ききん）が頻発
・ジャワ戦争による財政難・ベルギーの独立による経済的打撃が実施の背景
▲→テーマ38
(2) アチェ戦争（1873〜1912）…オランダがスマトラ島を制圧
(3) **オランダ領東インド**の成立（20世紀初頭）
…ジャワ・スマトラ・ボルネオ南部・ニューギニア西部などからなる
(4) インドネシアの民族運動
①カルティニ…インドネシアの女性解放運動・民族運動の先駆者
②**イスラーム同盟**（**サレカット＝イスラーム**　1911〜）…民族運動団体
当初はジャワ商人の相互扶助を目的とした▲

3 インドシナ半島（フランス領）

(1) **阮朝**（グエン）（1802〜1945）　都：フエ（ユエ）
①**阮福暎**（げんふくえい）が西山（タイソン）朝を滅ぼし樹立（フランス人宣教師ピニョーが建国を援助）
▲嘉隆帝　▲ただし阮朝の成立前に死去している
②国号を従来の**大越**（ダイベト）に代わり**越南**（ベトナム）とし，清の属国となった
(2) ナポレオン３世時代のフランスによる進出
①サイゴン条約（1862）…コーチシナ東部の獲得，キリスト教布教の自由
▲仏越戦争の講和　▲サイゴンを含む

1 1623年の**アンボイナ事件**（▲→テーマ33）以降，東南アジア経営から身を退いたイギリスでしたが，産業革命に伴って**中国茶の取り引きが拡大**（▲→テーマ49）すると，貿易中継地としてマラッカ海峡ルートに再注目しました。19世紀初頭，ナポレオンがオランダを征服したことで，**東南アジアにあるオランダ植民地は形式上はフランス領になりました**（厳密には1795年にフランス革命軍がオランダへ侵攻▲）。イギリスに亡命したオランダ総督は，オランダ植民地をイギリスに委ねることにしました（オランダ領だったケープ植民地やセイロン島がウィーン議定書でイギリス領になる伏線はコレ）。ナポレオン戦争後もオランダ植民地の一部に居座ろうとしたイギリスにオランダが抗議し，1824年のイギリス＝オランダ協定によってマレー半島はイギリスの，島嶼（とうしょ）部はオランダの勢力圏と画定（イギリスは「ゴネ得」）。協定に先立つ5年前，**ラッフルズ**がマレー半島の南端**シンガポール**の支配権を現地首長から獲得しています。この港は「**自由港**」（▲港に出入りする貨物に関税を課さない）とされたことで，東南アジアの一大流通センターとして発展していきますよ。マラッカ海峡ルートを押さえる形で**海峡植民地**が成立します。

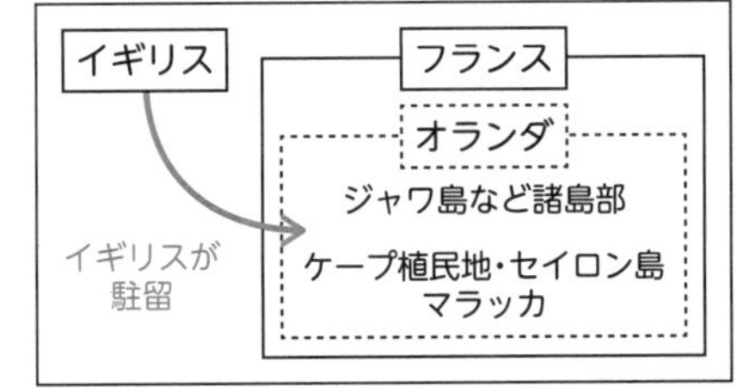

帝国主義の時代になると「内陸支配」が注目され**マレー連合州**が成立。**錫**鉱山の開発と**ゴム**プランテーションの経営がポイントです。

錫の使い道って何ですか？

錫は「錆（さ）びにくい」性質を持っているため，缶詰の原材料として需要が高まったんです。ゴムは分かりますか？　20世紀に普及（▲ブリキ）する自動車のタイヤですね（ダイムラーがガソリン自動車を完成させたのは1886年▲）。マレー半島には中国系移民とインド系移民が流入して，人手不足を補いました。これが，現マレーシアの**複雑な人種構成**の背景になっています。

2 ナポレオン戦争で，結果的にマラッカなどを失ったオランダですが，17世紀後半からジャワ島の植民地経営を固めていましたね。そのジャワ島で起こった**ジャワ戦争**（▲→テーマ33）の鎮圧コストがオランダ政庁（▲東インド会社解散をうけ，政府は政庁を設置）に打撃を与えたため，**強制栽培制度**で補てんを図りました。農民の畑の一部で商品作物を作らせて，政庁が安値で買いたたく（ヨーロッパなどへ運び，高値で売却▲）このシステムはオランダの「ドル箱」に。しかし農民にとっては，①安値でしか買い取ってくれないので儲（もう）からない，②自分たちの食糧を栽培する畑がつぶされる，のダブルパンチで**餓死者が続出**したため，段階的に廃止されました。オランダはジャワ島やマルク（モルッカ）諸島以外にもスマトラ島やニューギニア方面の支配も固め，20世紀初頭に**オランダ領東インド**が成立。民族運動では女性活動家のカルティニに注目を。**イスラーム同盟（サレカット**

②**カンボジア**の**保護国化**（1863）

(3) 第三共和政時代のフランスによる進出

①**ユエ（フエ）条約**（1883，84）…フランスはベトナムを**保護国化**

②**清仏**(しんふつ)**戦争**（1884～85）

・宗主権を持つ清がユエ条約に反発し，開戦。フランス軍の優勢で終結

・**天津**(てんしん)**条約**（1885）…清はベトナムに対する**宗主権を放棄**

★**劉永福**(りゅうえいふく)…阮朝に仕えた中国人で，**黒旗軍**を率いフランスと戦った

③**仏領インドシナ連邦**（1887）…フランスがベトナム・カンボジアを統合
▲ハノイに総督府を設置

・**ラオス**を仏領インドシナに編入（1899）
▲1893年にルアンプラバン王国を保護国化していた

(4) ベトナムの民族運動…**ファン＝ボイ＝チャウ**が関わる

①維新会（1904）…反フランスの秘密結社

②**東遊**(ドンズー)**運動**…日露戦争後に隆盛した，知識人の日本への留学運動

③ベトナム光復会（1912）…辛亥(しんがい)革命の影響をうけて，広東(カントン)で成立

4 ビルマ(イギリス領)
▲現ミャンマー

(1) **ビルマ戦争**（1824～85）
▼3次にわたる

①イギリスが勝利
▲ビルマによるアッサム侵略が発端

➡**コンバウン朝**は滅亡
▲アラウンパヤー朝

(2) インド帝国に編入（1886）

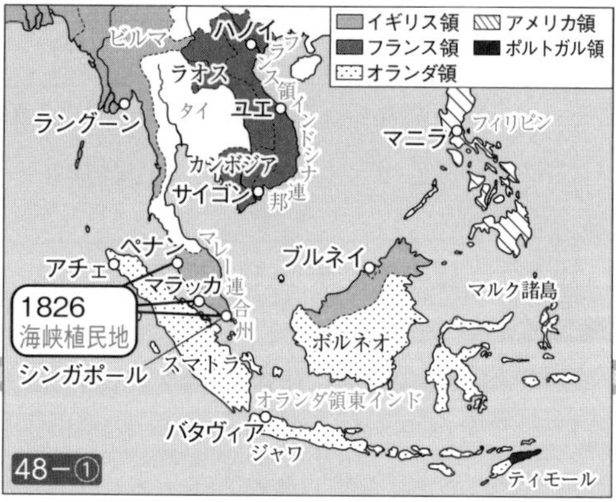

5 タイ（シャム）

首都：バンコク

(1) **ラタナコーシン朝**成立（1782）
▲チャクリ朝・バンコク朝

(2) **ラーマ5世**（チュラロンコン，位1868～1910）

①**近代化**…行政改革，学校・郵便局制度の整備，鉄道敷設，非自由民の解放
▲内閣の導入・財政改革

②**英仏両国の緩衝地帯**として，**タイの独立の維持に成功**

※ラーマ5世の父ラーマ4世は近代化の先駆けをなし，英仏と柔軟に外交

(3) デルタ地帯で東南アジア域内向けのコメを生産

6 フィリピン（スペイン領→アメリカ領）

(1) スペインによる政教一致政策…住民に**カトリック**を強制

＝イスラーム）に関しては，独立後のインドネシアが**世界で最もイスラーム教徒が多い国**になることと絡めて覚えておきましょう。

3 インドシナ半島東部のベトナムでは，**阮福暎**(げんふくえい)が**阮朝**(グエン)を建て，この時に国号が大越(ダイベト)から**越南**(ベトナム)に変わりました。フランス宣教師**ピニョー**が建国を支援したゆかりで，フランスがベトナムへ進出していくことになります。進出の第一歩はやっぱりこの人。

戦争と聞けば，地の果てまでもやって来る，ナポレオン３世ですね。

彼はベトナムと一戦交えてサイゴン条約（入試的にはちょっと細かめ）を結び，翌年**カンボジア**を**保護国化**。フランス第三共和政がスタートした1870年代は折しも帝国主義の幕開けの時期で，1880年代に入ると**ユエ（フエ）条約**でベトナムを保護国化しました。しかし，清がこれに待ったをかけた。清は伝統的な**冊封体制**(▲→テーマ7)に基づき阮朝を属国としていたので「我が国の子分であるベトナムに，勝手に手を出すな！」と反発したのです。ここから**清仏戦争**が始まり，勝利を収めたフランスは，**天津条約**で**ベトナムに対する清の宗主権を放棄**させました（なおこの時，中国からの亡命者**劉永福**(▲太平天国の乱に参加)が，太平天国の残党をもとに組織した**黒旗軍**を率いてフランスと戦っています）。しがらみがなくなったフランスによって，1887年にベトナムとカンボジアをあわせた**フランス領インドシナ連邦**が成立。連邦成立時に**ラオス**は含まれておらず，12年後の1899年に編入された点には要注意です。

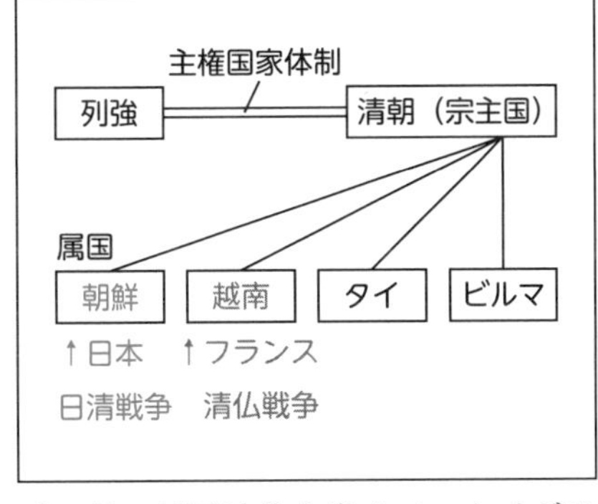

この時期の民族運動のキーマンは**ファン＝ボイ＝チャウ**で，**日露戦争後には日本留学**ブームが起こりました（**東遊運動**(ドンズー)）。

4 インドシナ半島西部に目を向けると，インドの植民地化を進めていたイギリスが，インド防衛を見据えてビルマへ進出。アッサム(▲茶の産地として有名)への進出から勃発した**ビルマ戦争**は３次にわたり，**コンバウン朝（アラウンパヤー朝）**を征服するとインド帝国に組み込みました（行政上は「イギリス」ではなく「インド帝国」への編入である点に注意！）。

5 このようにインドシナ半島東部はフランス，西部はイギリスの支配下に置かれていきました。その間に位置したのがタイ（シャム）の**ラタナコーシン朝（チャクリ朝）**です。自ら英語を習得したラーマ４世は駆け引き上手でした。近代

(2)**マニラ**開港（1834）…スペインは従来の欧米勢力を排除する政策を転換
(3)プランテーションでの商品作物生産…**マニラ麻**が有名
▲船舶用ロープや漁網に用いる
(4)　スペインからの独立運動
①**ホセ＝リサール**…**小説でスペインの圧政を批判**。スペインによって処刑
②**アギナルド**…スペインに対して反乱を起こしたが，失敗し亡命
(5)　アメリカによるフィリピン侵略
①**アメリカ＝スペイン戦争**（1898）…アメリカはフィリピンに独立を約束
②**フィリピン共和国**の独立（1899）…**アギナルド**が大統領に就任
➡アメリカはこれを認めず弾圧し，戦争の後にフィリピンを併合
▲フィリピン＝アメリカ戦争（1899～1902）

7 太平洋（オセアニア）分割

(1)　タスマンとクックによる探検

タスマン（蘭，1603～59）	**クック**（英，1728～79）
オーストラリア（タスマニア）・ニュージーランド・フィジーを「発見」	太平洋を縦断 ▲ベーリング海峡からニュージーランドまで 先住民によって**ハワイで殺害**された

(2)　ニューギニア…西部はオランダ領，東部はドイツとイギリスが南北に分割
(3)　ハワイ
①**ハワイ**王国…カメハメハ王朝がハワイを統一（1795）
②親アメリカ系白人のクーデタ　➡女王**リリウオカラニ**が退位，滅亡（1893）
▲民謡「アロハオエ」を作詞・作曲
③アメリカによる併合（1898）…**アメリカ＝スペイン戦争**中
(4)　**オーストラリア**
▲当初は流刑植民地
①先住民**アボリジニー**
②19世紀半ばに**金鉱発見**
③1901年に**英の自治領**
(5)　**ニュージーランド**
①先住民**マオリ人**
②1907年に**英の自治領**
(6)　その他の太平洋諸島
①イギリス…ソロモン諸島南部・フィジー諸島
②フランス…タヒチ（フランスの画家**ゴーガン**が移住）・ニューカレドニア
③ドイツ…パラオ諸島・ビスマルク諸島・カロリン諸島・マリアナ諸島
▲第一次世界大戦後，赤道以北は日本領，以南はオーストラリア領となる
④アメリカ…**グアム島**（米西戦争で獲得，1898）・サモア諸島東部

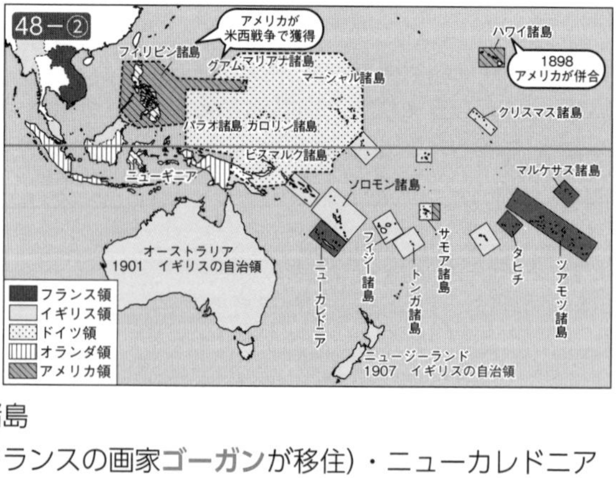

化を進める一方で，英仏に全面抗争を仕掛けるわけではなく，不平等条約（▲バウリング条約）を受け入れるなど柔軟な外交政策をとったのです。これが功を奏して，英仏は「タイはそれなりに近代化を進めているし，国王は英語が堪能で手ごわい交渉相手。植民地とするには手を焼きそうだ。貿易で利益を得られる現状でよしとするか」と考えるようになりました。そして息子の**ラーマ５世**（▲日本の明治天皇と同時期に即位）の時代，タイは完全に英仏の植民地に挟まれますが，父親譲りの胆力で粘り強く交渉し（種々の**近代化**も推進します），**英仏の緩衝地帯として独立を維持**（▲東南アジアで唯一）することに成功しました。

6　16世紀に**マゼラン**（▲→テーマ28）が到達したことをきっかけに，フィリピンはスペインの支配下に置かれていました。19世紀末に民族運動が高まり，**ホセ＝リサール**は自らが**執筆した小説の中でスペイン支配を批判**。リサールが処刑された後，**アギナルド**が独立運動の中心になりますが，彼も亡命する羽目に…。そんな折に**アメリカ＝スペイン（米西）戦争**で，アメリカが「キューバだけでなくフィリピンも独立させてあげるから，アギナルドよ，ともに戦おう！」と憎きスペインを倒してくれたんです。歓喜の中，帰国した**アギナルド**を大統領に**フィリピン共和国**が独立を宣言！　しかしアメリカは態度を一転させ，フィリピンの独立を認めずに侵攻してきました（まあ最初から独立させるつもりはゼロでしたが）。フィリピン側の抵抗はねじ伏せられ，結局フィリピンはアメリカ領とされてしまいました。

7　そしてこの時期，アメリカは**グアム**島や**ハワイ**も併合していましたね。その太平洋方面を見ていきましょう。探検したタスマンとクックの判別は手こずる人が多いので，「タスマン＝17世紀でオランダ，**クック**＝18世紀でイギリス」と区別するとよいです。18世紀後半にイギリス領となった**オーストラリア**は，当初は流刑植民地でした。19世紀半ばに**金鉱が発見されると移民が急増**し，急速に発展（オーストラリア版ゴールドラッシュです）。オーストラリアは**ニュージーランド**（世界で初めて女性参政権が実現したことでも知られる▲）とともに，20世紀初頭に**イギリスの自治領**となりました。また両地域とも，**牧羊業**が産業の柱の１つになりましたね。

先住民の**アボリジニー**は，最近は「アボリジナル＝ピープル」「アボリジナル＝オーストラリアン」とも呼ばれますね。

太平洋諸島にも19世紀末に帝国主義の波が。**グアム**と**ハワイ**はアメリカ帝国主義に絡むので別格として，フランスの画家**ゴーガン**（▲→テーマ80）が移住した**タヒチ**もよく出題されます。「支配した列強と諸島の組合せ」は共通テストのレベルからすると細かめです。「努力目標」くらいの位置づけとしましょう。

東アジアへの列強の進出①　アヘン戦争～日清戦争

★清の衰退の兆候…白蓮教徒の乱（1796～1804）…嘉慶帝時代の農民反乱

1 アヘン戦争（1840～42）

(1) イギリスと清の貿易問題

イギリス	中国（清）
自由貿易を望む ※東インド会社の対中国貿易独占権を廃止（1833）	ヨーロッパ船との交易を広州１港に制限 広州の行商（公行）が交易を独占
対等な立場での貿易を要求	広州の貿易は民間貿易だが，あくまで皇帝の恩恵
・マカートニー…乾隆帝に謁見（1793）するが，貿易拡大を拒否され帰国 ・アマースト…三跪九叩頭の礼を拒否。嘉慶帝に謁見できず（1816）	

(2) アヘン輸出の開始

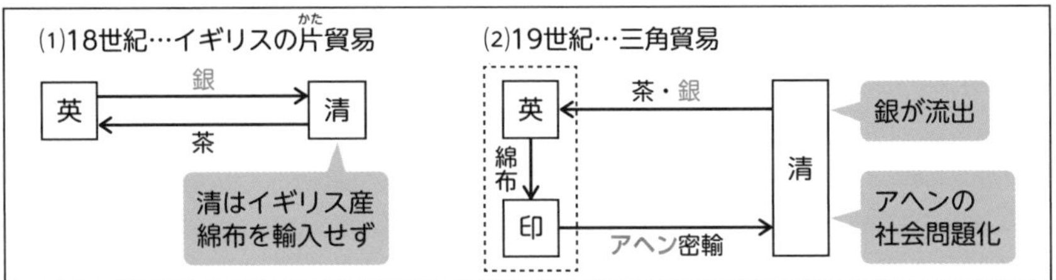

(3) アヘン戦争（1840～42）

①原因…欽差大臣（▲臨時特設の大官）林則徐は広州でイギリス商人からアヘンを没収

②イギリスが宣戦し勝利（▼外相パーマストンが出兵を推進）

テーマ49・50では頻出の条約を■■■にしています

③南京条約（1842）

・５港の開港…広州・厦門・福州・寧波・上海

・行商（公行）を廃止

・香港島をイギリスに割譲（▲1997年に中国に返還）

・イギリスへ賠償金1200万両を支払う

④五港通商章程（1843）

・イギリスの領事裁判権（▲治外法権の一種）を認めた

⑤虎門寨追加条約の締結（1843）

1 **テーマ13**にあるように，清代の東アジアでは**中華思想のもとに，皇帝を頂点とする体制**が形作られていました。対ヨーロッパ貿易もこの理念に組み込まれ，「貿易はあくまで皇帝の恩恵である」というコンセプトによって，貿易の条件は全て清が一方的に決定。**乾隆帝**がヨーロッパ船との貿易を**広州**の**行商**（**公行**（コホン））に独占させたのも，その表れです。そんな中，中国貿易のウェイトを高めてきたのがイギリスでした。18世紀に入ると茶が流行し，**産業革命期を通じて労働者階層**（▲東インド会社）**にも普及**（▲アン女王が愛飲したことが，ブームのきっかけ）したのでしたね。しかし，茶の取り引きを独占している**行商**の商人は，茶を高値（▲→テーマ37）でふっかけてきます。さらに，イギリスは綿布を輸出しようとするのですが，「茶がほしいなら売ってやるが，綿布（産業革命によって国産化を実現した▲）など我が中国にもある」と取りあってくれません。仕方なくイギリスは**銀**を支払ってお茶を買っていました（▼一方的に商品を買う貿易を片貿易と呼ぶ。左ページ参照）。自由な貿易を求めるイギリスは北京（ペキン）へ**マカートニー**（▲すなわち，お金）を派遣。清側は彼を朝貢使節として扱い，乾隆帝は「朕（ちん）が茶を恵んでやっておるのに，ゴチャゴチャと注文をつけるなら貿易を打ち切るぞ」と完全に上から目線。アマーストにいたっては皇帝の前にひれ伏すのを拒否し（▲三跪九叩頭の礼），謁見すら叶（かな）わず（▲マカートニーも拒否したが特例として謁見できた）…。

政治レベルでの交渉が不調に終わると，イギリス側は現状を改善すべく，なんと麻薬の密輸に手を染めました。インドで生産させた**アヘン**を中国に運んだところ，これが大ブレイク（（建て前は「イギリス臣民の財産を守るため」）▲）。アヘン中毒患者が街にあふれ，深刻な社会問題に…。アヘンの取引額が茶を上回ってしまったため，清側がお金を払ってアヘンを買う，**イギリス側の黒字貿易に転換**してしまいます（この流れの中で，**東インド会社**の貿易独占権が廃止されて，アヘン貿易に民間商人が参入）。事態を重く見た清朝は**林則徐**に対策（▲→テーマ39）を命じ，彼はアヘン２万箱を没収する剛腕ぶりを発揮しました。重要な収入源を失ったイギリス商人の怒りを見た政府は宣戦に踏み切り（野党の派兵非難決議は262対271で退けられた▲），**アヘン戦争**に突入します。注意したいのは，**アヘン問題はあくまでも戦争の口実であり，イギリス政府の目的は「自由で対等な貿易を清に認めさせること」にある点**です。

密輸を取り締まっただけで戦争を仕掛けてくるなんて，無茶苦茶です…。

蒸気船の軍艦を派遣したイギリスが帆船（▲ジャンク船）主体の清軍に勝利し，**南京条約**が結ばれました。５港を開かせて**行商**も廃止させ，賠償金もせしめます。追加で認めさせた**領事裁判権**と**関税自主権の喪失**も重要。前者によって，イギリス人はいわば「中国の警察に逮捕されない特権」（▲イギリス人が清で犯罪を犯した場合，イギリスの法で裁く）を得ます。後者は**保護貿易をさせないための措置**ですね（日本も押し付けられた，不平等条約の代表格です）。

2 しかしアヘン戦争後も，イギリスの期待ほどには綿布の輸出は伸びませんで

・清の**関税自主権の喪失**，**最恵国待遇**を規定
⑥清は南京条約同様の条約を締結…**望厦条約**(米，1844) **黄埔条約**(仏，1844)
※租界…南京条約後，開港場で外国の行政権が行使された地域
▲1845年に，イギリスが上海に開設

2 第2次アヘン戦争 (アロー戦争，1856〜60)

(1) 原因
▲背景にはイギリスの綿布輸出の伸び悩みも
①**アロー号事件**…清の官憲がアロー号を臨検し，船員を逮捕
▲中国人所有で自称英船籍
➡イギリスがフランス（**ナポレオン3世**）を誘い，共同出兵
▲フランス人宣教師殺害事件が口実
(2) 経過
①英仏連合軍が広州を占領，天津(テンシン)に迫り，清（咸豊帝(かんぽうてい)）は屈服
②**天津条約**の締結（1858） ➡英仏使節を清軍が砲撃したため，戦闘再開
▼イエズス会士カスティリオーネが造営 →テーマ85
③英仏軍が北京を占領（この際に，**円明園**を破壊・略奪）
(3) **北京条約**（1860）…天津条約の条項に下記★の内容を追加
①**キリスト教布教の自由**を承認…かつて雍正帝(ようせいてい)治世に布教は禁止されていた
②**外国公使の北京駐在**の承認
➡1861年に**総理各国事務衙門**(がもん)**(総理衙門)**を設置。中国初の本格的外交官庁
③長江の自由航行権と，外国人の内地旅行権の承認
④開港場の増加…南京など10港を新たに開港 ★北京条約で，天津を追加
⑤賠償金支払い…★北京条約で金額を増額
⑥★イギリスへの**九竜**(クーロン)**半島先端部**（香港付近に位置する）の割譲
※**アヘン貿易の公認**…天津条約後の会議において協定が結ばれた
▼英仏との講和を仲介した代償
※ロシアと清の間でも**北京条約**が締結され，清はロシアに**沿海州**を割譲

3 太平天国の乱 (1851〜64)

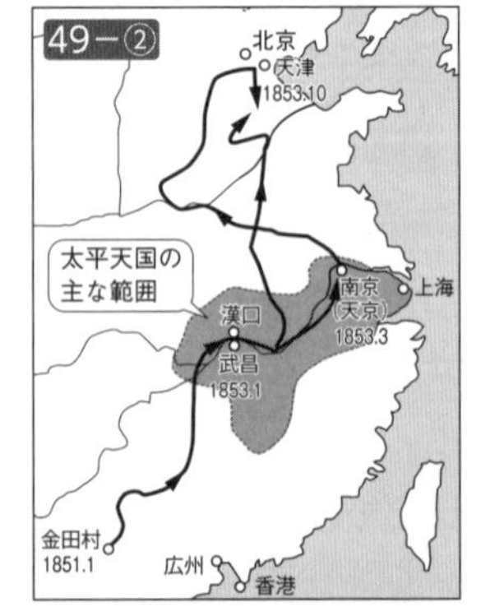

(1) 背景…アヘン戦争の賠償金を課税で捻出
➡重税による民衆の生活苦。**銀価上昇**も追いうち
(2) 反乱の勃発
①**洪秀全**(こうしゅうぜん)…広東(カントン)省の客家(ハッカ)出身。キリスト教結社**上帝会**を結成
▲科挙受験に失敗　▲山間僻地に住んだ移住民。独自の文化を保持
②広西省の金田村(きんでんそん)での武装蜂起
➡**南京**を占領し，**天京**(てんけい)と改称（1853）
※捻軍(ねんぐん)の一部も太平天国に呼応して活動
▲塩を密売する武装集団が組織した反乱軍
(3) **太平天国**の政策

した。開港場の増加を望んだイギリスが，戦争の口実を探していた折に起こったのが**アロー号事件**。「香港船籍のアロー号に中国の官憲が臨検に入り，しかもイギリス国旗を侮辱した！」がイギリス側の言い分。先に戦争ありき，という魂胆がミエミエなんですが，イギリスが宣戦して**第２次アヘン戦争（アロー戦争）**が始まりました。なお，**ナポレオン３世**も共同出兵していますよ。

▼実際には船籍の登録期限が切れていた
▲南京条約でイギリス領になっている

連合軍が北京の目と鼻の先にある天津に迫ると咸豊帝は屈服し，1858年に**天津条約**が結ばれました。しかし翌年，条約の批准（最終確認のようなモノ）に来た外交使節に向けて清が大砲をドン！　怒れる英仏が戦争再開し，皇帝が逃げだしてしまった首都北京にまで侵攻。天津条約に追加条項をつけた**北京条約**が結ばれました。開港場が増え，**外国公使の北京駐在**が認められます。これに対応して，清は**総理各国事務衙門（総理衙門）**を設置。

▲外務省に相当する

外交官と外務省が交渉をする，主権国家体制になったわけですね。

その通り。**主権国家体制**といえば**「互いに対等」**につきあうわけで，こうしてイギリスが望む**「自由で対等な貿易」**が実現しました。北京条約については他の条項も頻出ですので，左ページでチェックしておきましょう。この時期にアヘン貿易が公認されますが，19世紀後半にはアヘンは中国で国産されるようになり，貿易黒字を生み出すドル箱商品になりますよ。あと，この時にロシアとも**北京条約**を結び，**沿海州**をかっさらっていきましたね…。

▲→【重要テーマ３】
▲すでに南京条約で「対等国交の原則」は認めさせている
▲→テーマ41

3 ところで，清の政府はアヘン戦争の賠償金を増税でまかなったため，民衆の生活が圧迫されました。また**アヘン貿易で銀が流出し，銀不足から銀価が上昇**したことも民衆には逆風に。当時の税制は**銀納**で，両替商で銀と両替してもらうためにより多くの銅銭が必要になってしまったんです。生活に困窮する民衆は様々な反乱を起こしましたが，不満の最大の受け皿となったのが，**上帝会**です。キリスト教の影響をうけ，「イエスの弟」を自称する**洪秀全**が立ち上げたこの組織が，広西省で蜂起。占領した南京を**天京**として，**太平天国**を建てました。**「滅満興漢（めつまんこうかん）」**を掲げて清朝打倒を目指し，**辮髪**を廃止します。またキリスト教の影響で**男女平等**を掲げ，漢人女性の風習だった纏足（てんそく）を禁止しました。ただしこれは「女性も男性と同じように働くこと！」という意味での平等であり，女性は**天朝田畝制度（てんちょうでんぽせいど）**で割り当てられた土地で働くことが想定されました。

▲地丁銀　→テーマ13
▲華北の捻軍，貴州のミャオ族，漢人ムスリムなど
▲キリスト教のパンフレットに影響をうけた
満洲人の風習　→テーマ13▲

最盛期には300万のメンバーを誇った太平天国ですが，上層部の権力抗争で次第に求心力を失っていきます。対する清朝は，精強でならした**八旗（はっき）**はかつての面影もない体たらく…。そこで大地主でもある漢人官僚（**曾国藩（そうこくはん）**や**李鴻章（りこうしょう）**）が，自分の土地を守るために自腹で給料を払い，私兵集団**郷勇**を組織して太平

▲蜂起時は１～1.5万で，南京占領時は50万

①スローガン…「滅満興漢」を掲げ，辮髪を廃止
▲清は反乱軍を長髪賊と呼んだ

②男女平等の徹底…纏足の禁止など
▲女性の足を幼少時にきつく縛り発育を阻害する漢人の風習

③天朝田畝制度…男女の別なく均等に土地を配分する土地制度（実施はされず）

(4) 反乱の鎮圧

①郷勇…地主層が組織した私兵。Ex. 曾国藩による湘軍，李鴻章による淮軍
▲正規軍である八旗は，当時弱体化していた

②常勝軍…ウォード（米）やゴードン（英）が率いた洋式の中国人義勇軍

・アロー戦争終結後，列強は戦争で得た諸権益を守るため，清を支援

4 洋務運動（1860年代半ば～）

★同治中興…太平天国鎮圧後，同治帝のもとで内政・外交とも安定した状況
▼位1861～75

(1) 政府主導で，ヨーロッパの産業・技術を導入
▼兵器工場・紡績工場の設立，鉱山開発や電信事業を振興

(2) 担い手…曾国藩・李鴻章・左宗棠などの漢人官僚たち

(3) 「中体西用」…中国の伝統制度・儒教的価値観を基盤に，西洋の技術を用いて補完するというスローガン。**皇帝専制体制は維持された**

(4) 影響…軍閥の基盤の形成（李鴻章の北洋軍閥など）
▲国家の正規軍を近代化したわけではない

5 朝鮮の開国と日本の進出

(1) 高宗（位1863～1907）

①若年で即位したため，父の大院君が摂政（1863～73）。攘夷政策を堅持

②閔妃（高宗の妃）の一族閔氏が勢力拡大，大院君を失脚させ実権を掌握

(2) 日本の圧力による朝鮮の開国

①江華島事件（1875）…江華島で測量・演習中だった日本軍艦を，朝鮮が砲撃

②日朝修好条規（江華条約　1876）

・閔氏は大院君時代の攘夷政策を改め開国

➡釜山・仁川・元山を開港

・**朝鮮に対する清の宗主権を否定し，朝鮮の自主独立を宣言**

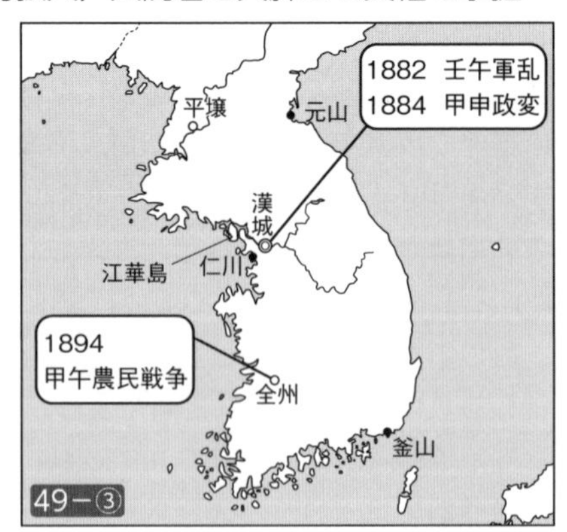

(3) 壬午軍乱（1882）

①大院君が閔氏政権の打倒と自らの復権を狙い，漢城で起こしたクーデタ

②閔氏一派は清に支援を要請し，清は派兵して鎮圧。大院君を捕らえた
▲以降，閔妃は日本に代わって清に接近

活躍したゴードンはのちにスーダンへ転戦　→テーマ45▼
天国と戦ったんです。また，列強もアロー戦争が終結すると**常勝軍**を組織して
▲土地を奪えなかった反乱軍は，天朝田畝制度を実施できず
清を助けました（北京条約で開港された港を太平天国が占領しているので，さっさと平和を取り戻したかったんです）。こうして反乱は鎮められました。
▲洪秀全は南京陥落の前に病死

アロー戦争（1856～60）は，太平天国の乱（1851～64）の時期にスッポリ収まってます。みなさんも年代に注意してね。

4 太平天国の鎮定後は，清にとってしばし安寧の時代。アヘン＆アロー戦争で英仏の強さを見せつけられた清は，対抗近代化（▲同治中興）を模索しました。**テーマ46**でイスラームにおける近代化の複雑さを示しましたが，中国も同様です。

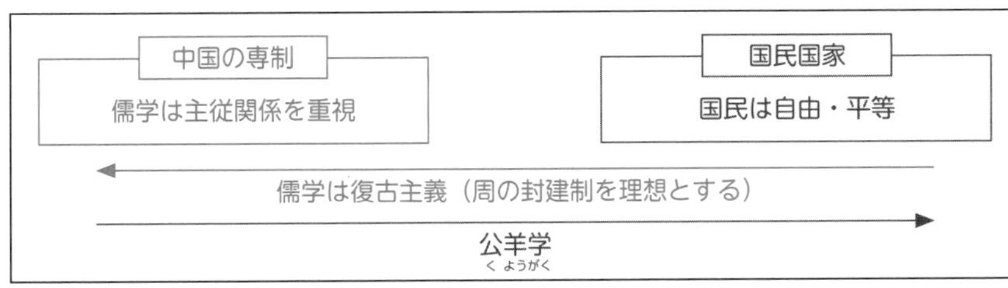

「中体西用」のスローガンのもと，**中国の伝統的専制を維持したうえで西洋の科学技術を摂取**する**洋務運動**が進められました。旗振り役になったのは，太平天国鎮圧に功があった**曾国藩**や**李鴻章**ら漢人官僚です。ポイントは，前漢の武帝（ぶてい）以来，2000年も中国王朝の屋台骨を支えてきた**儒学**。**儒学的主従関係は，国民国家における「平等な国民」とは相いれません**し，周の封建制を理想として尊ぶ**復古的な姿勢**からは，現体制を改めるような思想は生まれません。したがって，洋務運動では政治改革は保留されました。ただ，伝統を維持することも大切な価値観ですから，「改革しないから清はダメダメなんだよな～」と短絡的に考えてはいけませんよ（これはイスラームにもいえることですけどね）。

▲中体西「洋」ではない点に注意！

▲いわば「理系」の要素を取り入れ「文系」の要素は手をつけず

5 ここで視点を変えて，当時の朝鮮王朝を見てみましょう。清や日本が開国した後も，実権を握る**大院君**（▲国王である高宗の父）は鎖国攘夷政策を続けました。ところが**高宗**の奥さん**閔妃**（びんひ）一派（閔氏）が大院君から実権を奪い，主権国家的な国交を求める日本（すでに日本は明治時代で近代化を進めている▲）と**日朝修好条規**（江華条約）を結びました（ここで日本はちゃっかり不平等条約を強要）。日本は朝鮮に対して，「朝鮮も主権国家なんだから，清の属国である現状を否定せよ」と**朝鮮に対する清の宗主権を否定**させました。聞こえはいいですが，要するに朝鮮に対する清の影響力を排除しようという狙いです。

ここで当時の清の外交関係を整理してみます。p.303の図に戻ってみてくださいね。**北京条約で主権国家体制に組み込まれた清ですが，実はアジアでは伝統的な冊封体制を続けていました**（いわゆるダブルスタンダード）。日朝修好

第5章　近代の世界（19世紀～第一次世界大戦）

(4) **甲申政変**（1884）

清		日本
事大党　閔妃 緩やかな改革を目指す	VS	**開化派（独立党）　金玉均** 清からの自立と近代化を目指す

①**清仏戦争**▲→テーマ48での清の劣勢を見て開化派が日本の支援を得てクーデタを起こす
➡閔氏一派は清の支援を要請し，清が介入し鎮圧。日清間の対立が激化

②**天津条約**（1885）…
- ・日清両国は朝鮮から撤兵
- ・以後，朝鮮への出兵の際の事前通告を約束

6 日清戦争（1894～95）

(1) **東学**

①**崔済愚**▲1864年に処刑が，民間信仰に儒教・仏教・道教を取り入れ西学▲ヨーロッパの思想に対抗して成立

②反封建主義・反帝国主義を主張して，貧民を中心に勢力を拡大

(2) **日清戦争**（1894～95）

①**甲午農民戦争**（**東学の乱**，1894）…**全琫準**ら東学の幹部が率いた農民反乱
➡清が閔氏の要請をうけ派兵すると，日本も対抗して出兵。朝鮮政府と反乱勢力は講和したが，日清両国は撤兵せず開戦へ

②経過…日本軍が清軍を圧倒

③**下関条約**（1895）…清の全権は**李鴻章**
- ・清は宗主権を放棄し，**朝鮮は独立**
- ・日本は**遼東半島**・**台湾**・澎湖諸島を獲得
- ・日本は賠償金（2億両▲3億1000万円）を獲得
- ・**開港場での日本企業の設立**を承認

④**三国干渉**（1895）…露・仏・独の3国が，**遼東半島**を清に返還するよう日本に要求
➡日本は屈服し遼東半島を清に返還
➡ロシアは，半島を返還させた見返りに，清から**東清鉄道**の敷設権を得た

(3) 台湾総督府（1895）…台湾を統治する機関

※**台湾出兵**▲→歴史総合のための日本史②（1874）…**琉球**の漂流民が台湾の住民に殺害されたことを口実に，明治政府が海外出兵（「琉球民＝日本国民」であることを示すため）

条規は清と朝鮮の冊封関係に対する，日本の揺さぶりだったわけです。

権力争いが続く朝鮮宮廷内では1882年，閔氏政権に対して大院君がクーデタを決行し，一時政権を奪いました。苦し紛れに閔氏が清に救援を求めると，朝鮮への影響力を維持する好機と見た清朝 ▲李鴻章 が介入。大院君の身柄を捕らえ，閔氏政権が復活しました。この**壬午軍乱**以降，閔氏は清寄りの姿勢をとることに。

1884年の**甲申政変**は，左ページの図を見てもらうと簡単です。清＝閔氏政権ラインと日本＝**金玉均**ラインが対立。**清仏戦争で清が敗色濃厚なのを見た**日本が開化派を後押してクーデタを起こしますが，すぐさま清軍 ▲この時の司令官は袁世凱 がやってきて鎮圧。日本の狙いはくじかれ，**天津条約**を結んで日清とも一旦朝鮮から撤兵しました。この時期の天津条約はアロー戦争 ▲1858年 の講和，清仏戦争 ▲1885年 の講和，甲申政変 ▲1885年 の事後処理，と３つありますから，混同しないように気をつけましょう。

6 19世紀後半，朝鮮では**東学**という結社が貧困農民からの支持を集めており，1894年に東学の幹部**全琫準**が率いる**甲午農民戦争（東学の乱）**が勃発しました。閔氏の鎮圧要請をうけて清が派兵すると，日本も朝鮮に居留する日本人保護を口実に軍を投入。ついに武力衝突にいたります（**日清戦争**）。軍の規模では清の方が上回っていたのですが，日本は黄海海戦に勝利し，大陸では朝鮮半島どころか遼東半島まで占領し，圧勝でした。なぜ清が勝てなかったのか…？　一つは軍制にありました。

軍閥　＝　太平天国で活躍した私兵（郷勇）　＋　近代兵器

洋務運動で強化された軍は，**国家の正規軍ではなく「私兵集団」の性格が濃かった**んです（**軍閥**）。オーナーである漢人有力者は，軍を自身の出世や権力争いに利用することを第一に考えました。兵士 ▲例えば，李鴻章は清仏戦争で北洋軍を温存 にも当然「国家のために戦う」という気概はない。これはナショナリズムにも関わる問題なんですが，それは次講で扱いましょう。

戦後の**下関条約**で，日本は**遼東半島・台湾**などをゲットし，また獲得した**賠償金は日本の工業化の原資** ▲代表例が八幡製鉄所 になりましたね。しかし，当時**シベリア鉄道**の建設を着々と進め，極東に尋常ならざる関心を寄せていたロシアが「遼東半島の領有を放棄せよ」と，日本に要求（**三国干渉**）！　日本は圧力に屈して**遼東半島**を返還。ロシアは，今度は清に「遼東半島を取り返してやったんだから何かよこせ！ ▲代償に清から3000万両を獲得」と要求して**東清鉄道**の敷設権を得ました。さらに数年後の中国分割 ▲→テーマ50 では，「取り返してやった」はずの遼東半島を勢力圏に収めてしまいます…。

前半のイギリスも大概ですが，ロシアもえげつないですね…（汗）。

東アジアへの列強の進出② 中国分割～韓国併合

1 中国分割

(1) 背景…日清戦争での敗北で清(しん)の弱体化が判明

(2) 列強の中国分割

国	租借(そしゃく)地	勢力圏
露	遼東(りょうとう)半島南部（**旅順(りょじゅん)**・**大連(たいれん)**）	中国東北部
独	**膠州湾(こうしゅうわん)**	山東半島
英	**威海衛(いかいえい)**・**九竜(クーロン)半島**（**新界**）	長江流域
日	**台湾**・**澎湖(ほうこ)諸島**を領有	福建省
仏	**広州湾**	広東(カントン)・広西・雲南などの中国南部

※租借…他国の領土を長期間借りることで，事実上の領有に相当した

※ロシアは1891年にヨーロッパからウラジヴォストークを結ぶ**シベリア鉄道**の建設に着工 ➡20世紀初頭に完成

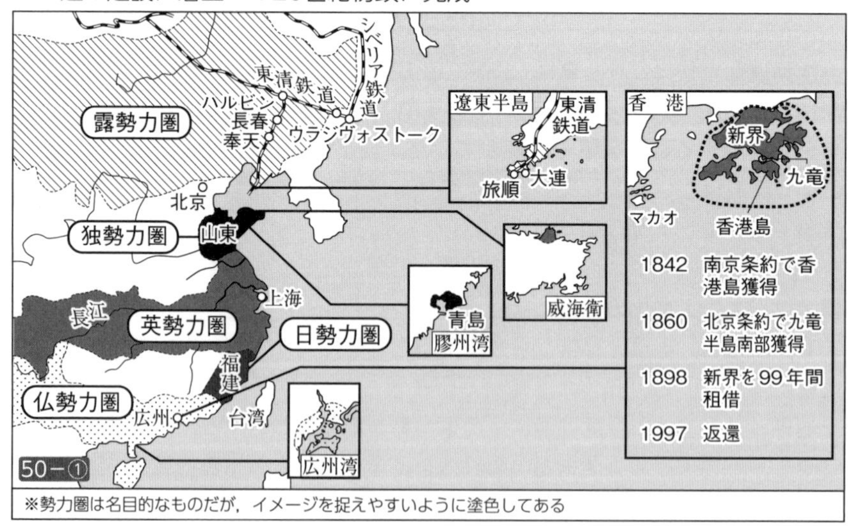

※勢力圏は名目的なものだが，イメージを捉えやすいように塗色してある

(3) **門戸開放宣言**（1899，1900）

①中国分割に出遅れたアメリカは，国務長官**ジョン＝ヘイ**が分割に反対を表明

②内容…**門戸開放**，**機会均等**，**領土保全**

1 日清戦争は清朝の内外に影響を与えました。

> **国外：清朝の弱体が露呈し，列強の中国分割が加速**
> **国内：洋務運動の失敗が露呈し，政治改革を模索する動きが生まれる**

今までの列強は，中国を「眠れる獅子（しし）」と考えてました。戦争ではダメダメだけど，本気になれば超大国として秘められた能力を発揮するはずだ，と。

今風に言えば「やる気スイッチ」さえＯＮになれば…！　ですか。

そんな感じです（笑）。でも日清戦争で日本にすら負けたことで完全にナメられ，列強は好き勝手に縄張りを囲い込んでしまいました（19世紀末は帝国主義の時代だから内陸部まで押さえるわけです）。**中国分割の地図は入試において頻出**ですよ。勢力圏は，南下政策するロシアは北方，台湾を領有する日本は対岸の福建，インドシナを領有するフランスは南方，と考えると楽です。租借地のポイントは，①イギリスの**威海衛**はドイツの勢力圏内にあること。②いわゆる「**香港**」の大部分は，中国分割の時にイギリスが租借した**新界**であること。③**膠州湾**と**広州湾**の区別，④**広州湾**と**広州**は全く別の地であること，です。

▲鉄道敷設権や鉱山採掘権を獲得
▲実際は，勢力圏の大半は名目的なもので，実効性はなかった
▼1997年にイギリスが中国に返還
▼フランスの租借地
▲ドイツの租借地

2 一方，国内では日清戦争の敗因が議論になり，数十年前までは江戸時代だった**日本が政治の近代化も進めて，国民国家に変質しつつある点が注目されました**（日本軍の兵士は高い士気を維持）。対する清は洋務運動で見た通り，伝統を重んじ専制を温存。議会も憲法もなく，国民意識はほぼゼロで，ましてや頂点に立っているのは漢人からすれば異民族である満洲人…。こうしてヨーロッパ風の国民国家の必要性を説く知識人や若手官僚が存在感を増し，その代表格となったのが**公羊学**者の**康有為**です（公羊学は**復古主義の立場をとらずに新しいモノへの改革を肯定**する，儒学の中でも特殊な派でした）。時の**光緒帝**は康有為の考えに感銘をうけ，**日本を範とした立憲君主政**の確立を決意（変法）。

▲→歴史総合のための日本史②
▲前講で触れた軍閥の存在もネック
▲p.311の表を参照
「理系」の科学技術のみならず「文系」の政治学にも着手▲

⑧**道光帝**＝○（位1820～50）
├ ⑨**咸豊帝**（位1850～61）＝**西太后**
│ └ ⑩**同治帝**（位1861～75）
└ **奕譞（えきけん）**＝○（西太后の妹）
  ├ ⑪**光緒帝**（位1875～1908）
  └ **載灃（さいほう）**＝○
    └ ⑫**宣統帝**（位1908～12）

しかしイスラームの場合と同様，2000年間続いてきた伝統をおいそれとひっくり返すのは至難の業です。伝統と既得権を重んじる，**西太后**をボスとする保守派が改革を徹底弾圧し，光緒帝は現役の皇帝なのに幽閉される羽目に…（**戊戌（ぼじゅつ）の政変**）。ここで系図を整理しておきましょう。光緒帝は咸豊帝（かんぽうてい）と西太后の弟妹夫婦の子ども。先代同治帝の従兄弟であり，西太后の甥（おい）にあたります。西太后は４歳で即位した光緒帝の摂政として実権を掌握しますが，彼は17歳

▲変法派だった袁世凱が裏切り，クーデタ計画を保守派に密告
▲同治帝の子ではない点に注意を
▲光緒帝は西太后のことを「父上」と呼んだという

2 変法とその挫折

(1) **戊戌の変法**（1898）

①背景…清仏戦争・日清戦争での敗北により，洋務運動の失敗が露呈

②公羊学者の**康有為**が**梁啓超**とともに政治改革を主張

・公羊学…儒学の一派。孔子の考えを，古い制度を守るだけではなく，積極的な改革を目指すものと解釈する

③**光緒帝**（位1875～1908）…清朝第11代皇帝

・同治帝の従兄弟。**西太后**の妹の子で，４歳で即位

・当初は西太后が摂政をつとめたが，17歳で親政に移行（1887）

④変法…光緒帝が康有為を登用し，**日本を範とする立憲君主政**を目指した
▲産業も振興

(2) **戊戌の政変**（1898.9）…**西太后**ら保守派によるクーデタ

➡光緒帝を幽閉し変法派を弾圧。康有為・梁啓超は日本へ亡命

3 義和団戦争（義和団事件）（1900～01）

(1) 反キリスト教運動の高まり

①**教案**（**仇教運動**）…列強の進出に反発した民衆反キリスト教運動

・背景…日清戦争後の列強の進出に対し，民衆の反帝国主義感情が高揚

②**義和団**…白蓮教系の結社。義和拳という武術を習得していた集団が起源
▲地方の民間武装組織と結びついた

・ドイツの山東半島進出に対して勢力を拡大
▲ドイツ人宣教師殺害事件が口実

(2) **義和団戦争**

①義和団の蜂起（1899）…山東省で「**扶清滅洋**」を掲げた
▲教会・鉄道・電信など「洋」に結びつくものを破壊

➡翌年北京に侵入し，外国公使館地域を包囲

②清の列強への宣戦（1900）…**西太后**が義和団を支援して実行
▼墺・伊・英・露・日・独・仏・米の連合軍

③**８カ国共同出兵**…清軍・義和団を撃破。ロシア軍は満洲に駐留を継続

(3) **北京議定書**（辛丑和約，1901）

①**外国軍の北京駐兵**を承認

②清の賠償金支払い

4 日露戦争

(1) ロシアの朝鮮への進出

①閔妃政権は日本に対抗するため，ロシアに接近

・**閔妃殺害事件**（1895）…日本公使らが宮中で閔妃を殺害

で親政を開始。ところが改革を志した20代半ば，伯母の逆鱗に触れてしまったわけです。

3　19世紀半ば以降，列強による中国での自由な商業・布教活動が認められていくと，色々な摩擦が生じました。ヨーロッパの工業製品が中国の国産品を駆逐して，**国内産業は打撃をうけました**（インドと同じですね）。民衆の怒りは，
▲鉄道敷設によって，輸送業者も失業
布教に訪れていたキリスト教宣教師に向けられ（**教案**，**仇教運動**），この流れで勢力を伸ばしたのが**義和団**です。肉体を鍛える格闘技団体と，呪術的な宗教が融合した結社で，これが蜂起してまずはドイツと衝突しました。

プロレス団体所属のレスラー集団が，死を恐れず暴動か…（汗）。

そう，これが強かった。反乱は北京にまで広がり，外交官を殺害したり公使館を包囲したり大暴れ。彼らは**「扶清滅洋」**というスローガンを掲げていました。
▲清を扶（たす）けて，洋を滅ぼす
これを聞いた西太后は「この機に乗じて義和団と力を合わせ，外国を中国から追い出しましょう」と考えて列強諸国に宣戦布告！　反乱から始まったこの騒ぎは清 VS 諸外国という戦争になってしまいました。列強はこれに激怒（反乱を鎮圧して秩序を守るのが清朝政府の本来の役割ですからね）し，8カ
日本とロシアが大兵力を派遣▲
国連合軍が清軍と義和団をねじ伏せて北京を占領。**北京議定書**（辛丑和約）では**外国軍が北京に駐屯**することとなり，列強の影響力はさらに弱まりました。

4　この時期，ロシアは朝鮮への影響力も強めます。清が下関条約で**朝鮮に対する宗主権を放棄**すると，清の属国はゼロとなって**冊封体制は崩壊**しました。すると今度は，日露が韓国をめぐって火花バチバチです（ロシアに接近した閔妃を日本側が殺害すると反日感情が高まり，かえって親露派が勢力を拡大）。
▲三浦梧楼によって
1897年，朝鮮は独立国となったことをアピールして国名を「**大韓帝国**」と改
▲略して韓国
めますが，日露両国に翻弄される状況は独立とはほど遠いものでした。

中国分割で旅順・大連を租借して東清鉄道を着工，**義和団戦争後も軍隊が満洲に駐留**，朝鮮への影響力を拡大…。これが当時のロシアによる怒濤の南下です。日露の対立は避けられないものとなり，1904年2月に**日露戦争**が開戦しました。日本の兵力はロシアにはとうてい及ばず，ロシア太平洋艦隊とヨーロッパのバルチック艦隊が合流すれば，日本艦隊を軽々と凌駕する規模です。短
シベリア鉄道の全面開通前に決着をつける意図もあった▲
期決戦しかない日本は翌年1月にロシア太平洋艦隊の拠点であった**旅順**を攻略し，3月には**奉天会戦**に勝利，5月の**日本海海戦**ではヨーロッパから回航して
▲東郷平八郎が総司令官
きたバルチック艦隊を撃破しました。戦績を見れば日本優位ですが，同盟国イ
日英同盟に関して詳しくはテーマ52▲
ギリスの全面支援があってのもの。1905年1月に首都**ペテルブルク**で起こっ
▲新型戦艦や良質な石炭の提供
た**血の日曜日事件**から始まった第1次ロシア革命は，ロシアにとって頭痛の種
▲→テーマ54

・高宗(こうそう)はロシア公使館に避難して執務。ロシアの影響力が強まった

②**大韓帝国**への改称（1897）…国名を改め，独立国であることを示した
▲「朝鮮」という国号は，かつて明から与えられたものだった

(2) **日英同盟**（1902）…ロシアの中国進出を警戒し，成立

(3) **日露戦争**（1904～05）

①経過…**旅順**攻略（1905.1）➡奉天会戦（1905.3）➡**日本海海戦**（1905.5）
▲日本が勝利　▲日本が勝利

②第１次ロシア革命（1905.1～）…ロシアが日露戦争の続行を断念した一因
▲→テーマ54

③**ポーツマス条約**（1905.9）
▲賠償金を得られなかった日本側には不満も残った

・全権…小村寿太郎(こむらじゅたろう)とウィッテ

・日本は韓国における優先権を得る

・日本は**遼東半島**南部・**南樺太(からふと)**を獲得
▲旅順・大連などを含む関東州

・日本は**南満洲鉄道**を獲得
▲長春～旅順

④日露戦争をめぐるアメリカの動き

…**セオドア＝ローズヴェルト**大統領は戦後の中国市場開放を期待して，**日露講和を仲介**

➡しかし，日本は戦後も市場を開放せず，アメリカの対日感情は悪化

5 韓国併合への過程

(1) 第１次日韓協約（1904.8）	日露戦争中に調印。大韓帝国政府に対して日本人顧問による後見を強制
(2) **第２次日韓協約**（1905.11）	大韓帝国から**外交権**を奪って日本の**保護国**とした。外交を統括する**統監**府の設置を決定（初代統監は**伊藤博文(いとうひろぶみ)**）

(3) 韓国の抵抗

①**義兵闘争**…日本の支配に反抗した，朝鮮民衆の武装闘争
▲第２次日韓協約後に激化

②愛国啓蒙(けいもう)運動…教育振興や言論・出版によって，韓国の国権回復を目指す

(4) **ハーグ密使事件**（1907.6）…第２回万国平和会議に高宗が使者を派遣

➡日本の露骨な侵略を訴えたが，列国は黙殺

(5) 第３次日韓協約（1907.7）	・韓国（大韓帝国）から**内政権**を奪って完全に無力化 ・韓国軍隊の解散も決定

(6) **伊藤博文**の暗殺（1909）…韓国人**安重根(あんじゅうこん／アンジュングン)**によってハルビンで射殺された

(7) **韓国併合**（1910）	・朝鮮を完全な日本領とし，韓国併合が完成 ・京城(ソウル)に**朝鮮総督府**を置く。初代総督は寺内正毅

となり，ロシアが戦争を手仕舞(てじまい)いする一因になりました。まさに綱渡りですね。ところで，ロシアがかねてから南下政策を進めた目的は，不凍港の獲得ともう一つは何だったでしょう？

ツァーリズムに対する国民の不満を，戦争でごまかすためです。

そうですね。戦争に勝てるならこの手法は有効なんですが，勝てなかったり苦戦したりすると大変。戦争への不満と政治への不満が化学反応を起こし，「倍返し」で大爆発になるリスクがあります。極度の物資不足への不満が原因となったロシアの革命はその好例といえるでしょう。

5 講和である**ポーツマス条約**で**遼東半島**の利権，**南満洲鉄道**，**南樺太**を日本に割譲したロシアは，東アジアから撤収しました。ロシアの影響力を排除した日本は，**第２次日韓協約**で韓国を**保護国**化（すでに日露戦争中に第１次日韓協約を結び，ロシアになびきがちな韓国政府に日本人顧問を設置）。外交を統括する**統監**には**伊藤博文**が就きました。韓国の高宗は，第２回**万国平和会議**に日本の帝国主義的支配を糾弾する使いを送りました。しかし，当時の列強はどこも似たようなことをしていたのでこれを黙殺（**ハーグ密使事件**）。これを聞いた日本は第３次日韓協約で韓国の**内政権**も剥奪(はくだつ)。そして韓国を併合するか議論が分かれている中，慎重派だった**伊藤博文**が**安重根**によって暗殺されると，日本政府は一気に併合に傾き，1910年に**韓国併合**が完成しました。統治機構は天皇直属の**朝鮮総督府**です（統監と総督の区別は要注意）。

▲保護国とは，外交権を失った状態

最後にアメリカの動向を整理しておきます。米西戦争でグアムやフィリピンを獲得して中国にも関心を寄せていましたが，**中国分割には出遅れた**ため，国務長官**ジョン＝ヘイ**が**門戸開放宣言**を発して中国市場の開放を求めました。日露戦争期には，ロシアの満洲・朝鮮進出を警戒します。これらの地域がロシアの勢力範囲どころか植民地になってしまえば，アメリカ資本の進出など夢のまた夢ですからね。こんな事情があって，**セオドア＝ローズヴェルト**大統領は**日露戦争では日本に好意的な立場をとり，講和を仲介**しました。「感謝した日本が，ロシア撤退後の中国市場をアメリカに開放してくれるのでは？」という期待もあったようです。しかし日露戦争後の日本は日仏協約や日露協約を結び，今まで以上に縄張りを囲いこんで列強の勢力範囲は確固たるものに…。期待を裏切られた**アメリカは極東で孤立し，中国市場への参入を果たせませんでした**。アメリカにおける対日感情は急速に悪化し，のちの日米関係に暗い影を落とすこととなります。

▲→テーマ42

▲どちらも1907年

テーマ51 東アジアへの列強の進出③ 辛亥革命

1 清朝の改革と，革命派の形成

⑴ 背景…**義和団戦争**の惨敗，**日露戦争**（1904～05）における日本の勝利
➡保守派であった西太后（せいたいこう）も改革を容認

⑵ 改革（**光緒（こうしょ）新政**）

①新軍（新建陸軍の略称）…西洋式の新型軍。日清戦争後に創建され，日露戦争後に本格的に整備
▲内部には日本留学経験者など革命派が混じっていた

②**科挙の廃止**（1905）…隋の時代から約1300年間続いていた科挙を廃止

③**憲法大綱**の発布（1908），**国会開設の公約**（1908）

④**軍機処**を廃止し内閣制を導入（1911）…しかし皇族中心の内閣で保守的
▲かつて雍正帝が設置 →テーマ13

⑶ 革命諸派の成立

①**興中会**（1894）…**孫文（そんぶん）**が，兄が移住していたハワイで結成

②**中国同盟会**（1905）…興中会と他の諸派が統合され，**東京**で発足
▲華興会や光復会など

・**三民主義**
- **民族の独立**…清朝の打倒と漢民族の自立
- **民権の伸張**…主権在民の共和国の建設
- **民生の安定**…土地改革など社会問題の改善

⑷ 革命前夜の清朝の状況

①**宣統帝（せんとうてい）**（**溥儀（ふぎ）**，位1908～12）…光緒帝の死後，３歳で即位
▲西太后も時を同じくして死去

②**袁世凱（えんせいがい）**…もとは李鴻章（りこうしょう）の部下で，最強の北洋軍を受け継いだ最大の実力者

③**利権回収運動**…民族資本家が外国資本であった鉄道の利権を買い取った
▲ほかに鉱山の利権も

2 辛亥（しんがい）革命

⑴ 清朝の滅亡まで

革命派	清朝
	①**幹線鉄道国有化**（1911.5） 列強（英米独仏）からの借款（しゃっかん）をうけて国内改革を図る清が，借款の担保とするために，幹線鉄道の国有化を発表
②**四川（しせん）暴動**（1911.5） 資本家らが幹線鉄道国有化に反発し，暴動	③清朝は湖北新軍を派遣し暴動鎮圧を図る
④**武昌（ぶしょう）蜂起**（1911.10） 湖北新軍が四川暴動鎮圧を拒否し，清に対し武装蜂起（辛亥革命の勃発）	⑤清朝は**袁世凱**に蜂起の鎮圧を命じた

1 1905年，ついに西太后は政治改革を容認しました（**光緒新政**）。背景は①**義和団事件**での惨敗，②**日露戦争**における日本の勝利（国民国家のポテンシャルを見せつけた②のインパクトは特大）。**科挙**の廃止は，**儒学的な価値観を基準に官僚を選抜するシステムを放棄した**ということであり，特筆すべきことですね。これにあわせて教育制度も刷新され，海外留学も奨励されました。政治改革の内訳はおおむね**変法の焼き直し**で，**憲法大綱**の発布，**国会開設の公約**，内閣の組織など。改革のさなかの1908年，光緒帝と西太后が相次いで死去。3歳だった**溥儀（宣統帝）**が即位し，結果的に彼が最後の皇帝（ラストエンペラー）となります。

▲ただし，光緒帝本人は幽閉されている

1日ちがい。光緒帝には暗殺説もある▼

しかし，この改革も権力者が自ら身を切る**「上からの改革」**であり，内容としては不十分でした（例えば，内閣のメンバーは皇族が中心）。また近代化にかかるお金を増税でまかなったため，地方にしわ寄せが及んだのも不評でした。

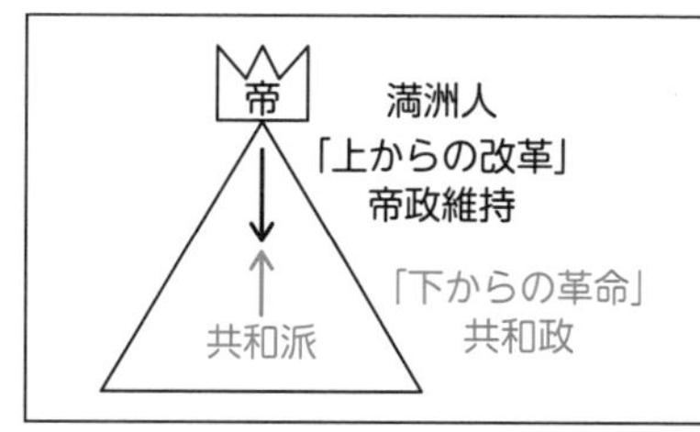

「清の改革は遅々として進まず，その改革も小手先でお茶を濁し，清朝の延命を図っているだけだ。革命によって新しい共和政国家を創るしかない！」。19世紀末，清朝そのものの打倒を目指す革命派も台頭してきます。その中心が**孫文**で，華僑（かきょう）となった兄が暮らしていた**ハワイ**で**興中会**を結成。1905年には日露戦争の影響で，バラバラだった諸派をまとめて**中国同盟会**を成立させます。

▲華僑からの資金援助を期待

清の立憲派と革命派，双方が日露戦争に刺激をうけてるんですね。

帝国主義時代の列強がさかんに行った資本輸出の代表格が鉄道経営でした。中国の人たちが鉄道を利用して「生活が便利になった～♪」と喜んでも外資にお金を吸い取られてるわけです。そこで民族資本家の有志がお金を出し合って鉄道の利権を外国資本から買い取る運動が盛り上がりました（**利権回収運動**）。

▲現地の資本家。ここでは中国を指す

2 しかし，ここに清朝政府が冷や水を浴びせます。中国資本になった鉄道を取り上げて，外国からの借金の担保にあてようとしたんです（近代化の資金源が増税だけではまかなえず，外国からの借款に頼った事情があります）。苦心して買い戻した鉄道を奪われた資本家は怒り（**四川暴動**），政府は湖北新軍に鎮圧を命じました。しかし新軍の中には「隠れ革命派」がうじゃうじゃいました。ミイラ取りがミイラになって新軍が**武昌**で蜂起し，革命が勃発します。

▲英米仏独の４カ国

▲民族資本家の子弟や，外国留学経験者など

革命の報を聞いた孫文は亡命先から帰国し，**南京**を都として**中華民国**の成立を宣言しました。ここで清が出した切り札が**袁世凱**。戊戌の政変の際，変法派の動きを保守派に密告したことで西太后の信頼を得て，李鴻章の死後は**国内最**

▲最初は，各地の省が省単位で独立を宣言

▲満洲人ではなく漢人

⑥**中華民国**の建国（1912.1.1） 亡命中の**孫文**が帰国し，南京で建国 ➡孫文は**臨時大総統**に就任	
⑦袁世凱と孫文の密約 袁世凱(えいせいがい)は，**清を滅ぼす見返りに臨時大総統の地位を譲りうけることを革命政府と密約**	
	⑧**宣統帝**(せんとうてい)の退位，清の滅亡（1912.2） …袁世凱の圧力による ⑨袁世凱が臨時大総統に就任（1912.3）

⑵　第二革命と第三革命（1913，1915）

革命派	袁世凱
②臨時約法（1912） 暫定の基本法。責任内閣制を導入し，**袁世凱の独裁抑制を図る** ③**国民党**（1912.8） 中国同盟会と諸派で結成 国会選挙で大勝	①袁世凱の拠点**北京**に政府を移転 ④国民党を弾圧
⑤**第二革命**（1913.7） 国民党が江西で挙兵するが，袁世凱に鎮圧された	
⑥国民党は解散し，孫文は日本に亡命 ⑧**中華革命党**の結成（1914.7） 東京で孫文が結成	⑦袁世凱は正式に大総統就任（1913.10） ➡国会を停止，新約法で**独裁を強化** ⑨袁世凱による**帝政復活**の宣言（1915）
⑩第三革命（1915） 袁世凱の帝政宣言に対して発生した，各地の地方軍人などの反対運動 諸外国も帝政に反対したため，袁世凱は**帝政を撤回**（1916.3）	
	⑪袁世凱の死（1916.6）

⑶　諸民族の動き

①**外モンゴル**の独立宣言（1911）
- チベット仏教の活仏が君主
- ロシア革命後に共産主義化が進み，**モンゴル人民共和国**が成立（1924）
  ▲世界で２番目の共産主義国
- のちに**チョイバルサン**が首相となる（任1939～52）

②**チベット**独立の布告（1913）
…ダライ＝ラマ13世が宣言
中華民国は認めず▲

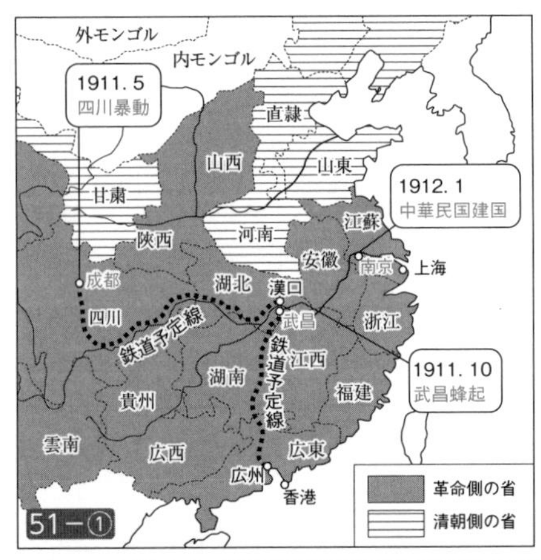

強の北洋軍を受け継ぎました。光緒新政においても重要な役割を果たしましたが，西太后が死ぬと後ろ盾を失って失脚（新たに実権を握った光緒帝の弟載灃(さいほう)が，かつて兄を裏切った袁世凱を恨んだため）。しかし革命の火が中国全体に広がると，清は最高実力者である袁世凱に頼るしかなくなり，現場に復帰させて中華民国を叩くよう命じます。ところが袁世凱は冷めた目で情勢を分析し，もはや清朝は死に体にあると判断。一方の孫文ですが，まだまだ中華民国は準備不足で清朝と戦う軍隊がない。そこで両者が接近し，なんと**「袁世凱が清を滅ぼし，見返りとして孫文は臨時大総統の地位を袁世凱に譲る」**という密約を結びました。裏切りの袁世凱に圧力をかけられた溥儀は６歳にして退位，**清朝は滅亡**しました。

p.315の系図で確認▲
▲ここでは袁世凱の北洋軍
ここまでが辛亥革命▲

袁世凱は光緒新政では改革の旗振り役だったこともあり，「ヤツは立憲制に順応してくれるのでは？」という期待もあったのですが，野心家の袁世凱は自らの本拠地**北京**に居座って革命派を完全無視。淡い期待を打ち砕かれた革命派は，袁の独裁を抑え込もうとしますが，対立は激化。追い込まれた革命派がやむなく蜂起するも，瞬殺されます（**第二革命**。革命派はそもそも袁世凱に勝つ自信がないから手を組んでいたわけで，戦っても結果は明白ですよね）。

▲臨時約法の制定や，国会選挙の実施

袁世凱は正式に大総統に就任し，**独裁体制を固めます**。この時に第一次世界大戦が勃発。ドイツの勢力範囲**山東半島**を占領した日本が**二十一カ条要求**を突きつけると，袁世凱は受諾。この「弱腰」に対する批判を封じ込め，また混乱が続く国内をまとめ上げるために，袁はなんとか自らの求心力を高めようと考えます。その答えがなんと**帝政復活**で，袁世凱自身が皇帝に即位！　これはさすがに時代錯誤だと国内は大ブーイングです（国民党系の地方軍人の反発がとくに激しかった）。列強も帝政に反発する（第三革命）など予想外の逆風に驚いた袁世凱は帝政を取り消し，同年のうちに病死してしまいました。

▲→テーマ53
▲当時の中国の力では，日本軍に対抗できなかった

結局，この革命で中国はどうなったんですか？

①異民族王朝であった清は滅亡し，（形式上は）共和政の国家が成立
②しかし実際は，軍閥（軍事勢力）による保守的な政治が続く

一言でいうなら，「表面的な政体は変わったが，政治の中身は相変わらず」です。第一次世界大戦後，「中身」を変えるため，孫文がまた立ち上がります。

最後にもう１点。**中華民国は清と同様に，多民族国家であり続けます**。辛亥革命期のゴタゴタの中で**外モンゴル**と**チベット**が独立を宣言しますが，中華民国は独立を認めず，両地域は「中国の宗主権」という名目のもとで自治を行うものとされました。のちの1920年代，外モンゴルは独立を果たしますよ。

近代の移民史

移民とは，自分の故郷・生活基盤を捨てて全くの異国に身を移す一大事。出国を決心させるほどの出来事（PUSH）と，受け入れ側の魅力（PULL）が揃って，初めて移民が生まれます。また，**19世紀の移民の前提として，鉄道や蒸気船など交通機関・輸送網の発達があったことを忘れてはいけません。**

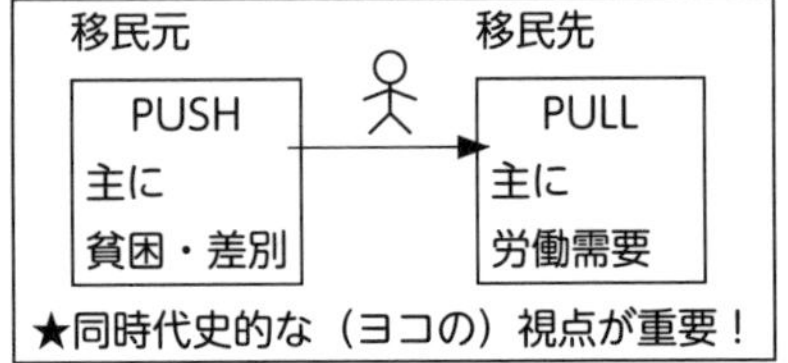

1．アフリカからの奴隷貿易

強制的に連行される奴隷にはPUSHの要因はなく，PULLはアメリカ大陸での労働需要です。ここで，**アフリカに植民地を持たないスペインは奴隷貿易**
▲疫病や酷使によってインディオが激減 →テーマ28　▲→テーマ28の地図
を行えなかった点に注目。アジアに進出した諸国がアフリカに中継拠点を築いたので，スペインはこれらの国に奴隷貿易を委託しました（この契約が**アシエ**
▲ポルトガル，オランダ，フランス
ント）。大きな利益を生む奴隷貿易をめぐり，「我が国がスペインと契約を結ぶんだ！」と争いが起こり，結局は1713年の**ユトレヒト条約**でイギリスがアシ
▲スペイン継承戦争の講和 →テーマ31
エントをゲット。大西洋三角貿易でイギリスが目立つ理由はコレです。
▲→テーマ37

2．旧移民（19世紀半ば　西欧・北欧からアメリカへの移民）

19世紀半ばにヨーロッパからアメリカへ渡った移民を**旧移民**と呼びます。その中心はイギリスの搾取に苦しむ**アイルランド人**で，**ジャガイモ飢饉**(ききん)が最大
▲→テーマ39
のPUSH要因（アメリカのケネディ大統領がアイルランド移民の子孫である
▲同時期のドイツ三月革命で，ドイツからの移民も増加
ことは頻出）。一方，19世紀前半にアメリカ大陸への**奴隷貿易が廃止され，これが代替労働力としての移民を受け入れる要因**となりました。アメリカ側のPULLは①ゴールドラッシュ，②大陸横断鉄道の建設，③ホームステッド法
▲アメリカ東部からの工事にはアイルランド人が従事 →テーマ42
(西部農民に土地をバラ撒(ま)くこの法は，移民にも適用されました）あたりです。

3．新移民（19世紀末～20世紀前半　東欧・南欧からアメリカへの移民）

この時期の移民を**新移民**といいまして，PUSHはいくらか抽象的です。東欧・南欧などで，都市の工業化が遅れた地域では，農村であふれた人間を都市
▲南欧は，主にイタリア
が労働者として吸収できませんでした。土地も職もない貧困層が形成されてしまったわけです。また**19世紀末はヨーロッパで排他的なナショナリズムが吹き荒れた時期**で，**ユダヤ人**など差別をうけたマイノリティも渡米してきます。
▲→テーマ44
逆にPULLは簡単。**南北戦争後，アメリカは北部主導で急速に工業化を進め，**

世界一の工業国に躍り出ます。当然ながら労働需要も高い。この第２次産業革命に絡めて「鉄鋼王」カーネギーがスコットランドからの移民であることは要チェックです。
▲1848年にアメリカへ渡った

4．華僑（華人，北米やマレー半島などへの移民が知られる）

18世紀の100年間で，中国の人口は爆発しておよそ**3億人**になりました。19世紀に入ると慢性的な土地不足，列強の進出による経済的困窮がPUSH要因になりました。また**南京条約**でイギリスが獲得した**香港島**は，**中国人が海外へ脱出する拠点**になりました。そして1860年の**北京条約**によって，**中国人の海外渡航が公認**されます（実はこれまで，朝貢貿易の名残りで広い意味での海禁がまだ残っていて，中国人の海外渡航は制限されていたんです）。今までも「密航」する移民はいたわけですが，これからは堂々と「出航」できるようになって，華僑が増加します。アメリカのPULLの要因としては，既出の**大陸横断鉄道**の建設。**「西からは中国人，東からはアイルランド人」**ですよ。マレー半島では**錫**鉱山の労働力でしたね。華僑は世界のいたる所にコミュニティを形成しますが，中には**シンガポール**のように**華僑が現地経済を牛耳る**ような地域も出てきます。あと，**孫文**のお兄さんも**ハワイ**へ渡った華僑でしたね。
なお「華僑」の「僑」は「仮住まい」という意味です。現代では，定着した移住先の国籍を得て代を重ねる人が主流になっているため，「華人」という呼称が一般的になっています。

半強制的に移民先へ連れていかれた者も多かった▼
▲アヘン戦争の講和　→テーマ49
▲アロー戦争の講和　→テーマ49
→テーマ12▲
▲→テーマ48
華僑による中国本国への資金援助は相当な額にのぼった　→テーマ51▲

5．インド系移民（マレー半島・南アフリカ・セイロン島への移民が知られる）

最後に，インドからの移民です。PUSHはおおむねイギリス支配による困窮で，南インド沿岸部の**タミル人**が海外へ向かいました。南アフリカは印僑の代表的な渡航先です。南アフリカといえば金・ダイヤモンドの採掘が思い浮かびますが，専門職（技術者）や商業に従事する人も多かったようです。そして，印僑の人権擁護のために現地で弁護士活動をしていたのが，若き日の**ガンディー**です。同じくイギリス領だったマレー半島では，**ゴム**プランテーションの労働力ですね。またイギリスは**セイロン島**に茶のプランテーションを開きました。労働力を補うためにタミル人がセイロン島に渡りますが，先住民の仏教徒シンハラ人との間で後々軋轢が起こります。

▲インド系移民を「印僑（いんきょう）」と呼ぶこともある
インドと同じくイギリスの植民地だったことが一因▲
第一次世界大戦期にインドへ帰国　→テーマ57▲
▲→テーマ48
▲タミル人はヒンドゥー教徒　→テーマ71

移民は**低賃金で非熟練労働者**になる者が多く，受け入れ国の労働者からは**「自分の雇用を奪う脅威」**とみなされ差別・排斥されることが珍しくありませんでした。特にアジア系移民は，欧米人から「**苦力**（クーリー）」と呼ばれました。
▲華僑や印僑

第一次世界大戦前夜の国際関係

該当範囲を扱っているテーマ

1 ビスマルク外交の時代 (1871~90)

(1) ビスマルク外交の主眼…**フランスを孤立させる**同盟外交

①対ドイツ復讐に燃えるフランスを抑え込む テーマ40

②ドイツは同盟外交によって戦争を抑止。その間，産業育成に注力（▼軍備拡大よりも産業発展に注力）

(2) **三帝同盟**の成立（1873）と瓦解

①**三帝同盟**…ドイツ（▲ヴィルヘルム1世）・オーストリア（▼フランツ＝ヨーゼフ1世）・ロシア（▲アレクサンドル2世）

テーマ52では同盟や協商を■■■にしています

②**露土戦争**後の**サン＝ステファノ条約**（1878）

・ロシアはバルカン半島において勢力を拡大 ➡**英・墺が猛反発** テーマ41

③**ベルリン会議**（1878）…**ビスマルク**（▲誠実な仲買人）が調停

➡南下を阻止されたロシアは不満を抱き，同盟は事実上崩壊（1881年に新三帝同盟が成立するが1887年に崩壊▲）

(3) **三国同盟**（1882）

①ドイツ・オーストリア・イタリアが締結

②背景…フランスによる**チュニジア**（▲同じくチュニジアを狙っていた）の保護国化（1881） テーマ45

➡反発したイタリアをビスマルクが同盟に引き込んだ

(4) **再保障条約**（1887）…ドイツがロシアを再び自陣営に引き込む

(5) ビスマルク外交時代のイギリス…**「光栄ある孤立」**

①ドイツとの関係…ベルリン会議でドイツに好感（▲ビスマルクはイギリスを刺激する政策を避けた）

②ロシア（▲陸軍大国）との関係…東方問題・イラン（▲19世紀の国際対立の主軸）で対立 テーマ46

③フランスとの関係…1880年代にアフリカ分割が激化すると対立 テーマ45

52－①

1 今回は1870年代のビスマルク外交に始まり，英露協商でドイツ包囲網ができるまで。テレビ番組でいうなら，年末５時間スペシャル総集編みたいな感じ(笑)。まずは，独仏戦争に敗れてドイツへの復讐(ふくしゅう)心が燃えたぎるフランスへの対処です。相手（ここではフランス）に戦争を思い止まらせる方法って覚えていますか？

え～っと，相手に「これは勝ち目がないぞ」と思わせればいい！

しっかり復習できていますね～。ビスマルクがもっとも恐れたのがフランスとロシアの同盟（**ドイツが挟み撃ちされる**ので）。そこで，フランスがロシアを筆頭とする列強と組むのを阻止しつつ，ドイツの同盟国を増やします。平和を維持することで軍事費を抑え，この間に**ドイツ工業を発展させようとしました**（ドイツ統一によって，ついに「国民経済」が完成したわけですしね）。

まず，ドイツはロシアとオーストリア（▲ドイツと同じ民族であり，友好的）との間で**三帝同盟**（▲→【重要テーマ5】）を結成しました。しかし，ロシアが**露土戦争**でバルカン半島に勢力拡大させると，**イギリス**（▲インド航路を守りたい）**とオーストリア**（バルカン半島を狙っていた▼）**が猛反発**。ビスマルクはなんとか墺露関係を取り持とうと**ベルリン会議**を開きますが，結局ロシアは南下を潰(つぶ)されてしまい不満を増大させ，同盟は機能不全に…。ビスマルクは次の一手をうち，独墺を軸にイタリア（狙っていたチュニジアを奪われた，フランスへの怒りが背景▼）を引き込み**三国同盟**を成立させました。さらにロシアをフリーにしておきたくないビスマルクは，ロシアと個別に**再保障条約**を結びます。まさに VIP 待遇ですね。

左ページの地図**52-①**がビスマルク外交の最終形です。ロシアとオーストリアが対立しているものの，ドイツがロシアをうまく取り込んでフランスを孤立させています。なお当時のイギリスは，アメリカやドイツの追い上げをうけつつも覇権を維持し，大陸の対立に巻き込まれるのを嫌い孤高(ここう)を保っていました（**「光栄ある孤立」**）。

2 ドイツの工業力は順調に成長し，イギリスに肩を並べるまでになりました。すると**資本家たちは政府に対し，製品市場や資本投下先として植民地を求めるように**。ビスマルク（▲ベルリン会議でもイギリスの利害を尊重した）はイギリスを刺激するのを避けるため植民地獲得には積極的でなかったんですが，国内から突き上げをくらっちゃったんですね。そんな折，新皇帝**ヴィルヘルム２世**が即位しました。派手好きな彼は，祖父ほど年齢が離れているビスマルクの「弱腰」を批判し，資本家の支持もあって「イギリスなどに遠慮する必要はない！」と，植民地拡大を打ち出します。方針の違いからビスマルクは辞職…。ここからドイツは方針転換し，膨張政策がライバルのフランスのみならず，ロシアやイギリスの警戒も招くことになります。

ケンカしているオーストリアとロシア，この双方にいい顔をした「八方美人」

2 ドイツ外交の転換（1890～）

(1) **ヴィルヘルム２世**（位1888～1918）
▲ヴィルヘルム１世の孫
①国内資本の発展を背景に，積極的な海外膨張政策を主張
②ビスマルクの辞任（1890）⬅ヴィルヘルム２世との対立
③社会主義者鎮圧法の廃止（1890）…ビスマルク退陣に伴い廃止

(2) **露仏同盟**の成立（1891／94）
①**再保障条約**の更新拒否（1890）…ドイツ側が拒否
▲ロシア側は延長を望んでいた
②**露仏同盟**…孤立していたフランスがロシアと同盟
当初はイギリスに対抗する性格が濃かった▲
➡フランス資本がロシアに投下され，**シベリア鉄道**が建設された　テーマ50

(3) **３Ｂ政策**…ドイツの「**世界政策**」の軸
1899年にオスマン帝国から敷設権を譲渡された▼
①**ベルリン～ビザンティウム～バグダード**を結ぶ（**バグダード鉄道**が核）
▲イスタンブル

②イギリスとの対立…３Ｂ政策はインド支配にとって脅威 ・**3C政策（カイロ・ケープタウン・カルカッタ）**を掲げ対抗 ・英独は**海軍の拡張を競争**	③ロシアとの対立…３Ｂ政策はバルカン半島南下と衝突 ▲パン＝スラヴ主義 ※一方で３Ｂ政策は，オーストリアのバルカン半島進出を支援 ▲パン＝ゲルマン主義

テーマ45
テーマ47
テーマ41

3 三国協商の成立

(1) イギリスとフランスの接近
①**ファショダ事件**（1898）…英仏が衝突するが，フランスが譲歩　テーマ45

★**南アフリカ戦争**…イギリスは苦戦。極東に兵力を割けず　テーマ45
▲1899～1902
★**義和団戦争**の８カ国出兵…イギリスは日本に派兵を依頼　テーマ50
▲1900～01
★**日英同盟**（1902）…ロシアの極東進出に共同で対抗
英は「光栄ある孤立」を放棄▲

②**英仏協商**（1904.4）
・英仏がドイツに対抗するため，日露戦争への参戦を回避
・エジプトとモロッコにおける優先権を相互に承認

③第１次**モロッコ事件**（タンジール事件，1905）　テーマ45

(2) **三国協商**の完成
①**日露戦争**（1904～05）　テーマ50
日本が勝利し，ポーツマス条約（1905）で講和
▲日英同盟に基づきイギリスが間接支援

がビスマルク。対してヴィルヘルム２世は，ドイツの親戚である**オーストリアとの友好を優先させ**，再保障条約を更新せずに打ち切ります。ロシアがフリーになったことで，孤立していたフランスはロシアに接近して**露仏同盟**を成立させ，ようやく仲間を得ました。一方のドイツは1899年にオスマン帝国から**バグダード鉄道**の敷設権を得ると，これを背骨とする**３Ｂ政策**を掲げました。これには**オーストリアのバルカン半島進出を後押し**する意味もあるんですが，ということは当然**ロシアの南下政策と衝突**。また，**バグダードからペルシア湾を通ってインド洋に出ればインドが目と鼻の先**。イギリスが黙ってるはずがなく，**３Ｃ政策**で対抗します。

3　このように英独間で緊張が生じたといっても，**19世紀における列強対立の主軸はあくまでイギリス VS ロシアでした**（▼実はイギリスは，ロシアに対抗するためドイツとの同盟も模索）（特にイランで衝突）。ドイツが３Ｂ政策をぶち上げた世紀末，ロシアは**シベリア鉄道**（▲露仏同盟をうけてフランス資本で建設）&**東清鉄道**（三国干渉の見返りに清から敷設権を獲得▼）を敷設しつつ，中国分割で中国東北地方を手中に。アヘン戦争以来，中国に一番乗りしてきたイギリスは「ロシアめ，こっちにも来んのかよ…」とボヤく。極東でも英露対立が激化してしまったんです。ロシアは**義和団戦争**（▲８カ国共同出兵）でも大軍を送り込もうと準備。ここでイギリスは困った。**苦戦が続く南アフリカ戦争**に50万近い兵力を割いているため，中国に手が回らない！　窮したイギリスは，同じくロシアの南下を警戒していた日本を頼ります。日本は義和団戦争で大軍を送ってロシアを牽制し，利害が一致した両国の間で，1902年に**日英同盟**が結ばれるに至りました（「光栄ある孤立」は放棄(ほうき)され，これはイギリス覇権の動揺を示す一端ともいえます）。

日露戦争前夜の国際関係を次ページの地図**52−②**を見ながら整理しましょう。列強間には，日英同盟，露仏同盟，三国同盟が存在します。日露で戦争が始まって激化すれば，同盟国のイギリスとフランスも参戦（日英同盟・露仏同盟の規定で，参戦が義務づけられている▲）。つまり**日英 VS 露仏という大戦争**になってしまいます。英仏露が共倒れになった場合，いちばん得をする国はどこでしょうか。

ドイツです。ライバルが勝手につぶし合って，まさに「棚ボタ」！

ヴィルヘルム２世にとっては最高の展開ですよ。逆にドイツの宿敵フランスとしては絶対に避けたい状況だから，日露の戦争に関わりたくない。ここで選択を迫られたのがイギリスです。上述したように，**イギリスはロシアこそがライバルだと長らく考えてきた**わけですが，ドイツのことも気になる。「**むしろ注意すべき相手は，新興のドイツなんじゃないか？**」という意見が出てきたんですね。そして，イギリスは決断。「大英帝国が警戒すべきは，ドイツである」と。

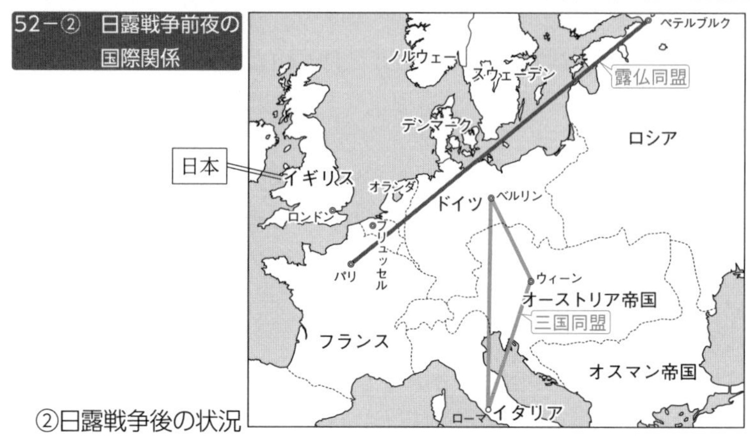

52－② 日露戦争前夜の国際関係

②日露戦争後の状況

・**ロシアは極東から撤退し，英露関係が改善に向かう**

・ドイツは３Ｂ政策を進めるうえで，ロシアの極東進出は支援していた。しかし戦後，ロシアは極東を放棄して**バルカン半島への南下に方針を絞ったため，ドイツとの対立が激化** テーマ51 テーマ50

・日露戦争での日本の勝利は，**アジアの民族運動を刺激** テーマ48

Ex. **清の光緒新政**，**中国同盟会**，**東遊(ドンズー)運動**（▲ベトナム），**インド国民会議カルカッタ大会**，**イラン立憲革命**，**青年トルコ革命** テーマ46 テーマ47

③**英露協商**（1907）

・英露両国がドイツの３Ｂ政策に対抗して形成

・英露両国は今まで対立してきた西アジアで勢力圏を設定 テーマ47

（英露両国は，イラン立憲革命に共同で干渉し圧殺▲）

・これによって，英仏露の**三国協商**が成立

※イタリアは「**未回収のイタリア**」（▲南チロルとトリエステなど）をめぐりオーストリアと対立しており，フランスと二重外交を展開 テーマ40

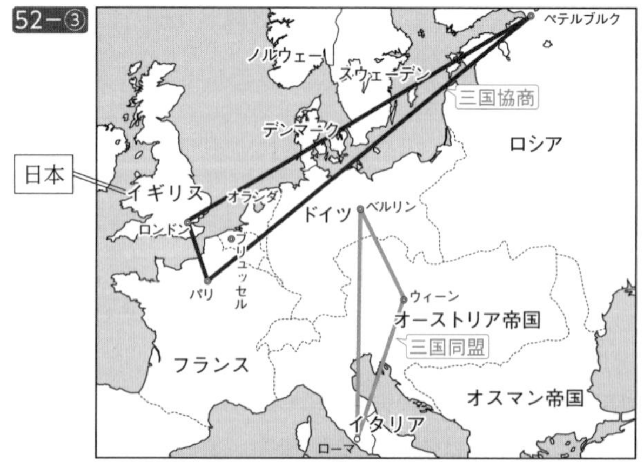

52－③

イギリスのライバルは……ロシア	イギリスのライバルは……ドイツ
イギリスが日露戦争に参戦し，ロシアを抑える	イギリスは日露戦争に参戦せず，ドイツに対抗して国力を温存
ただしフランスも参戦してくるため，消耗してドイツ強大化のリスクあり	ただし同盟国の日本だけでロシアを抑える必要がある

まとめると上のような感じです。こういった事情で日露戦争の開戦直後に**英仏協商**が結ばれました。「日露の戦いに英仏は加わらないから二カ国だけでやってね（俺らはドイツをマークするから）」という意図です。

▲ファショダ事件で英仏関係が改善されていたことも背景

ドイツをライバル認定したイギリスですが，当然ロシアもつぶしたい。日本単独でロシアと戦うという状況で，イギリスは日本を全面支援。なんとか日本が勝利し，イギリスにとっては最高の結果になりました（仮にロシアが勝っても，英仏協商をうまく利用すればロシアに対抗できる，という思惑がイギリスにはあったようですが）。敗北をうけて，ロシアは極東から手を退(ひ)きました。

一連の日露対立の結果，いちばん不愉快な思いをしたのは間違いなくドイツのヴィルヘルム２世です。彼は３Ｂ政策を盤石にするため，ロシアの目をバルカン半島から離そうと考えて，**ロシアの極東進出を全面バックアップしていました。**その好例が日清戦争後の**三国干渉**で，フランスがロシアについたのは**露仏同盟**があるから。そしてドイツが支援したのは，**ロシアには極東進出に専念してほしい！**というヴィルヘルム２世の思いの表れなんですね。そして日露戦争で英仏露が共倒れになれ～♪　と期待したのに英仏は参戦せず（怒）。腹いせにモロッコを奪おうとしたらイギリスに阻止された（怒怒）。そして日露戦争ではロシアがまさかの敗戦。**極東から撤退したロシアは，南下政策の矛先をまたバルカン半島に向けた**のです（怒怒怒）。

▲タンジール事件

ことごとく裏目裏目に出てますね…。気の毒な感じすらします（汗）。

一方，**極東における英露の対立は改善**されました。「両国ともドイツの３Ｂ政策を警戒している。イランの利害調整をすれば，手を組むことも可能だ！」と，1907年に**英露協商**が成立しました（なお**日露戦争の日本の勝利がアジアの民族運動を刺激した**ことは頻出。「国民国家＞専制国家」を世界中に示したわけです。この影響で起こった**イラン立憲革命**は，協調に転じた英露が圧殺）。

ここに，ドイツに対抗する英仏露の**三国協商**が完成しました。左ページの地図52－③で確認しておきましょう。最後に，三国同盟のオーストリアとイタリアの間には，「**未回収のイタリア**」をめぐる対立が燻(くすぶ)っていたことをチェックです。これが第一次世界大戦でイタリアが同盟側を裏切る伏線になります。

▲イタリアは密かにフランスと通じていた

テーマ53

バルカン問題と第一次世界大戦

1 バルカン問題 「ヨーロッパの火薬庫」

(1) オーストリアとロシアの対立

パン＝スラヴ主義	パン＝ゲルマン主義
バルカンのスラヴ系民族が団結し，オスマン帝国からの自立を目指す	ドイツ民族が連帯・結集し，勢力拡大を目指す（▲バルカン半島進出のスローガンとなった）

(2) **青年トルコ革命**（1908）時の動き

①**ブルガリア**の独立…青年トルコ革命に乗じ，ロシアの支援をうけて独立

②オーストリアが**ボスニア・ヘルツェゴヴィナ**を併合

…革命に乗じてオーストリアが強行。併合を狙っていた**セルビア**が反発

(3) **バルカン戦争**

①**バルカン同盟**の結成（1912）…ロシアの後押しで，セルビア・ブルガリア・モンテネグロ・ギリシアが結成

②**第1次バルカン戦争**（1912～13）

・オスマン帝国　VS　バルカン同盟

・**イタリア＝トルコ戦争**（1911～12）に乗じて宣戦

・オスマン帝国は敗北，バルカン半島（▲イスタンブルを除く）の大部分を喪失

※アルバニア（▲民族系統不明）独立（1913）…オーストリアの支援でオスマン帝国から独立（セルビアは地中海への進出を阻止され反発▲）

③**第2次バルカン戦争**（1913）

・オスマン帝国領の分割をめぐり，セルビアとブルガリアが対立

・ブルガリア　VS　セルビア・モンテネグロ・ギリシア・ルーマニア・オスマン帝国

・ブルガリアが大敗し，大幅に領土縮小

④バルカン戦争の影響…**ブルガリア**と**オスマン帝国**は**ゲルマン陣営に接近**（▲反セルビアの姿勢を明確にした）

(4) **サライェヴォ事件**（1914.6.28）

①セルビア人青年が，サライェヴォ（▲ボスニアの首都）でオーストリアの帝位継承者を暗殺

②オーストリアはセルビアに宣戦布告（1914.7.28）➡**第一次世界大戦**の勃発

1 日露戦争後，ロシアはバルカン半島への南下に専念するようになりました。スローガンは**パン＝スラヴ主義**。ドイツは３Ｂ政策を推進する中でオーストリアのバルカン半島進出をサポート（**パン＝ゲルマン主義**）。両勢力はバルカン諸勢力のナショナリズムを利用しつつ，激しく抗争しました。この状況はまた「**ヨーロッパの火薬庫**」と表現されますね。
▲逆に，諸民族が列強の思惑を利用した側面もある

日露戦争はオスマン帝国の近代化にも影響を与え，1908年に**青年トルコ革命**が勃発。これでオスマン帝国が強くなるかと思いきや，スラヴ&ゲルマンの両陣営が革命のゴタゴタにつけ込んできました。スラヴ側では**ブルガリア**が独立。ゲルマン側は，オーストリアが**ボスニア・ヘルツェゴヴィナ**を併合しました。この併合に反発したのがスラヴ系の**セルビア**です。彼らは「大セルビア主義」を掲げ，セルビア人が居住する地域を全て併合しようとしていました。ロシアはこのセルビア人の気質を利用して，バルカンでの勢力拡大を図ったんですね。
既にベルリン会議で行政権は獲得していた▲
両地にはセルビア人が多く居住していたため▲
▲「バルカン半島の盟主」を自任

第１次バルカン戦争が起こった経緯を教えて下さい。

アガディール事件に関心が集まっている隙を突いて**イタリア＝トルコ戦争**を起こしたイタリアが**リビア**をゲット。この戦争でオスマン帝国が敗色濃厚になったのを見て，ロシアが音頭をとった**バルカン同盟**をたきつけて起こさせたのが**第１次バルカン戦争**です（事件や戦争のつながりがドミノ倒しみたいですね…）。オスマン帝国はイスタンブル以外のバルカン半島を失うという危機的状況に追い込まれます。オーストリアはただ傍観していたわけではなく，**バルカン同盟に対抗しようとするオスマン帝国と接近**し，またアルバニアの独立を主導しました。戦後，セルビアとブルガリアがオスマン帝国から奪った領土の分け前をめぐって仲間割れし，セルビアが周辺の国を誘ってブルガリアを袋叩きしたのが**第２次バルカン戦争**です。**大敗したブルガリアは反セルビアとなり，オスマン帝国と同じくゲルマン陣営に接近**します。
▲第２次モロッコ事件　→テーマ45
セルビアがアルバニアを占領するのを阻止▲

そして1914年６月28日，ボスニアの州都**サライェヴォ**を訪問していたオーストリア帝位継承者が，セルビア人青年に暗殺されてしまいました。激昂(げっこう)したオーストリアはセルビアに最後通牒(つうちょう)を突きつけて宣戦しました。当時は「ああ，第３次バルカン戦争か…」程度の印象だったのですが，ドイツがオーストリアに，ロシアがセルビアについて参戦。三国同盟と三国協商を引きずり込んだ**第一次世界大戦**の勃発です。

2 第一次世界大戦の参戦国は，少数派の同盟国を覚えてしまうのが楽です。三国同盟の**ドイツ・オーストリア**・イタリア，バルカン戦争を通じてゲルマン陣

2 第一次世界大戦

(1) 陣営

連合国（三国協商が基盤） 25カ国以上	同盟国（三国同盟が基盤）
イギリス，フランス，ロシア，セルビア， 日本（日英同盟が口実）， イタリア(ロンドン秘密条約を結ぶ，1915) 中国（1917.8），アメリカ（1917）など	オーストリア…セルビアに宣戦 ドイツ オスマン帝国 ブルガリア

(2) 戦線

①シュリーフェン作戦

・西部戦線に兵力を投入してまずフランスを打倒し，時間差をつけて東部戦線でロシアを撃破する，ドイツの作戦

・ドイツ軍は中立国**ベルギー**を侵犯し，フランスへ侵攻 ➡イギリスが宣戦

② 経過

西部戦線	東部戦線
・**マルヌの戦い**（1914.9） …フランスがドイツ軍の進撃を阻止	・**タンネンベルクの戦い**（1914.8） …**ヒンデンブルク**将軍率いるドイツ軍がロシア軍に大勝
・ヴェルダンの戦い（1916.2～12） …ペタン率いるフランス軍が死守。最大の激戦 ・ソンムの戦い（1916.6～11）…連合国軍の大攻勢を独軍が阻止	

③ 日本の動向

・**膠州湾・青島（チンタオ）・南洋諸島**（ドイツ領）を占領

・大隈重信（おおくましげのぶ）内閣が，**二十一カ条の要求**を袁世凱（えんせいがい）政権に提出（1915.1）

営と関係を深めた**ブルガリア**と**オスマン帝国**ですね。

あれ！？　イタリアは同盟国サイドにいませんよ。

イギリスの秘密外交が炸裂して，**オーストリアとの対立を抱えるイタリアは連合国側（英仏露の三国協商が基盤）で参戦**するんです。なお，イギリスは参戦に際して王朝名をハノーヴァー朝から**ウィンザー朝**に改めています。

▲ハノーヴァーは敵国ドイツの地方名だったため　→テーマ34

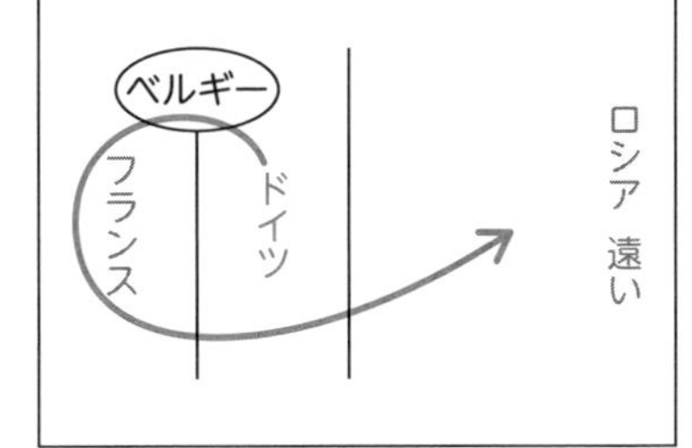

ビスマルクが危惧したロシアとフランスに挟まれる状況が現実となり，これにどう対応するか…。ドイツ参謀本部は，ロシア軍がドイツ国境に到達するのに時間がかかるだろうと読み，まずは全軍を西部のフランスに投入しようと考えました（中立国**ベルギー**を通過してフランスの意表を突く）。短期決戦でパリを落としたら，今度は全軍を東部に振り向けて，遅れて来たロシア軍を叩く。時間差をつけて各個撃破するシュリーフェン作戦です。

しかし，予想以上に早くロシア軍が東部国境に迫って来て，ドイツの目論みは早くも狂います（ドイツ軍は8月の**タンネンベルクの戦い**でロシア軍を追い払い，事なきを得ましたが…）。9月に入り，ついに独仏軍が衝突。ドイツの進撃をフランス軍が**マルヌ**で阻止しました。ここで戦線は膠着し，ドイツが望んだ短期決戦は叶わず，東部国境には再びロシア軍がやって来ました。結局ドイツは東西二正面作戦を強いられてしまいます。

日本はヨーロッパに軍を送ったんですか？

輸送船団の護衛などで海軍を派遣していますが，大規模な戦闘には直接参加しませんでした。その間，「敵国ドイツに打撃を与える」という口実で，ドイツの勢力範囲である**山東半島**やドイツ領**南洋諸島**を征服。山東半島の権益を日本に譲渡するよう求めたのが**二十一カ条の要求**で，当時の**袁世凱**政権に受諾させて，ヨーロッパ方面の総力戦を尻目にちゃっかり勢力を拡大させました。

「この戦争，今までとは何か勝手が違うぞ…」と参戦国は気づき始めました。まずは新兵器。**戦車・飛行機・毒ガス・潜水艦**という現代の戦争・テロでも用いられる兵器が登場し，**戦禍が拡大**します。さらに，**機関銃**の普及によって戦場では四六時中，銃弾が飛び交いました。軍は陣地に**塹壕**を掘り，身を隠して機関銃を撃ちあいます。物資をいたずらに消耗し，睨みあいが続く**長期戦**とな

機関銃は第一次世界大戦で登場した新兵器ではない▼

(3)　総力戦

①新兵器の登場…**飛行機**，**戦車**，**毒ガス**，**潜水艦**など
（▲当初は偵察機。ライト兄弟が発明）（▼イギリスがソンムの戦いで初めて使用）

②**総力戦**…全国民や植民地までも動員・統制しての戦争・政治・生産体制

戦　場

・**新兵器**によって戦禍そのものが拡大
・機関銃の普及により，長期にわたる**塹壕**（ざんごう）**戦**となり，かつてない物量戦・消耗戦になった
・**機関銃**の普及により，防御側が有利となる

後　方

・政府は，国内経済を軍需産業中心に再編成して国民の消費生活を統制。国民は耐乏生活を強いられた
Ex. 女性や青少年を軍需工業へ動員，
食料の**配給制**
・政府はナショナリズムの高揚を背景として，大戦を祖国防衛の戦いと位置づけ，**挙国一致**体制を敷いた

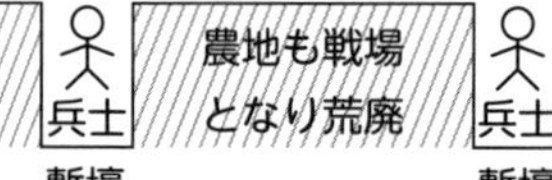

(4)　イギリスの戦時外交（秘密外交）

①　西アジアにおける秘密外交…イギリスへの協力を引き出すために，展開
→テーマ57▲

②　インド自治の約束（1917）
▲→テーマ57

③　自治領への協力要請

(5)　大戦の転換点と終結

①　**アメリカ合衆国の参戦**

・アメリカは伝統的な孤立主義に基づき，当初は**中立**

・**アメリカは戦費の調達に苦慮した英仏に借款**（しゃっかん）**を提供**
（▲英仏の戦債を購入）

・ルシタニア号事件（1915.5）…独潜水艦が英客船ルシタニア号を撃沈
（▲アメリカ人乗客が多かった）

・**無制限潜水艦作戦**の開始（1917.2）
…ドイツ海軍が対英封鎖のために実行

・ドイツの無制限潜水艦作戦に反発し，**アメリカが連合国側で参戦**（1917.4）

②**ブレスト＝リトフスク条約**（1918.3）
…ドイツがロシアのソヴィエト政権と講和
→テーマ54▲

③**ドイツ革命**と大戦の終結（1918.11）

・**キール軍港の水兵反乱**…革命の勃発。各地で**レーテ**が成立
（▲戦局の悪化から国内で厭戦気分が高まっていた）（▼ヴィルヘルム２世はオランダへ亡命）（▲兵士・労働者の評議会）

・ドイツ共和国の成立（1918.11.10）…社会民主党が中心

・ドイツ休戦協定（1918.11.11）…ドイツが降伏し終戦
（▲他の同盟国も９～11月に降伏）

り，しびれを切らせて不用意に突撃すれば，機関銃掃射の格好の餌食になるのがオチ。このように**機関銃の普及で防御側が有利になった**ことは，戦いで決着がつかないことを意味します。普通，戦争というのは攻撃側が敵軍・都市・要塞などを攻略して勝敗が決するわけですが，ことごとく防御側が守り切ってしまう。すなわち戦闘前と戦闘後で，戦局が変わらない。例えば西部戦線の３つの戦いを見ると，全て防御側が攻撃側を阻止しているんですよ。でもその被害は尋常じゃなく，ある統計によればヴェルダン要塞攻防戦の死傷者は計70万，**ソンムの戦い**は150万人です。まさに凄惨です…。

戦線は膠着し，おびただしい量の武器・弾薬・物資が消費され，瞬く間に補給が底を尽きました。政府は兵士と物資を戦線に供給し続けなければいけません。男性は戦場に向かい，人手不足になった後方では**女性が軍需工場などで働き人手不足を補いました**。多くの農地が戦場になって，流通網もズタズタとなり食糧が不足したため，**食糧は配給制**に。戦争遂行のために，前線の兵士だけでなく後方の国民の頑張りが求められる，**総力戦**体制になったのです。この体制を支えた精神的支柱はやはりナショナリズムで，政府は大戦を祖国防衛の戦いと位置づけ，**挙国一致**体制を敷きます。

イギリス政府は植民地にも支援を要請しますが，**苦し紛れに自治や独立を口約束した**ことで，戦後に様々なトラブルを引き起こしました…。これは戦間期→テーマ57▲のアジアで扱いましょう。一方で自治領（▲イギリス系白人が多いカナダやオーストラリアなど）は例外で，戦争協力の見返りとして，戦後に本国と同等の地位が認められることになります（**イギリス連邦**▲→テーマ56）。

膠着した戦局を打開するきっかけは**アメリカ合衆国の参戦**でした。当初は伝統的な**孤立主義**の立場から**中立**であったアメリカですが，ドイツの**無制限潜水艦作戦**に反発して連合国側での参戦を決意します。この背景には**アメリカがイギリスとフランスに多額の貸し付けをしていた事情**もありました（もし英仏が負ければ，賠償金支払いなどの負担で，貸したお金が返ってこない恐れがありますからね）。

前代未聞の消耗戦は深刻な物資不足をもたらし，国民生活を圧迫しました。まずはロシアがギブアップ，窮乏に苦しむ国民によって**ロシア革命**▲→テーマ54が勃発します。同盟国も次々に降伏し，最後はドイツでも厭戦気分が高まって**ドイツ革命**へ。皇帝ヴィルヘルム２世はオランダへ亡命して，新しい共和政政府が休戦協定に調印しました。この終戦は「連合国が同盟国をノックアウトした」というよりも，「両陣営がノーガードで殴りあって，同盟国が時間無制限の総力戦に耐え切れずにスタミナ切れを起こし，先にギブアップした」と言った方が適切でしょう。勝者となった連合国も総力戦でボロボロになっていたわけで，これが戦後に深い爪跡を残すことになります。

テーマ54 ロシア革命

1 革命政党の成立

(1) **ロシア社会民主労働党**（1903年に事実上結党）…マルクス主義政党
▲→テーマ43

▼「多数派」を意味する **ボリシェヴィキ**	▲「少数派」を意味する **メンシェヴィキ**
レーニンが指導。絶対王政（ツァーリズム）から２つの革命を連続して起こし，共産主義への移行を企図	プレハーノフらが指導。まずは絶対王政（ツァーリズム）からの市民革命を企図。その際，労働者は資本家に協力

(2) **社会革命党**（社会主義者・革命家党，**ＳＲ**，**エス＝エル**　1901）
①**ナロードニキ**の流れを汲み，農村共同体**ミール**に基礎を置く革命を目指す
▲人民主義者

(3) **立憲民主党（カデット）**
①第１次ロシア革命（1905）後に資本家を中心に結成され，立憲君主政を主張

2 第１次ロシア革命（1905年革命，1905）

(1) 背景 ①**ニコライ２世**（位1894～1917）はツァーリズムを継続
②**日露戦争**での苦戦…物資の不足で民衆の生活は悪化

(2) 革命の経過
①**血の日曜日事件**（1905.1）…僧ガポン率いる平和請願デモに，守備隊が発砲
②数十万人規模のストが発生し，各地で**ソヴィエト**が結成
▲評議会。工場内で労働者が自発的に形成
③**十月宣言**…**ドゥーマ**開設と憲法制定を約束　➡革命は鎮静化
▲国会
④首相**ウィッテ**による自由主義改革　➡反動化したニコライ２世によって解任

(3) 首相**ストルイピン**（任1906～11）の反動政治
①ドゥーマを無視した反動政治を行い，自由主義勢力を抑圧
②**ミールの解体**…反乱の温床（おんしょう）とされてきたミールを解体し，帝政を支える富裕な自作農の育成と，工場労働力の確保を目指した
▲効果は不十分だった

3 ロシア二月革命（三月革命）

(1) 第一次世界大戦中の**総力戦**…物資が極度に不足し，国民の不満が増大

(2) **ロシア二月革命**（三月革命，1917.3）
▲ロシアでは，グレゴリウス暦ではなくロシア暦（ユリウス暦）を使用

1 マルクスは，あらゆる国家において共産主義革命は必ず起こる，と予言しました（**テーマ43**で，そのプロセスを見直しておいてください）。各国でマルクス主義政党が生まれる中，ロシアでは20世紀初頭に**ロシア社会民主労働党**が成立。この政党，革命の方針をめぐっていきなり分裂しました。**メンシェヴィキ**は絶対王政（ツァーリズム）からまずは市民革命を起こし，資本主義の成熟に伴って労働者が力を蓄えてから改めて共産主義革命を起こす，という教科書通りの路線。**ボリシェヴィキ**は，ツァーリズムから**市民革命と共産主義革命を連続して起こしてしまおう**という急進路線。これは「我が国では農奴解放令（▲→テーマ41）によって工場労働者も生み出されたし，露仏同盟で外国資本が投入されて鉄道も整備されつつある。ロシアのツァーリズムは，実態としては資本主義の段階にある」という意見の影響もあります。この時期，農村からの革命を目指した**ナロードニキ**（人民主義者）の流れをくむ**社会革命党（SR（エスエル））**，後述する第1次革命の際に成立したブルジョワ政党**立憲民主党（カデット）**も成立しました。

2 **第1次ロシア革命**が勃発した経緯は**テーマ50**でお話した通りです。日露戦争のさなか，民主化と戦争中止を訴えたおよそ10万人の請願デモに軍が発砲し，約2000人の死傷者がでた**血の日曜日事件**が革命の発端。ストライキや農民蜂起が全国に広がり，労働者たちは**ソヴィエト**（評議会）をつくって政治的要求を叫びました。ここに**日本海海戦**で敗北した報（しら）せも届き，国内は蜂の巣をつついたような大騒ぎになって，政府は国内を制御不能になってしまいました。戦争どころではない，と政府は9月に**ポーツマス条約**に調印し，翌月にニコライ2世は**十月宣言**で**国会（ドゥーマ）**開設（▲しかし，議会の権限は大きく制限されていた）と憲法制定を約束。革命はひとまず鎮静化し，ツァーリに政治改革を進言した**ウィッテ**が首相として改革にあたりました。

ところが，国民が大人しくなったのを見たニコライ2世は手のひらを返して反動化。議会は骨抜きにされ，クビにされたウィッテの後釜に座った**ストルイピン**は革命派を徹底弾圧しました。彼は，農村共同体**ミール**を「革命の温床」と考えてこれを**解体**（▲ストルイピンが暗殺されたため，この改革は挫折）（一応，個々の農民を独立した自作農にして近代化を目指そう！という建前はありました）。

普段から農民が一致団結してるわけだから，確かに怖いかも…。

3 第1次革命が不完全燃焼で燻（くすぶ）っている状況下で，ヨーロッパは第一次世界大戦に突入しました。**総力戦**（▲→テーマ53）に伴って日露戦争以上の生活苦に見舞われた民衆が，1917年3月に再び大爆発！（▲国際婦人デーにデモを行った）　女性労働者のデモに男性が合流し，鎮圧を命じられた兵士までも仲間に加わる始末で，彼らは**ソヴィエト**を結成しました。一方で資本家などを中心とする**臨時政府**も成立し，観念したニコライ2世

①**ペトログラード**蜂起（1917.3.8）…市民のデモ・ストライキが発生
▲第一次大戦でドイツが敵になったことで，ドイツ語読みのペテルブルクから改称
②ニコライ２世の退位…約300年続いた**ロマノフ朝**が倒れ，帝政終結
▲ミハイル＝ロマノフ以来

4 ロシア十月革命（十一月革命）

★「二重権力」状態…二月革命後，ソヴィエトと臨時政府が併存した状況

ソヴィエト	臨時政府
政党…**ボリシェヴィキ**など	政党…**立憲民主党**など
支持基盤…労働者・兵士	支持基盤…資本家が中心
停戦を主張	**大戦の継続**を主張
1917.3　**ロシア二月革命～ニコライ２世退位**	
レーニンの四月テーゼ…即時停戦とソヴィエトへの権力集中を呼びかけた。「全ての権力をソヴィエトへ」	**社会革命党のケレンスキー**が首相となる（7月）
ボリシヴィキが蜂起　1917.11.7　**ロシア十月革命**	臨時政府は崩壊

5 社会主義政権の誕生

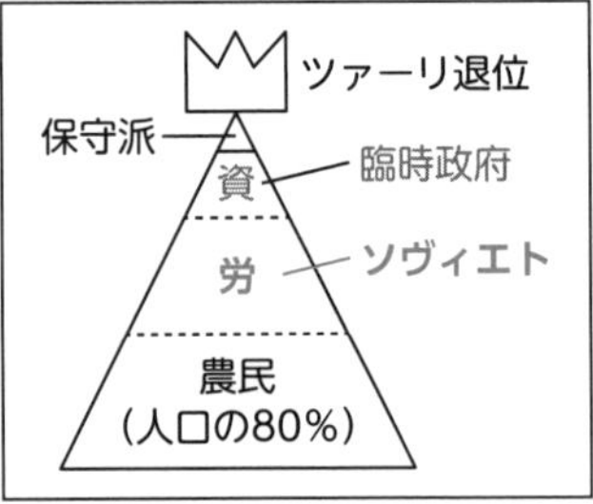

⑴　全ロシア＝ソヴィエト会議（1917.11）
①ソヴィエト政権（人民委員会議）が誕生
②**「平和に関する布告」**
・**無併合**・**無償金**・**民族自決**にもとづく和平を，大戦の全参戦国に訴えた
▲無賠償
・共産主義を嫌う**連合国は黙殺**した一方，ドイツは停戦交渉に応じた
憤激したレーニンは帝政時代の秘密外交を暴露▲
フランスとロシアに挟撃されていたため▲
③**「土地に関する布告」**…国内の土地私有権の廃止を宣言
④企業の国有化など，共産主義的政策を推進

⑵　ボリシェヴィキ独裁の確立
①憲法制定会議（1917.11）…**ロシア初の普通選挙**で**社会革命党**が圧勝
人口の80%を占める農民が支持基盤▲
➡ボリシェヴィキが武力で解散し，**ボリシェヴィキ独裁**へ移行
②**ブレスト＝リトフスク条約**（1918.3）
・**トロツキー**が交渉し，ドイツなどと講和を成立させた
▲ロシアは広大な領土をドイツに割譲
③**ロシア共産党**への改称（1918.3）…ボリシェヴィキが改称

は退位して**ロマノフ朝**はここに滅亡しました（**ロシア二月革命**）。
▲300年余り続いた

4 こうして，ロシアはソヴィエトと臨時政府が併存する「**二重権力**」の状況に。この時点で最大の焦点になったのは，新しい政治・経済体制ではありません。「未曾有（みぞう）の物量戦となった**大戦を続けるのか，やめるのか**」という議論です。

あれ，戦争をやめたいのは国民の総意ではないんですか？

ちょっとここで英仏の気持ちになってみましょう。英仏としてはこのままロシアに参戦し続けてほしいに決まってます（ドイツを挟めるから）。臨時政府がドイツと戦い続けてくれれば，英仏は大喜びで「サンキュー！メルシー！**臨時政府こそ正当なロシア政府の後継だ**」とお墨付きをくれるわけですね。こういった事情で臨時政府は戦争を継続しました。また，ソヴィエト内部のメンシェヴィキやＳＲの指導者たちも，祖国防衛の戦争に関しては容認する姿勢をとりました（底辺の民衆の状況や要求を全く理解していない！）。このような状況下，四月に亡命先から帰ってきたボリシェヴィキの**レーニン**がソヴィエトに参加して「**即時停戦！ソヴィエトに権力を！**」と叫んで以降，ソヴィエトは臨時政府との対決姿勢を明確にしていきます。

一方で臨時政府は**社会革命党**の**ケレンスキー**を首相に担（かつ）ぎ上げました。彼はダンディーで人気があったので，**社会革命党の支持基盤である農民を中心に，臨時政府への支持を広く集めようとした**んですね。臨時政府優勢かと思いきや，８～９月に起こった保守派の挙兵に手際よく対処したボリシェヴィキが支持を拡大させる展開に。そして11月７日，ボリシェヴィキが蜂起して臨時政府を崩壊させました（**ロシア十月革命**）。
▲コルニーロフ将軍
▲グレゴリウス暦では十一月革命

5 翌日，暫定の政府を発足させたレーニンは**「平和に関する布告」**と**「土地に関する布告」**を発しました。前者は全交戦国に和平を呼びかけるものでしたが，味方である**連合国は完全無視**（共産主義者の訴えになど答えるはずはありませんからね）。一方で，ロシアとフランスに挟まれている状況から脱したいドイツはロシアとの停戦交渉に応じました。後者は，地主の土地を没収して土地の私的所有を廃止するもので，リアル共産主義の始まりといえます。
▲実際は，この種の改革はすでに農村で進んでいた

同月，憲法制定会議の選挙が行われ，**ロシア初の普通選挙**で勝利したのは**社会革命党**でした。国民の８割以上を占める農民を支持基盤としているわけだから，普通選挙であれば勝つに決まっています。革命において存在感を放ってきたボリシェヴィキが，この選挙では勝てない点に注意ですよ。ここでレーニンは，翌年１月に開かれた議会を武力で解散させて**ボリシェヴィキによる独裁**政治にもっていってしまいました。「共産主義に抵抗する勢力を一掃するまでは
▲ボリシェヴィキは選挙の結果，第２党となった

第6章 二つの世界大戦

④**モスクワ**への遷都（1918.3）…革命の推進のために内陸部のモスクワへ

6 反革命勢力との戦い

(1) 国内の反革命勢力とソヴィエト政権の反撃

赤軍…トロツキーが近代化に尽力した，ソヴィエト政権の軍隊	白軍…共産主義に対抗し，地主・貴族・帝政派将校らが結成

(2) **チェカ**の成立（1917.12）…反革命運動などを取り締まる治安機関
▲非常委員会
(3) 連合国の干渉
①**対ソ干渉戦争**（1918～22）…チェコ兵捕虜救出を口実に，英仏などが出兵
②**シベリア出兵**（1918.5～）…東方からアメリカ・日本などが出兵
➡他国の撤兵（1920）後も日本のみが駐兵し，国際的非難をうけた
▲1922年まで
(4) **コミンテルン（第3インターナショナル）**の成立（1919）
①モスクワで結成された，世界革命を目指す世界中の革命政党の指導機関

7 ソヴィエト政権の経済政策

(1) **戦時共産主義**（1918～21）
①内容…農民から**穀物を強制的に徴発**，中小企業の国有化，労働義務化など
②結果…**国民の労働意欲が減退**。食糧不足が発生し，工業生産も大きく低下
(2) **新経済政策**（**ネップ**　1921）
①内外の戦争を持ちこたえると，経済の一部に**資本主義的要素**（穀物の強制徴（ちょう）発（はつ）の廃止，農作物の自由販売の認可，小規模の私企業の経営認可）を導入
②結果1…生産力は回復し，クラーク，ネップマンなどの富裕層が出現
▲富農　▲都市企業家・資本家
③結果2…資本主義諸国がソヴィエト政権と国交を開く背景になった

8 ソ連の誕生と対外関係

(1) **ソヴィエト社会主義共和国連邦**（1922.12成立）
①**ロシア・ウクライナ・ベラルーシ・ザカフカース**の4共和国からなる
▲白ロシア　▲のちに15共和国に増加
(2) 各国のソ連承認
①**ラパロ条約**（1922.4）…ソヴィエト政権・ドイツが国交を開いた
▲両国とも国際社会で孤立していた
②ソ連政権の安定をうけ，英仏伊は1924年，日本は1925年にソ連を承認
▲ネップの実施もソ連承認の背景

非常事態であり，共産党（ボリシェヴィキ）による一党独裁が容認される！」という大義名分ですが，選挙で負けた途端にこの理屈を出すのは，ちょっとあざといですよね…。その是非はともかく，状況としてはフランス革命中のロベスピエールらによるジャコバン派独裁に近いかもしれません。あの時はルイ16世を処刑した後，▲→テーマ36 国内の保守派と国外の君主（対仏大同盟）が寄ってたかって攻めてきました。今回は，共産主義を目指すソヴィエト政権を，国内の反共勢力と国外の反共勢力が寄ってたかって攻めて来てるわけです。**反共勢力との戦いを遂行するために独裁体制を敷く**このシステムは，のちに成立する共産主義国家のスタンダードになっていきます。

1918年３月にドイツなどと**ブレスト＝リトフスク条約**を結び，ロシアはようやく大戦から離脱。しかし，反共勢力との戦いはさらに過酷なものに…。

戦争で生活が苦しくて革命を起こしたのに，もっと苦しく……涙。

6 この危機に対応し，ロシア十月革命やドイツとの講和で活躍した**トロツキー**は**赤軍**を整備し，また国内では**チェカ**が反革命分子を取り締まります。さらに ▲赤色は共産主義のシンボルカラー 「こちらからも資本主義側へ反撃だ！」と**コミンテルン（第３インターナショナル）**が成立。世界の共産党の総本部として，各地に物資を送ったりアドバイスをしたり，世界革命を掲げました。

7
8 とはいえ，▲→テーマ43 ヨーロッパ方面からはイギリスやフランスが，極東からは日本やアメリカがロシアへ侵攻し，ソヴィエト政権は苦境に立たされます。ロシアの国土が戦場になったことで，農地が荒らされ工業生産も低下してしまいました。▲一方，第一次世界大戦では，戦場になったのはロシア国土の一部のみ ここでレーニンは，戦場へ優先的に物資を送るために国民の経済活動を全て政府の監督下に編成。穀物を**強制徴発**し，企業を国有化する**戦時共産主義**です。しかし，強制徴発とはつまるところ「タダ働き」ですから，農民のやる気は削(そ)がれて農業生産はガタ落ちとなり，大飢饉(ききん)が発生してしまいました。▲大規模な農民反乱も起こった なんとか敵の攻勢を凌(しの)ぎ切ると，政府は方針を転換して**資本主義的要素**を一部容認。私企業を認めて穀物徴発も廃止する**ネップ**（要するに「余ったモノは金儲けのために売ってもいいよ」ということ）を打ち出し，なんとか生産は回復…。イギリスやフランスはソヴィエト政権の柔軟な姿勢を見て，「あれ？　共産主義者が資本主義を認めてるぞ。レーニンは意外に話せる相手なのかも」と警戒感を緩めました。これが背景となり，1922年に**ソヴィエト社会主義共和国連邦**が正式に発足すると，イギリスやフランスはわずか２年後の1924年にソ連と国交を結ぶことになります。▲当時の英仏が左派政権であったということもある なおソ連成立の直前に，第一次世界大戦後の国際社会で互いに孤立していたソヴィエト政権とドイツが，国交を開いていますよ。

テーマ 55

ヴェルサイユ体制とワシントン体制

1 パリ講和会議 (1919.1～6)

(1) 「十四カ条」(1918.1) … アメリカ大統領ウィルソンが発表

①民族自決…全ての民族は，帰属・政治的運命を自ら決定する権利を持ち，他勢力に干渉されることはない
②軍備縮小，③国際平和機構の設立，④秘密外交の廃止，⑤海洋の自由，⑥関税障壁の廃止，⑦植民地問題の公正な解決

★英仏は植民地の維持を，またフランスは対独報復を目的としていたため十四カ条の理念の多くは形骸化

(2) 不参加国…敗戦国のドイツ，ソヴィエト政権のロシアは除外

(3) 主導国…ウィルソン（米），ロイド＝ジョージ（英），クレマンソー（仏）

(4) ヴェルサイユ条約（1919年6月28日調印）…連合国とドイツの講和条約

①領土の変更（戦前の面積の約14%・人口の約10%を喪失）

- アルザス・ロレーヌをフランスに割譲
- ポーランド回廊をポーランドに割譲（▲これによって，東プロイセンはドイツ本土から切り離された）
- ダンツィヒ（▲現グダンスク）は国際連盟が管理する自由市に…港湾使用権はポーランド
- ラインラント（▲フランスとの国境地帯）の非武装化…左岸は連合国軍が占領。右岸は非武装（▲ドイツ軍は駐兵禁止）
- ザール地方…国際連盟が15年間管理したのち，人民投票で帰属を決定（▲フランスが石炭の採掘権を持ち，実質はフランス領）
- オーストリアとの合併禁止（民族自決の無視）
- 全ての植民地・海外領土を放棄…連合国の委任統治領となる
  ※委任統治…「近代国家としての自立が難しい先住民の地域」の統治を戦勝国に委任

②兵力制限…陸軍（▲10万人）・海軍（▲1万5千人）を制限。徴兵制，空軍・潜水艦の保有を禁止

③賠償金…ヴェルサイユ条約の翌々年に1320億金マルクと決定

(5) 他の同盟国との条約

①サン＝ジェルマン条約（1919.9）…対オーストリアの講和条約（▲戦前の領土・人口の75%を喪失）
- ハプスブルク家の皇帝が退位し，オーストリア＝ハンガリー帝国が解体
- イタリアに「未回収のイタリア」（▲→テーマ40）を割譲

②トリアノン条約（1920.6）…対ハンガリーの講和条約。領土の2/3を失う

③セーヴル条約（1920.8）…対オスマン帝国の講和条約➡詳細はテーマ57

④ヌイイ条約（1919.11）…対ブルガリアの講和条約

1 1917年11月，**レーニン**は**「平和に関する布告」**で**「無併合・無償金・民族自決」**に基づく講和を第一次世界大戦の参戦国に訴えました。あまりにインパクトある内容であり，**共産主義を認めない資本主義サイドとしても説得力のある講和方針を示す必要が生まれました。**アメリカ大統領**ウィルソン**は「無併合・無償金」に相当する**「勝利なき平和」**（ウィルソンは1917年1月の演説で，既にこの理念を提唱▼）（▲Peace without Victory）を主張しました。戦争が終わった時に勝者が敗者から領土や賠償金をふんだくる習慣があると，敗者が報復しようと次の戦争が起こる。次の戦争でも負けた方は恨みを晴らそうと考え，戦争の連鎖が終わりません。でも，領土や賠償金をとるのをやめれば，負けた方が恨みを持たなくなって負の連鎖を断ち切ることができますよね。素晴らしいアイディアですが，納得しない国がありました。

フランスですよね。ドイツへの仕返しのために半世紀過ごしてきた。

そう，フランスはこの理念を一蹴しました……。また，1918年にウィルソンは講和の枠組みとして**十四カ条**を講和原則として提示し，レーニンがアピールした民族自決をしっかり盛り込みました。「民族は自分のことは自分で決められる」というシンプルな内容なんですが，当時の植民地は列強の言いなりであり，自分のことを自分で決められませんでした。いわば「民族他決」だったんです。ということは，

民族自決　＝　植民地支配の否定，一民族一国家

と解釈できますから，この理念は**植民地独立の一大スローガン**になりました。しかし，**植民地を手放すつもりなど毛頭ない英仏はこれに反発。**結局ウィルソンの理想主義は煙たがられ，講和会議では英仏の意向が強く反映されました。

まずはドイツとの講和である**ヴェルサイユ条約**（条約名は，条約が結ばれた宮殿の名にちなむ▲）からいきましょう。ドイツ代表は調印の時まで会議に呼ばれず，英仏などが一方的に内容を決めました。**アルザス・ロレーヌ**を奪回したことはフランスとしては当然ですね（石炭が豊富なザールも，15年間は事実上フランス領▲）。**ポーランド回廊**（▲ドイツ領を貫く意味合いで「回廊」と呼ぶ）をポーランドに割譲したことによって東プロイセンはドイツ本土と切り離された「飛び地」になってしまいました。また，「フランスに攻めて来んじゃねえぞ」と独仏国境地帯の**ラインラント**には駐兵を禁止されました。ドイツの軍備そのものも骨抜きに。そして，同じ民族である**ドイツとオーストリアの合併は禁止。**「民族自決」が無視された例です。同様に，没収したドイツの植民地は本来ならば独立させるのが筋ですが，戦勝国の**委任統治**（国際連盟が先進国に統治を委ねる▲）領とされました。また，ドイツ以外の同盟国も連合国と個別に条約を結びました。オーストリアがドイツ以上に領土を失ったのは，ついに**多民族国家が崩壊**したことを意味していますよ。

(6) ヴェルサイユ体制の性格

①**ドイツなど敗戦国を抑制する体制**

②**ソヴィエト政権を封じ込める，反共産主義体制**

③帝国主義的支配体制の再編成。**列強は民族自決を非ヨーロッパ世界に認めず**

2 東欧諸国の独立

(1) 独立の背景…**民族自決**が原則であったが，以下のような事情があった

①ソ連の共産主義が西欧へ波及するのを防ぐ，**反共防壁**の役割を持たせる

②敗戦国の弱体化を狙い，没収した領土を独立させる

(2) 東欧諸国…新しく８カ国が独立を果たした

①**ユーゴスラヴィア**…セルビアなどと，敗戦国から奪った領土が合併
▲セルブ＝クロアート＝スロヴェーン王国から1929年に改称　▲オーストリア・ハンガリー・ブルガリア

②**ハンガリー**…オーストリアから分離

・**共産主義革命**…ソヴィエト政権が成立
▲クン＝ベラの指導
➡ホルティが革命政権を打倒し，独裁体制を敷く

③**チェコスロヴァキア**…オーストリアから独立。東欧で随一の工業国

④**ポーランド**…オーストリア・ドイツ・ロシアから独立
▲18世紀末のポーランド分割から復活

・**ピウスツキ**…独立後にソヴィエトとの戦争を指導。クーデタで政権掌握

⑤⑥⑦**バルト３国**（リトアニア・ラトヴィア・エストニア）…旧ロシア領

⑧**フィンランド**…ロシアから独立

※旧ロシア領はブレスト＝リトフスク条約で一時的にドイツ領になっている

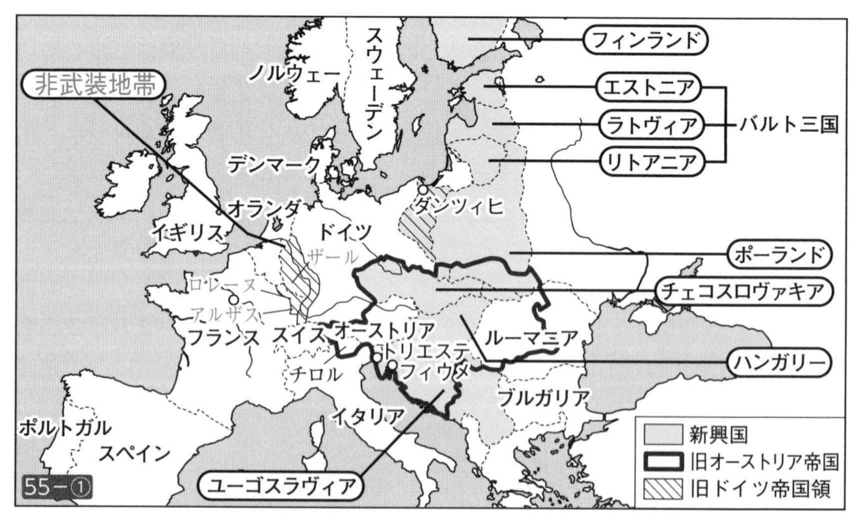

ヴェルサイユ条約を中核として構築された第一次世界大戦後の秩序を**ヴェルサイユ体制**といいます。この体制の特徴ですが，①**敗戦国を袋叩きにする**のはヴェルサイユ条約を見れば分かりますね。②また参加国は**反共姿勢**では一致して，ソヴィエト政権の代表者はもちろん呼ばれていません。③**英仏は，植民地には民族自決を認めませんでした**が，後述する東欧のように，自分たちにとって都合のいいところだけは民族自決を認めました。民族自決が掲げられたこの時期，新たに植民地を増やせば大騒ぎ。そこで編み出された方便が**委任統治**でした。実態は植民地支配と変わらないのですが，敗戦国から奪った地域を「近代国家としての自立が難しい君たちを，戦勝国が支えてあげよう」という建前で統治したのです。ひどい話ですが，「近代国家を創れるか？」という基準で，人種に対する格付けが行われたんですね…。

▲この時期は対ソ干渉戦争が続いている

▲ナショナリズムの観点でいうと「人種」という属性が重視された　→【重要テーマ4】

2　続いて東欧です。敗戦国とロシアの領土を取り上げて新興国家を創り，さらにこれらの国家を西欧にとっての「**反共防壁**」として利用（つまり前述の①と②も絡んでくる）。新興国８カ国の領土を塗りつぶしてみると……。

あっ，見事に１枚の「カベ」になってますね！

人為的に国境を定めたことがミエミエですので，当然民族分布にはひずみが生まれました（複数の民族が寄り合い所帯になったユーゴスラヴィアや，敗戦国でもあったために大幅に領土を削られたハンガリーなど)。なお，ポーランドはオーストリア・ドイツ・ロシアから領土を集めて独立しましたが，これは18世紀末の**ポーランド分割から復活した**，ということです。先ほどドイツの飛び地の話をしましたが，実はポーランド分割前のプロイセン領には飛び地が存在していました。この処遇をどうするか，両国の深刻な領土問題になります。

▲プロイセンが前身　▲→テーマ32　▲ドイツの前身

3　形骸化した十四カ条の中で，なんとか実現にこぎつけたのが国際平和機構である**国際連盟**。従来の「相手に勝ち目なし」と思わせて戦争を抑止するやり方は，軍備増強や同盟網の拡大が伴うため，ひとたび戦争になれば被害は甚大。それが未曾有（みぞう）の規模となったのが第一次世界大戦でした。低いリスクで戦争を抑止できないか？という知恵から生まれたのが**集団安全保障体制**です。まずＡ～Ｇの７カ国が相互に侵略しないことを約束（上図参照)。ここで仮にＥがＤへの侵略を企てたとしましょう。そうなった場合，

▲個別的安全保障という

加盟国全てが侵略しないことを約束

Ⓐ-Ⓑ-Ⓒ-Ⓓ-Ⓔ-Ⓕ-Ⓖ

侵略する国があれば，他の全加盟国が侵略国に制裁

Ⓔ vs Ⓓ　Ⓐ Ⓑ Ⓒ Ⓕ Ⓖ

ＥがＤを侵略した場合，ＡＢＣＤＦＧがＥに制裁

3 国際連盟の設立

⑴ 設立までの過程

①ウィルソンの「十四カ条」を基盤とした国際平和機構

②正式発足（1920.1）…本部はスイスの**ジュネーヴ**。原加盟国は42カ国

⑵ 内部組織

①**総会**…最高決議機関（全加盟国１国１票，全会一致制）

②理事会…常任理事国は**英・仏・伊・日**を常任理事国とする，最高機関の一つ

③**国際労働機関（ILO）**…各国の労働問題を調整

④**常設国際司法裁判所**…オランダのハーグに常設され国際問題を裁く
▲警告・調停のみ
▲強制権は持たない

⑶ 問題点

①**全会一致**による決議方式…決議の遅滞をもたらした

②脆弱（ぜいじゃく）な制裁手段…**経済制裁だけで軍事制裁の権限を持たなかった**

③大国の不参加
- ・除外された国…共産主義の**ロシア（ソ連）**，敗戦国の**ドイツ**
- ・**アメリカ**…孤立主義に回帰し，共和党が加盟に反対
共和党は上院で多数派を占めており，否決▲

⑷ **集団安全保障体制**とは

①加盟国全てが，武力によって攻撃しないことを約束

②加盟国の１つが武力行使して侵略に及んだ場合，残りの全加盟国が制裁

4 ワシントン会議（1921～22）

⑴ アメリカ大統領ハーディングの提唱で開催

⑵ 目的
- ①中国における日本の勢力拡大阻止
▲日露戦争後の極東における，日米対立が背景にあった
- ②大戦後，列強は財政難によって海軍の維持に苦しみ，軍縮を模索

⑶ 締結された条約

①**四カ国条約**（米・英・日・仏，1921）
- ・**太平洋**地域の領土・権益の相互尊重を規定 ➡**日英同盟**は解消

②**九カ国条約**（英・伊・葡（ポルトガル）・中・米・白（ベルギー）・仏・日・蘭，1922）
- ・**中国**の主権の尊重・門戸開放・機会均等・領土保全などを規定
中国が望んだ不平等条約撤廃，外国軍撤退，租界回収は実現せず▲
- ・大戦中に結ばれた石井・ランシング協定（1917）は失効
▲日米が中国における日本権益と機会均等を相互承認
➡**二十一カ条の要求**も一部廃棄。後に日本は**山東権益を中国に返還**

③**ワシントン海軍軍備制限条約**（1922）
- ・主力艦の保有比率…米：英：日：仏：伊＝5：5：3：1.67：1.67

※ジュネーヴ軍縮会議（1927）…米・英・日が補助艦の軍縮を討議
▲合意には至らず

※ロンドン会議（1930）…米・英・日で補助艦の保有比率を決定
▲米：英：日＝10：10：7

Ｅ以外のＡＢＣＤＦＧ全員がＥへの制裁を発動させます。Ｅ国は「１対６では勝ち目がない…」と考えて侵略を思いとどまる。このシステムは，他の加盟国が全員味方になってくれるので，**個々の国々は過度の**（▲最低限の軍備は必要）**軍拡をする必要がない**（加盟国が多いほど抑止力が高まる▲）のが魅力。この画期的なシステムが理解できると，同時に国際連盟の問題点が見えてきます。まず侵略国に最大の抑止力となる**軍事制裁**（▲経済制裁や外交的制裁のみ）ができない…。

スポーツで例えるなら，「レッドカードが存在せず退場処分にならないから，反則やりたい放題！」みたいなものですね。

次に，加盟国グループに**ドイツ**と**ロシア**（▲両国を仲間外れにするヴェルサイユ体制の方針によります），さらには**アメリカ**が参加していない（構想を立ち上げた民主党のウィルソンに対して，当時**上院で多数派だった共和党が反対し加盟できず**）。これら大国に「侵略をしません」と約束させられないのは不安ですし，侵略国を抑える際の仲間にできないのは心細い。また**全会一致**が原則なので，制裁の詳細をなかなか決められず…。とネガティヴなことを並べましたが，恒久的な国際平和機構ができたこと自体は，大いに意義あることですよ。紛争を処理する**常設国際司法裁判所**も画期的です。

4 戦後の極東における秩序は，1921年に開かれた**ワシントン会議**で規定されました（**ワシントン体制**）。その主眼は日本を抑え込むことです。近代日本は**日清戦争**（▲1894～95），**日露戦争**（▲1904～05），**第一次世界大戦**（▲1914～18）と全て勝利。特に大戦では，ヨーロッパ諸国が総力戦で疲弊するのを尻目にドイツ植民地を占領しました。戦後，英仏米らは「ちょっと日本が強くなりすぎだぞ」と極東の勢力図が一変したことに懸念を抱き，会議に至りました。まず，**太平洋**の利害調整をした**四カ国条約**では**日英同盟**（▲「四カ国で協調＝日英だけの同盟は不要」というニュアンス）が解消されました。当然日本にとっては痛手。**九カ国条約**では**中国**の門戸開放・機会均等・領土保全が定められました。これって，かつてアメリカが**門戸開放宣言**（▲→テーマ50）で主張していた内容ですよね。あの頃より大国となって発言力を増したアメリカの意見が認められたわけです。この条約で，かつて中国分割で定められていた各国の勢力範囲は解体されました。大戦中に抜け駆けした日本がドイツから奪った**山東権益も，当然ながら返還**される運びとなりました（**二十一カ条の要求**（▲山東権益の譲渡などを求めていた）の一部は廃棄）。また**大戦で疲弊した諸国が海軍の維持費に苦しんでいた**ことを背景に，**ワシントン海軍軍備制限条約**が結ばれ，日本の主力艦の保有比率は米英の６割に規定されました。日本にとってポジティヴに考えるならば「軍事費が節約できるし，大国アメリカの６割なら上出来だ」。一方，ネガティヴ思考なら「我が日本海軍は永久にアメリカに追いつけないではないか！」となります。日本軍部には，やはり後者の考えを持つ人が多かったようですね。

テーマ56 戦間期のヨーロッパ諸国（1929年まで）

1 大戦後の賠償金問題と国際協調

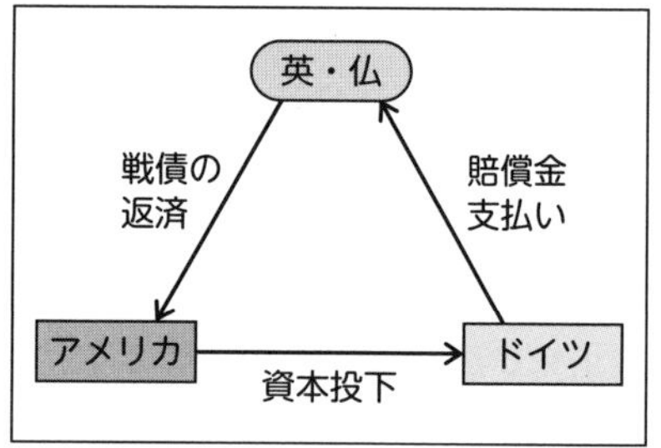

(1) 賠償金をめぐる対立

①ドイツの賠償金支払いは遅延

②**ルール占領**（1923〜25）
▲1320億金マルク

・フランスがベルギーを誘いドイツ最大の**ルール**工業地帯を占領

・抗議したドイツが「受動的抵抗」
▲生産停止，サボタージュ

➡極度の**インフレーション**が起こり，ドイツ経済は大混乱
▲物価は一時戦前の１兆倍に達した

③**シュトレーゼマン**内閣（人民党　1923.8〜11）
▲この時，ヒトラーはミュンヘン一揆を起こした　→テーマ60

…新通貨**レンテンマルク**を発行し，インフレを収拾
▲１兆マルクを１レンテンマルクと交換

(2) **ドーズ案**…アメリカが提案した新賠償方式

①**賠償総額は変えず，支払期限を延長**　➡結果，**アメリカ資本がドイツに流入**
▲１年あたりの支払額を減額

②これを背景にフランス軍はルール地方から撤退。独仏関係は改善

(3) **ロカルノ条約**（1925）

①参加国…英・仏（**ブリアン**）・独（**シュトレーゼマン**）・伊・ベルギーなど

②ドイツはラインラントを現状維持
▲フランス及びベルギーとの国境地帯

③ドイツの**国際連盟**への加入を決定…翌1926年に常任理事国として加盟

(4) **不戦条約**（**ブリアン・ケロッグ条約**　1928）

①フランス外相**ブリアン**とアメリカ国務長官**ケロッグ**が主導して締結

②「国際紛争の解決は武力によらない」ことを規定し，戦争を違法とした
ただし，国家の自衛権は否定されず，罰則規定もなかった▲

(5) **ヤング案**（1929）…ドイツの賠償総額を大幅に減額
▲世界恐慌の前に妥結している　▲ただし，支払い期間は59年間に延長

(6) ローザンヌ会議（1932）…賠償総額を30億金マルクに減額
▲世界恐慌をうけてドイツを救済

2 総力戦によるヨーロッパ諸国の変化

(1) 総力戦によって打撃をうけ，国力は低下

※シュペングラー『西洋の没落』…キリスト教文明の優越性を相対化

(2) 大衆政治の到来…政府は，総力戦に貢献した国民に見返りとして普通選挙・**女性参政権**を認め，民主主義が浸透
▲ただし，フランスの女性参政権実現は第二次大戦中の1945年

1 ヴェルサイユ条約の翌々年，ドイツの賠償総額は1320億金マルク（▼ドイツの国民総生産（GNP）の20年分に相当）と決定しました（▲このうち，約半分がフランスの取り分）。その年の賠償支払いにも窮したドイツに対し，フランスは隣国ベルギーを誘ってドイツ最大の工業地帯**ルール**地方を占領（大戦の主戦場となったフランスも，経済復興に苦戦していた▲）。工業製品を賠償金の代わりとして押収しようとしたんですね。フランスの復讐心たるやすごい…。ドイツ人はフランスの暴挙に抗議して，ルールの工場操業を全面ストップ。でも，ドイツ経済の心臓部がストップしているのに，政府が給与支払いなどのために紙幣を印刷しまくったことで，超**インフレ**（▲モノ不足なのに紙幣は余り，通貨の価値が下がった）が進んで物価がなんと１兆倍に！

自販機でペットボトルを買うのに「150 兆円」いるんですか（汗）。

首相**シュトレーゼマン**が新通貨**レンテンマルク**を発行（１兆マルクの「札束」を１レンテンマルクの「紙幣１枚」と両替）してインフレは収拾しますが，ドイツ経済が青息吐息なことに変わりはありません。そんな時，アメリカが支援の手を差しのべドイツの賠償支払いに関する**ドーズ案**をまとめました。

まず，賠償総額は棚に上げて，この先５年間の支払いを現実的な金額に設定。すると，ドイツの安定と復興を期待するアメリカの民間資本がドイツへ流入しました。すると，左ページの図のような三角形ができあがります。まずアメリカ資本がドイツへ，ドイツが経済を立て直して賠償金が英仏へ。そして英仏も経済を再建して，大戦中の借金をアメリカに返済（ドイツが賠償金を払えないと，英仏はアメリカに借金を返せない）。つまり，**アメリカがドイツの賠償支払いをサポートしてあげれば，めぐりめぐって自国にリターンしてくる**わけですね。これが，アメリカがひと肌脱いでくれた理由です。

このトライアングルは，関係国全てが得をするWIN-WINの関係ですね。これを一つのきっかけに，**国際協調**の機運が高まりました。このドーズ案（▲1924年）から世界恐慌（▲1929年）が始まるまでの時期を**「相対的安定期」**と呼びます。フランス軍はルールから撤退し，1925年に仏独を中心に**ロカルノ条約**が結ばれました。フランスも無条件にドイツと和解するつもりはなく，「絶対にウチに攻めて来るなよ！」とラインラントの非武装を再確認。一方，ドイツの**シュトレーゼマン**は，「我が国はすでにソ連と国交を結んでる（▲ラパロ条約 →テーマ54）。国際社会の仲間入りさせてくれないと，ドイツが共産主義になるかも…」という状況をちらつかせつつ，ドイツの**国際連盟**加入を認めさせました。**戦争そのものを違法**とした画期的な**不戦条約**は国際協調の象徴で，翌29年には賠償総額を減額する**ヤング案**も成立しました。しかしそれから半年後に始まる世界恐慌から協調は後退し，みんな「自分さえよければそれでいい」という自国中心主義に傾いていくことになります。

2
3 第一次世界大戦の戦禍は，覇権国家だったイギリスにも大きな変化をもたら

3 イギリス

(1) 国力の低下…大戦の莫大な戦費により，債権国から**債務国**へ転落

(2) 1920年代の主な内閣

①**ロイド＝ジョージ内閣**（1916～22）
▲第一次世界大戦中は挙国一致内閣を組閣

・**第４回選挙法改正**（1918）…21歳以上の男性**普通選挙**，**30**歳以上の**女性参政権**が実現

②**マクドナルド**労働党内閣（1924）…初の**労働党**内閣で，**ソ連**を承認

③ボールドウィン保守党内閣（1924～29）

・**第５回選挙法改正**（1928）…**男女平等**の普通選挙（21歳以上）が実現

・**イギリス連邦**…イギリス帝国から改称。自治領が，大戦中にイギリス本国に協力したことで発言力を強め，**本国と対等な地位を認められた**

4 イタリア

(1) **フィウメ**…パリ講和会議で領有は承認されず，イタリアは不満を抱く
▲イタリアは「未回収のイタリア」と認識していた

(2) 大戦後の不況・経済混乱

①イタリア共産党…1921年に社会党から分離

②北イタリア…**ストライキや工場占拠**（1920）。革命の機運が高まる
▲トリノやミラノ

③イタリア南部…地主制が強く，反発する小作人が各地で**農地占拠**

(3) **ファシズム**の特徴

①**ナショナリズムを基盤とする，社会主義に対抗する独裁**

②大衆を動員し，**議会制民主主義も否定**。領土拡大・侵略を推進

③団体旅行などの余暇活動も振興　→労働者を含む広範な国民を統合

(4) ファシスト政権の誕生

①**ムッソリーニ**…**ファシスト党**を結成（1919）し，反共・領土拡張を主張
▲社会党に在籍したが，大戦への参戦を主張し除名　▲1921年に国民ファシスタ党に改称
➡資本家・地主・軍部の支持を背景に大衆を動員して勢力を拡大

②**ローマ進軍**（1922）…ムッソリーニが武装した党員をローマに集結させた

・政府は鎮圧を主張するが，国王がムッソリーニ政権の成立を容認

③**フィウメ**併合（1924）…ユーゴスラヴィアを威喝（いかつ）して併合

④一党独裁制の確立（1926）…ファシズム大評議会が議決機関となる
▲他の全ての政党を解散させて実現

⑤**アルバニア**の保護国化（1926，27）

⑥**ラテラノ条約**（1929）…教皇領の併合以来の，ローマ教皇との対立を解消
▲ラテラン条約　▲独仏戦争（1870～71）時
➡ローマ市内の教皇庁が所在する地区に，**ヴァチカン市国**が成立

しました。アメリカへの借金を背負う**債務国**に転落し，植民地の維持にも四苦八苦。政府は，**国民に戦争協力を求めた見返りとして普通選挙・女性参政権を認め，民主政治・大衆政治の時代が到来**しました。これを反映して，1924年には**マクドナルド**を首相として初の**労働党**内閣が成立（先進国の労働者の間ではマルクス主義に代わって穏健路線がメジャーになってましたよね）。この内閣が**ソ連**を承認しました。またイギリス政府は，大戦で協力してくれた**自治領に対して本国と対等な地位を認めました**（事実上の独立）。この，国と自治領などからなるグループは「**イギリス連邦**」と呼ばれることになりました。

▲これは他の国にも共通する現象
▲→テーマ43

国民にも自治領にも，戦争協力の見返りを与えたわけですね。

4 1920年代のイタリアでは特筆すべき事態が。**ムッソリーニ**が結成した**ファシスト党**による**一党独裁**が確立したんです。まず背景にパリ講和会議がありました。イタリアは「未回収のイタリア」として南チロルやトリエステをようやく手に入れましたが，**フィウメ**も同様に獲得するつもりでした。しかしその要求は認められなかったため，イタリア代表は会議を途中退席。①国民の間には，領土に対する愛国的な不満が鬱積し，領土拡大への渇望が生じます。一方で国内は，**経済混乱**に見舞われました（戦禍で多くを失った国民はモノを買えません。物資不足のうえに政府は紙幣を発行したため，物価上昇も）。労働者は工場を，農民は地主の土地を占拠して，共産主義の機運が一気に高揚。②警戒感を強めた資本家・地主・軍部などの上層は，革命を押さえつける強力な政府を期待するようになっていったのです。

▲→テーマ40
得られる賠償金も少額だった▲
イタリアでは1919年と20年を「赤い２年間」と呼ぶ▲

①②の受け皿となったのが，**「ナショナリズムを武器として社会主義を攻撃し（議会制民主主義も否定），強大な国家を目指す！」**というムッソリーニの思想でした（この体制は，のちに「**ファシズム**」として定式化されます）。党勢を拡大させたムッソリーニは号令をかけ，黒シャツを着こんだ党員数万人をローマに集める示威行進を行いました（**ローマ進軍**）。この勢いにビビった国王は，共産主義を警戒していたこともあってムッソリーニを首相に指名してしまうんです。この後，ファシスト党は**大衆の支持**を背景に法改正を重ね，1926年には一党独裁体制を確立させました。これと前後して，イタリアは**フィウメ**の獲得や**アルバニア**の**保護国化**を進め，**ラテラノ**（ラテラン）**条約**では独仏戦争以来，「冷戦状態」だったローマ教皇と和解。「我が国の政府が親愛なるカトリックと対立している…」という悩ましい事態が解消されて，敬虔なカトリックであった国民はムッソリーニを支持したのでした。

▲大衆を動員するのも特徴

あと，ファシスト党が**団体旅行・競技会などのレクリエーションに力を入れ**

5 ドイツ

(1) **スパルタクス団**の蜂起（1919.1）

①カール＝リープクネヒト，ローザ＝ルクセンブルクらが共産主義革命を目指して蜂起 ➡鎮圧され，二人は惨殺された
▲ロシア革命の影響　▲ポーランド出身の女性

(2) **ヴァイマル憲法**（1919年制定）

①**ドイツ社会民主党**の主導で制定。当時，**世界で最も民主的な憲法**とされた

②内容
- ・主権在民，20歳以上の**男女平等**の普通選挙制
- ・**労働者の団結権・団体交渉権の保障**
- ・社会権（「人間らしく生きる権利」）の明文化
  ▲一定水準の生活の質を保障
- ・**大統領には非常時の大権（大統領緊急令）が認められていた**

※**ヴァイマル共和国**…憲法制定からヒトラー政権成立（1933）までの通称

(3) 大統領

①**エーベルト**…社会民主党の政治家で，初代大統領（任1919～25）となった

②**ヒンデンブルク**…第２代大統領（任1925～34）
▲第一次大戦のタンネンベルクの戦いでロシア軍を撃破した将軍

6 レーニン死後のソ連

(1) スターリンの独裁

①**レーニンの死**（1924）…トロツキー・スターリンの間で後継者争いが発生

世界革命論（**トロツキー**が主張）	**一国社会主義論**（**スターリン**が主張）
現代世界では国際分業体制が確立しているため，他国との協力が発展のために必須である。従って，全世界を共産主義化して協力体制を構築すべき，とする立場	ソ連は資源，国土，人口共に豊富であるから，ソ連のみでも社会主義の建設は可能とし，国内の経済建設を重視すべき，とする立場

②トロツキーの国外追放 ➡スターリンの刺客によって暗殺（1940）

③スターリンの独裁完成（1930年頃）…対立者を次々に**粛清**（しゅくせい）

④スターリン憲法（1936）…18歳以上の男女普通選挙など，外見は民主的
実態は候補者推薦制であり，スターリンの独裁が強化された▲

(2) **五カ年計画**の推進

①第１次五カ年計画（1928～32）
▲世界恐慌に陥った資本主義諸国を尻目に，工業生産力は飛躍的に増大

- ・重工業発展に重点を置き農業集団化に抵抗する者を富農（クラーク）として追放
- ・**コルホーズ（集団農場）**による**農業集団化**…土地・家畜・農具を共有
- ・**ソフホーズ（国営農場）**による**農業集団化**…農民は俸給（ほうきゅう）を受け取る労働者

②第２次五カ年計画（1933～37）…軽工業発展にも注力

て，体制への支持獲得と国民統合を進めたことが，世界史探究ではクローズアップされています。この手法はナチ党も模倣しますよ。

5 イタリアに続いてドイツでファシズム政権が成立することは皆さんご存知だと思いますが，両国には**「上からの統一で近代国家が成立した」**（▲→テーマ40）という共通点があります。イタリアではサルデーニャ国王，ドイツではプロイセン国王が主導権を握って政治を行い，**英仏のような民主主義は根づきませんでした**（▲国内では保守派が力を持ち続けた）ね。このせいで第一次大戦後も，「リーダーが一人で引っ張っていくから，国民は黙ってついて来い」というファシズム体制を，多くの国民が違和感なく受けて入れてしまった，という事情があるんです。とはいえ，ドイツ革命が起こったドイツは，15年間は民主主義を定着させようと試みました。それが**ヴァイマル共和国**。1917年にロシア革命が起こると，ドイツの共産主義者も「今こそ世界革命だ！」と立ち上がりました（**スパルタクス団の蜂起**）。しかし，ドイツの革命は帝政崩壊をもたらしたものの，共産主義革命の方は潰(つぶ)されてしまいました。ロシアで例えてみると…。（▲→テーマ54）

二月革命は成功したけど，十月革命は失敗したイメージですか。

そんな感じです。イギリスなどと同様に，ドイツの労働者も資本主義を容認する**ドイツ社会民主党**に流れていて，共産党はメジャーになりきれなかった。その社会民主党主導で作られた**ヴァイマル憲法**は，当然ながら労働者の権利を大々的に保障。これが**「世界で最も民主的な憲法」**と呼ばれた所以(ゆえん)です。その一方で，大統領緊急令を規定し，**非常時に大統領に大権を与えました**。これは19世紀の**「上からの統一」の名残り**と考えることができます。

6 最後にソ連です。**レーニン**死後のソ連では**トロツキー**と**スターリン**の間で「後進国だったロシアが単独で社会主義を建設できるか？」という論争が勃発。（レーニンの後継者争いの意味合いもあった▲）トロツキーは「NO」として，**世界革命**を進めることでまずは共産主義国の仲間を増やすべきと説きますが，スターリンは「ＹＥＳ」と真っ向から反論。（あえてトロツキーと異なる意見を挙げて追い落とそうとした側面も▲）勝利したスターリンはトロツキーを国外追放とし，それ以外の政敵や反乱分子も，秘密警察を駆使して次々に排除（「**粛清**」）し，独裁権を確立させました。ソ連国内の経済建設を優先させるという，スターリンのビジョンは**五カ年計画**で具現化されました。この政策の背景には，ネップ（▲→テーマ54）体制下で失業者が増大し，農民が国家に穀物を売り惜しむなど，資本主義色を帯びた経済の「ゆがみ」に対する危機感もあったとか。工業化とともに**農業の集団化**（農民が所有している土地を国家や組織に編入して，集団で農業経営にあたる▲）が進められたものの，現場の混乱は大きく，農村では大量の餓死者が発生してしまいました…。

戦間期のアジア諸国（中東・南アジア・東南アジア）

1 アラビア半島

(1) ヒジャーズ王国（1916～25）

①**フセイン**が，フセイン・マクマホン協定をうけてアラビア半島西岸に建国
▲フサイン。ムハンマドの血をひくハーシム家出身　▲フサイン・マクマホン書簡

(2) **サウジアラビア王国**の成立（1932）

①**イブン＝サウード**がフセインを破り建国
▲本名はアブド＝アルアジーズ　▲当初の国名はヒジャーズ＝ネジド王国
→サウジアラビアと改称（1932）

②ワッハーブ派を信奉
▲→テーマ46

2 オスマン帝国内のアラブ地域

(1) 第一次世界大戦中のイギリスによる秘密外交（戦時外交）

フセイン・マクマホン協定(1915)	オスマン帝国支配下のアラブ人に対し，蜂起する見返りに戦後の独立を約束
サイクス・ピコ協定(1916)	英仏露が，戦後のオスマン帝国領の分割を約束
バルフォア宣言(1917)	イギリスがユダヤ資本の戦争協力を求め，その代償にユダヤ人国家の建設支持を約束 ▲ナショナル＝ホーム

(2) イギリスの委任統治領

①**イラク**…のちにフセインの子を国王として独立（1932）

②**トランスヨルダン**…のちにフセインの子を国王として独立（1946）

(3) フランスの委任統治領

①シリア…1946年に独立

②レバノン…1943年に独立

第一次世界大戦で，オスマン帝国は文字通り「解体」しました。各地域が全く異なる道を歩むので，大きく5つの地域に分けて見ていきます。

トルコ地域の①小アジア
アラブ地域の②アラビア半島，③イラク・シリア，④パレスチナ，⑤エジプト

左ページの地図上の番号①～⑤と照らし合わせながら読み進めてください。

1 2 大戦に苦しむイギリスは，場当たり的に約束を乱発して各所に戦争協力を求めました。その一番の被害者がアラブ人です。まずイギリスは，メッカの太守（シャリーフ）**フセイン**と協定を結び**アラブ人に独立を約束**。その一方で，フランス・ロシアとの**サイクス・ピコ協定**でオスマン帝国の**アラブ人地域を山分けしよう**と密約。さらには，**バルフォア宣言**でパレスチナにおける**ユダヤ人国家の建設を支持**。これを整理すると以下のようになります。

▲アラビア西岸はオスマン帝国の自治領のような立場だった

▲ユダヤ人の「故郷」だが，当時はアラブ人が居住

フセインが想定したアラブ人国家の地域は②③④におよぶ広大な地域であるのに対し，サイクス・ピコ協定で分割が約束された地域は③④です。④パレスチナに至っては3つの約束が重複！（矛盾する協定を結んでいたことはイギリスしか知らなかったのですが，1917年に「平和に関する布告」をシカトされたレーニンがサイクス・ピコ協定などの外交文書を暴露したことで，秘密外交がバレてしまったんです）。

▲④パレスチナは国際管理とされた

▲→テーマ54

フセインは1916年にヒジャーズ王国を建国。イギリスとの申し合わせ通りに挙兵し，王国軍は一時シリアにまで侵攻して，アラブ統一国家を夢見ます。しかし戦後，サイクス・ピコ協定に基づき③④は英仏の**委任統治**領に…。

▲メッカとメディナを含むアラビア半島西岸

▲ロシアは革命が起こったため，分割に参加せず

気の毒に…。でも②アラビア半島は支配できたんですよね。

実は……今まで黙ってましたけど，**アラビアには部族争いの火種があった**んです。ヒジャーズ地方を支配するフセインの前に立ちはだかったのが，豪族サウード家。当主**イブン＝サウード**は，ネジド王国を建てて勢力拡大。西岸のフセイン　VS　中部のイブン＝サウードという決戦は，イブン＝サウードの勝利に終わりました。彼はアラビア半島を統合し**サウジアラビア王国**が成立します。失意のフセイン，アラブ統一どころか王座も失ってしまいました…。

▲かつてのワッハーブ王国の流れをくむ

▲アラビア半島中部

▲サウジとはサウード家を指す

続いて③④です。英仏が自分の都合で③を切り刻んで分配しますが，怒りが収まらぬアラブ人の激烈な民族運動が起こり，英仏とも独立を容認する方針へ。この時**イラク**と**ヨルダン**の国王となったのは，フセインの子たちでした。ハーシム王家の両国は「父の仇（かたき）！」と，サウジアラビアと対立（これもイギリスがアラブ人を分断しようと仕組んだ策です）。④のパレスチナはバルフォア宣言も絡むのでもっと大変。アラブ人が住んでいるところにユダヤ人が次々と

3 エジプト

⑴ 第一次世界大戦勃発 ➡イギリスはエジプトを**正式に**保護国化（1914）

⑵ ワフド党の結成（1918）…エジプトの民族主義政党
▲パリ講和会議に代表（ワフド）を送ったことが由来

⑶ **エジプト王国**の独立（1922）
…スエズ運河駐兵権，エジプト防衛権，スーダン領有権などは英が保持

⑷ ムスリム同胞団の結成（1928）…イスラーム主義

⑸ エジプト＝イギリス同盟条約（1936）…エジプトの主権を認める一方，**スエズ運河**とスーダンには**イギリス軍が駐兵を存続**

4 トルコ革命（1919〜23）

⑴ **ムスタファ＝ケマル**が**アンカラ**にトルコ大国民議会を招集（1920）

⑵ **セーヴル条約**（1920）…第一次世界大戦後にオスマン帝国が結んだ講和
①イスタンブル周辺以外のヨーロッパ領土とイズミル・中東を失う
②治外法権の存続，連合国による財政管理を規定
③委任統治 ｛**イラク・トランスヨルダン・パレスチナ**はイギリスの委任統治
　シリアはフランスの委任統治
④**クルド人**の自治構想も盛り込まれる ➡のちのトルコ共和国では認められず

⑶ ムスタファ＝ケマル率いる軍が，侵入していた**ギリシア**軍を撃退（1922）

⑷ **スルタン制廃止**…**オスマン帝国が滅亡**（1922）

⑸ **ローザンヌ条約**（1923）…アンカラ政府が，主権と小アジアを回復
▲不平等条約であるセーヴル条約を破棄　▲アナトリア

⑹ **トルコ共和国**の成立（1923）…首都は**アンカラ**
①大統領**ムスタファ＝ケマル**…のちに議会が「**アタテュルク**」の尊称を授与
▲「父なるトルコ人」の意

⑺ トルコの近代化（西欧化）
▲ケマルの政治は独裁傾向が強く，土地改革は行なわれず

オスマン帝国時代	トルコ共和国
カリフ制…**政教一致**	**カリフ**制廃止（1924）…**政教分離**
イスラーム法…**政教一致** ▲シャリーア	トルコ共和国憲法（1924） ▲主権在民，大統領制
一夫多妻，女性のベール着用	一夫一婦，ベール禁止， **女性参政権**（1934）
アラビア文字	トルコ語に合わせた**ローマ字**
イスラーム暦 ▲ヒジュラが行われた622年が元年	太陽暦（**グレゴリウス暦**）

入植してきました。特に1930年代後半以降，ナチス＝ドイツによるユダヤ人迫害が激化すると入植者は激増。これが第二次世界大戦後のパレスチナ問題（▲→テーマ69）に発展します。

3 ⑤エジプトは比較的シンプルです。大戦前のエジプトはイギリスの影響下（ウラービー運動を鎮圧した後に「事実上の」保護国化 →テーマ45▲）にあったものの，名目上はオスマン帝国領でした。大戦でオスマン帝国がイギリスの敵国になると，イギリスはエジプトを**正式に保護国化**。そして戦後，「自分たちの代表（ワフド）をパリ講和会議に送ろうぜ！」という運動がエジプト人の間で起こりました。ここからワフド党が生まれ，エジプトの独立運動につながっていきます。民族運動の高まりを見て，イギリスは1922年に独立を認めましたが，**スエズ運河**地帯の駐兵権，エジプト防衛権，スーダン統治権はイギリスが保留するという**形式的な独立**でした。1936年の**エジプト＝イギリス同盟条約**でエジプトの主権が認められますが，イギリスはインド航路の生命線である**スエズ運河地帯の駐兵権は手放しませんでした。**

イギリスにとって，やっぱりスエズ運河は「虎の子」なんですね。

4 ではオスマン帝国の本丸①小アジアです。大戦に敗れて死に体のオスマン帝国にギリシア軍（▲ギリシア独立戦争以来の宿敵）が攻め込んできました。帝国には抵抗する力など残されていません。この危機に軍人**ムスタファ＝ケマル**が立ち上がり，**アンカラ**に新政府を建ててギリシア人と戦いました。一方，1920年に結ばれた**セーヴル条約**でオスマン帝国に残されたのは，ヨーロッパ側はイスタンブルだけ，小アジア側もわずかな領土のみ（▲アラブ人地域は英仏に分配されている）…。まさに亡国です。奮闘してギリシア軍を撃退したムスタファ＝ケマルは，トルコをゼロから再生するしかないと決意。**スルタン**を退位させ，ここに**オスマン帝国は滅亡**（▲600年以上の歴史に幕を閉じた）しました。ムスタファ＝ケマルの指導力を見たイギリスはアンカラ政府を認めざるを得なくなり，改めて**ローザンヌ条約**を結び，トルコは主権を回復。ここでケマルは，オスマン帝国時代のアラブ人地域を奪回しようとはせず，スパっと切り捨てます。**多民族国家で難儀するよりも「トルコ人の国民国家」（▲これを「トルコ主義」という）としてスマートに渡り歩いていこう**，という判断です。でも実際は単一民族ではなく，多くの**クルド人**が居住していました。セーヴル条約では民族自決を反映してクルド人の自治が持ち上がったのですが，ムスタファ＝ケマルはこれをもみ消してトルコ領内に押しとどめます。これが現在まで続く「国家を持たない最大の民族」クルド人問題です。

同年，ムスタファ＝ケマルを大統領として**トルコ共和国**が成立。「**アタテュルク**」という尊称を贈られた彼は，**テーマ46**でも示したような**西欧化**を進めました。まずは**政教分離**で，オスマン帝国の最後のスルタン（**カリフ**（▲→テーマ20）位も兼ね

5 イ ラ ン

⑴ 第一次世界大戦では，**ガージャール朝**は中立を表明
➡しかし英露両軍が強引に占領。イギリス軍は戦後も駐留を続けた
▲ロシア軍は革命が起こったため撤退

⑵ **レザー＝ハーン（レザー＝シャー＝パフレヴィー）**

①**パフレヴィー朝**の成立（1925，首都テヘラン）
・クーデタでガージャール朝を廃し，パフレヴィー朝を創始
▲議会の承認のもとで

②トルコにならった**西欧化**改革を推進。また，不平等条約の破棄を宣言（1928）

③ナショナリズム高揚策として，国名をペルシアから**イラン**に改称（1935）

6 アフガニスタン

⑴ 第３次アフガン戦争（1919）

⑵ **アフガニスタン**の独立（1919）…第３次アフガン戦争で英が苦戦し，承認

7 第一次世界大戦中のインドをめぐる軋轢（あつれき）

⑴ 大戦中のインド自治の約束

①大戦中，国民会議派と全インド＝ムスリム連盟は，イギリスに対し共闘

②イギリスは戦争協力の代償として，**戦後の自治を約束** ➡インド兵は協力

⑵ 大戦後のイギリスの政策

①**1919年インド統治法**では**名目的な自治**しか認められず，反英運動が高揚

②**ローラット法**（1919）…令状なしの逮捕・裁判抜きの投獄を認めた弾圧法規

③アムリットサール事件（1919）…パンジャーブ地方での抗議集会に対し，イギリス軍が発砲し，多数が死傷

8 ガンディーと独立運動の進展

⑴ 独立運動の指導者

ガンディー	南アフリカでインド人出稼ぎ労働者のための人権擁護活動に従事したのち，第一次世界大戦中に帰国
ネルー	・インド国民会議派の左派を形成。のちのインド初代首相 ・インドの伝統を重視するガンディーに対して，西欧的合理主義の立場から独立運動を指導
ジンナー	全インド＝ムスリム連盟の指導者。のちのパキスタン初代総督

ていた）が退位した時，その従兄弟がカリフ位だけを継承し，宗教的権威を維持していました。ムスタファ＝ケマルはイスラーム色を払拭せんと，カリフ制も廃止します。また，イスラーム法に代わって憲法を制定しました。続いてイスラーム世界において地位が低かった女性の地位を高め，**女性参政権**が実現します。さらには文字と暦からもイスラーム色を排除する徹底ぶりでした。

5 イランの**ガージャール朝**は，第一次世界大戦でイギリスとロシアに占領されてしまいます。ロシアは革命が起こって撤退するものの，イギリスは戦後まで居座りました。ここで，トルコのムスタファ＝ケマルに相当する存在が登場。軍人**レザー＝ハーン**です。**西欧化**改革を進めたところはトルコと共通しています。もう一つ，二人とも**共産主義のソ連への接近をちらつかせてイギリスとの駆け引きに利用した**点も共通しています。イギリスに「ソ連サイドに行かれたら困る。逆にソ連を抑え込んでほしいから，ある程度は友好的にしよう」と思わせたんですね。レザー＝ハーンは，自ら**パフレヴィー朝**を創始して国王になりました。この点は，共和国の大統領となったムスタファ＝ケマルとは異なってます。また彼は，国号をペルシアから**イラン**と改めました。イラン人の国民意識を考えるうえで，

▲英露に対抗するため密かにドイツと通じていた

▲Iran＝アーリヤ人（高貴な人たち）の国

インド＝ヨーロッパ語系のイラン人（ペルシア人）　と　セム語系のアラブ人

が別の民族であることは，絶対に覚えておきましょう！

7 大戦中，総力戦による物資不足や，戦闘による通商網の寸断などでヨーロッパ製品のアジア輸出が途絶え，アジア各地では民族資本が成長し，労働者も増加しました。これに伴って**大衆も民族運動の担い手になっていきます**よ。そして大戦中のイギリスは，インド人にも**戦後の自治を約束**して協力を求めました。

ハイハイ，どうせ約束は守らないんでしょ？

ハイ。100万人以上のインド人がイギリス軍に入隊し，祖国のために戦ったんですが，戦後の**1919年インド統治法**で認められた**自治は名目的**なものでした。怒れるインド人を，イギリスは**ローラット法**で押さえつけます（「令状なしの逮捕，裁判抜きの投獄」という文言を見ると，もはや法治国家の体すらなしていませんよね…）。こうなれば，インド人とイギリスの衝突は不可避なわけで，シク教の聖地としても有名なアムリットサールでは無防備の民衆が発砲をうけて多数の死傷者が出ました。

▲イギリスとインド側が主張する死傷者数には開きがある

8 この事件と同時期，「イギリスに断固報復すべきだ！」と憤る民衆に対して「暴力を用いても，互いが憎み合って悪循環になるだけ。我々は野蛮なイギリス人と同レベルになってはいけない」と**非暴力・不服従**による抵抗を説いた

第6章 二つの世界大戦

⑵　ガンディーによる**非暴力・不服従**運動（サティヤーグラハ，1919～22）
▲真理の把握，という意味

①武装闘争を否定した運動で，イギリスへの経済的打撃・国際的非難を狙う

②大規模な**大衆運動**としての性格を持ち，民族運動は民衆の間に根づいた

③**全インド＝ムスリム連盟**のヒラーファト運動とも一時は共闘

④運動の挫折…農民による警官殺害事件が起こると運動は停止

⑶　インド国民会議ラホール大会（1929）

①背景…憲政改革調査委員会に，インド人が含まれていなかった
▲インド統治法改正を検討する会議

②**ネルー**らが主導し，**プールナ＝スワラージ（完全独立）**を宣言

③大会後の民族運動

・第２次不服従運動（1930～34）への突入

・**「塩の行進」**（1930）…イギリスの塩の専売に反対したガンディーらが，海岸まで約360km を行進し，海岸で製塩を行った

⑷　イギリスの譲歩

①**英印円卓会議**（1930～32）

・イギリスがインド側指導者をロンドンに招いたが，対立は解消せず

②**1935年インド統治法**（改正インド統治法，1935）

・連邦制・各州の**自治**を規定したが，独立は実現せず

・ビルマ（ミャンマー）のインド帝国からの分離も決定

9　戦間期の東南アジアにおける民族運動

国名(宗主国)	
ベトナム (仏)	①ベトナム青年革命同志会（1925）…**ホー＝チ＝ミン**が結成 ②**インドシナ共産党**（1930）…ホー＝チ＝ミンが中心
インドネシア (蘭)	①**インドネシア共産党**（1920）…**アジア初の共産党** ②**インドネシア国民党**（1928）…**スカルノ**が創設 インドネシア国民同盟が母体▲
ビルマ (英)	①サヤ＝サンの蜂起…失敗し，サヤ＝サンは処刑 ②**タキン党**…**アウン＝サン**が指導した民族結社 ▲我らビルマ人協会
フィリピン (米)	①独立の約束（1934）…アメリカが**10年後の独立を約束** ➡独立準備政府が発足（1935） ※実際は第二次世界大戦後の1946年に独立

※**タイ**の**立憲革命**（1932）…国王が暫定（ざんてい）憲法と議会開設を承認

➡1939年にピブン首相が国号をシャムから「タイ」に変更

のが**ガンディー**でした。店舗や工場を一斉休業して断食し（ハルタール▲），自ら糸を紡いでイギリス製品を不買し，選挙をボイコット。イギリス人に暴力で取り締まられても決して反撃しない。はじめは消極的な印象だったこの戦術も，次第に**大衆**を巻き込み（▲無抵抗のインド人への暴力は，国際的非難をよんだ），また一時は**イスラーム教徒の全インド＝ムスリム連盟も共闘**（非暴力の土台はヒンドゥー教理念にありました（▲ヒンドゥー教の不殺生（アヒンサー）が基盤））する一大ムーヴメントに。ただ，中にはカッとなって暴力をふるう農民も出てきて，運動は一旦中断です。

しかし，自治に対するイギリス側の煮え切らない態度もあって，民族運動の最大組織**国民会議派**も，1929年のラホール大会で非暴力・不服従の方針を採用しました。「**完全独立**（プールナスワラージ）」を採択したこの大会の中心にいたのが，のちの初代首相**ネルー**ですね。翌年，ガンディーはイギリスによる塩の専売に抗議し，約360km を約３週間かけて歩き海岸で製塩を行いました（**「塩の行進」**（塩は重要な財源であり，イギリスは打撃をうけた▲））。この時期はちょうど**世界恐慌**が始まったタイミングであり，疲弊したイギリスはインドへの譲歩を余儀なくされていきます。**英印円卓会議**（▲円卓は「参加者はみな対等」というニュアンスを表す。国民会議派と諸派の対立をあおった）では非国民会議派の様々な勢力もロンドンに招集（これも分断策の一例といえるかも）。ついに**1935年インド統治法**において，州レベルの**自治**（▲≒内政）は認められることになりました。ただ「独立」はいまだならず，です。

9 東南アジアの民族運動は**共産主義者が独立運動に関わった点が特徴**的です。

あれ？　共産主義者の使命って資本家を倒すことですよね。

鋭いですね。植民地って何のためにあるかというと，英仏に代表される帝国主義国の資本家にとっての「金づる」**（製品市場や，資本の投下先）**です。だから植民地が独立すれば，帝国主義の代表格たるイギリスやフランスの資本家はジワリとダメージをうけ，長期的な視野に立てば，彼らを倒すことにつながりますよね。共産主義（▲→テーマ43）は本来ナショナリズムを否定するんですが，レーニンは「『ボスキャラ』であるイギリスやフランスの資本家を打倒するためであれば，植民地のナショナリズムは容認される！」と独自の理論を展開。これが，共産主義者レーニンが「民族自決」を掲げた理由です。ベトナムのカリスマ共産主義者**ホー＝チ＝ミン**や**アジア初の共産党インドネシア共産党**はこういった文脈から登場するわけです。

タイやビルマでは，上座部仏教とも結びついたナショナリズムが強まります。タイでは，1932年には若手の軍人・官僚による**立憲革命**が起こり，王による専制が廃されました。ビルマは1935年インド統治法をうけて英領インド帝国から分離され，**タキン党**（▲第二次大戦の時期，東南アジアに関心を強める日本はタイ政府，タキン党に接近）が1930年代に勢力を強めます。

テーマ

58 戦間期の東アジア

1 袁世凱（えんせいがい）の死後の軍閥（軍事勢力）抗争

★軍閥…各地に割拠した軍事勢力。経済振興・教育振興など近代化も推進

(1) **張作霖**（ちょうさくりん）…奉天軍閥の首領。1920年代後半に日本と提携しつつ政権を掌握

2 新文化運動（文学革命）

(1) 雑誌**『新青年』**…欧米の思想を紹介。スローガンは「民主と科学」

(2) 新文化運動の指導者

陳独秀（ちんどくしゅう）	・『新青年』を創刊。北京大学の学長に就任（1917） ▼1912年成立 ▲1915年創刊の『青年雑誌』より改称 ・五・四運動後は共産主義に接近，中国共産党の初代委員長となった
胡適（こせき（こてき））	・**白話運動**（旧来の文語を否定した**口語**による文学）を提唱 ▲デューイに師事。アメリカ留学より帰国後，北京大学の教授に就任
魯迅（ろじん）	・白話文学を推進し**儒教道徳**を批判した作家 ・代表作**『狂人日記』**（1918），**『阿Q正伝』**（1921）
李大釗（りたいしょう）	・北京大学の教授として，大学内に**マルクス主義**研究会を創設

3 五・四運動と第1次国共合作

(1) 五・四運動（1919.5.4）

①第一次世界大戦に中国が参戦（1917）…連合国側に立って参戦

②パリ講和会議（1919）

・中国は「**民族自決**」に期待し，**二十一カ条の要求**の廃棄を要求

・しかし日本による山東半島権益の継承が認められ，中国民衆が猛反発

③**五・四運動**…北京大学の学生らが反帝国主義・反封建主義を主張したデモ
▲反軍閥

④政府代表団は**ヴェルサイユ条約の調印を拒否**
初めて大衆が政府を動かした運動となった▲

(2) 中国国民党と中国共産党の成立

中国共産党（1921結成）	**中国国民党**（1919結成）
初代委員長は陳独秀，李大釗も協力	初代党首は**孫文**
コミンテルンの指導下に上海で結成	五・四運動における民衆の力を見た孫文は，中華革命党を**大衆**政党に改組

1 辛亥革命によって清朝は滅亡したものの，保守的な政治は依然として続きました。**袁世凱**が死去すると，激しい後継者争いが勃発。首領としては，最終的に中国国民党に敗退した**張作霖**を押さえれば大丈夫です。これらの**軍閥は，列強の支援をうけて中国を支配**していました。列強は中国の革命（＝近代化）を恐れていますから，保守派の軍閥が幅を利かせてくれていた方がありがたいですよね。

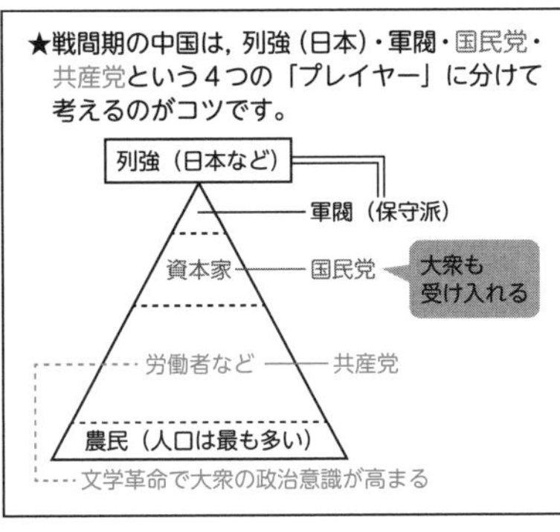

2 大戦中，インドと同様に中国でもヨーロッパ製品は姿を消し，中国人経営の企業が成長して労働者も増えました。このタイミングで，知識人たちによる民衆の意識改革が進められました（**新文化運動**）。**陳独秀**が創刊した**『新青年』**の中で欧米の科学・合理思想を紹介。同時に，**儒教道徳**（これが国民国家にとって障害であることは**テーマ49**で説明した通りです）**を払拭**しようとしました。乱暴な言い方をすれば「支配者の言うことに無条件に従う」精神性を改めない限り革命など起こせない！　ということです。**胡適**は，文章を**口語**（話し言葉）で分かり易く表現する**白話運動**を推進しました。白話小説の代表格が**魯迅**です。

▲その中核が文学革命

中学3年の時，国語の授業で魯迅の『故郷』という小説を読んだことがあります。あれも確か，儒教道徳を批判してたような…。

皆さんの中で，読んだ記憶がある人も多いのでは？　主人公と幼馴染みルントウの悲しい関係，当時の儒教的人間関係を見事に示唆しています。こういった地道な運動によって，大衆に政治意識が芽生えていったんですよ。

3 大戦の終盤，中国は連合国側で参戦しまし代表団がパリ講和会議へ向かいます。政治意識が高まった大衆は会議において**民族自決**が検討されていることを知り，「やった，中国が植民地支配から解放されるぞ。特に**二十一カ条の要求**は許せん！」と期待を寄せました。でも，皆さんも承知の通り民族自決は認められず。これを聞いた北京の学生や民衆は「列強は中国から出ていけ！　その手先である軍閥もくたばれ！」と大爆発（**五・四運動**）。この時，パリの中国代表団は山東半島の処遇への不満があって**ヴェルサイユ条約の調印拒否**を検討していました。本国の五・四運動が決め手となり，代表団は条約の調印拒否に踏み切ったのです。大衆運動が政府の動きに影響を与えたんですね。

▲戦勝国となって国際的地位を高めようとした

▲日本が引き続き山東半島の権益を継承

(3) **第１次国共合作**の成立（1924）

①**「連ソ・容共・扶助工農」**の三大新政策を採択

②共産党員が，個人の資格で共産党籍を保持したまま国民党に入党

▲共産党が小規模だったため

※カラハン宣言（1919，20）…ソヴィエト政権が，帝政ロシア時代に中国と結んでいた不平等条約を撤廃

▲孫文が共産党に好感を抱いた一因

③孫文の死（1925.3）…「**革命いまだならず**」の遺言を残して死去

4 北伐（国民革命）と国共の分裂

(1) **五・三〇運動**（1925.5.30） 58－①

①原因…日本人が経営する上海の紡績工場で労働者のストライキが抗議運動に発展，イギリス警官が労働者を射殺

②学生･市民･労働者中心の**反封建･反帝闘争**として上海から全国に波及し，北伐開始の契機となった

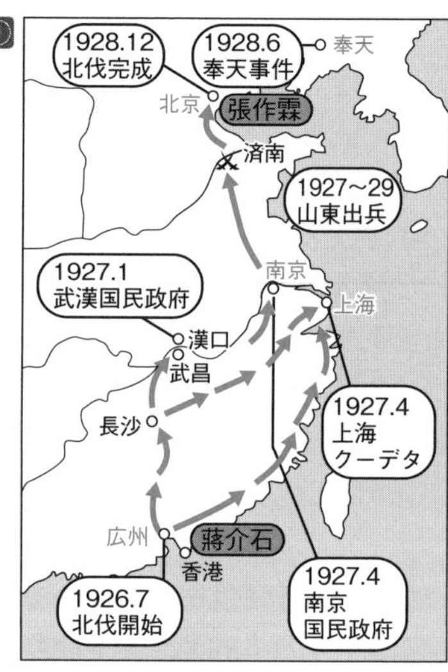

(2) 孫文死後の国民党

①**広州国民政府**の成立（1925）

②国民革命軍の編成（1925）

…**蔣介石**が総司令官に就任

▲黄埔軍官学校の校長を務めた

(3) **北伐**の開始（1926.7）

…国民革命軍が**広州**を出発

※武漢政府の成立（1927.1）…汪兆銘ら国民党左派が，広州国民政府から分離

(4) **上海クーデタ**（1927.4.12）

①蔣介石が列強の支持と**浙江財閥**の支援をうけて，共産党員を弾圧

▲浙江・江蘇出身の資本家

②第１次国共合作は崩壊し，北伐も一時中断

(5) **南京国民政府**の樹立（1927.4）

(6) 北伐の再開と完成（1928.4）

①日本の妨害…**山東出兵**（1927.5～29.5）

▲日本は中国東北部への進出を狙っていたため

②**張作霖爆殺事件**（**奉天事件**　1928.6）

・背景…満洲は張作霖の根拠地で，日本も権益を持っていた

・**関東軍**は満洲の単独支配をたくらみ，**奉天**へ退却する張作霖を爆殺

▲南満洲鉄道など

▲中国東北部に駐屯する日本の陸軍部隊

・しかし，**反日**となった子の**張学良**が軍閥を継承して**蔣介石に降伏**

満洲は間接的とはいえ国民党の影響下に入ってしまった▲

③北伐の完成（1928.12）…張学良が国民政府に忠誠を誓い，国民革命は完成

※関税自主権の回復…北伐を完成させた国民党政権が実現（1928～30）

▲国民政府の税収は増加し，権力基盤は強化された

五・四運動は，軍閥だけではなく各方面にも影響を及ぼしました。革命を指導してきた**孫文**は，今までは実のところ大衆の力を軽んじていて，少数のエリ
帝国主義に対抗するため，一部の軍閥と提携▲
ートこそが革命を担うと考えていたんですね。でも五・四運動のパワーを見て目からウロコ。大衆の力こそが革命の原動力だと考えを改め，1919年に立ち
新文化運動において，李大釗がマルクス主義を中国に紹介▼
上げた**中国国民党**では**大衆にも門戸を開きました**。一方で1921年に**中国共産**
▲以下国民党と略記　▲ただ指導層は資本家たち　以下共産党と略記▲
党が成立しますが，これもコミンテルンが労働者を含む大衆パワーに目をつけたからです。レーニンは，**テーマ57**で説明したように「帝国主義打倒のために，共産主義者が民族運動を担うべし」と主張しますが，中国の共産党員だけ
結党の段階では数十名しかいなかった▲
では心もとない。そこで一旦はブルジョワ主導の国民党と提携しようと考えます。これが**第１次国共合作**。大衆の力を評価する孫文も合作に乗り気（帝政ロシア時代に清朝と結んだ不平等条約をチャラにしてくれたカラハン宣言をうけて，レーニンへの好感度もUPしていました）で，国民党・共産党 VS 軍閥・列強 という構図が見えてきました。しかし，軍閥と戦う準備の途上に孫文が病死。「**革命いまだならず**」という遺言は，30年間も革命運動に身を投じた男の無念をよく表しています。

4 孫文の後継となったのが黄埔（こうほ）軍官学校の校長を務め，国民革命軍総司令官となった**蔣介石**。国民政府が置かれた**広州**から，軍閥打倒のために国民革命軍が出撃して，**北伐**が始まりました。国民革命軍は次々と軍閥を打ち破っていきます（共産党も奮闘！）が，国民党の中には共産党との連携をめぐって不協和音が…。実は蔣介石は筋金入りの**反共**で，共産党との協力に日ごろから不満を抱いていました。一方で**汪兆銘**は大衆を評価した孫文の考えに近く，1927年１月に蔣介石と袂（たもと）を分かち武漢に政府を建てました。春，上海に入城した蔣介石は共産党の圧殺を決断。

上海って，大事な都市なんですか？

まず，共産党本部は**上海**にあります。次に，北伐に先立ち**五・三〇運動**が盛
ストライキをきっかけに，労働者が蜂起して列強と衝突▲
り上がっていました。反帝国主義運動が一歩間違えば共産主義革命になりかねない。この状況下，**イギリスやアメリカは蔣介石に接近**し「共産党を潰（つぶ）してく
浙江省以外の出身者も多く，「浙江財閥」という呼称を用いない教科書もある▼
れれば，これからは国民党を支持する」と提案。中国最大の**浙江財閥**（浙江・
▲従来は国民党による革命を警戒していた
江蘇出身の資本家）が蔣介石側に立ったこともあって，共産党を切り捨てる機は熟した，というわけです。1927年４月12日，共産党員の一斉逮捕・虐殺（**上海クーデタ**）が断行され，国共合作は崩壊しました。

翌28年，蔣介石は国民党だけで北伐を再開。ついに首都北京を占領し，軍閥の首領**張作霖**は自らの本拠地である**奉天**へ撤退していきました。ここで思わ

5 国共の対立と満洲事変

(1) 共産党の再起

①**中華ソヴィエト共和国臨時政府**…**毛沢東**（もうたくとう）を主席として**瑞金**（ずいきん）で樹立（1931）
▲江西省

(2) **満洲事変**と日本の侵略

①**柳条湖事件**（りゅうじょうこ）（1931.9.18）

・関東軍が南満洲鉄道を爆破し，張学良によるテロとして侵略の口実とした

・関東軍は満洲を制圧。張学良は逃亡し，蔣介石の指揮下に入った

・**リットン調査団**…国際連盟が派遣。柳条湖事件を日本の侵略行為と断定

②**満洲国**の成立（1932.3）…日本の傀儡（かいらい）国家。清朝最後の皇帝**溥儀**（ふぎ）が執政
▲のちに皇帝となる

③**冀東**（きとう）防共自治政府の成立（1935）…日本が河北省に建てた傀儡政権
▲満洲国の防波堤

(3) 南京国民政府の対応

▼塘沽（タンクー）停戦協定で満洲国を事実上承認
①蔣介石は日本よりも，**共産党との内戦を優先**

②世界恐慌をうけ経済混乱 →紙幣を「**法幣**（ほうへい）」に統一（**幣制改革**，1935）
▲国民政府系の４銀行が発行する紙幣

6 長征と国共の再接近

(1) **長征**（大西遷，1934.10～1936.10）

①蔣介石の包囲攻撃で劣勢となった共産党が瑞金を脱出

②**八・一宣言**（1935.8.1）…内戦の停止・抗日民族統一戦線の結成を訴えた
ロシア駐在の共産党員が発した▲

③１万キロ以上の移動の末，陝西省（せんせいしょう）**延安**（えんあん）に根拠地を移した
▲30万の兵士は到着時には約３万人に減少

(2) **西安事件**（1936.12）
▲西安は，かつての前漢＆唐の都であった長安

①八・一宣言に共鳴した張学良が，督戦（とくせん）のため西安に来た蔣介石を監禁

②共産党の周恩来（しゅうおんらい）による説得もあり，蔣介石は国共合作を認め釈放された

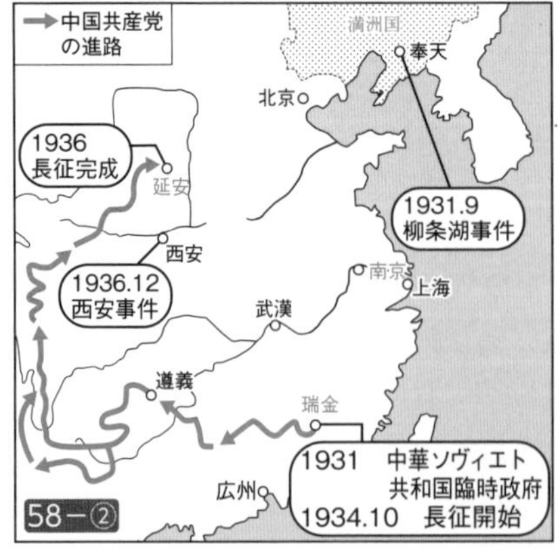

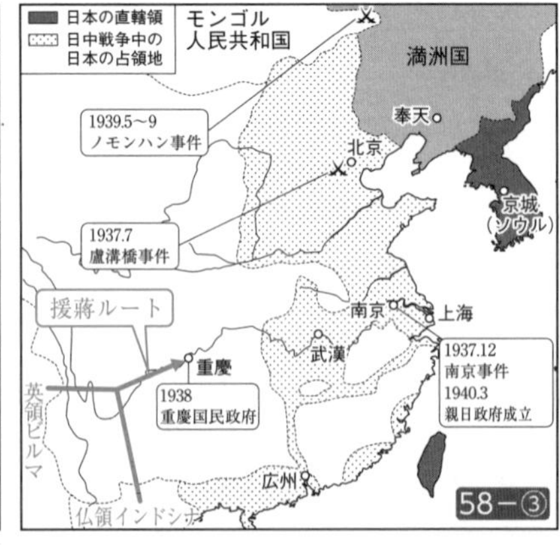

ぬ事態が。奉天へ向かう張作霖が列車・橋脚ごと爆破されて殺害されてしまったんです。これは日本の**関東軍**の仕業でした。満洲に満鉄などの権益を持つ日本は，同じ東北地方を勢力範囲とする張作霖を支援してきました。しかし「もはや，没落した張作霖など利用のしがいもない。奉天軍閥はこれで終わりだ。**日本自身で東北地方を支配してしまえ**」と考えた関東軍によって謀殺されてしまったんです。ここで息子の張学良はいち早く奉天軍閥を建て直し，父を殺した日本に立ち向かうため蔣介石の麾下（きか）に入る決断をしました。東北地方を掌握する張学良が蔣介石に忠誠を誓ったことで北伐は完成，中国は（一応）統一されました。

北京に滞在していて難を逃れた▲

5 以上の経緯が分かっていれば，1931年に**満洲事変**が起こる経緯がスムーズに理解できます。張学良のスピーディな対応によって東北地方を制圧する野望を挫（くじ）かれてしまった関東軍は，満鉄を自ら爆破（**柳条湖事件**）して張学良の仕業に仕立てあげ，これを口実に東北地方の主要都市を占領（この後，日中両軍は上海でも衝突しました）。1932年３月，日本は最後の皇帝（ラストエンペラー）**溥儀**（ふぎ）をトップとする傀儡国家**満洲国**を建国します。これに対し，事件の不当性を訴えた中国側の要請で国際連盟から**リットン調査団**が派遣されました。調査の結果，柳条湖事件は関東軍の自作自演であるという結論にいたり，調査団の報告を採択する決議に不満を持った日本は，1933年に**国際連盟からの脱退**を通告しました。

▲上海事変
▲世界恐慌をうけて日本も不況に苦しみ，海外市場を求めていた

6 ところで，上海クーデタ後の共産党はどうなっていたのでしょうか。クーデタの難を逃れた勢力が**毛沢東**を中心に，江西省の**瑞金**で**中華ソヴィエト共和国臨時政府**を樹立。ということは，**実権を掌握する南京の蔣介石は，北の満洲国（日本）と南の共産党という２つの敵と同時に対峙（たいじ）することになりました**ね。さて，どうするか。

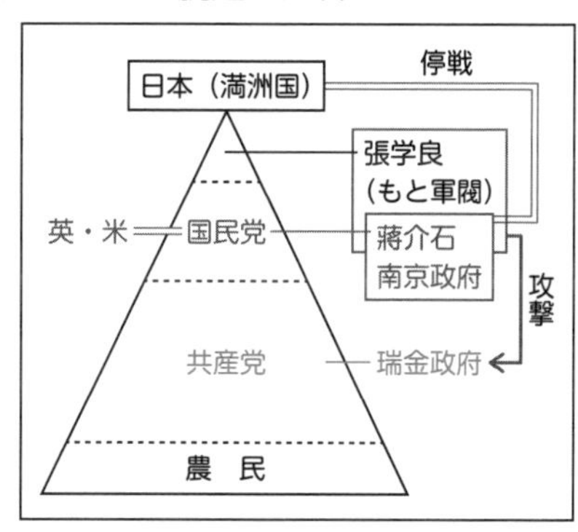

同じ中国人なんだから，国共で協力して日本と戦いましょう！

そう考える人も多かったんですが，反共の蔣介石は「分裂状態の国内を統一するのが先決である」と考え，**日本とは停戦して共産党への攻撃を優先**させました。国民党の総攻撃は苛烈（かれつ）をきわめ，**紅軍**は総崩れとなってたまらず瑞金を脱出。２年に及ぶ逃避行，**長征**の始まりです。国民党軍に見つからないように劣悪な道なき道を進み，多くの犠牲者を出しながらも延安に到達しました）。

▲この戦略を「安内攘外」と呼ぶ
▲中国共産党の軍隊
▲この途上，毛沢東は共産党内の指導権を確立

7 日中戦争と第2次国共合作

▲1937〜45

(1) 日中戦争…盧溝橋事件（ろこうきょう）（1937.7.7）から全面戦争へ

(2) 第2次国共合作の成立（1937.9）

①抗日民族統一戦線…紅軍は蔣介石の指揮下に入り八路軍（はちろ），新四軍（しんし）と改称

②ただしこの間も，国民党と共産党の関係はしばしば緊張し，武力衝突

(3) 日中戦争の戦況

①日本軍による南京占領（1937.12）

…占領と同時に南京事件が起こった（▼南京占領の際，日本軍が一般市民や捕虜を殺害）

②蔣介石は国民政府を重慶（じゅうけい）に移転（1938）し持久戦へ

③南京政府の樹立（1940）…日本は汪兆銘（おうちょうめい）（▲国民党の左派）を首班として，傀儡（かいらい）政権を樹立

8 朝鮮

(1) 朝鮮総督府の武断政治

①言論・出版・集会・結社の自由を奪い，憲兵警察が取り締まる

②**土地調査事業** ➡近代土地所有制度の導入，所有権不明の土地を没収

(2) 三・一独立運動（1919.3.1〜）

①パリ講和会議での「民族自決」に期待した朝鮮の民衆が独立を宣言（▲高宗の死去も背景）

②各地で「独立万歳」を叫んでデモを行ったが，日本軍と警察が弾圧

➡日本は「文化政治」に転換し，言論・集会・結社への**取り締まりを緩和**

(3) 大韓民国臨時政府（1919）

①三・一運動の影響で上海で成立。初代首班は李承晩（イスンマン）

(4) 日中戦争勃発後

①皇民化政策の実施…日本語の強制，神社参拝の強制，創氏改名（▲日本風の姓名を用いる）など

②太平洋戦争勃発（1941）➡労働者として徴用。徴兵制を施行

9 モンゴル

(1) モンゴル人民革命党の結成（1920）…チョイバルサンが中心

(2) モンゴル人民共和国の成立（1924）（▲1924年に人民党から改称）

①**世界で2番目の共産主義国**として，中華民国から独立

※冷戦終結後の1992年，**社会主義体制から離脱**し国名をモンゴル国に改称

この長征の途上，モスクワにいる共産党員が「内戦を停止して，国共で団結して日本と戦おう」という趣旨の**八・一宣言**を発していました。完全無視した反共の蔣介石とは対照的に，宣言に心震えた男がいました。父親の仇(かたき)をとり，故郷の満洲を奪還したい張学良です。そこで彼は，蔣介石が**西安**（▲張学良の軍が駐留していた）を訪れた際になんとボスである蔣介石を監禁（**西安事件**）！　共産党の周恩来（黄埔軍官学校時代，蔣介石の部下だった▲）も説得にあたり，ついに蔣介石に内戦停止を認めさせました。

さすがは軍閥の御曹司。やることのスケールが大きいですね。

7　1937年7月，日中が軍事衝突した**盧溝橋事件**から日中は全面戦争に突入しました。蔣介石は紅軍を八路軍として指揮下に入れ，**第2次国共合作**が成立（第1次ではまだ少数だった**共産党員が国民党に入党する**形式でしたが，今回は**対等**な関係です）。日本が国民政府がある南京に攻勢をかけると，蔣介石は長江をさかのぼるような形で南京➡武漢➡**重慶**と政府を移転させました。日本軍を内陸部に引きずり込み補給線を引き延ばしてやろうという魂胆です。また重慶は英領ビルマや仏領インドシナからの支援（▲いわゆる援蔣ルート）をうけることも可能でした。日本軍は南京などの沿岸部は押さえたものの，農村部ではゲリラ戦に苦しんで戦線は膠着。重慶を爆撃したり，蔣介石と対立していた**汪兆銘**を引き抜いて南京に傀儡政権をつくったりしましたが，戦局は好転せず，いたずらに戦線を拡大させただけでした。そして1941年12月（▲真珠湾攻撃）以降は，米・英も巻き込む世界大戦（▲→テーマ61）になっていきます。

8　朝鮮半島に目を向けると，中国の五・四運動と同じ1919年に**三・一独立運動**が起こりました。前者が「民族自決を裏切られた失望から起きた反帝運動」なのに対し，後者は**「民族自決への期待感から起きた独立運動」**です。運動は鎮圧されたものの，日本側は従来の高圧的な**武断政治**を改め，言論・集会・結社への取り締まりを緩和する「**文化政治**」という同化政策に転換。日中戦争勃発を契機に**皇民化政策**が展開され，日本語の使用や**創氏改名**が推し進められます。内地の人手不足が深刻化すると，朝鮮人労働者が移住・連行させられました。さらに太平洋戦争の末期には徴兵制が敷かれ，軍人や軍属として戦地に動員されました。

9　辛亥革命に乗じて独立を宣言した外モンゴル（▲→テーマ51）は，チベット仏教の活仏を君主に担ぎあげました。しかし，国境を接するロシアの革命に刺激され，**チョイバルサン**らを中心とする共産主義のモンゴル人民党（▲のちのモンゴル人民革命党）が勢力を拡大。1924年に君主が死去すると，共産主義政権は活仏の転生を認めず，**世界で2番目の共産主義国モンゴル人民共和国**が成立しました。

第6章　二つの世界大戦

テーマ 59 1920年代のアメリカと世界恐慌

1 第一次世界大戦後のアメリカの繁栄

(1) 大戦におけるアメリカ合衆国の被害は軽微で，また連合国に物資を供給

(2) イギリス・フランスから戦債を買い入れていたため，**債権国**へ転換

(3) 世界金融の中心もロンドン（▲シティ）から**ニューヨーク**（**ウォール街**）へ移った

2 戦後の大統領と国内情勢

※戦間期のアメリカ外交…孤立主義を掲げつつも，ワシントン会議を開催するなど国際政治にも関与

（薄い網掛けは民主党，濃い網掛けは共和党）

(1) **ウィルソン**大統領（第28代，民主党　任1913～21）

①第一次世界大戦に参戦（1917）…**十四カ条**を提示して，講和を主導

②**女性参政権**の実現（1920）

③大戦後は国内で**孤立主義**の傾向が強くなり，上院の反対によってヴェルサイユ条約批准は否決され，**国際連盟には加盟せず**

★共和党政権の時代…経済の自由放任主義を標榜（ひょうぼう）

(2) ハーディング大統領（共和党　任1921～23）

①**ワシントン会議**を開催（1921～22）

(3) クーリッジ大統領（共和党　任1923～29）

(4) **フーヴァー**大統領（共和党　任1929～33）

①「永遠の繁栄」という言葉で，恐慌前夜のアメリカ経済を讃（たた）えた

(5) 大衆消費社会の到来　～アメリカ的生活様式～

①特徴…**大量生産**（▲規格を統一し，工程を単純化），**大量消費**（広告や割賦（かっぷ）販売が購買意欲を刺激）

・自動車…**フォード**が開発した**組み立てライン**によって大量生産を実現

②新たなメディア（**ラジオ・映画**），娯楽（**ジャズ**音楽やプロスポーツ）

③アメリカ社会の保守化…「**WASP**」（▲White, Anglo-saxon, Protestant）の価値観を強調

・**禁酒**法（1919～33）（密造酒の密売が横行▲）…宗教的事情（▲勤労を奨励するカルヴァン派を反映），労働効率上昇の企図を背景に制定

・サッコ・ヴァンゼッティ事件（▲サッコとヴァンゼッティは容疑者の名前）（1920）…イタリア移民の無政府主義者が，強盗殺人の容疑で逮捕され，証拠不十分のまま死刑にされた

・**移民法**（1924）…東欧・南欧からの移民を制限，日本からの移民は**禁止**

・**クー＝クラックス＝クラン**（**KKK**）…**黒人だけでなく移民も迫害**

1 第一次世界大戦でアメリカ本土は被害をうけず，総力戦で苦しむヨーロッパの連合国に大量の物資を輸出し，お金も貸しつけていました。戦後は空前の好景気となり，**ニューヨーク**の**ウォール街**が世界金融の中心にのし上がります。
（アメリカの工業生産は，1929年で世界全体の42%を占めた▲）

2 この1920年代，現代に通じる**大量生産・大量消費社会**が生まれました。メーカーが同一規格の商品を大量に生産し，購買力を高めた大衆がこれを購入する，**「画一化」**が進んだ社会ともいえますね。その象徴が，**ベルトコンベアを用いた組み立てライン**で自動車を大量生産した**フォード**でしょう（1台あたりの生産時間が，14時間➡93分➡ついには10分に！）。**ラジオ**や**映画**など新たなメディアで企業広告が展開されたことも，大衆の購買意欲を刺激しました。**割賦販売**（銀行などが代金を先に支払い，購入者は後から分割して銀行に代金と利子を支払う）が普及して，高額商品にも手が届くように。大衆には映画に加え，**ジャズ**やプロスポーツなどの娯楽も根づいていきました。
（1920年代半ばには約500のラジオ放送局があった▲）（▲要するに銀行などから金を借りている）（ウォルト＝ディズニーがミッキーマウスの映画を製作したのが1928年▲）（▲プロ野球のベーブ＝ルースなど）

一方この時期，アメリカ合衆国を建国以来支えてきたイギリス系白人（**WASP**）の価値観が幅を利かせて社会は極度に不寛容になり，異質なモノは徹底的に攻撃されました。
（▲アングロ＝サクソン）

どうしてこのような現象が起こったんですか？

様々な要因が複合的に絡んでいるんですが，やはり第一次世界大戦の影響は大きいです。以下の内容は，共通テストのために定着させる必要はありませんが，理解を深めるための参考として読んでください。

①大戦中に高まった，愛国的な挙国一致の風潮によって「アメリカ国民」への同化が求められ，異質な集団を排除する傾向が強まった
（▲この中核がWASP）
②大戦中，白人男性を中心とする米軍兵士がヨーロッパへ出征したことで北東部の工業地帯が人手不足となり，南部の黒人が大量に移住。終戦して復員した白人兵士の多くは新たな職を探さなければならず，北東部において突如増加して労働者となっていた黒人に反感を抱いた
（▲100万人以上）（▲ジャズ音楽が北部へ浸透したのも，これが一因）
③ヨーロッパからの移民が大戦中は激減したが，終戦後に再び増加
（▲総力戦体制が敷かれたため）
④1921年以降，WASPを支持基盤とする共和党が政権を担った
（▲一方で，東欧・南欧からの新移民層は民主党を支持した）

禁酒法はWASPの「P（プロテスタント）」の，勤労を奨励し禁欲を重視する価値観から制定されたものですが，これにも大戦が影を落としています。大戦中，大切な食糧である穀物をビールなどにすることが「浪費」と批判され，しかもビール醸造業者には敵国ドイツ出身者が多かったんですよ。イタリア移民二人が強盗殺人事件の容疑者として逮捕され，証拠不十分で死刑になったサ
（▲ここではカルヴァン派を指す →テーマ29）（なお二人とも，大戦において徴兵を拒否している▲）

3 世界恐慌

(1) 恐慌の背景

①**企業の生産過剰**

②**購買力の低下**
- ・**農業不況**…大戦中はヨーロッパに農作物を輸出
  ➡戦後ヨーロッパの生産が回復したため，生産過剰
- ・工業生産の合理化…労働者の賃金は伸び悩んだ

③国際貿易の停滞…**保護関税**や，戦債・賠償支払いが国際貿易を妨げた
アメリカは自由放任を掲げながらも，実際には保護貿易で国内産業を保護▲

④その他…株式への過剰な投機，企業の過剰な設備投資，割賦販売の普及
▲アメリカに資本が集中

(2) **ウォール街**での**株価大暴落**（1929.10.24）**「暗黒の木曜日」**

①企業は生産を縮小し，倒産する企業も続出。失業者も増加し深刻な恐慌へ

②銀行が連鎖倒産する金融危機も起きた

③恐慌はヨーロッパへも波及
- ・ヨーロッパから不況下のアメリカへの輸出が減少したため
- ・アメリカの銀行・資本の撤退も一因
  ▲とくにドイツからの撤退

(3) **フーヴァー＝モラトリアム**（1931）

①ドイツの賠償金・英仏の戦債支払いを１年停止する**フーヴァー**の策
▲効果は薄かった

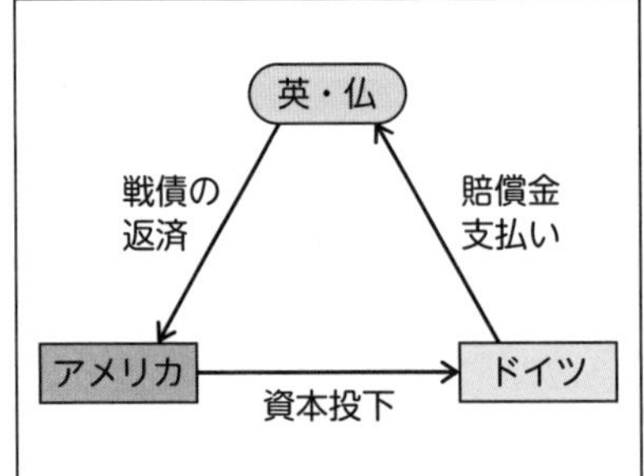

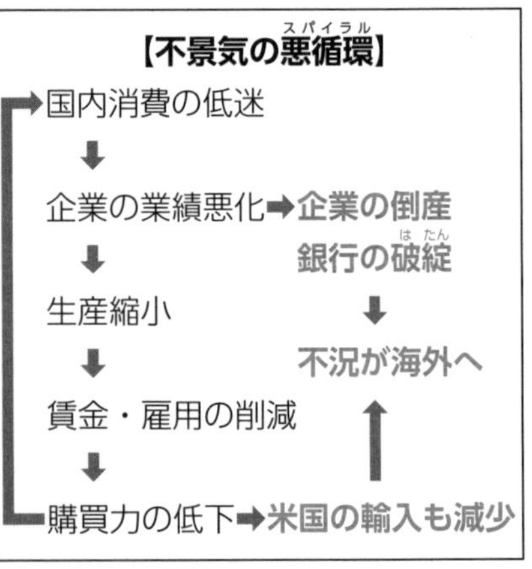

4 フランクリン＝ローズヴェルト大統領（民主党）の政策

▲任1933～45　アメリカ大統領で唯一，四選を果たした

(1) **ニューディール**政策
▲「新規巻き直し」

①特徴…自由放任主義から転換し，**政府が経済活動に介入**する修正資本主義

(2) ニューディール　～生産の統制
▲ NIRA も AAA ものちに違憲判決をうけた

①**農業調整法**（**AAA**，1933）…補助金交付と引き換えに農産物の作付けを制限し，農産物価格を上昇させようとした

ッコ・ヴァンゼッティ事件には，WASPと相容れない移民に対する負の感情が見てとれます（ロシア革命の影響で反共の風潮が強くなっており，二人が無政府主義者であったことが偏見に拍車をかけた側面も)。日本からの移民を禁じた1924年**移民法**も然り。日系人排斥の流れをおさらいすると，日露戦争後のアメリカにおいて対日感情が急速に悪化しましたね。ドイツのヴィルヘルム2世がロシアの目を極東に向けさせようとする際に用いた「黄禍論」も，アジア人差別に影響を及ぼしたようです。そしてもともとは「南部で成立した黒人を迫害する結社」だった**クー＝クラックス＝クラン（KKK）**が，**「北部でも活動し，黒人だけでなく移民も迫害した」**ことは，当時の保守性・不寛容をよく表しているといえます。

▲→テーマ50　黄色人種を，世界に災いをもたらす脅威とみなす論▲　→テーマ52▲

1920年代の大統領は，第一次世界大戦期から続いた民主党**ウィルソン**，続いて共和党の三人という感じになります。大戦でヨーロッパ情勢に深くかかわったアメリカ外交でしたが，戦後はかつての**孤立主義に回帰**していきます。とはいってもワ**シントン会議**を開催したり，**ドーズ案**や**不戦条約**などでヨーロッパ外交に顔を出しており，**孤立主義と国際主義が並存**していた点がポイントです。

3 経済的繁栄を謳歌していたこの時期ですが，懸念材料は確実に積みあがっていました。好況の起爆剤は，大戦中のヨーロッパでの特需で，アメリカが生産した農作物も工業製品も飛ぶように売れましたね。しかし戦後はヨーロッパ産業の復興が進み，**農作物に関しては終戦直後からアメリカからの輸出は停滞に転じました**。1920年代も後半に入るとヨーロッパの工業生産は戦前の水準に回復し，アメリカ製品に依存しなくてすむ状況に。また，アメリカを含む各国が保護関税政策をとったことも，輸出を頭打ちにさせました。でもアメリカ企業は強気の姿勢を崩さずに生産を続け，在庫が積み上がっていったんです。

▲輸入品に関税を上乗せして国産品を保護

じゃあ，工場で働く労働者は潤っていたわけですか。

いや，そうともいえなくて，組み立てラインなどで生産が合理化されてしまったため，人手不足が解消されて労働者の賃金も伸び悩むことに…。

▼労働者を重要な消費者とみなし，あえて賃金を引き上げたフォードの例もあるが

景気後退の兆しは明らかなのに，株価は上がり続けます。「株を買えば儲かる！」という神話が投機熱を煽り，実体経済と株価が完全に乖離する状況が起こりました。ついに1929年10月24日，「今の株価は実体経済に対して高すぎる！」と投資家たちが一斉に株を売却し，ウォール街の株価が大暴落！　ここから大恐慌に突入するわけですが，「株価大暴落によって恐慌になった」というよりは，**「アメリカ経済のヤバイ現実が株価大暴落によって明白となり，暴**

▲株の購入とは，企業に投資すること　▲一般人にまで，株を購入するブームが拡大　▲「暗黒の木曜日」。10月29日も大暴落し「悲劇の火曜日」と呼ばれる

②**全国産業復興法**（NIRA，1933）…企業間での工業製品の価格協定を公認し，産業の復興をうながす

⑶　ニューディール　～公共事業

①**テネシー川流域開発公社**（TVA，1933）

・ダム建設などの開発事業を大々的に進め失業者を吸収

・政府が国民に安価な電力を提供するという目的もあった

⑷　ニューディール　～労働者の保護

・**ワグナー法**（1935）…違憲判決をうけたNIRAの中で，労働者の権利に関する部分を抽出。団結権・団体交渉権など，労働者の権利を大幅に拡張

・産業別組織会議（CIO）…アメリカ労働総同盟（AFL）から独立
▲1938年に成立　▲戦後再びAFLと合同

※ニューディール政策は必ずしも成功したとはいえないが，政府に対する国民の信頼をつなぎとめた意義は大きい
▲景気回復をけん引したのは，第二次世界大戦の戦時需要

⑸　**金本位制**からの離脱（1934）

Ⓐ各国の失業率

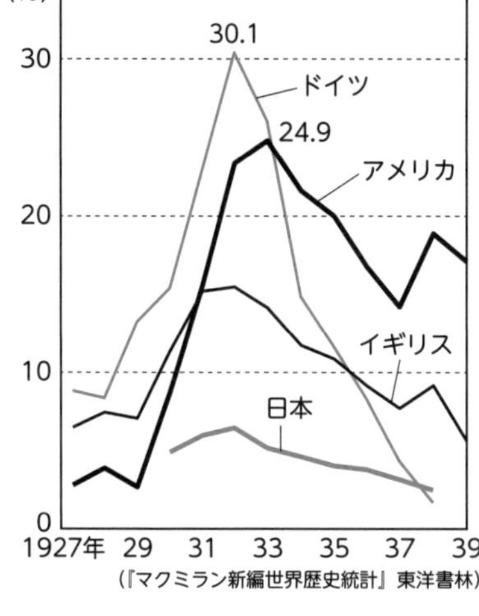

（『マクミラン新編世界歴史統計』東洋書林）

Ⓑ恐慌中の工業生産

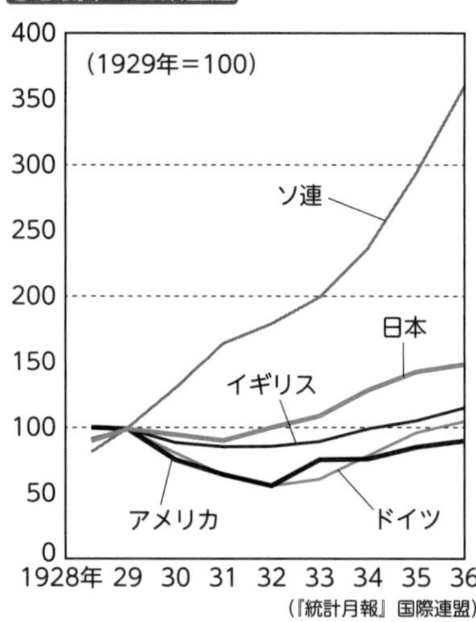

（『統計月報』国際連盟）

⑹　外交政策…海外市場の拡大を目指した

①**ソ連を承認**（1933）…背景には新規市場としてのソ連への期待，米ソに共通する日本への警戒感があった

②**善隣外交**…ラテンアメリカ諸国と友好を確立し，市場確保を狙った
▲従来の棍棒外交を改めた

・**キューバ独立**（1934）…プラット条項を修正し，独立を承認

③**フィリピン**独立の約束（1934）…アメリカが10年後の完全独立を約束
▲実際の独立は12年後の1946年　→テーマ57

④中立法の制定（1935）…国際紛争に巻き込まれるのを避けるため，紛争国への軍需品の輸出・借款を禁止。孤立主義的傾向のあらわれ

落がさらに悲惨な状況を招いた」と言った方が適切かもしれませんね。

p.374の図「不景気の悪循環（スパイラル）」は，中学校の公民で習ったことがあると思います。この流れの中で，アメリカの工業生産は半減し，失業率は25％にまで及びました。高校世界史では，**赤字部分**にも注目しましょう。アメリカが不景気になったことで，アメリカの輸入が一気に落ち込みます。外国はアメリカに商品を売れなくなって売り上げが落ちるわけで，**外国の企業にも不景気が波及**するわけです。次に銀行。①企業が倒産すると，その企業に融資していた銀行は資金を回収できず，下手すれば破綻（はたん）。経営不安になった銀行は企業への貸し出しを渋り，そのあおりで別の企業が連鎖倒産。②つぶれそうな銀行から預金を引き出そうと預金者が殺到。こんな風にアメリカの銀行が満身創痍（まんしんそうい）になれば，取引がある外国企業も苦しくなります。この時，一番困る外国は？

▲アメリカ人が不景気でモノを買えなくなったということ
▼これを不良債権と呼ぶ
▼株を保有していた銀行が株価大暴落で打撃をうけた側面もある
▼いわゆる取り付け騒ぎ。銀行が破綻すれば，当然預金はなくなる

ドーズ案で，アメリカに助けてもらってたドイツですね。
▲3の図にある

その通り。相対的安定期を支えたトライアングルの崩壊です。当時の大統領**フーヴァー**は，ドイツの賠償金支払いなどを1年間猶予する**モラトリアム**を宣言しますが，積極的な景気対策は打たず仕舞い。理由をごく簡単に説明します。

▼政権末期に，ようやく公共事業などに着手した

①従来の「自由放任主義」にこだわった　&　②均衡財政にこだわった

①**テーマ37・39**で「政府は経済活動に介入するな。**自由な経済活動こそ経済発展の原動力！**」という大原則に触れました。彼はこれに従い，景気の自然回復を待ったんです。②当時は国家予算を組むうえで，財政赤字は（戦争でもない限り）絶対悪でした。「税収が減っているのだから，景気対策のための予算なんか計上できない」，という理屈です。「無策」と批判されがちなフーヴァーですが，実は①②に従った彼なりのポリシーを持っていたわけですね。

▲≒国債の発行

4 以上が分かると，1933年に就任した**フランクリン＝ローズヴェルト**の政策が楽に理解できます。放置してるだけではいつまでたっても景気は回復しない，と従来の自由主義に一石を投じ，「修正」を施したんです。

①政府は経済活動にある限度まで介入　&　②赤字覚悟で景気対策をする

この理念に基づく彼の一連の政策が**ニューディール**です。

自由競争の資本主義社会では，企業は競って商品を生産し，つい余剰が生まれがち。この余剰を売りさばけない状況が不景気。一方，共産主義であるソ連の企業は全て国営で，政府が状況に応じて生産量をコントロールし，また全ての労働者が平等に賃金を受け取り，商品を買えない貧困層は存在しません。すなわち必ず商品は消費されるわけで，共産主義には（あくまで理論上ですが）余剰生産&**不景気が存在しません**。五カ年計画のもとで，恐慌を尻目にソ連の

▲在庫
当時アメリカと国交・通商がなかったことも一因▼
▲→テーマ56

第6章 二つの世界大戦

5 イギリスの恐慌対策

(1) **マクドナルド**内閣

①第２次マクドナルド労働党内閣（1929～31）

・**失業保険**の削減問題 ➡内閣は崩壊，マクドナルドは労働党から**除名**
▲10%

②**マクドナルド挙国一致内閣**（1931～35）

(2) **金本位制**からの離脱（1931）…国際収支の悪化をうけて断行

(3) ブロック経済圏の形成

①**ブロック経済**…本国と植民地の間で特恵関税を設定した，**排他的な経済圏**

②**ウェストミンスター憲章**（1931）…イギリス連邦が正式に発足

③**オタワ連邦会議**（1932）…**スターリング＝ブロック**の形成
▲イギリス連邦経済会議　▲ポンド＝ブロック

6 フランスの対応

(1) フランス植民地会議を開催，**フラン＝ブロック**を形成

(2) 金本位制からの離脱（1936）

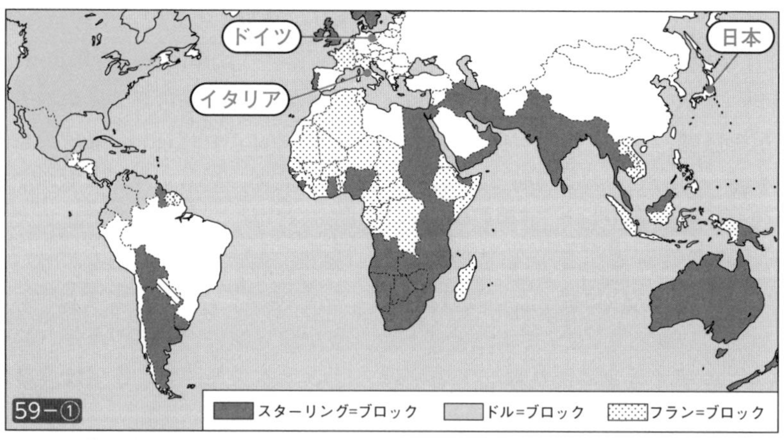

ブロック経済のイメージ

英仏米は植民地や従属地域を関税障壁で囲み，外部からの製品を遮断して，自国製品を優先的に販売

イギリス経済圏　フランス経済圏　アメリカ経済圏

自前の経済圏を持たない独伊日は輸出が行き詰まる

独　伊　日

経済は目覚ましく成長しました。この手の，国家がコントロールする経済を計画経済といいます。**ローズヴェルトはこれに似た手法を取り入れて生産をある程度調整し，景気回復を図ったん**ですね。それが**農業調整法（AAA）**と**全国産業復興法（NIRA）**です。しかし「自由の国アメリカで，政府が国民の自由を制限するなど許せん！」と大企業が怒って裁判沙汰となり，違憲判決をうける羽目に…。これにめげず，NIRA の中にあった労働者の権利を拡大する条項を分離させたのが**ワグナー法**です。またローズヴェルトは，**テネシー川流域開発公社（TVA）**に代表される大規模な公共事業によって失業者を吸収しました。「**景気対策でカネをバラ撒いて財政赤字になっても，景気が回復すれば税収が増えるから，それで借金を返せばよい**」という考えです。

▲政府が予算を計上して，土木建設会社にインフラを整備させる

5 続いてイギリス。大戦以降，低空飛行が続くイギリス経済に恐慌が追い打ちをかけ，200万人以上が路頭に迷いました。当時の労働党**マクドナルド**内閣は税収が落ち込んだこともあって，**失業保険**を10%カットすることを発表。

▲これも均衡財政にこだわった結果といえる

えーっ。「労働党」内閣が，失業者への給付金を削るんですか⁉

イギリス国内も，同じ反応です。大騒ぎになってマクドナルド内閣は総辞職，彼自身も労働党を**除名**されました。ただ，彼は保守党と一部の自由党勢力と**挙国一致内閣**を組んで復活するんですけどね。マクドナルドは先進国に先駆けて**金本位制**から離脱したことも押さえておきましょう。

▲金本位制については→テーマ62

最後に，恐慌下ではみな「自国さえよければいい」という考えになって，国産品を保護するために競って輸入関税を引き上げました。そしてイギリスは，植民地などの従属地域に対し「イギリス製品だけ買って，他国の商品は買わないで」とお願いし，**排他的な経済圏**を構築しました。これが**ブロック経済**（具体的には，イギリス連邦内で流通する製品は低い「特恵関税」にして，連邦外から流入する外国製品には高関税を課す）。この手法には植民地の協力が不可欠ですから，**ウェストミンスター憲章**によって**本国と自治領間の対等な地位を法制化**したわけです。アメリカも中南米などを組み込んだ**ドル＝ブロック**を構築する際，従来の高圧的な**棍棒外交**を改めて**善隣外交**に転換していますし，**フィリピン**や**キューバ**には独立という見返りを与えました。アメリカはこの時期に**ソ連**を承認しましたが，通商を行いたいという下心も…。

▲アメリカのスムート＝ホーリー関税法がきっかけ

イギリスはスターリング＝ブロック（ポンド＝ブロック）▲

▲これによって外国製品は締め出される

▲イギリス連邦の性格自体は，すでに1920年代に規定されていた →テーマ56

6 また，フランスも広大な**フラン＝ブロック**を形成しました。こういった**「持てる国」**が外国を排除する経済圏をつくったのに対し，困ったのは自前の経済圏に乏しかったドイツ・日本・イタリアの**「持たざる国」**でした。これらの国は市場を得るため，**対外侵略に活路をみいだす**ことになります。

テーマ 60

ファシズムの台頭と，第二次世界大戦への道

1 アドルフ＝ヒトラーとナチスの理念
▲オーストリア出身

(1) **ナチ党（国民社会主義ドイツ労働者党）**
▲ヒトラーが前身の政党の党首となり，1920年に改称

①独自の民族観…ドイツ民族の優秀性を主張し，**民族共同体建設**を掲げた

・**反ユダヤ主義**…第二次世界大戦期，**アウシュヴィッツ**（現ポーランド）などの強制収容所でユダヤ人を虐殺（**ホロコースト**）

・スラヴ民族の征服…ドイツ民族のための「東方生存圏」拡大を目指す

②**反共産主義**…ソ連を敵視する思想は上記の反スラヴ理念とも結びつく

③その他…軍備拡張，ヴェルサイユ条約の破棄，植民地の獲得

(2) **ミュンヘン一揆**（いっき）（1923）…武装蜂起するが，短期間で鎮圧され，投獄
▲フランスのルール占領に抗議

2 世界恐慌とナチスの政権獲得

(1) 世界恐慌のドイツへの影響

①ドイツ経済を支えていたアメリカ資本が撤退し，恐慌がドイツを直撃
➡失業率は30%を超え，大統領は緊急令を乱発

②植民地に富む「持てる国」である英仏米はブロック経済を確立
➡**自前の市場に乏しい「持たざる国」であるドイツは，苦境に立たされる**

(2) 左右両派の台頭…ナチ党とドイツ共産党が勢力を伸ばす

ドイツ共産党	ナチ党
不況が続く原因は**資本主義**	不況が続く原因は**ヴェルサイユ条約**・体制。**植民地を失い，賠償金を負わされたため**
対策は，**共産主義革命**	対策は，**対外進出による市場確保**

(3) ナチス独裁の確立

①支持拡大…既成（きせい）政党と議会制民主主義に失望した中間層がナチ党を支持
大衆運動・巧みな宣伝・組織的な暴力を駆使▲

②ヒトラー内閣の成立…**ヒンデンブルク**大統領は，共産党の台頭に危機感をいだく上層の意向をうけ，ヒトラーに組閣を命じた
▲軍部・大資本家など

③**国会議事堂放火事件**（1933.2）…共産党を非合法化
▲共産党員による犯行とされた

④**全権委任法**（1933.3）…ヒトラー**内閣に立法権をも委ねた** ➡**一党独裁へ**

※**秘密警察（ゲシュタポ）**や**親衛隊（SS）**が，ナチ党に反対する勢力を摘発

⑤ヒンデンブルクの死 ➡大統領と首相の権限を合わせ**総統**（フューラー）となる（1934）

1 **アドルフ＝ヒトラー**は第一次世界大戦▲大戦には兵士として従軍 後に**ナチ党**の前身に入党し，1920年に**国民社会主義ドイツ労働者党**と改称しました。強烈な愛国者であった彼は，「この世界の環境に適応できる優れた人種がドイツ民族▲ヒトラーは「アーリア人種」と呼んだ であり，劣等な東欧のスラヴ民族が住む地をドイツ民族の生存圏とすべき。もっとも劣ったユダヤ民族は世界から根絶されるべし！」と過激な主張▲進化論を人間にあてはめた社会進化論や優生学などを利用 を展開します。

ユダヤ人差別は，ヒトラーの頃よりも昔からありましたよね。

ええ，ドイツに限らず広くヨーロッパに存在していました。ユダヤ人差別を背景とするドレフュス事件▲→テーマ40 が起こったのはフランスですしね。ただ，ナチ党ほどの集団的迫害・虐殺は他に例がありません…。「そもそも，なぜユダヤ人が嫌われるのか？」という事情は，**【重要テーマ8】**でお話しましょう。

ヒトラーは共産主義も憎みました。構造的に説明するならば，**テーマ43**で扱った「**共産主義はナショナリズムを否定する**▲世界革命のために，労働者は愛国心を捨てて国を越えて団結」原則を思い出しましょう。究極のナショナリズムであるヒトラーの民族論と共産主義は，水と油です。一方で感情論で説明するなら，ロシア革命（共産主義革命）が飛び火してドイツ革命が起こり，ドイツは第一次世界大戦を続けられなくなりました▲共産主義への移行は食い止められた。「ドイツの敗戦は共産主義者のせいだ。そのおかげでヴェルサイユ条約という国辱を押しつけられた！」とヒトラーは訴えたのです。さらに言うなら，共産主義の父**マルクスはユダヤ人**でしたから，共産主義とユダヤ人を重ね合わせて徹底攻撃したんですね。

と，このような主張を掲げて1923年にはクーデタを企てる（**ミュンヘン一揆**）のですが，失敗して投獄されます。釈放されたヒトラーは，今までの暴力路線を改めて，**大衆を動員**▲イタリアのファシスト党の手法にならう して合法的に議会へ進出する方針に転換。しかし，過激な彼の主張は，相対的安定▲→テーマ56 を迎えて穏健になりつつあった国民には受け入れられませんでした。この状況が，1929年の世界恐慌から一変しました。

2 恐慌下のアメリカでは銀行が大打撃をうけ，ドイツ経済を支援する▲→テーマ59 どころではなくなりましたね。ドーズ案以降，アメリカに依存していたドイツ経済界は大打撃をうけ，失業率はなんと30％を超えます▲p.376の図を見ると，アメリカでも25％。この破滅的な状況下，ナチ党の思想は**ホワイトカラー**▲新中間層。企業で技術職・事務職・サービスに従事する層**や自営業者に支持を広げていきました**。ヒトラーは不況にあえぐ原因を，ヴェルサイユ条約・体制に求めます。「あの条約で全ての植民地を失い，ドイツ製品は市場を失った！　また莫大な賠償金のせいで，公共事業などの景気対策を打てない！」　さらに，「持てる国」英仏米が，広大な経済圏を囲い込み外国製品をシャットアウトしていましたから，「持たざる国」▲p.378の図 ドイツの製品は八方手づまりに…。実際，与党だった社会民主党は打つ手 ヒンデンブルク大統領は，大統領緊急令を濫発▲

3 ナチスの国内政策

(1) 公共事業の拡大…**アウトバーン**（高速道路）建設などで，失業者を吸収
▲計画自体は，恐慌前の1920年代から政府内に存在した
(2) **四カ年計画**（1936～）…軍需産業を核とする計画経済 ➡不況を克服

※**全体主義**…国家全体の利益は，国民の諸権利よりも優先する，という思想。
▲近年，ソ連の共産党独裁も全体主義に分類される
ファシズムと強く結びつき，国益のために国民の経済活動が統制された

4 ヴェルサイユ体制の破壊

(1) 賠償金支払いの破棄（1933）…ヒトラーが政権獲得後に宣言
(2) ドイツの**国際連盟**脱退（1933.10）…軍備の不平等を理由に宣言
※ソ連の**国際連盟**への加盟（1934.9）…フランスの尽力で実現
(3) **ザール**地方の編入（1935.1）…住民投票によってドイツ復帰が実現
▲支持率91%
(4) **再軍備宣言**（1935.3）…ヴェルサイユ条約を破棄し，**徴兵制**が復活
▲空軍・海軍も再編
※**仏ソ相互援助条約**（1935.5）…ドイツの強大化に両国が対抗して締結

5 ヨーロッパ諸国の対ドイツ政策

(1) イギリス・フランスの**宥和政策**（ゆうわ）
①戦争への恐怖，反共の立場からヒトラーに譲歩を重ねた英仏の外交方針
②**英独海軍協定**（1935.6）…イギリスがドイツの海軍増強を追認
▲ヴェルサイユ条約で禁じられた潜水艦保有も容認
(2) ソ連の反ファシズム政策
①ファシズム勢力の攻勢に対して，コミンテルン第7回大会（1935.7～8）で従来の革命戦術を変更して，**人民戦線戦術**（**ファシズムに反対する全ての勢力の結集を図る**）の採用を決定
②スペイン**人民戦線内閣**（1936.2）…左派共和党（アサーニャ）が中心
③フランス**人民戦線内閣**（1936.6）…首相は**ブルム**（社会党）

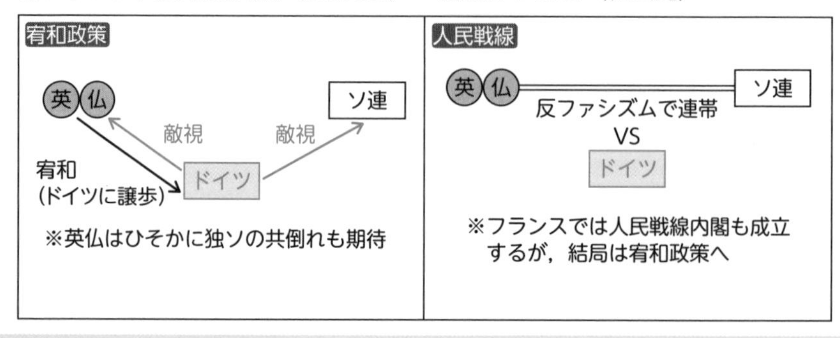

がなく，国民に見放されていきます。

右の表を見ると，最大勢力の社会民主党の議席は減っていくのに対し，ナチ党の議席は激増していますね。ここで忘れてはいけないのは共産党。「**資本主義そのものをやめれば，貧困はなくなります！**」という訴えは当然労働者（ブルーカラー▲）の心に響き，こちらも議席を伸ばしていきました。

ドイツ国会議員の政党別数の推移

選挙年月日 / 政党名	1928. 5.20	30. 9.14	32. 7.31	32. 11.6	33. 3.5
共産党	**50**	**77**	**89**	**100**	**〈81〉**
社会民主党	153	143	133	121	120
民主党	25	20	4	2	5
中央党	62	68	75	70	74
人民党	45	30	7	11	2
国家人民党	73	41	37	52	52
ナチ党	**12**	**107**	**230**	**196**	**288**

保守的な上層（▲大資本家・銀行家・ユンカー）は共産党の躍進を危惧（きぐ）し，「共産主義だけはゴメンだ」という**消去法**的な考え方でナチ党支持にまわり，**ヒンデンブルク**大統領はヒトラーを首相に任命しました（保守派としてはヒトラーを利用して共産主義を抑え込もう，くらいの気持ちだったんですが…）。新首相ヒトラーは，1933年初頭に起こった**国会議事堂放火事件**を口実に共産党を徹底弾圧。しかし同年の選挙でナチ党は単独過半数をとれなかったため，他の政党を半ば脅（おど）して**全権委任法**（▲議会の３分の２を掌握して成立させた）を成立させました。**ヒトラー内閣に立法権を委ねる**，という内容です。

内閣が法律を作れるということは，議会は機能停止ですね…。

これ以降ヒトラーが好き勝手に法律を作れるようになったため，**ナチ党独裁が確立**（神聖ローマ帝国，ドイツ帝国につぐ「第三帝国」の呼称も用いられた▲）されたといえます。翌34年にヒンデンブルク大統領が死去すると，ヒトラーは大統領と首相の権限を合わせた**総統**（フューラー）に就任しました。

3 ヒトラーの景気対策は，公共事業と計画経済（▲→テーマ59）を大々的に進めたと考えればOK。高速道路網**アウトバーン**を整備し，再軍備（▲1935年）を宣言した後は**四カ年計画**で軍備を拡大しました。これらの事業で失業者は吸収されて失業率は急速に改善し，ドイツは他国に先駆けて景気回復を果たします。ナチ党は共産主義を忌み嫌ってますが，「**ドイツ国家のためなら，政府は国民の活動を統制できる**」という思想（▲全体主義）のもと，結果的にソ連に似た計画経済を導入したんですね。

4
5 続いて対外進出の下準備。賠償金破棄，**国際連盟**脱退と，ヒトラーはヴェルサイユ体制を真っ向から引き裂きました。**再軍備**を宣言した1935年は，ドイツを警戒する英仏，そしてソ連の対応が見え始めた年でもあります。まずはイギリスの**宥和政策**（▲宥和がいつから始まったか，にはいくつかの見解がある）。イギリスはドイツとの戦争を極度に恐れました（大戦のような事態が再来すれば，本国は大ダメージをうけ，ひいては植民地の独立を抑えきれなくなる）。1935年の**英独海軍協定**（ヴェルサイユ条約で禁じていた潜水艦を容認したのはその象徴▼）では，イギリスはドイツの再軍備を

(3) ドイツ・イタリアを中心とするファシズム諸国の動向

①イタリアによる**エチオピア**侵攻（1935～36）…国際連盟による経済制裁

▲効果は不十分

②スペイン内戦…ドイツとともにフランコを支援 ➡両国が提携する契機

③**ベルリン＝ローマ枢軸**（1936.10）…ドイツが，エチオピア侵攻で国際的に孤立していたイタリアに接近し，提携

④**三国防共協定**の成立（1937.11）…日独伊の３国による

⑤イタリアの**国際連盟**脱退（1937.12）

⑥イタリアによる**アルバニア**併合（1939）

6 スペイン内戦

(1) 人民戦線内閣の成立（1936）…アサーニャ大統領（任1936～39）

(2) モロッコで**フランコ**将軍が反乱（1936）

(3) 陣営

①ソ連は人民戦線内閣を支援

※**国際義勇軍**の参戦

▲ヘミングウェー・マルロー・オーウェルら →テーマ81

②独・伊はフランコ側を援助

③イギリス・フランスは**不干渉政策**

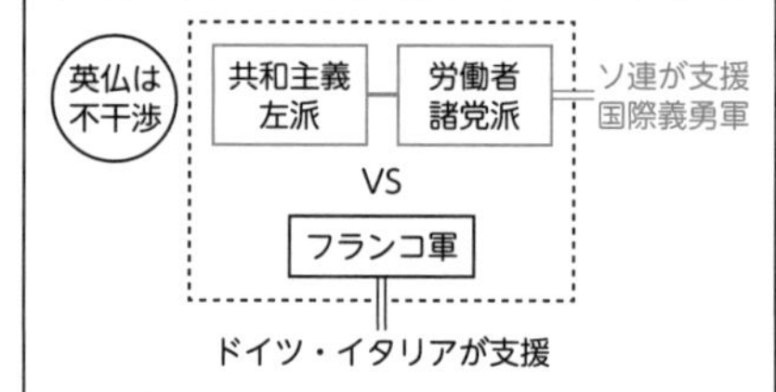

(4) **ゲルニカ**爆撃（1937）

…ドイツ空軍が無差別爆撃

(5) 首都マドリードが陥落（1939）…フランコ軍の勝利

▲第二次世界大戦では，スペインは中立を保った

➡フランコ独裁政権…ファランヘ党が唯一の政党になる

7 ドイツの対外進出

(1) **ラインラント**進駐（1936）

▲ドイツ軍がライン左岸まで進駐

①仏ソ相互援助条約を口実に，ロカルノ条約を破棄

(2) **オーストリア**併合（1938.3）

(3) **ズデーテン**問題の発生（1938）

①ヒトラーが**ドイツ系住民の多い**ズデーテン地方の割譲を要求

➡チェコスロヴァキアは拒否

②**ミュンヘン会談**（1938.9）

・参加者…**ヒトラー**（独），**ネヴィル＝チェンバレン**（英），ムッソリーニ（伊），ダラディエ（仏）

▲チェコスロヴァキア代表は不参加

・ヒトラーは戦争をほのめかしつつ，**「最後の領土要求」**であるとして，

追認し，この後もヒトラーの度重なる要求に対し，文句は言うものの有耶無耶(うやむや)にして黙認を続けます。

ドイツの宿敵フランスは，**仏ソ相互援助条約**でドイツを挟撃する態勢をとるなど，当初は強硬姿勢だったのですが，ドイツによる宣伝戦略もあり，結局はイギリスの宥和(ゆうわ)に引きずられてしまいました。鉤十字(ハーケンクロイツ)というシンボル，党員の制服，万単位の党員が集う集会，練りに練られたヒトラーの演説，熱狂する聴衆…。**このような演出によって，「強い」ドイツのイメージは増幅され，視聴覚メディアを通じて全ヨーロッパに配信された**のです。

フランスはソ連の国連加盟も後押しした▲

100年後の私たちでさえ，ナチ党といえば「軍服」「一糸乱れぬ集会」をイメージしますからね。恐るべきイメージ戦略だ…。

1936年，ドイツ軍はフランスとの国境地帯**ラインラント**に進駐。ついに軍事行動に出たわけですが，ロカルノ条約破棄というドイツ側の暴挙に対し，英仏軍とも動かず…。ヒトラーは英仏の弱腰を見透かし，増長していきます。

ただしラインラントはあくまでドイツ領であり，対外侵略ではない▲
▲→テーマ56

6 一方で共産主義のソ連は，**本来はライバルである資本主義勢力（英仏）とは一時休戦し，一致団結してファシズムに対抗**しようとしました（**人民戦線戦術**）。この構図で起こったのが**スペイン内戦**。左右両派が激しく対立する中，アサーニャを首班とする人民戦線内閣が成立すると，軍部・地主など右派が反共の立場から猛反発し，**フランコ**将軍が反乱を起こして内戦に。ソ連は人民戦線側，ファシズムのドイツやイタリアはフランコを支援（入試的には，人民戦線を支援した**ヘミングウェー**，**「ゲルニカ」**を描いた**ピカソ**は必出！）。人民戦線は，反ファシズムの立場から英仏にも再三援軍を要請しました。当時フランスでも人民戦線内閣が成立していましたが，国論・世論はバラバラでした。右派はフランコ支持。左派は人民戦線に肩入れ。他方で，**人民戦線側に立つと，フランコを支援するヒトラーを怒らせるからヤバイ**，という意見も…。結局英仏は，スペインに対して**不干渉**を貫きました。

▲フランコの政治は，厳密にはファシズムに近い権威主義と呼ばれる
▲→テーマ81
▲これも宥和政策の一つといえる

このスペイン内戦でヒトラーとムッソリーニは意気投合し，**ベルリン＝ローマ枢軸**を結びました（イタリアは当初ドイツとは距離を置いていたのですが，**エチオピア**を侵略すると国際的に孤立し，ドイツに接近）。これに日本も加えた防共協定も成立し，3カ国の友好が深まっていきました。

ドイツがオーストリアを併合すると，イタリアと国境が接するため▲
▲かつてイタリア軍が撃退されていた　→テーマ45

7 1938年，ついにドイツは国外へ。「**民族自決**」を大義名分に掲げて同じ民族の**オーストリア**を併合し，ドイツとともに大戦で敗れ苦汁をなめたオーストリア国民の多くは併合を歓迎しました。同年，ヒトラーはチェコスロヴァキアに対して**ズデーテン地方**の割譲を求めました。

▲ヒトラーはオーストリア生まれであり，彼の故郷を統合したともいえる

ズデーテン地方の割譲を要求

➡英仏は最終的にヒトラーの要求を認めた。**宥和政策の頂点**

(4) **チェコスロヴァキア**解体（1939.3）
▲東欧一の工業国

①チェコを保護領として編入し，スロヴァキアを保護国化

(5) ポーランド回廊に関する要求（1939.3以降）

①ドイツは**ダンツィヒ**の返還と，**ポーランド回廊**の通過権を要求

②英仏はポーランド支持を強く表明し，**ソ連との同盟を模索**

(6) **独ソ不可侵条約**（1939.8）…ドイツとソ連が，10年間の不戦を約束

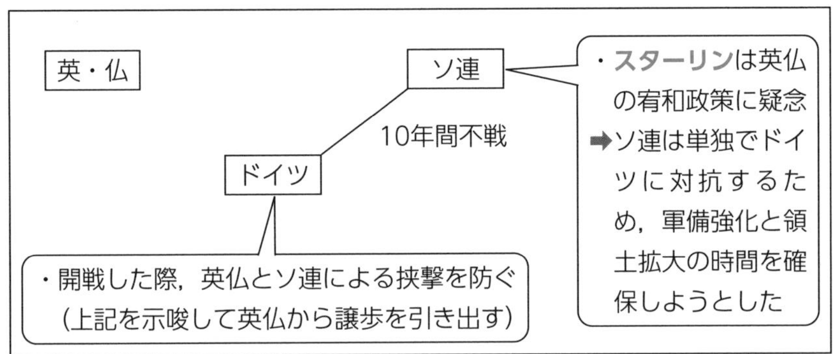

※独ソ間の密約も存在し，独ソによるポーランドの分割，バルト３国をソ連領とすることも規定

(7) ドイツ軍によるポーランド侵攻（1939.9.1）➡英仏が宣戦布告（9.3）

60－①

1935 ザール住民投票で併合
ポーランド回廊
ダンツィヒ
1936 ラインラント進駐
ポーランド
ベルリン
1939 ベーメン・メーレン併合
1938 ズデーテン獲得
1939 スロヴァキア保護国化
ラインラント
ザール
チェコスロヴァキア
1938 オーストリア併合
ミュンヘン
ウィーン
ハンガリー
オーストリア

左ページの地図を見ると，ズデーテンは両国の国境に沿って「C」みたいな形をしてますね。

国境に沿っているというのがポイントで，**ドイツ系の住民が多かった**。これがヒトラーが譲渡を求めた根拠です。チェコ首脳がこれを突っぱねたため，ヒトラーが戦争をちらつかせて脅（おど）しをかけると，戦争だけは絶対に避けたいイギリス首相**ネヴィル=チェンバレン**（▲テーマ45で登場したジョゼフ=チェンバレンの子）が交渉を持ちかけました。これが**ミュンヘン会談**。英仏独伊が参加し，ヒトラーの「これが**最後の領土要求**である！」という言葉もあって，波風を立てたくない英仏が折れ，ズデーテン地方の割譲が認められました。当事者のチェコ代表抜きでチェコの領土を譲った異常な会談であり，まさに**宥和政策の頂点**です。

しかし領土要求は終わらず，冒頭で説明した「ドイツ民族の生存圏」構築を進めんと，ドイツは翌39年に**チェコスロヴァキア**（▲東欧最大の工業国で，その工業力を求めた）を解体しました。ミュンヘンでの約束を破られてメンツ丸つぶれ，顔に泥を塗られた形になった英仏にとって，さすがにこれ以上の譲歩は厳しい（ズデーテンまでなら「ドイツ民族の統合」「民族自決」で正当化できましたが，ついに異民族（▲スラヴ人）地域にまで手を出したわけで，もはや正当化もできません）。勢いに乗るヒトラーは，**ポーランド回廊**の特権と**ダンツィヒ**を要求。ポーランド政府は拒否し，英仏もさすがに今回はドイツへの強硬姿勢を崩さず，ようやく**ソ連との協力を模索**します。これを見たヒトラーは，突如**独ソ不可侵条約**を締結！　理念的に対立する独ソがなぜ休戦したのか，左ページの図を見て考えましょう。

ドイツにとって，フランスとソ連に挟まれることが長年の懸念材料でしたね。でも独ソ不可侵条約を結べば，憂（うれ）いなく英仏との戦争に専念できます。さらには「挟み撃ちというアドバンテージを失った英仏が，また弱腰に戻って譲歩してくれるのでは？」という甘い期待もありました。一方のソ連の**スターリン**はというと，英仏による宥和政策のもう一つの側面，すなわち「英仏はドイツとの戦争を回避し，ドイツとソ連を戦わせて共倒れを期待する」という下心に感づいていたのです。スターリンは「人民戦線で再三協力を呼びかけたのに，ことごとく拒否したのはそういうわけか。もう英仏と手を組むのはヤメだ！」と考え，**ドイツと1対1で向き合うことを決意。ただ，決戦までには準備期間が必要だったので，ドイツと「休戦」して体制を整えようとした**（ソ連は極東で日本と軍事衝突しており，それに専念したい事情もあった▲）んですね。追い込まれたのはイギリスとフランスで，ソ連と挟み撃ちする戦略は崩れた。かといってもはやドイツに譲歩もできぬ。ドイツ軍がポーランドへ侵攻すると，（やむなく）宣戦布告し，こうして**第二次世界大戦**の開戦に至るんですね。

第6章 二つの世界大戦

テーマ61 第二次世界大戦

	ヨーロッパ西部戦線（ドイツ対仏・英・米）	ヨーロッパ東部戦線（ドイツ対ソ連）
1939	⑴ドイツ軍がポーランド侵攻（9.1） ・イギリス・フランスがドイツに宣戦（9.3） ・ドイツ軍はポーランド軍を撃滅	⑵ソ連軍のポーランド侵攻（９月） ⑶バルト３国併合（1939～40） ⑷ソ連＝フィンランド戦争（1939.11～40） ・フィンランドが提訴し，ソ連は国連を除名される
1940	⑴ドイツがデンマークとノルウェー占領（４月） ⑵ドイツ軍のオランダ・ベルギー侵入（５月） ⑶イタリア参戦（６月） ⑷パリ陥落（6.14）…フランスは降伏 ・ヴィシー政府…ペタンを首班とする傀儡政権 ・自由フランス政府…ド＝ゴールがロンドンへ ⑹イギリスの対応 ・チャーチル内閣（５月～）➡独軍上陸を阻止 ⑺日独伊三国軍事同盟の成立（９月）	⑸ソ連がルーマニアからベッサラビア獲得（６月）
1941	⑴武器貸与法（３月）…米が連合国に武器援助 ⑸英ソ軍事同盟（７月）…ソ連が連合国に参入 ★大西洋上会談（８月）	⑵日ソ中立条約の締結（４月） ・独ソ戦に備え東方の安全を確保 ⑶ドイツ軍のバルカン半島制圧（４～６月） ➡ドイツが東方へ進出し，独ソ間の緊張が高まった ⑷独ソ戦の開戦（6.22） ・ドイツ軍が攻勢をかけるが，長期戦へ
1942	⑴連合国共同宣言（１月） …連合国が，戦争目的が反ファシズムであることを宣言	
1943	★カサブランカ会談（１月） ⑶イタリアの降伏 ・連合軍のシチリア島上陸（７月） …国王はムッソリーニを罷免 ・イタリア無条件降伏（９月）…バドリオ政権 ★カイロ会談，テヘラン会談（11月）	⑴スターリングラードの戦い（1942～43） ・ドイツ軍が市内に突入，市街戦となるがドイツ軍が包囲され，降伏（２月） ・戦局が転換し，以後ソ連が優位に立った ⑵コミンテルン解散（５月） …連合国の結束強化
1944	⑴ノルマンディー上陸作戦（６月） …米英軍がフランス北岸へ上陸，攻勢に出る ⑵パリ解放（８月）	⑶ドイツ軍が東部戦線から撤退
1945	★ヤルタ会談（２月） ⑴ドイツ無条件降伏（5.7）…ヒトラーは自殺	

	中国戦線（日本対中国，ソ連）	太平洋戦線（日本対アメリカ）
1939	⑴ノモンハン事件（5月） ・満洲国の国境で日ソ両軍が衝突し，日本が損害を受ける	⑵日米通商航海条約の破棄（7月） ・アメリカが戦略物資の禁輸を決定
1940	⑴**汪兆銘**が南京に国民政府を樹立（3月）	※援蔣ルート…蔣介石を支援するために，仏領インドシナ，英領ビルマと重慶を結んだルート。インドシナ進駐の目的の一つはこれを遮断すること ⑵**仏領インドシナ**進駐（9月） ・フランス降伏を受け，日本軍が北部に進駐 ・南部にも進駐し（41.7） ➡米は反発（石油を全面禁輸） ⑶**日独伊三国軍事同盟**の成立（9月）
1941	⑴**日ソ中立条約**の締結（4月）…東南アジアへの南進を見据えて北方の安全を確保 ⑸国民政府が米英と同盟を結ぶ（12月）	⑵日米交渉（4月～11月） ・米が提案したハル＝ノート（中国・インドシナからの撤兵などを要求）を日本は拒絶し，交渉決裂 ⑶**真珠湾**攻撃（12.8）…日本軍がハワイを急襲 ➡**太平洋戦争**が勃発 ⑷日本軍は英領**マレー**も占領（12月）
1942	⑶中国と連合国の間で不平等条約改正（10月）	⑴日本の勢力拡大…**「大東亜共栄圏」**を建設 ・シンガポール，ジャワ・スマトラ，フィリピン，ビルマを占領 ⑵**ミッドウェー海戦**（6月） ・日本部隊の主力が壊滅し，日本軍は劣勢へ
1943		⑴日本軍が**ガダルカナル島**から撤退（2月）
1944		⑴インパール作戦の開始（3月） ⑵**サイパン島**陥落（7月）…東条内閣が退陣 ⑶レイテ島陥落（10月）
1945	⑷ソ連の対日宣戦（8.8）…満洲方面へ侵攻	⑴米軍がフィリピン（1月），硫黄島占領（3月） ⑵米軍が**沖縄本島**に上陸（4月） ★ポツダム会談（7月） ⑶**広島**・**長崎**に原爆投下（8.6，8.9） ⑸**ポツダム宣言**受諾（8.15発表）…無条件降伏

ドイツ軍が**ポーランド**へ侵攻したのは1939年９月１日。対する英仏は２日後に宣戦布告をしますが，約半年の間，本格的な戦争は行われませんでした（▲「奇妙な戦争」）（実は全面戦争の準備が整っておらず，英仏の譲歩を期待したドイツと，宥和を引きずりドイツと正面衝突したくない英仏，という思惑があったようです）。むしろ目立ったのは，**独ソ不可侵条約**を盾に東欧・北欧を荒らしまわったソ連ですね。ソ連軍はドイツと機を同じくしてポーランド東半を占領すると（独ソ不可侵条約ではポーランドを分割する密約が結ばれていた▲），**フィンランド**にも矛先を向けました（「冬戦争」▲）。フィンランド側は徹底抗戦するとともにソ連の横暴を国際連盟に提訴し（▲英仏はフィンランド側を支持），ソ連は国際連盟から**除名**されてしまいます。

「脱退」ではなく，組織側からの「除名」である点に注意，ですね。

結局1940年３月に講和が成立し，ソ連はフィンランド南東部のカレリア地方をせしめました（▲のちの独ソ戦では，フィンランドはドイツ側でソ連に宣戦）。さらに同年，ソ連は北欧の**バルト３国**を併合しました（バルト３国は冷戦終結後のソ連崩壊まで，ソ連領内に留め置かれることに…）。

一方，準備を整えたドイツ軍は1940年春に始動し，**デンマーク**と**ノルウェー**を制圧しました（▲海路と石油資源確保のため）。対するフランスは第一次世界大戦後から，ドイツとの国境地帯に要塞同士をつなぎ合わせた長大な防衛ライン（▲フランスの陸相の名から「マジノ線」と呼ぶ）を築いていました。ドイツ軍は要塞線が存在しないフランスとベルギーの国境に注目し，永世中立国**ベルギー**経由でフランスへの侵攻を目論みます。ドイツの機甲師団（▲戦車を中核とする部隊）は，戦車が通過するには難しいと考えられていたベルギー南部に広がる森林地帯（▲アルデンヌの森）を突破し，フランス領へ殺到。ダンケルクで包囲されてしまった英仏連合軍の主力は，間一髪で辛くもイギリスへと撤退しました（▲イギリスは民間の観光船や漁船までも動員した）。しかしフランス本土の戦力は手薄となったわけで，フランス軍は総崩れとなってドイツ軍はやすやすとパリへ入城。**ペタン**元帥がドイツに降伏し，フランス中部に親独的な**ヴィシー**政府が成立しました。これに対し，フランス本土ではドイツやヴィシー政府に対する抵抗運動（**レジスタンス**）が展開されました。イギリスに逃れて亡命政府を樹立したフランスの**ド＝ゴール**将軍は，ラジオ放送でレジスタンスを鼓舞したことで知られています。宥和にこだわってこの惨状を招いた英首相**チェンバレン**は退陣し，代わって対独強硬派だった**チャーチル**が登板。国民を叱咤激励し，イギリス上陸を目指すドイツ軍による大規模な空爆を凌ぎ切ったんですね。

ここで視点を日本に移してみましょう。1937年に始まった日中戦争（▲→テーマ58）ですが，**蔣介石**の国民政府は**重慶**に政府を移転させ，日本軍を内陸部に引きずり込もうとしました。日本は第二次国共合作で国共が連合する中国軍に手こずり，はやくも行き詰まります。このタイミングで日本政府内で浮上したプランが**東南アジアへの南進**で，これには２つの事情がありました。

①「援蔣ルート」を遮断すること　②石油などの資源確保

①国民政府がある重慶と仏領インドシナ・英領ビルマは，**支援物資を送る輸送路（「援蔣ルート」）で結ばれており**，日本は東南アジアへ進出してこれを遮断しようと考えたのです。▲p.368の地図58－③②1939年7月，日中戦争で国民政府を支持していたアメリカは，日米通商航海条約の破棄を通告。**多くの戦略物資をアメリカに依存していた日本は危機感を募らせ，南進による資源確保を模索**しました。

こんな状況下で，友好国ドイツの快進撃とフランスの降伏というニュースが日本に舞い込んできます。1940年9月，日本は**フランス領インドシナ**北部に進駐し，同月にドイツとの関係を**防共協定から軍事同盟に改めました。**
▲およびイタリア

これはどういう意味ですか？

「防共協定」は共産主義のソ連を仮想敵とするものですが，「軍事同盟」だとソ連以外の国に対抗する意味合いも含まれてきます。**その対象とは米英であり**，ヨーロッパとアジア双方において，「日独伊VSソ連」のみならず「日独伊VS米英」という構図も生まれたわけですね。日本は**「ABCDライン」**という言葉を用い，米・英・中・蘭4カ国が対日包囲網を作っている，と主張して国民の危機感をあおりました。
▲America,Britain,China,Dutch

明けて1941年4月，**日ソ中立条約**が結ばれました。**南進に専念したい日本と，バルカン半島へ進出してきたドイツを警戒したソ連，両国の利害が一致**したのです。
▲＝東方のソ連方面

ここから再び，ヨーロッパ戦線に話を戻しましょう。1941年6月，ヒトラーは独ソ不可侵条約を突如破棄してドイツ軍がソ連へ侵攻（**独ソ戦**）！　独ソ戦は，ナポレオンのロシア遠征によく例えられます。ソ連軍は氷点下10度を下回る「冬将軍」を最大限に利用するために，闇雲な戦闘は避けて撤退し持久戦へ。季節がめぐるのを待ちます。一方ドイツ軍はナポレオンと同じ轍（てつ）を踏むまいと，**短期決着**すべく首都モスクワを目指します。しかし，ヒトラーが軍に口を挟み，現ウクライナの首都キエフ攻略を優先させたため，モスクワ侵攻が予定よりも2カ月ほど遅れて冬になってしまったんです。仮にモスクワ攻略を優先していれば，独ソ戦の結果は違っていたのかも…。また，陥落したキエフは廃墟と化しましたが，**実は市街を破壊したのはドイツ軍ではなくソ連の工兵部隊**でした（ドイツに利用させまい，という焦土作戦の一環）！　この作戦は，後年ウクライナがロシアにマイナスの感情を抱く一因になったとも…。ちょっと話が脱線しましたが，ドイツ軍は想像を絶する越冬を余儀なくされました。なお，宥和を放棄したイギリスは，「今までみたいに独ソの共倒れを期待するようなセコ
▲ウクライナは穀物の一大産地であったため
▲ソ連の中央政府

イ真似はしない。ソ連側に立って堂々とドイツと戦う！」と，宣言していますよ。
独ソ戦の開戦直後には英ソ軍事同盟が成立▲

1941年はアメリカが大きく動いた年でもありました。従来のアメリカ外交といえば「**孤立主義**」であり，紛争に巻き込まれるのを避けるため，戦争当事国との貿易は制限されていましたね。しかしファシズムのドイツがフランスを
▲1935年の中立法
制圧すると，民主主義を守護すべきとの意見も生じてきて，外国政府に武器・軍需物資を提供する権限を大統領に与える**武器貸与法**が３月に成立しました。
アメリカは事実上連合国の一員となった▲
そして日米関係ですが，日ソ中立条約が結ばれたことで日本のさらなる南進が想定され，悪化の一途をたどります。日本が７月に**フランス領インドシナ**南部への進駐を断行すると，アメリカは翌月に**石油の全面禁輸**に打って出ました。
▲他国も日本への経済制裁を強化
４月から行われていた日米交渉も歩み寄りは見られず，アメリカも開戦へと傾
満洲事変以来の日本の対外政策をほぼ全面的に否定▼
いていき，11月には中国や仏印からの撤退などを求めるハル＝ノートを提示。
他に三国同盟の空文化，国民政府以外の政権の不承認などを要求▲
日本はこの強硬案を突っぱね，ついに開戦を決定します。石油を断たれた日本は，圧倒的な物量を誇るアメリカに，イチかバチかの決戦を挑むことに…。

戦争を決断したアメリカとしては，戦うための大義名分がほしい。先に日本に手を出させたかったんですよね。

12月８日，日本海軍はアメリカ領ハワイの**真珠湾**を奇襲攻撃し，同時に陸軍がイギリス領**マレー**にも上陸（**太平洋戦争**の勃発）。日本の宣戦布告に伴い，
結果的に，日本の宣戦布告が通達されたのは真珠湾攻撃の１時間後▲
同盟国のドイツとイタリアも対米宣戦布告し，戦争は文字通り「世界大戦」となりました（日独伊の陣営を「枢軸国」，米英ソの陣営を「連合国」と呼びま
資本主義と共産主義の垣根を越えて協力▲
す）。連合国は1942年の１月に**連合国共同宣言**を発し，大戦を「ファシズムに対して自由と民主主義を守る戦い」と位置づけ，戦争目的を明示しました。
▲単独では講和を結ばないことも約束

61－①

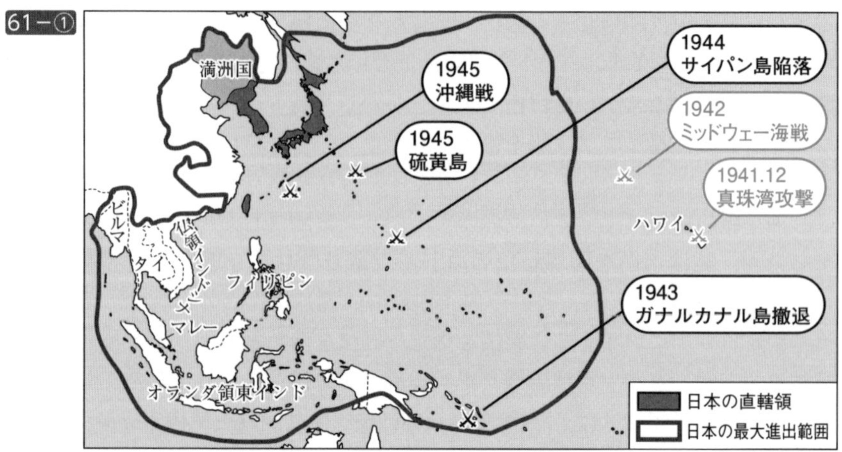

1942年の半ばまでに日本は東南アジアの大半を制圧。欧米勢力の植民地支配からアジア諸民族を解放し，アジア人による「**大東亜共栄圏**」を建設するという戦争目的を掲げました。しかし，６月の**ミッドウェー海戦**（▲空母４隻と艦載機300機を失う）で主力部隊が壊滅して以降，じりじりと後退を余儀なくされ，劣勢に転じていきます。1942年は，ヨーロッパ戦線でも戦局が転換するきっかけとなる戦いが行われました。独ソ間の**スターリングラード**（▲現ヴォルゴグラード）**の戦い**です。極寒のロシアで疲弊したドイツ軍は奮戦するものの，数カ月に及ぶ死闘の末，翌43年初頭に全面降伏し（▲10万人弱が捕虜となった），ここから**ソ連は反転攻勢に打って出る**ことになります。

連合国に有利な風向きとなりつつあった1943年は，連合国が反撃の戦略を練った年。年初のカサブランカ会談での決定をもとに，連合国軍は**シチリア島**に上陸し，イタリアへ総攻撃。**ムッソリーニ**（▲この後に逃亡するが，共産ゲリラに捕まって銃殺された）は国王によって罷免され，後継の**バドリオ**が**無条件降伏**するにいたりました。11月には**カイロ会談**で，**ローズヴェルト・チャーチル・蔣介石**の三者が**対日処理**について討議し，日清戦争以降に獲得した領土（▲台湾，澎湖諸島，満洲）の返還，朝鮮の独立が決定されました。**ローズヴェルト**と**チャーチル**はそのまま**テヘラン**（▲イランの首都）へ移動し，年末に**スターリン**を交えて会談。スターリンの「ドイツとの戦いを我が国だけに押しつけるな。さっさと米英も西方からドイツを攻撃してくれ！」という要求に対し，ローズヴェルトとチャーチルは**第二戦線を構築する**（米英軍がフランスに上陸してドイツの西側に「２つめの戦場」をつくり，東西からドイツ軍を挟む）ことを約束しました。対してスターリンは，ドイツの降伏後にソ連が**対日参戦**（▲日ソ中立条約を破棄する）することを約束します。

米ソでお互いに助けあおう，ということですね。

なお，先立つ５月にはソ連は**コミンテルン**を解散して「共産主義者による世界革命」を放棄する姿勢を明らかにし，連合国の結束を固めています。ソ連との同盟を選んだとはいえ，実はチャーチルは**かなりの反共主義者**。共産主義に対する彼の不安感を払拭（ふっしょく）するためだったようです。なお，これら連合国首脳会談の詳細は**テーマ62**に載っているので，そちらを参照してくださいね。

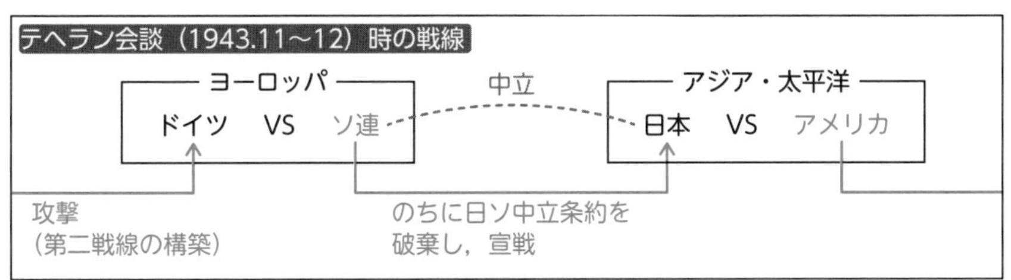

テヘラン会談ではフランス上陸の期限が1944年５月に設定されていましたが，６月に米軍を中心とする連合国軍は，艦艇5000隻以上，航空機10000機以上という巨大戦力をもって**ノルマンディー**への上陸作戦を敢行し，ドイツ軍の抵抗を押し切って上陸に成功。ダンケルク撤退以来，４年ぶりにフランスに舞い戻った連合国軍は８月にパリを解放，**ド＝ゴール**将軍が帰還しました。東部戦線でもソ連軍が攻勢に出て，東西から挟まれたドイツ軍は総崩れとなり，大勢は決したといえます。

最高司令官だったアイゼンハワーは，のちに大統領となる▲

▲レジスタンスも各地で激化した

1945年の首脳会談は，戦後の秩序を見据えた性格が濃くなりました。２月の**ヤルタ会談**では，まず英ソがポーランドなどの処遇をめぐって対立。

イギリスとポーランドって，一見関係ないように思えるんですが。

ドイツ軍がポーランドに侵攻すると，ポーランドの首脳はイギリスへ逃れて亡命政権を樹立しました。イギリスとしては当然ながら，今まで保護してきた彼らが戦後の新政府を担うべきと考える。しかし，ポーランドからドイツ軍を駆逐したのはソ連軍であり，スターリンは親ソ派の政権を建てようと考えました。「イギリスはポーランド解放に何の犠牲も払っていないくせに，口出しするな！」と言うのも当然ですよね。こういった対立の末，ソ連は戦後の東欧を勢力下に収めていきます。また，フランクリン＝ローズヴェルトが約束であった対日参戦を促すと，足元を見たスターリンは対日参戦の見返りとして日本領だった**千島**と**樺太**（からふと）の割譲を要求。これがのちに，日露間の北方領土問題の一因になります。

▲当然ながら，親英的

▲第二戦線と対日参戦が交換条件だったことを考えると，米側が譲歩したといえる

なお，大戦中の連合国首脳会談の開催地は，開催順につなぐと「弧」を描いているような形になります。だんだんとドイツに迫っていますね。

４月にソ連軍がベルリンに迫るとヒトラーは自殺し，５月７日にドイツは**無条件降伏**しました。残った日本に目を向けると，同じ時期に米軍は**沖縄**に上陸し，現地では多くの民間人が犠牲に…（44年７月に陥落した**サイパン島**から**アメリカの爆撃機が日本を往復できるようになり**，すでに本土には激烈な空襲が行われていました。45年初頭には**フィリピン**，硫黄島からも日本軍は撤退)。

ベルリン郊外で開かれた7月の**ポツダム会談**では，アメリカとイギリスの代表は様変わりします（アメリカ代表は病死したローズヴェルトを継いだ**トルーマン**で，イギリス代表は会談中に行われた総選挙の結果，チャーチル（▲保守党）から**アトリー**（▲労働党）に途中交代）。この場で日本に**無条件降伏**を勧告する**ポツダム宣言**が発せられましたが，日本はこれを黙殺します。またポツダム会談の頃には米ソ関係はかなり険悪になっていました。状況を整理すると以下のような感じです。

> ①当初アメリカは，日本を降伏させる決め手として，ソ連の対日参戦を必要としていた。
>
> ②しかしヨーロッパ方面では，ソ連は東欧を自らの勢力圏に収めて次々と親ソ政権を樹立させており，米英は反発を強めていた。アメリカは，対日参戦したソ連が日本を占領下に収めることを強く警戒するようになった。

こういった状況で，アメリカは7月に開発に成功したばかりの新兵器である原子爆弾を投下しました。

8月6日に広島，8月9日に長崎ですよね…。

原爆は，すでに抗戦能力を失っていた日本に対してよりも，ソ連に対する政治的目的のために使われたという有力な議論があります（ソ連の対日参戦前に日本を降伏に追いこみ，さらには原爆のすさまじい威力を誇示してソ連に譲歩を迫るというもの）。これをうけて，ソ連は（慌てて）当初の予定を繰り上げて（▲当初の参戦予定日は8月15日であった）8月8日に対日参戦に踏み切りました（▲ソ連は日本の無条件降伏後も，侵攻を数週間継続した）。原爆投下とソ連の対日参戦というトドメを刺された日本政府は，8月14日の御前会議でポツダム宣言受諾を決定し，翌15日にこれを国民に知らせ，大戦はようやく終結しました。

61−③

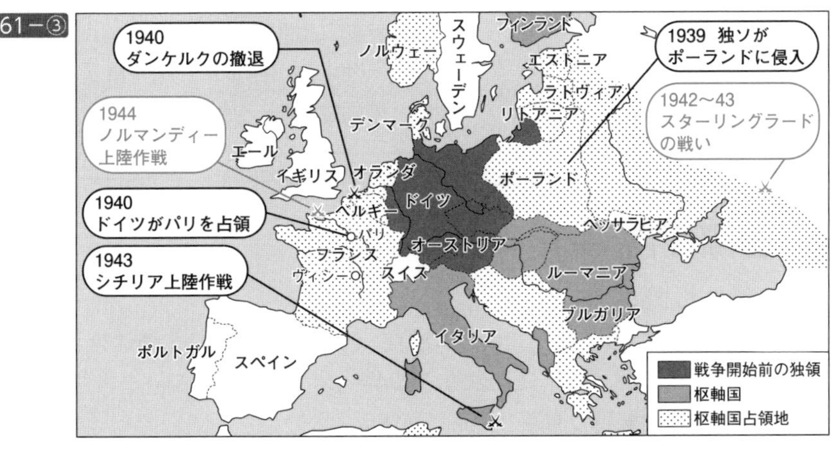

第二次世界大戦中の連合国首脳会談，戦後処理

1 第二次世界大戦中の連合国首脳会談 （➡テーマ61）

会談	首脳	内容
(1) **大西洋上会談** ▲米英首脳会談 1941.8	**ローズヴェルト** ▲フランクリン＝ローズヴェルト **チャーチル**	①ファシズム打倒を戦争目的として強調 ②領土不拡大・民族自決・**国際平和機構の再建**などの戦後構想を発表
(2) **カイロ会談** 1943.11	**ローズヴェルト** **チャーチル** **蔣介石**	①**対日処理**の方針を決定 ②カイロ宣言…満洲・台湾の中国への返還，朝鮮の独立などを規定
(3) **テヘラン会談** ▲イランの首都 1943.11	**ローズヴェルト** **チャーチル** **スターリン**	①**第二戦線**（のちのノルマンディー上陸作戦）の構築を決定 ②ドイツ降伏後の，ソ連の対日参戦を約束
1944.6　ノルマンディー上陸作戦が成功		
(4) **ヤルタ会談** ▲クリミア半島 1945.2	**ローズヴェルト** **チャーチル** **スターリン**	①国際連合の安全保障理事会の常任理事国に**拒否権**を認める ②戦後のドイツの４国管理を決定 ③対日関係…ソ連の対日参戦の確認 ▲代償としてソ連は，千島・樺太を要求 ➡米英とソ連の対立が表面化
1945.5　ドイツが無条件降伏		
(5) **ポツダム会談** ▲ベルリン郊外 1945.7	**トルーマン** ▲ローズヴェルトは病死 **チャーチル**（途中から**アトリー**） **スターリン**	①**ポツダム宣言** ・米英中が，日本に無条件降伏を勧告 ▲ソ連はまだ対日参戦していないため，当初は参加せず ・軍国主義の一掃，民主化などを列挙

2 国際連合

(1)　成立までの経緯

①**大西洋憲章**（1941）…大西洋上会談で，国際平和機関の再建をうたった
②**ダンバートン＝オークス会議**（1944　米・英・ソ・中）…大西洋憲章をうけ国連憲章の**原案（草案）**を作成
③**サンフランシスコ会議**（1945.4〜6）…国際連合憲章を**採択**

1 大戦中の連合国首脳会談の展開については**テーマ61**で扱った通りです。
p.394の地図61－②で登場したカサブランカ会談では，シチリア島上陸作戦を決定▲

2 第一次世界大戦後に成立した国際連盟は，結局は機能不全に陥って第二次世界大戦を防ぐことができませんでした。第二次世界大戦中から，連合国の首脳は国際平和機構の再建を討議しました。1941年８月の**大西洋上会談**で発表された**大西洋憲章**の中に，国際平和機構の再建が盛り込まれていました。大戦終盤の1944年に開かれた**ダンバートン＝オークス会議**では，国際連合憲章の**原案**がつくられ，翌年の**サンフランシスコ会議**において**採択**されました。そして終戦後の1945年に10月に，**国際連合**が正式に発足するに至ります。
▲かつてウィルソンが発表した十四カ条の焼き直しともいえる

高校世界史において国際連合に関わる重要ポイントは，**国際連盟との比較。特に，国際連盟において問題視された点の修正**です。問題点は何でしたか？

①総会が全会一致，②制裁規定が不明確で軍事制裁ができなかったこと，③大国が不参加だったこと，だったと思います。

いいですね。国際連合では現実的な**多数決**が採用されることに。そして集団安全保障体制における肝は，「侵略しようとする国に『勝ち目なし』，と思わせて，侵略そのものを抑止する」点でしたが，**国際連盟では軍事制裁を課せないために制裁が抑止力として十分に機能しなかった**…，という反省点が。そこで国際連合では**軍事制裁**も認めるようにしたんですね。その制裁を決定する大きな権限を認められたのが**安全保障理事会**。**米・英・ソ・仏・中**からなる常任理事国５カ国と，非常任理事国６カ国からなり，常任理事国には**拒否権**が与えられました。例えば，
→テーマ55▲

賛成（常任４カ国&非常任６カ国） VS 常任１カ国 **拒否権**

常任理事国１カ国が拒否権を行使すれば，他の10カ国全てが賛成意見だったとしても議案は無条件に否決されます。まさに「伝家の宝刀」です。

下の表で，両者を比較しておきますね。

	国際連盟	国際連合
本部	**ジュネーヴ**（スイス）	**ニューヨーク**（アメリカ）
常任理事国	理事会　英仏日伊	安保理事会　米英仏ソ中
議決方法	総会は**全会一致**	**多数決**
制裁	規定が不明確（**経済制裁**のみ）	**軍事制裁**も可能

国際連盟には加わらなかったアメリカ，共産主義のソ連が立ち上げメンバーとして参加したことは，集団安全保障の観点では好ましいことだったのですが，蓋（ふた）を開けてみると東西冷戦を反映して米ソが火花バチバチで対立。互いに**拒否権を濫発したため，安保理事会もたびたび機能不全**に…。このように国際

④**国際連合**の成立（1945.10）…本部は**ニューヨーク**

⑵　国際連合の組織

①**総会**…加盟各国１票の**多数決制**をとる

②**安全保障理事会**

・国際紛争解決のため，**軍事制裁**を含む強大な権限を持つ

・常任理事国…**米**・**英**・**ソ**・**仏**・**中**。各々が**拒否権**を保有

（▲当初，中国代表権は台湾の国民政府が保有）

・非常任理事国…任期２年で６カ国（1966年に10カ国に増加）

※ **国連平和維持活動（PKO）**…紛争地域の和平を目指し，治安維持，選挙の監視，停戦の監視等を行う

③その他機関…**WHO**・**UNESCO（ユネスコ）**・**ILO**・**国際司法裁判所**

（▲世界保健機関）（▼国連教育科学文化機関）（▲国際労働機関。国際連盟下で設立されたものを継承）

⑶　国連総会が採択した主な宣言・条約

①**世界人権宣言**（1948）…世界の全ての人々に共通する人権を掲げた

（自由権・社会権・参政権などからなる▲）

②女性差別撤廃条約（1979）…女性差別を禁止する立法・措置を求めた

（▲1981年に発効）

3 戦後の国際金融・国際経済

⑴　**ブレトン＝ウッズ会議**（1944.7）

①**ブレトン＝ウッズ国際経済体制**…米ドルを基準とした**固定為替相場**（かわせ）制を採用し為替を安定させることで国際貿易・経済の安定と発展を目指した

②**国際通貨基金（IMF）**の設立を決定…国際通貨体制・為替の安定を図る

③**国際復興開発銀行（IBRD）**設立を決定…戦後復興と，開発途上国の開発援助のために融資を行う

（▲世界銀行）

⑵　**「関税と貿易に関する一般協定」（GATT**（ガット）**）**

①**世界恐慌の際，各国が自国産業を守るために保護貿易を強化して国際貿易が停滞したことが，第二次世界大戦の遠因になった。**この反省から，関税障壁を取り除いて自由で公平な貿易を促進するために成立

②**世界貿易機関（WTO）**に改組（1995）…金融や知的財産権も扱う

4 国際軍事裁判

★連合国が，ナチ党と日本の戦争指導者などを「戦争犯罪人」として指定し，Ａ級犯罪（平和に対する罪），Ｂ級犯罪（戦争犯罪），Ｃ級犯罪（人道に対する罪）などで裁いた。Ｃ級は日本には適用されず

（▲国際法で不法に戦争を起こす行為）（▲捕虜の虐待など，個人の戦争犯罪）（国家などによる，一般国民に対する絶滅を目的とした大量殺人など▼）

⑴　**ニュルンベルク裁判**（1945.11～46.10）

⑵　**東京裁判**（極東国際軍事裁判，1946.5～48.11）

連合の運営に関しても，いくつかの問題点は残ってしまいました。

3　続いて国際金融・国際経済です。戦後のシステムの枠組みは**ブレトン＝ウッズ会議**で討議され，**国際通貨基金**（IMF。加盟国がお金を出し合い，必要に応じて対象国に支援・指導を行い，国際為替の安定に努める）と**国際復興開発銀行**（IBRD。復興や途上国開発のために融資を行う）の設立が決まりました。そして，国際為替相場を安定させるために構築されたシステムを，会議の名をとって**ブレトン＝ウッズ国際経済体制**といいます。第二次世界大戦後，世界の金の約７割が超大国アメリカに集中し，この状況下で通貨価値を保障・安定させようとしました。

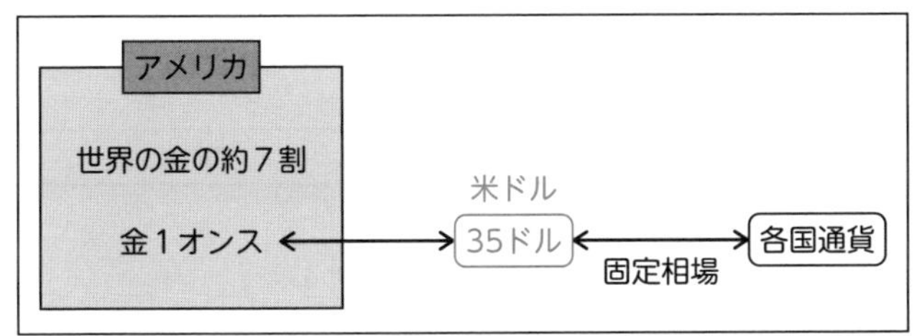

米ドルを金と兌換（交換）できる基軸通貨とし，さらに米ドルと各国通貨の交換比率（為替相場）も固定。米ドルと日本円の相場は知っていますね。
▲35ドル＝金１オンス（約31グラム）の相場で交換

１ドル＝360円だったかな。金１オンス＝35ドル＝12600円と換算できます！

今，答えてくれたように，金とドルを物差しとして世界中の通貨の価値が規定され，**金との交換を保障された唯一の通貨である米ドルが，国際経済秩序の柱となりました。**通貨と金の交換を保障する体制を**金本位制**と呼び，これは19世紀に欧米諸国で確立されました。第一次大戦や世界恐慌の時期に停止されたのですが，第二次大戦後にアメリカがこのシステムを再び採用した，といえます。
通貨・紙幣の発行量が金の保有量に制約される，という特徴を持つ▲
金の流出を防ぎ，柔軟な金融政策をとるため▲

国際貿易に関しては，世界恐慌に見舞われた「持てる国」が保護主義に走り，結果的に自前の市場に乏しい「持たざる国」を対外進出に駆り立て，大戦を引き起こした…，という意見が。この反省から**自由貿易**の原理に立った**「関税と貿易に関する一般協定」（GATT）**が発足し，各国は好き放題に輸入関税を課すことができなくなりました。なお，圧倒的な工業力・輸出力を誇る覇権国家**アメリカにとって，自由貿易というルールが好都合だった**（製品の価格・品質面で優位ならば，公平な条件下では絶対に他国製品に勝てる），という思惑もGATTには見え隠れしていますよ。
かつての覇権国家イギリスも，同様に自由貿易を歓迎　→テーマ39▲

テーマ63 冷戦の開始と雪どけ

1 東西対立（冷戦）の始まり

▲アメリカのジャーナリストであるリップマンの『冷たい戦争』に由来

(1) ソ連による**人民民主主義**政権の樹立

①大戦末期に，ソ連はドイツ軍を駆逐して東欧を「解放」

➡東欧に社会主義政権を樹立（ただし，共産党独裁ではなかった）
▲人民民主主義政権

②**「鉄のカーテン」**…**チャーチル**がフルトンでの演説で用いた表現
▲バルト海のシュテッティンからアドリア海のトリエステまで

(2) 東西対立の激化

西側（アメリカ）	東側（ソ連）
①**トルーマン＝ドクトリン**（1947.3） ・共産主義勢力が伸張した**トルコ**と**ギリシア**への援助 ・対ソ**「封じ込め政策」**の始まり	
②**マーシャル＝プラン**（1947.6） ⇨ ・正式名称は，ヨーロッパ経済復興援助計画 ・マーシャルとは当時の国務長官の名 ・西欧各国は受容したが，ソ連・東欧諸国は参加せず	③**コミンフォルム**（共産党情報局，1947.9） ・ソ連・東欧諸国・フランス・イタリアの共産党が参加 ・**ユーゴスラヴィア**は翌年に除名（独自路線を推進したため）
⑤**西ヨーロッパ連合条約** （ブリュッセル条約，1948.3） ・チェコスロヴァキア＝クーデタをうけて，共産主義に対する警戒を深めた英・仏・ベネルクス３国が成立させた反共軍事同盟	⇦ ④**チェコスロヴァキア＝クーデタ**（1948.2） ・東欧随一の工業国であったチェコスロヴァキアにおいて，マーシャル＝プランの受け入れに関する論争からクーデタが勃発 ・ベネシュ大統領は**共産党独裁**を容認
⑥西側占領地区**通貨改革**（1948.6） ⇨ ・米・英・仏が，ドイツの占領地域において，西側独自の通貨を発行 ・西側は物資を**空輸作戦**で輸送し対抗	⑦**ベルリン封鎖**（1948.6～49.5） ・通貨改革に対抗し，ソ連が西ベルリンを封鎖 ・約１年後，ソ連は封鎖を解除
⑧**大韓民国**の成立（1948.8）	⑨**朝鮮民主主義人民共和国**の成立（1948.9）
	⑩**コメコン**（経済相互援助会議，1949.1） ・マーシャル＝プランに対抗してソ連・東欧諸国の経済協力機構として発足
⑪**北大西洋条約機構**（NATO，1949.4） ・アメリカ主導で結成された反共軍事同盟 ・西欧連合条約加盟国に加え，米・カナダなど12カ国	
	⑬ソ連が**原爆**保有を公表（1949.9）
⑫**ドイツ連邦共和国**の成立（1949.5）	⑭**ドイツ民主共和国**の成立（1949.10）
★蔣介石は台湾へ国民政府を移転（1949.12） ⇦	⑮**中華人民共和国**の成立（1949.10）
	⑯**ワルシャワ条約機構**（東ヨーロッパ相互援助条約，1955.5） ・NATOや西ドイツ再軍備に対抗した共産圏の軍事同盟

1 大戦末期，米ソ両軍はドイツに進撃。ドイツ以西は米軍が，ドイツ以東はソ連軍が解放し，ソ連は共産党主導の政権を擁立しました。ただ終戦直後，スターリンはヨーロッパが二分されて全面対決するような事態は想定していなかったようです。ここでイギリスの前首相**チャーチル**が登場し，演説の中で東西陣営の境界を**「鉄のカーテン」**と呼んでソ連を批判しました。

▲この後，東欧の体制は次第に共産党独裁へ移行していく

東欧を資本主義陣営に対する緩衝地帯として期待していた程度▲

最初に批判したのは，アメリカじゃなくてイギリスなんですね。

大戦で消耗したイギリスには，覇権を維持して自力でヨーロッパを安定させる力はもはや残されていませんでした。そこで盟友アメリカの力を利用してやろうと企(たくら)むんですが，アメリカではまたもや孤立主義の世論が強まってヨーロッパ情勢には消極的。そこでイギリスは，共産主義の脅威を煽(あお)りまくってアメリカを国際社会に引きずり出そうとしたんです。「戦後に米ソが対立した『冷戦』，米ソどちらが引き金を引いたのか？」という論争は永遠のテーマですが，間違いなく**「イギリスが米ソ対立を焚(た)きつけた」**側面があるんですよ。

米ソ冷戦が本格化したといえるのが1947年。ソ連の地中海への南下を**トルコ・ギリシア**のラインで食い止めようとした**トルーマン＝ドクトリン**が，**「封じ込め政策」**の始まり（特にギリシアでは，共産主義者と反共主義者との間で激しい内戦が起こっていました）。6月にはヨーロッパ経済援助の大盤振る舞い（**マーシャル＝プラン**）を発表しました。**いつまでも焼け野原のままだと共産主義勢力が台頭する恐れがあるため，アメリカとしても経済復興を急いだ**んです。マーシャル＝プランはソ連や東欧にも提示されたんですが，ソ連はこのオファーを蹴(け)り，**コミンフォルム**（共産党情報局）を結成して東欧諸国の締めつけを図りました。この内の2カ国をめぐってゴタゴタが起こります。まずは**ユーゴスラヴィア**。ユーゴは大戦中，**ティトー**の指導のもと**独力でドイツ軍を撃退**して，自ら共産主義国になることを選んだ国でした。ソ連に恩義のないユーゴは独自路線を目指し，これがスターリンの怒りをかってコミンフォルムから除名されます。このあとも独自路線を歩むティトーは，東西冷戦で強烈な存在感を放ちます。しっかり注目してくださいね。次に**チェコスロヴァキア**。チェコは東欧では例外的に**議会制民主主義が定着した国**で，自由主義政党と共産党が連立を組んでいました。そのチェコで，マーシャル＝プランをめぐる対立から共産党によるクーデタが起こり，**共産党の独裁体制**が成立！ 「あの民主的なチェコでさえ共産主義に屈するとは…。西側の国が共産主義になってもなんら不思議じゃないぞ！」と西側諸国に衝撃が走り，パニックに近い状況で，反共同盟である**西ヨーロッパ連合条約**（ブリュッセル条約）が成立しました。

両国は「東側」において資本主義を維持していた▲

今までロシアの南下政策を防いできた英の活動を米が肩代わり▲

▲以下「ユーゴ」と省略する

▲以下「チェコ」と省略する

▲当時はイタリアでも共産党が台頭していた

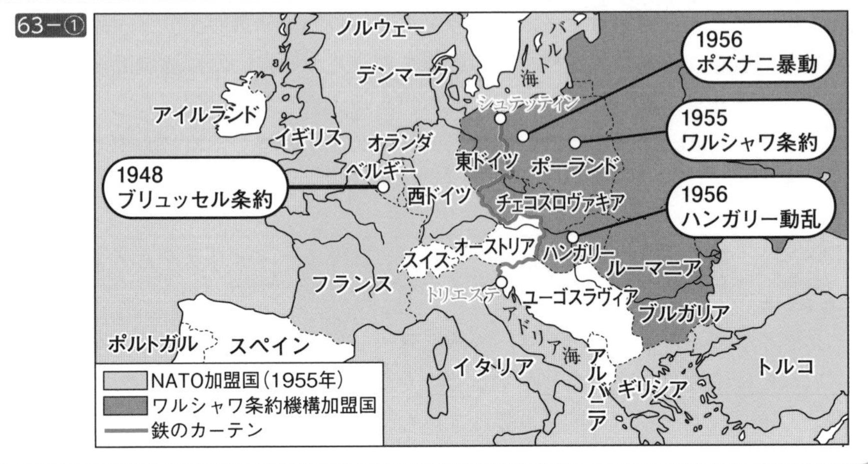

2 朝鮮戦争

(1) 朝鮮の南北分裂…日本の敗戦後，北部をソ連，南部をアメリカが占領（北緯38度線が境界▲）

大韓民国（1948.8） ▲韓国	朝鮮民主主義人民共和国（1948.9） ▲北朝鮮
初代大統領は**李承晩**（イ スン マン）	首相は**金日成**（キム イル ソン）（1972年以降は国家主席）

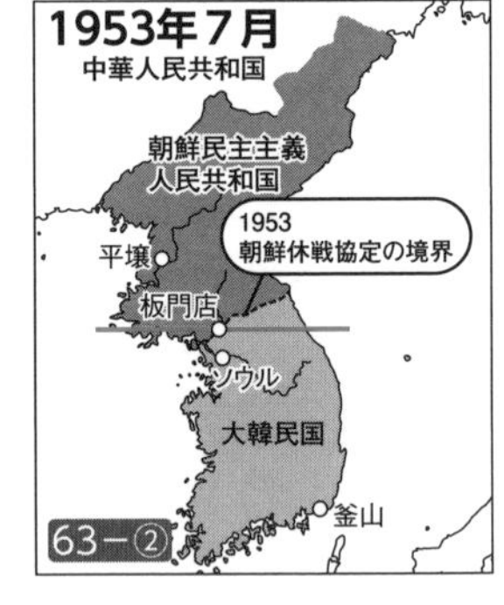

(2) **朝鮮戦争**（1950～，53に休戦）

①北朝鮮軍が**北緯38度線**付近で韓国へ侵攻（1950.6）。当初は北朝鮮軍が圧倒的優勢

②国連軍の出動（1950.7）

・韓国を支援するため，安全保障理事会で決定（▲ソ連は欠席中）

・アメリカ軍を主体とする国連軍を結成（最高司令官はマッカーサー）（▼のちに，原爆投下をめぐって解任された）

・形勢逆転…仁川（インチョン）上陸で戦局が逆転，38度線を越え進撃

③**中華人民共和国**の**義勇軍**派遣（1950.10）…北朝鮮を支援し，反撃

④朝鮮休戦会談（1951～53）…板門店（パン ムンジョム）で会談するが，交渉は難航

⑤**朝鮮休戦協定**（53.7）…**北緯38度線**を軍事境界線とした

3 対ソ包囲網の形成

(1)**米州機構**（OAS，1948.4）…南北アメリカの反共同盟

続く対立は，米英仏ソが占領したドイツで起こりました。米英仏の占領地区でアメリカが独断で進めた**通貨改革**に対して，ソ連軍が**西ベルリン**を**封鎖**したのです。スターリンには「新しい通貨を勝手に発行するとは，ドイツを資本主義国として自立させようとしてるな！？」と映ったようです。上の図を見ると，米英仏の占領下にある西ベルリンが，ソ連の占領地域に囲まれた「飛び地」だったことが分かります。西ベルリン市民は外部からの物資の供給を絶たれてしまいますが，ここは米軍が**空輸作戦**によって物資を輸送し続け，封鎖を無力化させました。1949年に封鎖は解除されますが，ドイツの分断は決定的となり，**ドイツ連邦共和国**（西ドイツ）と**ドイツ民主共和国**（東ドイツ）が建てられます。またベルリン封鎖が解かれる直前の４月，西ヨーロッパ連合条約にアメリカが参加する形で**北大西洋条約機構（NATO）**が成立（のちに1955年，西ドイツのNATO加盟にソ連が反発して東側の軍事同盟**ワルシャワ条約機構**〔東ヨーロッパ相互援助条約〕が成立し，東西の軍事同盟が対峙（たいじ）する状況が固定化されましたが，これら一連の，米ソを中心とする東西陣営の緊張状態が**「冷戦」**です）。その秋，アメリカに激震が走ります。まず９月にソ連が**原爆**の開発に成功し，**アメリカによる核独占体制が崩れました。**（▲実験は８月に行われた）さらに東アジアに目を向けてみると国共内戦が続いていた中国で共産党が勝利し，10月１日に**中華人民共和国**が成立したのです。（▲以下「中国」とも呼ぶ）

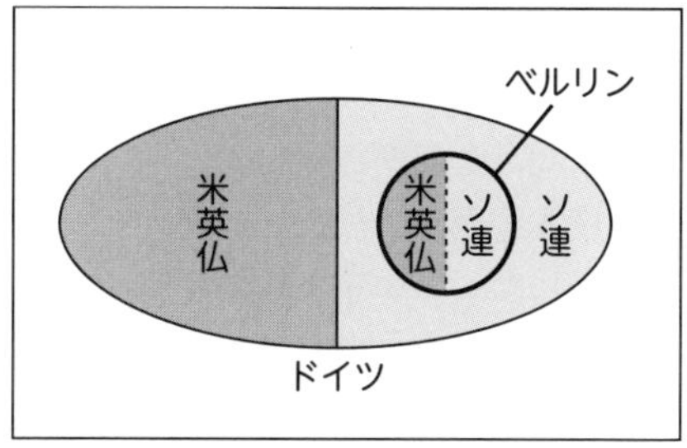

2 引き続き東アジアで，朝鮮半島の状況を見ておきましょう。日本の敗戦後，**北緯38度線**を境界にソ連軍が北部を，米軍が南部を占領下に置きました。南北統一選挙をめぐる話し合いも不調に終わり，1948年に**大韓民国（韓国）**と**朝鮮民主主義人民共和国（北朝鮮）**が成立します。そして1950年に北朝鮮軍が韓国へ侵攻して**朝鮮戦争**が勃発。冷戦は東アジアに飛び火してついに「熱戦」となりました。国連の安保理事会は北朝鮮の行動を侵略と断じ，米軍中心の国連軍が結成・派兵される運びとなりました。

なぜソ連は拒否権を行使しなかったんですか？

この時，ソ連は中華民国が国連代表権を持っていることに抗議し，「中華人民共和国に代表権を与えるべきだ！」という主張のもと，欠席してたんです。GHQの**マッカーサー**を総司令官とする国連軍は仁川（インチョン）に上陸し，ほぼ半島全土を制圧していた北朝鮮軍を，北朝鮮と中国の国境付近まで押し戻しました。仰

⑵**米比相互防衛条約**（1951.8）…アメリカ・フィリピン間の反共軍事同盟

⑶**太平洋安全保障条約**（ANZUS（アンザス），1951.9）…米・豪州・ニュージーランド

⑷日米同盟と自衛隊

①**日本国憲法**の施行（1947）…アメリカは，日本を平和国家として再建

➡しかし，**中華人民共和国の成立や朝戦争勃発をうけ，アメリカは日本を西側陣営に取り込む方針へ転換**

②**警察予備隊**（1950.8）…朝鮮戦争勃発をうけ設置。54年に**自衛隊**へ改称

③**日米安全保障条約**（1951.9）…米軍による日本防衛を約束

サンフランシスコ平和条約と同時に締結された▲

⑸**米韓相互防衛条約**（1953.10）…アメリカと韓国の反共軍事同盟

⑹**東南アジア条約機構**（SEATO（シアトー），1954.9）…米と東南アジア諸国など

▲インドシナ戦争の終結が，結成の背景

★**東南アジア諸国連合**（ASEAN（アセアン），1967）

・ベトナム戦争をうけ，フィリピン・タイ・インドネシア・マレーシア・シンガポールの間で発足した反共軍事同盟

・のちに，**経済協力機構としての性格を強めていく**

⑺米華相互防衛条約（1954.12）…米が台湾の蔣介石政権と結んだ軍事条約

⑻**バグダード条約機構**（中東条約機構，METO（メトー），1955）

①イギリス・イラン・パキスタン・トルコ・イラクの反共軍事同盟

➡イラク革命（1958）でイラクが脱落し崩壊

★中央条約機構（CENTO（セントー），1959）…METOを再編　➡79年にイランが脱退

4 冷戦の緩和　（「雪どけ」）

⑴　**スターリン**の死（1953）　➡ソ連は西側との協調へと外交政策を転換

⑵　オーストリア独立回復（1955.5）…主権を回復し，永世中立国となった

▲米英独ソの四カ国が分割管理していた

⑶　**ジュネーヴ4巨頭会談**（1955.7）…緊張緩和への第一歩

▲ポツダム会談以来，10年ぶりに米ソの首脳が会談

①米（**アイゼンハワー**）・英（イーデン）・ソ・仏の首脳が会談

⑷　**スターリン批判**（1956）…ソ連共産党第20回大会で**フルシチョフ**が演説

①**スターリンによる粛清・個人崇拝・東欧への干渉を批判**

②**従来の対米対決路線を転換し，平和共存政策を打ち出す**

⑸　**コミンフォルム**解散（1956.4）…フルシチョフの平和共存政策の一環

⑹　**フルシチョフ**訪米（1959.9）

①ソ連の指導者として初めて訪米し，アイゼンハワー大統領と会談

※**「雪どけ」**…スターリン死後の米ソの緊張緩和，また東欧に対するソ連の締め付けが緩和されたことを指す

▲ユダヤ人作家エレンブルグの小説に由来

天した中国は北朝鮮支援を決断しますが，正義の「国連軍」と全面戦争するのはさすがにマズイ。そこで「情熱に燃える人民の**義勇軍**（▲ソ連も義勇軍を支援した）が立ち上がった！」というタテマエに（義勇軍の実態は，正規軍である人民解放軍ですよ）。中国の人海戦術によって戦線は膠着（こうちゃく）状態となり，1953年に**朝鮮休戦協定**が結ばれました。

3 これらの出来事で，日本の歩みも変化しました。敗戦後の日本は米軍（▲ GHQ）による事実上の単独占領下に置かれ，「武装解除」（▼平和主義の日本国憲法に体現）「民主化」が進められました。しかし冷戦が東アジアに波及すると，アメリカは対日政策を練り直し，**資本主義国としての経済復興と，アメリカ陣営への組み込みを図ります**。朝鮮戦争をうけて1950年に**警察予備隊**を創設し，事実上の再軍備がなされました。翌51年，**サンフランシスコ平和条約**で連合国と講和し，同時に**日米安全保障条約**で米軍の駐留を認めます。**朝鮮戦争の特需が日本の経済復興に大きく寄与した**ことはよく知られるところです。

4 1953年に**スターリン**が死去すると，米ソ関係に転機が訪れます。「共産主義がいつか資本主義を滅ぼす」とケンカ腰だったスターリンに対し，次世代の指導者たち（当初は集団指導体制▲）は現実的な**アメリカとの共存**（▲ただ現実には，スターリンは世界革命よりもソ連の国益を重視）を選択しました。当時の米ソは原爆よりも強力な水爆（▲アメリカは1952年，ソ連は53年）を開発済みで，**核戦争が起これば米ソは相打ちで全世界が滅亡する**というのが共通認識に（スターリン時代の戦争は，まだ米ソが即座に壊滅するほどの規模ではなかった，ともいえます）。先制攻撃を仕掛けた側も滅亡確定なので，お互い手を出せず，結果的に「平和になる」という理屈です。相手に「反撃されたらウチもやられる」（▲これを「核抑止」「恐怖の均衡」と呼ぶ）と常に思わせておくことが重要になります。

だから米ソは，お互いナメられないように核開発を続けるのか。

こういった米ソ二大国が核兵器（▲ただしイギリスは1952年に核兵器を保有）を独占した状況下で，日米安保条約にみられるような軍事同盟（▲これら同盟の成立年代は，スターリン死去の1953年前後なので注意）が各地で成立しました（西側諸国はアメリカと，東側諸国はソ連と）。アメリカは「**同盟国に対する攻撃はアメリカへの攻撃とみなし，即刻反撃する**」ので，ソ連はアメリカの同盟国には気軽に手を出せず（ソ連側も同様）ひとまず安全は確保される。この概念を「核の傘」（▲ nuclear umbrella）といいます。

1955年の**ジュネーヴ４巨頭会談**は，**ポツダム会談以来10年ぶりに米ソの首脳が顔を合わせる**歴史的な場に。翌56年，ソ連の権力を握った**フルシチョフ**は，カリスマだった**スターリンの本性・恐怖政治を暴き，さらには西側との平和共存を目指す立場を公にしました**（**スターリン批判**は東欧にも激動をもたらすのですが，それは改めて説明（▲演説の内容は，意図的に西側にリークされた／▲→テーマ66）しましょう）。59年には，**ソ連の指導者として初めてアメリカの土を踏む**など，50年代後半は東西対立の緩和が進みました。これが**「雪どけ」**といわれる状況ですね。

第7章 戦後の世界

多極化から冷戦終結まで

本講では，米ソ関係を中心に1960年代から1989年までの米ソ冷戦の展開を概観してみます。各国・各地域の詳しい情勢に関しては，「➡」で指定してある単元をしっかり確認してくださいね。

1950年代後半にイイ感じになってきた米ソ関係でしたが，60年代初頭に一転。 61年には東ドイツに**ベルリンの壁**(→テーマ66)が建設され，62年に**キューバ危機**(→テーマ65)が起こります。核戦争の半歩手前まで行った米ソですが，ギリギリで踏みとどまりました。両国を踏みとどまらせた背景にはやはり「核戦争になれば米ソは共倒れし，人類は滅亡する」という恐怖がありました。肝を冷やした両国は63年に**部分的核実験禁止条約**(→テーマ64)を結び，核軍縮への第一歩が踏み出されました。

1．1960年代の多極化

米ソ中心の二極体制が動揺する主な要素を整理してみます。

①まず，フランスの**ド＝ゴール**(→テーマ67)大統領（任1959～69）が「ナポレオン時代のような栄光を取り戻せ！」と，**対米従属を嫌う独自路線をとりました**。彼の政権下で成立した②**ヨーロッパ共同体（EC）**(→テーマ67)も，アメリカ経済に対抗する意図が秘められてますね。

③一方で共産主義陣営でも，中国とソ連の関係がギクシャクします（**中ソ対立**(→テーマ72)）。少し時を戻しましょう。終戦後，国共内戦に勝利した中国共産党は**毛沢東**を主席として**中華人民共和国**を樹立。**中国国民党**の**蔣介石**（しょうかいせき）は台湾に逃れます。アメリカは資本主義の台湾の方を「中国」と見なし，中華人民共和国を承認せず，**米中関係は米ソ関係以上に険悪なものになりました**。スターリンの生前は，米ソも激しく対立していましたから，中ソは「ともにアメリカに立ち向かおう」と意気投合。**中ソ友好同盟相互援助条約**を結んで一枚岩だったわけです。しかしスターリンの死後，ソ連はアメリカとの**平和共存**(→テーマ63)を打ち出しました。寝耳に水の中国は「おいおい，アメリカを倒すんじゃないのかよ！話が違う！」

とソ連に不満を抱いたんですね。前述した**キューバ危機で中ソ対立は公然のものとなりました**（図B参照）。ソ連がアメリカと戦ってくれるぞ！と期待していたのに結局はヘタれて，平和共存に落ち着いてしまったからです。「ソ連なんかに期待した俺がバカだった…」と対立は激化し，ついに軍事衝突にまで発展します（**中ソ国境紛争**）。

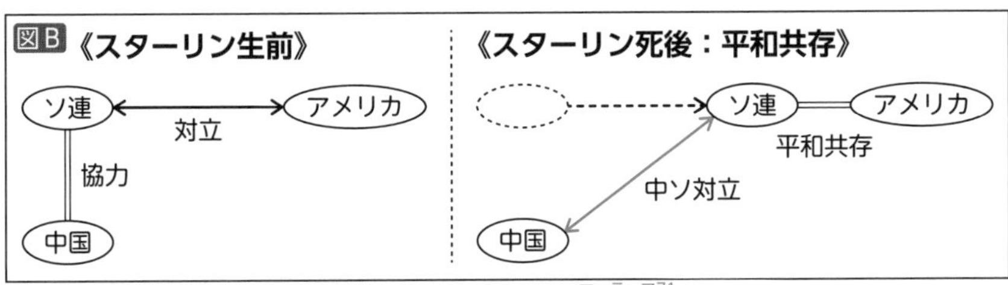

④アメリカは東南アジアの共産化を恐れ，ベトナム（▼→テーマ71）に介入します。共産主義の**ベトナム民主共和国**（▲通称，北ベトナム）に対し，アメリカは傀儡（かいらい）の**ベトナム共和国**（▲通称，南ベトナム）を樹立し軍事支援を行いました。北ベトナム＆南ベトナム解放民族戦線との戦いが激しくなると，ついに1965年，**ジョンソン**大統領はベトナムに米軍を投入（**北爆**）。しかし，北ベトナムと解放民族戦線による地形（▲ジャングル・山間部）を利用した**ゲリラ戦術**に手を焼き，兵力の逐次投入という下策をとったこともあり戦線は泥沼化。**軍事費は財政を圧迫し，国際的な反戦運動も高まり，アメリカの威信は揺らぎました。**

⑤東欧では，68年に**チェコスロヴァキア**（▲→テーマ66）の民主化運動に対し，ソ連を中心とするワルシャワ条約機構軍が侵攻。ソ連はこの明らかな内政干渉を「共産主義グループ全体の足並みを乱す国には制裁を加えて構わない！」（ブレジネフ＝ドクトリン（制限主権論）▲）と正当化しますが，国際的非難はすさまじく，**ソ連の威信も低下**しました。しぶいトコロでは，石油資源に恵まれたルーマニアも，ソ連の利益を優先させるコメコンの手法に批判的となります。ユーゴスラヴィアの**ティトー**はいうまでもありませんよね！

2．デタントの時代（1970年代）

ニクソン（▲→テーマ65）はベトナム戦争の収拾を公約に大統領に当選しました。アメリカが直面していた状況は「これ以上ベトナムには米軍を投入できない。かといって米軍が即時撤収すればアメリカの敗北を認めることになる」という酷なものでした。そこで，**「米軍は撤退するが，南ベトナムが負けないよう最大限のお膳立てをする」**という策をたてます。次ページの図C①がベトナム戦争の構図です。もしこの状況で米軍が撤退すれば，ソ連と中国が北ベトナムを支援してるわけですから南ベトナムはひとたまりもない…。

ここでニクソンは1972年に電撃的に**中国を訪問**（▲→テーマ65）！　今まで承認していなか

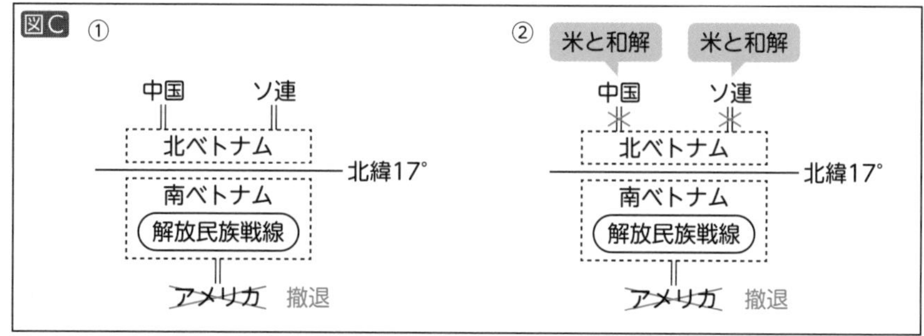

った中華人民共和国の存在を認めて和解し，**中国に北ベトナム支援を手控えさせます**。またニクソンは同年にソ連へも飛び，**戦略兵器制限交渉**（→テーマ65）をまとめて米ソ関係も改善させ，ソ連もベトナム戦争から切り離そうとしました。この状況で米軍がベトナムから撤退すれば（図C②），ベトナム戦争を**「外国が介入しない，ベトナムにおける内戦」に変えられる**わけですね。

では，中ソがアメリカの望み通りに和解に応じたのはなぜか？　カギは**中ソ対立**です。69年の中ソ国境紛争で中ソ対立は頂点に達し，**中国は米ソの双方と対立する苦境に立たされ，今までなら考えられなかったアメリカとの関係改善を模索**し始めたんです（図D①）。一方のソ連です。米中和解の機運が高まると，またまた今まではありえなかった**「米中が手を組んでソ連に対抗する」**可能性が浮上してきたため，アメリカとの関係強化を急ぐはめに。ソ連は「アメリカと中国が手を組むなんて悪夢だ！　軍縮面でもベトナム問題でもアメリカとフレンドリーにしておかねば…」という結論に至り，60年代末から交渉していた**SALT Ⅰ**が妥結したんです（図D②）。ベトナムでの戦費がかさんで財政難にあえいでいたアメリカにしてみれば，してやったりの展開ですね。

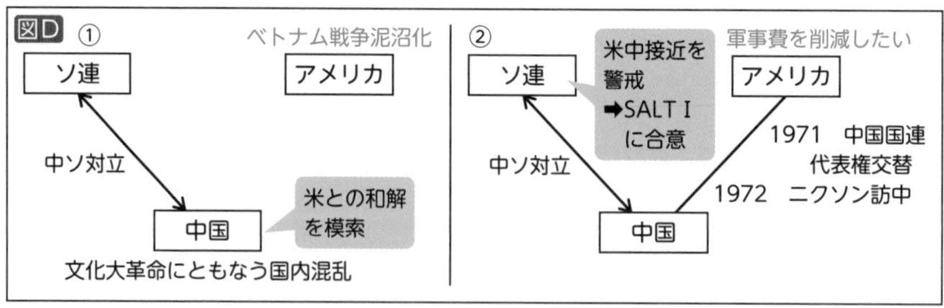

こういった70年代初頭に展開された情勢を，**「デタント（緊張緩和）」**と呼びます。同時期に，西ドイツの**ブラント**首相が東側諸国と対話した**「東方外交」**（→テーマ67）もデタントの一環とみなされますね。また，75年にデタントの流れをくんで開かれた全欧安全保障協力会議には，東西ヨーロッパ諸国やアメリカなどが参加し，のちの冷戦終結への流れをつくる一つの契機となりました。（西側は現状の国境線を，東側は基本的人権の尊重を，それぞれ尊重）

3．新冷戦（第２次冷戦）から冷戦終結へ

70年代のデタントの流れに冷や水を浴びせたのが，ソ連軍の**アフガニスタン侵攻**→テーマ66，テーマ70▲（1979）でした。アフガニスタンで成立した親ソ派政権が宗教弾圧を行ったことに，国民の大多数を占めるイスラーム教徒が激昂（げっこう）。激しい内戦に発展したところへ，ソ連軍がアフガニスタン政府を支援して攻め込んだんですね。これに対しアメリカはSALTⅡの批准を拒否し，80年のモスクワ五輪をボイコットするなど猛反発するのですが，当時の**カーター**▲→テーマ65政権は強硬な対抗策を講じず「弱腰」のレッテルを張られてしまいました。

81年に就任した**レーガン**▲→テーマ65大統領は，うって変わって**「強いアメリカ」**を掲げます。ソ連を「悪の帝国」と呼んで敵視し，**軍事予算を大幅に増額して軍拡に乗り出しました**。その代名詞が，宇宙空間で核ミサイルを打ち落とす戦略防衛計画（SDI。「スターウォーズ計画」と呼ばれました。当時第１作が大ヒットしていたんですよ）。しかしケタ外れの**軍拡はアメリカの財政を圧迫**し，２期目には方針の見直しを余儀なくされ，ソ連との対話路線へと舵（かじ）を切ります。

一方のソ連にとって，1980年代前半は共産党独裁による綻（ほころ）びが覆い隠せないまでに深刻化した時期でした。「赤い貴族」と揶揄（やゆ）された官僚は特権階級化し，経済は停滞。**アフガニスタンでの戦いは，ソ連版ベトナム戦争のごとく泥沼化し，財政を圧迫**しました。**ブレジネフ**（82年死去）を継いだアンドロポフ，チェルネンコは，どちらも高齢で就任間もなく病死…。このような状況下，85年に50代で書記長に抜擢（ばってき）された**ゴルバチョフ**▲→テーマ66は，今までのソ連の在り方に抜本的なメスを入れました。**ペレストロイカ**（改革），**グラスノスチ**（情報公開）を掲げ，**企業の自主性や個人営業の自由を認め，官僚による統制を是正**しました。外交面では東西の緊張緩和を目指す**「新思考外交」**を展開。1987年にはレーガンと**中距離核戦力（INF）全廃条約**を締結し，翌88年には**東欧諸国に対するソ連の指導性を否定**しました（新ベオグラード宣言）。これはブレジネフ＝ドクトリンの否定を意味しますから，東欧ではソ連の顔色を気にすることなく政治を進めることが可能となり，翌年の**東欧革命**▲→テーマ66につながっていきました。そして89年末には東欧の共産圏はほぼ消滅し，12月に**ブッシュ（父）**大統領と**ゴルバチョフ**が**マルタ会談**で冷戦終結を宣言するに至りました。ヤルタ会談（45年２月）に始まった冷戦が，マルタ会談（89年12月）に終結したことは**「ヤルタからマルタへ」**と表現されますね。

※次講以降の各国史的視点で学んだあとに，改めて本テーマを読んでみてください。大きな視点（俯瞰（ふかん）的）で冷戦の経過をたどることができますよ。

テーマ64 第三世界，核軍拡と核軍縮，平和運動

1 第三世界の連帯

★第三世界…米ソいずれの陣営にも属さず，非同盟中立路線をとる国々や地域。インドシナ戦争（1946～54）・朝鮮戦争（1950～53）など，冷戦がアジアへも波及すると，新興独立諸国は米ソへの従属を嫌った

(1) コロンボ会議（1954.4）

①参加したアジア諸国が，インドシナ戦争の早期解決，中華人民共和国の国連加盟，アジア・アフリカ会議の開催を提唱
▲インド・インドネシア・セイロン・パキスタン・ビルマ

(2) **ネルー**・**周恩来会談**（1954.6）
▲インド首相　▲中華人民共和国首相

①**平和五原則**（領土主権の尊重・相互不侵略・内政不干渉・平等互恵・平和共存）を提唱

(3) **アジア＝アフリカ会議**（**バンドン会議**，1955）
▲インドネシアの都市

①**平和十原則**…平和五原則に，国連憲章の尊重，人種と国家間の平等，武力侵略の否定，自衛権の尊重，正義と義務の尊重を加えた

②意義…アジア・アフリカ諸国が，東西冷戦の中で，独自の主張を掲げた

(4) **非同盟諸国首脳会議**（1961）

①**ティトー**・ネルー・ナセルが提唱
▼インド首相
▲ユーゴスラヴィア大統領　▲エジプト大統領

②**ベオグラード**で開催。非同盟主義・反帝国主義・反植民地主義を掲げた
▲ユーゴスラヴィアの首都

2 核軍拡

(1) 各国の核開発…**米**（1945），**ソ連**（1949），**英**（1952），**仏**（1960），**中国**（1964），**インド**（1974），**パキスタン**（1998），北朝鮮（2006）
▲イスラエルも核保有国であると考えられている
▲中華人民共和国

(2) 水爆の開発…米（1952），ソ連（1953）など
▲原子爆弾よりさらに強力な破壊力を持つ
▲英は57年，仏は66年，中は67年

(3) 米ソの宇宙開発

アメリカ	ソ連
ソ連の人工衛星打ち上げに対し，宇宙開発に遅れをとっているという「ミサイル＝ギャップ論争」が勃発 1969　**アポロ11号**が月面着陸に成功	1957　世界初の**人工衛星**スプートニク１号の打ち上げ 1957　**大陸間弾道弾**（ミサイル）の開発に成功（▲ICBM） 1961　宇宙飛行士を乗せたヴォストーク１号の打ち上げ（▲ガガーリン）

1 第二次世界大戦後，民族自決の理念はようやくアジア・アフリカの植民地でも認められて独立が進みます。しかし，インドシナ戦争や朝鮮戦争に見られるように東西冷戦がアジアまで波及してくると，新興独立国は「やっとイギリスやフランスから独立できたのに，今さらアメリカやソ連の顔色を伺（うかが）うなんてゴメンだ！」と，**米ソいずれの陣営にも属さない第三世界**をつくろうとしました。第三世界の形成は，1960年代の多極化の一側面ともいえるでしょう。米ソ両陣営から距離を置くといっても，インドネシアの**スカルノ**は反米を全面に押し出し，ユーゴスラヴィアの**ティトー**はソ連の影響下に収まることを嫌った共産主義者，と事情は各国ごとに異なっていますけどね。中国の立ち位置も単純ではなく，ソ連陣営でありながら，第三勢力の形成にも関わりました。

▲→テーマ71
→テーマ66▲
第三勢力のインドとは国境問題を抱えていた▲

2 続いて核をめぐる動き。終戦直前にアメリカが原爆を開発して数年間は核を独占したのですが，1949年にソ連も開発に成功しました。両国は52年と53年にさらに強力な水爆の開発にも成功して軍拡を競った結果，「核戦争が起これば米ソが必ず共倒れとなり，人類が滅亡する」状況に至ります。「恐怖の均衡」「核抑止」ですね。

その水爆実験に巻き込まれたのが，日本の第五福竜丸ですよね。

被曝（ひばく）して亡くなられた乗組員の方もいます…。日本社会に与えた影響も大きく，皆さんご存じの大怪獣ゴジラは，「ビキニ環礁（かんしょう）の水爆実験で発生した放射線を浴びた恐竜！」という設定。1955年以降，核廃絶・平和運動が高まります。

▲第五福竜丸事件があった1954年に初上映
▲核開発を担った科学者たちが，核の脅威を訴えた

しかし米ソの軍拡競争はエスカレート。レーダーの発達に伴って爆撃機での核爆弾の投下は非現実的となり，代わって核爆弾（核弾頭）をミサイルに載せて目的地へ直接打ち込む戦術が研究されました。**ミサイルの最高高度は宇宙空間まで到達することが想定されたため，**ロケットや人工衛星の打ち上げなどの**宇宙開発は軍事技術と不可分の関係となり，両国はしのぎを削る**んです。初の**人工衛星**打ち上げ，**大陸間弾道ミサイル**の開発，有人宇宙飛行，これらは**全てソ連がリードした**点に注目ですね。ナンバー1を自負するアメリカは焦り，月を目指す**アポロ計画**で巻き返しを図りました。

一方，米ソ以外の核開発ですが（イギリスの1952年は影が薄い…），1960年の**フランス**と64年の**中国**は，それぞれ「もうアメリカ（ソ連）の世話になんかならない！」という**60年代の多極化の文脈で考えましょう**。62年のキューバ危機は，核戦争が**「起こらなかった」**点で多極化に影響を与えています。「米ソとも核を使えないならば，守ってもらう必要もない」とフランスも中国も考えますからね。

3 核軍縮の動き

(1) **部分的核実験禁止条約**（PTBT，米英ソ，1963）
①キューバ危機により核戦争の危険性を実感し，核軍縮の機運が高まった
②**地下**を除く，大気圏内・宇宙空間・水中における核兵器の実験を禁止
③フランス・中華人民共和国は「米ソの核独占」として反対
(2) **核拡散防止条約**（NPT，国連総会，1968）
①非核保有国の核兵器保有，核保有国の非保有国への核兵器譲渡を禁止
(3) 戦略兵器制限交渉（SALT（ソルト））…米ソが1969年から交渉開始
▲Strategic Arms Limitation Talks
①**第１次戦略兵器制限交渉**（SALTⅠ，1972）…戦略ミサイルの数量制限
②第２次戦略兵器制限交渉（SALTⅡ，1979）…米が批准を拒否
ソ連のアフガニスタン侵攻に反発▲
(4) **中距離核戦力（INF）全廃条約**（1987）…米ソが初めて核兵器を削減
▲Intermediate-range Nuclear Forces
➡2019年に米ロ（トランプ大統領とプーチン大統領）間で失効
(5) 戦略兵器削減条約（START（スタート））…米ソ間が1982年から交渉開始
▲STrategic Arms Reduction Treaty
①**第１次戦略兵器削減条約**（STARTⅠ，1991.7）…核弾頭の数量を削減
②第２次戦略兵器削減条約（STARTⅡ，1993.1）…実施されず
(6) 包括的核実験禁止条約（国連総会，CTBT，1996）
①あらゆる核実験を禁止する条約。アメリカなどが批准しておらず，未発効
(7) アメリカの**オバマ**大統領による，**プラハ**での核兵器廃絶演説（2009）
▲チェコの首都

4 平和運動の高まりと，原発事故

(1) **第五福竜丸事件**（1954）…アメリカが行った**ビキニ環礁（かんしょう）**水爆実験において，日本漁船の第五福竜丸が"死の灰"を浴びた
▲マーシャル諸島
(2) ラッセル・アインシュタイン宣言（1955.7）
▲ラッセルはイギリスの数学者・哲学者
…核戦争の悲惨さと反人間性，人類絶滅の危機を各国首脳に警告
(3) 第１回原水爆禁止世界大会（1955.8）
…第五福竜丸事件をうけて核廃絶の機運が高まり，広島で開催
(4) **パグウォッシュ会議**（1957）…核兵器の脅威や科学者の責任について議論し，核兵器禁止の世論形成に寄与。1995年にノーベル平和賞を受賞
(5) 原子力発電所における大事故
①スリーマイル島原発事故（アメリカのペンシルヴェニア州，1979）
②**チェルノブイリ原発事故**（ソ連邦内のウクライナ，1986）
▲ウクライナ語でチョルノービリ
③**福島第一原発事故**（日本，2011） ⬅東日本大震災（2011.3.11）

3 キューバ危機の当事者である米ソは核戦争の危険性を実感して肝を冷やし，ついに核開発の制限に踏み出しました。ただし，これは「核兵器そのものを廃絶しよう」ではなく「核兵器が多くの国に拡散しないように（＝これ以上核保有国が増えないように）しよう」というコンセプトでした。まずは**地下**以外の，大気中・水中などでの核実験を禁じた1963年の**部分的核実験禁止条約**です。

どうして「地下」だけ例外なんですか？

実は米英ソは，すでに大気中など観測可能な空間での核実験を必要としない研究レベルになっていて，より高度な地下核実験が可能でした。難度が低い従
▲地震波を測定し，今までの実験データと照合させ爆発の状況を把握
来の核実験を禁じ，「勝ち逃げ」しようとしたんです。だからこそフランスと中国は「大国による核独占だ！」と噛（か）みついた。続く1968年の**核拡散防止条約**（NPT）では**核兵器の保有を，すでに核を保有している米・ソ・英・仏・中に限定し，非保有国には製造・取得を禁じました**。核保有国を増やさないこ
▲購入や譲渡
とは確かに核戦争のリスクを低下させます。でも非保有国が保有国になる道を閉ざす，「勝ち組」「負け組」を選別する条約ともいえます。やはりフランス・
この２カ国は保有国である点に注意。両国ともNPTには1992年に参加▲
中国は条約に参加せず。同じく参加しなかった**インド・パキスタン**はそれぞれ74年，98年に核開発に成功し，北朝鮮は条約から脱退して核実験に乗り出しました。

1970年代以降，ようやく米ソ自身が核軍縮に踏み出しました。米ソ間で「長距離ミサイル」の総数を**制限**した72年の**戦略兵器制限交渉**は，デタントを象徴する出来事です。一方，アメリカによる79年のSALTⅡ批准拒否は，新冷戦のいわば前哨戦（ぜんしょうせん）ですね。そして，**中距離核戦力全廃条約**が結ばれた87年は冷戦終結の前々年であり，この条約は米ソが新冷戦から転じて歩み寄ったたま
実は交渉自体は1980年代前半から行われていた▲
ものです（この条約は，米ソが初めて「核弾頭そのもの」の**削減**に同意した点でも画期的)。冷戦終結後の91年には，**戦略兵器削減条約**で長距離ミサイルの削減に同意しました。そして全ての核実験を禁止する包括的核実験禁止条約が96年の国連総会で採択されましたが，未だアメリカ・中国などが批准してお
イスラエル・北朝鮮・インド・パキスタンなども未批准▲
らず，発効の目途はたっていません。そんな中，**オバマ**大統領が行った2009年の核兵器廃絶演説は大きな意義があるといえますね。
▲2010年には米露間で新STARTが締結された

4 原子力の平和利用という形で普及してきた原子力発電は，時に甚大な災いをもたらします。ソ連の**チェルノブイリ原発事故**によって，当時のソ連政府の隠ぺい体質が明らかになり，**ゴルバチョフ**が**グラスノスチ**を進めるきっかけになったとされています。そして**福島第一原発事故**を挙げないわけにはいきません。世界史でも複数の教科書に，しっかり掲載されていますよ。

戦後のアメリカ大陸

1 アメリカ合衆国

は民主党，　は共和党

(1) **トルーマン**大統領（民主党，任1945～53）
▲フランクリン＝ローズヴェルトの死後，副大統領から昇格

①**マッカーシズム**…共和党議員マッカーシーが，リベラル派の要人を親共産主義者として追放した運動。**「赤狩り」**

②外交…トルーマン＝ドクトリンから「冷戦」が本格化
▲→テーマ63

(2) **アイゼンハワー**大統領（共和党，任1953～61）
▲ノルマンディー上陸作戦の総司令官

①外交…**スターリン**の死をうけて，ソ連との平和共存を模索。**「雪どけ」**
▲→テーマ63

(3) **ケネディ**大統領（民主党，任1961～63）

①**アイルランド系で，初のカトリックの大統領**
▲非WASP

②**ニューフロンティア政策**…福祉政策・黒人の公民権の拡大を推進

※**キング牧師**…**公民権運動**の指導者。ワシントン大行進での「私には夢がある」演説で知られる。ノーベル平和賞を受賞するが暗殺された
▲1963年

③外交…**キューバ危機**（1962），**部分的核実験禁止条約**（1963）
▲危機後，米ソに直通電話回線（ホットライン）がひかれた

④暗殺（1963.11）…テキサス州ダラスで，パレードの車上で狙撃され死亡

(4) **ジョンソン**大統領（民主党，任1963～69）
▲ケネディの暗殺をうけ副大統領から昇格

①**「偉大な社会」**計画…差別と貧困を根絶することを掲げ，教育や福祉に多額の予算を計上　➡ベトナム戦争に伴う財政難により計画は挫折

②**公民権法**の制定（1964）…人種差別を禁止する法律。現実の差別は解消せず，黒人解放運動は続く

③外交…**北ベトナム爆撃（北爆）**（1965）を開始し，**ベトナム戦争**に介入
▲→テーマ71

➡戦争は泥沼化し，国内外で反戦運動が高まった

※既存の価値観・伝統に基づく「主流文化」への反発から，カウンター＝カルチャーが若者たちの間で広まった。Ex. フォークソング，ロック
▲対抗文化

(5) **ニクソン**大統領（共和党，任1969～74）

①**ドル＝ショック**（1971）

・背景…**ベトナム戦争の莫大な戦費支出，日本や西ドイツの経済成長**
▲アメリカの貿易収支は1971年に赤字に転落

・金の海外流出が止まらず，ニクソンが**金とドルの交換停止**を発表

➡ブレトン＝ウッズ国際経済体制は崩壊，1973年から**変動相場制**へ

②外交…**デタント**（緊張緩和）を進める
▲キッシンジャーが活躍

・ニクソン**訪中**（1972.2）…中華人民共和国を事実上承認

本講は，特に【**重要テーマ7**】と切っても切れない関係です。お互いを繰り返し読んで結びつけましょう。合衆国（北米）は内政中心でいきますよ。

1 終戦時の**トルーマン**政権下で「冷戦」は始まり，反共の風潮は国内でも高まって，共和党議員**マッカーシー**を中心に「**赤狩り**」が吹き荒れました。
▲共産主義団体と関わりがあると見なされた公務員を追放

ノルマンディー上陸の英雄**アイゼンハワー**が就任した２カ月後，ソ連の**スターリン**が死去。彼の任期はほぼ「**雪どけ**」の時期に一致します。この時期から，黒人差別の撤廃を目指す公民権運動が国内で高まってきますね。
トルーマンとスターリンはどちらも1953年で政権交代▲
▲州法によって，参政権など諸権利が制限されていた　→テーマ42

1961年に就任したケネディは**初のアイルランド系でカトリック**の大統領で，ジャガイモ飢饉（ききん）の時，ご先祖がアメリカへ渡って来ました。祖父がビジネスに成功してケネディ家は裕福だったものの，アイルランド系はアメリカではマイノリティでした。そういった出自もあって，彼は**人種差別や貧困の問題に立ち向かいます**（**ニューフロンティア政策**）。**公民権運動**も盛り上がり，1963年のワシントン大行進で**キング牧師**が行った，「私には夢がある」で知られる演説はその象徴とされます。この1963年は，ある出来事からちょうど100周年。
若干43歳で大統領となった▲
▲→テーマ39
▲ガンディーの非暴力運動の影響をうけた

分かった，リンカンが発した 1863 年の奴隷解放宣言！

そう，大切な節目の年ということもあって運動は熱気を帯びました。外交面では**キューバ危機**に直面して難しい舵取（かじと）りを迫られますが，ギリギリで戦争を回避し翌年の**部分的核実験禁止条約**にこぎつけ，平和共存を固めました。
▲→テーマ42

ケネディが1963年11月に暗殺（真相はいまだ闇の中…）されると，副大統領から**ジョンソン**が昇格し，ケネディ路線を継承。貧困対策に予算を計上し，64年に**公民権法**を成立させて法的な人種差別が撤廃されました（実際には社会的な差別は根強く残りますが…）。この内政に影を落としたのが，65年に「**北爆**」を命じて介入した**ベトナム戦争**の泥沼化です。莫大な軍事支出によって社会保障の予算は削られ，超大国のメンツをかけた米軍のなりふり構わぬ行動には「絶対正義であるはずの米軍がベトナムの土地と住民を蹂躙（じゅうりん）している…」と疑問の声が噴出し，**世界規模で反戦運動が起こります**。アメリカ国内では**反戦運動と黒人差別撤廃運動が連携**（さらにこれらの運動と連動して，男性中心の価値観を批判して女性解放をめざす**フェミニズム**も盛んになりましたよ）し，若者たちは徴兵を拒否し，彼らの間では従来の価値観に反発する**カウンター＝カルチャー**（対抗文化）が流行しました（お高くとまったクラシックやお嬢さまのピアノではなく，ギターにハマってかき鳴らすイメージ）。その象徴ともいえるビートルズのデビューは1962年ですね。なお彼らの出身地はアメリカではなく，イギリスのリヴァプールですよ。
▲軍事支援自体は，ケネディ政権時代に強化されていた
▲ベトナム戦争は，初めてテレビ中継された戦争とされる
「アメリカ＝正義」という絶対的価値観▲

・第1次**戦略兵器制限交渉**（SALTⅠ，1972.5）…ソ連の**ブレジネフ**と締結
・**ベトナム撤兵**（1973.3） ⬅パリ和平協定

③ウォーターゲート事件（1972～74）…民主党本部の盗聴事件。ニクソンの関与が暴かれ，**在職中の辞任**に追い込まれた

⑹ フォード大統領（共和党，任1974～77）…副大統領から昇格

⑺ **カーター**大統領（民主党，任1977～81）…「人権外交」を掲げた

①米中国交正常化（1979.1）
▲→テーマ72
②エジプト＝イスラエル平和条約を仲介（1979.3）
▲→テーマ69
③イラン革命（1979）後のアメリカ大使館人質事件，ソ連のアフガニスタン侵攻（1979）に対して有効な策を打てず
▲→テーマ70 ▲→テーマ66

⑻ **レーガン**大統領（共和党，任1981～89）

①**新自由主義**…**「小さな政府」**を掲げ社会保障を削減する一方，減税
②外交…「強いアメリカ」を掲げ，**ソ連を敵視し軍備拡大**。**「新冷戦」**
③経済…「双子の赤字」（財政赤字，貿易赤字）を抱えた
▲軍備拡大に伴う ▲西ドイツや日本の台頭に伴う
④２期目
・貿易収支の改善のため，**プラザ合意**で為替（かわせ）相場をドル安誘導
・財政赤字もあり，ソ連の**ゴルバチョフ**と対話し軍縮へ
➡中距離核戦力（INF）全廃条約（1987）

⑼ **ブッシュ（父）**大統領（共和党，任1989～93）

①**マルタ会談**（1989）…東西冷戦の終結を**ゴルバチョフ**とともに宣言
②イラクとの**湾岸戦争**（1991）において，多国籍軍の中核を担う
▲→テーマ70

⑽ クリントン大統領（民主党，任1993～2001）

①パレスティナ暫定（ざんてい）自治協定（オスロ合意，1993）を仲介
▲→テーマ69
② NATO 軍によるユーゴスラヴィア空爆（1999）
▲コソヴォ自治州へのユーゴスラヴィアの干渉に対して ▲→テーマ66

⑾ **ブッシュ（子）**大統領（共和党　任2001～09）

①**アメリカ同時多発テロ**（2001.9.11）**➡アフガニスタン**に侵攻（「**対テロ戦争**」）
▲→テーマ70
②**イラク戦争**（2003）
▲→テーマ70
③**2008年国際金融危機**…サブプライム＝ローンが発端の一つ
▲リーマン＝ショック →テーマ73

⑿ **オバマ**大統領（民主党　任2009～17）…**初のアフリカ系大統領**
▼父がアフリカ系黒人

⒀ **トランプ**大統領（共和党　任2017～21）…「アメリカ第一主義」
▼国際協力に消極的な態度

⒁ バイデン大統領（民主党　任2021～）

2 ラテンアメリカ諸国

★**開発独裁**…独裁政権下で効率よく外資導入などで経済開発を進め（輸出向けの工業製品を生産），その経済成長をもって政権を正当化する手法

対ベトナム政策で支持率を失ったジョンソンに代わった**ニクソン**は，キッシンジャーの助言を得ながら中ソと和解し，ベトナムから米軍を撤退させて**デタント**を進展させました。一方，**ベトナム戦費の支出などで大量のドルを海外に支払った**ため，「こんなにドルを発行して本当に金と交換してくれるのか？」といぶかしんだ諸国（▲→テーマ62）がアメリカから金を引き出し，アメリカの金保有量はみるみる減少。ニクソンはついに71年，**金とドルの交換停止**を発表しました。ここに固定相場の**ブレトン＝ウッズ国際経済体制**は崩壊し，73年に各国通貨の需要と供給に基づく**変動相場制**へ移行しました。外交面では実績を残したニクソンですが，再選を目指す大統領選挙の際，民主党本部（▲ウォーターゲートビル）に盗聴器が仕掛けられたスキャンダルに関与していたことが明るみに出て，**現職の大統領でありながら在職中に辞任**する異例の事態を招いてしまいます（▲副大統領から昇格したフォードは目立った功績を残せず）

76年の大統領選挙（▲大統領選挙は，大統領が就任する前年の11月に行われる）では，当然の流れで民主党の**カーター**が当選し，「人権外交」（海外諸国の民主化と人権擁護を重んじる▲）を掲げました。中東和平の仲介などで成果を残しましたが，イラン革命やソ連のアフガン侵攻に対しては有効な手立てを打てずじまいでした。

続く**レーガン**（▲かつてはハリウッド俳優だった）は「新冷戦➡転じてソ連との対話」が外交ポイントですが，経済政策も重要です。フランクリン＝ローズヴェルト以来の，政府が経済活動をサポートし国民の面倒を見る「大きな政府」（▲→テーマ59）から，**経済活動における政府の役割を減らして市場原理に委ねる**（社会保障を削減▼）「小さな政府」へと方針転換。自由競争による切磋琢磨（せっさたくま）と，減税による消費拡大で経済に活力を取り戻し，景気を好転させて結果的に税収を増やそう，という「レーガノミクス」です（背景には，財政支出を増やす「大きな政府」の手法が石油危機（▲→テーマ69）後の不況には効果が薄かったことや，日本・西ドイツ製品が急速に輸出力を伸ばしていたことがありました）。

この経済政策は成功したんでしょうか？

減税で景気拡大と行きたいところですが，それを吹き飛ばすほどの軍事費によって**財政赤字**が累積。貿易でも日本車・西ドイツ車がアメリカで売れまくり，**貿易赤字**も拡大しました（「双子の赤字」）。そこでレーガンが２期目に入った1985年，米・英・仏・西独・日がアメリカの貿易収支を改善させるため，為替（かわせ）相場に介入してドル安へ誘導する**プラザ合意**が成立します。これによって為替市場で**急速にドル安（円高）が進行**することになりました（▲円相場は１年で１ドル＝240円から１ドル＝150円になった）。

冷戦終結時の大統領は**ブッシュ（父）**。戦後，（再選を除いて）同一政党が大統領選挙で連勝したのはレーガン➡ブッシュの共和党コンビだけです。

20世紀末の**クリントン**政権は，IT バブルなどもあって，経済的に好調な８年間でした。1993年の中東和平を仲介したことで知られてますね。

(1) キューバ　　　　　　　　　　　　　　　　　は親米 or 軍事政権，　　　は反米
▲企業や農地の大部分はアメリカ資本が所有。「アメリカの裏庭」

①**バティスタ**政権…米資本と結んだ独裁政権。農民は搾取をうけていた

②**キューバ革命**（1959）…**カストロ**が**ゲバラ**とともにバティスタを打倒
▲アルゼンチン出身の医師

③社会主義を宣言（1961）…**中南米初の社会主義政権**

④**キューバ危機**（1962.10）…ソ連が弾道ミサイル基地をキューバに設置
➡アメリカがキューバを海上封鎖。米ソ開戦の危機となったが，最終的に米ソ双方が歩み寄り，ソ連はミサイルを撤去

(2) チリ

①**アジェンデ**（任1970～73）が大統領に当選
➡**世界で初めて選挙によって社会主義が成立**
➡アメリカ系資本の接収・主要産業の国有化・大農地接収を実行

②アメリカの支援をうけた，軍部の**ピノチェト**によるクーデタ（1973）

(3) アルゼンチン

①**ペロン**大統領（任1946～55，73～74）…外国資本の国有化や初等教育の整備などの改革を行うが，保守層やアメリカ資本と対立
▲ポピュリズムの政治家の典型とされる
➡軍部のクーデタで失脚（1955）。73年に復帰するが，病没

②**フォークランド戦争**（1982）…イギリス領**フォークランド諸島**を占領
▲マルビナス諸島
➡イギリス軍に奪回され，軍事政権は退陣して**民政**へ移行

(4) ニカラグア

①ニカラグア革命（1979）…サンディニスタ民族解放戦線が，ソモサを打倒
➡1984年に左翼政権を樹立

②アメリカが介入し，1990年に親米政権が成立

(5) グレナダ…アメリカ（レーガン政権）が侵攻し，左翼政権を打倒（1983）

(6) **パナマ運河**の返還…1999年末までに米軍が運河地帯から撤退

※累積債務…民衆へのサービス提供や外資導入の過程で，債務が累積。1980年代以降に深刻化

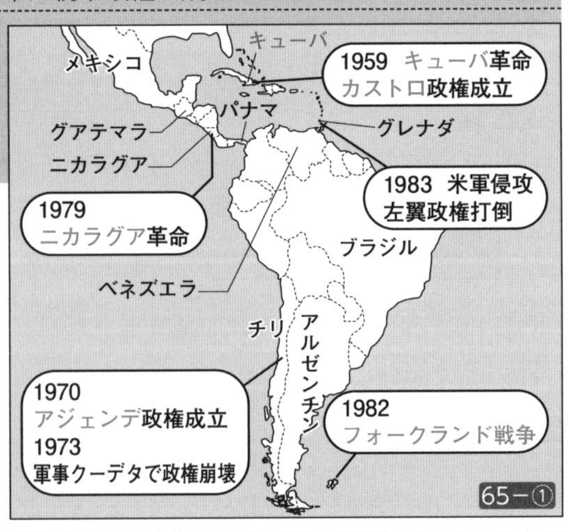

21世紀になって間もない2001年９月11日，ハイジャックされた旅客機２機がニューヨークの世界貿易センタービルに突っ込み，また国防総省（ペンタゴン）も標的とされる**同時多発テロ**が起こりました。就任間もない**ブッシュ（子）**大統領は「テロとの戦い」を掲げ，「実行犯が属する組織**アル＝カーイダ**はアフガニスタンの**ターリバーン**政権に保護されている！」として同年にアフガニスタンへ侵攻して政権を崩壊させました。２年後には**イラク戦争**を起こしますが，国連決議を伴わない開戦は単独行動主義（ユニラテラリズム）として批判を浴びます。また2008年の「**リーマン＝ショック**」で国際的な金融不安が高まりました。

▲アメリカ本土が対外勢力から攻撃をうけたのは，19世紀の米英戦争以来
▲→テーマ70

2 続いて中南米の展開ですが，ある程度の共通点を見出せます（むろん例外もありますが）。戦後の中南米は，軍事面では反共同盟である米州機構（**OAS**）に組み込まれ，経済的には**アメリカ資本の影響**を大きくうけました。こういった状況に反発し，いくつかの国では，反米的な民族主義政権が成立します。左ページの色のように「親米」「反米」で分けて考えるのがコツです。最大の騒動が**キューバ危機**ですね。アメリカから独立したキューバですが，アメリカ経済に完全に従属していました。これを憂いた**カストロ**が親米の**バティスタ**政権を倒し（**キューバ革命**），２年後には**社会主義**を宣言。ここでソ連が「アメリカの裏庭」と呼ばれたキューバに核ミサイル基地を設置すると，ワシントンD.C.やニューヨークなど東海岸の主要都市が射程内に！　米軍はソ連船による機材搬入を海上封鎖で阻止しようとしたため，一触即発の事態となりました。しかしギリギリのところで，アメリカのキューバ内政への不干渉と交換に，ソ連がミサイル基地を撤去する合意が成立したのでした。

→テーマ63▲
▲コメの６割をアメリカに依存，電話・電力事業はアメリカが占有
▲革命と同時に社会主義になったわけではない点に注意
▲ケネディ政権

アメリカはキューバ以外に対しても，**反米政権の政策が社会主義と結びつくことを恐れ，改革が社会主義と関係を持たない場合であっても厳しく干渉**しました。また，**軍政（独裁政権）が共産主義の拡大阻止に役立っているとみなし，この種の改革を阻止するために，軍政を容認**したのです。

▲土地改革・企業の国有化など

軍政というと左ページの図だとチリとアルゼンチンあたりですね。

チリについては，軍部の**ピノチェト**が倒した**アジェンデ**が頻出。暴力革命ではなく**選挙によって社会主義が実現した**点がポイントです。アルゼンチンは**ペロン**大統領後の軍事政権が**フォークランド諸島**の領有をめぐってイギリスとひと悶着（もんちゃく）起こすのですが，返り討ちにあいました（**フォークランド戦争**）。

▲サッチャー政権

80年代には諸国で**累積債務**問題も表面化（一次産品の輸出を増やしたり民衆が望むサービスを提供しようと，対外借款を重ねたため）。しかしのちに多くの国は**民政**へ移行し，累積債務問題も解決して経済成長を果たしていきます。

▲ベネズエラのチャベス大統領のような反米・独裁政権の例もある

テーマ66

戦後のソ連・東欧諸国

1 スターリン死後のソ連

⑴ **フルシチョフ**…共産党第一書記（1953～64），首相（58～64）

①**スターリン批判**（1956.2）…スターリンの個人崇拝・粛清などを非難
▲ソ連共産党第20回大会において

➡**コミンフォルム**解散（1956.4）によって東欧への締めつけも緩和。ポーランドやハンガリーでは，自国の「スターリン的支配」に不満噴出

②資本主義側との**平和共存**政策　「**雪どけ**」…フルシチョフ訪米（1959）

③**キューバ危機**（1962）➡**部分的核実験禁止条約**の締結（1963.8）

⑵ **ブレジネフ**…共産党第一書記（1964～66），共産党書記長（66～82）

①**チェコスロヴァキア**の民主化運動に対し軍事介入（1968）

➡ブレジネフ＝ドクトリン（制限主権論。ソ連の勢力圏内の社会主義国が政治的危機に陥った時，他国による武力介入も許容される）で正当化

②**中ソ国境紛争**（1969）…ダマンスキー島で中国とソ連が武力衝突
▲ウスリー江の中州

③**デタント**を推進…ソ連＝西ドイツ武力不行使条約（1970），**SALT Ⅰ**（1972）

④**アフガニスタン**への軍事侵攻（1979）…親ソ派政権を支援して強行

➡反政府勢力との戦いは泥沼化。軍事費は財政を圧迫

⑶ **ゴルバチョフ**…共産党書記長（1985～90），大統領（1990～91）

①ソ連の行き詰まり

・経済の停滞…60年代以降，軍事以外の産業（農業，日用品など）は不振

・官僚の腐敗…官僚は特権階級化し「赤い貴族」と呼ばれた

・アメリカに対抗した軍拡競争，アフガニスタン軍事介入で財政も崩壊
第三世界への経済援助も一因▲

②**ペレストロイカ**（改革）…経済・社会の諸改革。企業の自主権・個人営業の自由を拡大し，官僚による統制を是正などを進めた
▲「たて直し」を意味する

③**グラスノスチ**（情報公開），言論・報道の自由化，検閲の廃止が進む

・**チェルノブイリ原発事故**（1986）の際，情報が隠ぺいされたことが一因
▲ウクライナ語でチョルノービリ

④**新思考外交**…緊張緩和をさらに推進

・**中距離核戦力（INF）全廃条約**（1987）

・新ベオグラード宣言（1988）…東欧へのソ連の指導性を否定
▲すなわちブレジネフ＝ドクトリン

・**アフガニスタン**からの撤兵（1988～89）
▲ニカラグアやカンボジアなど，他国への社会主義支援も放棄

・**マルタ会談**（1989）…アメリカ大統領ブッシュ（父）と冷戦の終結を宣言

⑤ソ連大統領に就任（1990）⬅共産党独裁が終わり，**複数政党制**へ

1
2 1953年にスターリンが死去すると，ソ連は形式上は集団指導体制になりましたが，その中で最高指導者となったのが**フルシチョフ**でした。彼は「スターリンが行っていた個人崇拝や粛清は，あまりに度を超していた！」と，スターリン支配の実態をカミングアウトして糾弾しました（**スターリン批判**）。身内から飛び出した，絶対的カリスマに対する批判は世界中に衝撃を与えましたが，ソ連の衛星国であったポーランドとハンガリーでは政変にまで発展。**当時の東欧諸国のトップはスターリンと似たような恐怖政治を敷いていた**ので，「ソ連が恐怖政治を否定したのだから，我が国の体制も改革すべきだ！」と国民に火がついたんです（ソ連が**コミンフォルム**を解散して，東欧への締めつけを緩めたことも背景にあります）。両国の対比は頻出です。

（スターリンによる粛清で，優秀な人材が枯渇していたことが一因▲）（党大会における秘密報告だったが，公然と海外に広められた▲）（▲→テーマ63）

ハンガリー反ソ暴動 （ハンガリー事件）	ポーランド（反政府）反ソ暴動 （ポズナニ暴動）
ソ連が軍事介入し，**ナジ＝イムレ**政権は打倒され，ナジは処刑された	指導者**ゴムウカ**がソ連の介入を防ぐために**自力で事態を収拾**

ハンガリーはイケイケ。改革派**ナジ＝イムレ**が複数政党制の導入，**ワルシャワ条約機構からの脱退**を声明します。しかしソ連当局は，「共産党独裁体制そのものを否定したわけではない。図に乗るな！」と軍を派遣して暴動を圧殺。ナジはソ連に連行され絞首刑に…。一方のポーランドでは，指導者**ゴムウカ（ゴムルカ）**がある程度の改革を約束して国民をなだめ，ソ連には「ご安心を。**我が国はワルシャワ条約機構に留まります**」と約束し，介入を免れました。

（▲実際，農業の集団化を廃止したり検閲を緩和）

フルシチョフは，西側諸国との平和共存も進めましたよね。

はい。ソ連の最高指導者として初めてアメリカの土を踏みましたが，日本のことも忘れてはいけません。1956年の**日ソ共同宣言**で，両国は大戦終結を宣言しました。ソ連の賠償請求権の放棄などが盛り込まれましたが，北方領土問題は棚上げにされ，現在に至ります。60年代に入ると**キューバ危機➡部分的核実験禁止条約**，という怒涛の米ソ関係を乗り越えました。しかし1964年，キューバ危機での失策と農業政策の失敗を責められて失脚します。**フルシチョフが権力を握った時期はアイゼンハワー＆ケネディの時期とほぼ一致することを知っておくと便利**ですよ。

（▲ミサイル基地撤去を，指導部から「弱腰」と批判された）（▲1953～64）（▲任1953～61）（▲任1961～63）

1960年代は共産主義圏の経済停滞が明白になった時期で，フルシチョフ解任の一因である農業不振はその一例といえるでしょう（自由な商売が認められない計画経済下では，一定の生活水準は保障されるものの，やはり勤労意欲は低下しちゃいます）。これに関わる60年代の状況を以下で整理してみます。

⑥コメコン（COMECON）の解消・ワルシャワ条約機構の解消（1991）

⑦**戦略兵器削減条約**（START Ⅰ，1991.7）

⑧保守派のクーデタ（1991.8）…共産党保守派が，ゴルバチョフを別荘で監禁し軍を動員するが，**エリツィン**ら改革派が鎮圧
（▲反ゴルバチョフ）

⑨ソ連共産党の解散（1991.8）…ゴルバチョフが宣言

⑩バルト３国がソ連から独立…1990年に独立を宣言し，91年に独立

⑪**ソ連消滅**（1991.12.25）

➡独立国家共同体へ
（▲CIS）

(4)　ソ連崩壊後のロシア

①大統領…エリツィン，**プーチン**，メドヴェージェフ
（▲任1991～99）（任2000～08，12～▼）（▲任2008～12）

②**チェチェン紛争**…ロシア連邦内の**チェチェン共和国**が独立を目指す
（▲カフカス地方に位置する）

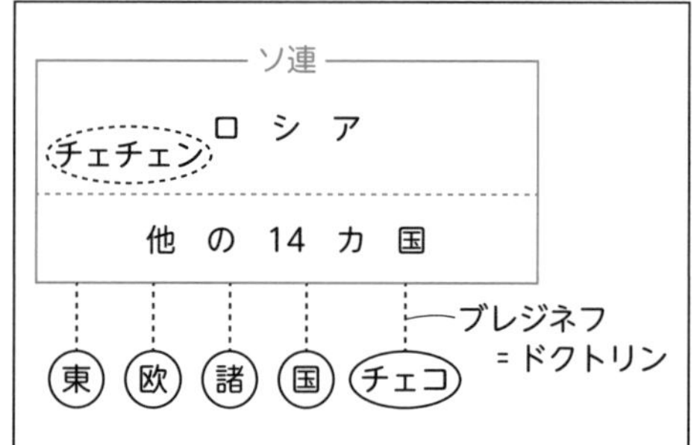

2 東欧諸国

(1)　東ドイツ（ドイツ民主共和国，1949成立）

①**ベルリンの壁**の建設（1961）…西ベルリンへの亡命を阻止するため

(2)　ハンガリー反ソ暴動（ハンガリー事件，1956）

①**ナジ＝イムレ**が首相に就任し，一党独裁の廃止・WTO 機構脱退を声明

②**ソ連が軍事介入**し，政権は打倒されてナジ＝イムレは処刑された

(3)　ポーランド

①ポーランド反政府反ソ暴動（ポズナニ暴動，1956）

・**ポズナニ**の労働者・学生が待遇改善と政治改革を要求

・**ゴムウカ**が一定の改革を約束。事態を収拾して**ソ連の介入を防いだ**
（▲ゴムルカ）（▲農業集団化の廃止や検閲の緩和など，一時は自由化を進めた）

②ポーランド自主管理労組「**連帯**」（1980～）…**ワレサ**議長が改革要求
（▲労働者が自発的に結成し，共産党の統制をうけず。非合法化された）

(4)　**チェコスロヴァキア**の民主化運動（1968.1）…「**プラハの春**」

①**かつて民主主義が根づく工業国だった**ため，共産主義体制に不満が高まる

②**ドプチェク**政権が誕生し，自由化・民主化を推進

③ソ連を中心とする**ワルシャワ条約機構**軍の介入で崩壊

(5)　ルーマニア…石油資源・農業生産力に恵まれたため自立経済を企図し，ソ連中心のコメコン内の分業体制を批判（1964年頃から）

(6)　ユーゴスラヴィア…**ティトー**（1892～1980）の独自路線
（▲首相1945～53，大統領53～80）

①社会主義者で，大戦中にパルチザンを指導して**独力でドイツ軍を駆逐**

▼西ベルリンは，鉄道や道路で西ドイツとつながっていた
①**東ドイツ**…経済が停滞し，西ベルリンへ脱出して豊かな西側へ逃れる人が急増していました。こういった動きをシャットアウトするため，61年に西ベルリンの周囲に建設されたのが**ベルリンの壁**です。
▲1950年代末に農業などの集団化が推進された
▲p.403の東西ベルリンの図を参照
②**ルーマニア**…石油に恵まれ，ソ連主導の経済に反発し独自色を強めます。
③**チェコスロヴァキア**…60年代後半に企業の自主性が重視されるように。

②③は「多極化」の一側面ともいえますね。チェコスロヴァキアでは，この流れが政治的自由化運動に発展，これが1968年の「**プラハの春**」につながります（**チェコスロヴァキアがもともとは民主主義が根づいた工業国だった**ことを思い出しましょう）。こんな改革を容認すれば，他国にも民主化が波及するのは必至。ソ連&東欧の５カ国からなる**ワルシャワ条約機構**軍がチェコスロヴァキアへ侵攻して改革を圧殺しました。これを正当化したのが**【重要テーマ7】**で説明したブレジネフ＝ドクトリン。ソ連の威信に傷がつきます。
▲→テーマ55

ブレジネフ時代の外交局面は，「60年代の多極化（**チェコスロヴァキア**への軍事介入）➡70年代の**デタント**（**SALT I**）➡80年代初頭の新冷戦（**アフガニスタン**への侵攻）」という感じですね。
▲侵攻したのは1979年

ゴルバチョフによる冷戦終結に至る政策の大枠は**【重要テーマ7】**を読んでくれれば大丈夫です。60年代に明白になった経済停滞は80年代にさらに深刻化するのですが，その一因には**石油危機**（オイルショック）がありました。石油不足に見舞われた西側諸国は，**産業の省エネ化・小型化・ハイテク化**によって危機を乗り切り，ピンチをチャンスに変えて輸出力を伸ばしました。一方のソ連は，なまじ自国の資源が豊富だったので，これといった対策をする必要がなかったんです。それ故，ソ連は産業構造の転換に置いてきぼりにされてしまったのでした。
▲1973年，79年　→テーマ69
▲特に日本と西ドイツ

冷戦終結の翌1990年，ソ連は**複数政党制**を導入して**大統領**選挙を行い，ゴルバチョフが改めてソ連の指導者に選ばれました。しかし91年，共産党保守派がゴルバチョフを別荘に軟禁し，追い落とそうとした**クーデタ**が勃発。

独裁体制下で甘い汁を吸ってた人にとって，ゴルバチョフは宿敵！

しかし国民は保守派に愛想をつかしており，改革派**エリツィン**によって鎮圧されました。ここで左ページの図を見てください。ソ連はもともと15カ国の寄り合い所帯みたいな国家でした。今まではソ連共産党が各共和国の共産党を統制し「ソ連たり得た」わけですが，共産党独裁が崩壊し複数政党制になれば，ソ連という枠組み自体に疑問符が…。「ソ連などいらない！」とソ連内の共和国が自立を求めるようになります。保守派のクーデタ失敗後にソ連共産党が解散するとこの流れは加速し，91年のクリスマスに**ソ連は崩壊**しました。
この後，政治的主導権はゴルバチョフからエリツィンへ▲
▲各国で民族主義が高まったことも一因。

第7章 戦後の世界

②戦後，スターリン支配に早くから反発し，**独自の社会主義路線を推進**
▲アルバニアもユーゴと同じく独自路線を歩んだ
➡コミンフォルムから除名（1948）
③**非同盟諸国首脳会議**（1961）…首都ベオグラードで開催
▲→テーマ64

3 東欧革命・ユーゴスラヴィア解体
▲1989年

★ゴルバチョフの新思考外交をうけ，自由化・民主化が一気に達成（**東欧革命**）

(1) 東ドイツ…社会主義統一党書記長の**ホネカー**退陣（1989.10）
➡**ベルリンの壁**開放（1989.11）➡東西ドイツ統一（1990）

(2) ポーランド…冷戦本格化以降，**東欧で初の自由選挙**（1989.6）
➡「**連帯**」が圧勝して，**ワレサ**が大統領に就任

(3) ルーマニア民主化（1989）…民衆支持の国軍が反乱を起こし，独裁を続けていた**チャウシェスク**大統領を逮捕，銃殺刑
▲任1974～89

(4) チェコスロヴァキア
①1989年の民主化…共産党独裁が崩壊し，武力紛争なく民主化を達成
▲大きな混乱がなく「ビロード革命」といわれた
②チェコとスロヴァキアが分離（1993）
▲両国で民族主義が高揚したため

(5) ユーゴスラヴィア
①ユーゴスラヴィア内戦（1991）

ティトーの死（1980） 国内で対立が表面化	**冷戦終結**（1989） 共産党による支配体制が動揺

↓

・**クロアティア**と**スロヴェニア**が独立宣言（1991.6），翌年には**ボスニア・ヘルツェゴヴィナ**も独立宣言（1992.3）➡新ユーゴ連邦軍と内戦へ
▲マケドニアも独立
▲セルビアとモンテネグロからなる
※新ユーゴスラヴィア連邦はセルビア＝モンテネグロに改称（2003）
➡2006年に両国は分離

②コソヴォ問題（1999）
・**コソヴォ**自治州（アルバニア系住民が多数）の独立運動に対し，セルビアが弾圧
「民族浄化」を図る▲
・**NATO**軍が弾圧を非人道的と非難し，セルビアを空爆
▲ミロシェヴィッチ大統領を国際刑事法廷へ
・コソヴォの独立宣言（2008）
➡セルビア・ロシア・中国などは未承認

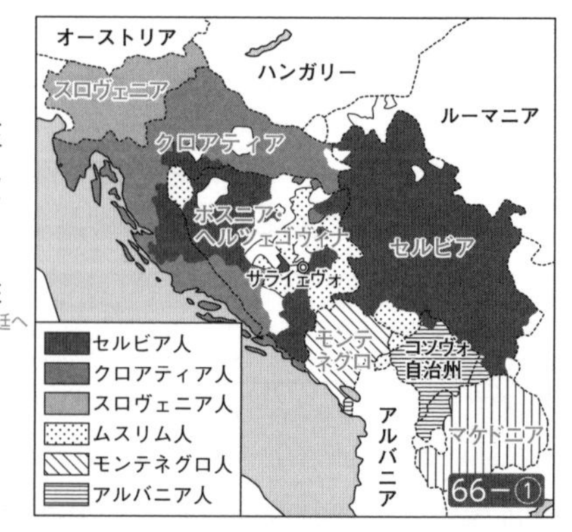

ソ連崩壊後，ロシアを悩ませたのは**チェチェン共和国**の独立紛争。

あれ？ソ連を構成する15共和国に，チェチェンなんてないです。

「ロシア連邦内の」共和国なんです。チェチェンがあるカスピ海沿岸はロシア有数の油田地帯。ヨーロッパに伸びるパイプラインが通っていて，石油利権を守るためにもロシアとしては独立させるわけにはいかなかったんですね。

そして，**プーチン**政権下のロシアは2022年に**ウクライナ**に侵攻しました。これに関しては，p.239のコラム1に要点をまとめておきましたよ。

3 東欧の構造を整理すると，

> **①ロシア（形式上は連邦国家で，この中にチェチェンなどが存在）**
> **②ソ連の中で，事実上ロシアに支配されてきた14カ国**
> ▼p.422の図を参照　▲ウクライナなど。ソ連崩壊後に独立国となった
> **③ソ連の衛星国であった東欧諸国**

と3種類に分けられます。ゴルバチョフの新ベオグラード宣言をうけて，③の国々はソ連の顔色をうかがわずに政治を行えるようになり，これが89年の**東欧革命**の伏線に。経済停滞と共産党独裁への国民の不満が大爆発し，6月のポーランドの自由選挙では「**連帯**」が圧勝。11月には冷戦の象徴**ベルリンの壁**が崩壊（最高指導者**ホネカー**の退陣➡ベルリンの壁崩壊，という順序である点に注意しましょう）。12月にはルーマニアの独裁者**チャウシェスク**大統領夫妻が銃殺刑に処され，その映像はテレビで全世界に流されました。チェコスロヴァキアはやはり，混乱なくスムーズに民主化しましたね。

（▲ブレジネフ＝ドクトリンが否定された）（なおハンガリーは，1980年代半ばから，資本主義経済を導入▲）

最後にユーゴスラヴィアです。**6カ国が同居する連邦国家**を束ねてきたカリスマ**ティトー**が1980年に死去し，各国がエゴを出し始めます。そして新ベオグラード宣言&冷戦終結でソ連という「重石（おもし）」もなくなり，連邦内の諸国が**セルビア**中心の体制に反発して独立を宣言し，内戦を経て独立に至りました。その後の**コソヴォ問題**は，セルビア国内の一自治州の独立をめぐって起きたものです。クロアティアやスロヴェニアなどの「セルビアとパートナーなんか組みたくない！」という独立紛争とは**意味・構造が異なる**ことに注意ですね。

（▲6つの共和国，5つの民族，4つの言語，3つの宗教，2つの文字，1つの国家）（テーマ53の「大セルビア主義」を思い出そう▲）

> セルビア（コソヴォ自治州），モンテネグロ，クロアティア，スロヴェニア，ボスニア・ヘルツェゴヴィナ，マケドニア
> セルビアがユーゴスラヴィアを主導
> ティトー（～1980），冷戦（～1989）

※マケドニアは2019年に北マケドニアに改称

テーマ 67
戦後の西欧・ヨーロッパ統合

1 西ドイツの展開と東西統一まで

⑴ **アデナウアー**首相（任1949～63，キリスト教民主同盟）
①**パリ協定**（1954.10）…西ドイツの主権回復
➡西ドイツの**NATO**加盟（1955.5）・西ドイツ**再軍備**（1956）
▲北大西洋条約機構
②西側の一員として親米路線をとり，経済面で「**経済の奇跡**」を遂げた
③ソ連＝西ドイツ国交回復（1955.9）…スターリン死後の「雪どけ」の影響

⑵ **ブラント**首相（任1969～74，社会民主党）
★**東方外交**を行い東側と融和。**デタント**の象徴とされる
①**西ドイツ＝ポーランド国交正常化**（1970）
…オーデル＝ナイセ線を国境として確認
②**東西ドイツ基本条約**（1972）…互いに独立国であることを認めた
➡翌年に**東西ドイツが国際連合に加盟**

⑶ **コール**首相（任1982～98，キリスト教民主同盟）
①冷戦終結を前に，ベルリンの壁が崩壊（1989.11）
②**東西ドイツ統一を実現**（1990）し，統一ドイツ首相に就任
※緑の党…環境保護を掲げ，1998年には連立与党の一角をなした

2 イギリス

⑴ **アトリー**内閣（1945～51，**労働党**）
①「大きな政府」路線…重要産業の国有化，社会保障の充実
▲石炭など　▲「ゆりかごから墓場まで」がスローガン
②外交…インドの独立承認（1947），アイルランド共和国の成立（1949）

⑵ 第２次チャーチル内閣（1951～55，保守党）…**核兵器**を保有（1952）
▲エリザベス２世が1952年に即位

⑶ イーデン内閣（1955～57，保守党）
①**ジュネーヴ４巨頭会談**に参加（1955）
②**スエズ戦争**（第２次中東戦争，1956～57）で世界的非難を浴び，退陣
▲→テーマ69

⑷ ハロルド＝ウィルソン内閣（任1964～70，労働党）
①第６回選挙法改正（1969）…選挙権付与を21歳から18歳に引き下げ

⑸ **サッチャー**内閣（1979～90，保守党）…「鉄の女」と呼ばれた
①経済政策…「大きな政府」から「**小さな政府**」への転換を図り，緊縮財政・

1 戦後の西ドイツは，冷戦に絡めて３人の首相を押さえましょう。

▲ドイツ連邦共和国

①初代首相**アデナウアー**。彼は，「我が国は西側陣営の一員です。またナチ党のような軍国主義とは決別し，絶対に近隣国を侵略しません」という姿勢を強調して国際関係を安定させ，「奇跡」的な経済復興を遂げます。ただアメリカとの友好を重視した裏返しとして，東側とはギクシャク。1955年に**北大西洋条約機構（NATO）**に加盟して**再軍備**すると，ソ連が対抗して**ワルシャワ条約機構**を結成しました（でも同年，「雪どけ」の影響でソ連と国交を樹立。いわゆる「ツンデレ」です…）。また東ドイツとの対話は皆無のままで，東ドイツは1961年に**ベルリンの壁**を建設（ここで西ベルリンのおさらい。東西ドイツ分裂後，ソ連占領地域に囲まれていた西ベルリンは事実上西ドイツ領となりました。いわば，共産主義という赤い海に浮かぶ「自由の島」。ただ完全な陸の孤島だったわけではなく，西ベルリンと西ドイツ本土は鉄道・道路で結ばれており，飛行機でも往来が可能でした。こういった事情で，豊かな西ベルリン・西側へ「脱出」する東ドイツの労働者が後を絶たなかったわけです）。

▲ p.403の図を参照

東ドイツは，鉄道・道路の安全は保障した▲

▲壁越えを試みた者のうち，逮捕者は約3000人，死傷者は約200人とされる

②**ブラント**。そのベルリンの壁が建設された時に西ベルリン市長だったのが，1969年に組閣したブラントです。東西冷戦の最前線にいた経験を糧に，東側との対話を積極的に進め（**東方外交**），東ドイツの存在も認めました。

70年代前半がデタントの時期だったことも，追い風でした。

おっ，冷戦に絡めた国際関係もマスターできてますね！

③**コール**。そして，「ベルリンの壁崩壊＆冷戦終結➡翌年の東西ドイツ統一」という怒濤の時代に首相であったのがコールですね。

2 続いてイギリス。ポツダム会談中の総選挙で勝利した**労働党**の**アトリー**は**「大きな政府」の理念に基づき手厚い福祉国家建設を目指しました**。多くの企業が国有化され，労働者の多くは「公務員」となりクビになる心配からオサラバ。社会保険も充実し，医療費も原則無料！　こういった方針が庶民から歓迎された一方，**①国営企業の生産性の低さ，②過剰な公共支出と高賃金が財政を圧迫**，といった構造上の問題が経済に影を落とします。1948～58年の年平均経済成長率は，「奇跡の復興」の西ドイツが８％超に対し，イギリスは2.4%…。さらに「大英帝国の威信」を維持するための軍事費も重荷となりました。1956年，エジプトにスエズ運河国有化を宣言され，怒ったイーデンはエジプトに派兵。しかし国際世論の猛烈な風当たりをうけ，イギリス軍は退却＆イーデンは退陣，という無残な結果に…。1968年には，イギリス軍はスエズ以東から撤退するにいたりました。

▲→テーマ61

イングランド銀行，石炭，航空，電気，鉄道，ガス，鉄鋼など▲

▲労働者の約１割が国有化された企業に勤務

▲失業保険，老齢年金，死亡給付金など

▲ハロルド＝ウィルソン政権

国有企業の民営化を推進。「**新自由主義**」

➡「イギリス病」を克服して経済を再建

②外交…**フォークランド戦争**（1982），香港返還協定の調印（1984）

3 フランス

(1) フランス**第四共和政**（1946～58）

①パリ解放後，第四共和国憲法で成立。首班ド゠ゴールはのちに下野（げや）

②**インドシナ戦争**（1946～54）…独立を目指すベトナムとの戦争
▲→テーマ71

③**アルジェリア戦争**（1954～62）…独立を目指すアルジェリアに苦戦

➡政情の混乱をうけてド゠ゴールが政界に復帰
▲1958年に首相に就任

(2) フランス**第五共和政**（1958～）

①憲法改正によって大統領の権限を強化し，**ド゠ゴール**が大統領に就任
▲任1959～69

②**「フランスの栄光」を掲げ，米ソ主導の国際政治に反発し独自路線を開拓**

- **核兵器**を保有（1960）
- エヴィアン協定で**アルジェリア独立**を承認（1962）
- **部分的核実験禁止条約**（1963）に，中国とともに反発
- **中華人民共和国**の承認（1964）
- **北大西洋条約機構（NATO）**軍事機構からの脱退（1966）
  ▲NATO本部はパリからベルギーのブリュッセルに移転
- **ヨーロッパ共同体（EC）**成立（1967）…経済面でアメリカに対抗

③五月危機（1968）…学生・労働者の反ド゠ゴール運動　➡翌年に退陣

(3) ジスカールデスタン（任1974～81）…1975年にサミットを開催
▲先進国首脳会議

67－①

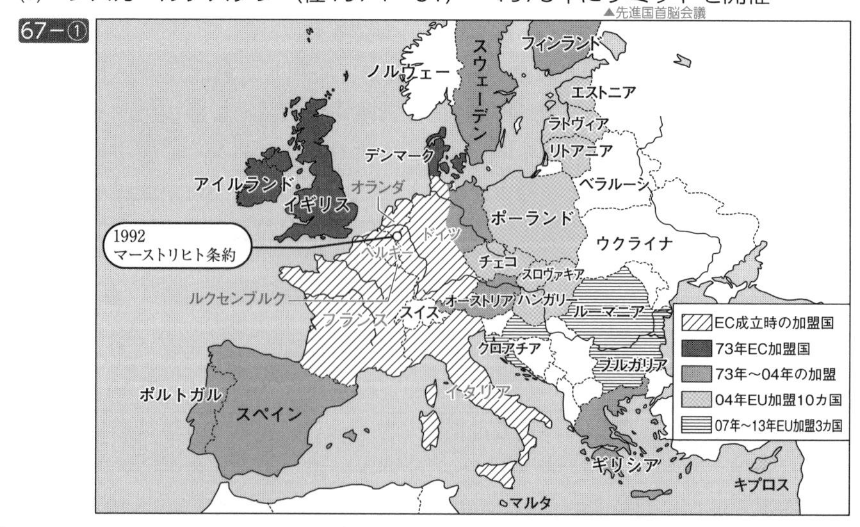

「パクス＝ブリタニカ」の見る影もないですね…。

1979年にイギリス初の女性首相となった**サッチャー**は，「**経済の活性化と富の拡大が弱者救済に先立たねばならない**」と主張し，「大きな政府」から「**小さな政府**」へ転換（**レーガン**（▲→テーマ65）と同様の路線）し，国有企業を民営化して福祉も削減。身内の保守党からも疑問の声があがるほどでしたが，アルゼンチンとの**フォークランド戦争**（▲→テーマ65）でリーダーシップを発揮して勝利し，支持率アップに成功しました（結果論ですが，この戦争が彼女の改革をアシストしたわけです）。改革によって経済は好転し，悩まされ続けた「イギリス病」を克服しました。

3 戦後のフランスでは**第四共和政**が発足しますが，**インドシナ戦争**（▲1946〜54），**アルジェリア戦争**（▲1954〜62），と旧植民地との連戦に苦しみます。アルジェリア戦争が泥沼化して国内の政局も混迷すると，下野していた**ド＝ゴール**が政界に復帰しました。まずは強烈なリーダーシップを発揮すべく，憲法を改正（▲大統領の権限を強化）。1958年に**第五共和政**が発足すると自ら大統領に就任し，**「フランスの栄光」を掲げて独自路線を突き進みます**。軍事的には**核保有**を実現し，**NATO** 軍事機構から脱退（▲→【重要テーマ7】）するなど，アメリカの「核の傘」から離脱しました。**中華人民共和国**の承認は，米ソに対抗する国同士で意気投合したってことですね（▲ベトナム戦争に対するアメリカの介入も批判）。これらの政策は支持を得るものの，10年にわたる長期政権への反発から国民的な反ド＝ゴール運動が起こり，1969年に退陣することになります。

4 以上の西独・英・仏の状況に絡めて，ヨーロッパ統合を見ていきましょう。米ソ冷戦の影に隠れがちですが，**フランスと西ドイツの長年の対立**も戦後の課題でした。その象徴が，国境地帯の**資源が豊富なアルザス・ロレーヌ**。ここでフランス外相**シューマン**が「一国が資源を独占しようとしたエゴが争奪戦を招き，２度も大戦が起こってしまった。だから両国で**資源を共同管理**しよう」と提案。西ドイツはフランスとの協調をアピールして国際社会への復帰を果たそうという目論（もくろ）みもあって，首相**アデナウアー**（当時はまだ正式に独立を回復していない▲）はプランを受け入れ，これにイタリアとベネルクス３国（▼ベルギー，オランダ，ルクセンブルク）も加わり，**ヨーロッパ石炭鉄鋼共同体（ECSC）**が発足しました。６カ国が協力した背景には，**大戦で満身創痍（まんしんそうい）＆戦後には植民地も失った西欧諸国が，大国アメリカに対抗するために経済統合に活路を見出した**，という事情や，「西ドイツを孤立させればまた戦争の恐れが高まるから，グループに取り込もう！」という意向がありました。この６カ国（▼「インナー６（シックス）」と呼ばれた）がヨーロッパ統合の核であり，1958年に経済的統合を目指す**ヨーロッパ経済共同体（EEC）**（▼モノ・サービスに関して６カ国で共通市場を作り，６カ国以外に対して共通の関税・貿易政策を採用），原子力資源を共同管理する**ヨーロッパ原子力共同体（EURATM）**も発足。EECは６カ国がまるで統一国家であるかの如（ごと）く経済活動を行う感じですね。そして

4 ヨーロッパ統合

(1) ヨーロッパ統合前史

①クーデンホーヴェ＝カレルギー…第一次世界大戦後に欧州統合を主張
▲日本人を母に持つオーストリアの政治家

②ヨーロッパ経済協力機構（OEEC，1948）…マーシャル＝プランの受け皿
▲西欧16カ国が結成

③統合の背景…**大戦で消耗して植民地を失った西欧諸国は，米ソに対抗するため，超国家的な経済統合に活路を見出す**

(2) **ヨーロッパ石炭鉄鋼共同体**（**ECSC**，1952）	①シューマン＝プラン（1950） ・仏外相**シューマン**が石炭と鉄の共同管理を提案 ・**資源が豊富な**アルザス・ロレーヌをめぐる長年の対立が背景 ②加盟国は**フランス・西ドイツ・イタリア・ベルギー・オランダ・ルクセンブルク**
(3) **ヨーロッパ経済共同体**（**EEC**，1958）	相互に関税を引き下げ，共通の農業政策や資本の自由な移動が可能な共通経済圏を形成
(4) **ヨーロッパ原子力共同体**（**EURATOM**（ユーラトム），1958）	原子力資源の統合・管理のために創設
(6) **ヨーロッパ共同体**（**EC**，1967）…EEC・ECSC・EURATOM を統合	(5) **ヨーロッパ自由貿易連合**（**EFTA**（エフタ） 1960発足） ① EEC に対抗するためイギリスの提案で発足 ②加盟国は英・スウェーデン・ノルウェー・デンマーク・オーストリア・スイス・ポルトガル
(7) **拡大 EC**	①**イギリス**・アイルランド・デンマークの加入（1973） ②ギリシアの加盟（1981） ③スペイン・ポルトガルの加盟（1986） ④シェンゲン協定（1985，90）…加盟国間の国境検問を廃止

(8) **ヨーロッパ連合**（**EU**）

①1992 **マーストリヒト条約**
②1993 発足…外交・軍事・通貨の統一，共通市民権，欧州議会の権限強化などを目指す
③1995 オーストリア，スウェーデン，フィンランドの加盟で15カ国に
④2002 通貨**ユーロ**の一般流通開始
⑤2004 中・東欧10カ国（ハンガリー，チェコ，スロヴァキア，ポーランド，バルト３国，スロヴェニア，マルタ，キプロス）が加盟
⑥2004 EU 憲法…EU 首脳会議で採択されたが，フランス・オランダは批准を否決
➡従来の政治統合の傾向を弱めたリスボン条約が発効（2009）
⑦2007 ルーマニア・ブルガリアが加盟
⑧2013 クロアティアが加盟
⑨2016 イギリスの EU 離脱をめぐる国民投票 ➡離脱派が過半数を占める
⑩2020 **イギリス**が EU から離脱（ブレグジット）

1967年，ECSC・EEC・EURATOM が統合して**ヨーロッパ共同体（EC）**となりました（もちろん背後には，アメリカ経済に対するド＝ゴール政権の対抗心が）。

EEC を起爆剤に経済を成長させたフランスと西ドイツに対し，イギリスは**対米関係とイギリス連邦との交易関係を重視**。ヨーロッパ統合とは距離を置いて1960年には対抗組織ともいえる**ヨーロッパ自由貿易連合（EFTA）**を結成しましたが，あまりパッとしませんでした。上述したような経済の停滞を克服する必要もあり，ついにイギリスはヨーロッパ統合参加に舵(かじ)を切りますが，ここでまたド＝ゴールが登場。**「アメリカの友好国イギリスが加入してくれれば，アメリカの代弁者になって厄介なだけだ！」**と考え，２度にわたってイギリスの加盟を拒否しました。

▲かつてイギリスの植民地だった国々のグループ
▲EEC と異なり共通関税をかけず，域内市場規模も小さかった
▲1963年と1967年

彼は身長 190cm 以上。まさにイギリスの前に立ちはだかった…。

ド＝ゴール退陣後の1973年，ようやくイギリスは EC 加盟を果たします。この後 EC は加盟国を増やして1993年に計12カ国で**ヨーロッパ連合（EU）**が発足。従来の経済統合からさらに一歩踏み込んで，**政治統合**まで視野に入れています。加盟国は2013年にクロアティアが加わり28カ国にまで拡大しました。加盟国の多くで共通通貨**ユーロ**が流通し，シェンゲン協定の参加国同士は国境検問なしで出入国が可能であり，我々も現地へ行くと統合を実感できますよ。

▲ギリシア・スペイン・ポルトガルの加盟は，国内の民主化が背景
▲＝ヨーロッパに統一国家を樹立

近現代は主権国家（国民国家）の時代でしたが，その国家を相対化させるグローバルな超国家的機構が20世紀末に出現しました。これに対抗する不満が噴出し，**「反グローバル化」**の動きが近年世界各地で盛んになっていますね。EU も例外ではなく，対抗運動の代表的な要因は以下のような感じです。

▼他にもトルコの加盟や，ギリシアの財政危機などの課題を抱える

①**ナショナリズムの復興**。国民国家の消滅はナショナリズムの否定・消滅を意味しますから，愛国的な気持ちを刺激された人は統合に反発します。

②加盟国が28カ国にもなると，経済格差はどうしても大きくなり，**貧しい国から豊かな国へ出稼ぎ・移住する労働者が増加**。彼らは低賃金で働くため，受け入れ国の労働者の脅威になって排斥運動も起こります。

要するに【重要テーマ6】で扱った移民排斥の構図▼

反グローバル化については，**テーマ73**のまとめも参考にしてくださいね。

2016年，イギリスでの国民投票で，EU 離脱に賛成する票が過半数を占めました。この背景にも上記の①②があって，①は「大英帝国のプライド」ともいえるかと。②に関しては，特にポーランド系移民へのネガティヴな感情が鬱(うっ)積(せき)。また，イギリスがかつて欧州統合に消極的だったことも，国民の選択に影響を与えたでしょう。そして2020年１月31日（日本時間では２月１日），**イギリスは EU から離脱しました**。

イギリスがユーロを採用していないのも，この現れといえる▲
国民が払った税金が，移民への社会保障にまわることへの反発も▲
▲ただし，新たな通商協定などを結ぶための移行期間がある

テーマ68

戦後のアフリカ大陸

1 1950年代のアフリカの独立 〜北アフリカ諸国

⑴ リビアの独立（1951）…イタリアから独立

⑵ スーダン，**モロッコ**，**チュニジア**の独立（1956）
▲旧イギリス領 ▲旧フランス領 ▲旧フランス領

※南スーダンの分離独立（2011）…スーダン南部では伝統宗教やキリスト教が優勢であったため，イスラーム教徒が優勢な北部と対立していた

2 アフリカの独立 〜サハラ砂漠以南の諸国

⑴ 1960年よりも前に独立したサハラ以南のアフリカ

①**ガーナ**の独立（1957）
▲旧イギリス領

・**サハラ以南での，第二次世界大戦後初の独立国家**
▲サハラ砂漠以南はアフリカ系黒人が主体

・初代大統領**エンクルマ**（**ンクルマ**，首相1957〜60，大統領60〜66）
▲パン＝アフリカ主義を唱えて新植民地主義に反対

②ギニアの独立（1958）…初代大統領セク＝トゥーレ
▲旧フランス領 ▲フランス支配に抵抗したサモリ＝トゥーレの曽孫（そうそん）を自称

⑵ 「**アフリカの年**」…17カ国が独立を達成した，**1960**年を指す

①**コンゴ**
▲旧ベルギー領

・**コンゴ動乱**（1960〜65）…資源が豊富なカタンガ州の分離独立運動を契機に，部族間の利害対立から内乱へ

・初代首相ルムンバも殺害されたが，ベルギー軍・国連軍が出動し収拾

・ザイールに改称（1971）➡モブツ失脚後，コンゴ民主共和国に改称（1997）
▲アメリカの支援をうけるモブツが実権を握る

・コンゴ内戦（1997〜2002）…カビラ政権と反政府勢力との内戦

②ナイジェリア
▲旧イギリス領

・独立後，イボ人が分離独立を求めるビアフラ戦争（1967〜70）が勃発

③**ソマリア**…内戦をうけて国連平和維持活動（**PKO**）が発動（1992）
▲旧イタリア領

⑶ **アルジェリア**の独立（1962）

①**アルジェリア戦争**（1954〜62）

1954年に結成された**民族解放戦線（FLN）**が活動し，独立運動を展開	VS	アルジェリアはフランス本国から近いため白人入植者（コロン）が多く，独立を認めず

・エヴィアン協定（1962）…**ド＝ゴール**政権が独立を承認

⑷ その他の内戦・政変

共通テスト対策として，戦後のアフリカの独立国全てを押さえる必要はありません。しかし広大な大陸なので，結構な数になります。**「北から南に独立・解放が進んでいく」**という大まかなイメージが，マスターのコツです。

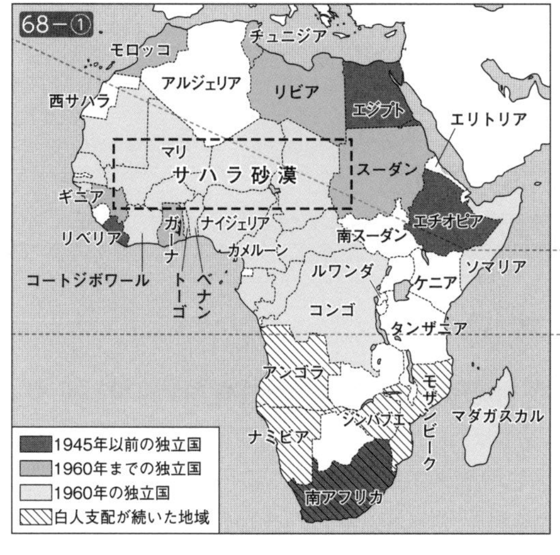

※エチオピア・リベリア・エジプトはすでに独立
▲1936～41にイタリアが侵略
▲イギリスの影響は残る

1950年代
北アフリカ諸国が独立

1960年 「アフリカの年」
サハラ以南の諸国が独立

南部は1970年代以降まで解放が遅れる
▲南アフリカは英連邦内ですでに独立
①ポルトガルの植民地
②アパルトヘイトの存続国

1 第一次世界大戦前から，リベリアとエチオピアは帝国主義の荒波の中で独立を維持していましたが，エチオピアはファシズム政権のイタリアに一時侵略されましたね。戦間期には，エジプトが独立してます。1950年代の独立は北アフリカが中心。大戦に敗れたイタリアは植民地の放棄を強いられ，まずリビアが独立しました。**終戦直後は植民地を維持する方針だった英仏も，激しい独立運動に直面して独立容認へ軸足を移していきます。**スーダンはイギリスとエジプトが共同管理していましたが，スーダンは国民投票で管理を拒否し，56年に独立を宣言。同年，**モロッコ**と**チュニジア**がフランスから独立します。しかし「虎の子」**アルジェリア**は話が別。本国と近いためにフランス人入植者（彼らにはフランス本国の市民権が認められていました）が100万人もおり，彼らを支援した本国も独立を認めず，**民族解放戦線（FLN）**との間で激しい戦いに。国を揺るがしかねないアルジェリア問題を収拾するため，本国では**ド＝ゴール**が復帰するのでしたね。

（注：一時侵略 →テーマ45▲／アラブ系，ベルベル系が主体▼（北アフリカ）／エジプト ▲→テーマ57。エジプトはアフリカではなく「中東」扱いされることも多い／リビア 戦後のアフリカ大陸で初の独立▲／アルジェリア ▲1830年にフランスが征服 →テーマ45／民族解放戦線（FLN） フランスは80万もの兵力を投入▲／ド＝ゴール ▲→テーマ67）

2 **アルジェリア戦争**，**アジア＝アフリカ会議**，**スエズ戦争（第2次中東戦争）**などに刺激されて，アフリカ民族運動はさらに燃えあがりました。

（注：アルジェリア戦争 ▲1954年に始まる／スエズ戦争 ▲1956年）

なぜ1960年に独立が集中したんですか？

①エチオピア革命（1974）…経済危機をうけ，皇帝ハイレ＝セラシエを廃位
貴族制も廃止▲
・エリトリアの分離独立をめぐる内戦も背景…エリトリアは1993年に独立

②**ルワンダ内戦**（1990〜94，独立は1962年）
▲旧ベルギー領
・ツチ人（遊牧）とフツ人（農耕民で富裕層が多い）の抗争
・**ベルギー**がかつてツチ人をフツ人の上位に置き統治したことが遠因

★アフリカの内戦・紛争の背景
①植民地時代の直線的な境界線が，そのまま独立時の国境となった（＝部族分布を無視し，交易網も寸断）
②独立前，旧宗主国が被支配下の部族に対して分割統治を行い分断

3 アフリカ南部の状況

(1) ポルトガル…独裁者サラザールの引退（1968），**民主化**（1974）
➡植民地であり続けていた**アンゴラ**と**モザンビーク**などが独立（1975）

(2) アパルトヘイト政策をとったアフリカ諸国
①ローデシア…南アフリカと同様アパルトヘイト的政策をとっていた
▲旧イギリス領
・北部…ザンビアとして独立（黒人政権，1964）
・南部…**白人**少数政権がローデシアとして一方的に独立（1965）
▲黒人の政治への参加は拒否され，人種差別が続いた
➡黒人による民族運動が激化し，80年に**黒人**政権のジンバブエが成立

②**南アフリカ**（1961）…イギリス連邦から脱退して完全独立
▲国名は南アフリカ共和国となる
・**アパルトヘイト政策**をとり，国際的に孤立
▲1989年の冷戦終結をうけ，国際的非難が高まった
・ナミビアの独立（1990）…南アフリカから独立
・アパルトヘイト，**法的撤廃**（1991）…デクラーク大統領による
▲白人
➡アフリカ民族会議の**マンデラ**が大統領に就任（任1994〜99）
▲黒人

4 アフリカ大陸の組織・機構

※パン＝アフリカニズム…在外アフリカ系知識人がアフリカ系諸民族の主体性の回復，独立と統一を目指す。戦後はアフリカの現地人が主導
▲アメリカのデュボイスなど
▲その代表がエンクルマ

①**アフリカ民族会議（ANC）**…反人種主義とアフリカ人の権利擁護を掲げる。アパルトヘイトへの抗議活動で知られた。**マンデラ**が議長を務めた
▲南アフリカ先住民民族会議（1912〜）が1923年に改称

②**アフリカ統一機構**（OAU，1963〜）
▲南アフリカ・ローデシア以外の諸国が参加
・植民地主義の根絶，紛争の平和的解決，非同盟路線の維持を目的に設立
・本部はエチオピアのアジスアベバ
・2002年に**アフリカ連合（AU）**に改組

1960年にイギリス首相がアフリカを歴訪してその民族意識を実見し，**植民地維持が困難なことを肌で感じた**んです。またド＝ゴールは，独立を選んだ植民地には経済援助を行わない方針だったのですが，アフリカの指導者と交渉するうちに経済支援を継続する方針に転換し，これが60年のフランス憲法改正で規定されたんですよ（この辺の事情は受験には不要です）。なお，入試では「例外」が出題されるモノ。**1960年よりも前に「フライング独立」したサハラ以南の国**が**ガーナ**とギニアで，特に**エンクルマ（ンクルマ）**が率いた**ガーナ**は必出！

▲マクミラン
「この大陸に吹いている変化の風を承認せざるをえない」と声明▲

ついに1962年，フランスはエヴィアン協定で**アルジェリア**の独立を承認。ド＝ゴールはもともとはアルジェリア独立には慎重な立場でしたが，独立派に有利な戦況が彼に譲歩を強いたのです。同じ62年に独立した**ルワンダ**は，90年代に大規模な内戦が起こったことで有名です。また1960年に独立した国の中で，**コンゴ・ナイジェリア・ソマリア**などでも内戦・紛争が起こりました。これらの戦いには複合的な要因が絡んでますが，左ページで挙げた**★アフリカの内戦・紛争の背景**は重要です。**列強は現地の部族分布を完全に無視して植民地化しました**から，仲の悪い部族が同居したり，同じ部族が切り離されたり，という事態が起こります。また**領内の部族を仲違(なかたが)いさせて団結を防ぐ列強の手法**が，独立後の部族対立につながることも。ここに資源をめぐる野心や，ソ連＆アメリカ＆旧宗主国の思惑も絡み，戦いは混沌(カオス)たるものに…。

▲ミネラルウォーターで知られる地
▲英仏領の独立に刺激され暴動　→ベルギーが独立承認
▲アフリカの国境線の多くが不自然な直線であることが，その証左
▲ルワンダ内戦はこのパターン
反帝国主義の立場から独立を支援▲
▲英仏による支配体制を切り崩そうとした

3 南部の独立・解放は70年代以降にずれこみました。まずポルトガル領。独裁者サラザールは植民地支配を続けるのですが，**民主化**をうけて75年に**アンゴラ**と**モザンビーク**などが独立しました。次にローデシアと**南アフリカ**における「**人種差別しなければ罰せられる**」，**アパルトヘイト**ですね。ローデシア南部は65年に独立を宣言し，イギリス本国の制止を振り切ってアパルトヘイト政策を続行。国内では激しい解放闘争が起こり，80年に黒人政権が成立し，**ジンバブエ**という国名で再出発します。一方の南アフリカは，アパルトヘイトに対する国際的な批判をうけて61年にイギリス連邦から脱退。

▲→テーマ45
▲戦間期にイギリス連邦内で事実上独立していた

各国から非難だけじゃなく，経済制裁もうけたんですよね。

はい，これがかなりのダメージだったようです。90年には反アパルトヘイトの先陣にあった**アフリカ民族会議（ANC）**が合法化され，指導者**マンデラ**が釈放されました。翌年に**アパルトヘイト諸法が廃止**され，その後の選挙によってマンデラが黒人として最初の大統領に就任しました。

▲200以上の企業が南アフリカから撤退
27年間投獄されていた▲
全ての人種が参加した▲

4 最後に，**ANC**や左ページの**アフリカ統一機構（OAU）**といった組織はつい忘れがちで差がつきやすいポイントなので，しっかり確認しておきましょう。

重要テーマ

8 ユダヤ人の歴史

現在も続くパレスチナにおけるパレスチナ人（▲パレスチナに居住するアラブ人）とユダヤ人の対立。その原因を理解するため，古代までさかのぼってみたいと思います。

バビロン捕囚から解放されたユダヤ人は，**寛容な**アケメネス朝の統治下で**イェルサレム**の神殿を中心にユダヤ教（▲→テーマ2）を信奉するようになりました。**アレクサンドロス大王**による遠征（▲前334〜前323）でアケメネス朝が滅亡した後，パレスチナは**セレウコス朝シリア**の支配下に入りますが，前2世紀にユダヤ人は王朝（▲ハスモン朝）を建てて自立。前1世紀にローマの**ポンペイウス**がセレウコス朝へ遠征した際，ユダヤ人王朝はローマに服属します。後2世紀，圧政に苦しむユダヤ人は反乱（▲2回にわたるユダヤ戦争）を起こすものの失敗に終わりました。当時の**ハドリアヌス帝**（▲五賢帝の3番目）は反乱に怒り，イェルサレムからユダヤ人は追放（▲イェルサレムへの立ち入りを禁じられた）されて，地中海各地に拡散（▲これをディアスポラと呼ぶ）することになったのです。

ユダヤ人に対する偏見・差別・迫害は，中世において本格化しました。

背景①	中世のキリスト教社会（▲ローマ＝カトリック）において，**異質な少数派集団**であり続けた
背景②	11世紀以降，キリスト教徒の**宗教的情熱**が高揚（▲十字軍は宗教的情熱が高揚した典型例） ➡**「イエスを死に追いやった」**ユダヤ人への迫害が激化
背景③	**金融業**で活躍…①②の事情から，ユダヤ教徒は主要産業（農業・手工業）から排除されており，金融業に従事 ➡**キリスト教徒は蓄財を悪徳とし，原則として利子をとることを禁じていた**ため，ユダヤ人に対する蔑視（べっし）が助長された

①まず，中世は「キリスト教徒に非（あら）ずば人に非（あら）ず」といっても差し支えないような時代でした。そんな価値観の世界でキリスト教への改宗を拒み「異教徒」であることを貫くわけですから，迫害をうけるのは必然かと。あとはユダヤ教の**選民思想**も，キリスト教徒には不愉快だったことでしょう。

②11世紀はキリスト教の**宗教的情熱**（▲→テーマ25）が高まった時期でしたね。これに伴い，キリスト教徒の間で「イエスはパリサイ派などのユダヤ人に迫害され，ユダヤ人ユダの裏切りによってローマに捕らえられ，処刑された！」と**ユダヤ人を「キリスト殺し」とみなす**考えが広がり，迫害が激化しました。教皇権の絶頂期をきわめた**インノケンティウス3世**も，「イエスが処刑される要因を作った罪人」としてユダヤ人を糾弾（きゅうだん）しています。彼が開催した公会議（▲1215年の第4回ラテラノ公会議）において，ユダヤ人は黄色い記章の着用が義務づけられ，様々な権利が制限されました。都市内において，ユダヤ人の居住が強制された区域が**ゲットー**です。

③ユダヤ人は主要産業から排除され，キリスト教徒が従事を避けた**金融業**に生業（なりわい）を求めました。この根底には蓄財を悪徳とみなすキリスト教の価値観があ

りました。イエスは新約聖書の中で「持っている物をすべて売り払い，貧しい人々に分けてやりなさい」と言っています。「卑(いや)しい金融業に手を染める輩(やから)」として，ユダヤ人は輪をかけてイジメられます（ユダヤ系金融業といえば**ロスチャイルド**家が有名。ユダヤ人の金貸しを題材にした喜劇といえば**シェークスピア**の**『ヴェニスの商人』**)。これらの事情が重なり，特に**14世紀の「封建社会の危機」**(▲→テーマ78)**の時代に，不満のはけ口としてユダヤ人迫害が激化**しました。ただ他方で，資金を用立てたり多額の税を納めてくれるユダヤ人は，王侯からは保護をうけましたよ。
▲ペスト流行時も「ユダヤ人が井戸に毒を流した」という噂が流れた

　このように，従来の差別の根拠は宗教にあり，**「ユダヤ人とはユダヤ教を信仰する人」**という認識でした。しかし，19世紀にヨーロッパでナショナリズムが勃興すると，民族主義的な観点から**「セム語系のユダヤ人という独自の民族・人種が存在する」**という考え方が強まります。帝国主義時代にナショナリズムが**排他的**な性格を帯びると，ユダヤ人は恰好(かっこう)のターゲットとされました(その典型が**ポグロム**や**ドレフュス事件**)。宗教的差別なら，キリスト教への改宗という逃げ道がある。でも国民国家の時代，ユダヤ人が居住地の「国民(マジョリティ)」から同化を拒否され差別される以上，ユダヤ人という民族を主張していくしかないじゃないか…。これが**シオニズム**を生みだし，ユダヤ人が故郷パレスチナへ帰還する運動が起こります。
▲教義や，宗教間の相互認識
▼もちろんユダヤ教の信仰も「ユダヤ人」の構成要件であり続ける
▲→テーマ44
▼→テーマ40
▲ロシアでのユダヤ人迫害

　ここで時を戻しましょう。ユダヤ人が追放された後，７世紀半ばにアラブ人のイスラーム教徒がパレスチナを征服しました。元来**イスラーム教徒は宗教的に寛容**で，パレスチナでは，イスラーム教徒・キリスト教徒・ユダヤ教徒などは，仲良く共存していたのです。しかし入植してきたユダヤ人はヨーロッパ流の**「一民族一国家」**理論も移植し，現地のアラブ人の排除を試みて軋轢(あつれき)が生じます（もっともパレスチナのアラブ人側は移民の急増には反発しましたが，この軋轢を「民族問題」とはまだ認識していなかったようです)。
▲正統カリフ時代
▲→テーマ18
▲16世紀以降はオスマン帝国の統治下に入った

　そして，第一次世界大戦中のイギリスによる秘密外交ですね。**フセイン（フサイン)・マクマホン協定**でアラブ人が，**バルフォア宣言**でユダヤ人が，それぞれ建国する気満々に…。極めつけが**ナチス＝ドイツによるユダヤ人迫害**で，ユダヤ人移民が殺到。現地を委任統治していたイギリスも対応できずにサジを投げる始末。こんな状況下で第二次世界大戦が終結。不穏な雰囲気がプンプンです…。
▲→テーマ57
▼→テーマ60
1930年代末にはユダヤ人のパレスチナ移民を制限▼

テーマ69 パレスチナ問題

★**アラブ連盟**（アラブ諸国連盟，1945）…シリア・イエメン・エジプト・レバノン・サウジアラビア・イラク・ヨルダンが，第二次大戦末期にアラブの地位向上のため結成

1 中東戦争

⑴ **第1次中東戦争**（**パレスチナ戦争**，1948〜49）

①**パレスチナ分割案**（1947.11）…ユダヤ人・アラブ人の対立激化をうけ国連が提案。アラブ側は拒否

②**イスラエル**の成立（1948.5）…ユダヤ人が分割案をうけて建国

③エジプトを中心とするアラブ連盟がイスラエル建国に反対して開戦
➡イスラエルが勝利。大量のパレスチナ難民が発生

⑵ **第2次中東戦争**（**スエズ戦争**，1956〜57）

①背景…エジプトの指導者**ナセル**による**非同盟主義**
Ex. アジア＝アフリカ会議への参加（1955），METO に加盟せず（1955）
▲バンドン会議　▲バグダード条約機構（中東条約機構）

②米英がエジプトに対する**アスワン＝ハイダム**の建設資金援助を凍結
➡ナセルがダム建設費を捻出（ねんしゅつ）するために**スエズ運河国有化**

③イギリス（イーデン内閣）がイスラエル・フランスと組みエジプトを攻撃

④米ソ・国際社会から非難を浴びてイギリス軍は撤兵。イーデンは退陣
▼一時，エジプトとシリアは合体（アラブ連合共和国）

⑤影響…**アラブ民族主義が高揚し，ナセルの威信が大いに高まった**

★**パレスチナ解放機構**（**PLO**，1964〜）…パレスチナ人が土地と権利回復のため結成。1969年から**アラファト**が指導者となり，武装闘争を展開
▲第3次中東戦争後である点に注意

⑶ **第3次中東戦争**（6日戦争，1967）

①イスラエルがアラブ側に先制攻撃
▲背景にアラブ民族主義の高揚や，PLO に対する警戒感

②結果…イスラエルが圧勝し，ヨルダン川西岸・**シナイ半島**・**ガザ地区**・ゴラン高原を占領
▲エジプトから奪う　▲エジプトから奪う　シリアから奪う▼

★**アラブ石油輸出国機構**（**OAPEC**（オアペック），1968）…アラブの産油国が結成
当初はクウェート・リビア・サウジアラビア。のちに加盟国は増加▲

⑷ **第4次中東戦争**（1973）

①エジプト・シリアがイスラエルに侵攻　➡緒戦は勝利したが，のち停戦

②影響…**第1次石油危機**（**オイルショック**，1973）

・**石油戦略**…OAPEC が**石油減産・親イスラエル諸国に対し石油禁輸**
▲石油輸出国機構（OPEC）も追随し，原油価格を引き上げ

1 第二次世界大戦末期，アラブ諸国の地域協力機構として**アラブ連盟**が発足。パレスチナ問題に絡めて登場することが多い組織ですが，1947・48年以降に本格化する**パレスチナ問題をうけて結成されたものではない**点にご注意を。そのパレスチナですが，第二次世界大戦後，イギリスはゴタゴタの収拾を国際連合に押しつけました…。国連では1947年，両者の縄張りを設定して共存を促す**パレスチナ分割案**が成立。パレスチナ人には承服しがたい案でした。
▲案自体には，拘束力はなかった　▲パレスチナのアラブ人

	人口比率	分割案前の土地比率	**分割案での土地比率**	第１次中東戦争後の領域
アラブ人	67%	94% →	**43.5%** →	20%
ユダヤ人	**33%**	**6％** →	**56.5%** →	**80%**

分割案では，**人口で1／3に過ぎないユダヤ人にパレスチナの半分強の土地が割り当てられた**んです。ユダヤ人がここに**イスラエル**を建国すると，怒ったパレスチナ人がアラブ諸国の支援をうけて宣戦（**第１次中東戦争**）！　米英の支援をうけたイスラエルが返り討ちにして，アラブ人領域の多くを占領しました（残されたアラブ人領域はエジプトとヨルダンの統治下に)。**アメリカが原則として親イスラエル**であることが，イスラエルが強い秘訣の一つですが，これはアメリカにユダヤ系移民が多く，財界にも多数のユダヤ系実力者がいる事情によります。イスラエル領に今まで暮らしていたアラブ人は追放され，家も土地も失ってしまいました（**パレスチナ難民**)。
▲イェルサレムは国際管理下　▲イスラエル建国宣言の翌日　▲ガザ地区　▲ヨルダン川西岸　▼イスラエルに有利なパレスチナ分割案もアメリカが多数派工作　▲アメリカへの移民はパレスチナへの移民より多かった　▲当初は約75万人

アラブ諸国がイスラエルと戦ったといっても，エジプトやイラクは親英政権であり，一枚岩とはいえませんでした。ここに登場したのが革命を起こしたエジプトの指導者**ナセル**。彼が1956年に**スエズ運河**を**国有化**すると，我慢の限界に達したイギリスがフランスとイスラエルを誘って出兵し，**第２次中東戦争（スエズ戦争）**が勃発しました。
▲このプロセスについては　→テーマ70

イスラエルは反アラブだから便乗して参戦するのは分かるんですが，なぜフランスがいるんでしょう？

反帝国主義者のナセルは，独立戦争を戦う近隣の**アルジェリア**の **FLN** を支援していました。アルジェリアに固執するフランスは，前々からエジプトにムカついてたんですね。でも，この出兵はソ連や国際社会から大ブーイングをくらい，アメリカも国際世論の激しさを感じ取ってイギリスを非難しました。結局３カ国は撤退し，イギリス首相イーデンは退陣。政治的に勝利したナセルは一躍**アラブ民族主義**の英雄となったのです。なお1964年，パレスチナ人の土
▲→テーマ68　▲民族解放戦線　かつての植民地支配を露骨に引き継ぐような軍事行動に同調しなかった▲

・安価な石油を前提に経済成長を遂げてきた先進国は深刻な打撃をうける
・経済混乱に対処するため，先進国は**サミット**を開催（1975）
▲不況下で物価が上昇するスタグフレーション　▲先進国首脳会議。フランスが提唱

2 中東和平への道と挫折

⑴ **エジプト＝イスラエル平和条約**（1979.3）

①背景…エジプト大統領**サダト**が親米・対イスラエル和平路線に転換
▲→テーマ70。ナセルの死をうけて就任

②エジプトとイスラエルがアメリカ（**カーター**大統領）の仲介で締結

③アラブ諸国は猛反発し，エジプトはアラブ連盟を脱退。またサダトはイスラーム主義者によって暗殺（1981）

④イスラエルは**シナイ半島**をエジプトに返還（1982）

⑵ パレスチナ自治への道

①**インティファーダ**（1987～）…投石などによるパレスチナ人の抗議運動

②**パレスチナ暫定自治協定**（**オスロ合意**，1993）
▲ノルウェーが交渉を仲介

・アメリカ（クリントン大統領）が仲介し，イスラエル（**ラビン**首相）とPLO（**アラファト**）が締結

・ガザ地区とヨルダン川西岸のイェリコで先行自治が始まった（1994）
▲PLO主導の自治政府も誕生

③**ラビン**首相暗殺（1995）…ユダヤ人学生によって暗殺された

➡その後，和平に消極的なシャロン政権は**和平交渉を停止**
▲イスラエルとパレスチナの境界に分離壁を建設

④平和共存のための行程表（ロードマップ，2003）

・アメリカが主導して作成した共存のためのスケジュール
▲ブッシュ（子）大統領　いまだ実施に至っていない▲

⑤**アラファト**死去（2004）　➡パレスチナ内でハマースとファタハが対立
▼穏健派　▲強硬派。診療所運営など，福祉にも力を入れている

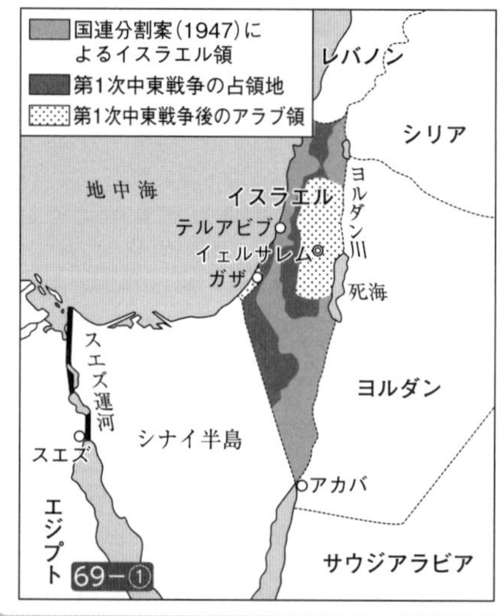

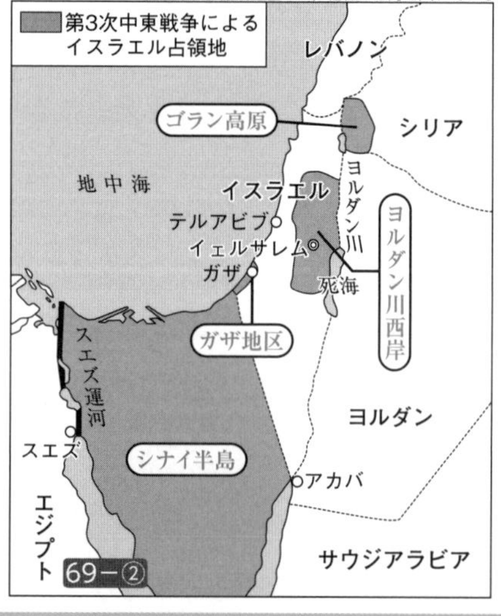

地と権利の回復を目指す**パレスチナ解放機構（PLO）**が結成され，第3次中東戦争後の1969年から「不死鳥」**アラファト**が武装闘争を指揮していきます。

第2次中東戦争の本質は「イギリスVSエジプト」なんですね。

アラブ民族主義に警戒感を募らせたイスラエルは，1967年にエジプト・シリア・ヨルダンを奇襲攻撃！（▲ソ連が軍事的に支援していた） 圧勝し，パレスチナ全土を手中にしました（**第3次中東戦争**（6日戦争とも▲））。アラブの盟主だったナセルの威信は失墜し，1970年に急死…。

1973年の**第4次中東戦争**ではアラブ側が緒戦を制したものの（▲イスラエルの不敗神話が崩れた），結局占領地は奪回できませんでした。しかしこの時，途方もない作戦が実行に移されたんです。アラブの産油国からなる**OAPEC**（▲アラブ石油輸出国機構）が，「イスラエルに味方をする国には石油を売ってやらぬ」（▲最大の標的はアメリカだが，日本も含まれていた）と石油の減産と親イスラエル国への石油禁輸を宣言（**石油戦略**）！ **OPEC**（オペック）（▲石油輸出国機構。アラブ以外の産油国も加盟している）もこれに呼応して石油価格を引き上げたため，石油価格は1年で4倍に跳ね上がってしまいました。**石油の不足&値上がりによって先進国は深刻な混乱・不況に陥る**ことになります（**第1次石油危機**）。石油価格が上昇すると，石油が関わる諸製品も値上がり。「高すぎるよ～涙」と消費者は購入を手控えて，店の売り上げダウン。普通，商品が売れないならば店側は値下げするわけですが，次の週には石油価格がさらに上がっているので，諸商品もさらに値上がり…，という修羅場になったんです（▲景気後退の局面で物価が上昇する現象をスタグフレーションという）。国際社会は「アラブ諸国を軽視したらエライことになる！」と一目置かざるをえなくなり，この戦争，**政略的にはアラブの大勝利**となりました。なお，この経済危機に対処するためにフランスの提唱で開かれたのが**サミット（先進国首脳会議）**です。

2 ナセルの後継者となった**サダト**は，4度の戦争でイスラエルを滅ぼせなかった事実から「**シナイ半島**返還と引き換えにイスラエルを承認した方が得策だ」（イスラエル側も軍事費が重荷になっていた▼）と現実路線を選択し（▲度重なる戦争による軍事費が負担となっていたことも背景），「人権外交」の**カーター**大統領が仲介して**エジプト=イスラエル平和条約**が締結されました。しかしアラブ諸国から見ればとんだ裏切り行為であり，サダトはイスラーム主義者によって暗殺されてしまいます。

1990年前後，中東和平の機が熟していきました。冷戦が終結して米ソの代理戦争という側面が薄れ，米ソが和平を勧めます。PLOはイスラエル打倒を放棄して共存を模索（▲ソ連消滅をうけ，ソ連の軍事援助がなくなったことも一因）。一方，イスラエルによる**インティファーダ**の弾圧は，国際社会から厳しい批判にさらされました。そして1993年，**パレスチナ暫定自治協定（オスロ合意）**が締結されてイスラエルがアラブ人自治を認め，両者の間で歴史的な一歩が踏み出されました。ところが協定を締結したイスラエル首相**ラビン**は暗殺され，その後成立した右派政権のもとでイスラエル軍がパレスチナ人の自治区へ侵攻（パレスチナ側も，ハマースは自治協定に反対の立場をとる▲）。和平は大きく後退してしまい，現在に至っています。

テーマ
70 戦後の中東諸国

1 エジプト

(1) 反帝・民族主義政権成立までの過程 〜ナセル政権まで

反英・反米（民族主義・イスラーム主義）	親英，親米
	①国王ファルークの親英路線
②1952 **エジプト革命**➡翌年に**共和政**となる ③1955 **ナセル**（大統領任1956〜70）がMETOに加盟**せず** ▲バグダード条約機構，中東条約機構	④米英が**アスワン＝ハイダム**の建設資金援助を撤回
⑤1956 **スエズ運河国有化** ➡**第2次中東戦争**でアラブ民族主義が高揚 ⑥1967 **第3次中東戦争**で惨敗 ▲シナイ半島とガザ地区を失う	

(2) **サダト**大統領（任1970〜81）

①**エジプト＝イスラエル平和条約**（1979） ➡**シナイ半島**返還（1982）

②サダト暗殺（1981） ➡後任はムバラク（任1981〜2011）

2 イラン

(1) イスラーム主義政権成立までの過程 〜イラン革命まで

	①国王**パフレヴィー2世**は親英路線
②1951 **モサッデグ（モサデグ）**首相が**石油国有化** ▲英資本のアングロ＝イラニアン石油会社	③1953 国王派のクーデタ ④1955 METOに**加盟**
⑥1979 **イラン＝イスラーム革命** ・**ホメイニ**の指導で**イスラーム主義**の**イラン＝イスラーム共和国**成立 ・CENTOからも脱退 ▲METOの後継組織 ・**第2次石油危機**…革命による産油削減で原油価格が高騰 ・イランのアメリカ大使館人質事件 ▲米のカーター政権に打撃	⑤「**白色革命**」（1960年代〜）…上からの近代化を進めるが，国民の貧富差は拡大 ▲典型的な開発独裁 ⑦パフレヴィー2世は亡命

1 戦後の中東諸国の展開を大まかに見ると，どんな感じになるでしょう？

①アラブ民族主義の時代 ➡②イスラーム主義の時代 ですか。

お，予習してあるとは素晴らしい！ まずはアラブ民族主義からいきましょう。もともと独立の際にイギリスが聞き分けのいい国王を据えていたので，エジプトやイラクは親英でした。第１次中東戦争後の1952年，エジプトでは自由将校団が国王を倒して**共和政**を樹立し，1956年に**ナセル**政権が誕生。彼は1955年に**アジア＝アフリカ会議（バンドン会議）**に参加する一方，イギリス主導の反共軍事同盟**METO**への加盟を拒否するなど**「ミスター反帝国主義」**というべき存在でした。さらにナセルは**ソ連に接近**したため，米英はアスワン＝ハイダムの建設資金援助を凍結してエジプトを締め上げました。するとナセルは**いまだイギリスの支配下にあったスエズ運河を国有化**し，その通航料収入をダム建設資金に充当しようとしたのです。ここから**第２次中東戦争（スエズ戦争）**に至ったことは**テーマ69**でお話した通りで，**アラブ民族主義**がフィーバーします。これに刺激されてイラクでも，イギリス寄りの王を倒す**イラク革命**が起こって**共和政**へ。イギリスは中東から退場し，**米ソ冷戦とパレスチナ問題が結びつく**構図となりました。エジプトのアスワン＝ハイダムはソ連の資金援助をうけて完成しており，中東に関するソ連の関心の高さがうかがえます。

▲→テーマ57
▲初代大統領のナギブを追放
▲→テーマ64
▲実態は，イギリスが中東を間接的に支配する道具であった
ナイル川の氾濫を防いで灌漑用水を確保し，水力発電にも活用▲

2 ペルシア人国家イランでもイギリスの影響力は減退。今までのパフレヴィー朝は親英で，採掘される石油は全てイギリスの懐（ふところ）に収まっていました。これに不満を抱いた**モサッデグ（モサデグ）**首相が，1951年にイギリス系のアングロ＝イラニアン石油会社を接収し，**石油を国有化**！ 「イランで採掘される石油はイランのモノ」，いわゆる**資源ナショナリズム**の先駆です。しかし，怒った欧米の巨大石油資本がイラン石油を市場から締め出し，米英が国王を抱き込んで**クーデタ**を起こさせ，モサッデグ（モサデグ）を排除しました。以降，イランはイギリスだけでなくアメリカとの関係を深めていき，国王**パフレヴィー２世**は経済支援と石油収入を柱に経済・社会の**「上からの近代化」**事業を1970年代にかけて進めました（**白色革命**）。女性参政権も実現しました。

▲アラブ人とは異なる民族である点に注意
石油メジャー▲
▲イランは1955年にはMETOに参加している
▲イランにもある程度の石油収入は入るようになった
▲「白」は，下からの共産主義革命が「赤」であることに由来

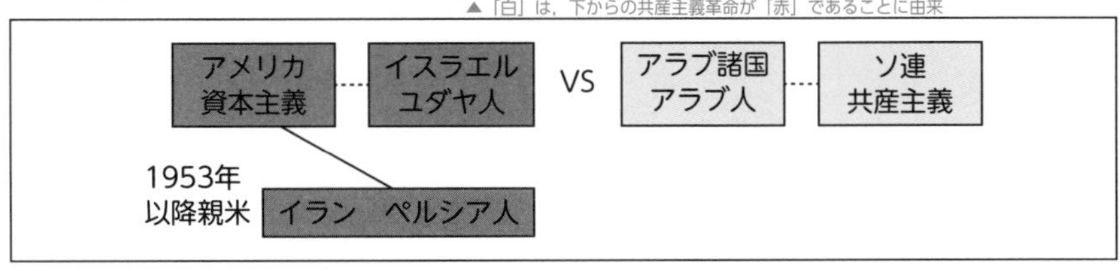

このような中，**イスラーム主義（イスラーム復興運動）**が芽吹き始めます。

第7章 戦後の世界

(2) **イラン＝イラク戦争**（1980～88）

・イラクがイラン革命の自国への波及を恐れ，国境問題から戦争へ

▲フセイン政権

・イランを敵視するアメリカは，イラクを軍事支援

・停戦（1988）…両国ともに疲弊。イラクがクウェートへ侵攻する遠因

3 イラク

(1) サダム＝フセイン政権成立までの過程

③1958　イラク革命…**共和政**へ ➡METOから**脱退** ▲METOはCENTOに改組 ④1968　バース党のクーデタ ⑤1979　**フセイン**大統領が就任	①独立以来，イラク王国は親英路線 ▲1932年 ②1955　METOに**加盟**…本部はイラクの首都バグダードに置かれた ▲中東でのイギリスの拠点

(2) イラン＝イラク戦争…上記**2**参照

(3) **湾岸戦争**（1991）

①イラクの**クウェート侵攻**（1990）　⬅イラン＝イラク戦争で財政難

②冷戦終結後の米ソが，国連安保理において対イラクで共同歩調

➡アメリカ（**ブッシュ〔父〕**政権）軍中心の**多国籍軍**が侵攻し，勝利

(4) **イラク戦争**（2003）

①アメリカ（**ブッシュ〔子〕**政権）が大量破壊兵器保有を口実に，**国連安保理の決議を経ずに**宣戦

②アメリカ軍に捕らえられたフセインは処刑された

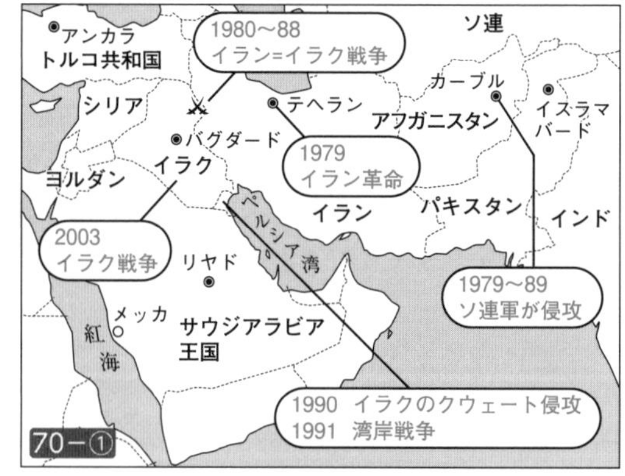

※**クルド人**…トルコ，シリア，イラク，アルメニアの国境地帯に住む民族。祖国を持たず自治独立を要求。フセインは弾圧

※近年シリア・イラクにおいて，イスラーム主義の集団イスラーム国（IS）が自立して政権を築いている

その背景には何があるんでしょうか…？

①イスラーム世界で，近代に西洋から導入した世俗的な自由主義・ナショナリズムへの失望・幻滅が広がった
②第３次中東戦争でアラブ側が惨敗し，期待を集めていたアラブ民族主義が挫折

「西洋文明・思想を積極的に取り入れてきたのにも関わらず，いまだに欧米に従属し，貧困からも抜け出せないじゃないか。そして，国家を強化する最強の道具であるナショナリズムを体現したアラブ民族主義も，尻すぼみになってしまった。オレ達は何を拠り所にすればよいのか…？」 葛藤の中で代替案として浮上したのが，かつて西洋の政教分離システムの前で否定された，**政教一致**のイスラームを土台とする国づくりだったんです（**イスラーム主義**）。

イランでも類似する動きが。アメリカの支援で中東の軍事大国になったものの，西洋的近代化は貧富の差を拡大させ，イスラームの伝統を侮辱するモノ，という反発が高まってきたのです。1979年に宗教指導者**ホメイニ**（▲シーア派のウラマー）の号令で革命が起こり，**イランは「超反米国家」へ豹変**。国王は亡命してイスラーム主義の**イラン＝イスラーム共和国**（▼イランの場合は，ナショナリズムとイスラーム主義が結びついている）が成立しました。

3 革命後，イランでは圧倒的多数の**シーア派**（▲アリーとその子孫のみを指導者として認める →テーマ20）が国教とされました。お隣イラクも国民の約半数がシーア派であり（▲アリーの墓など，シーア派の聖地があるため），**スンナ派**の**フセイン**（▲バース党の政治家）大統領が「イランめ，余計なことしやがって。我が国のシーア派が刺激されて革命を起こすかもしれん」と危機感を募らせてイランに宣戦布告（**イラン＝イラク戦争**）！（▲シーア派 vs スンナ派，ペルシア vs アラブ，という側面を持つ） アラブ国家イラクは以前からソ連の支援をうけていましたが，「イラン憎し！」のアメリカもイラクを支援する，まさに呉越同舟。この戦争は両者ボロボロになって88年に停戦が成立します（これでイラクは軍事大国となり，自信を深めることになる▲）（▲死者100万人を出したとされる）。疲弊したイラクは，90年にペルシア湾に面する小国**クウェート**（▲豊富な石油資源を狙った）へ侵攻。前年に冷戦が終結していたため，この時の国連安保理は「米ソが拒否権を発動して機能停止…」とはならず，イラク寄りだったソ連（ゴルバチョフ政権▲）も制裁に賛成したんですね。組織された**多国籍軍**（▼米軍が中心）がイラクを攻撃し，最新鋭の装備を駆使してイラク軍をクウェートから撤退させたのが**湾岸戦争**（イラク軍54万と多国籍軍69万（うち41万が米軍）が対峙▲）です。しかしフセイン政権は存続し，反米的な態度をとり続けました。

4 もう１つ，イランの影響をうけたのがアフガニスタンです。1978年に**共産系政権が成立し，イスラームを弾圧**する政策をとりました。大多数がイスラーム教徒である国民が反発してゴタゴタが起こると，政権を支援するために**ソ連**軍がアフガニスタンへ侵攻したのです。反政府勢力がゲリラ戦術で対抗した戦いは「ソ連版ベトナム戦争」と化し，物心両面でソ連を苦しめました。

第7章 戦後の世界

4 アフガニスタン

(1) イスラーム主義政権成立までの過程

①共産系政権がイスラームを弾圧 ③1979 **ソ連**軍が侵攻 国内の共産系政権を支援	②反政府運動が高揚 ④反政府ゲリラが対抗し内戦は激化 ⬆アメリカが支援 ▲ただし反政府勢力は必ずしも親米ではない
紛争は泥沼化 ソ連の財政を圧迫	
⑤1988〜89 **ゴルバチョフ**政権下でソ連軍が撤退 ⑥1996 **ターリバーン**が首都カーブルを制圧し，**イスラーム主義**の政権を樹立	内戦後の混乱の中，イスラーム主義勢力が台頭

(2) アメリカ軍の攻撃（2001〜）

①**アメリカ同時多発テロ**（2001.9.11）

②アメリカ軍のアフガニスタン攻撃（2001）

・ターリバーンがテロの首謀者とされる**アル＝カーイダ**（▲イスラーム主義組織）の**ビン＝ラーディン**を匿（かくま）っているとして，攻撃

➡ターリバーン政権を崩壊させる

③新憲法を制定し民主化（2004）…しかし混乱した状況は続く

(3) アフガニスタンに関わるイスラーム主義組織

①**ターリバーン**

・アフガン内戦後の混乱の中，イスラーム神学生たちが結成

・1996年に首都カーブルを制圧し政権掌握。イスラーム法を極端に解釈し，テレビや映画の禁止，女性教育の禁止，服装の規制などを実施

・同時多発テロ（2001）の首謀者ビン＝ラーディンの引き渡しを拒否し，米軍の攻撃をうけて政権は崩壊

・ターリバーン政権の復活（2021）

②**アル＝カーイダ**

・アフガン内戦で活動した義勇兵が母体。湾岸戦争（1991）後も米軍がサウジアラビアに駐留を続けたことに反発し，反米姿勢を強める

・サウジアラビア出身の指導者ビン＝ラーディンは，アメリカ同時多発テロ（2001）の首謀者とされ，パキスタンに潜伏しているところを米軍によって殺害された（2011）

なぜアフガニスタンの政権は宗教弾圧を行ったんですか？

もともとマルクスの共産主義は宗教に否定的。シンプルに言えば「民衆は抑圧されると，神にすがりつく。すると，神が与える『愛・なぐさみ・精神的幸福』によって民衆の不満はかき消されてしまい，革命を起こすことができない！」という主張です。この時，隣国イランの影響もあってアフガニスタンでもイスラーム主義が高まってきました。これがイスラーム教徒が多い中央アジアに波及すれば，反ソ連運動に発展するかも…ソ連がアフガニスタンに執着した理由がここにあります。

マルクスはこれを「宗教はアヘンなり」という言葉で表現した▲
ソ連の領土▲

冷戦の文脈で考えると，**アメリカはソ連軍のアフガニスタン侵攻を見て猛反発**し，**新冷戦**へ。アメリカはソ連の南下を押さえるため，反政府勢力を支援しました（でも他方で，イラン＝イラク戦争では米ソともイラクをサポートしてましたよね。なんかもう，グチャグチャ）。結局は**ゴルバチョフ**がソ連軍をアフガニスタンから撤退させ，冷戦は終結へと向かいます。

▲カーター政権
▲レーガン政権　→テーマ65
▲米は「イラン憎し」，ソ連はアラブと友好的
▲1989年

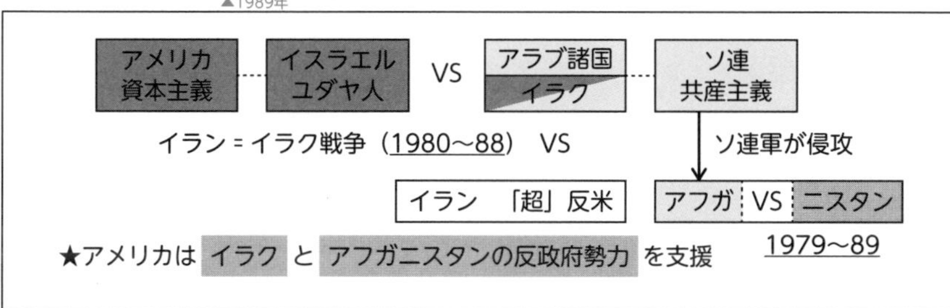

そして，アフガニスタンからイスラーム主義の**ターリバーン**と**アル＝カーイダ**が生まれました。後者の指導者**ビン＝ラーディン**は**アフガニスタン内戦ではアメリカの支援をうけていましたが**，**湾岸戦争**を機に反米に転向し，2001年に**アメリカ同時多発テロ**を画策。ターリバーン政権がビン＝ラーディンを匿(かくま)っているという情報を握ったアメリカが引き渡しを要求しますが，ターリバーンは拒否。**ブッシュ（子）**大統領は米軍をアフガニスタンへ送り，ターリバーン政権を崩壊させました。ブッシュ（子）は父以来の因縁の相手**フセイン**大統領に対しても**イラク戦争**を起こし，サダム＝フセインを拘束しました。その後，2010年末から，**チュニジア**やエジプトで長期独裁に対する抗議デモにより政権が交代すると，民主化運動が各地へ拡大しました（「**アラブの春**」）。しかし，**シリア**では独裁政権と反政府勢力間の内戦が起こり，この混乱のなかでイラク戦争後に台頭した過激派「イスラーム国」が勢力を伸ばして内戦は泥沼化…。シリア難民は大きな国際問題となりました。

アフガニスタンをこえ，国際的ネットワークを形成▲
▲→テーマ65
▲現地のクルド人も内戦に巻き込まれた

テーマ71 戦後の南アジア・東南アジア

1 南アジア

(1) インドとパキスタン（1947年に独立，イギリスのアトリー内閣が承認）

①インド連邦 ▲1950年からはインド共和国 初代首相は**ネルー**（任1947～64）	②パキスタン 初代総督は**ジンナー**（任1947～48）

③印パの分離に反対する**ガンディー**は，**ヒンドゥー教徒によって**暗殺（1948）

④**インド＝パキスタン戦争**（印パ戦争）

・第１次（1947），第２次（1965）…**カシミール**の帰属問題が背景
▲住民の多くがムスリム，藩王がヒンドゥー教徒

・第３次印パ戦争（1971）…東パキスタンの独立をインドが支援
▲インディラ＝ガンディー政権

➡東パキスタンが**バングラデシュ**として独立（1971）

⑤インディラ＝ガンディー首相（1966～77，80～84）
▲彼女の長男がラジブ＝ガンディー

・ネルーの娘。対立していたシク教徒によって暗殺

⑥インド人民党…ヒンドゥー教至上主義を掲げ，1998年に政権に就く
▲インド国民会議は世俗主義

⑦**核兵器**の保有…インド（1974），パキスタン（1998）

▼世界初の女性首相バンダラナイケによる
(2) セイロン（1948年に独立 ➡1972年に国名を**スリランカ**に改称）

▼スリランカ人口の７割，仏教徒　▼1983年から激化
①先住民シンハラ人と**タミル人**が衝突 ➡スリランカ内戦へ
▲南インドから移住，スリランカ人口の３割，ヒンドゥー教徒

2 ベトナム

(1) インドシナ戦争

1945.8	日本降伏，終戦
1945.9	**ベトナム民主共和国**建国宣言…**ホー＝チ＝ミン**が大統領に就任 ➡独立を認めないフランスが軍事介入
1946	**インドシナ戦争**（～54）…ベトナム側の徹底した**ゲリラ戦**によって，フランス軍は苦しむ

北ベトナム	南ベトナム
ベトナム民主共和国	**ベトナム国**の成立（1949.6　首都サイゴン）…旧阮朝の**バオダイ**を主席とする仏の傀儡（かいらい）政権

①1949 中華人民共和国が成立すると，共産主義の拡大を恐れるアメリカがフランス援助を開始し，戦費を負担
②**ディエンビエンフーの戦い**（1954.5）…フランス軍が大敗，勝敗がほぼ決定
③ジュネーヴ会議（1954）
・**ジュネーヴ休戦協定**の調印（1954.7）…**北緯17度線**を暫定軍事境界線とし，２年後の南北統一選挙を約束
・アメリカとバオダイ政権は**調印せず**，以後はアメリカがベトナムに介入

1 前講で扱ったイスラーム主義のように，インドとパキスタンも宗教が色濃く絡んできます。独立の際にヒンドゥー教徒が多数を占める**インド**とイスラーム教徒が優勢な**パキスタン**に分離して独立したのは，イギリスが両者を分断して統治してきた歴史を反映したもの。国民会議派の**ネルー**（▲→テーマ47），全インド＝ムスリム連盟の**ジンナー**が両国のトップに立ちました。独立運動の先頭に立っていた**ガンディー**は両教の融和を粘り強く説くのですが，ムスリムとの妥協に反発する**ヒンドゥー教徒によって**（▲ライバルであるイスラーム教徒ではない点に注意）暗殺されてしまいました…。インドとパキスタンは，３度にわたり戦争を行います。２度は**カシミール**の帰属が原因。３度めは東パキスタンの独立をめぐって。右下の地図を見てください。英領インドにおいてムスリムが多かった地域ＡとＢが，パキスタンとして独立しました。（▲便宜上，Ａを西パキスタン，Ｂを東パキスタンと呼ぶ）

インドを挟んで離れ離れなのに，１つの国だったとは。見てみると，西の方が断然大きい。こちらが主導権を握ったんでしょうか。

71－①

その通り。言語の相違，西中心の国家運営など（▲西はウルドゥー語，東はベンガル語が用いられた）から東の不満が蓄積し，1971年に分離・独立運動が起こります。パキスタンの力を削（そ）ぐ好機と見たインドはこれを支持し，西パキスタンに侵攻。インドが勝利し，東パキスタンは**バングラデシュ**（「ベンガル人の国」の意▲）として独立しました。印パ対立はのちに**核保有**にまで至ります。

印パ対立以外では，59年にチベット仏教の**ダライ＝ラマ14世**がインドへ亡命すると（中国での独立反乱が鎮圧されたことをうけて▲），中国が腹を立て武力衝突にまで発展（**中印国境紛争**）。また，**インディラ＝ガンディー**は宗教弾圧の恨みをかってシク教徒に暗殺され，20世紀末にはヒンドゥー教至上主義の**インド人民党**（▲対してインド国民会議派は世俗主義）が政権に就きました。近年IT関係での経済発展が著しいものの，依然として国民に宗教が深く根づいています。

スリランカ（セイロン）では，シンハラ人と**タミル人**の間で内戦が起こりました。イギリスが開発した茶のプランテーション（▲→【重要テーマ6】）の労働力としてインドから渡ってきた人が多く，これも一種の植民地支配の爪痕（つめあと）といえますね。

2 第二次世界大戦中，ベトナムでは**ホー＝チ＝ミン**がフランス領インドシナに進駐した日本軍と戦い，終戦直後に独立を宣言しました。しかし宗主国フランスが植民地支配を維持しようと介入し，独立闘争に突入します（**インドシナ戦争**）。フランスは南部に傀儡の**ベトナム国**をつくりベトナムは南北に分断されました。非正規兵も加わった山岳・農村部でのゲリラ戦ではフランスの現代兵

(2)　ベトナム戦争（1960 or 65〜73 or 75）

北ベトナム・解放民族戦線	南ベトナム・アメリカ	米大統領
1954　ジュネーヴ休戦協定 1960　**南ベトナム解放民族戦線**成立 北ベトナムと連携してゲリラ戦	1955　**ベトナム共和国**成立　米国が支援 大統領**ゴ＝ディン＝ジエム**が独裁	アイゼンハワー 53〜61
	ケネディが軍事顧問団の派遣を強化 1963　ゴ＝ディン＝ジエム暗殺	ケネディ 61〜63
← 1968.1　テト攻勢 →	1964　トンキン湾事件 1965　**北爆**。南ベトナムに地上軍も投入 失敗するもジョンソン政権には打撃 1968.3　北爆停止 1968　米軍の規模は50万人にまで拡大	**ジョンソン** 63〜69
1968〜　ベトナム（パリ）和平会談が始まる。しかし交渉は難航		
1969.9　ホー＝チ＝ミン死	ニクソン＝ドクトリンを表明…地上兵力を南ベトナムにゆだね，地上軍を順次撤退 1970　米軍がカンボジア・ラオスに侵攻 …ホーチミン=ルートを遮断し，和平交渉を有利に進めるため 1972　**ニクソン**訪中	**ニクソン** 69〜74
1973　**ベトナム（パリ）和平協定**　➡米軍は撤退		
1975　**サイゴン陥落** →		フォード 74〜77
1976　**ベトナム社会主義共和国**成立　南北統一		

1986年から**ドイモイ（刷新）**を推進。市場経済

3 インドネシア・東ティモール

(1)　**スカルノ**大統領（任1945〜67）

①オランダから独立宣言（1945）➡戦争を経て独立（ハーグ協定，1949）

②**アジア＝アフリカ会議（バンドン会議）**開催（1955）

▲→テーマ64

③**九・三〇事件**（1965）スハルトが指導する陸軍が共産党勢力を一掃

親共産党系の青年将校がクーデタを計画したという口実▲

(2)　**スハルト**大統領（任1968〜98）

▲1967〜68は大統領代行

①親米的立場をとり，**東南アジア諸国連合（ASEAN）**結成に参加（1967）

②典型的な**開発独裁**によって経済成長。しかし貧富の差が拡大

③**アジア通貨危機**（1997）に対処できず，翌年退陣

(3)　**東ティモール**の歴史

▲カトリック教徒が多い

①ポルトガルの民主化（1974）➡独立運動が高揚

➡しかし，スハルト政権のインドネシアが併合（1976）

▲ティモールの西半分はインドネシア領だった

②スハルト失脚後，住民投票で独立支持派が圧勝　➡2002年に独立

器の威力は削られ，**ディエンビエンフーの戦い**の大敗で大勢は決します。
▲10万のベトナム軍がフランス兵１万以上を捕虜とした

54年の**ジュネーヴ休戦協定**で南北統一選挙が定められ，フランスは撤退。

同じくフランスの植民地だったラオスとカンボジアの独立も，この時に承認されているんですね。

これでインドシナ半島全体に平和が…，と思いきやフランスに代わって**アメリカが出馬してきます**。ホー＝チ＝ミンは**ベトナム共産党**のリーダーで，共産主義国としての独立を目指していました。独立戦争は「資本主義 VS 共産主義」
アメリカはすでにフランスの戦費を肩代わりしていた▲
という構図に変質していったわけです。これを見過ごすわけにはいかないアメリカは，ジュネーヴ協定に調印せずに南に**ベトナム共和国**を建てました。ただこの「南ベトナム」はアメリカが勝手に領域を設定して建てたモノ。南部にもベトナム独立・解放を望む人々が多数いました。そんな諸勢力を糾合して**南ベ**
米側は「越南共産（ベトナムコンサン）」を略しベトコンと呼んだ▲
トナム解放民族戦線が成立し，南ベトナム内で内戦が勃発するんです。

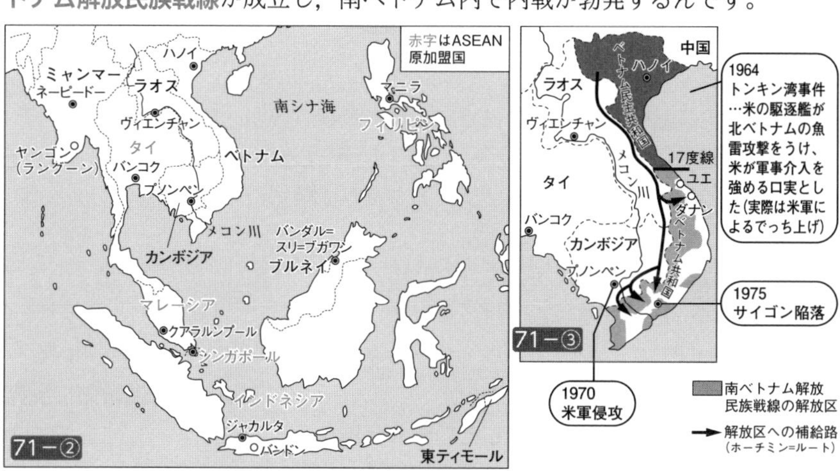

北ベトナムは民族戦線と反米の立場で連携し，内陸に構築した補給路「ホー
▲ラオスとカンボジアを経由している
チミン＝ルート」を通じて民族戦線を支援しました。アメリカも武器援助や軍
実態は特殊部隊▲
事顧問団の派遣で南ベトナムを支えますが，民族戦線のゲリラ戦術に手を焼き，さらに南政府の弱体が表面化。「米軍が直接介入するしかない」，**ジョンソ**
▲10回以上もクーデタが起こる異常事態であった
ン大統領は決断します。65年から**北爆**が始まり，その後の状況は**【重要テー**
▲北ベトナム爆撃
マ7】でお話した通りです。①米軍がジャングルを丸裸にするために枯葉剤ま
猛毒のダイオキシンを含む。人体に深刻な悪影響を及ぼした▲
で散布した。②ベトナム戦争は初めてTV中継された戦争だった。アメリカが国際的に非難を浴びた背景として①②も知っておくとよいでしょう。

「内戦」となったベトナム戦争は，1975年に**サイゴン**が陥落して北が勝利。

4 カンボジア

⑴ **ジュネーヴ協定**で独立承認（1954）…シハヌークが元首となる
▲カンボジア王国1953〜1970

⑵ 親米のロン＝ノルがクーデタで政権奪取（1970）

➡**米軍がカンボジアへ侵攻**し，ホーチミン＝ルートの遮断を図る

⑶ 民主カンプチア（民主カンボジア）の成立（1976）
▲親中国

①クメール＝ルージュがロン＝ノルを打倒（1975）

②**ポル＝ポト**派による**急進的な社会主義**政策。住民を強制移住・大量虐殺
▲貨幣の廃止，農村による自給自足

⑷ ヘン＝サムリン政権（カンボジア人民共和国，1979）
▲親ソ・親ベトナム

①ベトナム軍による**カンボジア**侵攻（1978）に支援され成立　➡内戦激化
▲ベトナム軍は1989年に撤退

⑸ カンボジア和平協定（1991）…ヘン＝サムリン政権と反ベトナム３派

⑹ **カンボジア王国**の成立（1993）…UNTAC（アンタック）の活動の成果
▲国連カンボジア暫定行政機構。日本がPKOを派遣

5 その他の東南アジア諸国

⑴ フィリピン（1946独立）

①**マルコス**大統領（任1965〜86）…親米政権。典型的な**開発独裁**

②大統領選の不正疑惑から，反マルコスのデモが発生し軍も同調（1986）

➡マルコスは亡命し，コラソン＝アキノが大統領に就任

⑵ マレーシア・シンガポール

①**マラヤ連邦**がイギリスから独立（1957）
▲シンガポールを除くマレー半島

②シンガポール（華僑（かきょう）中心）がイギリスから独立

➡マラヤ連邦にシンガポール・北ボルネオが参加し**マレーシア**へ（1963）
▲サバとサラワク

③**シンガポール**の分離独立（1965）…マレーシアの**マレー人優遇政策に反発**

・首相リー＝クアンユーのもとで経済発展
▲任1959〜90

※マハティール…マレーシアの経済発展を推進した首相
▲任1981〜2003，2018〜20

⑶ ビルマ（ミャンマー）

①ビルマ連邦共和国独立（1948）…独立前夜，指導者**アウン＝サン**暗殺

②軍部クーデタ（1962，ネ＝ウィン将軍）➡民政に移行（1974）

③軍部クーデタ（1988）…国名を**ミャンマー**と改称（1989）
▲2011年頃から開発独裁を志向するが，軌道に乗れず

・**スー＝チー**（アウン＝サンの娘で民主化運動の指導者）を軟禁
▲2016年に入閣

⑷ ラオス（1954年に**ジュネーヴ協定**で独立承認）

①米軍が侵攻し，ホーチミン＝ルートの遮断を図る（1971）➡内戦へ

②左派のパテト＝ラオが勝利　➡ラオス人民民主共和国が成立（1975）
▲ラオス愛国戦線

⑸ タイ…通貨バーツの暴落から**アジア通貨危機**（1997）が始まる

翌年に**ベトナム社会主義共和国**として統一を果たしました。

3 北爆と同年，インドネシアでも政変（**九・三〇事件**）！。**親米**の**スハルト**率いる軍部が共産党を壊滅させ，**アジア＝アフリカ会議**を開催するなど**反帝国主義**の旗手だった初代大統領**スカルノ**から実権を奪ったのです。スハルトはアメリカを後ろ盾に30年間も独裁権をふるいましたが，97年にタイの通貨バーツの暴落に始まる**アジア通貨危機**に対処できず退陣へ。そのスハルト，かつてポルトガルからの独立を目指す**東ティモール**を併合していました。彼が失脚したことで再び東ティモール独立運動に火がつき，2002年に独立を果たします。

▲党員200万人を誇り，中・ソに次ぐ規模であった
▲共産党とも協力関係を深めていた
▲この時アフリカではアンゴラなどが独立 →テーマ68

4 続いてカンボジアとラオスに目を向けてみます。ベトナム戦争中，**カンボジアとラオスを経由する**ホーチミン＝ルートをつぶすため，米軍は両国に侵攻し，現地に親米政権を建て＆支えました。米軍のベトナム撤退後の75年，ロン＝ノルはクメール＝ルージュに打倒され，翌年**ポル＝ポト**が政権を掌握。しかし彼は，**農業を基盤とする閉鎖的共産主義社会の建設というあまりに急進的な策を掲げ，都市民を農村に強制移住させ，反対者を大量虐殺した**のです。

▲赤色クメール

図説や資料集を見ると，頭蓋骨(ずがいこつ)がうず高く積み上がってる…（汗）。

ポル＝ポトは親中国なんですが，ここで**中国との関係が悪化していたベトナム軍がカンボジアへ侵攻**し，親ベトナムのヘン＝サムリンを担(かつ)ぎ上げました。両国の対立がカンボジアの政権抗争と結びついたんですね。怒れる中国は79年にベトナムへ侵攻しますが返り討ちにあいました（**中越戦争**）。この後は収拾がつかない内戦へ…。これがベトナム軍撤退を機に，ようやく91年に**和平協定**にこぎつけました。93年にはUNTACの管理下で総選挙が行われ，初代元首だったシハヌークが国王に復帰し，**カンボジア王国**が成立しました。

ベトナム戦争のさなか，アメリカと和解した中国に不信を抱いた▼
カンボジア和平協定▲
▲国連カンボジア暫定行政機構

5 もう１つ，ベトナム戦争で忘れてはいけないのが，67年にアメリカが結成した反共組織**東南アジア諸国連合（ASEAN）**です。親米**マルコス**大統領の**フィリピン**，九・三〇事件で実権を握ったスハルトの**インドネシア**，**マレーシア**，**マレー人優遇政策**に嫌気がさしてマレーシアから分離独立した**シンガポール**，**タイ**の５カ国が参加しました。アメリカは「ドミノ理論」を唱えて東南アジアに介入しましたが，まさにドミノ倒しを防ぐイメージ。p.451で５カ国を見ると，ベトナム包囲網を敷いていることが分かります。このASEAN，ベトナム戦争の終結後は**反共の色合いが薄れて経済協力機構にモデルチェンジする**のがポイント。もと共産主義の**ベトナム**と**ラオス**と**カンボジア**が加盟し，前後してブルネイと，当時軍事政権だった**ミャンマー**（ビルマ）も加盟しました。2024年現在，東ティモールの正式加盟への手続きが進んでいます。

▲ベトナムからの共産主義拡大をドミノ倒しに例えた
▲1995年 ▲1997年 ▲1999年
▲独立した1984年に加盟 ▲ラオスと同じ1997年

第7章 戦後の世界

戦後の中国と朝鮮

1 中華人民共和国の成立

(1) **国共内戦**（1946.7に本格化～1949）

①中国国民党…当初優勢だったが，経済混乱で国民の信頼を失った
▲幹部も腐敗

②中国共産党…農民を中心に人心を掌握し，中国全土を制圧

(2) **人民政治協商会議**（1949.9）…共産党などが新政権の枠組みを決定

中国共産党	中国国民党　**アメリカが支持**
中華人民共和国を建国（1949.10） 国家主席：**毛沢東**（もうたくとう），首相：**周恩来**（しゅうおんらい）	**蔣介石**（しょうかいせき）は台湾へ逃れ，国民政府を維持。 **国連の安保常任理事国**であり続ける

2 1950～60年代前半の中国

(1) 建国直後の中華人民共和国

①**中ソ友好同盟相互援助条約**（1950）…日本の対米従属に備えた軍事同盟

②土地改革法（1950）…地主の土地所有が廃止され，農民が土地を獲得

③**中印国境紛争**（1962）…チベット独立運動を中国が鎮圧すると，独立指導者**ダライ＝ラマ14世**がインドへ亡命（1959）　➡対立・紛争へ

(2) **中ソ対立**（中ソ論争）

①**スターリン批判**（1956）に対し，中国は対米対決を主張し論争に

②中ソ技術協定の破棄（1959）➡**ソ連の技術者が撤収し，中国経済に打撃**

③**キューバ危機**（1962）…中国はソ連の妥協を非難。中ソ対立が公然化

④**核兵器**を保有（1964）…ソ連の「核の傘」から離脱を図った

⑤**中ソ国境紛争**（1969～）…ウスリー川のダマンスキー島で軍事衝突
▲珍宝島（ちんぽうとう）

(3) **「大躍進」政策**（1958～）

★先立つ第１次五カ年計画（1953～57）では計画通り目標を達成

①人海戦術的な方法で，産業の発展を目指す

②**人民公社**…農村の経済と行政を一体化した組織で，**農業を集団化**
▲農民は集団で共同生活を送った

③結果…失敗
▲1000万人以上が死亡したといわれる

・農民も製鉄に従事させたため，農業労働力が不足。また製鉄技術も未熟

・集団化は農民の意欲を奪い，農業の生産性を悪化させた

・自然災害と凶作に見舞われた

1 1937年の**盧溝橋事件**で日中が軍事衝突すると，犬猿の仲だった中国国民党と中国共産党が手を取り合い（第２次国共合作），抗日戦争を戦い抜きました。しかし終戦によって日本という共通の敵を失うと対立が再燃し，**国共内戦**に突入。共産党は地主の土地を分配することを約束して農民の支持を固め，テングになっていた国民党をついに逆転！ 1949年10月１日，毛沢東を国家主席とする**中華人民共和国**が成立し，**蔣介石**率いる国民党政府は台湾へ移りました。

（実際は日中戦争中から国共は対立し，衝突▲）
（▲軍事費負担やアメリカからの借款で国民党支配地域の経済は混乱）

2 1950年代前半は足固めの時期。1950年に日米を仮想敵とする**中ソ友好同盟相互援助条約**を結び，また，約束通り農民に土地を分配しました。53年からはソ連の支援を得て第１次五カ年計画に着手です。54年には中華人民共和国憲法も制定されました。

50年代後半に入ると，内外がざわついてきます。３つ押さえましょう。

毛沢東は共産主義の理念を追求	→	外：**中ソ対立**
	→	内：**大躍進，プロレタリア文化大革命**

ソ連の**フルシチョフ**が行った**スターリン批判**から，中ソ関係に不穏な空気が漂って中ソ対立へ（この展開は**【重要テーマ7】**を読み込んでおきましょう）。

国内では58年から毛沢東は「ソ連を見返してやる！」と鼻息荒く（**「大躍進」**）政策が実行に移されました。急進的な政策を採用し，過度な目標をぶち上げます。その目玉が**人民公社**に立脚した**農業の集団化**。農民は分配されていた土地を没収され，集約された土地で共同で働きます。そして労働や行政といった「公」だけでなく，「私」である生活全般も共同体の枠組み内で営まれるようになりました。「炊事・育児なども共同の食堂や託児所にまかせて生産に専念できる！」と宣伝文句が躍ったんです。しかしフタを開けてみると「大躍進」どころか「大失敗」。1000万人以上もの餓死者が…。

（第２次五カ年計画のスローガン▲）
（イギリスの工業生産を抜くことを目標とした▲）

えーっ！！ どうしてですか？

以下の①～⑤などが重なった結果です。

①共産主義の原則である「働いても働かなくても同じ報酬」という悪しき平均主義，また生産した食糧を政府がさっさと徴収していくシステムは，農民のモチベーションを下げました（自慢の共同食堂もコスト意識が希薄で，食材を無駄に浪費）。

（この二つを合わせて「一平二調」という▲）

②工業生産を伸ばすために簡易な製鉄炉をこしらえて農民を製鉄にも従事させましたが，まともな鉄を作れずじまい。のみならず，工業に人手を割いたので農業も疎かになってしまいます。

④**劉少奇**(りゅうしょうき)…辞任した毛沢東(もうたくとう)に代わり国家主席に就任（1959〜68）

・調整政策…一部に資本主義の要素を導入
▲農業集団化の規模縮小，個人利益の尊重

3 プロレタリア文化大革命（1966〜77）
▲文化大革命

(1) 権力闘争の構図

共産党主流派	実権派（走資派） 資本主義要素を導入
・毛沢東…**紅衛兵**を組織・動員 ▲学生などからなる ・人民解放軍を掌握する林彪(りんぴょう) ▲中華人民共和国の正規軍 ・「四人組」（江青(こうせい)など） ▲毛沢東の妻	・**劉少奇**…監禁され，のちに病死 ・**鄧小平**(とうしょうへい)…政界から追放

(2) 文化大革命中の外交変化

①**中国の国連代表権交替**（1971）…国連総会で可決。台湾は国連から追放
▲アルバニアが提案

②**ニクソン訪中**（1972） ➡**米中国交正常化**（1979，米大統領**カーター**）

③**日中国交正常化**（**田中角栄**(かくえい)首相，1972）➡**日中平和友好条約**（1978）
▲福田赳夫（たけお）内閣

(3) 混乱の収束

①**毛沢東の死**（1976）…同年に**周恩来**(しゅうおんらい)も死去

②「四人組」の逮捕…**華国鋒**(かこくほう)による

4 鄧小平時代とその後

(1) **鄧小平**の復活（1977）…最高実力者となる

①**「四つの現代化」**…**農業**・**工業**・**国防**・**科学技術**の近代化
▲もともとは周恩来が提起

②経済面の**改革・開放政策**

・**人民公社**の解体…事実上の個別農業経営である生産請負制へ

・経済特区（香港に隣接する深圳(しんせん)など）に，外国資本を導入

※この方針は，1992年以降は「**社会主義市場経済**」と呼ばれる

(2) **天安門事件**(てんあんもん)（1989.6.4）

①学生らが天安門広場に集結し，**政治面での民主化**を要求
▲胡耀邦（こようほう）の死（1989.4）が契機

②鄧小平は人民解放軍を出動させ実力で排除 ➡国際的な非難を浴びた

③民主化運動が高揚した責任を問われ，趙紫陽(ちょうしよう)が解任された
▲党総書記

➡代わって**江沢民**(こうたくみん)が党総書記に抜擢(ばってき)される（93年から国家主席）

(3) 鄧小平の死後（1997〜）

①**香港**返還（1997），**マカオ**返還（1999）…一国二制度で資本主義を維持
▲英から ▲ポルトガルから ▼近年，中国政府による干渉で制度は形骸化

②その後の国家主席…江沢民 ➡胡錦濤(こきんとう) ➡**習近平**(しゅうきんぺい)（**一帯一路**を掲げる）
任1993〜2003▲ ▲任2003〜13 ▲任2013〜 ▲アジア〜アフリカ・欧州にまたがる経済圏

③稲を隙間(すきま)なく植える農法が推奨(すいしょう)されたものの，土壌を疲弊させてしまい逆効果。
④おりからの自然災害（製鉄の燃料を確保するため過度に森林伐採したことが一因といわれています）。
⑤中ソ対立の煽(あお)りで，ソ連が中国に派遣していた技術者を撤収させ，中国の産業発展は痛手をうけました。

大躍進ならぬ「大混乱」の責任をとって毛沢東は1959年に国家主席を辞任。代わった**劉少奇**は農民の私有地を増やし，農作物の自由販売を認めて意欲を刺激しました（調整政策。ソヴィエト政権の戦時共産主義➡NEPという流れに似てます）。
▲→テーマ54

3 しかし60年代半ば，表舞台から退いた毛沢東が再始動。「資本主義にかぶれた劉少奇たちの思想は共産主義の敵だ。資本主義に幻惑された反乱分子を倒して，真の共産主義革命を成し遂(と)げよう！」と権力の奪回を目指して反撃に出たのです。これが**プロレタリア文化大革命**（文化大革命）。急先鋒(きゅうせんぽう)となったのが**紅衛兵**で，劉少奇の同調者(シンパ)とみなされた者は吊るし上げにあいました。
▲ただし毛沢東は，数年後に紅衛兵の弾圧に転じる

なるほど「紅（＝共産主義）」の「衛兵」という意味か。

劉少奇は監禁され，劣悪な住環境のもとで69年に病死。彼に次ぐ**実権派**の実力者の**鄧小平**も政界から追放されました。劉少奇の死後，軍を掌握していた林彪が毛沢東の後継者に指名されますが，彼が毛沢東を追い落とすクーデタを計画していたことが発覚し，ソ連へ逃げようとしますが飛行機が墜落…。続いて毛沢東の妻江青らからなる側近「四人組」が実権を掌握し，政治闘争が続きました。**1976年に周恩来と毛沢東が相次いで死去**すると，毛沢東という後ろ盾を失った四人組が**華国鋒**首相に逮捕され，ようやく文革は収束しました。
▲走資派
▲林彪は毛沢東に粛清された説もある
この時期，鄧小平が一時復権▲

なお，この間の72年に**ニクソンが訪中**して米中が和解しました（日本の**田中角栄**首相もアメリカに追随して訪中）。この時に一番気の毒なことになったのは台湾でしょうね。71年に**国連代表権が交替**して国連からは追放され，米中・日中和解の煽(あお)りで，日米両国から断交されてしまったわけですから。
▲→テーマ65

4 国内に目を戻すと，嵐が過ぎ去るのを待っていた**鄧小平**が復活して「最高実力者」となり，**改革・開放政策**へ舵(かじ)を切りました。**「四つの現代化」**を掲げ，**資本主義的要素の採用**（人民公社を解体して農民の意欲を高め，国営企業にも経営の自主権を与える），深圳などの経済特区に外資を導入しました。この後目覚ましい成長を遂げて，今やアメリカに迫らんとする経済大国となった中国の足腰は，彼の時代に築かれたものといえますね。
彼自身は国家主席などのトップの地位にはついていない▲
▲ベトナムのドイモイもこれに類似　→テーマ71

第7章 戦後の世界

5 台湾

(1) **二・二八事件**（1947）

①戦後，日本が撤退すると台湾は国民党の施政下に置かれた

➡中国国民党は台湾住民に高圧的な態度をとる

▲台湾住民を日本の協力者とみなしたため

②大規模な抗議運動を国民党が鎮圧し，**戒厳令**が発動された

▲官憲とタバコ売り女性とのトラブルから

(2) **蔣介石**（しょうかいせき）の死（1975）

(3) **李登輝**（りとうき）総統（任1988～2000　国民党）

▼台湾出身者。中国大陸出身者は外省人

①初の本省人の総統で，96年には**台湾初の国民投票**で当選

(4) 陳水扁（ちんすいへん）（任2000～08，**民進党**）…**国民党以外**の初の総統

6 大韓民国と北朝鮮

(1) 戦後の大韓民国

①**李承晩**（イスンマン）大統領（任1948～60）…初代大統領。朝鮮戦争期の大統領

大統領選挙の不正に端を発する民衆デモで退陣▲

②**朴正熙**（パクチョンヒ）大統領（任1963～79）

・**韓国軍部クーデタ**（1961）…李承晩の後継を打倒し，朴正熙が実権掌握

・**日韓基本条約**（1965）…韓国を朝鮮半島での唯一の合法な政権とする

▲日本の首相は佐藤栄作

・**日本からの経済協力**　➡**経済発展**（典型的な**開発独裁**）

▲5億ドル

・暗殺（1979）➡民主化運動が高揚

➡戒厳司令部の全斗煥（チョンドゥホァン）が民主化運動を鎮圧（**光州事件**（こうしゅう），1980）

▲1980～88に大統領をつとめた

③**盧泰愚**（ノテウ）大統領（任1988～93）…**初の直接選挙**で当選

・**冷戦終結（1989）をうけ緊張緩和を推進**

Ex. 韓ソ国交樹立（1990），南北朝鮮の**国際連合**同時加盟（1991），
中韓国交樹立（1992）

④**金泳三**（キムヨンサム）（任1993～98）…32年ぶりの**文民**大統領。アジア通貨危機を経験

⑤**金大中**（キムデジュン）（任1998～2003）…北朝鮮に対話を呼びかける**太陽政策**を展開

➡金正日（キムジョンイル）との**南北首脳会談**（2000）を実現させる

(2) 朝鮮民主主義人民共和国

①**金日成**（キムイルソン）（首相1948～72，国家主席72～94）…個人崇拝を強制

②**金正日**（朝鮮労働党総書記任1997～2011）

・**南北首脳会談**（2000）で韓国の金大中と会談

・核開発をめぐる６カ国協議（2003～）…北朝鮮は**核実験**を強行（2006～）

③**金正恩**（キムジョンウン）（任2011～）…アメリカのトランプ大統領と初の首脳会談（2018）

しかし経済の自由化が進む反面，**共産党独裁体制は存続**したため，政治の民主化を求める声も高まってきました（そもそも共産党独裁を行う理由は「資本
▲→テーマ54
主義を打倒するため」ですからね，資本主義を容認したのであれば，独裁の大義名分そのものが揺らぎます）。しかし鄧小平は一党独裁については一切妥協せず，民主化を要求する学生など10万人近くが集まった集会に人民解放軍を
▼犠牲者は政府発表で300人で，実際は数千人という説も
突入させて運動を鎮圧しました（**天安門事件**）。民衆に同情的であったとされ
中国は世界的に非難を浴び，経済制裁をうけた▲
る趙紫陽が党総書記を解任され，後任に抜擢（ばってき）された**江沢民**が鄧小平死後の後継者に。彼以降も，一党独裁体制を維持しながら，資本主義の市場経済を導入する「**社会主義市場経済**」のスタンスは受け継がれ，現在に至ります。

5
6 続いて，戦後の台湾と韓国にはいくつかの共通点があります。

①冷戦で**国家が分断され，東西対立の最前線に立たされた**
②共産主義陣営との緊張に対処するために**強権的体制**を敷いた
③強権的体制下で，**外資導入などによって経済開発を実現**し政権を正当化
④冷戦終結による**緊張緩和**，経済成長による諸変化（**中産層の成長，教育の普及，市民意識の向上**）から**民主化**が実現

台湾で戒厳令（かいげんれい）が敷かれ，国民党が反体制派を弾圧するきっかけとなったのは
▲1987年まで約40年続いた　▲国民党の強権支配は，反共から生まれたわけではない
1947年の**二・二八事件**。台湾へ逃れた蔣介石は日本統治時代のインフラ，日米からの経済支援，外資の誘致をフル活用して経済を成長させました。一方で
▲日本からの円借款
韓国も軍人出身の大統領が続き，**朴正熙**は**日韓基本条約**を結んで日本から得た
▲形式上は朝鮮戦争は継続していることが背景
経済協力で経済開発を進めます。彼の政権末期には民主化運動のボルテージが
▲無償３億ドル，有償２億ドル
高まってくるのですが，80年の**光州事件**で運動はねじ伏せられました。両国
パフレヴィー２世 →テーマ70▼
がとった③のような手法を**開発独裁**と呼びます。ラテンアメリカ，イラン，イ
▲→テーマ65　スハルト →テーマ71▲
ンドネシア，フィリピンなど親米の国・地域で採用されてきました（新興工業
▲マルコス →テーマ71
経済地域〔NIES（ニーズ）〕に数えられる国は開発独裁が多いですね）。
▲→テーマ73

冷戦が終結に向かう80年代末，④が進みます。台湾では**李登輝**が**初の総統**
ただし，最初の就任は選挙で選ばれたのではない▲
選挙を実施し，2000年には**民進党**への政権交代が実現。韓国では**直接選挙**の結果**盧泰愚**大統領が誕生し，続く**金泳三**は久々の**文民**大統領となりました。

最後に南北朝鮮の関係です。かつての韓国民主化の闘士**金大中**は大統領に昇
彼の逮捕が光州事件のきっかけだった▲
りつめ，「**太陽政策**」で北朝鮮との対話を重視し**南北首脳会談**を実現させました。盧武鉉も対話路線を継承するのですが，北朝鮮が06年に**核実験を強行**し，
▲09年にも実施
一気に緊張が高まりました。南北首脳会談＆核実験の時の最高指導者が**金日成**の子**金正日**で，2011年に金正恩が継承。国際的に八方塞（ふさ）がりな北朝鮮ですが，2018年に初の米朝首脳会談が実現し，今後の動向が注目されます。

政治史の講義はこれでおしまい。お疲れさまでした！

テーマ73

補説　環境問題・グローバリゼーション

1 地球環境問題

⑴ **国連人間環境会議**（1972）

①スウェーデンのストックホルムで開催された，初の国際環境会議

②この会議の成果を実現するため国連環境計画（UNEP（ユネップ））を設置

⑵ **地球サミット**（「環境と開発に関する国連会議」 1992）

①ブラジルの**リオデジャネイロ**で開催

②「**持続可能な開発**」…開発と環境保護の両立によって，次世代にも経済的・社会的利益をもたらすことを目指す

⑶ **京都議定書**（1997）

①地球温暖化をもたらす温室効果ガスの排出抑制のガイドラインを決定

②大量排出国アメリカ（ブッシュ〔子〕大統領）が離脱を表明（2001）
▲単独行動主義の一例とされる

⑷ **パリ協定**（2015）

①21世紀後半に温室効果ガスの排出量を実質ゼロにすることを目標とする

2 現代の国際経済

⑴ 戦後の通貨体制

▲→テーマ62

①**ブレトン＝ウッズ国際経済体制**…アメリカ・ドルを世界の基軸通貨とする

②**ドル＝ショック**（1971）…アメリカがドルと金の交換を停止
▲ニクソン大統領

③**変動相場制**（1973～）…為替相場が，その通貨に対する需要と供給で変動

④**プラザ合意**（1985）…米英仏独日が，ドル安誘導に合意

⑵ 近年の金融危機

①**アジア通貨危機**（1997～）

・タイの通貨バーツの急落から，アジア諸国へ拡大

・タイやインドネシアでは，政権交代も引き起こす
▲スハルト大統領

②**2008年国際金融危機**（**リーマン＝ショック**）

・アメリカのサブプライム＝ローン問題が発端

・アメリカの証券会社リーマン＝ブラザーズが経営破綻（はたん）

⑶ 国際貿易

①「**関税と貿易に関する一般協定**」（GATT 1947～）

▲→テーマ62

②**世界貿易機関**（**WTO**　1995～）…GATT を改組

(4)　**南北問題**…先進国と開発途上国の経済格差
▲北半球に多い ▲南半球に多い

①**国連貿易開発会議**（**UNCTAD**　1964～）

・開発途上国が，南北の経済格差の是正を目指す
▲GATT を基盤とする自由貿易体制に反発

②**新興工業経済地域**（**NIES**(ニーズ)）

・1970年代以降，急激に経済成長した途上国・地域を指す。韓国・シンガポール・台湾・香港は“四つの竜”と称された
▲返還前

・輸入代替工業化…先進国の資本・技術を導入して国内産業を成長させ，従来は輸入していた工業製品を国産化させていく
▲ゆくゆくは工業製品の輸出を目指す

③**南南問題**…1970年代以降，産油国や NIES の経済力上昇をうけ，「南」の開発途上国の間でも格差が生まれた状況を指す

④ BRICS(ブリックス)…21世紀初頭以降，高い経済成長を遂げた５カ国の総称
ブラジル・ロシア・インド・中国・南アフリカ▲

3 地域的経済統合

★隣接する国々が，域内関税の撤廃による自由貿易，ヒト・モノ・カネ・サービスの自由な移動などを実現し，市場拡大や国際競争力の強化を目指す

(1)　**北米自由貿易協定**（**NAFTA**(ナッタ)　1994～）…米，メキシコ，カナダ
▲2020年，NAFTA より保護主義の性格を強めた USMCA が発効

(2)　南米南部共同市場（MERCOSUR(メルコスール)　1995～）

・ブラジル，アルゼンチン，ウルグアイ，パラグアイ
▲2006年にベネズエラが加盟

(3)　**ASEAN**（東南アジア諸国連合）をめぐる動き
▲→テーマ71

① ASEAN 自由貿易圏（1993～）…域内関税の引き下げなどを実行

② ASEAN と他地域の協力…アジア欧州会合（1996），ASEAN ＋(プラス) 3
▲ASEM。EU との経済協力　日本・中国・韓国との経済協力▲

(4)　**アジア太平洋経済協力会議**（**APEC**(エイペック)　1989～）

・オーストラリアの提唱で発足。現在は日本を含む21カ国と地域が参加

(5)　環太平洋パートナーシップ (TPP) 協定

①アジア・南北アメリカ大陸をまたぐ自由貿易圏創設をめざし，調印 (2016)

②2017年にトランプ政権のアメリカが離脱

→改めてアメリカを除く11カ国で **CPTPP（TPP11協定）**が発効

(6)　反グローバリゼーションの動き

グローバリゼーションがもたらす先進国への悪影響	グローバリゼーションがもたらす途上国への悪影響
雇用の喪失，国民全体の福祉・生活水準の低下（▲途上国の低賃金労働者が流入するため）	**伝統的産業・コミュニティ，独自の文化・生活様式，環境が破壊される**

第7章 戦後の世界

テーマ

74 ギリシア文化

1 特　徴

⑴　ポリス的自由を背景とする，人間的・現世的・合理的な文化

⑵　ギリシア文化はローマ文化に影響を与え，のちの西洋文明の基礎となる

2 文　学

①**ホメロス**…叙事詩。**『イリアス』**，**『オデュッセイア』**
▲トロイア戦争の英雄（アガメムノンなど）の活躍を描く　▼トロイア戦争の英雄オデュッセウスが帰国するまでの冒険

②**ヘシオドス**…叙事詩。**『労働と日々』**，**『神統記』**
▲天地創生以来のギリシアの神々の系譜をうたった

③**サッフォー**…レスボス島生まれの**女流**叙情詩人

④ピンダロス…オリンピア競技会などの優勝者をたたえた

⑤**アイスキュロス**…三大悲劇詩人の一人。『アガメムノン』
▲トロイア戦争の総大将アガメムノンが王妃に殺害される悲劇

⑥**ソフォクレス**…三大悲劇詩人の一人。『オイディプス王』
知らずして父を殺し母を妻としたオイディプスが，自分の素性を知る▲

⑦**エウリピデス**…三大悲劇詩人の一人。『メデイア』
▲夫に裏切られた王女メデイアが，復讐の末に我が子まで殺害

⑧**アリストファネス**…政治を風刺した喜劇詩人

・『女の平和』，『女の議会』
▼女性による議会占拠を描いた風刺劇　▲ペロポネソス戦争に対する反戦劇。女性の性的ストライキにより平和を実現

3 歴　史

①**ヘロドトス**…小アジア出身で，「**歴史の父**」と称される
▲「エジプトはナイルのたまもの」という言葉でも知られる

・**『歴史』**…ペルシア戦争史。**物語的**叙述が特徴

②**トゥキディデス**…『歴史』（ペロポネソス戦争史）。**科学的・批判的**叙述

4 哲　学

⑴　自然哲学…“万物の根源”を探求。**イオニア**地方のミレトスが中心
▲小アジア西南岸

①**タレス**…万物の根源を水と考えた。「哲学の父」

②**ピタゴラス**…万物の根源を数と主張
▲三平方の定理（ピタゴラスの定理）で知られる

③ヘラクレイトス…万物の根源は「変化自体」。「万物は流転する」
▲その象徴が火

④**デモクリトス**…万物の根源を原子（アトム）と主張。原子論的**唯物論**の祖

「覚えるだけで終わり！」では，文化史がつまらないです。

そうならないためのポイントを３つほど挙げましょう。

①**政治とのつながりを重視する**。文化は必ず当時の政治・社会を反映しています。政治史と関連づければ印象に残り，「記憶に引っ掛かり」ます。
②**政治と関わる文化史は，政治史の方でも出題されるため出題頻度が高くなる**。これを意識すれば，効率よく頻出事項を押さえられます。
③**文化の内容にまで踏み込む**。文学作品ならあらすじを押さえる，芸術作品なら資料集で写真を見る，などして印象に残しましょう。もちろん共通テストで扱われる写真・史料問題に対する対策でもあります。

1 本講に対応する政治史は，**テーマ３・４**です。ギリシア文化の特徴は，ポリス中心主義・合理主義・現世的です。誤解をおそれずにシンプルにいうならば，**「人間世界を，神の世界と切り離して説明する」**ということです（神そのものを否定したわけではありません）。

2
3 ホメロスは神話伝承の**トロイア戦争**を，前８世紀に叙事詩**『イリアス』『オデュッセイア』**に著しました。この戦争には様々な神が登場することから，19世紀の人々にはフィクションと思われていました。だからこそ，これを手がかりにトロイアを発掘した**シュリーマン**はスゴイ！と言われるわけです。ホメロスから時代が下って前５世紀，**ヘロドトス**は彼自身の見聞をもとにペルシア戦争を記述し，神話的伝承には疑いの目を向けました。これが**「歴史の父」**といわれる所以（ゆえん）です（そもそも当時の人々は「文学」「歴史」という区別などせずに文章を叙述していたのですが，神話的要素を盛り込まずに人間の活動を記録する行為は，後世から考えると画期的だったわけです）。また，人間中心のギリシアでは，神々も人間的で，その系譜を説明したのが**ヘシオドス**の**『神統記』**（図説や資料集を見ると，ギリシア神話の「系図」みたいなのが載ってます）。**『労働と日々』**は労働の尊さを説いた教訓詩ですが，背景には奴隷労働が主流だったギリシアでは，労働が蔑視（べっし）されていた事情があります。

▲ホメロスの実在を疑う説もある
▲トロイアとアカイア軍の間で行われたとされる戦争
▲アキレス腱の語源となったアキレウスなど

続いて詩人について。**サッフォー**は，受験的には**「女性」**であることがキーワードです。ギリシア人は悲劇が大好きで，一番の泣き所はズバリ「肉親殺し」。本講で挙げた悲劇はいずれもこのテーマを扱っています（父を殺し母を妻とする『オイディプス王』は現在の日本でも頻繁に上演されていますよ）。**アリストファネス**は，**ペロポネソス戦争**を批判して『女の平和』を著しました。当時女性に参政権がなかったアテネの状況を風刺しています。

(2) **ソフィスト**…弁論・討論・修辞などを教えた職業教師

①**プロタゴラス**…普遍的真理の存在を否定。**「万物の尺度は人間」**
▲彼の相対主義を象徴する言葉

(3) **ソクラテス**

①ペロポネソス戦争期および戦後のアテネにおいてソフィストを批判

②普遍的真理の存在，**知徳合一**を主張。**「無知の知」**を若者らに自覚させた

③民衆裁判で死刑判決を下され，「悪法も法なり」と称して服毒自殺

(4) **プラトン**

①ソクラテスの弟子で，**イデア**論を主張
▲現実世界の背後に存在する，真・善などの不変の観念

②『国家』…少数の哲人が国家を指導する**「哲人政治」**を理想とした

(5) **アリストテレス**

①プラトンの弟子。イデア論に対し，現実世界の経験・観察を重視

②哲学・論理学等の諸学を体系化したため，「万学の祖」と称される

③王子時代の**アレクサンドロス大王**の教育係をつとめた

5 医　　学

①**ヒッポクラテス**…病因を科学的に究明。「西洋医学の祖」と称される

6 美　　術

①**フェイディアス**…**ペリクレス**の友人。パルテノン神殿の再建工事を監督
▲→テーマ4
「アテナ女神像」

7 建　　築

①**ドーリア式**…素朴・重厚。列柱(れっちゅう)の柱頭(ちゅうとう)はほぼ無装飾。**パルテノン神殿**
▲デロス同盟の資金を流用して建設された

②イオニア式…優美・典雅。列柱の柱頭に渦巻き型の装飾

③コリント式…華麗・繊細。列柱の柱頭に複雑な装飾

8 オリンポス12神　ギリシア神話の神々

①ゼウス，②ゼウスの妻ヘラ，③海と大地の神ポセイドン，
▲ラテン名（英語読み，以下同）ではジュピター　▼ジュノー　▲ネプチューン

④軍神アレス，⑤太陽神**アポロン**，⑥火の神ヘファイストス，
▲マルス　▲アポロ　▲バルカン

⑦商業の神ヘルメス，⑧知恵の女神アテナ，⑨狩りの女神アルテミス，
▲マーキュリー　▲ミネルヴァ　▲ダイアナ

⑩美の女神アフロディテ，⑪かまどの女神ヘスティア，⑫農業の女神デメテル
▲ヴィーナス　▲ヴェスタ　▲セレス

4 小アジアで生まれた自然哲学は「万物の根源は何か」を突き詰めました。
▲自然哲学が栄えたのは，アテネではない点に注意
水・数・火……どれも奥深い。とくに，**デモクリトス**は「この世界は全て原子(アトム)**だけ**でできている」と主張。これは「現世には神や悪魔が介在する余地がない」と言い換えることができます。これも神と人間を切り離している一例です。
▲このような哲学上の考え方を「唯物論」と呼ぶ

アテネに目を向けると，**直接民主政が行われたアテネでは，弁論術・討論術は政治家には必須のスキル**でした。これを教えたのが**ソフィスト**。彼らの活動は民主政の発展に大きく貢献したのですが，一方で彼らは相手を言い負かすために屁理屈・詭弁(きべん)も教えました。「俺が理屈を振りかざせば，どんなものだって否定できる。だから世の中に絶対普遍・絶対正義など存在しない！」 **ソクラテス**はこの状況を憂い，**ペロポネソス戦争**の頃のアテネで，理屈をこねる青年たちを諭(さと)し，普遍的真理の存在を主張してソフィストに論争を挑みました(ソフィストの代表格**プロタゴラス**とも問答したことがあります)。しかし，彼は若者を惑わしたかどで訴えられ，民衆裁判の結果死刑判決を下されたのです。

ソクラテスの弟子の**プラトン**が民主主義を批判し**哲人政治**を主張したのは，
▲少数の有能な人間による政治
ソクラテスが死刑判決をうけて服毒，死亡したから。彼は，師が主張した普遍的真理を「**イデア論**」として昇華させました。そして，**天上界にイデアを見出したプラトンに対して，弟子のアリストテレスは現実世界の観察を重視**。人文・社会・自然科学などあらゆる方面に関心を持ち学問を体系化させ，「万学の祖」と呼ばれます。幼少の**アレクサンドロス大王**の家庭教師もつとめました。

5 「お祈りやお祓(はら)いをしても病気は治らない！」と言って，病気の原因を科学的に究明した**ヒッポクラテス**は，「西洋医学の祖」と呼ばれます。

病気についても「神と人間は別モノ」，と考えたんですね。

6 7 続いて美術・建築。**フェイディアス**は**パルテノン神殿**の工事監督を務めた彫
▲厳密には再建工事
刻家です（彼の「**アテナ女神像**」はレプリカが残っているだけで現存しません)。彼が**ペリクレス**の友人であることは，政治に絡めて頻出ですよ。パルテノン神殿の建築様式は**ドーリア式**ですが，「アテネに集住したギリシア人はイオニア人，スパルタを征服したのはドーリア人だから，アテネのパルテノン神殿はイオニア式だ！」と勘違いしないように注意しましょう。

8 最後に神々を紹介しておきます。有名なオリンポス12神を列挙しましたが，共通テスト対策という観点では，主神ゼウスと，**デルフォイ**の神託で出てくる
▲→テーマ3
アポロンを押さえておけば大丈夫でしょう。

テーマ

75 ヘレニズム・ローマ文化

1 ヘレニズム文化

▲ドイツのドロイゼンが「ヘレニズム」と命名

(1) 特色

①**世界市民主義**（コスモポリタニズム）…ポリスの枠をこえて人類全体を同胞と見なす

②**個人主義**…個人の幸福を追求する

③共通語は**コイネー**（ギリシア語の口語）

(2) 哲学…現実逃避の傾向が顕著。個人レベルでの幸福を追求

①**ゼノン**…キプロス出身。禁欲に徹して幸福を追求する**ストア派**を創始

②**エピクロス**…精神の快楽を追求。人間を死や神への恐れから解放

▲デモクリトス唯物論の影響をうけた

(3) 彫刻

①**「ミロのヴィーナス」**

②**「ラオコーン」**アテナの怒りを買って蛇に殺される神官の像

③「ヘルメス像」…プラクシテレスの作とされる

(4) 自然科学

①**ムセイオン**…**アレクサンドリア**の大研究機関

▲英語の Museum の語源

②**エウクレイデス**…**平面幾何学**を大成

③**アルキメデス**…シチリア島出身。**浮力の原理**・円周率などを発見

▲シラクサ

④**アリスタルコス**…**太陽中心説**（地動説）を唱えた

⑤**エラトステネス**…**地球を球形**と考え，地球の周長を測定

2 ローマ文化

(1) 特色

①**ギリシア文化を模倣・受容。のちの西洋文明の基礎となった**

▲ローマ神話，ストア派哲学，『アエネイス』など

②**法律・土木建築など実用的な技術には優れる**

(2) 文学…アウグストゥス帝時代はラテン文学の黄金時代

①詩人

・**ウェルギリウス**…アウグストゥスが保護。**『アエネイス』**

トロイアから脱出したアエネアスの冒険と，ローマ建国の伝説▲

・**ホラティウス**…『叙情詩集』

・**オウィディウス**…アウグストゥスによって黒海沿岸に追放。『転身譜』

変身をテーマに神話を集大成。カエサルが星に転身して終わる▲

②散文

1 本講に対応する政治史は，**テーマ4・5**です。ヘレニズム時代を一言で述べるなら，どのように説明できるんでしたっけ？

うっ………。すみません，復習不足です（汗）。

テーマ4をよーく復習しておきましょう（笑）。「オリエントとギリシアが融合した時代」で，さらにいうなら「領土・政治はオリエント，言語・文化はギリシア」でした。ただ，**ヘレニズム文化はギリシア文化を継承しているものの，当時の政治を反映して人々の考え方は微妙に変化します**。市民共同体意識が弱体化したため，かつてのポリス中心主義が衰えて**個人主義**が台頭。民族・国家の枠を超えた**世界市民主義**（コスモポリタニズム）も広がります。「ギリシア人であること・ポリス市民であることへのこだわりがなくなった」ともいえますね。

古代ギリシア（ポリス時代）	ヘレニズム時代
ポリス　＞　自分 **ポリス中心主義**	ポリス　＜　自分 **個人主義**
ヘレネス　＞　バルバロイ	ヘレネス　≒　バルバロイ **世界市民主義** 人類を，普遍的理性を与えられた同胞と見なす

哲学面では，①政治混乱から逃避する風潮と，②個人主義が結びつきました。**ストア派**も**エピクロス派**も個人の幸福を追求します。また，ヘレニズム時代は自然科学が大きく発展しました。**アレクサンドリア**に建てられた**ムセイオン**が研究の中心。その図書館長**エラトステネス**は，夏至の日の太陽の角度に注目して，地球の周長を驚異的な正確さで計算しました。政治絡（がら）みでは，**アルキメデス**が**ポエニ戦争**中にローマ兵に殺害されたネタに注意です。

▲ポリス同士の抗争など

▲プトレマイオス朝エジプトの都

▲中学生で学ぶ数学の知識で計算式を導くことが可能

2 ローマ文化はギリシア文化を模倣・受容した，と説明されますが，これは**「ローマ世界で活躍したギリシア人が多かった」**，そして結果的にまねることになったと考える方が適切です。左ページで登場する５人のギリシア人に注目してください。この状況を象徴するのが**「征服されたギリシアは，猛（たけ）きローマを征服した」**という**ホラティウス**の言葉です。

アウグストゥスの治世は，**ウェルギリウス**などが活躍したラテン文学の黄金時代。散文家の**キケロ**は共和主義者でカエサルの独裁を猛批判（カエサル暗殺の黒幕，という説も）。**ストア派**哲学もヘレニズム時代から受け継いだもので，**セネカ**は，キリスト教徒迫害で知られるネロの師をつとめたことがあります。ギリシア人の**エピクテトス**は「奴隷出身」が合言葉。「哲人皇帝」と称される**マルクス＝アウレリウス＝アントニヌス**は，もちろんご存じですよね。

▲散文とは「リズムや音数などのルールに縛られない自由な文章」のこと

▲最後は強要され自殺

・**キケロ**…ローマ随一の文章家・雄弁家。『国家論』

⑶　哲学…ヘレニズム世界で栄えた**ストア派**を継承

①**セネカ**…ネロ帝の師であったが，のちにネロに自殺を強制された

②**エピクテトス**…ギリシア人。奴隷出身の哲学者

③**マルクス＝アウレリウス＝アントニヌス**帝…哲人皇帝と称された。**『自省録』**
（▲五賢帝の５番目の皇帝）

⑷　歴史・地理

①**ポリビオス**

・ギリシア人。**政体循環史観**を主張。『歴史』

②**リウィウス**…アウグストゥスに厚遇された。**『ローマ建国史』**（▲前３～前２世紀のローマ史）（双子の孤児ロムルスとレムスが狼に育てられ，ローマを建国▲）

③**カエサル**…**『ガリア戦記』**（ガリア遠征の記録。古代ゲルマン社会の史料）

※**ユリウス暦**…カエサルが制定したエジプト系太陽暦。1582年まで使用

④**タキトゥス**…**『ゲルマニア』**，『年代記』（▼帝政初期（アウグストゥス帝～ネロ帝）の政治史）（▲素朴なゲルマン社会をたたえ，ローマの頽廃に警鐘をならした）

⑤**ストラボン**…小アジア出身のギリシア人地理学者。**『地理誌』**

⑥**プルタルコス**…ギリシア人。**『対比列伝』**でギリシアとローマの英雄を対比（ヨーロッパからインドにいたる各地の歴史や伝説を記述▲）（▲『英雄伝』）

⑸　自然科学

①**プリニウス**…ウェスウィウス火山の噴火に巻き込まれ死亡。**『博物誌』**（天文・地理・動物など膨大な項目をまとめた博物書▲）

②**プトレマイオス**…ギリシア人。**天動説**を主張

⑹　土木・建築…実用的技術として大きく発展

①**アッピア街道**…ローマ～カプア間の石で舗装された軍道（▲のちにブルンディシウムまで延伸）

②**ガール水道橋**…南フランスに残る水道橋。石造の３層アーチ構造

③**コロッセウム**…１世紀に完成した，ローマに残る円形闘技場

④**フォロ＝ロマーノ**…古代都市ローマの市民生活の中心だった広場の遺跡

⑤**浴場**…公共の娯楽施設。カラカラ帝時代のものが有名。（▲火災の危険から集合住宅の浴室が禁止されたため，各地に作られた）

⑥**凱旋門**…コンスタンティヌス帝の門が有名。

⑦パンテオン…ローマ神話の神々を祭った神殿

⑺　ローマ法（**ローマ市民権の拡大**）

★市民権とは…ローマという国家（共同体）の正式な構成員が有する権利（例えば参政権（帝政期は都市の自治への参政権），自由，訴訟▲）

	前２世紀まで	同盟市戦争（▲前91年～）	カラカラ帝（▲212年）
都市ローマ	市民権あり	市民権あり	市民権あり
イタリア半島	植民市には付与	**市民権を付与**	市民権あり
属州（イタリア半島以外）	なし	※富裕層には付与していく	**市民権を付与** **「万民法」**

歴史では，ウェルギリウス，ポリビオス，リウィウスの三人はいずれもローマ建国についての記述を残しているので，混同しないよう注意が必要です。
▼ウェルギリウスは歴史家ではなく詩人

①ウェルギリウス（前1世紀）…『アエネイス』※建国伝説をつづった詩 ②ポリビオス（前2世紀に活躍，ギリシア人）…『歴史』 ③リウィウス（前1世紀）…『ローマ建国史』

時代，本のタイトル，ギリシア人…。微妙に違ってますね（汗）。

ポリビオスは小スキピオに厚遇され，第3回ポエニ戦争に従軍して**カルタゴ**滅亡を目の当たりにしています。彼の**政体循環史観**は差がつくポイントです（下図を参照）。

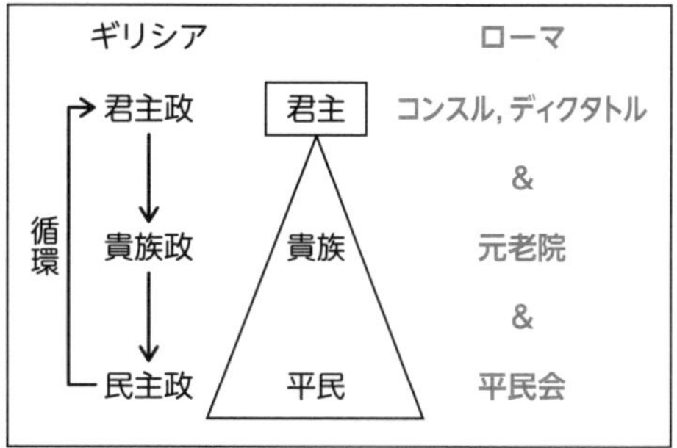

▲アレクサンドロスの登場は，民主政から君主政への移行といえる

「なぜギリシアはローマに征服されたのか？」 ギリシア人のポリビオスは，その理由を政治スタイルの違いに求めました。ギリシアの場合，その時々で**一種類の政体しか採用しなかった**ため，政体の短所が露呈したり腐敗したりすると心機一転して新しい政体へ移行します。その度に内紛が起こり疲弊。これに対してローマでは，コンスル（ディクタトル）・元老院・平民会が**共存・調和してお互いの弱点を補い合った**。だからローマは国力を損ねることなく発展できた，と考えたのでした。**プルタルコス**も，ギリシア人として**『対比列伝』（『英雄伝』）**でギリシアとローマの英雄を論じます。天文学を発展させた**プトレマイオス**もギリシア人でした。
▲君主政の性質　▲貴族政の性質　▲民主政の性質

このように，理論・思想の面ではギリシア人に主役の座を奪われてしまった感のあるローマ人ですが，**実用的な分野**では目覚ましい功績を残しました（これは，先住のエトルリア人の影響を強くうけているようです）。現在でも残る数々の遺跡……その威容や美観には驚嘆させられます。また，ローマ人は昔から，**政治や社会生活は法によって秩序づけられるべき**と考え，法体系が整備され，発展しました。当初はローマ法は都市ローマにだけ適用されていましたが，国家の領域が拡大すると，各地の習慣法なども取り入れていきます。やがて，ストア派哲学の影響もあって属州民にも適用され**「万民法」**という性質を帯びるようになっていきました。市民権とは，「共同体の正式な構成員が享受できる，法で定められた権利」といえます。**ローマ市民権の拡大**とは，「ローマ法を適用する範囲を拡大している」のだ，と考えてください。
▲「法律は宇宙の支配原理である自然の法則に基づくべき」

第8章 文化史

テーマ

76 イスラーム文化

1 特　　徴

(1)　イスラーム教とアラビア語が軸だが，外来文化も吸収・融合
▲「コーラン」はアラビア語以外に翻訳することが禁じられていたため

2 固有の学問　『コーラン』が基盤。神学・法学・歴史学・文法学・詩学
▲クルアーン

(1)　神学

①**ガザーリー**

・**スーフィズム**（イスラーム神秘主義）をスンナ派神学に取り込んで理論化
▲スーフィズムは，インドや東南アジアでのイスラーム普及に貢献

・ニザーミーヤ学院で教授をつとめたことでも知られる

(2)　法学

①**シャリーア**…『コーラン』や**ハディース**に由来する，イスラームの法体系
▲イスラーム法　▲ムハンマドの言行に関する伝承

②**ウラマー**…シャリーアの解釈・執行に従事した，イスラーム法学者

③**マドラサ**…ウラマーを養成するための高等教育機関

・**アズハル学院**…ファーティマ朝がカイロに創設したシーア派学府
▲アイユーブ朝以降はスンナ派となる

・**ニザーミーヤ学院**…セルジューク朝の**ニザーム＝アルムルク**が設立
バグダードなど各地に設立された▲

(3)　歴史学…ハディース研究から，歴史学が発展

①**イブン＝ハルドゥーン**…チュニス出身。**『世界史序説』**

②**ラシード＝アッディーン**…イル＝ハン国のガザン＝ハンを補佐。**『集史』**
▲イラン人

3 外来の学問　哲学・地理学・医学・数学・天文学など

(1)　文化の流入…征服地の文化が流入し，ギリシア語・ペルシア語などの文献がアラビア語に翻訳された

▼旅行の背景には，信徒のメッカ巡礼，イスラーム商人の活動，ウラマーの遊学がある
(2)　医学・哲学・自然科学・地理学・旅行

①**イブン＝シーナー（アヴィケンナ）**…アラビア医学を集大成。**『医学典範』**
▲サーマーン朝のブハラ出身

②**イブン＝ルシュド（アヴェロエス）**…アリストテレスの著作に注釈
▲イベリア半島のコルドバ出身

③**フワーリズミー**…代数学を発展させた

※インド数学…**ゼロの概念**やインド数字はアラビア数学などに大きく影響

※錬金術…鉄・銅などを貴金属に変えようとした技術。化学の発達に寄与

④**イブン＝バットゥータ**…モロッコ出身の大旅行家。**『大旅行記（三大陸周遊記）』**

2 本講に対応する政治史は，**テーマ18～20**です。「固有の学問」の中身は，『コーラン（クルアーン）』研究と結びつけることで定着させましょう。『コーラン』は神の言葉を書き記したものですから，神学と関わるのは当然。法学に関して，**シャリーア（イスラーム法）**は絶対に知っておきたい概念です。世界に存在する多くの宗教では，戒律は「心がけ・努力目標」に過ぎず，戒律を破っても警察に逮捕されたり罰せられることはありません。しかし**イスラームでは，『コーラン』に記された戒律がそのまま法として適用されます**。戒律を破れば，刑罰が科せられるのです。１つ例を挙げると，イスラームの教義では飲酒はご法度で，破ったら鞭（むち）打ちの刑！　**宗教の枠を超えて人々の生活規範になっている**んですね。イスラーム教徒というと，毎日礼拝を欠かさず，豚肉も食さず，女性は頭に布をかけている……などなど，現在でも多くの信徒が宗教的戒律をマジメに守ってるイメージがありますよね。これはシャリーアの伝統をうけついでいる表れといえます。

▲信徒がするべきこと，してはいけないこと
▼これが近年「イスラーム教」ではなく「イスラーム」と表記する教材が増えている理由
▲サウジアラビアなど，現代でもシャリーアを適用する国家は存在する

でも，アルコールが何％以上含まれてたらお酒になるんですか？

そう，『コーラン』には全てのことが書かれているわけではありません。こういった基準を判断・解釈するのが法学者ウラマーの仕事で，『コーラン』や文献を熟読・分析し解釈を行います。彼らの研究でイスラーム法学が目覚ましく発展するのですが，一方で教義が複雑・難解になる弊害も生まれました。民衆にしてみれば「何を言ってるんだかサッパリ分からん」。そして「理屈をこねたり，形だけルールを守るよりも，一番大切なのは，ハートじゃないのか？」という考えから，**スーフィズム（イスラーム神秘主義）**が台頭してきます。**理性的思考を排除し，雑念を消し去って神にひたすら祈りを捧（ささ）げ続けよ…。そしてアッラーとの一体感を得ようとします**。分かりづらいところですが，ウラマーが英語の「think」なら，スーフィーの方は「feel」というところでしょうか。

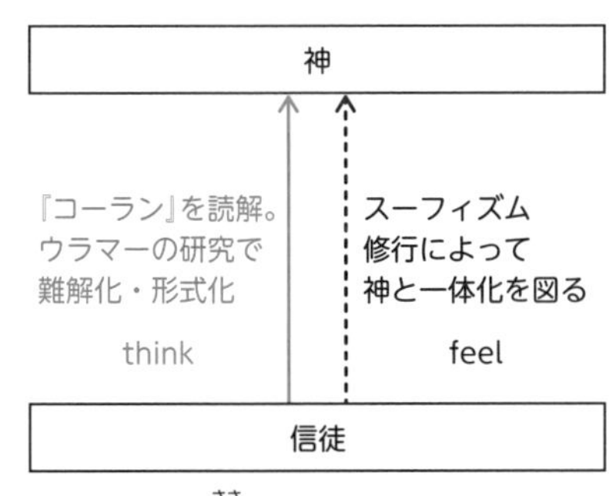

▲神秘主義者をスーフィーと呼ぶ

スーフィズムは，『コーラン』を読み解く従来の信仰形態を批判して生まれたものなので，両者の関係は当然ながら険悪でした。『コーラン』への回帰を主張したワッハーブ派がスーフィズムを批判したのはこういう事情によります。**ガザーリー**がすごいのは，**このスーフィズムを従来のスンナ派神学に取り込んでしまった**点です。

▲→テーマ46

4 文　　学

①『**千夜一夜物語**』…アラビア語に訳されたペルシアの説話集から発展
▲『アラビアン＝ナイト』
②**ウマル＝ハイヤーム**…イラン系詩人。『**四行詩集（ルバイヤート）**』
▲セルジューク朝で活躍
③フィルドゥーシー…イラン系詩人。『シャー＝ナーメ（王の書）』
▲イラン建国からササン朝までのイランの歴史

5 美術・建築

①**モスク**…イスラーム寺院
・**ミナレット**（光塔）…塔の上から，礼拝への呼びかけを行う
・**アラベスク**…植物などを図案化した幾何学的な装飾文様
▲偶像崇拝が禁止されていたため，絵画・彫刻に代わって発達
・**ウマイヤ＝モスク**…ダマスクスにある，**現存する最古のモスク**
・**コルドバ**の大モスク（**メスキータ**）…後ウマイヤ朝時代に造営
・**クトゥブ＝ミナール**…アイバクが建てた，インド最古の大モスクの塔
▼ミニアチュール　▲奴隷王朝の建国者
②**細密画**…中国絵画の影響をうけ，写本挿絵・写本絵画から発展
▲イル＝ハン国のイランへ伝播
③**アルハンブラ宮殿**…ナスル朝の首都**グラナダ**に建立された

6 イスラーム文化の展開（12～13世紀以降）

★普遍的なイスラーム文化は各地で地域的特質と融合，独自の文化を形成
⑴　イラン＝イスラーム文化
ミニアチュール▲イル＝ハン国で形成され，サファヴィー朝で成熟
①**細密画（写本絵画）**…イル=ハン国時代に伝播した中国絵画の影響で発展
②**イマームのモスク**…サファヴィー朝時代，**イスファハーン**に建立
▲アッバース１世
⑵　トルコ＝イスラーム文化
①ティムール朝の文化…ヘラートが中心。第４代**ウルグ＝ベク**は天文台建設
②オスマン帝国…**スレイマン＝モスク**
▲スレイマン１世がイスタンブルに建立
⑶　インド＝イスラーム文化…ムガル帝国期に成熟
①絵画…イランから伝わった細密画が基盤
・**ムガル絵画**…細密画から発展した宮廷芸術。動植物・肖像を写実的に表現
・ラージプート絵画…ヒンドゥー教の神々を題材とした宗教的・庶民的画風
▼アクバルの統治を記した記録
②文学…『バーブル＝ナーマ』，『アクバル＝ナーマ』
▲バーブルの回想録
③**タージ＝マハル**…シャー＝ジャハーンの妃（きさき）であるムムターズ＝マハルの廟（びょう）
④**ウルドゥー語**…インドの口語に，アラビア語・ペルシア語系の単語が融合
・現在のパキスタンの国語
▲ムガル帝国の公用語はペルシア語であった

文法学・詩学は『コーラン』を正しく理解するためのもの。歴史学は『コーラン』ではなくハディースの研究から発展。ハディースもシャリーアの基盤になったため，ムハンマドの伝記研究が歴史学につながったのです。
▲『コーラン』は暗誦しやすいよう，韻律を重視している

3 「外来の学問」は文字通りイスラーム世界の外部から流入した学問です。

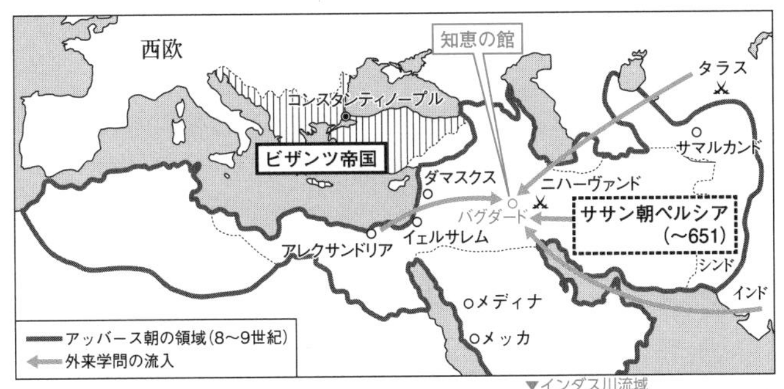

イスラーム教徒が征服したエジプト，イラン，インドから様々な学問が流入し，アッバース朝は「知恵の館」でアラビア語に翻訳。それを学者たちが研究して熟成・発展させました。その代表格が，**イブン＝シーナー**の医学や**イブン＝ルシュド**のアリストテレス研究。14世紀の世界を旅した**イブン＝バットゥータ**は，世界史の「ヨコのつながり」を考える上では超重要人物です。
▲ビザンツ帝国領　▲かつてのササン朝ペルシア領　▼インダス川流域
▲カリフであるマームーンがバグダードに建設
▲アヴィケンナ　アヴェロエス▲

4 文学では，シンドバットの冒険などで知られる**『千夜一夜物語（アラビアン＝ナイト）』**も，イランの説話が下敷きです。フィルドゥーシーと**ウマル＝ハイヤーム**もイラン系詩人。『シャー＝ナーメ（王の書）』の「シャー」ってペルシア語でどんな意味でしたっけ？

ちゃんと復習してあります。イラン系の君主の称号です！

素晴らしい。そのイメージでイランと結びつけておきましょう。

5 美術では，**アラベスク**はもちろん，写本絵画（**細密画**〔ミニアチュール〕）も偶像崇拝禁止の影響をうけています（中国絵画が伝わる前は，絵画を描くこと自体に消極的でした）。

6 イスラーム文化は元来，国や地域を超えた共通する特徴を持っていました。それが，12～13世紀頃から**各地の伝統文化と融合して，地域ごとの「個性」を持つようになります**。一番分かりやすいのが，イスラーム文明がヒンドゥー教文明と融合した，インド＝イスラーム文化といえますね。

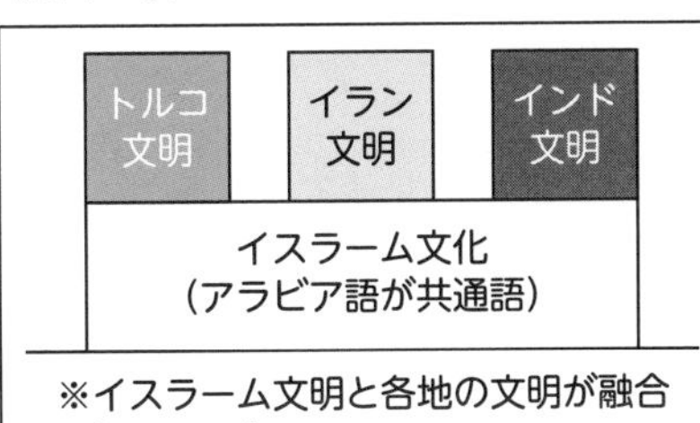

テーマ77 中世の西ヨーロッパ文化

1 特　徴

(1) キリスト教中心で，あらゆる分野にキリスト教が影響を及ぼす
(2) **普遍的**（▲ローマ＝カトリック）な性格を持ち，国家ごとの個性は乏しい。共通語は**ラテン語**

2 カロリング＝ルネサンス（800年頃）

(1) **カール大帝**（シャルルマーニュ）が古典文化（▲ギリシア・ローマ文化）の復興を目指して行った運動
(2) **アルクイン**…ブリタニアからカール大帝に招かれアーヘンで活躍

3 神学

(1) 「哲学は神学の婢（はしため）」…神学が最高の学問とされていたことを示す言葉
(2) **スコラ学**…中世におけるキリスト教神学体系の総称

①普遍論争

実在論…「普遍」という観念・神は事物に先行して存在	**唯名論**（▲名目論）…「普遍」という観念・神は名目にすぎない
アンセルムス ・英のカンタベリ大司教。実在論を主張し「スコラ学の父」とされた	**アベラール** ▲『愛と修道の書簡』（アベラールと恋人エロイーズの愛の書簡集） ・仏のスコラ学者。唯名論を主張

★**12世紀ルネサンス**…12世紀の文芸復興
・背景…十字軍・国土回復運動（レコンキスタ）に伴う，イスラーム世界との交流
・イスラーム世界から，**トレド**（▲イベリア半島）やパレルモ（▲シチリア島）を通じて古典文化・イスラーム文明（▲アリストテレス哲学など）が流入。**アラビア語**から**ラテン語**に翻訳される

②**トマス＝アクィナス**
・イタリアのドミニコ修道会士で，**『神学大全』**を著す
・アリストテレス哲学をキリスト教に取り込み，**信仰と理性の調和**を試みて，普遍論争を収拾

③**ウィリアム＝オブ＝オッカム**（英）
・唯名論の立場に立って神学と哲学，**信仰と理性の分離**を主張

2 本講に対応する政治は，**テーマ22〜27**です。ゲルマン民族大移動の混乱によって，西ヨーロッパでは古典文化の多くは失われ，ラテン語を解するのはわずかな数の聖職者だけ，という有様に。これを憂えた**カール大帝**（→テーマ22）は，ローマ皇帝の後継者として古典文化復興を図りました（**カロリング＝ルネサンス**）。この時にアルファベットの小文字が発明されたんですよ。指南役としてイングランドから**アルクイン**が招かれました。カール大帝については，対イスラーム戦争を題材とする英雄叙事詩**『ローランの歌』**も押さえておきましょう。

3 大学の看板学部は神学部，建築なら大聖堂。中世ヨーロッパ文化はキリスト教抜きには語れません。思想面でも，神を論じる**スコラ学**が栄えましたが，ここで大論争が。忠犬ハチ公，『フランダースの犬』のパトラッシュ，『クレヨンしんちゃん』のシロ，といった「個別のイヌ」はこの世界に確かに存在します。では**普遍的な「イヌそのもの」は存在するのでしょうか？** 「No。普遍的な『イヌ』なんてどこにも存在せず，『イヌ』とは我々人間が定義した名目・言葉にすぎない」と答えたのが**唯名論**。対して「Yes。普遍的な『イヌそのもの』は個々のイヌに先立って，どこかに必ず存在している（「普遍的なイヌに従って個別のイヌは生まれてきた」）」と答えたのが**実在論**。この対立が普遍論争ですが，なぜ神が関わるのか。「神が世界を創造した」という聖書の記述を思い出し，ちょっと強引に対比してみます。

唯名論的な発想	実在論的な発想
人間が「イヌ」「ネコ」などのジャンル分けをして秩序立てた。ということは，神は無作為（ランダム）に世界を創った	神は，「イヌそのもの」「ネコそのもの」といった，いわば「設計図」をもとにして，世界の事物を創った

どちらの方がしっくりきますか？

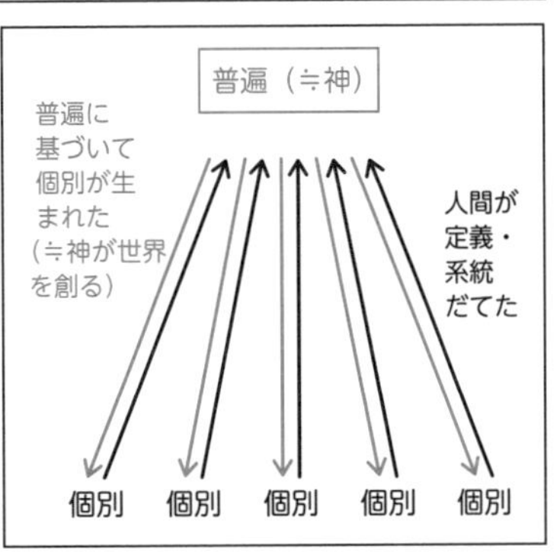

全知全能の神が何も考えずに世界を創るのは不自然な感じがします。あと，人間も神に創られた事物の一つにすぎないのに，その人間が秩序をつくるのはヘンな感じ……。

ですよね。「神が世界を創った」ことは，実在論のイメージにマッチします。ですから実在論は（今はまだ認識することはできないけれど）**まず神・普遍を信じ，その存在を証明しようとします**。逆に唯名論は，**普遍は実在しないとして，この世界を認識することを優先させました**。13世紀の大哲学者**トマス＝**

④**ロジャー＝ベーコン**（英）…**経験と実験**を重視。近代自然科学の先駆

4 中世の大学

▲教会や修道院の付属学校（スコラ）が起源

(1) 学部と学科

①神学・法学・医学

▲これに人文学部を加える考え方もある

②**自由七科**…文法・修辞・弁証法・算術・幾何・天文・音楽

(2) 主な大学

①**サレルノ大学**（イタリア）…**医学**で有名

②**ボローニャ大学**（イタリア）…**法学**で有名

③**パリ大学**（フランス）…**神学**で有名

④**オクスフォード大学**（イギリス）…**神学**で有名

▲この大学の学生らが分離してケンブリッジ大学が成立

5 文　　学

①**『ローランの歌』**…武勲詩

▲カール大帝の時代，イスラーム教徒との戦いにおける騎士ローランを歌った

②**『ニーベルンゲンの歌』**…英雄叙事詩

▲英雄ジークフリートの活躍と暗殺，妻クリームヒルトの復讐をうたう

③**『アーサー王物語』**…騎士道物語

▲ケルト人の伝説的英雄アーサー王の活躍を描いた

★吟遊詩人…宮廷で騎士にまつわる詩を吟じた

▲フランスではトゥルバドゥールと呼ばれた

6 建　　築

(1) **ロマネスク様式**…11世紀頃

①特徴…アーチを多用した石造の天井とそれを支える厚い壁，小さな窓

②代表的な建築…**ピサ大聖堂**，ヴォルムス大聖堂

(2) **ゴシック様式**…12世紀頃から

①特徴…高い塔と尖頭（せんとう）アーチ。窓には**ステンドグラス**がはめ込まれた

▼なお，19世紀に修復される際，建築当時とは異なる様式になってしまった聖堂もある

②代表的な建築…**シャルトル大聖堂**，**ノートルダム大聖堂**，**ケルン大聖堂**

▲パリそのものが有名

※ビザンツ様式…ギリシア十時の形，円屋根，**モザイク壁画**が特徴

▲ドーム

①**ハギア（セント）＝ソフィア聖堂**

・**ユスティニアヌス１世（大帝）**がコンスタンティノープルの聖堂を再建

・オスマン帝国がコンスタンティノープルを占領した後，モスクに転用

②**サン＝ヴィターレ聖堂**

・ラヴェンナにのこるビザンツ様式の教会聖堂

▼石・貝殻・ガラスの細片を壁にはめ込む

・ユスティニアヌス１世と皇后テオドラのモザイク壁画で有名

アクィナスは，アリストテレス哲学を持ち込んで両者を調停しました。しかし，14世紀に**ウィリアム＝オブ＝オッカム**が，神の領域を理性を用いて説明することを否定（**信仰と理性の分離**）。人間が持っている「考えるエネルギー」を，この世界を知ることだけにつぎこもうぜ，ということです。このように**唯名論が優勢となり，これが近代哲学・科学の萌芽（ほうが）となりました。**

▲唯名論を突き詰めると神の否定につながるため，教会から異端を宣告された

トマス＝アクィナスが依拠したアリストテレス哲学は，イスラーム世界を経由して流入したものでした。前講で示した地中海の状況の続きです。

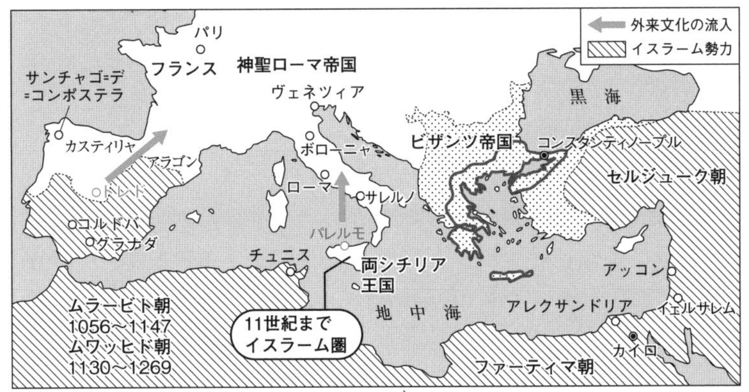

十字軍や国土回復運動（レコンキスタ）といった活動の際，キリスト教徒がイスラーム教徒と文化的接触を持ちました。**西欧世界は文化的刺激をうけ，様々な文化活動が盛んになりました**（**12世紀ルネサンス**）。西ヨーロッパで失われていたギリシア・ローマ文化が，イスラーム世界を経由して西欧へ戻ってくるのがミソ。

部外者であるイスラーム教徒から「あなた達の先祖の文化はスゴかったんだよ」と言われてるわけですね。面白いです。

4 大学の発展にも，イスラームから流入した学問が寄与していますよ。受験対策としては，各大学と看板学部がセットで問われることに注意しましょう。

6 **ロマネスク様式**は，建物の重さを**厚い壁**で支えました。窓を大きくすると強度が落ちるので必然的に**窓は小さくなります**。一方**ゴシック様式**になると，尖頭アーチや穹窿（きゅうりゅう）といった技術によって，**薄い壁でも建物の重さを上手く分散できるようになりました**。窓を大きくしても崩れる心配がなくなり，**ステンドグラス**がはめ込まれたんですね。こう考えることで「重厚なロマネスク」「スマートなゴシック」という対比を理解できると思います。

最後に東欧のビザンツ様式。文化史に分類するよりも，**ユスティニアヌス1世（大帝）**の業績として政治史でまとめた方が，楽にさばけると思います。

テーマ

78 ルネサンス

1 ルネサンスの特色と背景

▲「再生・復興」を意味するフランス語

(1) 特色

①ギリシア・ローマの古典文化を模範にとり，神・教会を中心とする中世的世界観から脱却し，人間中心の世界観を基盤とする文化運動

▲ただし近年の研究では，中世との連続性も注目されている

②**人文主義**…人間の理性や尊厳を尊重。自由・欲望を肯定的にとらえた

▲ヒューマニズム

(2) イタリア＝ルネサンス成立の背景

①イタリアには古代ローマの伝統が残っていた

②「**12世紀ルネサンス**」➡**テーマ77**

③東方貿易(レヴァント)によって新興市民（**フィレンツェ**の**メディチ家**など）が台頭

▲コジモとその孫ロレンツォが知られる

④**ビザンツ帝国**の滅亡 ➡多くの学者がイタリアへ移住

▲オスマン帝国のメフメト２世による

2 イタリア＝ルネサンス

(1) 文学

①**ダンテ**…『**神曲**』をフィレンツェの口語トスカナ語で著す

▲ダンテ自身がウェルギリウスに導かれ地獄・煉獄（れんごく）・天上界をめぐる叙事詩

②**ペトラルカ**…『**叙情詩集**』

▲当時，ローマ教皇が滞在していたアヴィニヨン教皇庁に勤めた

③**ボッカチオ（ボッカッチョ）**…『**デカメロン**』

▲黒死病流行を逃れた10人が退屈しのぎに語った100の物語

(2) 美術

①**ジョット**…ルネサンス絵画の先駆者。「聖フランチェスコの生涯」

②ドナテルロ…彫刻におけるルネサンス様式を確立。「ダヴィデ像」

③**ボッティチェリ**…「**ヴィーナスの誕生**」，「春」

④**レオナルド＝ダ＝ヴィンチ**

・「万能の天才」。晩年に**フランソワ１世**に招かれ，フランスで没した

・「**最後の晩餐**(ばんさん)」，「モナ＝リザ」

▼システィナ礼拝堂の壁画

⑤**ミケランジェロ**…「**ダヴィデ像**」，「**最後の審判**」，「天地創造」

▲ペリシテ人と戦うヘブライの王ダヴィデの彫像

⑥**ラファエロ**…**聖母子画**で有名。「アテネの学堂」

(3) 建築

①**ブルネレスキ**…フィレンツェの**サンタ＝マリア大聖堂**の大円蓋を手がける

②ブラマンテ…**サン＝ピエトロ大聖堂**改築の最初の設計者

(4) 政治学

1 本講に対応する政治史は，**テーマ29・30**です。ルネサンス時代の思想基盤を**人文主義（ヒューマニズム）**といいます。古典文化の多くはゲルマン人の侵入で失われ，キリスト教的価値観のもと，自由で人間的な考え方は否定的な評価をされてきました。しかし14世紀頃からローマ教会の権威が失墜したこともあり，古典文化を復興しようとする動きが高まってきます。まさに**文化の「再生・復興」**です。上の図で考えると分かりやすいんですが，ただし「古典文化＝水準が高く，善いモノ」「中世文化＝低レベルで悪いモノ」という先入観を持ってはいけません。そもそも文化には優劣などないのですから，図のような考え方はあくまで「受験用の方便」です。

ギリシア・ローマ文化▲

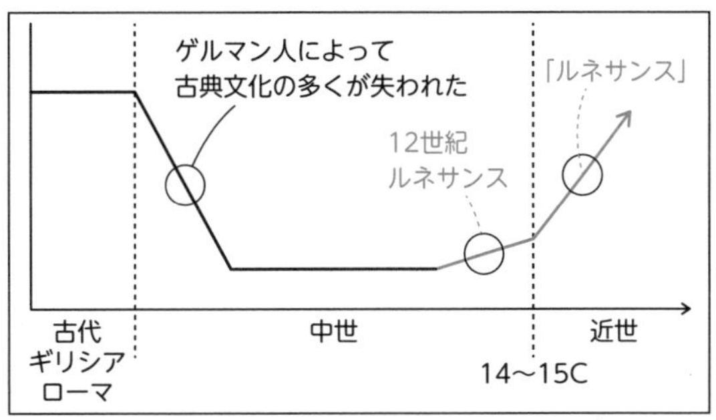

このルネサンスの思想的な柱が**人文主義**です。①神よりも人間（ときには「人体」）に焦点をあてる，②死後の救済よりも現世を重視する，③人間の肉体や欲望を肯定的にとらえる，といった，人間中心の思潮とでもいえましょうか。

▲レオナルド＝ダ＝ヴィンチによる人体解剖図はその好例

なぜルネサンスはイタリアで産声（うぶごえ）をあげたのか。古代からの伝統，**12世紀ルネサンス**，**メディチ家**の台頭，**ビザンツ帝国**の滅亡などが挙げられます。

2 **ダンテ**の**『神曲』**は，従来の文章語・公用語**ラテン語ではなく俗語のトスカナ語で書かれた点に注目**です。また，物語の中では案内役としてローマの詩人**ウェルギリウス**が登場。ローマ文化との関わりが見て取れますね 。

▲→テーマ75

美術はイタリア＝ルネサンスの花形。**ボッティチェリ**の絵画を見ると，まず神々の裸体に気づきますね。中世なら「何と破廉恥（はれんち）な！」となるはず。また，キリスト教からすれば「異教の神々」であるギリシア神話が題材。明らかに中世的価値観から離れています。万能の天才**レオナルド＝ダ＝ヴィンチ**の作品としては，イエスが捕らえられる前夜を描いた**「最後の晩餐」**が有名です。

ミラノにある教会の壁画▲

あれ!?　キリスト教の束縛から離れたはずなのに，なぜイエスが題材なんですか？

ルネサンスではキリスト教そのものが否定されたわけではなく，「人文主義の立場からキリスト教を表現しよう」というスタンスなんですよ。好例が**ミケランジェロ**の**「最後の審判」**。世界の終末に，イエスが人々に対して救済されるか地獄へ落ちるかの裁きを下しています。このイエス，裸です。しかもマッ

第8章 文化史

①**マキァヴェリ**…宗教・道徳から離れた現実的な政治理論を展開。『**君主論**』
▲イタリア戦争期のフィレンツェで活躍

3 アルプス以北のルネサンス

(1) ネーデルラント

①**エラスムス**…16世紀最大の人文主義者。『**愚神礼賛**（ぐしんらいさん）』
▲ルターの宗教改革とは一線を画した　▲私利私欲に走る王や貴族，腐敗した聖職者などを痛烈に風刺

②**ファン＝アイク兄弟**…**油絵技法**を改良

③**ブリューゲル**…**農民生活**を描いた。「**農民の踊り**」

(2) ドイツ

①**デューラー**…画家，版画家。「四人の使徒」

②**ホルバイン**…イギリスの宮廷画家となった。「**エラスムス像**」

(3) イギリス

①**チョーサー**…『**カンタベリ物語**』
▲『デカメロン』のイギリス版

②**トマス＝モア**…国王**ヘンリ８世**の離婚に反対して処刑された

・『**ユートピア**』…「羊が人間を食い殺す」という言葉で**囲い込み**を風刺
▲ユートピアとは，一切の私有財産・貨幣が存在しない架空の理想郷　▲エンクロージャー

③**シェークスピア**…エリザベス１世期に活躍。人間の感情を肯定的に描写
▼ユダヤ人の高利貸しシャイロックと商人アントニオとの争いを描く

・『**ハムレット**』（四大悲劇の一つ），『**ヴェニスの商人**』
▲デンマーク王子ハムレットが，毒殺された父王の亡霊に導かれ，復讐を試みる

(4) フランス

①**ラブレー**…『**ガルガンチュアとパンタグリュエルの物語**』
▲親子二代にわたる巨人一家の遍歴・戦争などの冒険を描いた

②**モンテーニュ**…ユグノー戦争では両派の調停者となる。『**エセー（随想録）**』
公私にわたって生活をかえりみた随筆集▲

(5) スペイン

①**セルバンテス**…レパントの海戦に従軍し腕を負傷。『**ドン＝キホーテ**』
時代遅れの騎士ドン＝キホーテが，行く先々でこっけいな事件を引き起こす▲

4 諸科学の発達

(1) 「三大発明」…中国の宋代に発明された技術が西伝し，改良・実用化

①**火薬**…火器の発達は，騎士階級の没落を加速させた

②**羅針盤**…遠洋航海を可能にし，大航海時代への道を開いた

③**印刷術**…独の**グーテンベルク**が15世紀半ばに改良。聖書の普及に寄与
▲→テーマ29

(2) 天文学
▲従来，ローマ＝カトリック教会は太陽が地球の周りを回る天動説を支持

①**コペルニクス**…ポーランド人。地球が太陽の周りを回る**地動説**を主張
ローマ教会の迫害を恐れ，死の直前まで地動説を公表しなかった▲

②**（ガリレオ＝）ガリレイ**…イタリア人。地動説を主張し宗教裁判にかけられた
▲振り子の等時性，物体落下の法則も発見

③**ケプラー**…地動説を数学的に証明し，惑星運行の法則を発見したドイツ人

(3) **トスカネリ**…**地球球体説**を唱え，コロンブスの航海に影響
▲フィレンツェ出身

(4) **グレゴリウス暦**…カエサルが制定したユリウス暦を1582年に改暦
▲教皇グレゴリウス13世にちなむ　現在の世界で使用されている▲

チョ。布教の合間にスポーツジムに通ってプロテイン飲んでるね（笑）。イエスをも裸にしてリアルな人間として描く，これがルネサンスの流儀です。

建築では，**サン＝ピエトロ大聖堂**の改築費を捻出するために，教皇**レオ10世**が**贖宥状**（しょくゆうじょう）を販売しました。これが宗教改革 ▲→テーマ29 のきっかけですね。

マキァヴェリの「宗教・道徳から離れた政治」がよく分かりません。

「宗教・道徳」は従来のキリスト教的価値観と思ってください。「隣人を愛せ」「相手を騙（だま）すな」といった考え方です。これを体現した誠実な人が，従来は理想の君主像とされてきた。でもイタリア戦争 ▲→【重要テーマ3】 に翻弄（ほんろう）された当時のイタリアは，小国が割拠していて一瞬でも気を抜けば命とりです。こんな時に「隣国を助ける誠実な君主」など真っ先に滅ぼされてしまうわけで，「隣国を欺（あざむ）き，出し抜くくらいじゃないと生き残れないぞ！」と，**マキァヴェリ**は言ったわけです。

3 ルネサンスの人文主義 ▲イタリア＝ルネサンスは，商業革命やイタリア戦争を背景に衰退 はヨーロッパ各地に広がっていきました。**エラスムス**は**『愚神礼賛』**で，聖職者の堕落を痛烈に風刺。**ファン＝アイク兄弟**は**油絵技法** 今まではフレスコ画という壁画の技法が主流。絵を持ち運んだりできなかった▲ を改良します。**ブリューゲル**はその**農民生活** ▲中世であれば名もなき農民をテーマにすることなど有り得ない を題材にした絵が有名です。**ホルバイン**が描いた**エラスムス**の肖像画 ▲イギリス国王ヘンリ８世の肖像画も有名 は「画家もモデルも有名人」というパターンなので出題率が高いですよ。イギリスの**トマス＝モア**は**囲い込み**と**ヘンリ８世**，という政治との接点が２つある重要人物。**シェークスピア**は受験知識というより一般教養。喜劇『ヴェニスの商人』では金にがめついユダヤ人を描写しており，**ユダヤ人を扱う問題で頻出！** フランス国王**フランソワ１世**は，イタリア戦争 ▲→【重要テーマ8】 で転戦した際にイタリアのルネサンスに度肝を抜かれ ▲→テーマ29，晩年のダ＝ヴィンチをフランスに招きました。**モンテーニュ**はユグノー戦争期 ▲→テーマ31 にボルドー市長をつとめた経験を持ち，寛容の重要性を説きました。**『ドン＝キホーテ』**を著した**セルバンテス**は，**レパントの海戦** ▼→テーマ30 に絡んで出題されます。

4 ローマ教会は，ローマ帝国の天文学者**プトレマイオス** ▲→テーマ75 が主張した**天動説** 聖書の「天地創造」に関わるため，宇宙のあり方は重要だった▼ を支持していました。**コペルニクス**や**ガリレイ**が地動説を唱えるものの，ローマ教会の権威の前にひるみます。ガリレイの説を信じたドイツの**ケプラー**が惑星運行の３法則を確認したことで，近代天文学の基礎が形成されました。なおルネサンス期の科学には，**占星術や錬金術など，「近代科学」とは異なる前時代的な要素が多分に含まれていて，天文学の発達も占星術の副産物**でした。「ローマ教会は非科学的だ！」という偏見に要注意ですよ。

かつてルネサンス期の「三大発明」と呼ばれたものは全て宋（そう）代の中国起源で，イスラーム世界を経由してヨーロッパへ伝播（でんぱ）したものです。**火薬・羅針盤・印刷術（活版印刷）**の全てが，近世世界の形成に大きく寄与していますよ。

テーマ

79 17・18世紀のヨーロッパ文化

1 特　徴

(1) 絶対王政を背景とした宮廷文化　(2) 成長しつつある市民層の文化
(3) 自然科学の目覚ましい発達…17世紀は**「科学革命」**の時代と呼ばれる

2 文　学

(1) イギリス
①ミルトン…ピューリタン革命を支持した詩人。『失楽園』
旧約聖書の，アダムとイブの「楽園喪失」が題材▲
②バンヤン…ピューリタン革命に従軍。『天路歴程』
▲キリスト者の信仰の歩みを，苦難に満ちた巡礼の旅に託して描く
③**デフォー**…**『ロビンソン＝クルーソー』**
▲主人公が無人島生活を生き抜く物語　▼主人公が小人の国・巨人の国などを旅する空想物語
④**スウィフト**…アイルランド出身。**『ガリヴァー旅行記』**
(2) フランス……ルイ14世時代，王室の保護で古典主義戯曲が栄えた
①コルネイユ…古典主義の創始者。『ル＝シッド』
▲レコンキスタの英雄エル＝シドを描く
②ラシーヌ…古典主義悲劇を大成。『アンドロマック』
▲トロイアの英雄ヘクトールの妻アンドロマックの物語
③**モリエール**…古典主義喜劇。『人間嫌い』
▲人間嫌いとなった青年が社交的な未亡人と恋をして裏切られる
※アカデミー＝フランセーズ…フランス語の洗練・統一に貢献
▲リシュリューが設置

3 美　術

(1) **バロック様式**…17世紀を中心に流行。壮大・豪華
①**エル＝グレコ**…クレタ島出身のギリシア人。「オルガス伯の埋葬」
②**ベラスケス**…スペイン宮廷画家。「ラス＝メニーナス（女官たち）」
③**ルーベンス**…フランドル出身。「マリー＝ド＝メディシスの生涯」
④ファン＝ダイク…フランドル出身。イギリス王チャールズ１世の宮廷画家
⑤**レンブラント**…オランダ画派。光と影の描写にすぐれる。**「夜警」**
⑥フェルメール…オランダの画家。オランダ市民の室内画を多く描いた
⑦**ヴェルサイユ宮殿**…ルイ14世が造営したバロック式の宮殿
(2) **ロココ様式**…18世紀半ばにフランスを中心に流行。繊細・優美
①**ワトー**…ロココ美術を代表するフランス人画家。「シテール島への巡礼」
②**サンスーシ宮殿**…プロイセンの**フリードリヒ２世**がポツダムに建てた宮殿

1 本講に対応する政治史は，**テーマ30～37**です。17・18世紀は絶対王政期。絶対王政下で，君主は自分の権威を誇示・自慢しようとしました。これが，華麗で豪華な**バロック美術**が流行した背景です。

2 まずは文学。イギリスでは17世紀に革命が起こりましたが，ピューリタン文学は革命の正当性を主張しました。ミルトンとバンヤンは2人とも，革命や革命後の政治に関わっています。（▲→テーマ34）**デフォー**や**スウィフト**の作品は海外が舞台で，**当時のイギリスの海外進出・植民地拡大を反映**しているといえます。フランスではルイ14世時代に宮廷で上演される劇が栄えました。（▲→テーマ33）

3 次に美術・建築。スペインで**バロック様式**が栄えます。**ルーベンス**，ファン＝ダイクはフランドル出身ですが，当時のフランドル（▲南ネーデルラント）はスペイン領なので，スペイン＝ハプスブルク家領を中心にバロック文化が花開いたと考えられます。フランスでは，ルイ14世の権威を誇示するド派手な**ヴェルサイユ宮殿**が完成しました。ここでは様々な出来事がありましたね。フランス革命中の**ヴェルサイユ行進**（▲→テーマ36）。1871年，**ヴィルヘルム1世**（▲→テーマ40）はヴェルサイユ宮殿「鏡の間」でドイツ皇帝に即位し，フランス国民の反独感情がヒートアップ。それから48年後，第一次世界大戦後には，フランス側は仕返しとばかりにドイツ代表を「鏡の間」に呼び出し，屈辱的な**ヴェルサイユ条約**（▲→テーマ55）の調印式を行ったのでした。また，この時代は市民が文化との関わりを深める時期で，**ルーベンス**や**レンブラント**などは，市民からの依頼を受けて絵画を制作していました。18世紀になると，トレンドは繊細・優雅な**ロココ様式**へ。**フリードリヒ2世**（▲→テーマ32）の**サンスーシ宮殿**は政治史の方でも頻出ですね。

4 音楽は他の分野に比べて出題頻度は低めです（内容は面白いんですが…）。「美術なら写真を載せる，文学なら内容を引用する」といった工夫で，内容まで踏み込んだ問題を作ることができます。でも音楽は無理です。

そうかぁ，リスニング問題は出せませんからね（苦笑）。

5 大航海時代が到来して世界規模の貿易が行われるようになると，茶・砂糖・コーヒーなど新奇商品がヨーロッパに流入し，人々の生活様式を劇的に変えました（▲生活革命）。それに伴って出現した**コーヒーハウス**や**カフェ**，**サロン**（フランスで流行した，上流の女性が主催した社交場▲）では文芸論が語られ，知識人の社交場となります。政治や哲学の発展に寄与しました。

イギリス経験論と**大陸合理論**は，互いに対立する理念です（帰納と演繹（えんえき）については，現代文の授業で扱ったことがありますよね）。イギリスでは帰納法に基づく経験論が，フランスでは演繹法に基づく合理論が栄えます。**カント**がこれを批判的に統合し，**ドイツ観念論**が成立します。

4 音　　楽

▼情念・不均衡を取り入れる
(1) **バロック音楽**…**バッハ**（独，「音楽の父」），ヘンデル（独）

▼調和・形式美を重視　　▲後半生はイギリスのジョージ1世の宮廷で活躍
(2) **古典派音楽**…ハイドン（墺，「交響楽の父」），**モーツァルト**（墺）

6歳の時マリア＝テレジアの前で御前演奏。「トルコ行進曲」▲

5 哲　　学

(1) **イギリス経験論**（経験主義）

★**帰納法**…観察・実験から得られた個別的事象から一般的法則・真理を導く

①**フランシス＝ベーコン**…『新オルガヌム』

(2) **大陸合理論**（フランス）

★**演繹法**（えんえき）…絶対に疑う余地のない前提から個別的事象を導き出す方法

▲法則・真理
①**デカルト**…「われ思う，ゆえにわれあり」（合理主義哲学の出発点）

②**パスカル**…**『パンセ（瞑想録）』**

▲「人間は考える葦である」という言葉で知られる
③**スピノザ**…**汎神論**を主張したユダヤ系オランダ人。『エチカ（倫理学）』

▲神といっさいの万物は同一とする
④**ライプニッツ**…**単子（モナド）論**を主張したドイツ人。微積分法を創始

(3) **ドイツ観念論**…**カント**（経験論と合理論を批判的に統合）

6 政治思想

(1) **自然法**・国際法思想

★自然権…人が生まれながらにして持つ権利

▲生存権・基本的人権に近く「自己保存」を生来の権利とする
★自然法…自然権を保障する法。**自然権・自然法は国家の成立以前から存在するもの**であるから，王権よりも優越する，という主張がなされた

★国際法…主権国家間の関係を定めた法。自然法を基礎として確立

①**グロティウス**

・オランダの法学者・外交官。「近代自然法の父」，「国際法の祖」

▼三十年戦争の惨禍を見て，戦時でも守られるべき国際法規の確立を主張
・**『海洋自由論』**，**『戦争と平和の法』**

▲公海における自由貿易を主張し，商業国家オランダの立場を擁護

(2) **社会契約説**（イギリス）

★社会や国家は「自然状態」にいた人間が互いに契約を結ぶことで成立

①**ホッブズ**

・「人間は平和と秩序維持のために主権を君主に**譲渡**した」と主張したため，結果的に王政復古後の絶対王政を擁護

・**『リヴァイアサン』**…自然状態を**「万人の万人に対する闘い」**と表現

②**ロック**

68 「この時代の文化は，絶対君主が権威を誇示・**自慢**する点に特徴がある」と述べましたが，一方で絶対王政を**批判**し市民革命につながる思想も生まれてきます（本講の文化の特徴は**「自慢」の文化と「批判」の文化**，と韻を踏んで覚えるのがオススメ）。まずは**自然法**思想。「この世界には，国家が成立する以前から自然権というものが存在する」という前提に立ちます。自然権とは人間が生まれながらに持つ権利で，この世に国家や王というシステムが成立するはるか昔から存在していました。したがって，**国家や王など何人も自然権を侵すことは許されません**。「絶対君主であろうとも生存権を侵害することはできない」ということで，絶対王政を批判する性格を帯びていくわけです。自然法思想を国家間の関係に適用したモノが国際法で，この大家が**グロティウス**。**『戦争と平和の法』**は三十年戦争の惨禍を見て著されたものです。

▲現在でいう生存権・基本的人権に近い

▲このルールが自然法

自然法思想を発展させて絶対王政を批判する理論となったのが**社会契約説**。先に**ロック**の思想を紹介しましょう。国家や社会が存在する以前，自然権・自然法だけが存在する状態を「自然状態」と呼びます。

しかし，自然状態においては自然法を守るかどうかは各人の理性に委ねられているので，理性を失って欲望をあらわにする人が現れれば，人々の生命・財産は危険にさらされます。そこで，人々は生命・財産を保全するために権力を共同体の代表者に委任。これが国家の成立です。

この場合は王▲

王様を全面的に信頼しても大丈夫ですか？　悪人だったら……。

人民は，権力を為政者に無条件に譲渡したわけではありません。**「人民の生命・財産を守る」という条件で契約を結び，権力を委ねた**んですね。従って，王が暴政を行った場合には，「契約違反だ！」と王に反抗し，交替させることができる。これが**抵抗権（革命権）**です。

ロックに先立って社会契約説を唱えた**ホッブズ**の場合は，ロックと異なる面がいくつかありました。①「自然状態では人々は自由であり，欲望がぶつかり合い衝突・闘争が絶えない」と考えます。これを表現した言葉が**「万人の万人に対する闘い」**。②ホッブズは，**「たとえ悪政・暴政が行われても，人民は王に服従すべき」**と主張しました（王に逆らう前例を作ってしまうと，前例を口実にして，名君に逆らう人が出てくるかも。これは絶対に避けねばならない）。「暴君が出現しても運が悪いと思ってあきらめよう」というイメージで，ホッブズの思想は結果的に絶対王政を擁護することに…。

▲ロックはホッブズに比べて人間の理性を評価

17世紀は，**「科学革命」**と呼ばれる自然科学の目覚ましい発展が見られた時代でした。自然科学の発展を支えたのは，理性を用いた合理的な思考法です。

・人々は権力を為政者に譲渡したのではなく，**契約によって委ねた。**
従って，為政者が人々の生命・自由・財産を侵害した場合，人々は為政者に反抗して為政者を交替させる権利を持つ。**抵抗権（革命権）**
・名誉革命を擁護。アメリカ独立宣言やフランス人権宣言にも影響
・**『統治二論（市民政府二論）』**

(3) **啓蒙思想**（フランス）
★自然法思想と社会契約説を基盤に，理性を最高のものとして合理主義の立場から社会の不合理を批判する思考法。フランス革命の思想的背景
▲伝統・宗教・絶対王政
①**モンテスキュー**…**『法の精神』**で**三権分立**を主張
▼イギリスの制度を讃美し，フランスの絶対王政とカトリック主義を批判
②**ヴォルテール**…**『哲学書簡（イギリス便り）』**
▲フリードリヒ2世やエカチェリーナ2世と交際
③**ディドロ・ダランベール**…**『百科全書』**を執筆
④**ルソー**
・自由・平等と人民主権を主張し，フランス革命に影響。「自然に帰れ」
・**『人間不平等起源論』，『社会契約論』**
▲私有財産こそが人間の不平等の原因と主張

7 経済思想

(1) **重農主義**（フランス）
★富の源泉は土地（および農業生産）にあるとする思想。自然法を根拠に重商主義を批判して**自由放任主義**を主張。
▲「なすにまかせよ（レッセ＝フェール）」
①**ケネー**（『経済表』），**テュルゴ**（フランス革命前夜の財務総監）

(2) **古典派経済学**
★富の源泉は，自由な労働にあるとする経済思想
▲産業革命を思想面で支えた
①**アダム＝スミス**…**『諸国民の富（国富論）』**

8 自然科学

★**科学革命**…17世紀に自然科学研究が発達。各国は科学アカデミーを設立
①**ニュートン**（英）…**万有引力**を発見。微積分法を創始。**『プリンキピア』**
②**ボイル**（英）…**気体力学**の基礎を確立
③**ラヴォワジェ**（仏）…**質量不変の法則**を発見。フランス革命中に処刑
④**ハーヴェー**（英）…体内の**血液循環**を立証
⑤**リンネ**（スウェーデン）…**植物の分類**学を確立
⑥**ジェンナー**（英）…天然痘に対する**種痘法**を確立
⑦**ラプラース**（仏）…星雲説を発展させ，太陽系の成立過程を理論化

特に**ニュートン**による万有引力の法則の発見は，知識人に大きな衝撃を与えました。「人間が宇宙の法則を解明したのだから，理性を用いて合理的な思考を進めれば，世界の全ての法則（▲すなわち神の法則）を発見することができるのではないか？」と。その**理性に絶対的な信頼をおいて，社会の偏見・迷信を否定しようとする考え方**が**啓蒙思想**（▲啓蒙思想は，「思想」というよりも，「思考法・方法論」）です。特に絶対王政下にあった18世紀のフランスで栄え，思想の矛先は絶対王政や教会へ向けられました。当時の国王は「王の権力は神から与えられたのだから神聖不可侵」という**王権神授説**で権力を正当化していましたね。民衆が国王や教会にひれ伏すのは，後ろ盾に「神」が存在するからです。しかし，啓蒙思想家は理性を用いた合理的思考により「神のお告げや，神の力で起こる奇跡・現象などは根拠のない迷信である！」と一刀両断。アメリカ合衆国憲法に盛り込まれた三権分立を確立した**モンテスキュー**，プロイセンのフリードリヒ２世と交際した**ヴォルテール**，フランス革命のジャコバン派（山岳派）に影響を与えた**ルソー**，と政治に絡むお馴染(なじ)みのビッグネームが並びます。

『百科全書』って，啓蒙思想と関係あるんですかね…。

『百科全書』には客観的な事実が淡々と羅列され，迷信・偏見は一切記述されていません。また，絶対王政に不都合な事実も包み隠さず記載します。例えば，「世界にはキリスト教以外の宗教，絶対王政以外の政治体制なんていくらでもある。」こんなことを堂々と書かれたら，国王や教会といった体制側の人間には不都合きわまりないでしょう？

7 最後に経済学。絶対王政期は，政府が貿易を保護・コントロールして富を蓄える重商主義（▲→【重要テーマ3】）が主流でした。これに反発し，**自然法思想を経済に適用**して「政府は個人の経済活動の自由を侵害してはならない」という主張を掲げたのがフランスの**重農主義**，及びそれを受け継いだ**アダム＝スミスの古典派経済学**です。このように，絶対王政を攻撃・攻略するための思想的な武器が市民の手元に揃(そろ)い，市民革命に突入していくわけです。

	絶対王政を支える思想	絶対王政を批判する思想
政治理論	王権神授説 ←→	自然法思想（自然権は政府・王の制約をうけない）
経済理論	重商主義 ←→	経済活動も自由であるべき（↑経済に適用）

なお，「そういえば，産業革命（▲→テーマ37）の資本家層は自由な経済活動を求めていたよな…」という事情まで思い出せれば，皆さんの学力も本物ですよ。

テーマ80 19世紀の欧米文化

1 特　徴

(1) 産業革命に伴い市民階級は大きく成長，市民階級が文化の担(にな)い手

(2) 自然科学において多数の発明・発見がなされ，各分野で著しく進歩

2 文　学

(1) 古典主義

★17世紀のフランスに始まり，19世紀初頭にかけて流行。古代ギリシア・ローマ文化を理想とし，**理性**を重視する立場から調和と形式美を求めた

①**ゲーテ**（独）

・ヴァルミーの戦いに従軍。「新しい世界史の始まり」（▼1792年にフランス革命軍がプロイセン軍に勝利）

・『**ファウスト**』（▲錬金術師ファウストが悪魔メフィストフェレスと契約をむすぶ），『若きウェルテルの悩み』（▼婚約者がいる娘に恋したウェルテルが，自殺にいたる心理を描く）

②シラー（独）…『ヴィルヘルム＝テル』（▲ハプスブルク家の支配に反抗するスイス独立運動を描く）

※疾風怒濤(しっぷうどとう)（▲シュトルム＝ウント＝ドランク）…18世紀後半にドイツで起きた文学運動。道徳や因習を否定し感情の解放を目指す。ゲーテやシラーに見られ，ロマン主義に影響

(2) ロマン主義

★19世紀前半に流行。理性偏重の古典主義に反発し，**個性**や**感情**を尊重。ナショナリズムと結びついて**民族の歴史・伝統を重んじ**，中世を称(たた)えた

①**バイロン**（英）…ギリシア独立戦争に参加した詩人（▲『チャイルド＝ハロルドの遍歴』）

②**ヴィクトル＝ユゴー**（仏）

・共和主義者で，ナポレオン３世の帝政を批判し亡命生活をおくった

・『**レ＝ミゼラブル**』（▲ジャン＝バルジャンの苦難の人生を軸に，愛情をこめて人々を描写）

③**ハイネ**（独）…マルクスと交際し「革命詩人」と呼ばれる。『歌の本』

④**グリム兄弟**（独）…『グリム童話集』（▲ゲルマン神話や民話を収集）

⑤プーシキン（露）…デカブリストの乱に共鳴。『オネーギン』，『大尉の娘』

(3) 写実主義（リアリズム）

★19世紀半ばに流行。ロマン主義に対する反動として，**社会や人間をありのままに描写**しようとした

①**ディケンズ**（英）…『オリヴァー＝トゥイスト』『二都物語』（フランス革命期のパリとロンドンを舞台とする悲恋の物語▲）

②**スタンダール**（仏）…『**赤と黒**』（▲特権階級に敵意を抱くジュリアン＝ソレルの生涯を描く）

1 本講に対応する政治史は，**テーマ38～43**です。19世紀の文化は他を圧倒する分量で，文化史のヤマ場になります。この時代を通じて出版文化が浸透し，様々な文学作品が幅広く読まれるようになります。また，自然科学の著しい発達は，文学や哲学にも影響を及ぼしました。

2 まずは思潮の流れから。18世紀後半から19世紀前半にかけて，**理性**を絶対視する**啓蒙思想**の影響で「理性」「調和」を重んじる**古典主義**が栄えます。（ギリシア・ローマの古典文化も調和を重視していた）**ゲーテ**はフランス革命中のヴァルミーの戦い（→テーマ36）を見て「ここから世界史の新しい時代が始まる」と述べたことでも有名です。ゲーテやシラーは受験的には古典主義に分類されますが，彼らの時代に流行した「疾風怒濤（シュトルム＝ウント＝ドランク）」というトレンドは，ロマン主義の母胎になりました（二人は古典主義とロマン主義の橋渡しという感じ）。

その啓蒙思想を土台としたフランス革命では，ジャコバン派（山岳派）による恐怖政治が荒れ狂い，ナポレオンも単なる征服者でしかなかったことが判明…。理性に対する信頼は揺らぎ，その反動から感情や個性を重んじる**ロマン主義**が生まれました。**ウィーン体制下のナショナリズムの高揚と連動して，歴史や民族の伝統を尊重するのもロマン主義の特徴**です。

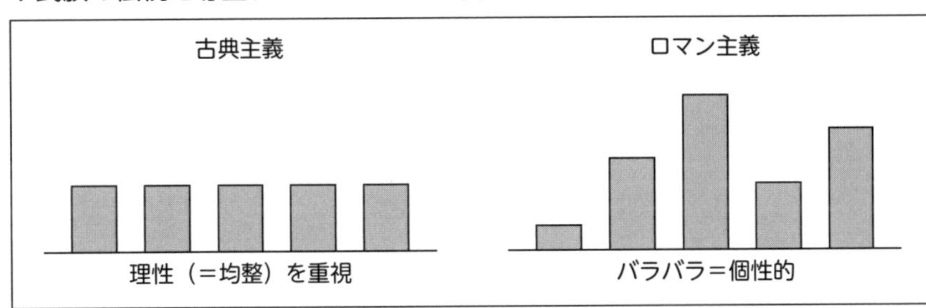

上の図は，古典主義とロマン主義をざっくりとしたイメージで示したものです。「古典主義は理性的で揃(そろ)っている，ロマン主義は自由でバラバラ」というイメージ。**「バラバラ＝個性的だ」**ということに気づけばOKです。「均整がとれて揃っているのは美しい」と「他と違うのは個性的でイイよね」という対比ですね。そして，ウィーン体制下において，**「民族が個性的で他とは違う＝ナショナリズム」**とつながっていくわけです。

日本で暮らしてると，つい「横並び＝善」って考えちゃいます(汗)。

ギリシア独立戦争に参戦した**バイロン**は，まさにナショナリズムにどっぷり浸(つ)かった詩人ですね。あと，皆さんも小さい頃にグリム童話（赤ずきん，白雪姫など）を読んだことがあると思いますが，これは**代々伝わる神話や伝承をまとめることで，ドイツ民族**

第8章 文化史

③**バルザック**（仏）…『人間喜劇』（民衆生活を描いた短編小説集）
④トゥルゲーネフ（露）…『父と子』
▲ロシアの農奴解放前後の新旧世代の思想的対立を描く
⑤**ドストエフスキー**（露）…**『罪と罰』**
▲理念に基づき殺人を犯した大学生の心情・苦悩を描く
⑥**トルストイ**（露）
・晩年は戦争反対・非暴力を唱え，ガンディーの活動にも影響を与えた
▲→テーマ57
・**『戦争と平和』**（ナポレオン戦争期のロシア貴族一家の姿を描く）
※ロシアは農奴制など社会矛盾が山積していたため，写実主義が特に流行

(4) **自然主義**

★写実主義をさらにつきつめ，現実を自然科学的にとらえ，社会矛盾を批判
①**ゾラ**（仏）
・**ドレフュス事件**で**「私は弾劾する」**を寄稿し，ドレフュスを擁護
・**『居酒屋』**
▲パリの下層労働者の店がさびれ，最後は主人公が孤独に死ぬまでを描く
②**モーパッサン**（仏）…『女の一生』
▲貴族の娘ジャンヌの一生を，救いのない形で描写
③**イプセン**（ノルウェー）…**『人形の家』**
▲女主人公の家庭からの解放。女性解放の観点でも注目を浴びた

(5) 耽美（たんび）主義・象徴主義…自然主義に反発。内面性の表現や美的な質を重視

①**ボードレール**（仏）…詩集『悪の華』
▲詩人の誕生から死までの遍歴を退廃的・官能的に表現

3 美術

(1) **古典主義**

①**ダヴィド**（仏）…ナポレオン１世の宮廷画家。「ナポレオンの戴冠式」
※**ゴヤ**（スペイン）…「1808年５月３日」
▲ナポレオン軍に対するスペインの民衆反乱を描く

(2) **ロマン主義**

①**ドラクロワ**（仏）…「キオス島の虐殺」，**「民衆を導く自由の女神」**

(3) **自然主義**

①**ミレー**（仏）…農民生活を主題とした風景画。「落穂拾い」，「晩鐘」

(4) **写実主義**

①**クールベ**（仏）…**パリ＝コミューン**に参加。「石割り」

(5) **印象派**

★写実主義に反発し，19世紀後半に起こった。色彩や光を各個人の印象（主観）でとらえて描写。日本の絵画の影響もうけている（ジャポニスム）。
①マネ（仏）…印象派の父といわれる。「草上の昼食」
②**モネ**（仏）…「印象・日の出」，「睡蓮（すいれん）」
③**ルノワール**（仏）…「ムーラン＝ド＝ラ＝ギャレット」

の伝統を強調しているわけです。政治絡みでは，**ヴィクトル＝ユゴー**（→テーマ40）がナポレオン３世に批判的であったことは有名です。ロマン主義は総じて，「来たるべき革命・ナショナリズム・工業化の時代」に期待を寄せる人々の気持ちを反映していたといえます。

19世紀後半になると，今度はロマン主義を非現実的とこき下ろす反動が起こります。1848年の革命（→テーマ38）はフランスを除き，保守派によって鎮圧されてしまいましたね。産業革命に伴って到来した工業化社会では，資本主義の問題点が噴出。生活が便利になった側面はあるものの，貧富の差は拡大し，労働者は苦しい生活を強いられました。こういった現実を，冷めた目でありのままに描こうとするのが**写実主義**（その特性から，小市民を題材にした作品・悲惨な結末の作品が目立つ）です。ロシアの作家が多いのは，ツァーリズムが存続するロシアでは社会問題が山積みだったことを反映しています。**アレクサンドル２世**は，トゥルゲーネフの『猟人日記』を読んで農奴解放を決意したといわれていますよ。写実主義をさらに押し進めたのが**自然主義**で，方向性は写実主義と同じです。**ゾラ**は文化史でよりも**ドレフュス事件**（→テーマ40）に関連して政治史で出題されることの方が圧倒的に多いですね。

うん，だいぶ理解できました！　他に文学のコツはないですか？

ロマン主義と耽美主義・象徴主義は感情（主観）を重視するから，詩人が多くなる，と覚えておくと便利です。逆に，写実主義・自然主義では詩人は少なく，リアルな小説家が中心。「感情を語らない，冷静な詩」なんて，不自然きわまりない（笑）。

3 美術・音楽面でも，文学と共通する思潮の流れが見られます。

文学：古典主義➡ロマン主義➡写実主義➡自然主義➡象徴主義・耽美主義
美術：古典主義➡ロマン主義➡自然主義➡写実主義➡印象派➡ポスト印象派

ナポレオン（→テーマ36）のスペイン征服に抗議した「1808年５月３日」で知られる**ゴヤ**は，特定の主義に分類されないことが多いようです。**絶対王政を打倒して民衆を解放するはずのナポレオン軍が，単なる侵略軍でしかなかったことを端的に表現**した絵画ですね。**古典主義**の**ダヴィド**は「ナポレオンの戴冠式」を手がけたナポレオンの宮廷画家で，他にも「球戯場の誓い」などフランス革命に絡む作品を描きました。**ロマン主義**は情熱的でナショナリズムに燃えるのが特徴ですが，**ドラクロワ**も例外ではありません。「キオス島の虐殺」は，ギリシア独立に際してオスマン帝国の残虐さを糾弾した作品で，**「民衆を導く自由の女神」**のテーマは七月革命です。

(6) ポスト印象派

★19世紀末に印象派から発展。自然の根源的形態を把握・表現しようとした

①セザンヌ（仏）…「サント＝ヴィクトワール山」

②**ゴーガン**（仏）…晩年，タヒチに移住したことで知られる

③**ゴッホ**（オランダ）…精神を病み，最後は自殺。「ひまわり」

(7) 彫刻…**ロダン**（「考える人」などで知られる）

4 音　楽

(1) 古典派音楽

①**ベートーヴェン**（独）…古典派を大成し，ロマン派への道も開く。「英雄」
皇帝即位前のナポレオンのために作曲したとされる▲

(2) ロマン主義音楽

①**シューベルト**（墺）…歌曲の王と呼ばれた。「野ばら」，「冬の旅」

②**ショパン**（ポーランド）

・ポーランド蜂起失敗をうけ，「革命」を作曲したとされる
▲フランス七月革命の影響をうけ，ロシアからの独立を目指した

③**ヴァーグナー**（独）…楽劇を大成。「ニーベルングの指環（ゆびわ）」

(3) 印象派音楽

①ドビュッシー…「牧神の午後への前奏曲」，「海」

5 哲　学

(1) ドイツ観念論

①**フィヒテ**（独）…ベルリン大学初代総長。講演**「ドイツ国民に告ぐ」**
ナポレオンによるドイツ占領に対し，ドイツの民族意識を鼓舞▲

②**ヘーゲル**（独）

・ドイツ観念論を大成

・**弁証法**…存在や思惟（しい）は絶えずその内部に矛盾をはらみながら，より高次な次元でそれを統一して発展していく

③**マルクス**（ユダヤ系ドイツ人）
▲→テーマ43

・史的唯物論…ヘーゲルの弁証法と，唯物論を発展的に融合
▲フォイエルバッハが唱えた

・労資の階級闘争の理論を確立し，「共産主義の到来を必然」と主張

・**『共産党宣言』**，**『資本論』**
▲遺稿はエンゲルスが編集して発行

(2) **功利主義**

★「幸福は量的・客観的に計算できる」として，その追求を重視

①**ベンサム**（英）…**「最大多数の最大幸福」**の実現を社会の理想とした

②**ジョン＝ステュアート＝ミル**（英）…幸福の量だけでなく質も重視
▲第２回選挙法改正の実現に尽力。女性参政権の主張でも知られる

ロマン主義への反動で**自然主義・写実主義**が台頭するのは文学と同様です。現実をありのままに描こうとする写実主義の画家は，**「民衆を導く自由の女神」**を描いたドラクロワを猛烈にバッシング。**「フランス国旗を持った女神が民衆の先頭に立って走っているが，お前は本当にこれを見たのか？**　勝手な妄想をするなよ」と（笑)。美術は文学とは異なって，自然主義の方が写実主義よりも先に登場する点に注意。自然主義は農村や自然風景を題材とするのが特徴で，**ミレー**が巨匠。政治面では**クールベ**と**パリ＝コミューン**（▲→テーマ40）の関わりが要チェック。

19世紀後半には**印象派**が現れました。「より実物に似せて描くべき」という従来の理念にとらわれず，**描く対象からうける印象を表現しようとした**（▲とくに「光」の表現を追求）のが特徴です。この背景には写真の発明・普及があるといわれています。写真は「究極の写実主義」なわけで，美術の目的・方向性そのものを変化させました（どんなに写実的な作品を追求しても，写真にはかなわないですからね)。この印象派という名称は**モネ**の「印象・日の出」に由来します。印象派・ポスト印象派は，20世紀の絵画（▲野獣派・立体派・超現実主義　→テーマ81）につながっていきます。印象派の創始者マネが描いた「エミール＝ゾラの肖像」は，**「画家もモデルも有名人」**のパターンですよ。

ホルバインが描いた「エラスムス像」と一緒ですね。

おっ，バッチリ復習（▲→テーマ78）してますね！

4　音楽も，古典派からロマン派へ至る流れは同じです。前で述べたように音楽の出題頻度はそれほど高くないので，政治と接点のある人に注目。**ベートーヴェン**がナポレオンの皇帝即位に失望（▲近年は異説もある）したエピソードは有名ですね。ロマン派はやはりナショナリズムと結びつき，**民族の伝統民謡・舞踊を取り入れる**作曲家が何人も現れました。代表格が**ショパン**で，主として３／４拍子を特徴とする「マズルカ」「ポロネーズ」といったポーランド伝統舞踊の形式を曲に取り込んでいます。

5　カントはイギリス経験論と大陸合理論を批判的に統合しました（ざっくりいうと，演繹法をとる大陸合理論が重視する人間の理性（▲≒科学）の客観性を擁護する一方，人間の認識には限界があるとして，その濫用を戒めました)。彼が確立したドイツ観念論を大成したのが**ヘーゲル**。彼は**弁証法**哲学を確立し，世界の事物・事象が無限に発展していくことを主張しました。弁証法とは，**「存在や思惟は絶えずその内部に矛盾をはらみながらも，より高次な次元でそれを統一して発展していくとする考え」**と定義できます。下手をすると世界史の範囲を超えて倫理にまで踏み込んでしまうので，ごくシンプルに説明してみます。

(3) 実証主義

★知識の対象を，科学的に観察できる実証的な事実に限定

①コント（仏）…実証主義を体系化し，「社会学の祖」と称される

(4) **実存主義**

★人間は不合理・不条理な存在であり不安・孤独・絶望・苦悩は避けられないが，その中で自己の存在意義をみきわめ，自己形成を目指す思想

「一般的・抽象的な人間」ではなく，個別の「人」を対象とするのが特徴▲

①**ニーチェ**（独）

・キリスト教がヨーロッパ文明退廃の原因であると主張。「神は死んだ」

「キリスト教は，弱者が強者に対して道徳的優越感を得るために生み出したもの」と批判▲

・「超人」（人間的可能性を極限まで実現した強者）を目指すことを説く

6 経済思想

(1) 古典派経済学

①**マルサス**（英）…『人口論』。穀物法を支持

人口増加に伴う貧困の不可避を主張▲　▲→テーマ39

②**リカード**（英）…労働価値説を確立。穀物法の廃止を主張

▲国際分業体制の立場から

(2) 歴史学派経済学

①**リスト**（独）

・イギリスに対抗するため，経済後進国ドイツでの**保護関税貿易**の必要性を説く

・**ドイツ関税同盟**の結成とドイツ統一に尽力

7 歴史学・法学

(1) 近代歴史学

①**ランケ**（独）…史料批判によって実証的・科学的に史実を追究

(2) 歴史法学

①サヴィニー（独）…各民族の歴史・精神に基づく固有の法体系を主張

自然法思想に反発▲

8 自然科学

(1) 物理学・科学

①**ファラデー**（英）…**電磁誘導の法則**などを発見

②**マイヤー**と**ヘルムホルツ**（独）…**エネルギー保存の法則**を発見

③**レントゲン**（独）…**X放射線**を発見し，第1回ノーベル物理学賞を受賞

④**キュリー夫妻**…夫はフランス人で妻は**ポーランド**人。**ラジウム**を発見

奴隷制は人道に反するから廃止すべき！	←対立→	ただその一方で，産業発展のためには労働力が必要だ

⇩ より高次な次元で統合・発展

移民を積極的に受け入れて，労働力を確保すればよい！

こんな風に，人間は歴史において相反する問題に直面する。でも，様々な葛藤を経て双方の問題を解決して高度な解答を導きだせる。「**人間の歴史はよりハイレベルな方向へ発展していく**」という考えです。**マルクス**はヘーゲルの影響をうけて**弁証法的唯物論**を掲げました。**テーマ43**で説明したマルクスの共産主義を思い出してください。

なるほど，生産様式が発展して，共産主義という完成形へと向かって行きます。マルクスは未来を「予言」してましたね。

次に**功利主義**です。技術や資本家層の生活が日進月歩で進歩していた産業革命期，「幸福を数量化する」試みが，資本家層の支持を得ました。（▲労働者の生活は悲惨であったが）**ベンサム**は，できるだけ多くの人が幸福になること，その一人一人が最大限の幸福を得られることを理想としました。それが**「最大多数の最大幸福」**です。

実証主義は，自然科学の発達と密接に結びついています。直感的に正しいに違いない！　とされてきた常識も，実際に経験したりして証明されなければ一切信用しないという姿勢です（例えば，「絶対に正しいに違いない！」と無批判に受け入れられてきたニュートン力学に，実証主義的立場から一石を投じた学者がおり，これはアインシュタインの相対性理論の確立に大きな影響を与えました）。コントは，人間社会の分析にも自然科学的な手法を用いて，包括的に説明しようとしました。（▲コントの師は社会主義者のサン＝シモン）これが社会学です。

実存主義は，実証主義と名前は似ていますが，スタンスとしては対極にあるといえるかも。20世紀でも哲学界の大きな潮流になりました。従来の哲学は「全ての人間は◎◎すれば△△できる」と，全ての人間を対象にしていましたが，実存主義はその前提を覆(くつがえ)し，「**人間はそんなにシンプルではないし，強くない。理性や科学だけでは処理できない不条理な存在であり，理屈で説明できない部分が必ずある**」という立場をとります。その中で，個々の人間が己(おのれ)の存在する意味を導き出し，実現を目指していきます。

（▲実存）

6 7 古典派経済学は**アダム＝スミス**の**自由放任主義**の流れをくんでいます。（▲→テーマ79）**マル**

第8章 文化史

⑵ 生物学・医学

①**ダーウィン**（英）…**『種の起源』**で，自然選択による生物の**進化論**を主張

②**スペンサー**（英）…**社会進化論**（進化論の概念を人間社会に適用）
有色人種に対する白人の植民地支配を正当化するのに利用された▲

③**メンデル**（墺）…**遺伝**の諸法則を発見

④**パストゥール**（仏）…狂犬病の予防接種に成功し，伝染病医療を確立

⑤**コッホ**（独）…結核菌・コレラ菌を発見し，細菌学の発展に寄与

9 科学技術

⑴ 電信技術

①**モース**（**モールス**，米）…**有線電信**機とモールス信号を考案

※海底電信ケーブル…1851年に英仏間，66年に大西洋間に敷設された

②**マルコーニ**（伊）…**無線電信**を発明。1901年に大西洋横断の交信に成功

③**ベル**（米）…磁石式**電話**機を発明

⑵ 交通・運輸に関わる技術

①ジーメンス（独）…**電動機（モーター）**と電車を発明

②ダイムラー（独）…ガソリン内燃機関を発明し，**自動車**を実用化

③ディーゼル（独）…**ディーゼルエンジン**を発明

⑶ その他

①**エディソン**（米）…蓄音機，白熱**電灯**など多くの業績を残した「発明王」

②**ノーベル**（スウェーデン）…**ダイナマイト**を発明
▲彼の死後，遺産の基金をもとにノーベル賞が創設された

10 近世以降の探検家

①タスマン（蘭，17世紀）…オーストラリア沿岸を探検
タスマニア・ニュージーランド・フィジーなどを「発見」▲

②**クック**（英，18世紀）…太平洋を縦断。ハワイで先住民に殺害された

③**リヴィングストン**（英）…宣教のため南アフリカに派遣され，ヴィクトリア瀑布（ばくふ）を「発見」したが，その後途中で消息を絶った

④**スタンリー**（米）
▲出身地はイギリス

・アメリカの新聞記者でリヴィングストンを捜索し，発見

・ベルギー王**レオポルド２世**の援助をうけて，コンゴ川流域を踏査

⑤**ピアリ**（米）…1909年に**北極点**に初到達

⑥**アムンゼン**（ノルウェー）…1911年に**南極点**に初到達

⑦スコット（英）…アムンゼンに１ヶ月遅れで南極点に到達。帰途に遭難死

⑧ヘディン（スウェーデン）…中央アジアを探検
▲「さまよえる湖」ロプノールを踏査し，楼蘭遺跡を発見

サスとリカードを押さえておきましょう。入試においては，両者の穀物法に対するスタンスは頻出です。歴史学派経済学のリストはドイツ関税同盟の結成に尽力しました。これは「自由貿易は工業国家イギリスに有利なやり方だ。後進国で統一のなされていないドイツでは，自由貿易を採用したらイギリスの製品によって国内産業が壊滅してしまう。国内を守るために**保護関税貿易**をすべき」という考えに基づいています。歴史法学のサヴィニーも，ドイツの歴史・民族の伝統に基づく固有の法律を制定しようとしました（**ドイツ人にとってはドイツ統一が悲願**であり，そのために様々な策を講じているのです）。これはロマン主義に近い考え方で，**「他と違う＝個性的でよいことだ。他と同じである必要はない」**という図式で，ナショナリズムと結びついているわけです。

8 自然科学の分野が暗記にかたよってしまうのは，文系の受験生には仕方のないことですね…。コツコツ進めましょう。ダーウィンは進化論を掲げ，**環境に適応できた生物が生き残って進化を遂げてきた**，と主張しました。（聖書的な「神による人間の創造」を信じている人々に衝撃を与えた）進化論を人間社会に応用したのが社会進化論。「人間世界でも，社会に適合した能力のある者が生き残る」という思想は，**ヨーロッパ人による植民地支配を正当化するのに利用され**，人種差別の根拠にもなりました。メンデルの遺伝は，生物の授業で勉強した人も多いでしょう。パストゥールとコッホは，当時のフランスvsドイツというライバル関係を反映して，互いに対抗意識を燃やして（→テーマ40）研究していたそうです。ここにも政治の影響が及んでいて興味深いですね。

9

科学「技術」の方は，文系の私でもイメージしやすいです。

はい，なじみのある名前が並んでいますね。運輸・通信技術の発達によって迅速な人員・物資輸送，情報伝達が実現したことは，政治・軍事・経済といったあらゆる分野で，世界の在り方に大きな影響をもたらしました。ガソリンエンジンをもとに作られるようになった自動車は，1920年代のフォードの所で（→テーマ59）扱いましたね。航空機は第一次世界大戦では新兵器として投入（→テーマ53）されました。ダイナマイトを発明したノーベルの死後に創設されたノーベル賞は，現在も毎年受賞者をめぐってニュースを賑（にぎ）わせています。難関私大では，「ノーベル賞を受賞した文化人」という切り口で人名が問われることも珍しくありません。

10 探検家では，太平洋のタスマンとクック（→テーマ48），アフリカのリヴィングストンとスタンリー（→テーマ45）に関しては帝国主義の単元で扱いました。対して，北極・南極に到達した探検家に関しては，受験生の皆さんの対策が疎（おろそ）かになりがちです。南極点に初めて到達したアムンゼンは，共通テストの前身である大学入試センター試験で出題されたこともありますよ。

第8章 文化史

テーマ81 20世紀の欧米文化

1 文　学

①バーナード＝ショー（英）…**フェビアン協会**の創設に寄与した作家
▲イギリスの社会主義組織
②ロマン＝ロラン（仏）…反戦，反ファシズムの立場を貫いた作家
『ジャン＝クリストフ』，『魅せられたる魂』▲
③**ヘミングウェー**（米）…「失われた世代」の作家。『誰がために鐘は鳴る』
スペイン内戦に参加したアメリカ青年の3日間の恋と英雄的な死▲
④オーウェル（英）…『カタロニア賛歌』
▲スペイン内戦での経験をもとにしたエッセー
⑤マルロー（仏）…戦後，フランスの文科相に就任。『希望』
スペイン内戦で国際義勇軍に参加した経験をもとに執筆▲
⑥トーマス＝マン（独）…ナチスの台頭に反発してアメリカに移住。『魔の山』
結核の青年の前に現れる様々な国の人物から，当時の時代性を描写▲

2 芸　術

①マティス（仏）…野獣派（フォービズム）を代表する画家
▲荒い筆致と原色を用いることから「野獣」に例えられた
②**ピカソ**（スペイン）…立体派（キュビズム）を創始した巨匠。「**ゲルニカ**」
▲対象を球体・円筒・円錐などの形態に分解，再構成する手法
③ダリ（スペイン）…超現実主義（シュルレアリスム）を代表する画家
▲フロイトの精神分析学の影響をうけ，人間の深層心理・潜在意識を表現

3 社会科学

▼勤勉・禁欲的なプロテスタント精神が，近代資本主義の精神的支柱となったことを主張
①**ヴェーバー**（独）…『プロテスタンティズムの倫理と資本主義の精神』
▲マックス＝ヴェーバー
②**デューイ**（米）…**プラグマティズム**を大成。中国の**胡適**(こせき(こてき))が師事
▲知識・思想の価値は，生活行動に及ぼす実利的効果で決まるとする
③シュペングラー（独）…歴史学者。『西洋の没落』は大きな反響を呼んだ
▲第一次世界大戦はヨーロッパ文明の没落の始まりであると説く
④ケインズ（英）…経済学者。有効需要の理論はニューディールにも影響
⑤**フロイト**（墺）…**精神分析学**を確立。ナチス進出をうけイギリスへ亡命
▲ユダヤ系
⑥サルトル（仏）…実存主義の思想家。『存在と無』
▲主体的な行動によってあとから本質が作られる，とした
⑦レヴィ＝ストロース（仏）…文化人類学者で，構造主義を確立
▲人間社会の深層にある「構造」を探求
⑧サイード（米）…オリエントに対するヨーロッパの偏見を指摘
▲パレスチナ生まれ　▲主著『オリエンタリズム』

4 自然科学

①**アインシュタイン**（ユダヤ系ドイツ人）
- **相対性理論**で時空の概念を一新。ナチス政権成立に伴い，米国に移住
- 戦後は平和運動に参加してラッセル・アインシュタイン宣言を発表

コラム2 column 伝染病・感染症と世界史

2019年末から世界で大流行（パンデミック）し，日本にも大きな混乱をもたらした**新型コロナウイルス感染症（COVID-19）**。世界史では14世紀にヨーロッパで流行した**黒死病（ペスト）**（▲→テーマ26）が伝染病・感染症の代表格ですが，このペスト以外の伝染病も，世界史に影響を及ぼしてきました。

(1) ペロポネソス戦争中にアテネで流行した伝染病

ペロポネソス戦争中，アテネを率いる**ペリクレス**（▲→テーマ4）は，田園部を放棄して城壁内に立てこもる作戦をとりました。しかし，住民が密集している状況で伝染病（腸チフスではないかといわれている▲）が流行して多くの兵力を失い，ペリクレス自身も死去し，スパルタに敗れました。

(2) アメリカ先住民に流行した伝染病

アメリカ先住民（**インディオ**）は，**ヨーロッパ人が持ち込んだユーラシア大陸の伝染病**（▲天然痘・はしか・インフルエンザなど）**によって人口が激減しました**（▼→テーマ28）ね。一方でユーラシアの方でも，梅毒などアメリカ大陸起源の伝染病が流行する事態となりました。

(3) 天然痘

天然痘に似ている牛痘（▲ウシが感染する天然痘。これに人間が感染しても症状が軽く済む）にかかった牛のウミを接種することで，天然痘に対する免疫力を高める。この手法（▲種痘法）を確立したのがイギリスの**ジェンナー**（▲→テーマ79）です。

(4) コレラ

産業革命期，都市部に人口が集中して（「スラム化」）衛生環境が悪化（▲→テーマ39）し，コレラが大流行しました（▲19世紀前半，リヴァプールの労働者の平均寿命は15歳，という記録がある）。これに対応するために**上下水道が整備**され，また公衆衛生意識が高まったことから，コレラは「衛生の母」と呼ばれます。

(5) パストゥールとコッホ

上記のコレラ菌を発見したのがドイツのコッホ（▲→テーマ80）。コッホやパストゥールらの研究によって免疫・防疫に対する知見は飛躍的に向上しました。

(6) アフリカの代表的な風土病であるマラリア

マラリアの特効薬が開発されたことで（パナマ運河の開削においても，マラリアの防疫は大きく役に立った▼），ヨーロッパ人が安心してアフリカ内陸部に進出できるようになり，**アフリカの探検・分割が進みました**（▲→テーマ45）。

(7) 第一次世界大戦期（▲→テーマ53）**のインフルエンザ**

多くの兵士が国境を越えて移動したことが，流行の背景にあったようです（▲「スペイン風邪」の俗称で呼ばれた）。世界総人口の３分の１が感染し，死者数は5000万人に及ぶと推計されます。大戦末期の1918年７月，ドイツ軍が西部戦線で敗走したのは，インフルエンザの蔓延（まんえん）で兵力を維持できなかったからとも言われています。

テーマ82 中国文化① 諸子百家

1 諸子百家

(1) **儒家**

①**孔子**

・仁…人間の道徳的感情。この実践によって，社会秩序が安定すると説く
▲親に対する孝と兄に対する悌が根本

・礼…社会生活における規範

・徳治主義…仁と礼の実践による統治論。周の封建制を理想とした

②**孟子**

・**性善説**…人間の本性は善であり，後天的な環境が悪の根源と考えた

・王道政治を主張，覇道政治を否定
▲徳による統治　▲力による統治

・**易姓革命**…天子の徳が不足すると，天命で別の有徳者に天子の位が移る
平和的な王朝交代が禅譲，武力による交代が放伐▲

③**荀子**…**性悪説**を唱え，礼による教化の必要性を主張。法家に影響
▲人間の本性は悪である

(2) **法家**…法を基準とした，信賞必罰の原則による統治を主張

①**商鞅**…秦の孝公に仕え法治主義を徹底させ，富国強兵を推進

②韓非…荀子の門下生で法家思想を大成。秦に仕えるが李斯に謀殺された

③**李斯**…荀子の門下生。秦の始皇帝の天下統一をたすけ，中央集権化を推進

(3) **道家**…**無為自然**を主張。のちの道教にも影響。**老子**と**荘子**がその代表
▲人為を排し，自然の摂理に従って生きること

(4) **墨家**…**墨子**は儒家の仁を差別愛として批判。兼愛・交利・**非攻**を主張
▼縦横家の記録である『戦国策』が「戦国時代」の名称の由来　▲無差別の愛

(5) **縦横家**…各国の君主に外交的駆け引きを説く

①**蘇秦**…秦に対抗するため，他の６カ国が同盟を結ぶ**合従策**を説いた

②**張儀**…秦が他の６カ国と別々に同盟を結ぶ**連衡策**を用い，合従策を破る

(6) 陰陽家…天体の運行と人間生活・社会とを結びつけた

①鄒衍…陰陽・五行説（木・火・土・金・水の５要素からなる）を大成

(7) 兵家…兵法・戦略を説く。孫子・呉子が代表
▲孫子は，実際は２人の人物であったことが判明している

(8) 名家…名称と実体の関係を明らかにしようとしたが，詭弁に陥った

①公孫竜…「白馬は馬にあらず」という言葉で知られる

(9) 農家…許行が，君主自身の耕作・物価の平均化などを主張

(10) 春秋戦国時代の文学

①『**楚辞**』…楚の屈原などの作品が収められた韻文集。『詩経』と並び中国最古の詩集とされる

1 本講が対応する政治史は，**テーマ6**です。戦国時代に，**封建制が動揺して弱肉強食・実力主義の風潮が生まれた**ことで，諸国は富国強兵のアイディアを広く天下に募集しました。目を引くアイディアを提案した人材は重要ポストに登用され，腕をふるうことができました。この様々な提案をした思想家集団が**諸子百家**。政治史で扱った，血縁重視の氏族制社会が動揺していたことも，幅広く人材が登用された一因です。

どういうことですか？

例えば宰相を任命する時，血縁重視の時代ならば，実力的にイマイチであっても一族（宗族）の中から選ぶしかありません。ですが，血縁にこだわらない実力主義の時代になれば，全くのアカの他人を宰相に抜擢できますよね。

諸子百家のうち，**儒家**と**法家**に関しては政治史で扱いましたから，ここでは他の諸派を紹介します。**道家**のキーワードは**「無為自然」**。**文明や，世俗的な立身出世にこだわることを捨て，自然の摂理に従ってあるがままに生きる**ことを説きました。のちに成立する道教の源流にもなります。**墨家**の**墨子**は，儒家との対立から問われることが多いです。（戦国時代には，儒家をしのぐ勢力を誇ったといわれる▲）「家族に対する孝や悌を強調するのは差別であり，**全ての人を無差別平等に愛するべき**（兼愛）！」と主張。全ての人を愛するので戦争は当然NGですが，自身を守る専守防衛は認めました。（▲これが非攻）

縦横家の**蘇秦**と**張儀**の外交は漢文で読んだことがあるかも。戦国の七雄の中で，秦が頭一つ抜きんでた存在になると，蘇秦は**合従策**を説いて６カ国同盟を結成して秦に対抗。（▲秦に対抗するため，他の６カ国が同盟を結ぶ）対する秦は張儀の**連衡策**で６カ国を分断，切り崩します。（秦が他の６カ国と別々に同盟を結ぶ▲）

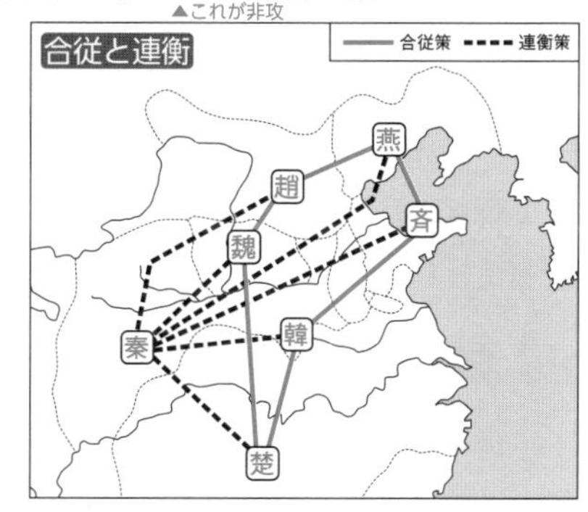

陰陽家の思想は，現在の日本でも陰陽師や十干の思想に受け継がれてます。（▲甲(きのえ)，乙(きのと)，丙(ひのえ)，丁(ひのと)……）十干に干支を組み合わせたものが十干十二支で，年などを表すのに用いられますね。十干十二支は全部で60種類ありますが，世界史で馴染みがあるのは「壬辰」「丁酉」「壬午」「甲申」「甲午」「戊戌」「辛丑」「辛亥」などです。思い出せない人は，政治史パートで調べてください！　兵家も「孫子の兵法」として日本で広く知られていますね。

最後にこの時代の文学として**『楚辞』**を紹介しましょう。楚の王族であった屈原の詩が収められていることで知られています。彼は，前述した秦の張儀の策にはまって楚が大敗すると，祖国の将来に絶望して自殺しました。

テーマ 83

中国文化②　漢・魏晋南北朝・唐の文化

1 漢代の文化

(1) 歴史

①**司馬遷**…『**史記**』（黄帝から武帝までを記した紀伝体の史書）
▲前漢の武帝の怒りをかい宮刑に処せられる

②**班固**…『**漢書**』（劉邦から王莽までを記した紀伝体の史書）
▲後漢で西域都護をつとめた班超の兄

紀伝体	編年体
本紀・列伝などから構成され，王朝の正史はこの形式が基準となった（▲本紀：帝王の年代記／▼列伝：功臣などの伝記，外国の情報）	時系列に沿って史実を叙述する方式。『**春秋**』，『**資治通鑑**』など

(2) 宗教

①**張角**…宗教儀礼による病気治療を説く**太平道**の指導者。後漢末に反乱
▲五斗米道とともに，のちに道教の源流となった

②張陵…祈祷による病気治療を説く五斗米道の指導者
▲名称は謝礼の米五斗に由来

③大乗仏教…紀元前後に中国に伝来したといわれる

(3) 文字に関わる発明

①蔡倫…**製紙法**を改良した後漢の宦官。紙は竹簡・木簡・帛に代わり普及
▲帛：絹布

(4) 儒学

①**董仲舒**…前漢の武帝に儒学の官学化を進言。**五経博士**を設置

・五経…『**詩経**』，『**春秋**』，『礼記』，『書経』，『易経』
▼詩経：楚辞とならぶ，世界最古の韻文集　▲春秋：孔子が編さんしたとされる魯の年代記

②**鄭玄**…**訓詁学**（経書の字句解釈を目的とする）を大成した後漢の儒学者

2 魏晋南北朝の文化

(1) 特徴

①華北…五胡が侵入し政治的に不安定。社会不安の中で仏教が根をおろす

②江南…華北から逃れた人々が，漢代に栄えた文化を江南に移植。台頭した門閥貴族の間で優雅な六朝文化が花開く

(2) 詩文…対句を多用する**四六駢儷体**が流行
▲四文字・六文字の対句表現。韻も踏む

①**陶潜（陶淵明）**…東晋の詩人。官吏を辞める際に，「帰去来辞」をよむ

②謝霊運…南朝の宋の詩人。「山居賦」など山水詩に秀でる

③**昭明太子**…梁の武帝の長子。詩集『**文選**』を編纂

1 本講が対応する政治史は，**テーマ7～9**です。**司馬遷**は，仕えていた武帝の不興を買って宮刑に処せられた後，歴史叙述に情熱を傾けてあの**『史記』**を完成させます。後漢の**班固**は，西域都護**班超**（はんちょう）（▲→テーマ7）の兄です。歴史家二人はいずれも政治との接点があるので要注意。ここで歴史叙述の方法について説明しましょう。『史記』で採用されていた**紀伝体**は，のちの歴史書の基本スタイルになります。本紀（▲帝王の年代記）と列伝（▼臣下など個人の伝記）を中心に記述する，いわばテーマ別の方式です。人物に焦点をあてて展開していく歴史書，とでもいえましょうか。一方，月日を追って時代順に事件を記していくスタイルが**編年体**です。

紀伝体と編年体，歴史書によって区別するのが大変そうです。

以下の２つのポイントを押さえておけば大丈夫。①王朝のオフィシャルな歴史ともいえる「正史」は紀伝体で叙述されています。②大学受験レベルで編年体の史書として出題されるのは，五経の**『春秋』**と北宋の司馬光が著した**『資治通鑑』**の２つです。

儒学を王朝公認の学問として推しまくったのが前漢の武帝に仕えた**董仲舒**でした。儒学の根本経典として五経を定め，その研究・講義・普及役として**五経博士**を設置しました。後漢では，経書の字句解釈を重んじる**訓詁学**という分野が確立しました。背景には，**過去を理想とする儒学の姿勢**があります（儒学ははるか昔の周の封建制を理想としていましたよね）。「孔子や孟子のような過去の聖人が重要なことを全て述べているのだから，我々が新しいことを考える必要はない。聖人の言葉を正しく解釈できればOK」というスタンスです。

技術に関しては，後漢の蔡倫によって改良された製紙法が**タラス河畔の戦い**（▲751年（唐代））を契機にイスラーム世界へ伝わったとされていることをチェックです。

2 中国が南北に分裂した魏晋南北朝時代，華北と江南ではそれぞれ異なった性質の文化が発展しました。魏晋南北朝の文化の特徴はなんといっても**貴族文化**。**九品中正**によって形成された門閥貴族が幅をきかせたからですね。洗練された貴族生活の中で，華麗な**四六駢儷体**が流行しました。**陶潜（陶淵明）**・謝霊運・**昭明太子**は三人とも南の王朝の詩人であることに注目。芸術面では**王羲之**（おうぎし）や**顧愷之**（こがいし）が現れました。王羲之は，今まで「情報を伝えるための道具」であった文字を，芸術の域に昇華させました（皆さんの中で，高校の選択科目で書道を履修していて，「蘭亭序」（らんていじょ）を書写した経験がある人もいるかと思います）。顧愷之の**「女史箴図」**（じょししんず）は，宮中における女官の作法を絵で示したものです。

長らく統一王朝が出現しなかったこの時代，とりわけ異民族の支配下にあった華北においては中国の伝統思想・信仰の影響力が弱まり，従来とは異なる思

(3) 美術・書

①**王羲之**…東晋の書家で「書聖」と称される。「蘭亭序」

②**顧愷之**…「画聖」と称された東晋の画家。**「女史箴図」**の作者といわれる
▲女官の作法を描いた

(4) 宗教・思想

①儒学…安定した王朝が出現せず，社会が混乱したことから**不振**

②**清談**…老荘思想に基づく哲学論議。虚無主義の立場から世相を批判

・竹林の七賢…清談を代表する賢者たち。阮籍，嵆康ら

③仏教

・**仏図澄**…西域の**亀茲**出身。4世紀前半に洛陽で布教

・**鳩摩羅什**…亀茲出身で，母は亀茲王の妹。長安に迎えられて**仏典を漢訳**

・**法顕**…東晋の僧。**陸路**グプタ朝期のインドに赴き，**海路**で帰国。**『仏国記』**

★石窟寺院…**敦煌**（甘粛省），**雲崗**（平城の近郊），**竜門**（洛陽の近郊）

④**道教**

・民間信仰（太平道や五斗米道）・老荘思想・神仙思想が融合し，**不老長寿など現世利益を追求**

・外来の宗教であった仏教の隆盛に対抗した側面もある

・北魏の**太武帝**…**寇謙之**の献策によって道教を国教化。仏教弾圧を行う

(5) 技術

①『水経注』…北魏の地理学者酈道元が著した地理書

②『斉民要術』…北魏の農業学者賈思勰が著した，現存する最古の農業書

3 唐代の文化

(1) 特徴

①**貴族**文化…依然として政界で力をふるっていた門閥貴族が文化を担った

②**国際的**文化…大帝国を築いた唐代には東西交流が活性化し，外来文化が流入

(2) 唐詩

①**李白**…放浪生活をおくり，自由奔放な作風の詩をのこす。「詩仙」

②**杜甫**…安史の乱後の荒廃をうたった「春望」で知られる。「詩聖」
▲安史の乱の時，一時流罪に処せられた

③王維…山水画家としても知られる自然詩人

④**白居易**（白楽天）…「長恨歌」（玄宗と楊貴妃の悲恋をうたった）

(3) 散文

①韓愈と柳宗元…四六駢儷体を批判し，**古文（漢代の文体）の復興を主張**

想・宗教が流行しました。伝統的な王朝を支える儒学はまったく振るいませんでした。

世の中が混乱しているのは，儒学の要である「目上の人を敬う」ことをみんなが実践してないってことですよね。

そうですね。孔子が言ったように，全ての人が目上の人を敬えば，良かれ悪かれ天下は丸く収まるはずですから。（▲「修身・斉家・治国・平天下」）三国時代以来の戦乱を逃れて，知識人は田舎に引きこもりました。そこでは政治に関わる儒学よりも，俗世間と離れることを理想とした老子や荘子の思想が好まれました。知識人たちは，**「清談」**と呼ばれる虚無的な哲学談義（▲道家の無為自然を思い出そう）を楽しみました（通常の価値観からすれば，どうでもいいじゃん！というようなテーマを扱います）。

異民族が割拠する五胡十六国時代，西域の亀茲（クチャ）から**仏図澄**（ぶっとちょう）と**鳩摩羅什**（くまらじゅう）が中国へ布教に訪れ，それぞれ洛陽と長安で仏教を布教。鳩摩羅什は膨大な数の仏典を漢訳し，中国仏教の普及・発展に大きく寄与しました。一方，中国僧としてインドへ渡ったのが**法顕**で，出発した時点で齢（よわい）60を超えていました！　中国由来の思想の方では，老荘思想が民間信仰（▲太平道や五斗米道）・神仙思想（▲仙人や不老不死を信じる思想）など様々な要素と融合し，**道教**が生まれます。**寇謙之**が北魏の**太武帝**に猛プッシュしたことが功を奏して，大規模な教団が形成されました。寇謙之らは**外来の宗教である仏教に対する敵意を抱いており**，「よそ者のくせに中国で幅をきかせるとはけしからん！　徹底的に懲（こ）らしめるべきです」と太武帝に進言し，仏教弾圧が行われました。しかし北魏の宮廷内で仏教派が勢いを盛り返します。５世紀後半の**孝文帝**は仏教を保護して，**雲崗**（▲平城近郊）や**竜門**（▲洛陽近郊）に巨大な石窟寺院が造営されました。このように，混乱する時代の中で，人々は神仏に救いを求めたわけです。

3　続いて唐の文化にいきます。唐代も引き続き，格調や形式を重んじる貴族的な文化が栄えました。唐の詩は，漢文の教科書に必ず載っているジャンル。それだけ有名であり秀でている分野です。**李白**と**杜甫**の詩は皆さんも読んだことがあるでしょう。**白居易**（白楽天）の「長恨歌」は玄宗と楊貴妃の恋がテーマで，政治と接点を持ちます。その玄宗時代に起きた**安史の乱**で，書家の**顔真卿**（がんしんけい）が義勇軍を率いて戦ったこともよく出題されます。

玄奘（げんじょう）と**義浄**（ぎじょう）は，東晋の法顕と合わせて整理しておきましょう。

僧	旅に出た時期	経路（往➡復）	旅行記
法顕	東晋（399～）	陸路➡海路	『仏国記』
玄奘	唐（629～）	陸路➡陸路	『大唐西域記』
義浄	唐（671～）	海路➡海路	『南海寄帰内法伝』

第8章 文化史

(4) 美術・書

①閻立本…人物画に秀でた初唐の画家。「歴代帝王図巻」

②**呉道玄**…玄宗に仕えた画家。**山水画**で知られ，立体感を出す画風を確立

③褚遂良…玄宗に重用された，唐初の書家。高宗によって左遷させられた

④**顔真卿**…安史の乱の際，義勇軍を率いて反乱軍と戦った書家

(5) 仏教

①**玄奘**

・太宗の治世の629年，**陸路**インドへ出発

・ヴァルダナ朝時代のインドで**ナーランダー僧院**に学ぶ

・**陸路**で帰国し，旅の記録を**『大唐西域記』**にのこす

②**義浄**

・671年に**海路**でインドへ出発

・**海路**で帰国の途上，シュリーヴィジャヤで**『南海寄帰内法伝』**を執筆

(6) 道教…**唐の皇室と老子が同姓**の「李」であったため，唐は道教を保護

(7) 外来の文化

ネストリウス派キリスト教。大秦景教流行中国碑を建立▼

①オアシスの道を経由して伝来した，**祆教・景教・マニ教**

▲ゾロアスター教

②**イスラーム**…イスラーム商人によって海路伝来。回教・清真教と呼ばれた

唐は，貿易を管理する市舶司や，外国人居住区である蕃坊を設置▲

③イラン・インド・ソグドの文化が混交し伝播…ポロ競技・胡服・粉食など

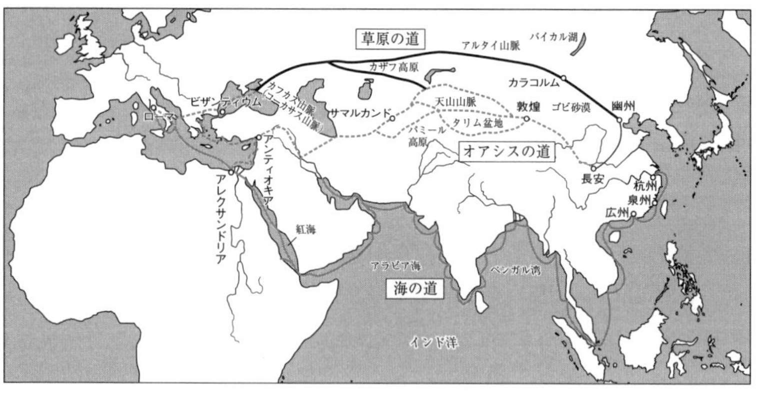

(8) 儒学

①**訓詁学**…漢代に引き続き，経書の字句解釈を重んじる訓詁学が隆盛

②**『五経正義』**

・儒学が科挙の試験科目になったため，**孔穎達**らが五経の注釈を編纂

・解釈が統一されたため，**儒学の硬直化・停滞**を招いた

(9) 陶器…**唐三彩**（白・緑・褐色などに彩色。副葬品とされたものが多い）

当時は，ユーラシアの東西を結ぶ主要なルートが草原の道・オアシスの道・海の道だけでしたから，どのルートを用いたかは重要な意義を持ちます。

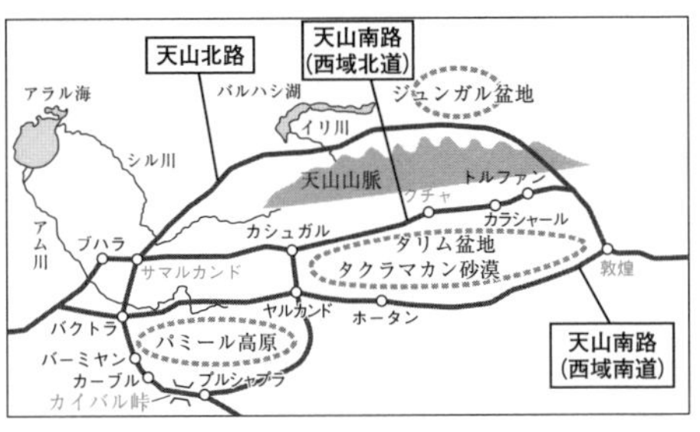

オアシスの道と海の道を紹介したので，ついでに外来宗教をやりましょう。唐代に流入した宗教は，**国際的な唐の文化**を象徴しています。**景教**はペルシア人によって伝わり，大秦景教流行中国碑が建てられました。**マニ教**は中国のみならず，ソグド人やウイグル人が信仰していたことも重要です。上の地図は，**テーマ15**で扱ったオアシス地帯の地図です。**テーマ15**の簡略図と見比べて定着を図ってくださいね。イスラーム商人の来航を背景に広州に市舶司が設置されたんでしたね。伝来したルートが異なるので，三夷教とイスラームは別個に扱うわけです。

▲阿羅本（あらほん）

道教が唐で保護を受けた理由はユニークです。**唐の皇帝と老子が同姓だったから**，皇帝に厚く遇されました。では問題。唐の皇帝の姓を言えますか？

えーっと，建国したのが李淵と李世民親子だから，「李」です！

正解！　老子の方は本名は李耳（りじ）（といったらしい）です。道教は外来の仏教を敵視することがあると先ほど言いましたが，唐代にも仏教弾圧が行われました（もっとも，この時は仏教以外の宗教も迫害されています）。道教と仏教は対立した点ばかりに目が向きがちですが，実際にはほとんどの時期において平和的に共存していましたよ。

魏晋南北朝時代の不振から立ち直り，唐代には儒学が復興。漢代以来の**訓詁学**が重んじられました。経書の字句解釈をするのが訓詁学ですが，**『五経正義』**によって解釈が統一されます。これが**科挙のテキストになったため，儒学思想の固定化をもたらしました**。これはどういうことか。今までは，「この◎という語は，A・B・Cという３つの解釈の仕方がある」というように，経書の字句解釈をする中で何通りかの解釈が存在していました。しかし，儒学が科挙の試験科目になったことで，「正解と誤答」を決める必要が生まれたわけです。「◎という語はBと解釈するのが正解で，A・Cは×」というように。そうなると，AやCなどの「誤答」を軽んじてBの解釈だけを丸暗記することになり，思想の柔軟性が失われてしまったんですね。

テーマ84 中国文化③ 宋・元の文化

1 宋代の文化

(1) 特徴

①士大夫(したいふ)文化…科挙制の下，官僚の供給源となった**士大夫**(▲知識人階層)が文化を担った
②庶民文化…都市・商業の発達をうけ，庶民も文化の担い手として台頭
③**国粋的**(こくすいてき)文化…国際色は薄れ，異民族の圧迫を背景に中国の優位を主張

(2) **詞**…旋律(▲メロディ)に合わせてうたう詩

(3) 散文…唐の後半から引き続き，**古文（漢代の文体文）復興を目指した**

①唐宋八大家…**韓愈（韓退之）**(かんゆ(かんたいし)▲唐代)，**柳宗元**(りゅうそうげん▲唐代)，欧陽脩(おうようしゅう)，**蘇軾**(そしょく▲「赤壁の賦」で知られる詩人)，**王安石**(おうあんせき)など

(4) 歴史

①**司馬光**(しばこう)…王安石の新法に反対した旧法党の指導者。**『資治通鑑』**(しじつがん▲戦国時代から五代までを記した編年体の史書)
②**欧陽脩**(おうようしゅう)…王安石の新法に反対して退官。**『新唐書』**(▲唐代の歴史を記した紀伝体の正史)

(5) 絵画

院体画	文人画
・職業画家による，写実的・装飾的な絵画(▲宮廷に画院がおかれて画家が保護された) ・「桃鳩図」で知られる**徽宗**(きそう▲北宋の第8代皇帝)が有名 ・のちに北宗画と呼ばれる	・士大夫がたしなんだ絵画 ・のちに南宗画と呼ばれる

(6) 宗教

①**禅宗**(ぜん)（仏教の一派）…唐代に達磨が開く。**士大夫**層に流行
②**浄土宗**(じょうど)（仏教の一派）…**庶民**層に流行
③**全真教**(ぜんしん)…金代に王重陽が儒教・仏教・道教を融合させた創始

(7) **宋学**（性理学・朱子学）

★宇宙の根源を探ろうとする新儒学。宋代以降，儒学は哲学的傾向が強まる。以下のような事情が背景

①『五経正義』に執着し，**硬直化が進んだ訓詁学に対する不満**
②**宋が異民族に屈服して華夷秩序が崩れた**。「中国が世界の中心」という世界観が崩れ，世界観を再構築しようという試みがなされた
③当時隆盛していた道教・仏教などの影響をうけて発展

①**周敦頤**(しゅうとんい)…宋学の祖。仏教哲学と道教思想を取り入れる。『太極図説』
②**朱熹（朱子）**(しゅき)

1 本講に対応する政治史は，**テーマ10・11・15**です。唐と宋の文化は，よく対比して紹介されます。唐代は依然として門閥貴族が社会の中心的存在だったため，形式美や優雅さを重んじる文化傾向が見られます。

唐代の文化	宋代の文化
貴族が文化の担い手 国際的	士大夫が文化の担い手 国粋的

唐末五代の混乱期を経て宋代に門閥貴族は消滅し，勉強に励んで科挙に合格した者だけが官職に就けるようになりました。これに伴い**科挙合格を目指して学問に打ち込む知識人階級が形成され**，**士大夫**と呼ばれるようになります。彼らが宋代の文化の担い手。また，宋代の文化は**国粋的**（自国民・自民族の固有の特徴を長所として強調する）といわれます。諸民族（遼・西夏・金など）に圧迫されたことへの反発で，中国の伝統文化・優位性を強調する動きが生まれたのが一因ですね。

王安石の新法に反対した**司馬光**は有名な歴史家でもあり，**『資治通鑑』**を著しました。また**欧陽脩**らは，魏晋南北朝以来定着していた**四六駢儷体**（しろくべんれいたい）（四文字・六文字の対句表現。韻も踏む）を批判します。これは対句（ついく）や韻（いん）などの型にとらわれない漢代の文章を復興させようとする動きで，唐代の**韓愈（韓退之）**・**柳宗元**の流れをくんでいます。また文学面では，メロディに合わせて歌う**詞**も流行しました。「唐詩」と「宋詞」は混同しないように注意しましょう。

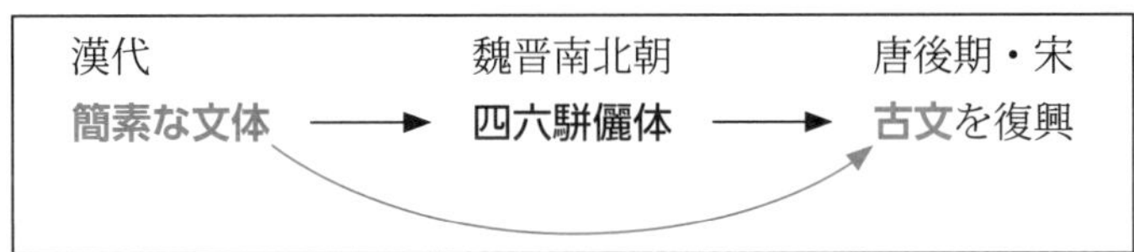

絵画は，宋代以降に２つの系統に分かれます。宮廷内で絵画の専門家が描く**院体画**と，士大夫が趣味でたしなむ**文人画**です。**靖康の変**（せいこう）で金に連行された北宋の８代皇帝**徽宗**（靖康の変の時は退位）は，当代きっての画家でした。

禅宗は，仏教の中でも自らの修行で解脱を目指す宗派です。エリートである士大夫層に広まったのもうなづけます。一方で，**宋代に農業生産が目覚しく発展したことは，庶民の生活水準を向上させました**。これをうけて，庶民も文化をたしなむようになっていきます。上述した宋詞は庶民にも流行し，宗教面では**浄土宗**が広まりました。

宋代は，儒学の一大転換期でした。**宇宙・人間の真理や法則を探ろうとする宋学**が生まれます。

「先人の思想が解釈できればいい」という訓詁学とは大違いですね！

第8章 文化史

・朱子学(しゅし)を大成。宇宙の根源について，**性即理**・格物致知を主張
・人間世界のあり方について，大義名分論・華夷(かい)の区別を主張
▲中国由来の用語ではなく，実は日本で創られた和製漢語と考えられている
・**四書**（『大学』，『中庸』，『孟子』，『論語』）を重視
③陸九淵(りくきゅうえん)…心即理の立場を取り，朱子学を批判。明の陽明学に影響
▲陸象山（りくしょうざん）
(8) 陶磁器…**青磁**，**白磁**(はくじ)がさかんに生産された。**景徳鎮**(けいとくちん)が産地として有名
(9) 技術…**火薬**・**羅針盤**・**木版印刷**が発明された

2 元代の文化

(1) 特徴
①モンゴル帝国がユーラシアを統一して政治的安定がもたらされる
➡大陸を往来する交流が活性化し，様々な外来文化が流入
②宋代に引き続き，都市の庶民文化が成長
(2) 元曲（雑劇）
▲大都で発達したものを北曲，江南で発達したものを南曲と呼ぶ
★宋代に成立し，元代に完成した歌劇
①『漢宮秋(かんきゅうしゅう)』…馬致遠(ばちえん)作。匈奴の君主に降嫁させられた王昭君の悲劇
②『**西廂記**(せいそうき)』…王実甫(おうじっぽ)作。科挙受験生と元宰相の娘との，身分をこえた恋愛
③『**琵琶記**(びわき)』…高則誠(こうそくせい)（高明(こうめい)）作。妻が琵琶を弾いて物乞いしつつ上京し，自分を捨て出世を選んだ夫に再会する
(3) 美術
①中国絵画の技法がイランへ伝わり，写本絵画（**細密画**(ミニアチュール)に影響）
▲イル＝ハン国
(4) 陶磁器…**染付**(そめつけ)の染料であるコバルトが西方から伝わった
▲藍色の絵模様が特徴
(5) 宗教・思想
①**チベット仏教**
▲ラマ教
・クビライがチベットから僧**パクパ（パスパ）**を招き，元でチベット仏教が流行
・チベット仏教の信仰は，元末の財政難の一因となった
・**パクパ文字**…パスパが考案した，チベット文字を母体とする文字。一般には普及せず勅書や貨幣に使用された
モンゴル語の表記にはウイグル文字が用いられた▲
(6) 儒学…科挙が一時廃止された
▲14世紀前半に科挙は復活するが，モンゴル人に有利な内容
(7) 暦学
①**授時暦**(じゅじれき)…イスラーム暦の影響をうけて**郭守敬**(かくしゅけい)が作成 ▼1年を365.2425日とする
➡江戸時代の日本では，渋川春海(しぶかわはるみ)が授時暦をもとに**貞享暦**(じょうきょうれき)を作成

儒学が変質した背景をp.508の(7)で熟読しておいてくださいね。

この宋学を大成したのが**朱熹**（▲朱子）（その学問が**朱子学**）です。高校世界史の範疇で押さえておきたいテーゼが**「性即理」**。「理」とは宇宙の根本原理。理は人間の心にも宿り，それは「性」（▲≒理性）と呼ばれます。朱熹は，この性を発現できる人こそを理想の人間（▲聖人君子）としました。しかし人間の心の中には「情」（▲感情や欲望）が存在し，心をかき乱して性の発現を邪魔します。そこで朱熹は，①精神修養によって情を抑える，②儒学の経典を学び続けて理を少しずつ窮めていく，この2つを実践すべしと説きました。そうすれば誰でも聖人君子になりうる，ということです。

朱子学は儒学の一派ですから，上記の人間関係・国家関係も全て主従で説明しています。**朱子学によって再構築された世界観も，結局は華夷秩序に基づくものでした**。やはり，中国人が華夷秩序を否定するはずがありませんよね。

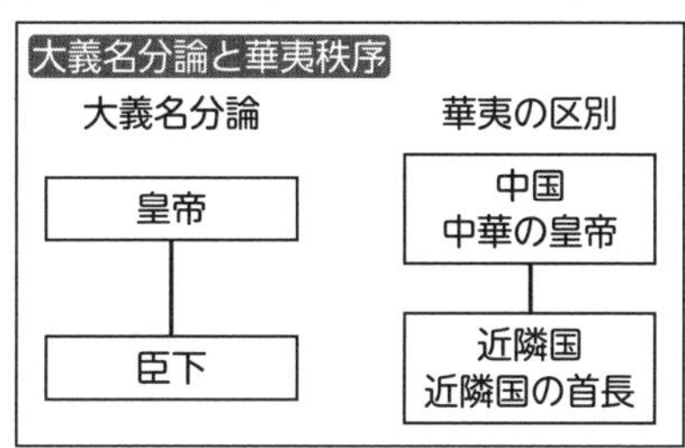

これが「国粋的な文化」の一例ということですね。

唐から宋にかけて飲茶の習慣が普及したことが，陶磁器の需要を高めて青磁・白磁が生産されました。江西省**景徳鎮**が代表的産地ですね。食生活つながりで言いますと，我々がイメージするような強火で炒める中華料理は，石炭の利用，金属製鍋や食用油の普及をうけてこの頃に原型が確立されました。また，宋代には**印刷術（活版印刷）**が発達しますが，この副産物といえるのが**紙幣**です。宋代には**交子**や**会子**が大量に刷られましたが，これは印刷術があってこそですよね。（▲交子の銅製原版は，中国に現存している）

2 元代は，宋代に引き続き**庶民文化が開花しつつあった時代**です。口語体で書かれた戯曲は元曲と呼ばれ，庶民向けの演劇として人気を博しました（▲厳密には，北曲・南曲という区別がある）（王朝ごとに栄えた文学ジャンルを示すフレーズとして**「漢文・唐詩・宋詞・元曲」**を合言葉として覚えておくと便利です）。特に『漢宮秋』は日本でも有名ですね。また，明代に完成を見る小説の原型は元代に成立したといわれています（▲西遊記など）。そして元代の文化といえば，**「タタールの平和」によってもたらされた東西交流**。イスラーム世界から中国へ伝来したモノ（天文学やコバルト），中国からイスラーム世界へ伝わったモノ（中国絵画の技法や「三大発明」）を，双方向でチェックしておいてください。藍色で絵つけされた染付は写真で出題される可能性があるので，図説で確認しておいてください。細密画については**テーマ76**でもお話をしました。また，**授時暦**については，日本の**貞享暦**まで踏み込まれることもありますよ。

テーマ

85 中国文化④ 明・清の文化

1 明代の文化

(1) 特徴

①庶民文化のさらなる成長

②技術面の発達…社会経済の発達に伴い実践と実用を重んじる風潮が台頭した。またヨーロッパから科学・技術が流入

(2) 文学

▼呉承恩(ごしょうおん)作
①『西遊記』…玄奘(げんじょう)のインドへの求法(ぐほう)の旅が題材

②『水滸伝(すいこでん)』…北宋末，梁山泊(りょうざんぱく)に拠(よ)った豪傑108人を描いた物語

▲元の施耐庵作（したいあん）で明の羅貫中（らかんちゅう）がまとめた
③『三国志演義』…三国時代に天下を争った英雄・豪傑を描く

▲羅貫中作
④『金瓶梅(きんぺいばい)』…貴族生活の腐敗した実態を描く

▲その官能的な内容から，清代には発禁となった

(3) 絵画

①北宗画(ほくしゅうが)…院体画の流れをくむ濃い色彩が特徴

②南宗画(なんしゅうが)…董其昌(とうきしょう)が文人画系の画法を南宗画として完成させ，北宗画を批判

(4) 陶磁器…**染付**・赤絵が生産された。江西省の**景徳鎮**が産地

藍色の絵模様が特徴▲　▲鮮やかな彩色が特徴

(5) 儒学

①**朱子学**…朱元璋(しゅげんしょう)によって官学化され，永楽帝(えいらくてい)の命で国家的編纂(へんさん)事業が進む

▲洪武帝

・『四書大全』・『五経大全』…四書と五経の注釈書

※『**永楽大典**』…２万巻以上にもおよぶ類書（百科事典）

②**陽明学**

・**王守仁(おうしゅじん)（王陽明）**が朱子学を批判し，**知行合一(ちぎょうごういつ)**，**心即理**，致良知を説く

・李贄(りし)（李卓吾(りたくご)）…「童心」を重んじ，儒学における礼を偽善であると断罪。危険思想家として迫害され，投獄されたのちに自殺

(6) 経世致用の学（実学）…農業・手工業など諸産業の発達が背景

①**徐光啓(じょこうけい)**

・総合農業書『**農政全書**』を著す

・**マテオ＝リッチ**（利瑪竇(りまとう)）とともにエウクレイデスの『幾何学原本』を漢訳

②**李時珍(りじちん)**…薬物・薬草書である『**本草綱目(ほんぞうこうもく)**』を著す

③**宋応星(そうおうせい)**…産業技術書である『**天工開物(てんこうかいぶつ)**』を著す

1 本講に対応する政治史は，**テーマ12・13**です。宋の時代に芽生え始めた庶民文化は，明の時代に大きく花開きます。文学では，長編小説の傑作が続々と成立しました。**『三国志演義』**や**『西遊記』**の日本での人気ぶりを考えれば，その完成度の高さが分かりますよね。**『水滸伝』**，**『三国志演義』**，**『西遊記』**，**『金瓶梅』**を合わせて中国の「四大奇書」と呼びます。**染付**（**テーマ84**で出てきました）や**赤絵**の見事な出来ばえにも，都市文化の成熟を感じることができます。

明の建国者**朱元璋（洪武帝）**は**朱子学**を官学とし，皇帝親政体制を固めましたね。**靖難の役**を経て即位した息子の**永楽帝**は，儒学者たちから「簒奪者のくせに…」と後ろ指をさされました。彼が行わせた大編纂事業には，朱子学の一大プロジェクトを立ち上げることで，自らが中華の皇帝にふさわしいことをＰＲするとともに，学者どもをプロジェクトに没頭させて体制批判するヒマも与えないようにする，という意図があったのでしょう。

官学となった朱子学は，勉学に打ち込んで聖人君子になることを目標としていましたね。これに異議を唱えたのが**王守仁（王陽明）**。「机に向かって勉強だけに打ち込み，社会の危機だというのに冷静に振る舞って読書に耽っている。こんな自称エリートが国を救えるのか？」と。これが**陽明学**です。

ピンチの時，行動力の方が求められる状況ってありますよね。

そう，王守仁は「経験」「行動」を重んじました。朱子学の「性即理」とは対照的な「**心即理**（人間の心には生まれつき理が備わっている）」を主張し，その心のままに実践を行う（**知行合一**）ことを説きました。儒学の古典を読まなくても，庶民でも聖人たりうる，ということです。この影響をうけたのが李贄（李卓吾）。「濁っていない子どもの心（童心）こそが理想であり，後から身につける知識は童心を汚すものだ」と，今までの儒学をあからさまに否定！これが原因で投獄された李贄は，最後は自ら命を絶ちます。

▲人間に生来備わっている善悪を判断する知を「良知」と呼ぶ

明代の目覚ましい農業・工業の発展や，キリスト教宣教師が伝えた西洋学術の影響をうけ，現実社会・生活に役立つことを重視する**実学（経世致用の学）**が起こりました。**『農政全書』**を著し，エウクレイデスの幾何学を漢訳し，暦法制定にも関わった多才な**徐光啓**は，**マテオ＝リッチ**とも親交が深くキリスト教に改宗しています。また，**『本草綱目』**，**『天工開物』**も，入試では必出の書です。これらの書物は，**テーマ12**で扱った**長江下流域＝手工業＆商品作物栽培が発展，長江中流域＝穀倉地帯**，という諸産業と密接に結びついています。

これも，知識・理論を偏重する朱子学への反発ともいえる▲

2 中国文化のラストは清です。清代も引き続き庶民文化が栄え，小説・戯曲が制作されました。科挙に振り回される人々の姿を風刺した**『儒林外史』**は，**科**

2 清代の文化

(1) 小説

①『紅楼夢（こうろうむ）』…貴族の子弟の恋愛物語を通じて一家の没落をたどる

②『儒林外史（じゅりんがいし）』…科挙合格に執着して人間形成を怠った人々を風刺的に描く

③『聊斎志異（りょうさいしい）』…妖怪なども現れる短編の伝奇物語集

(2) 大編纂（へんさん）事業

★清朝は漢民族を懐柔する政策の一環として，中国文化を尊重

①『康熙（こうき）字典』…康熙帝が編纂させた漢字字典。4万字以上を扱っている

②『古今図書集成』…雍正帝の治世に完成した類書（百科事典）

▲康熙帝の命令で編纂を始めた

③『四庫全書』…乾隆帝の命で，古今の重要な書籍を集めて分類した大叢書（そうしょ）

(3) 考証学

★儒学の経書を研究する際，必ず文献に典拠を求めて実証的に追究。清朝の思想統制によって，経書の解釈のみが発展した側面もある

①黄宗羲（こうそうぎ）…考証学の先駆者。明末清初に反清復明を主張。『明夷待訪録（めいいたいほうろく）』

孟子の思想に基づき皇帝専制政治を批判▲

②顧炎武（こえんぶ）…考証学の先駆者。明末清初の混乱から回復するために，現実を離れた空論ではなく事実にもとづく実証的な研究を主張。『日知録』

③銭大昕（せんたいきん）…18世紀に登場した考証学の大家。『二十二史考異（にじゅうにしこうい）』

(4) 明・清代のイエズス会宣教師との交流

①マテオ＝リッチ（利瑪竇（りまとう））…イタリア出身で明代に中国を訪れる

・『坤輿（こんよ）万国全図』…中国最初の世界地図

・『幾何原本』…徐光啓と協力してエウクレイデスの『幾何学原本』を漢訳

②アダム＝シャール（湯若望（とうじゃくぼう））…ドイツ出身で明・清の宮廷に仕える

・大砲の鋳造などで活躍し，明末に徐光啓らと『崇禎暦書（すうていれきしょ）』を作成

▲清では『時憲暦』として施行された

③フェルビースト（南懐仁（なんかいじん））…ベルギー人。アダム＝シャールを補佐

▲三藩の乱の鎮圧に際し，大砲を鋳造して貢献

④ブーヴェ（白進（はくしん））…ルイ14世の命で中国を訪れたフランス人

・『皇輿（こうよ）全覧図』…中国初の実測地図。レジス（雷孝思（らいこうし））とともに作成

⑤カスティリオーネ（郎世寧（ろうせいねい））…康熙帝・雍正帝・乾隆帝に仕えたイタリア人

・円明園（えんめいえん）…バロック様式を取り入れた離宮で北京郊外に建てられた

・遠近法や陰影法を取り入れた西洋画法を中国に紹介

(5) シノワズリ…中国的趣味が，ヨーロッパの美術・陶磁器に影響

▲中国趣味

※合理主義の儒学はヴォルテールに高く評価された。またいくつかの国では，科挙をモデルとした文官試験を導入した。

挙と関連づけて出題されることが多いので要注意ですよ。

女真(じょしん)〔▲満洲人〕が建てた清朝は，漢民族に対する威圧と懐柔を巧みに使い分けて中国を支配していましたね。大編纂事業は，**①中国文化を尊重して圧倒的多数を占める漢民族との摩擦を避ける**側面と，一方で**②言論統制の一環として反清的な書物をチェックする**側面，威圧と懐柔の両方の性格を持っていました。

明代にブームを巻き起こした，行動重視の**陽明学**ですが，中には古典や知識を軽視して極度に独りよがりな主張をする「自称」学者も出現（客観的な書物ではなく，人間の心・主観を基準にしますからね）。これを見て，明末から清初に再び儒学の経書を重視する動きが生まれました。**考証学**といい，特徴は，

①何かを論じる際に，必ず経書に根拠を求めること ②現実に役立つ経世致用の学であること

①は根拠もなく空理空論をかざす陽明学への反発です。経書の字句解釈を重んじる**漢代の訓詁学**〔▲→テーマ83〕**の手法が再び注目されるようになりました。**②は明代の思潮を受け継いだものですね。考証学は明末の黄宗羲や**顧炎武**らが先駆となりました。彼らは明清の王朝交代期を生き，清にも仕えず「明はなぜ滅んだのか…」というテーマと生涯向き合いました。言うならば，考証学は反清的な色に染まりやすい環境で産声をあげた。さらに現実社会・生活に役立つ経世致用にも重きを置いている。考証学は，清朝当局にはどのように映るでしょう？

現実社会で反政府的なことを色々やりそうで，厄介な感じです。

清朝は**禁書**や**文字の獄**(もんじのごく)といった思想・言論統制を敷きましたよね。考証学にも目を光らせたんです。学者達は政治や思想を論じると政府に睨(にら)まれる危険があるので，次第にリスクの高い論議を避けるようになりました。**無難な古典研究・解釈だけに没頭(ぼっとう)し，考証学から経世致用の側面は失われていった**のです。

明代に中国を訪れたイエズス会宣教師は，その経世致用の学に大きな影響を与えました。清代，**典礼問題**〔雍正帝は1724年にキリスト教の布教を禁止　→テーマ13▲〕がこじれて中国でのキリスト教布教が禁止された際も，宣教師の中で西洋の知識・技術の指南役だった者（つまり左ページで紹介している面々）は特例として中国から追放されませんでした。清の宮廷も，西洋の学問に大きな関心を寄せていたことがうかがい知れますね。例えば，康熙帝は西洋技術に関心を深め，**三藩の乱**が起こると**フェルビースト**に大砲の鋳造を命じ，これが反乱鎮圧に大きく役立ちました。そして，**カスティリオーネ**の**円明園**といえば，**テーマ49**の第２次アヘン戦争（アロー戦争）。ここまで読み進めてきたみなさんなら，もう大丈夫ですよね！

第2部

歴史総合日本史編

※p.10の「歴史総合日本史編」の取り組み方を参照してから，読み進めてください。

歴史総合のための日本史①
幕末の日本

1 「鎖国」から開国へ

(1) 開国前夜の状況

①**異国船打払令**（1825）…清とオランダ以外の欧米船を武力で追い払う

②天保の薪水給与令(1842)…アヘン戦争の状況を知った幕府は態度を軟化
▲外国船に薪・水・食料を与える

(2) 開国

①**ペリー**来航（浦賀，1853）

②**日米和親条約**（神奈川条約，1854）

・アメリカ船の下田・箱館への寄港を認める
▲現在の函館

・アメリカに最恵国待遇を認める
▲片務的

③**日米修好通商条約**（1858）

・アメリカ総領事**ハリス**と調印

・箱館に加えて神奈川・長崎・新潟・兵庫を開港（下田を閉鎖），江戸と大坂の開市。自由貿易による通商
▲実際は横浜　▲実際は神戸

・不平等条約…**関税自主権**の欠如（協定関税制），**領事裁判権**の承認

・蘭・英・仏・露とも同様の不平等条約を締結（**安政**の五カ国条約）

(3) 幕末の貿易

①**横浜**・長崎・箱館で開始➡外国人の商業・居住は開港場の居留地に限定

②品目…輸出品は**生糸**・茶・蚕卵紙など。輸入品は**織物（毛・綿）**・武器・艦船など

③当初は**輸出超過**，1860年代後半からは軍事関係の輸入が増えて**輸入超過**

(4) 国内の混乱…世直し一揆や打ちこわしが頻発，「ええじゃないか」
▲世直しを期待した乱舞

2 幕末の動乱

(1) 朝廷の権威上昇と幕府の威信低下

①条約締結をめぐる幕府の対応と混乱

・ペリー来航（1853）の際，幕府は諸大名に意見を求め，朝廷にも報告
➡朝廷や有力大名の発言力が上昇

・幕府は通商条約に関する天皇の勅許を得ようとしたが，孝明天皇は拒否
➡幕府は無勅許で日米修好通商条約に調印➡尊王攘夷派は反発

　・**安政の大獄**（1858～59）…大老**井伊直弼**が幕政を批判する者を弾圧
　・**桜田門外の変**（1860）…水戸藩の元藩士らが井伊直弼を暗殺
　　➡幕府の威信は低下
②公武合体…朝廷と幕府の融和
　・和宮（孝明天皇の妹）を14代将軍徳川家茂の妻として江戸に迎える

(2)　雄藩の動向
①**薩摩藩**…朝廷と幕府を仲介し，幕政改革を促す
　・**薩英戦争**（1863）…生麦事件をきっかけに勃発。薩摩藩はイギリスの強さを実感
②**長州藩**による尊王攘夷
　・朝廷を動かして幕府に攘夷命令を出させ，自ら外国船を砲撃
　・薩摩藩と会津藩は攘夷を危険視し，長州藩を朝廷から排除
　　➡幕府による長州征討（1864）
　・**下関戦争**（1864）…英・米・仏・蘭による報復➡長州藩は攘夷を放棄
③**薩長同盟**（1866）
　・薩摩藩は長州藩と連携して倒幕をめざす方針へ転換，土佐出身の坂本龍馬らが薩長を仲介
　　▲イギリスが薩長を支援

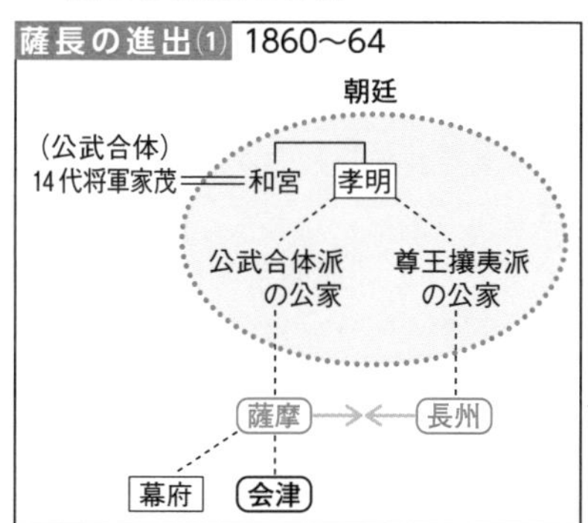

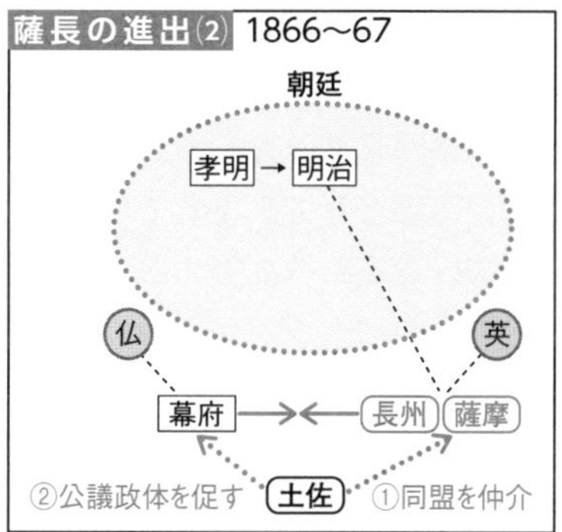

(3)　江戸幕府の滅亡と戊辰戦争
①**大政奉還**（1867）…**徳川慶喜**が明治天皇に政権を返上➡江戸幕府滅亡
　　▲15代将軍。フランスの支援を受ける
　・徳川慶喜は天皇のもとに有力大名の連合政権をつくり，その主導権を握ろうと企図していた（**公議政体論**）
②**王政復古の大号令**（1867）…薩長両藩は，天皇中心の新政府樹立を宣言
③**戊辰戦争**（1868～69）…旧幕府軍と薩長中心の新政府軍が衝突
　➡新政府軍が勝利

清朝がアヘン戦争でイギリスに敗北してからおよそ10年後の1853年，**ペリー**が軍艦４隻で浦賀へ来航して開国を迫りました。▲南京条約は1842年 アメリカ合衆国は捕鯨のための補給基地，中国貿易の中継地として日本に注目していたんです。幕府はこの前代未聞の事態を朝廷に報告するとともに，諸大名にも意見を求めたのですが，▲12代将軍家慶（いえよし）が病に倒れていたことも一因 これは，**従来は政治に関与できなかった朝廷や，諸大名の政治的発言力を増大させることにつながりました**。翌年，幕府は再び来航したペリーと**日米和親条約**を結び，開港場を伊豆の**下田**と蝦夷地の**箱館**に設置し，燃料・食料を供与することなどを認めました（一方で，日米間の自由な貿易は許可しませんでした）。４年後の1858年，幕府はアメリカ総領事**ハリス**と**日米修好通商条約**を結び，５港を開港して**自由貿易**を許可しました。▲実際に開港されたのは横浜・箱館・長崎 **関税自主権の欠如**と**領事裁判権の承認**はアヘン戦争の単元で扱っていますよ。最終的に，日本はオランダ・ロシア・イギリス・フランスとも通商条約を結びます（**安政**の五カ国条約）。

これら諸条約を経て，欧米諸国との貿易が始まりました。輸出品は農水産物・生糸・茶など，輸入品は工業製品が中心でした。全体として，**はじめは輸出超過でしたが，**諸外国の要求で輸入品の関税率を下げたことが一因となって**しだいに輸入超過**となっていきます。

開国に伴う混乱や国内産業の圧迫によって庶民の生活が困窮化すると，農村や都市では一揆や打ちこわしが多発しました。列強の圧力に対する反感は，外国排斥を唱える攘夷運動の激化につながり，外国人や貿易商人の殺傷や，公使館への襲撃が起こりました。これに天皇を「王者」として尊ぶ尊王論が結合し，**尊王攘夷運動**として高まっていったのです。

日米修好通商条約前後の幕政に目を戻してみると，通商条約には幕府内部や諸大名のなかにも反対があったため，老中は勅許（天皇の許可）を得て条約締結に正統性を持たせようとしました。▲堀田正睦（ほったまさよし） しかし，時の孝明天皇は攘夷の姿勢を固持して勅許を与えず，結局大老の**井伊直弼**は，**孝明天皇の勅許がないまま日米修好通商条約の調印を強行しました**。そして，天皇の意向を無視したことに猛反発する尊王攘夷派を井伊直弼が弾圧（**安政の大獄**）すると，水戸藩の浪士が井伊直弼を暗殺（**桜田門外の変**）！　現職大老の暗殺という衝撃をうけ，幕府は朝廷との連携によってなんとか実権を維持しようと考えました（公武合体運動）。老中安藤信正が主導▲ 孝明天皇の妹和宮が14代将軍家茂に嫁いだのは，その象徴ですね。

▼強大化し，発言力を増した藩
ここで，幕府・朝廷に並ぶ「第三極」となる雄藩の動向を見ていきましょう。**薩摩藩**は，当初は公武合体を支持していたのですが，島津久光の行列を横切ったイギリス人を藩士が殺傷してしまいました（生麦事件）。▲当時の藩主の父 公武合体派は，おおむね幕府の開国を容認し攘夷には反対なんですが，偶発的に攘夷のアクションを起こしてしまったのです。報復として，イギリスは薩摩を攻撃しました

(**薩英戦争**)。**その国力を見せつけられた薩摩は，攘夷の危険性を改めて実感し，イギリスに接近して西洋文明を摂取**し，藩の実力を高めていきました。

一方，**長州藩**は**尊王攘夷**の立場をとり，幕府の政策である開国には反対して条約の破棄をめざしました（すなわち，薩摩とは対立する関係）。薩摩とは逆に，朝廷に攘夷をはたらきかけて実際に外国船を砲撃するのですが，この直後に前述した薩英戦争が起こり，イギリスとの戦いを経験した薩摩は長州の無謀な攘夷を危険視するようになりました。

ここから，薩摩と長州との全面対決へ。幕府も第１次長州征討に乗り出しました。幕府が天皇（▲および会津）からの勅命を受けて出兵すると，長州は戦わずして降伏しました。さらに，攘夷決行への報復として行われた**下関戦争**（四国艦隊下関砲撃事件とも呼び，イギリス・アメリカ・フランス・オランダが参加▲）も追い打ちをかけ，長州の尊王攘夷派はその方針を放棄するにいたります。代わって，幕府に屈服した藩の上層部に反発する勢力が台頭し，藩論は「攘夷（・反幕府）」から**「開国・倒幕」**に変質していきました。

一方，薩摩藩では幕府を見限る動きが出てきました。藩士の**西郷隆盛**・**大久保利通**が登用されると，藩論が**「開国・倒幕」**となりました。くしくも藩論が一致した両藩の間で，倒幕をめざす**薩長連合（薩長同盟）**が成立しました。これを仲介したのが，土佐藩出身の坂本龍馬。こうして，対立の構図が**「薩摩・幕府 VS 長州」**から**「薩摩・長州 VS 幕府」**へと変化していったんですね。長州を抑えこまんとする幕府は第２次長州征討をおこないましたが，長州は薩摩の支援で優勢となり，大阪城に出陣中の14代将軍家茂が病死したことがきっかけで幕府軍は撤退しました。

1867年，最後の将軍となる15代将軍**徳川慶喜**が就任すると，フランスの援助も受けて幕府政治の立て直しを図ります。一方，少し遅れて明治天皇が即位すると，薩長は武力による倒幕を画策。慶喜は「自らを議長とする大名の会議で政治を運営する」という構想を持っていました（**公議政体論**）。これを実現するため，薩長による倒幕の機先を制して**将軍自らが一旦は政権を朝廷に返上し，改めて朝廷からの委任を受けて徳川氏主導の新政府を作ろう**と考えたのです。そして慶喜は，**大政奉還**によって政権を朝廷に返上し，将軍職も辞退しました。しかし，薩長や岩倉具視を中心とする倒幕派は，明治天皇から討幕の密勅（偽勅説もあり▲）を得ており，慶喜の動きに対抗しました。江戸幕府に代わる新しい政府の主導権を誰が握るのか。倒幕派は，天皇中心の新政府を樹立する**王政復古の大号令**を発令しました（**天皇親政のもとで，徳川慶喜を抜きにした雄藩連合の政府を作ろう**，という意図です）。そして，倒幕派が大号令によって樹立した明治新政府軍と，旧幕府軍とが戦う**戊辰戦争**が始まりました。この戦いを最終的に勝ち抜いた明治政府が，新しく日本を統一したのです。

テーマ 2

歴史総合のための日本史② 明治時代

1 明治維新

(1) 新政府の方針

①**五箇条の誓文**（1868）…明治天皇が神々に誓った新政府の基本方針

➡「会議」「公論」による政治を約束し，のちの国会開設の出発点となる

②**五榜**（ごぼう）**の掲示**（1868）…儒教道徳の遵守，キリスト教信仰の禁止などを掲げた民衆への方針

(2) 藩から県へ…中央集権化を推進

①**版籍奉還**（はんせきほうかん）（1869）

・土地・人民の支配権を諸藩主が天皇に返還

・しかし，旧藩主である知藩事は各藩の徴税権と軍事権を依然として掌握

②**廃藩置県**（はいはんちけん）（1871）

・藩を廃止し府・県を置き，知藩事を排除。中央から府知事・県令を派遣

・これによって，年貢はすべて国の収入となった

(3) 文明開化

①政府は西洋風の風俗を導入　例：官吏や軍人の制服に洋装を採用

②学者による洋書の翻訳，西洋思想の紹介　例：福沢諭吉『学問のすゝめ』

③**太陽暦**（新暦）の採用

…1872（明治5）年，従来の太陰太陽暦（旧暦）から改暦

④宗教…キリスト教の解禁（1873），神道の普及（▲当初，政府は国教化を目指したが失敗），仏教の復興（廃仏毀釈（はいぶつきしゃく）での打撃から復興▼）

(4) 国民統合による国民国家の建設

①身分制度の解体…人々を同じ権利・義務を持つ「日本国民」とする

・**「四民平等」**（▲すべての人々が名字を名乗ることが許された）を原則とし，大名や公家（くげ）が華族，そのほかの武士が士族とされ，百姓・町人は平民と改称

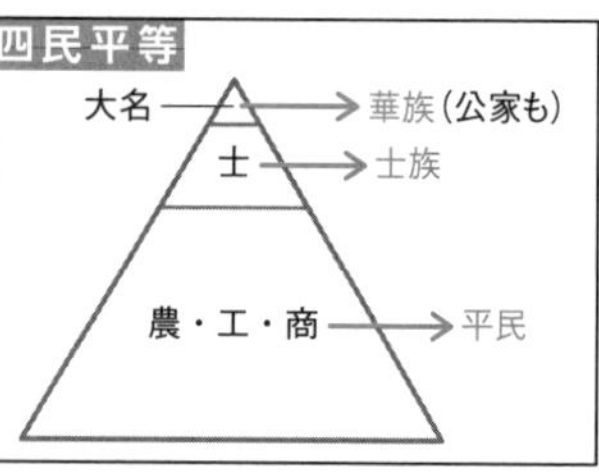

②兵制改革と武士の解体

・**徴兵令**（1873）…国民に兵役の義務を課し，近代的な軍隊を創設

・**秩禄処分**（ちつろくしょぶん）…従来政府から支払われていた，華族・士族への秩禄を廃止

・**廃刀令**（1876）…武士身分の象徴であった刀の携帯を禁止

③教育制度

・**学制**（1872）…初等教育を施す小学校を地域の負担で設立
➡義務教育が整備
・教育勅語（1890）…天皇中心の明治憲法体制を支える忠君愛国の精神
➡学校教育を通じて普及，天皇の神格化

(5) 金融・財政政策
①通貨制度の整備
・**新貨条例**（1871）…円・銭（せん）・厘（り）を単位とし，金貨・銀貨を鋳造
・国立銀行条例（1872）…民営の国立銀行の設立を認可し，金貨と交換できる兌換（だかん）銀行券の発行をめざす（兌換制度は確立せず）
②**地租改正**
・地券の交付によって個人の土地所有権を公認
・地券の所有者は，従来の年貢に代わり，地価の３％を国税として金納（▲のち2.5％）
・土地の売買も自由になり，地租の金納によって農村には商品経済が浸透

(6) **殖産興業**
①政府が外国人を雇用（お雇い外国人）…欧米の技術を導入
②**富岡（とみおか）製糸場**（1872）…官営模範工場として開設し，生糸の品質向上
③**鉄道**の開業（1872）…新橋・横浜間。官営鉄道の整備

2 明治初期の対外関係

(1) **岩倉使節団**の欧米派遣（1871～73）
①**岩倉具視（ともみ）**が中心，大久保利通（としみち），木戸孝允（たかよし），伊藤博文（ひろぶみ）らが海外へ
②将来の**条約改正**の希望や欧米制度の導入の意思を欧米各国に伝える

(2) 領土と国境の画定
①清朝
・**日清修好条規**（1871）…対等な関係を規定。互いに領事裁判権を承認
②琉球
・**日中両属**関係にあった琉球を日本領とする方針➡琉球藩の設置（1872）
・**台湾出兵**（1874）…琉球民が台湾の現地住民に殺害されたことが口実
・**琉球処分**…琉球藩を廃止して**沖縄県**を設置（1879），琉球王国が消滅
③朝鮮
・**征韓論（せいかんろん）**の台頭…士族を中心に，条約締結を拒否する朝鮮への出兵を主張
・政府は**西郷隆盛（たかもり）**の朝鮮派遣を決定
➡岩倉使節団が帰国すると，**大久保利通**らはこれを否定
➡西郷隆盛・板垣退助（たいすけ）征韓派らが下野（げや）（**明治六年の政変**）

・**江華島事件**（→テーマ**49**）

④ロシア・蝦夷地

・**日露和親条約**（1854）…択捉島と得撫島の間を国境，樺太は両国雑居
▲プチャーチンの来航が背景

・蝦夷地を北海道と改称（1869）

・屯田兵制度（1874）…旧士族を移住させ北海道の開拓と防衛

・**樺太・千島交換条約**（1875）…樺太はロシア領，千島列島は日本領

・北海道旧土人保護法（1899）…農地の付与などの保護策は，アイヌの伝統文化の破壊に拍車をかけた

⑤新たな領有…小笠原諸島（1870年代）。尖閣諸島（日清戦争中），竹島（日露戦争中）

年表

【対欧米関係】	【対中国関係】	【対朝鮮関係】
1871 岩倉使節団	**1871** 日清修好条規 台湾で琉球民殺害事件	
	1872 琉球藩	
1873 岩倉使節団の帰国		**1873** 征韓論（留守政府） → 征韓論争…征韓は中止
	1874 台湾出兵	
1875 樺太・千島交換条約		**1875** 江華島事件
		1876 日朝修好条規
	1879 沖縄県	

3 立憲国家への移行

(1) **自由民権運動**の展開

①運動の開始

・明治初期，中央政府の重要な役職は，薩摩・長州を中心とする倒幕勢力が独占（藩閥政府）

・**民撰議院設立の建白書**（1874）…**板垣退助**らが選挙で選ばれた議員による議会開設を要求
➡政府は**新聞紙条例**の制定で言論を取り締まる

②士族の反乱

・士族の不満…秩禄処分・廃刀令などにより特権を奪われる

・**西南戦争**（1877）…**西郷隆盛**らが挙兵するが鎮圧される
➡戦後，言論による政府批判がさかんになる

③運動の拡大

・**国会期成同盟**（1880）…天皇に国会開設を請願

➡政府は**集会条例**を制定して全国各地の集会活動を制限

④国会開設をめぐる政府内部の対立

・**大隈重信**は議院内閣制の早期導入を主張　➡岩倉具視・伊藤博文は反対
▲≒議会が内閣を退陣させる権利がある，ということ

・**明治十四年の政変**（1881）…政府は大隈を罷免

・一方で**国会開設の勅諭**を発し，1890年の国会開設を約束

⑤政党の結成

・自由党（1881）…国会期成同盟の一部，板垣退助が党首

・立憲改進党（1882）…政府を罷免された大隈重信が党首

(2)　松方財政と民権運動の激化

①**インフレ**の発生…西南戦争の戦費調達による紙幣発行増加で物価が高騰

➡政府の支出増などが生じて財政悪化

②**松方正義**（1881年に大蔵卿に就任）の政策

・増税と緊縮財政により紙幣の回収を進める

➡**デフレ**（物価の下落）による不景気

➡困窮した民権運動支持者が反発（秩父事件〔1884〕など）

・**日本銀行**の設立（1882）…銀兌換の銀行券を発行➡銀本位制の確立

(3)　憲法制定と国会開設の準備

①**伊藤博文**の憲法調査（1882～）…ヨーロッパでドイツ流憲法理論を学ぶ

②**内閣制度**の制定（1885）…各省長官を大臣とし，初代内閣総理大臣に伊藤博文が就任

(4)　憲法の制定と特徴

①**大日本帝国憲法**（1889.2.11発布）

・ドイツ人顧問ロエスレルらの助言を得て伊藤博文を中心に起草

・天皇が定める**欽定憲法**の形式

・天皇の位置づけ…統治権の総攬者，**天皇大権**（緊急勅令の発令，陸海軍の統帥，宣戦・講和や条約の締結など）を有する

②帝国議会…貴族院と衆議院の二院制

・貴族院…皇族を除く議員の過半数は，華族の当主によって構成
▲貴族院の議員は，国民の選挙で選ばれた議員ではない

・衆議院…直接国税15円以上を納める満25歳以上男性の選挙で選出
▲人口の1.1％

・議会は天皇の協賛機関…法律制定と予算成立には帝国議会の協賛が必要

(5)　民法典の編纂

①フランス人ボアソナードが起草し，公布（1890）

②日本の慣習との調整が不十分

➡日本人の手によって新しい民法典が1898年に施行

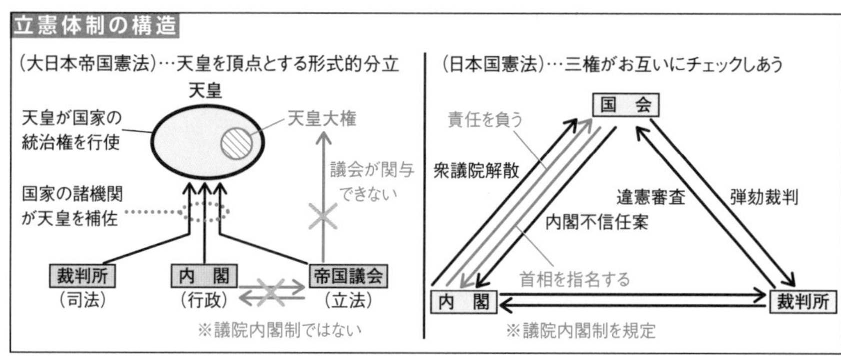

4 日清戦争後の日本

⑴　政党の成立

①**憲政党**（1898）…藩閥に対抗。初の**政党内閣**（**大隈重信**が首相）の成立

②**立憲政友会**（1900）…**伊藤博文**を中心

⑵　日清戦争後の経済

①**金本位制**の確立（1897）…日清戦争の賠償金を利用して金本位制に移行

②軽工業

・紡績（ぼうせき）業…綿花(インド)・機械（イギリス）の輸入で**機械紡績**が発展

➡**綿糸輸出量が輸入量を上回る**（1897）…日清戦争による中国市場拡大

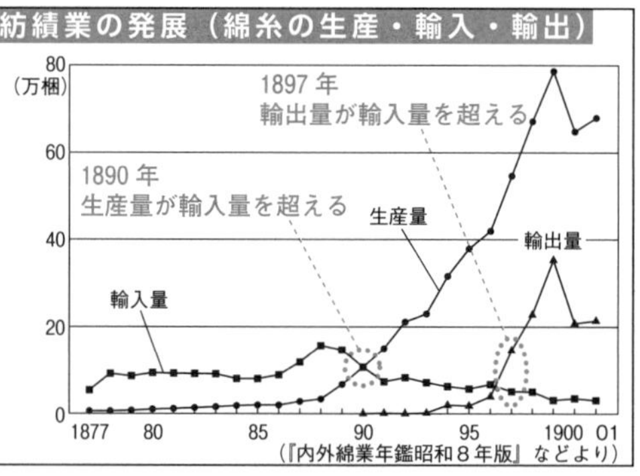

・製糸業…長野県を中心に工場制の**器械製糸**が発展

➡欧米（特にアメリカ）への生糸輸出で外貨獲得産業に

③重工業

・**八幡（やはた）製鉄所**（北九州，1901年操業開始）…日清戦争の賠償金を利用

④民間企業・財閥の成長

・**日本鉄道会社**（▲1881年設立），**大阪紡績会社**（▲1883年開業）（渋沢栄一らによる），**日本郵船会社**（▼1885年設立）

・官営事業（▲造船・鉱山）を払い下げられた，三菱（みつびし）・三井（みつい）などの**政商**（▲政府の保護をうけた有力事業者）**が財閥に成長**

※条約改正…**日英通商航海条約**（1894）（▲日清戦争開戦の直前）で**領事裁判権**を撤廃。**関税自主権**の回復（1911）

明治初期はまさに「スクラップ&ビルド」の時代。武士階層の様々な特権を奪いつつ，欧米列強を参考に国民国家樹立をめざしました。**1860～70年代は，英仏に対抗するイタリア・ドイツなどの後発国が国民国家としての統一を果たした時期で，また南北戦争を経験したアメリカも，国民経済を形成しました。**日本の近代化（▲→テーマ40）も，これらの国家と同時期に進んでいたんですよ（▲→テーマ42）。

戊辰戦争と並行して，新政府の体制が固まっていきました。政府の中枢を担ったのは薩摩・長州・土佐・肥前の下級藩士出身者であり，この勢力を中心とする政権は**藩閥政府**と呼ばれます。

基本方針として**五箇条の誓文**が公布されました。**公議世論の尊重**（▲「広ク会議ヲ興シ」）や，欧米列強の支持を得るための開国和親が示されました。次に，民衆支配に関わる**五榜の掲示**が各地に掲げられましたが，**キリスト教の禁止**などは，江戸幕府の方針を維持している点に注意しましょう。また，江戸を「東京」と改称して遷都（天皇御所を旧江戸城へ移転▲）し，元号を「**明治**」として**一世一元の制**（明代でやりましたね！）（▲→テーマ12）を採用しましたよ。

> **五箇条の誓文（現代語訳）**
>
> 一、広く会議を開いて，政治のすべては人々の意見をまとめて決定すべきである。
>
> 一、上の者も下の者も心を1つにして，経済や財政を安定させて国をおさめよ。
>
> 一、公家・武家が一体となって，庶民にいたるまで各自の意思を大切にし，人々の心があきないようにする必要がある。
>
> 一、旧来の悪習を打破し，万国公法〔国際法〕によって開国和親をおこなうこと。
>
> 一、知識を世界に求め，天皇の政治をしっかりとせねばならない。

1869年には，藩主が将軍から御恩として与えられていた藩を，天皇へ返上しました（**版籍奉還**）（旧大名▲ 領地と領民▲）。もっとも，旧大名は政府から知藩事に任命され，引き続き藩内の政治にあたっていたため，翌々年に新政府は**廃藩置県**を断行。天皇が知藩事を罷免し，府知事・県令を中央政府から派遣して地方行政にあたらせて，新政府は中央集権体制を確立させます。具体的には，かつては**各藩が掌握していた軍事権・徴税権を中央の新政府に移すことで，新たな軍制の徴兵制，新たな税制の地租改正を行う基盤が整った**んですね。

身分制度の解体（この前提として，戸籍制度も整備された▲），徴兵制の採用，教育制度の整備，殖産興業は，国民国家を形成するプロセスをなぞった典型といえます（▲重要テーマ4）。世界史探究の単元と照らし合わせながら読んでもらうと，スムーズに理解できますよ。まずは版籍奉還以降，身分制度が解体されて（**四民平等**），全ての人が名字を名乗ることを許され，職業や居住する場所の選択なども自由となりました。「平等な国民」の創出が試みられたのです。軍制に目を転じると，**徴兵制**が採用されました。他方，旧来の武士層の役割は薄れますから，彼らに支給していた**秩禄**（江戸時代に武士が受け取っていた俸禄に代わるもの）が廃止され，さらに**廃刀令**によって帯刀も禁じられ，旧武士身分の特権は失われていったのです。

1870年代前半には，初等教育を施す小学校が全国的に設立され，貧しくても**公費で教育を受けられる制度が整えられていきました**。大日本帝国憲法の施行後には**教育勅語**が，ナショナリズムを浸透させる大きな手段となりました。

▲義務教育の授業料が廃止されたのは1900年

近代国家となるための新しい政策や事業には，莫大なお金がかかりますから，財政制度の整備も喫緊（きっきん）の課題でした。新政府が実施した税制改革（**地租改正**）のポイントは，下の２点です。

①廃藩置県によって徴税権が「藩➡中央政府」へと移ったことをうけ，政府が**全国一律に徴税が可能になった。**

②税が**定額・金納**になり安定した税収を見込めるようになった（江戸時代は，米価や米の生産量によって税額が左右されていた）。

これと並行して，**新貨幣が発行され，国立銀行も設立されました**ね。

新政府は欧米と並ぶ国力を持つため，「お雇い外国人」の支援を得つつ政府主導で**殖産興業**を推進し，特に幕末から輸出品の主力であった**生糸**を製造する製糸業に注力しました。その代表例が，フランスの機械を導入した群馬県の**富岡製糸場**です。同年，官営**鉄道**が**東京の新橋と開港場の横浜との間で開業**し，全国的な鉄道網の先駆けとなりました。

明治初期（1870年代）の対欧米外交で主題となったのは，不平等条約の改正でした。政府は**大久保利通**ら総勢100名を超える**岩倉使節団**を派遣（1871～73）しましたが，アメリカとの条約改正交渉が不調に終わったこともあり，欧米の情勢を視察することに専念しました。

とくに，領事裁判権と関税自主権欠如の問題▲

続いて，日本の近隣国との外交で主要なテーマとなったのが**主権国家体制の前提である国交の樹立と，国境の画定**です。かつては長崎で貿易のみを行っていた清朝とは，1871年に対等条約である**日清修好条規**を結びました。その頃，清の直轄領であった台湾で琉球漂流民が殺害される事件が発生しました（当時の琉球は**日中両属**といういわば「宙ぶらりん」の状態でしたね）。明治政府はこの事件を利用しようとたくらみます。「琉球民＝日本国民」とみなして琉球を日本の領域に組み入れようと，**台湾出兵**を断行したのです（近代日本最初の海外出兵でした）。これを踏み台として，政府は琉球を日本の領域に組み入れ，

▲→テーマ49

▼清から事実上の賠償金を獲得し，政府は清のお墨付きを得たと解釈

沖縄県を設置しました（**琉球処分**）。清はこれに反発し，最終的には日清戦争（1894～95）により琉球帰属問題は決着を見ました。

続いて朝鮮です。鎖国に固執する朝鮮に対して，岩倉使節団（▲→テーマ49）が派遣されていた間の留守政府（**西郷隆盛**が中心）は，軍事力を用いてでも朝鮮を開国させるという**征韓論**を唱えました（近代化を進める明治政府に対する士族の不満を，海外へそらすという目的も）。しかし，帰国した岩倉使節団のメンバー（とくに**大久保利通**）は内政を重視する「内治優先」の姿勢をとって最終的に征韓は中止となり，反発した征韓派の西郷隆盛らは政府を去りました（**明治六年の政変**，1873）。ただ，政府は朝鮮の開国を放棄したわけではなく，朝鮮へ軍艦を派遣して挑発行為をおこなわせました。これが**江華島事件**につながるわけで，その後の日朝関係は**テーマ49.50**にある通りです。

北方の蝦夷地方面では，19世紀に入るとロシア船の姿が目立つようになりました。1854年に日米和親条約が結ばれた直後，**日露和親条約**が結ばれました。アイグン条約（▼ロシアが清からアムール川以北を獲得 →テーマ41）が1858年，北京条約（▲ロシアが清から沿海州を獲得 →テーマ41）が1860年ですから，当時の南下政策の一環として日本にアプローチしていたことが分かります。明治時代に入った1875年，**樺太（からふと）・千島（ちしま）交換条約**が結ばれ，日露間の国境が画定されました（▲日本が樺太をロシアに譲ったのは，北海道の開発で手一杯だったため）。

蝦夷地には先住民**アイヌ**が暮らし，かつては彼らとの交易を独占する松前藩が大きな力を持っていました。明治時代になると政府はロシアの進出に対する防波堤として蝦夷地を重要視し，「北海道」と改称して開発に本腰を入れます。**屯田（とんでん）兵制度**を設け，士族を移住させて開拓と防衛を担わせたことは，秩禄の収入を失った彼らへの失業対策でもあったのですね。しかし，開発とともに，アイヌに対する「日本人への同化」を進め，日本語教育や農業奨励（アイヌの生業のうち，狩猟が大きな比重を占めていた▲）を推進したため，**アイヌの伝統的な文化や生活が失われていきました**。こうした状況は，1899年に**北海道旧土人保護法**が制定されてから，さらに拍車がかかりました。

南方では，小笠原諸島の領有をアメリカ・イギリスに通告し，最終的に東京府に編入しました。また日清・日露両戦争を通じて，尖閣諸島と竹島を領有するにいたりました。

自由民権運動から大日本帝国憲法制定までの政治の流れは，平たくいえば**【重要テーマ5】**の日本バージョンです。「上から」「下から」を意識していきましょうね。

明治六年の政変で下野した**板垣退助**らが提出した**民撰議院設立の建白書**は，「下からの」議会政治実現をめざすものでした。薩長出身者を中心とする藩閥政府の官僚が取り仕切る政治を「有司専制」と断じ，五箇条の誓文にあった公議世論の尊重を根拠に，国会の即時開設を要求しました。これをきっかけに，「板垣さんの言うとおり！」と賛同した士族による政社の結成と政府批判が高まります。一方，板垣退助と同じく明治六年の政変で下野した**西郷隆盛**は，秩禄処分や廃刀令で不満を高めていた士族層を率いて挙兵しました（**西南戦争**）。徴兵された兵士からなる政府軍（かつて西郷の盟友であった大久保利通が主導）によって動乱が鎮圧されると，**現状に不満を抱く人々は，武力ではなく言論で現状打開を訴えることに集中し，民権運動が高揚する一因となりました**。そして，富裕な農民なども加わって運動は広がっていきました。

▲最後の士族反乱

▲西郷は自決

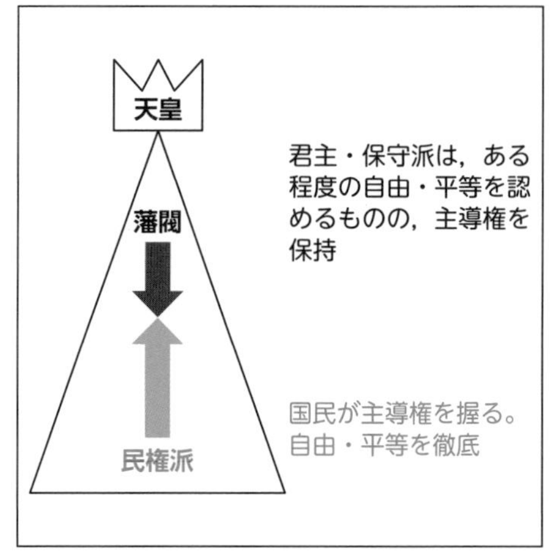

1880年に，民権派は**国会期成同盟**を結成して国会開設を天皇に請願。藩閥政府側は，国民国家の構築には「**ある程度は**，国民の政治参加が必要」なことは認識していますから，緩やかな立憲化を志向しました。一方で民権派に主導権を渡すつもりは毛頭ないので，民撰議院設立の建白書に賛同した士族の政社には新聞紙条例，国会期成同盟には**集会条例**，と自由民権運動を規制します。

そんな中，政府内で「早期に国会を開きイギリス風立憲政治を実現すべき！」と主張した**大隈重信**が，国会開設は時期尚早とする**伊藤博文**らと対立して政府を追われる事態となりました（**明治十四年の政変**，1881）。民権派が猛反発することは容易に想像できます。ここで伊藤博文は**国会開設の勅諭**を発し，９年後の国会開設を約束して混乱を収拾しました。「アメと鞭」を使い分けて民権派をコントロールしたわけですね。国会が生まれる時期が確定したことをうけて，来たるべき選挙＆議会政治に備えて政党が結成されました。**板垣退助**の**自由党**や，**大隈重信**の**立憲改進党**がその代表格です。

▲≒民権派に近い理念　▲1878年の大久保利通暗殺後，政府の中枢についた　▲1890年　▲フランス流の民主的体制を主張　▲イギリス流の議院内閣制を主張

この時期の経済は，

> 政府が西南戦争の軍事費調達のために紙幣を濫発して**インフレ**
> （物価高騰　→テーマ56のドイツにおけるインフレも参照のこと▼）（▲不換紙幣）
> ⬇
> 大蔵卿の**松方正義**が紙幣の整理・回収を図る。副作用で深刻な**デフレ**
> （▲増税や緊縮財政）（▲物価下落）

とジェットコースター状態。これに振り回された怒れる農民層が自由党と結んで反政府運動を繰り広げ，民権運動は新たな段階に入りました。一方，松方財政のもとで中央銀行である**日本銀行**が設立され，銀本位制が確立して金融制度が整いました。

政府は，「**ドイツ帝国を範とする憲法を採用すべし**」と決定しました。皇帝と宰相に絶大な権力を認めるドイツ帝国憲法は，天皇制を維持しつつ「上から」国民国家をつくろうとしていた当時の日本にフィットしていた，ということです。そして，**伊藤博文**は自らヨーロッパへ渡ってドイツ流の立憲制度を学び，帰国すると憲法制定に先駆けて**初代内閣総理大臣に就任**し，1889年にはついに**大日本帝国憲法**が発布されました。①天皇が定める**欽定憲法**，②**天皇は統治権の総攬者，陸海軍の指揮権（統帥権）など広範な天皇大権を持つ**，③ドイツと同じく，**内閣は議会に対して責任を負わない**，④ドイツとは異なり，**衆議院は普通選挙ではない**，このあたりに注目しましょう。

▲→テーマ40　▲従来の太政官制を廃止　▲直接国税15円以上を納める満25歳以上の男性に選挙権

民法に関しては，フランス人ボアソナードが起草した民法が「日本の伝統的家族道徳を否定している」という反発をうけ，結局は日本の慣習を考慮しつつドイツ民法を参考にした民法が制定されました。実は，これら種々の法律の制定は**条約改正**とも深く関わっていました。今まで欧米が日本などの諸国に領事裁判権を押しつけたのは「**欧米の近代的な法律に比べると，貴国の法・ルールは洗練されておらず野蛮きわまりない。そんな法で我が国民を裁かれてはたまらない！**」という考えが根底にあったからなんです。そこで日本としては「欧米の人たちにも適用できる，近代的な法律を整備していますよ」とアピールする必要があったんですね。こういった努力が実り，1894年の日清開戦の前夜に結ばれた**日英通商航海条約**で**領事裁判権**が撤廃され，日露戦争後の1911年には**関税自主権**も回復することができました。

▲例えばある国の法では，拷問（ごうもん）が認められていたりした

大日本帝国憲法制定から５年後の1894年，**日清戦争**が勃発します。戦後，**大隈重信**率いる**憲政党**が衆議院の過半数を占めて主導権を握り，政府が提出した法案・予算案を否決できる状況が生まれました。ここにいたって，当時の首相**伊藤博文**は政権を投げ出し，大隈重信を首班とする**初の政党内閣**が成立しました。この後，政府寄りの政党の必要性を痛感した伊藤博文は，旧自由党系の勢力と組んで**立憲政友会**を立ち上げました。

▲→テーマ49　▲自由党と，立憲改進党を受け継ぐ進歩党が合併　▲第３次内閣　議会に多数の議員を送り込んでいる政党を中心としてつくる内閣▲

経済面でも，日清戦争は日本に大きな影響を与えました。直接的には，清から得た賠償金で**金本位制**を確立させ，**八幡製鉄所**の立ち上げ資金にも充てました。金本位制の確立は，欧米諸国との間で為替相場を安定させるので，貿易がスムーズになります。国際経済の面でも列強の仲間入りを果たしたのですね。**軽工業（紡績業・製糸業）も目覚ましく発展**しました。中国市場が拡大したことに後押しされ，1897年に**綿糸の輸出量は輸入量を超え**，生糸の輸出も欧米向けに増加し，日清戦争後には**器械製糸の生産量が座繰製糸の生産量を上回りました**。また，日清戦争前に官営の造船所や炭鉱の払い下げをうけた三菱・三井といった政商は，明治時代末期にかけて**財閥**へと成長していきました。

▲→テーマ62　下関条約で，中国の開港地が増加▲　▲長崎造船所　▲三池炭鉱　コンツェルン（→テーマ44）の一形態で，持株会社が傘下企業の株式を所有▲

テーマ 3

歴史総合のための日本史③ 大正時代とその前後

1 第一次世界大戦中の日本

(1) **大隈重信**内閣（第２次）

①連合国側で参戦（1914）

➡中国に**二十一カ条の要求**を提出（1915）

二十一カ条の要求（1915）

(1)山東省のドイツ権益を継承
(2)南満洲・東部内蒙古の権益拡大
（旅順・大連の租借期限と南満洲鉄道の経営期限を，それぞれ99年間延長）
(3)漢冶萍公司（製鉄会社）の日中共同経営
(4)中国沿岸部を他国に割譲しない
(5)中国政府に日本人顧問を採用
※(1)〜(4)を承認させる（(5)は撤回）

(2) 大戦景気

①ヨーロッパからの輸出停滞

➡日本の**重化学工業・繊維業・造船業**の生産急増

②工業生産額や工場労働者数の増加

➡輸入超過から**輸出超過**に転じる（**大戦景気**）

③在華紡…日本の民間紡績会社が中国に設立した工場。安価な労働力
▲広大な市場が目的

(3) **米騒動**（1918）

①**シベリア出兵**（→**テーマ54**）にともなう米の買い占めによって米価が暴騰

②富山県の主婦が米屋に押しかける➡暴動が全国へ拡大

➡軍隊を動員して鎮圧するが，寺内正毅内閣は退陣（原敬内閣の成立へ）

2 大正デモクラシー　大正天皇の即位（1912）➡大正時代となる

※日比谷焼打ち事件（1905）…労働者らが大臣官邸などを焼き打ち
背景には，日露戦争の講和で賠償金を得られないことへの不満があった▲

(1) **第１次護憲運動**（1912〜13）

①**桂太郎**内閣（第３次）の成立（1912）…陸軍・藩閥・官僚の後押し

・議会（過半数は立憲政友会）を無視した組閣➡世論の激しい反発

②犬養毅（立憲国民党）・尾崎行雄（立憲政友会）らが内閣退陣を要求

➡民衆運動に発展，桂内閣退陣（1913，**大正政変**）

(2) 「デモクラシー」運動の本格化

①背景

・世界における参政権拡大（とくに**イギリスにおける男性普通選挙実現**）
▲1918年 →テーマ56

・**普選運動**（普通選挙運動）の高揚

・**吉野作造**…**民本主義**（民衆の意向に基づく政治）を理想とする

・**美濃部**(みのべ)**達吉**の**天皇機関説**…天皇は国家機関の一つにすぎず，政治運営は政党内閣を理想とする

(3) **原敬**内閣の成立…**初の本格的な政党内閣**

①**立憲政友会**総裁，初の衆議院議員の首相（「平民宰相」）

②立憲政友会員が陸・海・外相以外の全閣僚を占める

3 日本における大衆消費社会の到来

(1) 日本における教育の発達

①義務教育の定着，中等教育の拡大，大学令の制定（1918）

②サラリーマンの増加，男性と対等に仕事をこなす「**職業婦人**」の登場

(2) 都市化の進展…娯楽商業施設の増加，洋食の普及
▲映画館・デパート・遊園地　▲トンカツ・コロッケ・ライスカレーなど

(3) 大衆文化・消費文化の誕生

・宣伝ポスターの増加　→都市部における大衆文化・消費文化の拡大
▲印刷技術の発達が背景

・**映画**…当初は無声映画。1930年代にはトーキー（発声映画）も登場

・**モガ**…昭和初期に，アメリカ的生活様式を模倣した若い女性
▲ショートボブヘア，膝丈のスカートなどを特徴とする当時のアメリカ女性をフラッパーと呼ぶ

(4) 労働運動と社会運動

①労働運動・農民運動

・背景…大戦景気による労働者増加，**ロシア革命**，**国際労働機関**の設立
▲1917年　▲1920年

・**労働争議**の増加…友愛会が労働者の地位向上をめざす
▲のちに全国的な労働組織へと発展

・**小作争議**の増加…日本農民組合（1922）の指導，小作料の減免を要求

②女性運動…欧米で女性参政権運動が高揚したことが背景

・**平塚らいてう**(ちょう)…『青鞜(せいとう)』で「元始，女性は実に太陽であった」と宣言
▲雷鳥，明（はる）

・新婦人協会（1920）…市川房枝(ふさえ)らが女性の地位向上をめざし結成

・治安警察法改正（1922）で女性の政治演説会への参加が認められる

③部落解放運動…**全国水平社**の結成（1922）

④共産主義運動…**日本共産党**の結成（1922）

※**大逆事件**（1910）…**幸徳秋水**らが明治天皇の暗殺計画を疑われ処罰
▲社会主義者

⑤**関東大震災**（1923）…東京・横浜を中心に10万人以上の死者

・朝鮮人・中国人の殺傷事件…避難民などの流言から，自警団が殺傷

・多数の企業が被災，大量の不良債権が発生➡景気は停滞

(5) マスメディアの発達

・**出版**…大衆雑誌『キング』，総合雑誌『改造』，円本（1冊1円）など

・**新聞**…有力全国紙が発行部数100万部達成（1920年代中頃）

・**ラジオ**…1925年に東京で本放送開始
▲普及率が50%に達するのは太平洋戦争期

第一次世界大戦が勃発する前々年の1912年，日本では大正天皇が即位して**大正時代**がスタートしました。この年，藩閥と陸軍の後押しをうけた**桂太郎**が組閣し（▲第３次），衆議院の過半数を占めていた立憲政友会の意向を無視しました。**尾崎行雄**（▲立憲政友会）や**犬養毅**（▲立憲国民党）らは組閣のあり方について猛攻撃し，怒れる民衆は国会を包囲！（▲「閥族打破・憲政擁護」をスローガンとした） 桂内閣は倒れました（**大正政変**，政党勢力と国民の力が内閣を倒した最初の例です）。この一連の動きは**第１次護憲運動**と呼ばれます。

ここで，大日本帝国憲法の体制下，どのように首相が決定されていたのかざっくりと説明しておきます。首相を任命するのは天皇ですが，その**人選には天皇のサポート役である重臣「元老」の意向が大きく反映されました**（▲俗称であり，このような役職があったわけではない）。元老の多くは明治時代に首相を務めた重鎮で，薩摩・長州の出身者が大半です（代表格は伊藤博文と山県有朋）。元老たちが天皇の意向，当時の政局，世論の風向き，対外情勢，それらを総合的に判断して首相になる人物を抜擢していたのです。

サライェヴォ事件から第一次世界大戦が勃発すると，ヨーロッパ戦線は総力戦の様相を呈し，**列強にはアジアに工業製品を輸出するゆとりがなくなっていました**（▲→テーマ53）よね。アジアで民族資本が成長したこの状況は日本にとっても好機であり，中国向けをはじめとする工業製品の輸出が大きく伸びました（▲→テーマ57）（**大戦景気**）。なお，中華民国に**二十一カ条の要求**を突きつけたのは，**大隈重信**内閣（▲第２次）です。

そして，大戦中のロシア革命をうけて日本軍は**シベリア出兵**へ。この際，国内の米屋は遠征軍の補給物資の要たる米の不足・値上がりを当て込んで，米の買い占めや売り惜しみを始めたため，米価が暴騰しました。富山県で始まった米の安売りを要求する騒動は，漁村の女性の行動が新聞で報道されたことから全国に波及しました（**米騒動**）。事態は鎮静化するのですが，内閣の責任を追及する世論の批判はすさまじく，寺内正毅内閣は総辞職しました。

代わって組閣した**立憲政友会**総裁の**原敬**（▲平民出身）は**初の衆議院議員の首相で，立憲政友会党員が陸・海・外相以外の全閣僚を占めたことから，初の本格的な政党内閣**といわれます（▲第１次大隈内閣が「初の政党内閣」とされるが，大隈重信は衆議院議員ではなかった）。この時期はちょうど第一次世界大戦が終わる時期にあたり，欧米では普通選挙が実現していきました（▲→テーマ56）。そして，**吉野作造**や**美濃部達吉**らが民意を反映した政党政治の実現・定着を唱えました。天皇中心の明治憲法体制のもとでも，事実上の議会制民主主義が実現できるとしたのです。

「**大衆社会**」は歴史総合でとくに重視される分野です。1920年代のアメリカと同様に（▲→テーマ59），同時期の日本で大衆化が進んでいきました。公教育の定着を背景にホワイトカラー層が増加。大戦景気で労働者層が増加したことや，ロシア革命の成功（▲→テーマ60）は**共産主義**（▲→テーマ54）・労働運動・農民運動の活性化を促し，**部落解放運動**も勃興します。総力戦を支えた見返りに欧米で女性参政権が実現したことで，女性の権利への関心が高まりました。企業で働く「職業婦人」も増加しましたね。

歴史総合のための日本史④ 昭和時代（大正末期含む，太平洋戦争まで）

1 1920年代の政治・経済　～政党内閣と恐慌～

(1) 普通選挙法と治安維持法

①**第２次護憲運動**…政党勢力（護憲三派）が普通選挙の実施を要求（1924）

②第１次**加藤高明**内閣の成立（1924）
▲憲政会の総裁，第２次護憲運動の中心

・**普通選挙法**（1925）…**満25歳以上の男性**に納税額に関係なく選挙権

・**治安維持法**（1925）…共産主義運動（天皇制や資本主義の否定）を処罰

※「**憲政の常道**」…加藤内閣以後約８年間，衆議院で多数の議席を持つ政党の党首が内閣を組織する慣例が続く
▲五・一五事件まで

③幣原外交…外務大臣**幣原喜重郎**による協調外交

・北伐への不干渉政策，中国の関税自主権回復を支持

(2) 第一次世界大戦後の不況

①大戦中はヨーロッパ資本のアジアからの後退をうけ，好況

➡戦後，一転して輸出不振（戦後恐慌）

②**震災恐慌**…関東大震災（1923）をうけての恐慌

※昭和天皇の即位（1926）…元号を昭和に改元

③**金融恐慌**（1927）…預金が財閥系５大銀行に集中する結果を招く

④**田中義一**内閣（1927～29，長州藩閥・軍人出身，立憲政友会総裁）

・モラトリアム（支払猶予令），日本銀行からの巨額融資➡恐慌は鎮静化

・欧米諸国とは協調外交…**不戦条約**（1928）

・中国大陸では強硬外交…**山東出兵**（1927～28）で北伐へ干渉

➡関東軍が**張作霖**を爆殺…満洲の直接支配を画策
▲本来，関東州（旅順・大連地区）と南満洲鉄道を警備する部隊として創設

➡事件処理にあたって田中首相は天皇からの信頼を失い，内閣総辞職

2 1930年代の日本（恐慌と軍部の台頭）

(1) **浜口雄幸**内閣（1929～31）

※この時期，アメリカに端を発する**世界恐慌**が発生（1929～）。自前の市場に乏しい「**持たざる国**」である日本は，国際貿易縮小に苦しむ

①蔵相**井上準之助**の政策…**金輸出解禁**（1930），緊縮財政と産業合理化
▲金本位制へ復帰

②**昭和恐慌**（1930～31がピーク）…世界恐慌の影響とデフレ不況

・輸出が大幅に減少。企業の操業短縮や倒産で失業者の増加
・米価の下落や繭価の暴落（アメリカへの生糸輸出減）➡農業恐慌

③**ロンドン海軍軍備制限条約**（1930）…緊縮財政・協調外交の立場で締結

④浜口雄幸(おさち)首相が右翼に狙撃され重傷（1930）⬅統帥権干犯(とうすいけんかんぱん)問題
ロンドン海軍軍備制限条約は天皇の統帥権をおかすという批判▲

⑵ **満洲事変**（1931~33）

①**柳条湖事件**(りゅうじょうこ)…関東軍が南満洲鉄道を爆破し，**張学良**による行為と主張
満洲軍閥張作霖の子で，当時日本に反発し南京国民政府に従っていた▲
➡満洲全域を軍事占領

②政府（第２次若槻(わかつき)礼次郎内閣）は不拡大方針➡軍の動きを止められず総辞職

③**満洲国**の建国（1932）…清朝最後の皇帝**溥儀**が執政，日満議定書で承認
▲後に皇帝となる

⑶ **五・一五事件**（1932.5.15）

①背景…政治課題に即応できない政党政治への不満

②満洲国承認に消極的な**犬養毅**(いぬかいつよし)首相を海軍青年将校らが暗殺
➡海軍出身斎藤実(まこと)が首相となる＝**政党内閣の終焉**

⑷ 国際連盟からの脱退

①中国が満洲事変に対して提訴

②**リットン調査団**（1932）…国際連盟が満洲事変調査のため関係地に派遣
➡リットン報告書（日本の満洲権益維持を認めるが，満洲国は否認）

③国際連盟臨時総会で日本に対する撤収勧告案に反対
➡国際連盟脱退を通告（1933）

⑸ 大蔵大臣**高橋是清**(これきよ)の政策

①**金輸出再禁止**（1931）➡管理通貨制度へ移行
▲金本位制から離脱

②円安を利用し輸出を拡大…綿織物輸出はイギリスを抜いて世界一

③重化学工業の発展…軍事費の増大が背景，新興財閥（日産・日窒(にっちつ)）の成長

④農村救済のため公共事業（土木事業）を実施

⑤鉱工業生産が恐慌前の生産水準を回復（1933）➡恐慌脱出

⑹ **二・二六事件**（1936）

①陸軍青年将校が高橋是清蔵相・斎藤実前首相らを殺害
➡陸軍の政治的発言力が強化

⑺ ワシントン体制の崩壊…日英米の協調体制の破綻

①**ワシントン海軍軍備制限条約**の破棄通告（1934）

②**ロンドン海軍軍備制限条約**から離脱（1936）

3 日中戦争・太平洋戦争中の日本国内の状況

⑴ 国家体制

①企画院…日中戦争勃発（1937）の後に設置され，経済統制

②**国家総動員法**（1938）…政府は戦争目的のため，議会を通さずに物資や労働力を動員

③産業報国会の結成…企業ごとに労資一体となって戦争に協力

④**大政翼賛会**（1940）…全ての政党が解散し成立，しかし政党ではなく戦争協力諸団体を統括する組織となる

➡議会は政府提案を承認するだけの機関となっていく

⑵　国民生活の統制

①統制経済のもと，民間向け生活物資の生産や輸入は制限

②国家総動員法に基づき，民間人を軍事産業に動員

③国防婦人会…のちに大日本婦人会に再編。戦争遂行のため，奉仕活動

④若年者の動員…中等学校以上の男女生徒の工場動員，学徒出陣（▲大学生など）

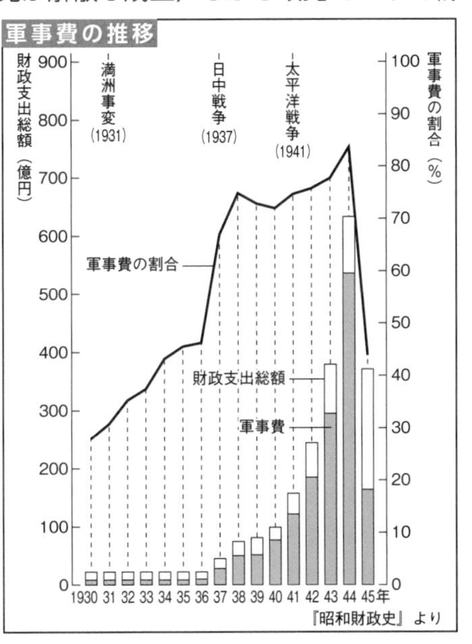

本講は，大正デモクラシーの続きからいきましょう。原敬が暗殺された後，短命な政党内閣を挟んで非政党内閣が３代続きました（▲そのうち加藤友三郎と山本権兵衛は軍部出身だった）。これに反発する政党勢力（「護憲三派」（▲憲政会，立憲政友会，革新倶楽部））が普通選挙の実施を要求したのが**第２次護憲運動**です。護憲三派は総選挙で圧勝し，憲政会の**加藤高明**が首相に就任しました。ここからの約８年間は，**衆議院で多数を占めた政党を核とする内閣が慣例として続き，この状況は「憲政の常道」と呼ばれました**。加藤高明は1925年に公約通り**普通選挙法**を成立させ，**25歳以上の男性**に選挙権が認められました（▲有権者は人口の約５％から約20％に拡大）。同年，**治安維持法**が制定されたことも重要です。普通選挙による労働者階層の政治的影響力の拡大を抑えるとともに，**共産主義者の入国・活動を防ぐ意図**がありました（1925年，日ソ基本条約でソ連を承認したことが背景▲）。なお，この時期に外相を務めた**幣原喜重郎**は欧米との**協調外交**を展開したことで知られています。欧米が日本を抑え込もうとした**ワシントン会議**（▲→テーマ55）以降，日本は欧米との協調を重視するようになっていた点はポイントですよ。

1926年，昭和天皇が即位して元号は昭和となります。この前後の時期，経

済面では暗い話題が続きました。大戦が終結（▲1918年）すると，復興したヨーロッパの製品がアジア市場へと戻ってきました。中国ではイギリス綿糸の前に日本製綿糸は劣勢に立たされて輸出は減少（**戦後恐慌**）。紡績会社は労働者を解雇するとともに，人件費の安い中国に進出して工場（▲「在華紡」）を設立しました。そして1923年9月1日，**関東大震災**が起こって首都圏は甚大な被害をうけるとともにパニック状態に陥りました。政府は戒厳令を発して，軍を街中に出動させることで睨（にら）みをきかせ，首都の治安維持につとめました。首都圏の企業・消費者が被災したことで景気も冷え込みます（**震災恐慌**）。多くの企業が銀行への借入金の返済に苦慮し，銀行側もこれを整理できない状況下で，震災恐慌の「後遺症」のような形で起こったのが**金融恐慌**（1927）です。世間で「銀行が企業から金を返してもらえないなら，銀行の経営がヤバくなるのでは!?」という風評が高まってしまい，政府はこの金融不安を打ち消すのに躍起になるのですが，「銀行がつぶれる前に，俺の預金を引き出してしまおう！」という取りつけ騒ぎが多くの銀行で起こってしまったのです。こうなると「つぶれる心配がないメガバンクに預金を預けておこう」と考えるのが人の心理ですから，**金融恐慌は財閥系5大銀行に預金が集中する結果を招きました。**

この金融恐慌に対し，①債務の返済（銀行から預金者への支払いも含む）に一定期間の猶予（▲モラトリアム）を設定，②日銀が銀行に巨額の資金を供給，という策を講じたのが**田中義一**内閣。対外的には**不戦条約**（▲→テーマ56）に調印する一方，中国では強硬な態度をとりました（協調的な幣原外交から方針転換したんです）。ここからの内容は，**テーマ58**を踏まえた上で読み進めてくださいね。当時，**蔣介石**（しょうかいせき）率いる**国民党**が北京政府の**張作霖**を倒さんと進めていた**北伐**に対し，日本は警戒を強めます。田中内閣は**山東出兵**を行って北伐を妨害しようとしましたが，蔣介石はこれをスルー（▲田中は張作霖と旧知の仲で，支援の見返りに満洲権益拡大を狙っていた）して北京へ向かい張作霖を撃破。敗走した張作霖は奉天（ほうてん）で関東軍に爆殺されました。ここで注意したいのは，張作霖を爆殺したのは**関東軍の独断**（▲河本大作が主導）**であり，政府や軍首脳部の指示ではなかった**ということです。田中義一は，軍の統制がとれていないという失態の真相を国民には伝えずに軍を守ろうとしたのですが，この態度を天皇に厳しくとがめられ，総辞職（田中は陸軍出身であった▲）にいたりました。

1929年，アメリカから始まったは**世界恐慌**（▲→テーマ59）の波は**浜口雄幸**内閣時代の日本へも波及してきました（「**昭和恐慌**」）。外交面では復帰した幣原喜重郎が，海軍の反対を押し切って**ロンドン海軍軍備制限条約**（▲→テーマ55）に調印。これに対して海軍が「内閣が独断で兵力を決定するのは，憲法で定められた天皇の統帥権を犯している！」という解釈を持ち出して猛攻撃したため政局は混迷し，浜口は東京駅で右翼に銃撃されて職務続行が不可能となり，総辞職しました。

世界恐慌下，「持たざる国」であったドイツ・イタリア・日本は市場拡大をもくろんで対外進出を図りましたよね。それが形となったのが**柳条湖事件**に始まる**満洲事変**（▲→テーマ59）です。なんと，**柳条湖事件も関東軍の独断**であり，当時の**若槻礼次郎**（第２次，立憲民政党▲）内閣は，不拡大の方針を表明しました。しかし，関東軍はこれに従わず，国内でも政党内閣を打破して軍部政権を樹立しようとする動きが起こりました（▲九カ国条約（→テーマ55）に抵触する可能性が指摘されたことも一因）。「政党の議員どもは選挙での当選だけを目指して汚職にも手を染め，景気が一向に上向かないのに財閥だけは肥え太っていく……」。こんな状況なので世論やマスコミは軍部寄りに傾き，若槻内閣は総辞職します（各段落の終わりが「総辞職」ばかりですね…）。

続く**犬養毅**（▲立憲政友会）内閣の時期，国際連盟は**リットン調査団**を派遣し，関東軍の方は**満洲国**を建てました。国内では一部の海軍将校が暴発し，満洲国承認に後ろ向きな**犬養毅**を暗殺（**五・一五事件**，1932）！　政党内閣に対する風当たりの強さを感じた元老の西園寺公望は，次の首相として政党の党首を推薦しませんでした。ここに**政党内閣の慣行は終わりを告げました**。なお，犬養内閣の時代に蔵相**高橋是清**が**金輸出の再禁止**（▲＝金本位制の停止　→テーマ59）に踏み切ります（この前後の金融政策は，第一次世界大戦中の1917年に金輸出禁止，1930年に金解禁，という流れです）。軍需（ぐんじゅ）の高まりをうけて重化学工業が発展したこともあり（▲日産（満洲へ進出）・日窒（朝鮮へ進出）などの新興財閥が成長），日本経済は不況から脱することができました。

政府に対する軍部の干渉が強まるなか，陸軍の内紛から起こったのが**二・二六事件**。若手将校が蜂起して政権奪取を試みますが，彼らが担ぎ上げようとした天皇自身が激怒し，騒乱は鎮定されました。

日本にとって「対岸の火事」状態であった第一次世界大戦時とは打って変わり，日中戦争（▲→テーマ58）（勃発時の首相は**近衛文麿**），太平洋戦争（▲→テーマ61）（勃発時の首相は**東条英機**）中の国内は，「国力の全てを戦争に注ぎこむ」状況になりました。経済が統制され，国民が戦地や軍需産業に動員されたことは，第一次世界大戦中のヨーロッパの状況に似ていますよね。また，議会を通さず物資や労働力の動員を可能にした**国家総動員法**は，議会が立法権の一部を政府に授けた点で，ドイツの全権委任法（▲→テーマ53）に似ている，と言えるかもしれません。一方，**近衛文麿**が新体制運動でイタリアのファシスト党やドイツのナチ党の体制にならった一国一党体制をめざしたものの，そのために全ての政党勢力が結集した**大政翼賛会**（▲→テーマ60）は政治性を失い（政党になれなかったのです），政府の命令を隣組などの戦争協力団体に下していく組織になってしまいました。政党が強大化してファシズム体制を推し進めたドイツ・イタリアと，政党が消滅して議会が形骸化するなかで軍部や官僚機構の主導で戦争協力体制がつくられた日本。そういった違いを見ていくのも，興味深いですね。

歴史総合のための日本史⑤ 戦後史① ～独立の回復まで～

1 占領下の日本

(1) **連合国軍最高司令官総司令部（GHQ）**による占領政策の開始

① GHQ による統治

・実質的にはアメリカの単独占領で，日本政府を介して間接統治

・最高司令官は**マッカーサー**

② GHQ による**五大改革指令**（1945）

・女性の解放，労働組合の奨励（しょうれい），教育の民主化，秘密警察などの廃止，経済機構の民主化

③天皇の人間宣言（1946.1.1）…昭和天皇が年頭の詔書（しょうしょ）で神格を否定

④**公職追放**（1946）…戦争協力者・職業軍人・国家主義者らを排除

⑤**極東国際軍事裁判**（**東京裁判**，1946～48）

…A級戦犯（せんぱん）を「平和に対する罪」で裁く

(2) 政治の民主化と新憲法制定

①政党政治の復活

・衆議院議員選挙法改正（1945）…20歳以上男女に選挙権

➡**女性参政権**が実現

・戦後初の総選挙（1946）…日本自由党が第一党

▲39人の女性議員が当選

➡**吉田茂**（しげる）内閣（第１次）成立…日本自由党が与党

②**日本国憲法**（大日本帝国憲法との比較については➞ p.526）

・GHQ が「憲法の自由主義化」を指令

➡日本政府が作成した案は天皇の統治権を認めるなど保守的

➡ GHQ は拒否

・日本国憲法（1946.11.3公布，1947.5.3施行）…GHQ 草案が基盤

・象徴天皇制，**国民主権**，**戦争放棄**，**基本的人権の尊重**など

▲平和主義

(3) 経済の民主化

①**財閥解体**

・背景…財閥による経済支配は，軍国主義に対抗する勢力としての中産階級の勃興を抑制し，また労働者に低賃金を強いて国内市場を縮小させ，日本の帝国主義的傾向を助長させた

・各財閥の中核となっていた持株会社を解体

▲株式を所有して多数の企業を支配している会社

➡独占禁止法(1947)で持株会社やカルテルを禁じ財閥の再形成を抑止
➡過度経済力集中排除法で巨大企業を分割

②**農地改革**

・背景…寄生地主制が多くの貧しい小作農を生み，このことが日本の国内市場を狭くして，海外市場を獲得する対外侵略に駆り立てた

・地主の貸付地を国家が強制的に買い上げ，小作農に安く売り渡す
➡小規模な自作農が増加

(4) 社会の民主化

①**教育基本法**（1947）…教育の機会均等・男女共学・義務教育９年制など

②**労働組合法**（1945）…労働組合と労働運動を公認➡労働争議が頻発

③**労働基準法**（1947）…８時間労働制など労働条件の最低基準を規定
労働組合法（1945），労働関係調整法（1946）と合わせて労働三法という▲

(5) 国民生活の困窮

①国民の状況…都市での食料・生活必需品不足が悪化
➡農村への買出し，闇市（やみいち）で調達。物資不足などでインフレが激化

②食糧メーデー（1946）…食糧難に対する抗議行動の高まり

③ゼネスト計画（1947）…官公庁の労働者が中心➡ GHQ の命令で中止
▲ニ・ーゼネスト

2 占領政策の転換と日本の独立

(1) 占領政策の転換

①背景…東アジアへの冷戦の波及（**中華人民共和国**の成立，**南北朝鮮の分断**）

②アメリカは非軍事化・民主化路線から**経済復興優先に転換し，日本を西側陣営に取り込む**

③**ドッジ＝ライン**（1949）…日本政府に経済の復興と自立化を指示
▼赤字を許さない予算

・超均衡予算…財政支出の大幅削減➡インフレの収束

・単一為替（かわせ）レート…１ドル＝**360円**の固定相場
➡国際経済へ復帰して輸出も回復

④**レッド＝パージ**（1950）…共産主義者を公職から追放

⑤**朝鮮戦争**（1950~53）の影響

・在日米軍が朝鮮半島に出動…マッカーサーは日本に国内治安維持を要求
➡**警察予備隊**の設置（1950）

・**特需景気（朝鮮特需）**…アメリカ軍に軍需品を供給

(2) 連合国との講和

①日本国内の対立

単独講和論	全面講和論
早期の独立回復のため，まずは西側諸国との講和をめざす（保守系政党）	東側諸国を含む全ての国との講和をめざす（日本共産党・学者ら）

※日本社会党は講和条約の批准(ひじゅん)をめぐる対立から右派と左派に分裂

②**サンフランシスコ平和条約**（1951調印）…全権は**吉田茂**首相（自由党）

・日本の主権回復

・朝鮮の独立，台湾・南樺太(からふと)・千島(ちしま)列島の放棄

・小笠原(おがさわら)諸島・沖縄はアメリカの施政権下に置かれる

・占領軍の撤退

▲ただし，日本が外国軍隊の駐屯・駐留を認めることは妨げない

③**日米安全保障条約**（1951　平和条約と同日に調印）

・アメリカ軍の日本駐留を規定

④日米行政協定（1952）…米軍駐留の細目を規定

▲日本が米軍の駐留費用を分担することなど

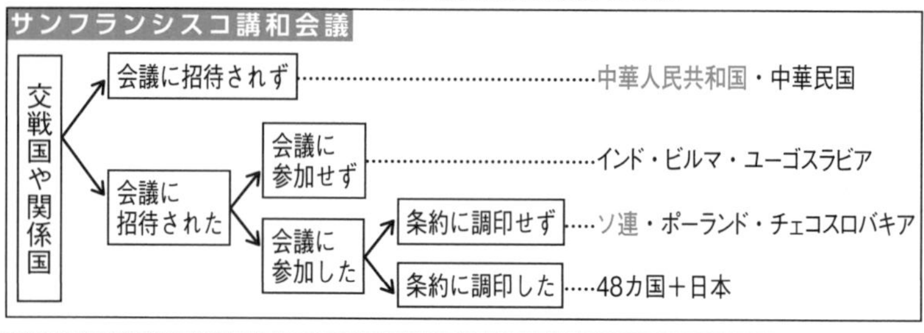

今回は**テーマ62**で扱った終戦よりも後の，日本国内の状況です。**ポツダム宣言**を受諾した後に**GHQ**が日本を占領しますが，**実質的にはアメリカによる単独占領**でした。ドイツでは首都ベルリンにまで連合国軍が侵攻したのに対し，日本の場合，首都**東京には地上軍は侵攻せず，天皇を頂点とする統治・行政機構は残存していました**。アメリカは，これら既存のシステムを残した上で間接的に日本を統治したのです。

ポツダム宣言では「日本の軍国主義の一掃，軍隊の武装解除，民主化」などが掲げられていました。GHQは，これを実現すべく**五大改革指令**を発しました。①「**女性の解放**」。具体的には女性参政権の実現と考えればOKで，**20歳以上の男女に選挙権が認められました**。1946年に行われた戦後初の総選挙では，39人の女性が当選しましたよ（この選挙の結果，**吉田茂**内閣が成立）。②

▲日本自由党

「**労働組合の奨励**」。GHQ は，**労働者が低賃金で虐げられてきたことが国民の購買力低下（＝国内市場の縮小）を招き，政府・軍部を対外侵略に駆り立てる一因になった**と考えました。そこで**労働三法**を整備して，労働者の地位・生活向上を図ったのです。③「**教育の民主化**」。軍国主義を育成する「修身（道徳の授業に相当）」や皇国史観にもとづく「国史」などが廃止され，戦後教育の下敷きとして**教育基本法**が制定されました。④「**秘密警察などの廃止**」。治安維持法が廃止され，共産党員などの政治犯は釈放されました。⑤「**経済機構の民主化**」。**財閥は，軍備拡大に邁進する軍部と長年の蜜月関係にあり，また労働者に低賃金を強いて国内市場を縮小させた**として，GHQ の標的とされました（**財閥解体**）。持株会社を解体して財閥の組織をバラバラにし，独占禁止法で財閥の再生が抑えられ，過度経済力集中排除法で巨大企業が分割されました（ただし，のちにアメリカによる占領政策が転換されたため実際の企業分割はわずかでした）。**農地改革**が断行された一因も労働者の事情と似ており，「**貧しい小作農の存在が国内市場を縮小させた**」というもの。小作農が地主から借りて耕していた土地は，地主から小作農の手にわたり，多くの自作農が創出されました。

五大改革指令によって，国民を取り巻く環境・システムは大きく変わったわけですが，実際の生活は悲惨なままでした。本土空襲で工業都市は壊滅し，船舶が破壊されて原料輸入は途絶。敗戦を機に軍需工場は閉鎖されて，工業生産が激減しました。また，海外の植民地・権益地や占領地・戦場から人々が帰国しましたが，こうした軍人の復員や民間人の引き揚げは，人口の急増による食糧不足を生みました。**全国的に広がった困窮を反映して大衆運動も活性化**し，皇居前広場に約25万人が集まって抗議する**食糧メーデー**が起こり，翌年には全国の労働者によるゼネラル＝ストライキ（全国レベルで，あらゆる業種の労働者が同時にストライキを行う）も計画されましたが，これは GHQ の指令で実行前日に中止に追い込まれました。

続いて，GHQ 統治期の政治に目を向けましょう。軍国主義の精神的支柱であった天皇は，1946年の元日に自ら神格化を打ち消し「**人間宣言**」を発します（日本国憲法では象徴天皇制が採用されました）。また，政府・軍部の戦争指導者たち（1945年の秋から冬にかけて，A級戦犯容疑者として逮捕されていました）は**極東国際軍事裁判（東京裁判）**で裁かれました。（「平和に対する罪」を犯した者▲）軍事裁判の対象とされなかった人の中でも，戦争協力者・職業軍人・国家主義者らは**公職から追放**されました。そして，国家の屋台骨である憲法です。GHQ は五大改革指令と同じタイミングで「憲法の自由主義化」を指令しましたが，**日本政府が作成した改正案は，天皇の統治権を認める保守的なものであったので GHQ に突**

っぱねられ，GHQ 草案をもとにした政府原案が帝国議会で審議されました。そして，「**国民主権，戦争の放棄**▲平和主義**，基本的人権の尊重**」を柱とする**日本国憲法**が1946年11月３日に公布されました。また，憲法精神にもとづき民法も改正されました。戸主制度が廃止されて男女同権の家族制度が確立されましたよ。

上で挙げた「平和主義」の路線が「日本はアメリカ陣営の一員となって再軍備していくぞ」と転換するのは，東アジアで冷戦が激化（**中華人民共和国**の成立▲1949年や**朝鮮戦争**の勃発▲1950年）したからでしたね。**テーマ63**で確認しておきましょう。GHQ は，**軍事面のみならず経済面でも日本を西側陣営の一員とみなして復興・発展させよう**と考えました。1949年には，インフレを収束させるための**ドッジ＝ライン**を日本政府に指示し，まず超均衡予算を編成させました（要は緊縮財政によりデフレを作り出そうというわけです）。さらに，米ドルと日本円の固定為替相場が「**１ドル＝360円**」と決定されました。**ブレトン＝ウッズ国際経済体制**▲→テーマ62に日本が加わったんだ，と気づいた人は鋭い！　安定した為替のもとで国際経済へ復帰を果たし，輸出も回復していきます。また，反共の観点から，共産主義者は公職から追放されていきました（**レッド＝パージ**）。

朝鮮戦争中，アメリカは「占領という形で米軍が日本にいたからこそ，朝鮮半島に即座に派兵できたんだ」と考え，**極東における日本の重要性を認識します**。米軍が日本に駐留し続けるため，一刻も早く講和を結んで日本を独立させ，アメリカ中心の西側陣営へ編入することを望みました。日本国内の世論の方はというと，講和のあり方をめぐって分裂しました。**吉田茂**▲第３次内閣は，西側陣営とのみ講和を結ぶ**単独講和**を進めました。彼は，米軍の駐留を受け入れれば日本の軍備負担が少なくなり，経済の復興に集中できると考えたんです。これに対し，ソ連などの東側陣営を含む全ての交戦国と講和すべきだという**全面講和**論を日本社会党・日本共産党や労働組合が支持しました。

最終的に，単独講和の考え方に基づいて**サンフランシスコ平和条約**が結ばれ，日本は主権を回復しました（ただし，沖縄や小笠原諸島などは引き続きアメリカの施政下）。平和条約と同日，**日米安全保障条約**も結ばれました。この条約に基づいて米軍が日本に駐留することになり，翌年の日米行政協定によって細目が規定されました。日本は米軍に基地▲施設・区域を提供し，駐留費用を分担し，さらに在日米軍の実質的な治外法権を認めました（アメリカ軍人の犯罪に対しては，米軍の裁判権が優先される）。これが，のちの日米地位協定に継承され，現在も続く在日米軍基地をめぐる問題につながるのですね。

歴史総合のための日本史⑥ 戦後史② 〜現代まで〜

1 55年体制の成立と当時の外交

(1) 「逆コース」の時代

①**自衛隊**の発足（1954）⬅保安隊⬅警察予備隊

・MSA 協定に基づく
▲アメリカの援助を受けるかわり，自衛力の増強を義務づけ

②革新勢力の反発

・米軍基地反対闘争

・原水爆禁止運動の高揚…**第五福竜丸事件**（1954）が契機
▲テーマ64

(2) 55年体制の成立

①鳩山一郎内閣の成立（1954，日本民主党）…憲法改正・再軍備の方針

②**日本社会党**の統一

・総選挙で改憲阻止の議席数を確保➡左右統一

・護憲と非武装中立を主張

③**自由民主党**の結成（1955）

・日本民主党と自由党が合流，総裁は鳩山一郎
▲保守合同

・改憲と再軍備，対米依存のもとでの安全保障を主張

④「**55年体制**」…保守の自民党（単独与党）と革新の社会党の対立
▲1993年まで

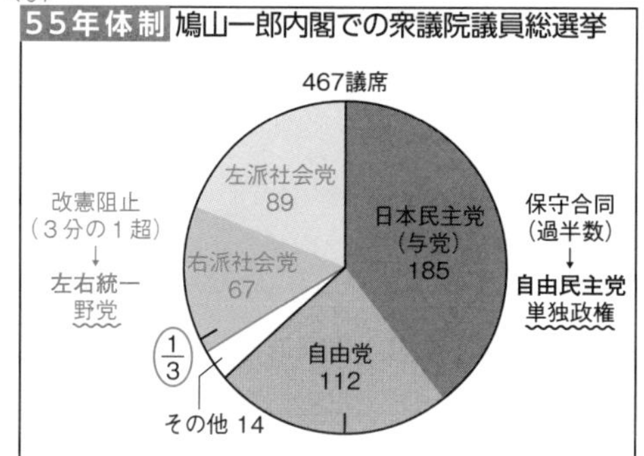

(3) 国際政治への復帰

①**日ソ共同宣言**（1956 鳩山一郎内閣）…東西冷戦の「雪どけ」が背景

・**ソ連との国交を回復**…ただし，北方領土問題は「棚上げ」

・ソ連は日本の**国際連合**加盟を支持

②日本の**国際連合**加盟（1956）…国連総会で全会一致で承認

(4) 日米安全保障条約の改定

①背景

・アメリカ（アイゼンハワー政権）による反共包囲網形成の企図
➡日本の防衛をアメリカに依存する安保条約の改定をめざす

・**岸信介**（のぶすけ）内閣はアメリカとの対等な関係をめざす

②日米相互協力及び安全保障条約（**日米新安保条約** 1960）

●旧安保条約（1951）	●新安保条約（1960）
アメリカの日本防衛義務なし 在日米軍が日本の内乱鎮圧に出動 条約の期限は明記されていない	アメリカの日本防衛義務を明記 （内乱鎮圧に関する条項を削除） 条約の期限は10年、以後は自動延長 在日米軍の活動に対する事前協議 攻撃に対する日米の共同行動

③**60年安保闘争**

・革新勢力は，日本が戦争に巻き込まれる危険性が増大と主張して反対

・衆議院における条約の批准で自民党が強行採決➡安保闘争の高揚

・岸内閣は条約の発効後に総辞職

④池田勇人（はやと）内閣の成立…革新勢力との対立を避け，経済成長を促進

2 高度経済成長

⑴ 前史

①**特需景気**（▲1950~53）…朝鮮戦争時，実質の国民総生産（GNP）が戦前の水準を回復

②国際経済への復帰…IMF（▲国際通貨基金）に加盟（1952），GATT（▲関税および貿易に関する一般協定）に加盟（1955）

⑵ **高度経済成長**（1955~73）

①1955～70年は，年平均10％前後の経済成長率

②「**もはや戦後ではない**」（1956年度『経済白書』）

・日本経済は戦後復興を終え，技術革新による経済成長期に入る

③**所得倍増計画**（1960）…**池田勇人**内閣（1960~64）

・10年間で国民総生産を倍増させる計画

➡工業地帯の形成，農村からの労働力供給，政府資金の投入

④背景…安価な原油を中東から輸入　➡エネルギー革命（石炭から石油へ）

技術革新と企業の設備投資の活発化（「投資が投資を呼ぶ」）

固定為替（かわせ）相場（▲1ドル=360円）による国際通貨体制の安定，安価な輸入資源

⑤資本主義国第２位のGNP（1968）…西ドイツを抜きアメリカに次ぐ

・鉄鋼・造船・自動車・電気機械・化学などの重化学工業の成長

・鉄鋼・船舶・自動車を中心に輸出増加➡大幅な貿易黒字

・経済協力開発機構（OECD）に加盟（1964）…資本の自由化

・**東京オリンピック**（1964），**大阪万博**（▲日本万国博覧会）（1970）

⑥影響…欧米先進国と同様に大量消費社会へと転換，食料自給率は低下

⑶ 高度経済成長による社会の変化

①**中流意識**…所得・消費水準が全国的に上昇，生活様式や意識が均質化

②交通インフラの整備…自家用乗用車の普及と高速道路網（もう）の構築（モータリ

ゼーション），**東海道新幹線**の開通（1964）

③**過密化と過疎化**…大都市郊外に宅地開発，農村・漁村は過疎化・高齢化

④公害問題

・**四大公害訴訟**…水俣病・四日市ぜんそく・イタイイタイ病・新潟水俣病

・政府の対応…**公害対策基本法**（1967），**環境庁**（1971）の設立

3 佐藤栄作内閣（1964～72）の外交

(1) 日韓基本条約とベトナム戦争（1965，**北爆**開始）の関わり

①**アメリカは反共体制を強化するため，日韓の和解を望む**

②**日韓基本条約**（1965）…**佐藤栄作**首相と**朴正熙**大統領

※村山談話(1995)…村山首相が過去の植民地支配と侵略に反省とおわびの意

(2) 沖縄返還とベトナム戦争（1965～73）の関わり

①日本はアメリカを支援，沖縄はアメリカ軍の発進基地となる

②日本国内でもベトナム反戦運動・反核運動が高揚

③**非核三原則**の提示（1967）…核兵器をもたず，つくらず，もち込ませず

④**沖縄返還協定**（1971）…アメリカ軍の基地を残すことが条件

⑤**沖縄返還**（1972）→現在も国内の米軍軍用施設の７割以上が沖縄に集中

4 日中関係の変化

※**ニクソン**大統領の訪中（1972）…米中接近

(1) **田中角栄**首相の訪中（1972）…**日中共同声明**（▲重要テーマ7）で中華人民共和国と国交正常化する一方，中華民国（台湾）とは断交し，日華平和条約は無効となる

(2) **日中平和友好条約**（1978）（▲福田赳夫内閣）

…日本から中国への政府開発援助（ＯＤＡ）が開始

5 石油危機（1973，1979）と日本

(1) 日本の状況と対応

①**戦後初のマイナス成長，高度経済成長の終焉**（▲1974年）

②日本の対応

・原油価格の上昇に伴う激しいインフレに対し，**代替エネルギーを開発**（▲原子力など）

・**減量経営**…省エネ化，パート労働への切り替えなど人員削減

・工場・オフィスを自動化（▲OA化），産業用ロボットの活用

⑵　「安定成長」の時代（1973～84）

※**ドル＝ショック**（1971）➡**変動相場制**へ移行（1973）➡**円高**の傾向
▲ニクソン米大統領による金ドル本位制停止などの発表

①高度経済成長が終焉した後も欧米先進諸国に比べて高い成長率を維持

②ハイテク産業の発達…半導体・集積回路（IC）やコンピュータなど

⑶　**「経済大国」**日本

①世界の GNP に占める日本の割合が約10％（1980）

②貿易黒字の拡大➡欧米諸国との間に貿易摩擦
▲とくに自動車をめぐる日米貿易摩擦

6　1980年代以降

⑴　**中曽根康弘**（なかそねやすひろ）内閣（1982～87）

①**「小さな政府」**への移行

・行財政改革を推進➡高齢者医療や年金などの社会保障が後退

・**民営化**…電電公社（現 NTT）・専売公社（現 JT）・国鉄（現 JR）

②牛肉・オレンジ輸入の自由化（1988）…アメリカが市場開放を要求

③大型間接税の導入に失敗・退陣➡のちに消費税（３％）導入
▲社会保障などの財源確保のため

⑵　バブル経済（1986~91）とその崩壊

①**プラザ合意**（1985）…**円高**進行➡円高不況➡内需拡大のため金融緩和
▲公定歩合の引き下げ

②**バブル経済**

・市場に流通した通貨が不動産・株式への投機に
　➡地価・株価が実体経済からかけ離れて暴騰

・企業は金融市場での資金運用によって利益を獲得
▲「財テク」

③バブル経済の崩壊

・日銀が金融を引き締め（公定歩合（ぶあい）を引き上げ）

➡バブル経済崩壊（1991）…銀行は大量の不良債権をかかえる
▲平成不況

⑶　**55年体制の崩壊**…非自民党勢力の連立で細川護熙（もりひろ）内閣が成立（1993）

⑷　**国連平和維持活動等協力法（PKO 協力法）**（1992）

①カンボジアで行われていた PKO に自衛隊を派遣
▲その後，武力行使を伴わない自衛隊の海外派遣が増加

⑸　21世紀の日本

①**小泉純一郎**内閣の成立（2001~06）

・**新自由主義的な政策**を実施…民営化（郵政事業など）・規制緩和

・結果と影響…福祉政策の後退，雇用の流動化，非正規雇用の増大

②民主党政権の成立（2009~12）

・**東日本大震災**の発生（2011.3.11），福島第一原子力発電所での事故

⑹　人口減少社会…2050年頃には１億人を割り，少子高齢化が急速に進展
▲１億2300万人（1989）→１億2800万人（2008）→１億2600万人（2018）

冷戦が展開するなかで，アメリカによる日本への様々な要求のなかには，非軍事化・民主化に逆行するものもあり，これを次々と受け入れる政府のあり方は，当時「**逆コース**」（▲戦前の状態に回帰することを例えた）と呼ばれました。**警察予備隊**の流れをくむ**自衛隊**は，その典型といえます。革新勢力は「戦前への回帰だ！」と反発し，米軍基地反対闘争が展開され，**第五福竜丸事件**（▲→テーマ64）をうけ原水爆禁止運動も高揚しました。

吉田茂（しげる）の強権的な政治運営に対する反発が強まり，自由党から抜けた反吉田勢力が**鳩山一郎**のもとに結集し，諸勢力も合わせて日本民主党が成立して政権につきました。その方針は「**改憲・再軍備**」（▲自主憲法制定）です。これに対し，左派社会党と右派社会党は「**護憲・再軍備反対**」（▲憲法改正反対）を掲げ鳩山首相と対立しました。1955年の衆議院の総選挙では，議席を伸ばした左右社会党は改憲の阻止に必要な３分の１の議席（▲憲法改正の発議には，衆参両院で議員の３分の２以上の賛成が必要）を確保しました。一方，少数与党だった日本民主党は過半数には届かず。社会党の勢力拡大に危機感を持った保守勢力は，日本民主党と自由党と（親米保守という政治理念は両党に共通▲）の連携を進め，過半数の議席数をキープしました。その後，**日本社会党**は左右統一を果たし，日本民主党と自由党は合流して**自由民主党**を結成。こうして，保守の自由民主党が過半数を確保して単独与党となり，革新の日本社会党らの野党が３分の１を維持して対抗する，「**55年体制**」が成立したのです。

55年体制が成立した頃は，ソ連が**スターリン**の死（1953）（▲→テーマ66）をうけて，対米共存を模索し始めていましたね。この「**雪解け**」（▲→テーマ66）の流れはアメリカの同盟国である日本にも及び，1956年の**日ソ共同宣言**（▲鳩山一郎内閣）で国交が回復し，同年には日本が**国際連合**に加盟しました。国連安保理事会で日本の国連加盟が議題となるのですが，**ソ連が拒否権を行使せずに賛成した**ことが大きなポイントです。

対米関係では，**岸信介**内閣のもとで**日米安保条約の改定**が一大テーマとなりました。新安保条約では**アメリカの日本防衛義務が明記**され，日本側も条約運用（在日米軍の軍事行動の際に，日米が事前に協議する▲）に関与できるようになりました。しかし，新安保条約には，日本や在日米軍基地への攻撃に対する日米の共同行動も規定されました。「これではアメリカの軍事戦略に日本が巻き込まれてしまう！」と，革新勢力（▲社会党・共産党や労働組合）や市民団体・学生団体が結集し（▲安保改定阻止国民会議），安保改定に反対（**安保闘争**）。岸内閣は革新勢力と全面対決する方針を貫いたため，闘争は激化しました。ついには安保条約を批准（政府が調印した条約を承認するかどうか，議会の多数決で決定すること▼）する際，政府・与党は警官隊を国会に呼び込んで反対議員を排除するという荒業（あらわざ）を用い，衆議院で強行採決！　「安保改定反対」を掲げていた運動は，「民主主義擁護・岸内閣打倒」を掲げる運動へ変質し，デモが高揚しました。与党内でも混迷に対する批判が高まり，条約の発効を見届けると岸内閣は総辞職しました。

岸内閣に続く**池田勇人**内閣を挟む，「55年体制が成立した1955年から，第

1次オイルショックが起こる1973年まで」が**高度経済成長期**（▲年平均10%のペースで成長）です。池田内閣よりも前から経済発展のきざしは見えており，朝鮮戦争の**特需景気**で実質GNP（▲国民総生産）は戦前の水準に回復していました。ブレトン＝ウッズ体制に加わったことは**テーマ62**でお話しましたが，**IMF**と**GATT**にも加盟していますよ。

池田内閣（▲1960～64）は，安保闘争に見られたような革新勢力との対立を避け，経済政策重視の姿勢を打ち出しました（**所得倍増計画**）。高度経済成長期は産業の「質」が変化した時期で，第1次産業（▲農林水産業）に代わって第2次産業（▲製造業）・第3次産業（▲サービス業）の比重が高まっていきました。国内では，企業が技術革新を実現させながら設備投資を繰り返し，右肩上がりで成長していきます。固定為替で安定したブレトン＝ウッズ体制のもと，重化学工業の輸出は大きく伸びました。こういった状況下，国際社会では「日本を先進国と同じ扱いにすべきだ」という声が高まり，**貿易の自由化**（従来は国内産業保護のため輸入禁止品が存在▲），**為替の自由化**（▲外国為替取引の自由化），**資本の自由化**（▲外国企業の日本進出）などが実現していきました。

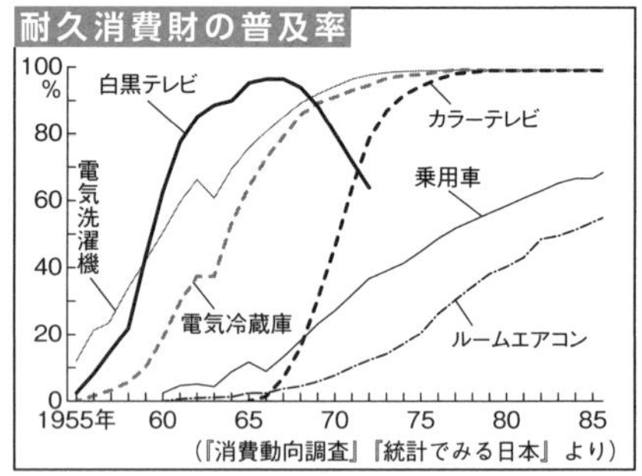

（『消費動向調査』『統計でみる日本』より）

国民の生活水準も向上して，日本で実現した大衆消費社会は「一億総中流」と揶揄（やゆ）されるほど，生活様式や意識が均質化されていきました。1964年に開通した**東海道新幹線**に憧れ，同年の**東京オリンピック**に熱狂したことは，高度経済成長の象徴ですね。

一方，高度経済成長期には「影」「闇」の部分も存在しました。農林水産業が相対的に退潮することで，農村・漁村では過疎化・高齢化がジワジワと進んでいきました。また，性急な工業化は深刻な**公害**を引き起こしたため，後に公害に対する法律と官公庁が整備されました。

池田内閣を継いだ**佐藤栄作**内閣期の国内は，引き続き高度経済成長を享受します（1970年の**大阪万博**はこの時期）。一方，外交面では大きな動きがみられました。1965年，**ジョンソン**政権下のアメリカは，ベトナムでの**北爆**（▲→テーマ71）に踏み切りました。**北ベトナムとそのバックにいる中国に対抗するため，アメリカは極東の資本主義陣営の結束強化を重視しました**。そこでアメリカは，日韓の間で難航していた国交交渉の加速をせかし，**日韓基本条約**（▲→テーマ72）の締結にいたるわけです。条文で日本は韓国政府を「朝鮮にある唯一の合法的な政府」と認めており，このことで現在も，北朝鮮とは国交がない不安定状態が続いています。

ベトナム戦争は**沖縄返還問題**にも影響を与えました。米軍にとって沖縄は重要な出撃基地となり，米軍による基地用地の強制接収が進んだり，増加した米兵による犯罪が増加…。住民の反米感情は嫌が応にも高まります。こうなるとアメリカは「**ベトナム戦争で沖縄の米軍基地を使い続けるためにも，沖縄返還に応じて住民感情を和（やわ）らげる方が得策だ**」，と考えるようになりました。ただ，日本政府にとって悩みの種になったのが，**沖縄の米軍基地に持ち込まれていた核兵器の存在**です。このまま沖縄が返還されると，日本国内に核兵器が存在することになってしまいます！　そこで，政府は世論に配慮して**非核三原則**「もたず，つくらず，もち込ませず」を表明し，アメリカ政府との交渉にあたりました。交渉の結果，1972年に**沖縄は本土復帰を果たしました**が，現在も国内の米軍軍用施設のうち，約75％が沖縄に集中する歪（いびつ）な状況が続いています。

一方，ベトナム戦争は泥沼化してしまい，アメリカは**ニクソン**大統領の訪中（1972）でベトナムから撤退する糸口を見出そうとしましたね。この電撃的な米中の和解は日本にとっても寝耳に水で，今までアメリカと歩調を合わせて中華人民共和国を敵視してきた佐藤内閣は外交路線をめぐって混乱し，同年内に総辞職することに。続く**田中角栄**内閣はアメリカ路線に追随しました。**訪中して中華人民共和国と和解する**とともに，今まで「中国」とみなしてきた**中華民国（台湾）とは断交**したのです。
→テーマ65▲
▲ただ，日台の経済的な交流は密接に続いた

翌1973年に**第１次オイルショック**が起こりました。この時の日本の苦境を整理します。
▲→テーマ69

①オイルショックに伴い，原油価格が約４倍となって物価も上昇。

②田中角栄内閣は関東から北九州まで伸びる「太平洋ベルト」に産業が集中・偏在している状況を改め，産業を地方へ分散させて高速交通網で相互に接続しようというプランを進めていました。地方が開発されたことで地価が上昇しており，インフレに拍車をかけたのです（「狂乱物価」）。
▲高速道路や新幹線
▲日本列島改造計画

③アメリカは1971年に**金とドルの交換を停止**してブレトン＝ウッズ体制は崩壊し，1973年に**変動相場制**へ移行しました。国際金融市場は「従来の１ドル＝360円という固定相場は日米の経済力を正しく反映していない」と判断して**円高**が進行し，輸出は伸び悩みました。
▲→テーマ73

1974年の経済成長率は戦後初のマイナス成長となり，高度経済成長の時代は終わりました。「安価な石油を輸入に頼る」という従来の日本のモデルが崩れたことで，企業は**減量経営**や，**産業の小型化・ハイテク化**に活路を見出しました（コンピュータや産業用ロボットを導入して人件費削減や効率の改善を図る，商品を小型化して原料コストを削減する，半導体などハイテク産業に設備投資を進める，など）。モデルチェンジした日本経済は1979年の**第２次オイルショック**からもいち早く立ち直り，「経済大国」となっていったんですね。
▲→テーマ70

1980年代は，アメリカの**レーガン**政権とシンクロさせて考えましょう。中
▲→テーマ65

曽根内閣は，レーガンと同じく「**小さな政府**」を志向しました。代表格が国鉄と電電公社の民営化で，それぞれが現在のJRとNTTになりました。**テーマ65**で「レーガンは日本や西ドイツの輸出力を脅威に感じていた」と書きましたが，それが**日米貿易摩擦**として表面化。貿易黒字を稼ぎたいアメリカが，先進五カ国でドル安へ為替誘導するように合意したのが**プラザ合意**ですね。

為替レートの推移（円のドルに対する相場）

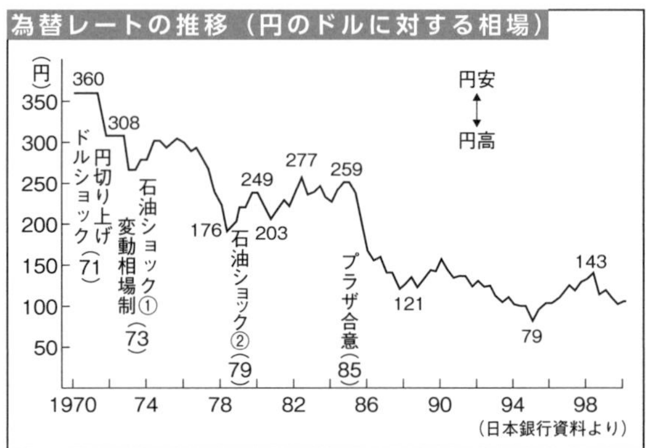

（日本銀行資料より）

1980年代後半には，急速な円高の進行によって輸出不振による円高不況が生じました。企業は海外へ生産拠点を移すといった対策をとり，国内では産業の空洞化が進んでしまいます。輸出による経済発展が難しくなると，政府は国内需要を活性化させようと目論み，金利を下げてお金を借りやすくし，設備投資を促しました。ところが，**金融機関から貸し出された多額の資金が，株式や土地の投機的な取引へも流れ込みました。**「投機」とは，安いときに買い，値上がりしたらすぐに売る，というやり口で利益を得る売買のことで，そのための手段として株式や土地が用いられました。こうして株価や地価が暴騰し，1980年代後半には空前の好景気「**バブル経済**」が生まれたのです。

しかし，1990年代に入ると株価の暴落に続いて地価も暴落し，「バブル経済」が崩壊しました。金融機関は不良債権（▼企業が返済できない，銀行からの融資）や不良資産（▲値段が下がった株式や土地など）を抱えて経営が悪化し，企業の生産活動も停滞して，平成不況（▲1989年に「昭和→平成」と改元。なお，この年の年末に冷戦が終結）に…。リストラによる失業者の増加や消費の冷え込みが見られ，1990年代後半には金融機関の破綻が相次ぎました。

バブル経済の崩壊とほぼ重なる1990年代初頭，政界の汚職事件が相次ぎ，自民党の金権政治への批判が強まりました。そして，「政治改革」を主張する議員が自民党を離党し，内閣不信任案の可決を経た衆議院の解散総選挙では，**自民党が過半数割れして大敗する一方，野党８党派が過半数を制し**，非自民８党派の連立による**細川護熙**（▲日本新党）内閣が発足しました（1993)。38年間続いた自民党長期政権は終了し，**55年体制は崩壊**したのです。

また，この時期に自衛隊の位置づけにも大きな変化があり，**湾岸戦争**（▲→テーマ70）後の「国際貢献」の一環として，憲法の範囲で国連平和維持活動に参加する**PKO協力法**が制定され（1992)，自衛隊が**カンボジア**（▲＝初の海外派遣）へ派遣されましたね。

さくいん

本書の重要語句を中心に集めています。

あ

い

う

え

お

か

け

こ

さ

し

す

せ

そ

た

ち

な

に

ぬ

ね

の

は

ひ

ふ

ほ

ま

み

む

め

わ

平尾　雅規（ひらお　まさのり）
河合塾世界史科講師。愛知県岡崎市出身。首都圏の複数校舎で、国公立クラス、私立クラス、アクティブラーニングを行う低学年クラスといった多様な対面講座に出講する一方、「河合塾マナビス」でもメインとなる通史の映像講座を担当している。教材・模試作成では、早慶大対策のチーフも務める。
「世界史の習得度合いは、印象と反復のかけ算で決まる」がモットーで、史実の内容や因果関係を掘り下げて骨太に説明するかと思いきや、写真・図版やエピソードだけでなく数百におよぶインパクト重視のゴロ合わせを紹介するなど、硬軟織り交ぜて受講生の印象に残るような授業を展開する。
『大学入試　世界史B論述問題が面白いほど解ける本』『音声DL付 ゴロ合わせ世界史　まるごと年代暗記200』『大人の教養　面白いほどわかる世界史』（以上KADOKAWA）、『HISTORIA［ヒストリア］ 世界史精選問題集』（学研プラス）、『瞬間記憶！　つなげて覚える世界史B用語』（かんき出版）など著書多数。

改訂版　大学入学共通テスト
歴史総合、世界史探究の点数が面白いほどとれる本

0からはじめて100までねらえる

2020年９月18日　初版　第１刷発行
2024年10月19日　改訂版　第１刷発行

著者／平尾 雅規

発行者／山下 直久

発行／株式会社KADOKAWA
〒102-8177　東京都千代田区富士見2-13-3
電話　0570-002-301（ナビダイヤル）

印刷所／TOPPANクロレ株式会社
製本所／TOPPANクロレ株式会社

●お問い合わせ
https://www.kadokawa.co.jp/（「お問い合わせ」へお進みください）
※内容によっては、お答えできない場合があります。
※サポートは日本国内のみとさせていただきます。
※Japanese text only

定価はカバーに表示してあります。

ISBN 978-4-04-606238-3　C7022